ISBN 978-0-331-21339-3
PIBN 11029005

FB &c Ltd, Dalton House, 60 Windsor Avenue, London, SW19 2RR.
Company number 08720141. Registered in England and Wales.

Das katholische deutsche Kirchenlied in seinen Singweisen

von den frühesten Zeiten bis gegen Ende des siebzehnten Jahrhunderts.

Erster Band.

Auf Grund handschriftlicher und gedruckter Quellen bearbeitet

von

Wilhelm Bäumker.

Freiburg im Breisgau.
Herder'sche Verlagshandlung.
1886.
Zweigniederlassungen in Straßburg, München und St. Louis, Mo.

Seiner Majestät

dem

König Albert von Sachsen,

dem hohen Schirmherrn deutscher Kunst und Wissenschaft

in tiefster Verehrung und Dankbarkeit gewidmet

vom

Verfasser.

Vorrede.

Dem Leser, der mit aufmerksamem Blicke die Lite
Kirchenlied verfolgt, wird es nicht entgehen, daß bis zur Mi
hunderts die Thätigkeit der Katholiken auf ein sehr enges G
blieb. Bis dahin kümmerten sich fast nur protestantische
Kirchenlied.

Abgesehen von einzelnen Abhandlungen in Zeitschriften
lischer Seite eigentlich J. Wolf den Anstoß zur geschichtlich
des Kirchenliedes in seinem Büchlein „Kurze Geschichte des de
gesanges im Eichsfelde" 1815. Im Jahre 1848 gab Hölsch
Büchlein heraus: „Das deutsche Kirchenlied vor der Reform
zeitig schrieb Kienemand seine „Kurze Geschichte des katho
gesanges", worin auch das deutsche Kirchenlied berücksichti
gehender befaßte sich damit Bollens in seinem Buche
Choralgesang in der katholischen Kirche" 1851.

Sammlungen älterer Kirchenlieder lieferten Aurbacher
ner 1841. Gärtner gibt in seiner schönen, bisher wenig bea
lung »Te Deum laudamus« Wien 1855 ff. eine vortreffli
kritische Abhandlung über das Kirchenlied. Alte Choral-Mel
Töpler heraus. Die »Cantica Spiritualia« München 1845/
alte Lieder in harmonischer Bearbeitung für Klavier, Orgel
Gesang. Freiherr von Haxthausen publicirte 1850 seine „G
lieder" mit ihren ursprünglichen Weisen.

Vor allen andern ragt hier Kehrein, Direktor des Le
Montabaur (†1876) hervor, der in seiner dreibändigen San
die katholischen Kirchenlieder aus den ältesten Gesangbüc
Leisentrit, Corner ꝛc. und den Psalter Ulenbergs herausga
lassung dieses Gelehrten unterzog sich dann K. S. Meister,
genannten Seminar, der mühevollen Arbeit, der obengenan
lung auch die Melodien hinzuzufügen. Im Jahre 1862 ersch
die Lieder für den Weihnacht-, Oster- und Pfingstfest-Kreis en
Werke bilden eine Zierde unserer Literatur. Meister zeigte
handlung der Melodien den Weg, den man in Zukunft bei
artiger Sammlungen einzuschlagen habe.

Ueber die meinerseits veranstaltete Fortsetzung dieses
R. Freiherr von Liliencron, Redakteur der „Allgemeinen De
phie", Herausgeber der „historischen Volkslieder der Deutsch
lage zur Allgemeinen Zeitung, München 1884, No. 92: „Al
dem Erscheinen jenes ersten Bandes sein Verfasser 1881 au
gerufen ward, ohne seine verdienstliche Arbeit zum Abschluß ge
da vollends mußte man fürchten, daß sie nun für immer ei

seit dem Jahre 1862 veranlaßten u
i Wunsche meiner literarischen Freunde zu entsprechen
'n, im Jahre 1883 erschienen Band durch eine neue Gru
indigen, ohne Rücksicht auf den von Meister hinterlassen
ffenen I. Band.
Die einleitenden geschichtlichen Aufsätze in meinen be
dem Leser ein Bild von der Entwicklung des katholisch
nliedes von den frühesten Zeiten bis gegen Ende des 17. J
tgezogenen Umrissen darbieten. Die Vorreden und Beri
gbüchern bilden die Aktenstücke dazu.
Die Literaturverzeichnisse (Bd. I. S. 40—51; Bd. II. S
ie Bibliographie (Bd. I. S. 51—124 und Bd. II. S. 26—
eine absolute Vollständigkeit nicht für sich in Anspruch;
och, das zur Stunde Mögliche geleistet zu haben.
Da die Gesangbücher aus dem 16. und dem Anfange de
rts die Grundlage unseres Kirchenliedes ausmachen, so ha
sie mir bekannt geworden sind, in ihren Quellen und
eitigen Verhältnisse geschildert. Nach dieser Methode al
bis zum Ende des 17. Jahrhunderts zu behandeln, ver
cht auf den Raum. Aus diesem Grunde sind die später
mit einer kurzen Beschreibung in die Bibliographie verwie
Der Schwerpunkt meiner Arbeit liegt in den Melodien. S
die Grundlage, auf welcher die ganze Darstellung sich au
te mußte auf die Sammelwerke von Kehrein, Wackernage
werden. Gern hätte ich auch die Texte, welche noch n
t sind, vollständig mitgetheilt; allein schon die Rücksic
gestattete mir dies nicht. Vielleicht ermöglicht das ne
se für das Kirchenlied die Weiterführung der Kehrein'
ng bis zum Ende des 17. Jahrhunderts.
i die erste Textstrophe mit der Melodie und ihren Hau
sich eine Uebersicht über diejenigen Texte, zu welchen di
dung gefunden haben, und dann historische Notizen über
er die Singweisen. Schreibweise und Textunterlage si
i der an erster Stelle angegebenen Quelle

letztere unklar und verworren, so wurden spätere Gesangbücher zu Rathe gezogen. Eine gereinigte Schreibweise und verbesserte Textlegung, welche den Regeln unserer heutigen musikalischen Declamation entspricht, zu geben, konnte ich mich nicht entschließen, da ja mein Werk urkundlichen Charakter haben soll.

Für die historischen Auseinandersetzungen will ich hier einen Gesichtspunkt näher bezeichnen, von welchem aus namentlich die zwischen Katholiken und Protestanten strittigen Lieder von mir betrachtet wurden. Schreibt sich irgend ein Autor einen Text oder eine Melodie selbst zu, so schenke ich ihm so lange Glauben, bis ich vom Gegentheil überzeugt bin. Wenn z. B. in den von Luther selbst redigirten Gesangbüchern sein Name über verschiedenen Liedern steht, so nehme ich an, daß Luther irgend welchen Antheil an denselben habe. Da dieser, wie in den meisten Fällen nachweisbar ist, sich nicht auf die Melodien erstreckt, so bleiben also die Texte übrig. In wieweit hier Luther neugedichtet, verbessert und erweitert habe: diese Frage glaube ich in der Einleitung und in der Geschichte der einzelnen Lieder zu einem allseitig befriedigenden Abschluß gebracht zu haben. Die besondere Redaction der Melodien der genannten Lieder rührt wahrscheinlich von Joh. Walther, dem Freunde und musikalischen Berather Luthers her.

Beilagen mit mehrstimmigen Compositionen deutscher Kirchenlieder zu geben, hielt ich schon deshalb für nicht gerathen, weil dadurch der vorliegende Band zu umfangreich geworden wäre.

Wie ich schon in der Vorrede zum II. Bande bemerkte, erfordert die Darstellung des Verhältnisses des Kirchenliedes zur Kunst des mehrstimmigen Satzes ein besonderes Werk. Diese von v. Winterfeld für das protestantische Kirchenlied in 3 Quartbänden behandelte Frage (vgl. Literaturverzeichniß S.45, No. 100) kann auf einigen Bogen nicht erledigt werden. Ich beabsichtige deshalb diesen Stoff in einem besondern Bande zu bearbeiten.

Einzelne mehrstimmige Tonsätze, deren Nebenstimmen in unsern Gesangbüchern als selbständige Singweisen auftreten, sind an den betreffenden Stellen mitgetheilt worden. Mir lieferte in dieser Hinsicht u. a. das Singebuch von V. Triller (1555) 1559 vortreffliches Material.

Was nun die Ausstattung dieses Bandes angeht, so hat sich dieselbe gegenüber meinem zweiten Bande in Bezug auf den Druck etwas verändert. Für die urkundlichen Texte kam die Schwabacher Schrift in Anwendung, einmal aus dem Grunde, weil sie dem Originaldruck in den ältesten Gesangbüchern am meisten entspricht, sodann auch, um die alten Texte augenscheinlicher hervortreten zu lassen.

Schließlich möchte ich mit ein paar Worten auf die praktische Bedeutung des vorliegenden Werkes aufmerksam machen. Die alten Lieder sind nach ihrem Texte und ihrer Melodie dem Staube der Bibliotheken und der Vergessenheit entzogen. Dem lebenden katholischen Kirchengesange ist seine geschichtliche Basis zurückgegeben. Was nun? Ich antworte mit den trefflichen Worten, welche der Herausgeber der »Cantica spiritualia« seiner Sammlung vorausschickte: „Unter den Tausenden von geistlichen Gesängen und Liedern, die aus der älteren Zeit auf uns gekommen, befinden sich noch gar viele, welche mit geringer Aenderung, Reinigung und Abrundung, unbeschadet ihres Kernes und ihrer Eigenthümlichkeit, auch jetzt noch die Zierde eines jeden Gesangbuches bilden würden. Und welch' allgemein anerkannte und von den Neueren so selten erreichte Kraft liegt nicht in den meisten die-

... wieder haben, aber ihr eigentlicher G
so mächtig wirkten, ihre Sangweise, uns fehlt oder
Ich erlaube mir nun einige ganz kurzgefaßte Vorschl
amlungen zu machen.

1) Solche Lieder, welche nicht nur alt, sondern ve
Textfassung mehr zu hämischen Bemerkungen Veranl
Andacht befördern, soll man einfach fallen lassen.

2) Andere alte Lieder, welche nur durch einzelne gan
drücke Anstoß erregen, können mit passender Umände
en, dabei ist das Original möglichst schonend zu behanl
lut Nothwendige zu ändern. Umdichtungen resp. Verb
er Texte sind nicht zu empfehlen. Wer hat das Recht da
udichten? Entweder Jeder oder Niemand. Nehmen wi
he Confusion würde entstehen, wenn bald Dieser bald Je
te, ältere Lieder nach seinem Geschmacke umzudichten! Und
von allen diesen möglichen Umdichtungen in unsere Ges
? Wer den Beruf in sich fühlt Kirchenlieder zu dichten,
versuchen, aber die alten so lassen, wie sie sind.

Was die Singweisen angeht, so ist hier die Schwierigke
Textlegung muß natürlich nach den Regeln unserer musik
on erfolgen. Im Uebrigen wäre strenger Anschluß an
n wünschenswerth. In neuester Zeit ist auch die „G
ns Katholiken wieder auf die Tagesordnung gekomm
hlenswerthen Schrift „Ein Wort zur Gesangbuchfrage v
884". Zugleich hat der verehrte Autor eine Sammlu
trefflicher Textredaktion folgen lassen unter dem Titel:
1885.

Ein allgemeines deutsches Gesangbuch (vgl. II. Bd. S. 7)
le kompetenter Männer nur zu Stande kommen, wenn di
fe sich über die Einführung eines solchen einigen und e
Herausgabe betrauen, wobei der „Cäcilienverein für a
nge" hülfreiche Hand leisten könnte. Ein solches Gesan
er Form nach früher niemals existirt. In der That w

Bemerkungen über die Tonarten, die Notenschrift und Rhythmik der alte

Die Tonarten, welche in den alten Gesangbüchern vorkommen, si

I. Ton dorisch		D e f g a h c d	}
II. Ton hypodorisch	a h c	D e f g a	
III. Ton phrygisch		E f g a h c d e	}
IV. Ton hypophrygisch	h c d	E f g a h	
V. Ton lydisch		F g a h c d e f	}
VI. Ton hypolydisch	c d e	F g a h c	
VII. Ton mixolydisch		G a h c d e f g	}
VIII. Ton hypomixolydisch	d e f	G a h c d	
IX. Ton äolisch		A h c d e f g a	}
X. Ton hypoäolisch	e f g	A h c d e	
XI. Ton jonisch		C d e f g a h c	}
XII. Ton hypojonisch	g a h	C d e f g	

Die mit ungeraden Zahlen bezeichneten Tonreihen sind die a
die andern die plagalen. Jede plagale Tonreihe hat denselbe
wie die ihr entsprechende authentische. Der Unterschied zwische
in dem verschiedenen Aufbau der Melodie. In der authentisc
ist der Grundton der Ausgangspunkt der Melodie, in der
Angelpunkt derselben. In der ersteren bildet sich die Melodie
tone ausgehend und steigend bis zu dessen Octav; in der letzte
Melodie eine Quart unter den Grundton hinab und eine Qu
selben hinauf.

Transpositionen mit Vorzeichnung von einem ♭.

I. Ton dorisch		G a b c d e f g	}
II. Ton hypodorisch	d e f	G a b c d	
III. Ton phrygisch		A b c d e f g a	}
IV. Ton hypophrygisch	e f g	A b c d e	
V. Ton lydisch		B c d e f g a b	}
VI. Ton hypolydisch	f g a	B c d e f	
VII. Ton mixolydisch		C d e f g a b c	}
VIII. Ton hypomixolydisch	g a b	C d e f g	
IX. Ton äolisch		D e f g a b c d	}
X. Ton hypoäolisch	a b c	D e f g a	
XI. Ton jonisch		F g a b c d e f	}
XII. Ton hypojonisch	c d e	F g a b c	

Obwohl Vorzeichnungen von 2 ♭♭ erst gegen Ende de
hunderts in den Gesangbüchern vorkommen, gibt es doch schon f
positionen, bei welchen eigentlich 2 ♭♭ vorgezeichnet sein müßte
sich aber nur ein ♭ als Vorzeichnung. Das zweite wird im
Textes dem e vorgesetzt. Ich füge deshalb auch die Trans
zwei ♭♭ hier an.

I. Ton dorisch		C d es f g a b c	}
II. Ton hypodorisch	g a b	C d es f g	
III. Ton phrygisch		D es f g a b c d	}
IV. Ton hypophrygisch	a b c	D es f g a	
V. Ton lydisch		Es f g a b c d es	}
VI. Ton hypolydisch	b c d	Es f g a b	

VII.	Ton mixolydisch	F g a b c d es f	Grundton F
VIII.	Ton hypomixolydisch	c d es F g a b c	
IX.	Ton äolisch	G a b c d es f g	Grundton G
X.	Ton hypoäolisch	d es f G a b c d	
XI.	Ton jonisch	B c d es f g a b	Grundton B
XII.	Ton hypojonisch	f g a B c d es f	

Vorzeichnung von einem und zwei ♯♯ kommen in einzelnen Gesangbüchern aus den letzten Jahrzehnten des 17. Jahrhunderts vor.

Bei transponirten Kirchentonarten findet man die ursprüngliche Tonart, indem man die vorgezeichneten ♯♯ zählt und die Finalnote (Grundton)[1] um so viele Quinten zurückführt als ♯♯ vorgezeichnet sind. Umgekehrt zählt man bei Vorzeichnung von ♭♭ so viele Quinten aufwärts vom Grundton, als ♭♭ vorgezeichnet sind. Schließt z. B. ein Lied auf dem Grundton a mit Vorzeichnung von einem ♯, so finde ich die ursprüngliche Tonart, wenn ich von a eine Quinte abwärts zähle, das wäre d. Somit stände die Melodie in der dorischen Tonart. Sind z. B. zwei ♭♭ einer Melodie vorgezeichnet mit dem Grundton c, so finde ich die ursprüngliche Tonart, wenn ich zwei Quinten aufwärts zähle. Das gäbe den Grundton d, Tonart: dorisch.

Diese Transpositionen ließen die alten Tonreihen an sich unberührt, weil die Stellung der ganzen und halben Töne innerhalb derselben unverändert blieb. Man verwandte jedoch die Vorzeichnung des ♭ auch dazu, um eine Melodie in eine ganz andere Tonart überzuführen, namentlich um die alten Kirchentöne auf das Jonische und Äolische (unser dur und moll) zu reduciren. Man transponirte nicht blos so, daß man die Melodie intact ließ, sondern auch in andrer Weise. Setzte man dem dorischen ein ♭ vor, so hatte man die äolische Tonart nach d transponirt, beim lydischen auf f erhielt man bei demselben Verfahren das Jonische nach f transponirt u. s. w. Noch mehr erreichte man durch Anbringung der chromatischen Zeichen innerhalb der Melodie. So verwandelte man in der mixolydischen Tonreihe f in fis, um das Jonische auf g zu erhalten (unser g dur). Sehr häufig finden wir in der transponirten dorischen Tonart auf g, welche also ein ♭ Vorzeichnung hat, es statt e, damit hatte man das Äolische auf g, bisweilen erhalten wir durch Hinzufügung von fis unser regelrechtes g moll. Seit der Mitte des 17. Jahrhunderts können wir an den Melodien unserer Kirchenlieder diesen Uebergang der alten Tonarten in das Jonische und Äolische (resp. unser dur und moll) verfolgen. Der Leser mag dies aus den mitgetheilten Transpositionen sowie aus den **über** den Melodien angebrachten chromatischen Zeichen, welche in den frühesten Gesangbüchern **nicht** vorkommen, ersehen. In den Gesangbüchern aus dem Ende des 17. Jahrhunderts finden wir Lieder in ganz moderner Notation bis zu 3 ♭ und ♯ Vorzeichnung. Es kommen aber auch die Tonarten vor, welche bei uns 4 ♯ oder ♭ vorgezeichnet haben. In den Gesangbüchern, welche mir zur Verfügung standen, fand ich jedoch bei **B dur** resp. **G moll** nur ein ♭ vorgezeichnet, bei **Es dur** resp. **C moll** nur 2♭, bei **As dur** resp. **F moll** nur 3♭, ebenso verhält es sich bei der Vorzeichnung mit ♯♯. Die übrigen nothwendigen chromatischen Zeichen werden dann im Verlaufe der Melodie selbst angebracht.

---

1) Die meisten Singweisen schließen auf dem Grundton oder dessen Octav. Vereinzelt kommen auch Schlüsse in der Secunde, Terz, Quart und Quint vor.

Einen bestimmenden Einfluß auf die weitere Gestaltung d
im oben genannten Sinne übte auch die harmonische Begleitu
können das ersehen aus denjenigen Gesangbüchern, welche auße
noch einen (meistens bezifferten) Baß enthalten, wie Vogler's
1625, die Mainzer und Würzburger Gesangbücher 1628 ff.,
nachtigall 1649, die Würzburger Evangelien 1653 ff., der M
1658, die Hirtenlieder des Angelus Silesius 1657, 1668, da
Gesangbuch 1659, Keusche Meerfräwlein 1664, die Bambe
bücher 1670, 1691, Braun's Echo 1675, Sirenes Partheni
Straßburger Gesangbuch 1697 u. a.; außerdem die mehrstimm
Gesangbücher Bamberg 1628 und das Psalteriolum, Cöln 1

Die in diesem Bande aufgenommenen Singweisen verth
den Tonarten wie folgt: Ueber ein Drittel der Melodien steh
schen Tonart. Ebensoviel in der jonischen. Das letzte Drittel n
gleichen Theilen die mixolydischen, äolischen und phrygischen
Lydische Melodien kommen nur ganz vereinzelt vor.

In den alten Gesangbüchern kommt bis zum Jahre 1
Notenschrift zur Anwendung:

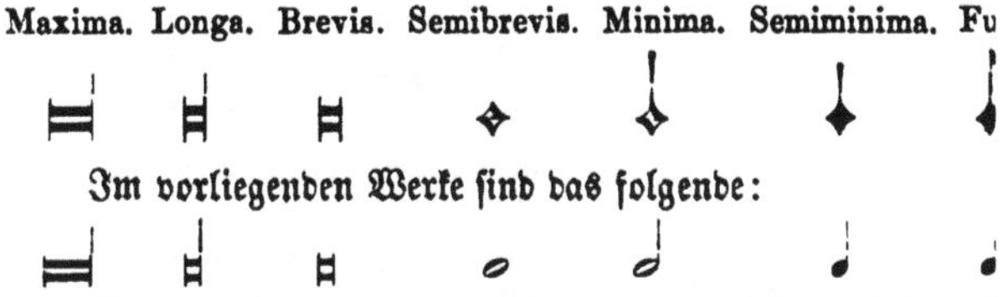
Maxima. Longa. Brevis. Semibrevis. Minima. Semiminima. Fu

Im vorliegenden Werke sind das folgende:

Von der Semibrevis an kommen aus ökonomischen R
runden Noten statt der eckigen zur Verwendung, weil nach e
lung des Herrn Verlegers, der Band sonst um einige Bogen s
den wäre.

Die Schlüssel und Pausezeichen findet man auf Seite 24
bemerke nur noch, daß alle diese Schlüssel in unsern Gesan
treten sind. Ich habe aus den alten Schlüsseln den 𝄞 Sc
unsern Gesangbüchern schon im 16. Jahrhundert vorkommt,
und denselben allen Singweisen vorgezeichnet. Dadurch wir
lodien nichts geändert, das Lesen resp. Singen derselben ab
möglicht.

Stellenweise kommen in den alten Gesangbüchern die
Noten der Mensuralmusik vor: ■ ♦ ♩. Sie bezeichnen einn
treten des 3. Taktes, wenn die Melodie vorher im geraden
Vgl. No. 56.

Kommen sie vereinzelt im 3. Takt vor, so bedeuten sie n
als eine Rhythmusverschiebung, wenn die kurze Note der lange
Man vergleiche z. B. Nr. 22. Der Werth der Noten wird
alterirt.

Die Ligaturen wurden beibehalten und zwar in der For
den alten Gesangbüchern steht: nicht wie sie im II
vorliegenden Werkes gezeichnet sind. Sie haben den Werth der

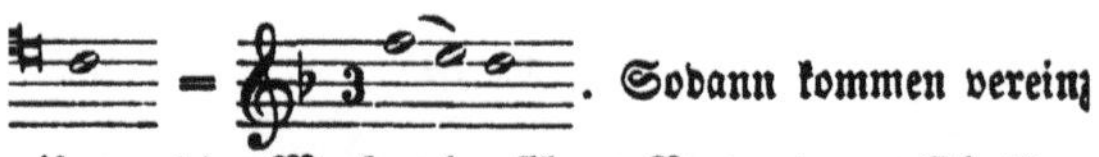
. Sodann kommen vereinz

weisen aus der Mensuralmusik zur Verwendung. Die Bre
ius perfectum d. h. im ungeraden Takt dreizeitig gemesse
wenn ihr wiederum eine Brevis, eine Longa, Maxima
rthige Pause folgt. Folgen aber kleinere Notengattunge
Minima, Semiminima oder die entsprechende Pausen, s
g gemessen. Vgl. No. 49, 101 u. a.

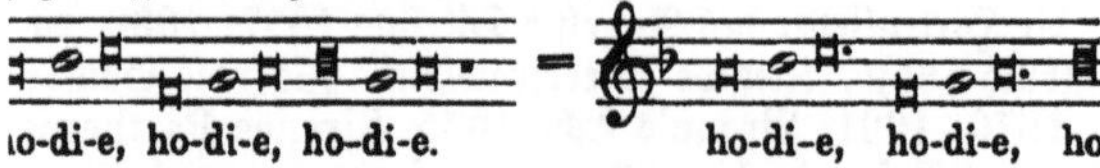

io-di-e, ho-di-e, ho-di-e.
ho-di-e, ho-di-e, ho

st die Brevis im Tempus perfectum (ungeraden Takt) dr
g. zu nehmen, wenn ihr bis zur nächsten Brevis oder größ
nibreven folgen, vgl. No. 143

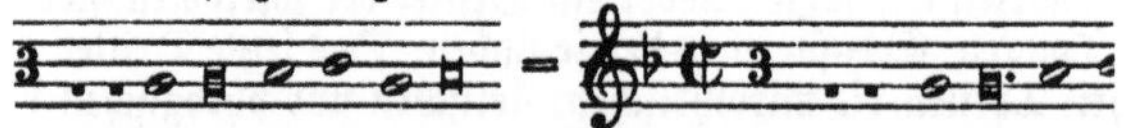

mal kommt auch ein Punctum alterationis vor. No. 143.
eht vor zwei Semibreven, denen eine Brevis oder größ
n diesem Falle wird die zweite der beiden Semibreven alte
: doppelten Werth.

Bellermann, Die Mensuralnoten und Taktzeichen des 1
ihrhunderts. Berlin 1858. S. 17, 22, 23.

Tempuszeichen in unsern alten Gesangbüchern bedürf
Erklärung. Die Melodien stehen entweder:

im tempus imperfectum: geraden Takt, oder
im tempus perfectum: ungeraden Takt.

bemerkt, daß das Zeichen für das tempus imperfectu
unsern Alla-breve Takt) ₵ in den Gesangbüchern auc

mannigfaltige. Taktwechsel, wie wir uns ausdrücken würden,
Gewöhnliches. Gerade hierdurch wird den Melodien ein
Leben zugeführt, welches gegen die Monotonie einer im str
gleichmäßig bewegenden modernen Singweise vortheilhaft ab

Sodann ist über die Versetzungszeichen noch folgend
Das ♯ oder ♭ innerhalb der Melodie gilt nur für die Note,
gezeichnet ist, und ihre Wiederholungen, falls diese nicht du
zeichen (𝄀) von einander getrennt sind. Ein Auflösungsze
mals. Dieses kommt nur vor bei ♭ Vorzeichnung, wenn sta
oder e genommen werden sollte. Dieses Auflösungszeichen is
unsere ♮, sondern das Erhöhungszeichen ♯.

Die über dem Notensystem stehenden ♯♯ und ♭♭ kom
Gesangbüchern vor. Die in ( ) stehenden sind von mir hinzu
Das Wiederholungszeichen steht in älteren Gesangbüchern oft
Note . Damit werden die Pausen des Auftaktes kom

Diese Mittheilungen werden genügen, um die Schwi
welche man etwa beim Lesen der Melodien stoßen möchte, zu

Allen Bibliotheksverwaltungen und Privatpersonen, we
Zusendung von Material, Notizen u. dgl. in meiner schwierige
stützt haben, spreche ich hiermit meinen verbindlichsten Dank a

Bäumker, Dr. Clemens, O. Prof. der Phil. an der Universit
Bellermann, Heinrich, Professor und Musikdirektor in Berli
Biltz, Dr. in Berlin.
Böckeler, Domchordirigent und Redacteur des Gregoriusbla
Böcker, Dr., Pfarrer in Fischeln bei Crefeld.
Böhme, F. M., Professor in Frankfurt a. M.
Bodmann, Regierungsrath und Bibliothekar in Hannover.
Bohn, P., Gymnasiallehrer in Trier.
Brambach, W., Bibliothekar in Karlsruhe.
Crecelius, Dr. W., Professor und Gymnasialoberlehrer in
Dickebohm, Bernh., Stadtpfarrer in Hamburg.
Dobel, Dr., Stadtbibliothekar in Augsburg.
Dreves, G. M., S. J. in Prag.
Dziatzko, Prof. Dr., Oberbibliothekar in Breslau.
Ebben, Dr., Präses in Gaesdonck bei Goch.
Effing, A. W., Bibliothekar der städt. Wessenberg-Biblioth
Eitner, Robert, Redact. d. Monatsh. f. Musikgesch. in Templ
Esseling, Pfarrer in Brochterbeck in Westfalen.
Gabler, J., Dechant in Neuhofen a. d. Ybbs (Oesterreich).
Giese, Dr., Generalvikar in Münster, Vorsteher der Bibl
gerianums und des Priesterseminars daselbst.
Gottwald, P. Benedict, O. S. B. Stiftsbibliothekar in Engel
Göttinger Universitätsbibliothek.
Havermann, H., Kaufmann in Barmen.
Habert, Jos. Ev., Organist in Gmunden a. Traunsee (Oes

..., Großherz. Musikdirektor in Schwerin
Kaufmann, A. Dr., Archivar in Wertheim.
Krehl, L. Prof. Dr., Regierungsrath u. Oberbibl. an
Keuffer, Max, Stadtbibliothekar in Trier.
Kopfermann, Dr., Custos an der königl. Bibliothek in
Kotthoff, Dr., Geistl. Gymnasiallehrer in Paderborn.
Kutschgank, J., Can. Cap. Senior in Bautzen, Biblioth
Linke, Dr. Joh., Archidiaconus in Altenburg.
von Liliencron, Freiherr Rochus, Klosterpropst in Schl
Maier, Jul. Jos. Dr., Custos an der königl. Bibliothe
Moufang, Dr., Präses und Bibliothekar des Priesterse
Pertz, Dr. W., Oberbibliothekar der herz. Bibl. in Go
Pfaff, Fr. Dr., Bibliothekar an der Universität in Frei
Rosez, Dr., stellvertretender Oberbibliothekar an der k. B
Rosenthal, Ludwig, Antiquar in München.
Schäffer, Jul. Dr., Direkt. des k. akad. Inst. f. Kirchen
Scheeben, J. M. Dr., Professor am Priesterseminar zu
Schletterer, H. M. Dr., Kapellmeister in Augsburg.
Schmidt, A. Dr., Universitätsprof. u. Direkt. des Georgia
Stamminger, Dr., Bibliothekar an der Universitätsbiblio
Stammler, Stadtpfarrer in Bern (Schweiz).
Stender, Dr., Bibliothekar an der k. Paulinischen Bibli
Tilike, A., Bischöfl. Assessor in Heiligenstadt.
van Damme, Canonicus in Gent.
Velke, Dr., Stadtbibliothekar in Mainz.
Verkoyen, Pfarrer in Friedrichsthal bei Saarbrücken.
Weicker, W. Dr., Bibliothekar in Zwickau (Königr. Sac
Westermayer, G. Dr., Pfarrer in Feldkirchen (Bayern).
Wille, Dr., Bibliothekar an der Universitätsbibliothek in
Wienand, Buchhändler in Paderborn.

Schließlich habe ich noch in ehrfurchtsvollem Da
rotectors S. Majestät des Königs Albert von Sachsen zu
r Ueberlieferung seiner hohen Ahnen folgend, sein gr
sem Zweige kirchlicher Wissenschaft ...

Inhalt.

Vorrede . . . .

I. Allgemeiner Theil.

Einleitung. I. Ueberſicht . . . .
II. Das deutſche Kirchenlied vor der Reformation . . . . . .
III. Luther und das deutſche Kirchenlied . . . .
IV. Das katholiſche deutſche Kirchenlied nach der Reformation
V. Literatur.
a. proteſtantiſche . . . .
b. katholiſche . . . .
VI. Bibliographie. . . . .
VII. Die vorzüglichſten katholiſchen Geſangbücher aus dem 1[illegible] dem Anfange des 17. Jahrhunderts nach ihren Quellen und gegenſeitigen Verhältniſſe geſchildert nebſt Beſchreibung [illegible] ſpäteren Geſangbücher . . . .
VIII. Vorreden aus den Geſangbüchern . . . .

II. Beſonderer Theil.

Adventslieder. No. 1—29 . . . .
Weihnachtslieder. No. 30—95 . . . .
Lieder auf das Feſt der unſchuldigen Kinder. No. 96—98 . . . . . .
Neujahrslieder. No. 99—106 . . . .
Lieder von den heiligen drei Königen. No. 107—115 . . . .
Lieder vom Namen Jeſus. No. 116—130 b . . . .
Lieder auf das Feſt Mariä Lichtmeß. No. 131—133. . . . .
Krippen- und Wiegenlieder. No. 134—173. . . . .
Faſten- und Paſſionslieder. No. 174—241 . . . .
Oſterlieder. No. 242—294 . . . .
Lieder für die Bittwoche. No. 295—325 . . . .
Lieder von Chriſti Himmelfahrt. No. 326—336 . . . .
Pfingſtlieder. No. 337—354 . . . .
Lieder von der allerheiligſten Dreifaltigkeit. No. 355—370 . . . . .
Fronleichnam. Altarsſakrament. No. 371—413 . . . .
Nachtrag. No. 414—421 . . . .
Regiſter der deutſchen Lieder . . . .
Regiſter der lateiniſchen Lieder . . . .
Regiſter von Liedern aus andern Sprachen. . . . .
Regiſter der weltlichen Lieder . . . .
Namen- und Sachregiſter . . . .
Citate . . . .

..., ~. Dr., Großherz. Musikdirektor in Schwerin.
aufmann, A. Dr., Archivar in Wertheim.
cehl, L. Prof. Dr., Regierungsrath u. Oberbibl. an
euffer, Max, Stadtbibliothekar in Trier.
opfermann, Dr., Custos an der königl. Bibliothek in
otthoff, Dr., Geistl. Gymnasiallehrer in Paderborn.
atschgank, J., Can. Cap. Senior in Bautzen, Biblioth
nke, Dr. Joh., Archidiaconus in Altenburg.
n Liliencron, Freiherr Rochus, Klosterpropst in Schle
laier, Jul. Jos. Dr., Custos an der königl. Bibliothek
loufang, Dr., Präses und Bibliothekar des Priestersem
ertz, Dr. W., Oberbibliothekar der herz. Bibl. in Got
faff, Fr. Dr., Bibliothekar an der Universität in Freil
osel, Dr., stellvertretender Oberbibliothekar an der k. Bi
osenthal, Ludwig, Antiquar in München.
chäffer, Jul. Dr., Direkt. des k. akad. Inst. f. Kirchen
cheeben, J. M. Dr., Professor am Priesterseminar zu
chletterer, H. M. Dr., Kapellmeister in Augsburg.
chmidt, A. Dr., Universitätsprof. u. Direkt. des Georgian
amminger, Dr., Bibliothekar an der Universitätsbiblio
ammler, Stadtpfarrer in Bern (Schweiz).
ender, Dr., Bibliothekar an der k. Paulinischen Bibli
ike, A., Bischöfl. Assessor in Heiligenstadt.
Damme, Canonicus in Gent.
ke, Dr., Stadtbibliothekar in Mainz.
koven, Pfarrer in Friedrichsthal bei Saarbrücken.
cker, W. Dr., Bibliothekar in Zwickau (Königr. Sach
termayer, G. Dr., Pfarrer in Feldkirchen (Bayern).
e, Dr., Bibliothekar an der Universitätsbibliothek in
iand, Buchhändler in Paderborn.

Schließlich habe ich noch in ehrfurchtsvollem Dan
ctors S. Majestät des Königs Albert von Sachsen zu
eberlieferung seiner hohen Ahnen folgend ...

Inhalt.

Seite

Vorrede V

I. Allgemeiner Theil.

Einleitung. I. Uebersicht 3
II. Das deutsche Kirchenlied vor der Reformation 5
III. Luther und das deutsche Kirchenlied 16
IV. Das katholische deutsche Kirchenlied nach der Reformation . . . 32
V. Literatur.
a. protestantische 40
b. katholische 49
VI. Bibliographie 51
VII. Die vorzüglichsten katholischen Gesangbücher aus dem 16. und dem Anfange des 17. Jahrhunderts nach ihren Quellen und ihrem gegenseitigen Verhältnisse geschildert nebst Beschreibung einiger späteren Gesangbücher 124
VIII. Vorreden aus den Gesangbüchern 187

II. Besonderer Theil.

Adventslieder. No. 1—29 243
Weihnachtslieder. No. 30—95 271
Lieder auf das Fest der unschuldigen Kinder. No. 96—98 353
Neujahrslieder. No. 99—106 356
Lieder von den heiligen drei Königen. No. 107—115 366
Lieder vom Namen Jesus. No. 116—130 b 375
Lieder auf das Fest Mariä Lichtmeß. No. 131—133. 391
Krippen- und Wiegenlieder. No. 134—173. 393
Fasten- und Passionslieder. No. 174—241 419
Osterlieder. No. 242—294 502
Lieder für die Bittwoche. No. 295—325 572
Lieder von Christi Himmelfahrt. No. 326—336 625
Pfingstlieder. No. 337—354 635
Lieder von der allerheiligsten Dreifaltigkeit. No. 355—370 . . . 662
Fronleichnam. Altarssakrament. No. 371—413 693
Nachtrag. No. 414—421 737
Register der deutschen Lieder 744
Register der lateinischen Lieder 759
Register von Liedern aus andern Sprachen. 762
Register der weltlichen Lieder 762
Namen- und Sachregister 764
Citate 767

I.

Allgemeiner Theil.

Einleitung.

I. Uebersicht.

Im deutschen Volke hat sich im Laufe der Jahrhunderte ein bedeutender Reichthum an geistlichen resp. Kirchenliedern angesammelt. Seit der Reformation unterscheiden wir ein katholisches und ein protestantisches Kirchenlied. Beide sind hervorgegangen aus dem geistlichen Volksgesange des Mittelalters jedoch in der Weise, daß dem katholischen Kirchenliede die Priorität zukommt. Die Texte der älteren Kirchenlieder aus den frühesten Zeiten bis in das erste Viertel des 17. Jahrhunderts hinein sind von Wackernagel, Mützell und Kehrein gesammelt und herausgegeben worden. Das vorliegende Werk reproducirt in seinem ersten und zweiten Bande die Singweisen zu den katholischen Liedern der genannten Epochen bis gegen Ende des 17. Jahrhunderts.

Es liegt wohl in der Natur der Sache begründet, daß eine Sammlung von Kirchenliedern die Ordnung, welche das Kirchenjahr in seinen heiligen Zeiten und Festen bietet, beibehält.

Dieser I. Band enthält daher die Singweisen der Kirchenlieder für die Hauptfeste des Kirchenjahres: Weihnachten, Ostern und Pfingsten mit ihren Vor- und Nachfeiern, sowie auch die Lieder vom h. Altarssacrament, welche sich an das Fronleichnamsfest anschließen. Die Anzahl derselben beträgt im ganzen 420, abgesehen von den vielen Varianten, welche die Melodie in mehrfacher Form enthalten. Für eine Geschichte der Melodien war es erforderlich, nicht nur die älteste Form zu geben, sondern auch die späteren Fassungen ihr zur Seite zu stellen, um dem Leser die Möglichkeit zu bieten, die spätere Ausgestaltung der Melodie selbst verfolgen zu können. Die mitgetheilten 420 Singweisen stammen theils aus vorreformatorischen Handschriften, theils aus den katholischen Gesangbüchern und Liederdrucken vom Jahre 1537 an, als das erste, Vehe'sche Gesangbuch erschien, bis zum Jahre 1700. Die Melodien derjenigen deutschen Lieder, welche in den katholischen Gesangbüchern aus dem 16. und dem Anfange des 17. Jahrh. (bis z. Jahre 1605) enthalten sind, wurden des historischen Interesses wegen sämmtlich in unser Werk aufgenommen. Aus den Gesangbüchern der ersten Hälfte des 17. Jahrhunderts konnten die meisten Lieder berücksichtigt werden, dagegen wurden aus der zweiten Hälfte des genannten Jahrhunderts, als der Verfall des alten Kirchenliedes sich schon bemerkbar machte, nur diejenigen Melodien reproducirt, welche entweder einen streng kirchlichen Charakter tragen, oder irgend ein musikalisches Interesse bieten. Dieselben Regeln waren

5, 358, 363, 364, 371, 373, 374, 380, 385, 409.

Vorreformatorische lateinische oder deutsche Gesänge:
, 44, 45, 46, 47, 48, 49, 50, 51, 52, 53, 54, 60,
78, 85, 94, 95, 99, 101, 104, 107, 111, 116, 11
6, 140, 141, 142, 145, 147, 147a, 148, 149, 15
6, 187, 188, 197, 200, 201, 205, 207, 208, 21
5, 247, 256, 257, 259, 260, 265, 267, 274, 27
3, 300, 302, 306, 307, 309, 310, 311, 312, 31
, 326, 337, 366, 373, 379, 380, 384, 389, 412.
se sind in den Ueberschriften oder auf irgend eine ande
laubigt.

n könnte füglich noch die meisten Lieder hinzurechnen, w
seinen II. Band aufgenommen hat. Diese tragen in de
e die Ueberschrift W. II.

Aus den Gesangbüchern der böhmischen Brüder stam
Melodien.
Text), 43 resp. 114 (Text), 186 (Melodie), 188 (Text),
t u. Melodie), 345 (Text), 381 (Melodie).

Im französischen Psalter von Marot und Beza 156
28 und 221 (vgl. II. Bd. S. 47 ff.).

Texte von protestantischen Kirchenliedern, welche i
icher übergingen, findet man unter folgenden Nummer
9, 10, 14, 16, 30, 31, 34, 36, 45, 47, 49, 68, 7
, 117, 123, 131, 184, 190, 194, 195, 198, 200,
, 221, 243a, 244, 249, 255, 261, 263, 264, 271
, 327, 331, 337, 342, 344, 350, 355, 363, 366, 3

Melodien protestantischer Kirchenlieder, welche in ka
r übergingen: 10, 14, 82, 88, 105, 112, 202, 243a
, 297, 381, 387.

Weltliche Volksliederweisen. No.:

26. Benzenauer Ton.
84. Aus fremden landen kom ich her.

Außerdem noch die in der Einleitung S. 13 ff. mitgetheilten Lieder des H. von Loufenberg.

7. Melodien, die zu einander in harmonischer Beziehung stehen und in mehrstimmigen Tonsätzen vorkommen, findet man unter folgenden Nummern: 44, 50, 52, 69, 95, 99, 123, 140/141, 221, 244, 316, 350/351.

Von den noch übrig bleibenden Melodien rührt nach meinem Dafürhalten eine ganze Anzahl namentlich bei Leisentrit aus dem lateinischen Kirchengesange: von alten Sequenzen, Prosen oder Tropen her, die der Vergessenheit anheimgefallen sind; andere mögen im Volksgesange der betreffenden Zeit ihren Ursprung haben.

Ich gebe nachstehend einen Abriß der Geschichte des deutschen Kirchenliedes von den ersten Anfängen bis gegen Ende des 17. Jahrhunderts. Als Ergänzung hierzu dienen meine Aufsätze in der Einleitung zum II. Bande „Herkunft und Charakteristik der Melodien“ und „Ueber die Stellung des Kirchenliedes zur Liturgie bis zum Ende des 17. Jahrhunderts“.

II. Das deutsche Kirchenlied vor der Reformation.

Wie der gregorianische Choral den liturgischen Gesang der katholischen Kirche bildet, so machen die in diesem Choral enthaltenen Hymnen und Sequenzen das eigentliche Lied dieser Kirche aus. Zum deutschen Kirchenlied dürfen wir daher an erster Stelle die Uebersetzungen dieser lateinischen Lieder rechnen, welche entweder die alte Singweise beibehalten oder eine andere dem Text entsprechende Melodie tragen. Im weiteren Sinne gehören zum deutschen Kirchenliede die freigedichteten geistlichen Lieder mit ihren Melodien, mögen sie nun dem Volksmunde entstammen, oder von einzelnen Dichtern, resp. Componisten herrühren, insoweit sie unter Zustimmung der kirchlichen Behörde beim Gottesdienste wirklich zur Verwendung gekommen sind, oder ihrem ganzen Charakter nach zum kirchlichen Gebrauche sich wenigstens eigneten. Ich glaube nun nach dem Gesagten folgende Definition geben zu können.

Unter „Kirchenlied“ verstehen wir jene strophisch gegliederten geistlichen Gesänge in der Landessprache, welche vermöge ihres kirchlichen Charakters dazu geeignet sind, während des Gottesdienstes, mag dieser nun innerhalb oder außerhalb der Kirche stattfinden, von der ganzen Gemeinde gesungen zu werden und zu diesem Zwecke von der kirchlichen Obrigkeit entweder stillschweigend geduldet oder ausdrücklich approbirt sind.

In dem universalen Charakter der katholischen Kirche liegt es begründet, daß bei der Ausübung der Liturgie im Abendlande eine Sprache, nämlich die lateinische, als Cultussprache herrschend wurde. Da das Verständniß dieser Sprache den romanischen Völkern näher liegt, so war ihnen die Möglichkeit geboten, am öffentlichen Kirchengesange sich zu betheiligen. Aus diesem Grunde entwickelte sich bei ihnen weniger der kirchliche Volksgesang in der Muttersprache. Die Glaubensboten, welche das Christenthum in Deutschland verkündigten, führten mit der römischen Liturgie auch den gregorianischen Choralgesang ein. War in einzelnen Gegenden, die früher

...onen Europa's waren es vorzüglich die Ge
lche im Erlernen des kunstmäßigen Gesanges nicht leich
gen hatten sie den Fehler, daß sie die Gesänge nicht i
is Leichtsinn mischten sie von ihren eignen Gesängen et
mischen. Dazu kommt noch die natürliche Wildheit.
rperbau besitzen sie gewaltige Stimmen. Die Modi
hört haben, vermögen sie nicht in zarter Weise wiede
ten ihre an den Trunk gewöhnten, heiseren Kehlen in
s und bringen so Töne hervor, welche dem Gepolter
rabrollenden Lastwagens ähnlich sind, so daß die Zu
s gerührt werden". (Vita S. Greg. c. 6.) Die Sing
ne beneidenswerthe Arbeit. Es läßt sich daher leicht er
den Gesang wirklich erlernt hatten, wenig Lust verspü
unterrichten. Der Bischof Chrodegang von Metz fan
laßt im Jahre 759 folgende Verordnung zu erlassen: „
üthige Sänger gefunden werden, welche die Kunst, deren
ottes theilhaftig geworden sind, andere nicht lehren woll
wer und strenge bestraft werden, damit sie sich besser
lches Gott ihnen verliehen, auch zum Unterrichte andere
(Chrodegangi Regula in den Concilia Germani
d Hartzheim I, 111.)

Allmählich lernten jedoch die Deutschen den lateinisch
s Volk aber, nachdem es die Elemente christlichen Gl
er Sitte in sich aufgenommen und mit seinem ganze
e, fühlte bald den unwiderstehlichen Drang in sich, se
en Empfindungen in Wort und Weise zum lebensvo
en zu lassen. Karl der Große, dem der Kirchengesan
vermochte wegen der mangelhaften Cultur der deut
enlied in der Muttersprache nicht zustande zu bring
Bedürfnisse des Volkes Rechnung zu tragen, schrieb e
v. J. 789 vor, daß das ganze Volk die Doxologie
u. s. w., und der Priester mit dem Volke und d
ctus« singen solle. (Pertz III, S. 64.)

im Gesange kund zu geben. Bei allen möglichen Veranlassungen ertönte dieser Ruf: bei Begräbnissen, Wallfahrten, auf dem Schlachtfelde, beim Empfange hoher Persönlichkeiten, bei Inthronisationen u. dgl. Der Bauer sang ihn hinter dem Pfluge, der Arbeiter in seiner Werkstätte, der Kranke auf seinem Lager.[1] Häufig artete derselbe in einen unverständlichen Jubel aus, so daß die Statuten von Salzburg (799) vorschreiben mußten: „Das Volk soll lernen „Kyrie eleison“ singen und zwar nicht so unordentlich wie bisher, sondern besser.“ (Binterim Concilien II, 227). Melodien dieses Volksrufes sind, wie es scheint, nicht aufgezeichnet worden. Es läßt sich aber annehmen, daß die verschiedenen Singweisen des „Kyrie eleison“ im gregorianischen Choral, welche das Volk beim sonn- und feiertägigen Gottesdienste in der Kirche singen hörte, die Grundlage seiner Rufe bildeten. Ein Seitenstück hierzu sind die „Jubilationen“, welche auf der letzten Silbe des „Alleluia“ nach dem Graduale in Uebung gekommen waren. Schon der h. Augustinus berichtet hierüber: „Die Sänger, vom Text der Lieder anfänglich zu heiliger Freude begeistert, werden bald von seligen Gefühlen so überfüllt, daß sie durch Worte nicht mehr auszudrücken vermögen, was in ihrem Innern vorgeht; sie lassen deshalb das Wort beiseite und strömen ihre Gefühle in eine Jubilation aus. Die Jubilation ist nämlich ein Gesang, der den Aufschwung desjenigen Herzens offenbart, welches durch Worte seinen Gefühlen keinen Ausdruck mehr zu geben vermag. Und wem gebührt eine solche Jubilation mehr, als dem höchsten unaussprechlichen Wesen? Unaussprechlich nennen wir dasjenige, was wir nicht auszusprechen vermögen; und wenn man Gott nicht aussprechen kann, obwohl man es muß, was bleibt da weiteres übrig als sich der Jubilation hinzugeben? Denn das Herz kann sich freuen, ohne Worte auszusprechen; und die Größe der Freude kann nicht nach Silben abgemessen werden!“ (Ennaratio in Psalmos. Ps. 32. conc. I.).

Um diese Jubilationen der Vergessenheit zu entreißen, kam man auf den Gedanken, die Melodien dadurch zu fixiren, daß man ihnen Texte unterlegte, nach der Regel: „So viele Silben so viele Noten“ oder „Hauptnoten“, falls Ligaturen angewendet wurden. Auf diese Weise entstanden im Choralgesange die Sequenzen, welche Notker Balbulus in einem Antiphonar aus dem von den Normannen zerstörten Kloster Gimedion vorfand und in großer Anzahl selbst verfaßte. Ein ähnliches Verfahren wurde eingeschlagen, um in die volksthümlich gewordenen „Kyrie eleison-Rufe“ eine bestimmte Ordnung zu bringen. Man fixirte auch hier die Melodien dadurch, daß man ihnen deutsche Texte unterlegte. Diese Gesänge schlossen alle wieder mit den Worten „Kyrie eleis“. Bei der feierlichen Einsetzung des Bischofs Diethmar in Prag (973) sang die Geistlichkeit Te Deum laudamus, der Herzog aber mit den Großen des Landes:

Christe kinado, Kyrie eleison
unde die heiligen alle helfant uns! Kyrie eleison.

Die Einfältigen und Unwissenden riefen „Kyrie eleison“. (Hoffmann S. 18).

Auf diese Weise entstanden die ersten deutschen Kirchenlieder „Leisen“ genannt. Der bis jetzt bekannt gewordene älteste Leis lautet:

---

1) Die Belege hierzu möge man in Hoffmann's Geschichte des Kirchenliedes 1861. S. 11 ff nachsehen.

Kyrie eleyson,
christe eleyson.

3. Pittemes den gotes trut
alla samant upar lut,
Daz er uns firtanen
giuuerdo ginaden.
Kyrie eleyson,
christe eleyson.
(Wackern. II, 20.)

3. Bitten wir
All' zusamn
Daß er uns
Wolle sein
u.
(Lindemann, B

Die Melodie dieses Liedes ist in Neumenschrift
Bibl. München cod. lat. 6260 fol. cimel. IIIa au
Bisher ist es aber noch niemand gelungen, dieselbe zu
Ein anderes deutsches Lied auf den h. Gallus aus
om Mönche Ratpert in St. Gallen verfaßt, damit
nit der Melodie verloren gegangen und nur in einer late
Nunc incipiendum u. s. w.) auf uns gekommen.

Die von J. Grimm publicirten Uebertragungen v
. Jahrhundert waren wohl mehr zur Erklärung des Te
estimmt. Auch das Reimevangelium des Otfried von
ellenweise mit Neumen versehen ist, scheint in der Prax
funden zu haben, obwohl Otfried es schrieb, „thaz
unsara zungun".

Von dem Weihnachtsliede aus dem 11. Jahrhunde

„Nu sis uns willekomen Herro Crist

offmann No. 2) ist eine Melodie nicht nachzuweisen.

Erst im 12. Jahrhunderte gelangte der geistliche G
rache zu einer größeren Entfaltung. Als der h. Bern
den Ufern des Rheines den Kreuzzug predigte, san
der. Interessant ist die Bemerkung des Mönches
iligen auf seinen Reisen begleitete: „Als wir die deut
en hatten," schreibt er, „hörte euer Gesang „Chris
niemand war da, der zu Gott gesungen hätte.
lich hat keine eignen Lieder nach Art eurer Lande

unde starck", „Christ sich ze marterenne gab" und „Wurze des waldes". Die Melodien dieser Lieder sind uns leider nicht überliefert worden. Ein anderes aus dieser Zeit „Ave vil liehtir meres sterne" wurde ohne Zweifel nach der Melodie der Sequenz »Ave praeclara maris stella« gesungen. (Vgl. in meinem II. Bd. No. 8.)

Wackernagel hat uns in seinem großartigen Werke über das Kirchenlied, abgesehen von den Liedern der Minnesinger, 43 Liedertexte resp. religiöse Dichtungen aus dem zwölften Jahrhunderte mitgetheilt.

Darunter die bekannten

„Ju in erde leite
aaron eine gerte."

Der Refrain „Sancta Maria" am Schluß deutet wohl darauf hin, daß das Lied wirklich gesungen worden ist. Ein anderes

„Oberestiv magenchraft"

hat die Ueberschrift „Gesang zur Messe".

Einige Uebertragungen alter kirchlicher Hymnen lauten:

„Kum schepfaer heiliger geist."
Veni creator spiritus.
„Wir singen ere und lobesank."
Hymnum dei gloriae.
„Got sage wir gnade und eren dank."
Hymnum dicamus domino.
„Wir sullen gotes güte."
Hymnum dei clemencie.
„Aller hohster got der gute."
Summe deus clemencie.

Diese Lieder konnten nach der Melodie der lateinischen Hymnen gesungen werden, wenn man in derselben die Ligaturen auflöste, sodaß auf jede Silbe des deutschen Textes eine Note kam, ein Verfahren, welches später die böhmischen Brüder für ihre deutschen Gesänge durchweg in Anwendung brachten.

Daß deutsche geistliche Lieder im 12. Jahrhundert schon eine weite Verbreitung gefunden, geht aus den Worten des Reichersperger Propstes Gerhoh hervor. Dieser schreibt in seiner Erklärung der Psalmen (1148): „Die ganze Welt jubelt das Lob des Heilandes auch in Liedern der Volkssprache; am meisten ist dies bei den Deutschen der Fall, deren Sprache zu wohlklingendeu Liedern geeigneter ist." (Comment. aur. in Psalmos. Ps. 49.)

Im 13. Jahrhundert, als in den Künsten und Wissenschaften ein mächtiger Aufschwung erfolgte, blühte in Deutschland der Minnegesang. Nicht ausschließlich der Verherrlichung der irdischen Minne gewidmet, rief er eine stattliche Anzahl tiefempfundener religiöser Poesien, namentlich viele begeisterte Lieder zum Lobe der h. Jungfrau Maria ins Leben. Diese Dichtungen kamen ebenso wie die späteren Lieder der Meistersinger nur ganz vereinzelt in kirchlichen Gebrauch. Dagegen ist der Einfluß derselben auf die künstliche Ausgestaltung des Strophenbaues und der Melodie des späteren Volksliedes ein sehr bedeutender, wie wir sogleich sehen werden.

Diesem Jahrhundert, vielleicht auch noch dem vorigen, gehören folgende Lieder an, welche mit ihren Weisen uns überliefert worden sind:

.. .. geistlichen Volksgesanges ein. „Es
Zeit", sagt Arnold, der Herausgeber des Locheimer Li
wo der Volksgeist in strotzender Jugendfrische erstand
und die Gewerbe einen so wunderbaren Aufschwung n
werker unbewußt Künstler war, wie uns die Ar
Steinmetzen und Holzschneider, der Waffenschmiede
Glaser und Schlosser beweisen. Es war unausbleiblich
Leben, als dessen Träger das Volk jetzt in seine ursp
trat, zunächst im Volksliede äußerte, und ebenso, daß
und Gewerben ausgehen mußte, wo die künstlerische
Lage getreten waren, denn das Landvolk war durch d
ine solche geistige Erhebung viel zu sehr verkommen
Volkslied fortwährend eine abweisende Stellung den
über einnimmt.

Unter dem Einflusse des Innungswesens, der
Handwerkes, lag der Gedanke nahe, das Dichten, welch
frei und ungebunden nur der augenblicklichen Erregung
falls zunftmäßig zu betreiben. Es wurden Singschul
für Strophenbau und Reim aufgestellt, die von der
daß auf die Form eines Liedes dieselbe kleinliche Sorgf
müsse, wie auf das Ciseliren eines Harnisches, und —
Lied war fertig".[1] Der geistliche Volksgesang wu
ert durch die in diesem Jahrhundert immer mehr in
Weihnachts-, Passions- und Osterspiele. Zwar war
ungen[1], welche zuerst in den Kirchen, und dann, als
zweckmäßig erwiesen, im Freien abgehalten wurden, anf
Sprache die herrschende; aber schon bald wurden dem
Lieder eingeschaltet. (Vgl. II. Bd. S. 10 ff.) Auch di
Jahre 1349 Deutschland durchschwärmten, sangen
Sprache z. B.: „Nu ist die betevart so her" (Melod
nen aber einen besondern Einfluß auf die Entwicklun
chen Volksgesanges zuzuschreiben, scheint mir kaum g
n daß bei Bittfahrten deutsche Lieder gesungen wurd

leichnam (1264), Dreifaltigkeit (1334), Mariä Empfängniß (1356), Mariä Heimsuchung (1389) und viele andere Heiligenfeste.

Ein großes Verdienst um den deutschen Kirchengesang erwarb sich Johannes der Mönch von Salzburg durch seine Uebersetzungen lateinischer Hymnen, denen er die Choralweisen applicirte, z. B.:

„Ave, lebentigs oblat“.
Ave vivens hostia.
„Christe, du bist liecht und der tag“.
Christe qui lux es et dies.
„Lob, o Sion, deinen hailer“.
Lauda Sion Salvatorem.
„Lobt all zungen des ernreichen“.
Pange lingua gloriosi.

Aus dem reichen Schatze der deutschen geistlichen Lieder dieses Jahrhunderts mögen folgende hier angeführt werden:

Also heilig ist der tag.
Christ fur gen himel (Mel. Christ ist erstanden).
Da Jesus an dem creuze stund.
Du lenze gut, des jares teurste quarte.
Eia der großen liebe, die dich (Mel. Laus tibi Christe).
Ein kindlein in der wigen.
Eia herre got, was mag das gesein.
Erstanden ist der heilig Christ.
Gelobet seist du, Jesu Christ.
Jesus war zmitternacht geborn.
Joseph lieber Joseph mein (Mel. Resonet in laudibus).
In dulci jubilo, singet vnd sit vro.
Komt, ir kinder, singet fein.
Lob sollen wir singen dem vil werten Christ (Mel. Laus tibi Christe).
Maria saß in jrem sal.
Maria stund in swinden smerzen.
Myn herz is ervüllet mit vrölichkeit.
O du armer Judas (Mel. Laus tibi Christe).
O Jesu du bist milt und gut.
O starker got al unser not.
Uns komt ein schif gefaren.
Wir danken dir, lieber herre (Mel. Laus tibi Christe).

Wackernagel theilt uns in seinem Kirchenlied I. Band No. 263—366 im Ganzen 133 lateinische Lieder mit, die vielfach Volksgesänge waren und bald auch deutsche Texte erhielten, unter andern:

Ave vivens hostia.
Dies est laetitiae.
En trinitatis speculum.
Exultandi tempus est.
In hoc anni circulo.
Iure plaudant omnia.
In natali Domini.
Laus tibi Christe, qui pateris.
Nunc angelorum gloria.
Omnis mundus iucundetur.
Patris sapientia.
Puer natus in Bethlehem.
Puer nobis nascitur.
Quem pastores laudavere.
Quem nunc virgo peperit.
Resonet in laudibus.
Surrexit Christus hodie.

lichen sowohl wie im geistlichen Volksgesange L
Limburger Chronik berichtet zum Jahre 1356: „
des Tagelied von der heiligen Passion und
ein Ritter „O starker Gott, all unser not“ u.
bringt die Chronik eine weitere Notiz:

„Sang und Spiel ändern sich in deuts
selbigen Jahren verwandelten sich die Car
Teutschen Landen. Dann man bishero l
hatte mit fünf oder sechs Gesetzen. Da mac
Lieder, das hiesset Widergesang mit drei G
sich also verwandelt mit dem Pfeifenspiel
stiegen in der Musica, daß die nicht also
nun angangen ist. Dann wer vor fünf
guter Pfeifer war im Land, der dauchte
Flihen“.[1]

Aehnlich Petrus Herp in der Frankfurter Ch
»Musica ampliata est, nam novi cantores sun
et figuristae incepere alios modos assuere«.

Außer dem Meistergesange scheinen diese B
Anderes im Auge gehabt zu haben. Vergleichen wir
des 14. Jahrhunderts entstandenen Singweisen l
Volksgesänge mit den früheren Liedern, so finden
neue Tonart, unser Dur, hier eingebürgert hat.
dulci iubilo, singet und seid froh“, »Reso
„Joseph, lieber Joseph mein“, »Dies est laetit
ist so freudenreich“, »Surrexit Christus hodi
der heilig Christ“ u. a. sprechen uns so modern
tiger Art componirt worden wären. Sie stehen säm
nen F dur, oder in der lydischen Tonart der Alten,
♭ zum Ionischen (unserm Dur) umgestaltet worden
und fahrenden Musikanten erfreute sich diese Tona
liebtheit. Daher mag sie den Namen »modus lasc
Im 15. Jahrhundert treten deutsche ...

sich zur Aufgabe, nicht nur weltliche Volksliederweisen für das Kirchenlied zu gewinnen, sondern auch die Texte geistlich umzudichten, wobei er die Anfangsworte derselben und ihre Melodien beibehielt. Er that dieses, um den vielfach anstößigen Text der weltlichen Lieder zu beseitigen und die schöne Melodie zu retten, ein Verfahren, welches später bei den protestantischen Liedercomponisten vielfach Nachahmung fand. Auch Luther billigte dieses, „denn der Teufel" meinte er, „brauche nicht alle schönen Melodien für sich allein zu haben".

Als Beispiele mögen hier angeführt werden:

„Ach töhterlin, min sel gemeit".
„Ich weiß ein lieplich engelspil".
„Es taget minnencliche".
„Ein lerer rust vil lut uß hohen sinnen".
„Ich wölt, daß ich da heime wär".
„Ich weiß ein stolze maget vin".
„Es stot ein lied in himelrich".

Außerdem besitzen wir von H. von Loufenberg Uebersetzungen lateinischer Hymnen und eine Anzahl freigedichteter Lieder, namentlich zum Lobe der heiligen Jungfrau.

Wackernagel theilt im II. Bande seines Kirchenliedes im ganzen 92 Liedertexte dieses Dichters mit. Darunter sind 15 als zweifelhaft bezeichnet.

Folgende mögen hier genannt werden:

„Bis grüst, stern im mere". Ave maris stella.
„Ein kind ist gborn ze bethleem". Puer natus in Bethlehem.
„Got ist geborn ze bethleem".
„Got si gelobet ewenclich".
„Kum, heilger geist, erfüll min herz".
„Maria, honigsüsser nam".
„Min richer got, min herre christ".
„Uß dem vätterlichen herzen". Corde natus ex parentis.

Ich gebe nachstehend[1] zwei Lieder mit Volksweisen, die mindestens 100 Jahre älter sind und von Loufenberg geistlichen Texten applicirt wurden. Eine dritte Weise „In einem kripfli lit ein kind" findet man unter den Weihnachtsliedern.

---

1) (W. II, 710)

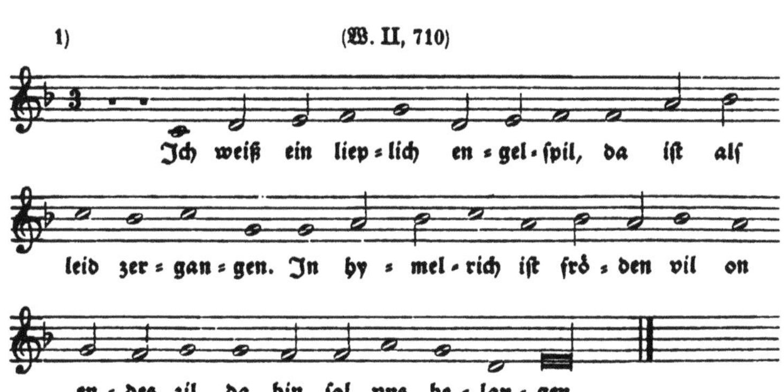
Ich weiß ein liep-lich en-gel-spil, da ist alf
leid zer-gan-gen. In hy-mel-rich ist frö-den vil on
en-des zil, da hin sol vns be-lan-gen.

büchern, sowie in einzelnen Drucken und fliegende
der Bibliographie ersehen mag.

Von den Liedern mit Melodien kann ich
anführen:

Dich muter gotes ruef wir an.
Die geschrift gibt uns weis und ler. (He
Der heilig geist mit seiner gnad. (Mel.:
Der spiegel der dreifaltigkeit. (Mel.: En t
Dis sind die heilgen zehen gebot.
Die heiligen drei könig mit irem stern.
Ein kindelein so löbelich. (2. Strophe aus
ist so freudenreich.)
Ein kind geborn zu Bethleem. Puer na
schiedene Formen.)
Es flog ein täublein weise.
Es flog ein vögelein leise.
Es giengen drei freulach also fru.
Frau, von herzen wir dich grüßen.
Freu dich, du werde Christenheit.
Gegrüßt seist, (Maria) du königin.
Got des vaters weisheit schon. (Mel.: Pat
Got der vater won uns bei.
Got sei gelobet und gebenedeiet.
Heb uf din cruze und gang nach mir.
spricht zur Menschenseel vertraut.)
Ich lag in einer nacht und schlief.
Jesus ist ein süßer nam.
Jesus der gieng den berg hinan.
In mitten unsers lebens zeit. (Mitten wir
Königin der himel, freu dich, Maria.
Kom, heiliger geist, herre got.
Maria, gotes muter, won uns bei.

(W. II, 715.)

Ich wölt, dz ich do bei = me m.

Mein zung erkling und frölich sing. (Pange lingua.)
Mit diesem newen jare.
Sancta Maria, bit got für uns.
Süßer vater, herre got.
Vater unser, der du bist, Kyrie eleison.
Vater unser, der du bist im himelreich.
Wer sich des meiens wölle.
Wir glauben (all) in einen got.

Aus dem 15. oder Anfange des 16. Jahrhunderts mögen auch folgende bekannte Lieder stammen:

Al welt sol billich frölich sein.
Auß hertem we klagt menschlichs geschlecht.
Ave Maria, du himel künigin.
Da got der herr zur marter trat.
Da Jesus in den garten gieng.
Der zart fronleichnam der ist gut. (Mel.: Ave vivens hostia.)
Die muter stund vol leid und schmerzen. (Mel.: Stabat mater.)
Es freuet sich billich jung und alt.
Es floß ein ros von himel herab.
Es kam ein schöner engel.
Es sungen drei engel ein süßen gesang. (Mel.: „Maria gotes muter reine magd, al unsre not.")
Es wolt gut jäger jagen.
Freu dich, du himel königin.
Geborn ist uns ein kindelein.
Gegrüßt seistu, hailigs opfer rein. (Mel.: Ave vivens hostia.)
Gegrüßt seistu, Maria rein.
Ich glaub in got den vater mein.
Ich waiß ein maget schone.
Jesus Christus unsere seligkeit.
O herr, das sind die deinen gebot.
O ewiger vater, bis gnedig uns.
O hoch und heilges creuze.
So fallen wir nider auf unsere knie, den waren.
Wir fallen nider auf unsre knie, Mariam.
Wir wollen alle singen, wir wollen.

Indem ich meine Zusammenstellungen hiermit schließe, bemerke ich noch, daß die Zahl der Melodien, namentlich aber der Texte vor der Reformation eine bedeutend größere ist. Nicht uninteressant dürfte es sein, das Wachsthum der Lieder nach dem II. Bande von Wackernagels Werk festzustellen. Der ganze Band umfaßt 1448 Nummern, darunter viele geistliche Gedichte, die natürlich niemals gesungen worden sind.

Otfried von Weißenburg	No.	1 — 19
9. Jahrhundert		20 — 21
10. „		22 — 25
11.		26 — 27
12.		28 — 189
13.		190 — 429
14. „		430 — 639
15. „		640 — 1057
15. u. 16. „		1058 — 1410
Nachträge		1411 — 1448

Das deutsche Volk besaß also vor dem Ausbruche der Reformation einen Schatz von geistlichen Volksliedern, resp. Kirchenliedern, wie ihn kein

...ithätigkeit auf dem Gebiete des
dichterischer und musikalischer Hinsicht wird au
äußerst verdienstvolle über Gebühr gepriesen,
von Protestanten sehr gering angeschlagen.[1]
Abhandlung seine Stellung zum deutschen Kir
Componist einer eingehenden Prüfung unterzie
wohl die äußerst wichtige Stellung, welche der
einnahm. Deshalb wandte er dieser Angelege
Aufmerksamkeit zu. Den lateinischen Choralgesan
er konnte ihn schon des Textes wegen, der stelle
Widerspruch stand, in der alten Form nicht beibe
er in dem deutschen Kirchengesange das geeignet
seiner neuen Lehren. Anfangs behalf er sich n
Choral, dann stellte er das deutsche Lied mehr in d
lich erhob er es zum liturgischen Gesang der neuen
den lateinischen Gesang abzuschaffen. Die Form
nionis pro ecclesia Wittenbergensi 1523 enth
nische Meßgesänge. In der deutschen Ausgabe „Ei
zu halten vnd zum tisch Gottis zu gehen" Witte
wollte auch, daß wir viel deutsche Gesänge hätten
Messe sänge, oder neben dem Gradual auch neben
Dei. . . . . Aber es fehlt uns an deutschen Poete
uns noch zur Zeit unbekannt, die christliche und g
Paulus nennet, machen könnten, die es werth wäre
der Kirche Gottes brauchen möchte. Indeß lasse i
singe, weil das Volk das hochwürdige Sacrament
lobet und gebenedeiet u. s. w. Zudem ist auch dieß
Nun bitten wir den heilgen Geist u. s. w. Item:
Denn man findet ihr nicht viel, die etwa einen Sc
Geist hätten; das rede ich derhalb, daß, so irgend d
durch bewegt würden, uns geistliche Lieder zu mache
Uebersetzung der Meßgesänge unter Beibehaltung
ihm nicht gedient, denn „daß man den lateinische
lateinischen Ton und Noten ...

„kommt Luther zu Eisenberg am Ostertag in die Kirchen, und als man da den Introitum deutsch sang in die lateinischen Noten, rümpfet er sich hart. Wie er heim zu Tische kommt, fragt ihn sein Wirth, was ihm gewesen wäre. Ich dacht, spricht er, es würde mich die kalte Pese ankommen über ihrem läppischen Gesang. Will man deutsch singen, so singe man gute deutsche Lieder; will man lateinisch singen, wie's Schüler thun sollen, so behalte man den alten Choral und Text und thu' das Unrein davon.“[1] Obwohl er selbst im Jahre 1525 in Gemeinschaft mit den Musikern Rupff und Walther versuchsweise eine deutsche Meßliturgie für die Pfarrkirche in Wittenberg eingerichtet hatte, welche anstatt der lateinischen Chorgesänge zu dem Graduale Credo, Sanctus, Agnus Dei und der Communio die Lieder: Nun bitten wir den heiligen Geist — Wir glauben all an einen Gott — Jesaia dem Propheten — Gott sei gelobet und gebenedeiet — Jesus Christus unser Heiland — und das deutsche Agnus Dei (Christe du Lamm Gottes) empfiehlt, so wollte er doch die lateinische Messe nicht ganz abgeschafft wissen. Er schrieb 1526 (**Deudsche Messe vnd Ordnung Gottisdienstes, Wittenberg.**) in Bezug auf diese Angelegenheit: „Diese (die lat. Messe) will ich nicht aufgehoben und verändert haben; sondern wie wir sie bisher bey uns gehalten, so soll sie noch frey sein, derselbigen zu gebrauchen, wo und wenn es uns gefällt oder Ursachen bewegt. Denn ich in keinem Wege will die lateinische Sprache aus dem Gottesdienste lassen gar wegkommen; denn es ist mir alles um die Jugend zu thun“ u. s. w.[2] Aehnlich berichtet Walther über Luthers Intentionen: „Derowegen sind die deutsche geistliche reine alte und lutherische Lieder und Psalmen für den gemeinen Haufen am nützlichsten, die lateinischen aber zur Uebung der Jugend und für die Gelehrten“.[3] Alte deutsche Kirchenlieder fand Luther in großer Anzahl vor, aber er konnte sie nicht alle gebrauchen, weil sie mit seiner Lehre nicht übereinstimmten. Im Val. Bapst'schen Gesangbuche, welches 1545 unter Luthers Redaction erschien, finden sich folgende alte Lieder. (I. Theil Bl. Q. 4. b.)

„Nu folgen etliche geistliche Lieder, von fromen Christen gemacht, so vor vnser zeit gewesen sind“ :

1. Dies est laetitiae.
2. **Der Tag der ist so freudenreich.**
3. Resonet in laudibus.
4. Nunc angelorum gloria.
5. In dulci iubilo, **Nu singet vnd seid fro.**
6. Puer natus in Bethlehem. **Ein Kind geborn zu Bethlehem.**
7. **Christe, der du bist tag vnd liecht.**
8. **Christ ist erstanden.**
9. **Christ fuhr gen himel.**

Andere alte Lieder wurden erst „christlich corrigirt“ und dann in die Gesangbücher aufgenommen. Die neue Lehre bedurfte aber auch neuer Lieder. Deshalb wandte sich Luther an seine Freunde und suchte sie zur Liederdichtung anzuspornen. Im Jahre 1524 schrieb er an Spalatin folgende Zeilen: „Gnade und Friede! Ich bin willens, nach dem Beispiel der Propheten und Altväter der Kirche deutsche Psalmen für das Volk zu machen, nämlich geistliche Lieder, damit das Wort Gottes sich auch durch den Gesang unter den Leuten erhielte. Wir suchen also überall Poeten. Da nun dir sowohl

---

1) Rambach, S. 91. 2) Daselbst S. 87. 3) M. Prätorius Syntagma musicum I, 449 ff. Daselbst S. 213.

Ich aber habe keine so hohe Gabe, daß ich
selbst vermöchte. Darum will ich versuchen,
Assaph oder oder Jedithun seid. Eben darum w
bitten, der auch gar reich und zierlich in Worte
selben Angelegenheit wandte er sich im Jahre
Eoban Hesse in Erfurt.

Diese Mahnung zum Liederdichten, die Lut
wiederholt, fand, wenn auch nicht bei den Genan
klang und rief eine lebhafte Thätigkeit auf diesem
Jahre 1533 Lieder in Hülle und Fülle vorhanden
Infolge dessen sah Luther sich zu folgender Bemer

„Es sind auch geistliche Lieder durch
gemacht; weil aber derselbigen sehr viel
Theil nicht sonderlich tügen, habe ich sie
diß Gesangbüchlein setzen, sondern die be
und sie hernach gesetzt“[2].

Im Jahre 1545 steht auf dem Titel des un
schienenen V. Bapst'schen Gesangbuches die Warn

„Viel falscher Meister itzt Lieder ti
Sihe dich für vnd lern sie recht rid
Wo Gott hin bawet sein kirch vnd
Da wil der Teuffel sein mit trug u

Ueber die Frage, in wieweit Luther sich selb
Lieder betheiligt habe, sind die Protestanten unter
bedeutendste Hymnologe Ph. Wackernagel schreibt i

1. Ach Gott von himel sich darein.
2. Aus tiefer not schrei ich zu dir.
3. Christ lag in todesbanden.
4. Christum wir sollen loben schon.
5. Christ unser herr zum Jordan kam.
6. Der du bist drei in einigkeit.
7. Diß sind die heilgen zehn gebot.
8. Ein feste burg ist unser Gott.
9. Ein neues lied wir heben an

15. Gott sei gelobet und gebenedeiet.
16. Herr Gott dich loben wir.
17. Jesaia dem Propheten das geschah.
18. Jesus Christus unser Heiland, der den.
19. " " " " der von.
20. Kom du schepfer heiliger geist, der.
21. Kom Gott schepfer heiliger geist, besuch.
22. Kom heiliger geist herre Gott.
23. Mensch wiltu leben seliglich.
24. Mit frid und freud ich far dahin.
25. Mitten wir im leben sind.
26. Nu bitten wir den heiligen geist.
27. Nu freut euch lieben Christen gmein.
28. Nu kom der heiden heiland.
29. Sie ist mir lieb die werde magd.
30. Vater unser im himelreich.
31. Verleih uns friden gnediglich.
32. Vom himel hoch da kom ich her.
33. Vom himel kam der engel schar.
34. Wär Gott nicht mit uns diese zeit.
35. Was fürchst du feind Herodes ser.
36. Wir gleuben all an einen Gott.
37. Wol dem der in Gottes furcht stet.

Außerdem noch folgende Texte, die eigentlich nicht zu den Kirchenliedern gehören:

38. Ach du armer Heinze, was hast du getan.
39. Der babst und greul ist ausgetriben.
40. Für allen freuden auf erden.
41. Nu treiben wir den bapst heraus.

Nach meinen im I. und II. Bande niedergelegten Forschungsresultaten vertheilen sich die Lieder wie folgt:

I.

Ueberarbeitung und Erweiterung vorreformatorischer deutscher Lieder:
a) mit Beibehaltung der alten ersten Strophe: No. 13, 14, 15, 22, 25, 26;
b) andere Dichtungen nach Vorlage älterer Lieder: No. 3, 7, 23, 30, 32 (?), 36.

II.

Uebersetzung von Hymnen und andern lateinischen Gesängen: No. 4, 6, 16, 20, 21, 28, 31, 35.

III.

Psalmlieder: No. 1, 2, 8, 11, 12, 24, 34, 37.

IV.

Freie Bearbeitung einzelner Bibelstellen: No. 5, 17, 29.

V.

Sonstige Lieder: No. 9, 10, 18, 19, 27, 33.

Die Kritiker sind darin einig, daß nicht alle diese Texte dichterischen Werth besitzen. „Bekanntlich sind Luthers Uebersetzungen lateinischer Gesänge die schwächsten aller seiner Dichtungen", sagt Achelis. No. 3 nennt er „eine eigenthümliche Mischung von plastischer Poesie und Derbheit bis zur Geschmacklosigkeit". No. 21 „eine allzuwortgetreue Uebersetzung, so daß die erste

Bevor ich dazu übergehe, die Melodien z
Prüfung zu unterziehen, muß ich folgendes vor
Luther war nicht nur ein großer Musik
tüchtiger Kenner der Musik, der diese Kunst pra
Die Abendstunden nach der Mahlzeit waren der
gewidmet. „Da sang man schöne liebliche Motett
andern Meistern, zu welchem Ende er bisweilen
Gäste lud und eine Cantorey in seinem Hause a
er die Querflöte und die Laute.[2] Componist w
einmal Motetten von Senfl sang, verwunderte e
solche Mutete vermöchte ich nicht zu machen, n
sollte, wie er dann auch wiederum nicht einen Psal
In seinen sämmtlichen Schriften findet man keine
Luther sich selbst die Erfindung irgend einer Mel
zugeschrieben habe. Inwiefern seine Zeitgenoss
Melodien ansahen, soll die folgende Ausführung z

Das Syntagma musicum 1614 ff. von M
einen Bericht Joh. Walthers, des Freundes u
musikalischen Dingen, in welchem gesagt wird, daß
kirchlichen Lesevortrag der Epistel, des Evangeliu
worte des h. Abendmahls selbst gemacht und
habe, um dessen Bedenken darüber zu hören.

Von einer eigentlichen Melodiebildung kan
sein, denn wir haben es mit dem bekannten auf e
haltenden declamatorischen Gesang zu thun, in
und kleineren Interpunktionen des Textes gewisse
eintreten.

Sodann bezeugt Walther, daß Luther die
meistentheils gedichtet und zur Melodey gebr
anderem aus dem deutschen Sanctus (Jesaia den
zu ersehen, wie er alle Noten auf den Text nac
Concent so meisterlich und wohl gerichtet habe.

Unter dem Ausdruck „zur Melodie ...

reipublicae Carolo V. Caesare. Argent. 1555 am Ende des 16. Buches über das Lied „Eine feste Burg": »Psalmum hunc ad tempus illud, moeroris et angustiae plenum accomodans, ut dixi, quum sermone populari vertisset, inflexa nonnihil sententia, numeros etiam addidit et modulos, argumento valde convenientes et ad excitandum animum idoneos«.

Dieser spricht also von der „Hinzufügung" einer sehr passenden und ergreifenden Melodie.

D. Chyträus berichtet in der Vorrede zu den Cantica sacra in usum ecclesiae et juventutis Hamburgensis 1588: »Lutherus praecipuas doctrinae christianae partes et totam Christi historiam.... lectissimis verbis expositas et rhythmis concinnis comprehensas et melodiis elegantibus et aptissimis, quae rebus et verbis textus subjecti apposite congruunt illustravit«.

Hier ist demnach von einem „Ausschmücken" mit Melodien die Rede.

Das Zeugniß Paul Ebers (Die Sontags Euangelia etc. Wittenberg 1561. Vorrede), Luther habe „die stück des Catechismi vnd etliche Bet vnd Danckpsalm Dauidis in deudsche Reimen vnd liebliche Melodien gefasset", kommt nicht in Betracht, da von Winterfeld bereits darauf aufmerksam macht, daß die meisten Katechismuslieder Luthers urkundlich entlehnte Weisen haben, nur eine: „Mensch wiltu leben seliglich" könne ihm mit einiger Wahrscheinlichkeit zugeschrieben werden.[1]

Ich gebe nun das Resultat meiner Forschungen.

I. Melodien des gregorianischen Choralgesanges finden sich mit mehr oder weniger Varianten zu folgenden Texten.

No. 4, (35) : A solis ortus cardine.
„ 6 : O lux beata trinitas.
„ 10, 28, 31 : Veni redemptor gentium.
„ 16 : Te Deum laudamus.
„ (20), 21 : Veni Creator Spiritus.

II. Dem vorreformatorischen deutschen Kirchenliede sind entnommen.

No. 3. Umbildung der Melodie „Christ ist erstanden".
„ 7. In Gottes namen fahren wir.
„ 13., 14., 15., 22., 25., 26., 36. } Vorreformatorische Melodien mit gleicher oder veränderter Anfangsstrophe.

III. Weltliche Volksweisen.

No. 12 wird im Choralbuch von Jakob und Richter, Berlin, Stubenrauch o. J. No. 196, als dem weltlichen Volksgesange entnommen bezeichnet.

No. 27 hat zwei Melodien. Die eine gehört der alten Tageweise an: „Wach auf meins Herzens schöne, zart Allerliebste mein" in Val. Trillers Singebuch. 1555. Bl. Q. III. (Erks Choralb. Berlin 1863. No. 194.)

1) Der evangelische Kirchengesang. Leipzig 1843. I, 161.

ist die Melodie aus Straßburg. (Jak
No. 362.)

No. 5 ist nicht die Melodie des weltlichen Li
klagt sich ein Held" wie Erk angibt. (Vgl. Bö
buch No. 111.)

In neuerer Zeit suchte die protestantische For
oben angeführten historischen Zeugnisse Luther die M
zu vindiciren:

Ein feste Burg ist unser Gott.
Jesaia dem Propheten das geschah.
Wir glauben all an einen Gott.

In Bezug auf das letztere Lied hat Hoffmann
chenlied No. 126) den vorreformatorischen Ursprung
(Vgl. No. 366 in diesem Bande.)

Die beiden andern haben ihre Motive im gregori
und zwar in Gesangstücken des V. Kirchentones. Eig
(Tonreihe f—f ohne b Vorzeichnung). Durch Vorse
cirte man ihn mit der jonischen Tonart. Dieses Ver
14. Jahrhundert gäng und gäbe.

Man vergleiche meine Angaben zu dem Liede »K
u. a. in der Geschichte des Kirchenliedes (Einleitun
„Monatsheften für Musikgeschichte" [Jahrgang XII] h
meine obigen Behauptungen erbracht.

Dagegen ist nun namentlich mit Bezugnahme a
Burg" gewaltig polemisirt worden. Von verschieden
dabei allerlei Behauptungen zugeschoben, an die ich ga

Unter anderm wird gesagt, ich hätte den Refor
achtet eine Melodie zu erfinden. Durchaus nicht!
seiner Vorrede zu den „Verdeutschen Kyrchengesen
„in halbem Germanien schier kein pfarrer oder sch
vntüchtig ist, der ym nicht selbst ein liedlein ode
mache, das er mit seinen bawren zur kirchen zu
wird auch der musikalisch gebildete

der auf der hohen Schule sein wichtiges Amt hatte, eine Menge Schriften herausgab, von allen Orten her mit Fragen, Briefen und Gutachten angelaufen wird?"

Ich gebe nun zunächst die Accente für den Lesevortrag der Epistel und des Evangeliums und der Einsetzungsworte »Qui pridie quam pateretur«, „Unser Herr Jesu Christ, in der Nacht da er" u. s. w., welche nach Walthers Aussage Luther selbst gemacht hat.

1. Accente für die Epistel.

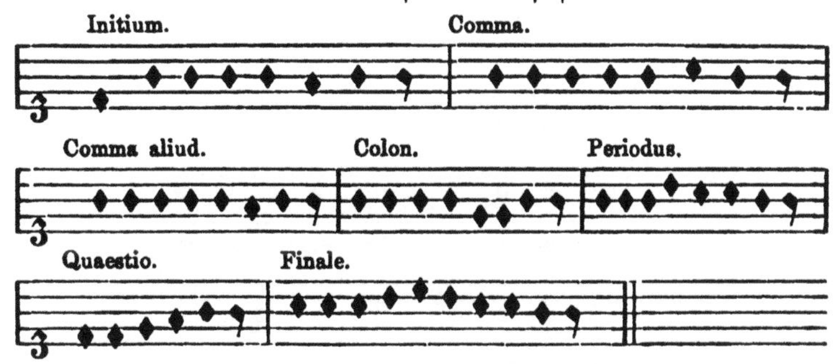
Initium.
Comma.
Comma aliud.
Colon.
Periodus.
Quaestio.
Finale.

Jetzt folgt ein »Exemplum«, in welchem diese Regeln zur Anwendung kommen.

So schreibt der hei-lig A-po-stel Pau-lus zu den Co-rin-thern:
Lie-ben Brü-der, da-für hal-te uns je-der-mann,
näm-lich für Chri-stus Die-ner u. s. w.

2. Die Accente für das Evangelium.

Initium.
Comma.
Comma aliud.
Colon.
Periodus.
Finale.

Vox Christi.

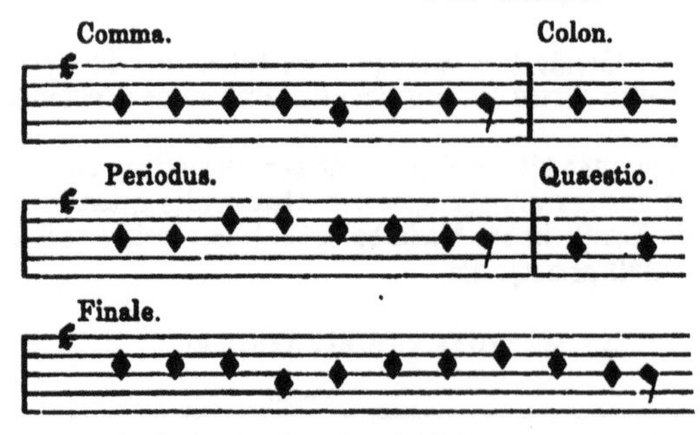

Comma.
Colon.
Periodus.
Quaestio.
Finale.

Jetzt folgt das Evangelium vom vierten
Exemplum.

So schreibt der hei-lig Jo-han-nes in seim
Dieß ist das Zeug-niß Jo-han-nis,
san-dten von Je-ru-sa-lem u.

3. Exemplum.

und gabs sei = nen Jün=gern und sprach: Nempt hin und es = set,
das ist mein Leib, der für euch ge = ge = ben wird,
solchs thut, so oft ihrs thut, zu mei = nem Ge = dächt = niß.

Desselben gleichen auch den Kelch u. s. w.

Deutsche Messe und Ordnung des Gottesdienstes 1526. Luthers Sämmtliche Werke. Erlanger Ausgabe. Bd. 22. S. 226—244. Separatabdruck. Frankfurt a. M. und Erlangen. Verlag von Heyder und Zimmer 1854. (Im Original stehen nur 4 Linien.)

Aus diesen Mittheilungen wird der im gregorianischen Choralgesang bewanderte Leser ersehen, daß wir hier nur eine Nachahmung der bekannten Accente für den kirchlichen Lesevortrag (choraliter legere) vor uns haben. Wenn man die althergebrachten Gesangsformeln, welche in jedem Lehrbuche des gregorianischen Chorals zu finden sind, mit den obigen vergleicht, so wird man sagen müssen, daß die ältern schöner und der Natur des Sprachgesanges angemessener sind. Um den Vergleich sofort anstellen zu können, will ich zum Ueberfluß einige in der Diöcese Köln übliche, alt hergebrachte Accente hieher setzen.

Tonus Epistolae.

Lectio Epistolae beati Pe - tri A - po - sto - li.
Fra - tres, Ca - ris - si - mi. Sic canitur comma, sic du - o puncta.
Sic au - tem pun-ctum. Sic in - ter - ro - ga - tur?
Sic finitur e - pi - sto - la.

Tonus Evangelii.

Dominus vo - bis-cum. Sequentia sancti e - van - ge - li - i se-cundum
Et cum spiritu tu - o.

Mat-thae-um. Gloria ti - bi Do - mi - ne? In il - lo tem - po - re.

Sic canitur comma sic du - o pun-cta. Sic au - tem pun - ctum.

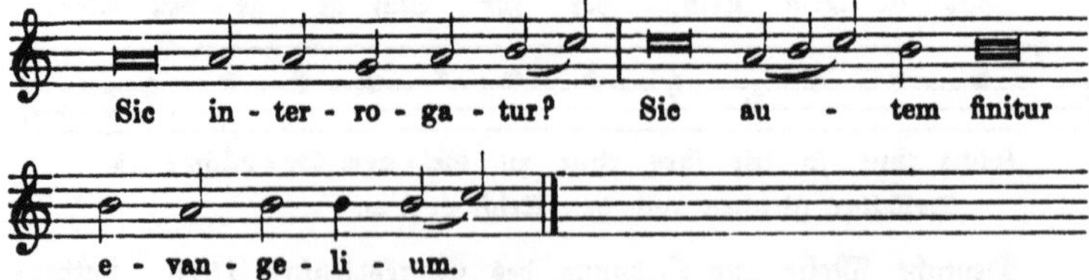
Sic in - ter - ro - ga - tur? Sic au - tem finitur
e - van - ge - li - um.

Als ich die Luther'sche Melodie zu den Einsetzungsworten des letzten Abendmahles prüfte, kam mir unwillkürlich ein in der katholischen Kirche üblicher »Concentus« in den Sinn, den Richard Wagner zu denselben Worten im Parsifal in so vortrefflicher Weise verarbeitet hat.

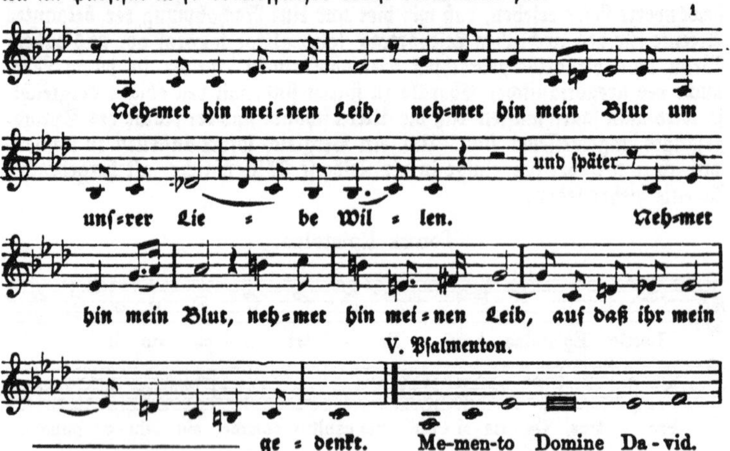
1
Neh-met hin mei - nen Leib, neh-met hin mein Blut um
uns-rer Lie - be Wil - len.
und später
Neh-met
hin mein Blut, neh - met hin mei - nen Leib, auf daß ihr mein
V. Psalmenton.
ge - denkt. Me-men-to Domine Da - vid.

Da sieht man, was ein Musikus mit einem kirchlichen »Concentus« anzufangen weiß.

Doch genug hiervon. Kommen wir auf die beiden Lieder „Jesaia dem Propheten" und „Ein feste Burg ist unser Gott" zurück.

Da die Monatshefte nicht in jedermanns Händen sind, so reproducire ich hier meine damaligen Zusammenstellungen und überlasse dem geneigten Leser die Beurtheilung. Die Choralmelodien sind dem Lütticher Graduale vom Jahre 1854 entnommen. Es war mir trotz vielfältiger Bemühungen nicht möglich, ein altes Augustiner-Gradual ausfindig zu machen. Vielleicht würde ein solches noch bessere Auskunft geben.

1) Gleicht dem Schluß des »Ite missa est« in summis festis.

Deutsche Messe 1526 (vgl. S. 25). V. Bapst Gesangbuch 1545.
Je - sa - i - - a dem Pro-phe-ten das ge-schach,
(Vgl. Mettenleiter Enchirid. p. 13 u. Grad. Rom. Lüttich p. 500.)
San - - ctus San - - - - - - ctus.
A - gnus De - i, qui tol - - - - lis.
daß er im Geist den Her - ren si - tzen sach
L. 500.
Chri - ste e - le - - - i - son.
auf ei - nem ho - hen Thron in hel - lem Glanz,
L. 504.
Et vi - tam ven - - - tu - ri sae - cu - li.
sei - nes Klei - des Saum den Chor fül - let ganz.
L. 504.
Mun - di Do - na no - bis pa - - - - cem.
L. 503.
Qui ex pa - tre, fi - li - o - que pro - - ce - dit.
Es stun - den zween Se - raph bei ihm da - ran,
L. 496.
Qui tol - lis pec - - ca - ta mun - di.
sechs Flü - gel sach er ei - nen je - dern han;
L. 474.
Et in u - num Do - mi - num.

mit zween ver = bar = gen sie ihr Ant = litz klar,
L. 503.
A - scen - dit in coe - lum.
mit zween be = deck=ten sie die Fü = ße gar,
L. 500.
Mun - - - - - di mi - se - re - re no - bis.
und mit den an = dern zween sie flo = gen frei,
L. 502.
Pa - - tri, per quem o - mni - a fa - - - cta sunt.
gen = an = der rufen sie mit gro = = ßem Schrey.
L. 473.
Ju - di - ca - re vi - vos et mor - tu - os, cu - jus reg - ni.
Hei = lig ist Gott, der Her = = re Ze = ba = oth!
(dreimal.)
L. 501.
Lau - da - - mus te
Tu so - lus Do - - - mi - nus, tu solus
L. 500.
Ven - tu - - ri sae - - - cu - li
Sein Ehr die gan = ze Welt er = fül = let hat.
L. 500.
Chri - ste e - le - i - son.

Von dem Schrey zit - tern Schwell und Bal - ken gar;
L. 502.
Et in u - num Do - - - mi - num.
das Haus auch ganz voll Rauchs und Ne - bel war.
L. 472.
In - vi - si - bi - li - um, et in u - num Do - mi - num.
Val. Bapst'sches Gsgb. 1545.
Ein fe - ste burg ist vn - ser Gott,
Er hilfft vns frey aus al - ler not,
1 Et ex pa - tre na - tum.
ein gu - te wehr vnd waf - - sen.
die vns itzt hat be - trof - - fen.
Et i - te - rum ven - - tu - rus est.
2 A - - - - - - - * men.
Der alt bö - se feind mit ernst ers
3 Ky - - ri - e.
Glo - - ri - a.
Cre - - do.
4 Con - fi -

1) Lütticher Graduale S. 502. Auf der nächsten Seite steht noch folgende Phrase:

Qui cum pa - tre et fi - li - o

2) S. 475 u. 504. * mit d. Schluß f b a g g f. 3) S. 500, 501, 502. 4) S. 503.

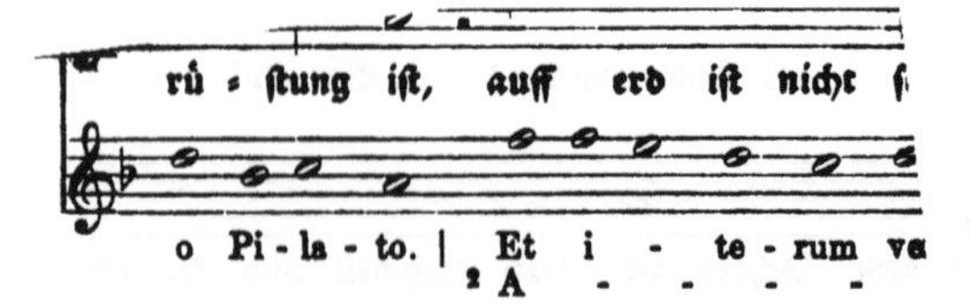
rü - stung ist, auff erd ist nicht
o Pi - la - to. | Et i - te - rum va
2 A - - - - -

Die Melodie zu dem Liede: „Ein feste Burg"
Dr. Otto Kade in Schwerin mittheilt, vor dem Ja
oder, wo man demselben keine Autorität beimessen
1531 gar nicht vor. Der Text findet sich allerdin
Gesangbuch 1529, niederdeutsch auch 1530 (Rostocke
dem noch nicht wieder aufgefundenen Klug'schen Ges
mit dem Jahre 1531 treten zwei gedruckte Sammlung
lodie zu dem Liede auf. („Kirchengesenge 2c." 1531.
berg durch Jobst Gutknecht; ferner „Geistliche
1531. Gedruckt zu Erffurdt. Andreas Rausche

Die erste Zeile der obigen Melodie findet sich in
misereatur: Secunda pars: »Laetentur et exulte
die in dem von O. Kade neu herausgegebenen Walth
vom Jahre 1524 No. 41 steht. Die Stelle lautet:

Lae - ten - tur om - nes po - pu -

In der kath. Zeitschrift „Athanasia" (1828, 2.
ie fragliche Melodie sei dem Hymnus »Exultet coe
ommen. Daß dieses nicht der Fall ist, zeigt das nac
ie weiteren Angaben über die Herkunft der Melodie
nd ganz unhaltbar.

Es frolock was im Himel ist

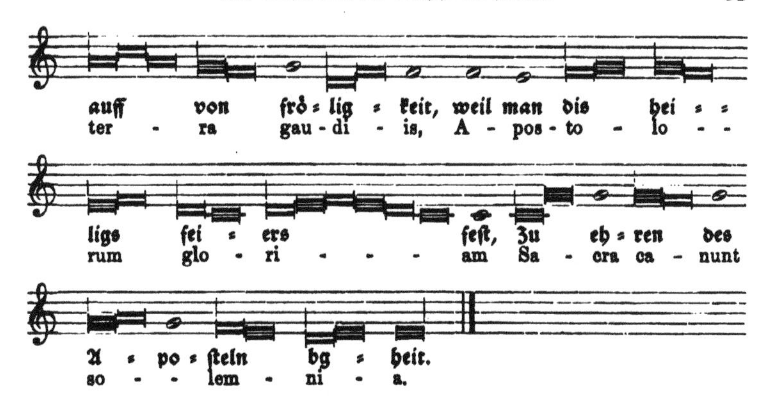
auff von frö = lig = keit, weil man dis hei = =
ter - ra gau - di - is, A - pos - to - lo - -
ligs fei = ers fest, Zu eh = ren des
rum glo - ri - - - - am Sa - cra ca - nunt
A = po = steln bg = heit.
so - - lem - ni - a.

Die Uebersetzung des Hymnus ist von Rutgerus Edingius. **Teutsche Euangelische Messen.** Cöln 1572. II. S. 1.

Nicht näher nachweisbar sind die Melodien zu den Liedern 1, 2 (zwei), 5, 9, 11, 18, 23, 27 (eine), 29, 32, 34 und 37.

Die meisten Singweisen zu Luthers Liedern haben auch in dem Falle, daß sie älterer Herkunft sind, eine besondere Redaction erfahren, die wir als eine gute bezeichnen können. In dieser Fassung gingen sie aus den frühesten protestantischen Gesangbüchern in spätere katholische über. Sie finden sich hier entweder bei den Luther'schen Texten (siehe oben) oder auch bei anderen. Mit Ausnahme der Melodien 8, 9, 11, 12, 17, 23, 27 (eine), 29, 34 und No. 20 nebst 35, welche beiden letzteren keine Melodien, sondern nur die Tonangaben »Veni Creator Spiritus« und »A solis ortus« bei sich führen, stehen die Singweisen in katholischen Gesangbüchern. Man kann sich hierüber näher unterrichten, wenn man die betreffenden Texte im I. oder II. Band des vorliegenden Werkes nachschlagen will.

Unser Urtheil über Luthers Thätigkeit auf dem Gebiete des deutschen Kirchenliedes können wir demnach in folgender Weise kurz präcisiren:

Luther erhob den vor seiner Zeit mehr geduldeten deutschen Kirchengesang allmählich zum liturgischen Gesang der neuen Gemeinden. Die vorreformatorischen deutschen Kirchenlieder, welche seiner Lehre nicht widersprachen, nahm er ohne Bedenken in seine Gesangbücher auf. Sodann überarbeitete und erweiterte er andere vorreformatorische Kirchenlieder, übersetzte Hymnen und dichtete mehrere neue Lieder. Als Componisten mehrstimmiger Tonsätze, sowie als Melodieerfinder können wir ihm ein besonderes Verdienst nicht zuschreiben. In seiner Stellung als Liturg und auch als Musikkenner hatte er natürlich ein besonderes Interesse daran, daß seine Lieder, wie Walther sich ausdrückt, „zu (passenden) Melodien gebracht wurden". In Gemeinschaft mit den Kapellmeistern Rupff und Walther wird er die Melodiefrage erledigt haben. Möglich ist, daß er in dieser Angelegenheit die letzte Entscheidnng sich vorbehielt. „Ihr Herren versteht eure Musicam und eure Noten löblich, was aber der geistliche Sinn und das Wort Gottes ist, so glaube ich auch ein Wörtchen dabei mitreden zu dürfen" sagte er zu den genannten beiden Musikern, als diese im Jahre 1524 drei Wochen lang bei ihm sich aufhielten, um die erste deutsche Messe zu bearbeiten.

Will man demnach Luther, wegen seiner unermüdlichen Thätigkeit, das alte Kirchenlied im Sinne der neuen Lehre weiter auszubilden, umzugestalten und im Volke zu verbreiten, den Vater des evangelischen Kirchengesanges nennen, so ist dagegen nichts einzuwenden. Vater des deutschen Kirchenliedes ist er nicht.

IV. Das katholische deutsche Kirchenlied nach der Reformation.

Dem Zusammentreffen verschiedener Zeitumstände ist es zuzuschreiben, daß der deutsche Kirchengesang im 16. Jahrhundert einen so unerwarteten Entwicklungsgang nahm. Zunächst war die Buchdruckerkunst, welche man als Erbtheil aus dem vorigen Jahrhundert überkommen, der Verbreitung der Lieder äußerst günstig. Dazu kam die Erfindung des Notendruckes mit beweglichen Typen. Während die frühesten Notendrucke mit geschnittenen Holztafeln hergestellt wurden, kamen im Jahre 1512 in Deutschland die beweglichen Typen bereits zur Anwendung und zwar bei dem Druck des Oeglinschen Liederbuches[1]. So konnten deutsche Liederbücher im Volke die weiteste Verbreitung finden und fanden sie auch in der That: denn um diese Zeit machte sich ein ganz außerordentlicher Trieb zum Singen geltend.

Vorzüglich waren Zech- und Liebeslieder, Balladen und historische Gesänge im Schwange. „Sie sind," sagt Böhme in seinem altdeutschen Liederbuche (S. XXXVI), „der treue Ausdruck einer unbefangenen, freilich oft im höchsten Grade sorglosen Lebensfreude, von welcher trotz der politisch-socialen Noth das 16. Jahrhundert erfüllt war — es sind Lieder, welche den Genuß des Lebens feiern, nicht selten allerdings in der allermateriellsten Art, jedoch meist noch so, daß dieser Sinnengenuß den höheren Gütern des Lebens nicht entgegengesetzt wird, sondern dieselben gelten läßt." Auf der anderen Seite bemühte man sich, diesen weltlichen Gesängen geistliche Lieder entgegenzustellen. Heinrich Knoblochzer empfiehlt in der Vorrede zu den deutschen Hymnen, Heidelberg 1494, seine Uebersetzungen lateinischer Kirchengesänge: „vff das diße nütz materi auch in gewonheit der leyen keme, damit sie also von jungen gevbet vnd darnach für andere schampere oder weltliche lider gesungen würden." Katharina Zellin berichtet in der Vorrede zu ihrem Gesangbüchlein, Straßburg 1534: „Dieweil dann nun so vil schandtlicher Lieder: von mann vnd frawen: auch den kinden gesungen werden: inn der gantzen welt: inn welchen alle laster buolerey und anderer schandtlicher Ding: den alten vnd jungen fürtragen wirt: vnd die welt ye gsungen will haben: dunckt es mich ein seer guot vnd nutz ding sein: wie diser mann (M. Weiße) gethon hat: die gantz handlung Christi vnd vnsers heyls inn gsang zubringen: ob doch die leut also mit lustiger weiß vnd hellen stymmen jrs heils ermanet möchten werden: vnd der teuffel mit seinem gsang nit also bey jnen statt hette." Johannes Gruens, der die Hymni von Kethner im

---

1) Monatshefte für Musikgeschichte VI. S. 146.

Jahre 1555 herausgab, meint, „die Musica sey nicht zu vnzüchtigen dingen vnd gotlosen liedern erfunden worden, wie sie dann zu vnsern zeiten von vilen bösen leuten gemainlich mißbraucht wurdet, sondern zu Gottes ehr vnd wecklegung der schweermütigkeit“.

Das Volk brachte die Lust zum Singen natürlich auch mit in die Kirche, und in welcher Begeisterung es dort seine deutschen Lieder sang, geht aus der Bemerkung Wizels zum »Victimae paschali laudes« hervor: „Sie iubiliert die gantze Kirche mit schallender hoher stim vnd unsäglicher freud: Christ ist erstanden“ u. s. w. Dieser Volksgesang beim Gottesdienste hatte sich bereits vor der Reformation in vielen Kirchen Deutschlands unter stillschweigender Genehmigung der kirchlichen Oberen eingebürgert; in welchem Umfange, mag der Leser aus meiner Abhandlung im II. Bande „Ueber die Stellung des deutschen Kirchenliedes zur Liturgie“ (S. 8 ff.) ersehen. Die Bischöfe und Concilien betonten es aber bei jeder Gelegenheit, daß der gregorianische Choralgesang der liturgische Gesang der katholischen Kirche sei und auch in Zukunft bleiben müsse.

Der Vortrag dieses herrlichen Kunstgesanges scheint aber an vielen Orten, namentlich auf dem Lande, wo es an gebildeten Sängern fehlte, ein äußerst roher und wenig erbauender gewesen zu sein. Das Provinzialconcil zu Cöln 1536 wünscht, daß „das Gebrüll die Recitation nicht unverständlich machen solle“.[1] Die Provinzialsynode von Trier 1549 schreibt vor, „die Sänger sollten nicht so schreien als ob sie verrückt oder übermüthig wären“;[2] das Provinzialconcil zu Salzburg 1569 rügt es, daß diejenigen, welche den Choral vortragen, mehr „Schreier“ als Sänger seien.[3] Auch die Synode von Besançon 1571 will das „Geschrei“ abgestellt wissen.[4] Nach diesen Citaten kann man sich nicht darüber wundern, wenn Luther in seiner Lobrede auf die Musik von einem „wüsten, wilden Eselgeschrey des Chorals“ spricht, wie man denselben in den Klöstern und Stiften zu hören gewohnt war, „wo sie das Quicunque blöken und die Psalmen mit eitel Jägergeschrey und mit starken feisten Succentorstimmen hinaustönen und also zugleich heulen, murmeln und plärren“.[5]

---

1) Ne boatus confundat recitationem. Schannat, Concilia Germaniae. tom. VI. p. 255 ff.

2) Nequaquam sublato in altum clamore, ne vel insanire vel animi lascivia gestire videantur potius quam fervore spiritus exultare. Schannat, Concilien VI. S. 548 ff.

3) Summorum autem cantorum provincia est, ut divinum officium in Choro . . . . . devote reverenterque ab omnibus persolvatur, praesertim a vicariis, regentibus Cantoribus et Lectoribus, qui saepe vociferatoribus magis quam concinentibus similes incomposite clamitant u. s. w. Später heißt es: Ferri enim non debent, qui, cum Angelorum et coelestium spirituum in Psalmis et Hymnis Deo decantandis, in Ecclesia Dei speciem quandam repraesentent, inconcinnos clamores edendo, agresti et incondita vociferatione et ad feritatem barbaricam composito sono rigidas voces extorquentes, audientium non raro animos, quos mulcere debuerant, exasperando magis ac obstrependo conturbent. Daselbst tom. VII. p. 276 ff.

4) Et cum psallendi gratia chorus fiat, nemo labia sua muta aut clausa tenuerit, sed omnes pariter cum simili et decenti alacritate modulentur, sic tamen ne boatus solum sine intelligentia audiatur. Daselbst tom. VIII. S. 198 ff.

5) Forkels Gesch. der Musik II. S. 76 ff. Luthers Ges. Schriften Th. XIX. S 1920; bei Rambach a. a. O. Anhang S. 89.

Das Volk war von einer solchen Caricatur des Choralgesanges, welche man ihm darbot, wenig erbaut. Wizel constatirt in seiner Vorrede zum Hymnologium Ecclesie 1545 die „vnmenschliche verachtung des Gregorianischen Gesanges vnterm volck".

Luther, der die Lage der Dinge gut kannte, suchte sie mit kluger Vorsicht zur Verbreitung seiner Lehre auszunutzen. Er gestattete dem sanglustigen Volke in größerem Umfange, als dies bisher geschehen war, beim Hauptgottesdienste deutsche Lieder zu singen und sorgte selbst für neue Lieder und Gesangbücher. Das Volk griff mit beiden Händen zu und sang sich förmlich in die neue Lehre hinein, ohne es zu wissen. Der Jesuit Conzenius meint, „Luthers Gesänge haben mehr Seelen umgebracht, als seine Schriften und Reden," und der spanische Carmeliter Thomas a Jesu schreibt: „Es ist äußerst zu verwundern, wie sehr diejenigen Lieder das Lutherthum fortgepflanzt haben, die in deutscher Sprache haufenweis aus Luthers Werkstatt geflogen sind und in Häusern und Werkstätten, auf Märkten, Gassen und Feldern gesungen werden".[1]

Im Jahre 1524 erschienen die ersten lutherischen Gesangbücher:

1) **Etlich Cristlich lider, Lobgesang vnd Psalm, dem rainen wort Gottes gemeß, auß der heyligen schrifft, durch mancherley hochgelerter gemacht, in der Kirchen zu singen, wie es dann zum tayl berayt zu Wittenberg in übung ist.** Wittenberg 1524. kl. 4. Dasselbe enthält 8 Lieder mit 5 Melodien.[2]

2) **Enchiridion Oder eyn Handbuchlein, eynem yetzlichen Christen fast nützlich bey sich zu haben, zu stetter vbung vnd trachtung geystlicher gesenge, vnd Psalmen, Rechtschaffen vnd kunstlich vertheutscht u. s. w. A. Schluß: Gedruckt zu Erffordt zcum Schwartzen Hornn, bey der Kremer brucken.** 1524. Jar. kl. 8. 25 Lieder mit 15 Melodien.[3]

3) **Geystliche gesangk Buchleyn.** Wittenberg 1524. quer 6. Das erste mehrstimmige protestantische Gesangbuch von Johann Walther mit 32 deutschen und 5 lateinischen Liedern.

Im selbigen Jahre erschien auf Anregen Thomas Münzers das Buch „**Deutsch Euangelische Meße u. s. w.**" Alstedt 1524. 4. mit 9 Uebersetzungen lateinischer Hymnen und den Melodien dazu.

Von jetzt an erscheinen fast in jedem Jahre neue Gesangbücher. Böhme zählt bis zum Jahre 1537 im ganzen 17 Stück auf und bis zum Ende des Jahrhunderts 52. Die Gesangbücher ohne Melodien, die verschiedenen Auflagen desselben Buches und die Einzeldrucke sind hier nicht mit einbegriffen. Man findet diese alle in Wackernagels Bibliographie 1855 und ersten Bande vom Kirchenliede 1864 verzeichnet. Die Anzahl ist eine ungemein große.

Auf katholischer Seite war bis zum Jahre 1524 eine Menge von geistlichen Liedern im Druck erschienen, wie die von mir gegebene Bibliographie zeigt. Im genannten Jahre wurde auch der Hymnarius von Sigmundsluft gedruckt mit Uebersetzungeu von Hymnen in Versen, aber ohne Melodien. Das Verdienst, das erste deutsche katholische Gesangbuch ver-

1) In Polit. lib. II. c. 19. Mog. 1620. Thesaurus Sapientiae. Antwerp. 1603. lib. VIII. p. II. fol. 41; bei Koch, Gesch. d. K. L. 1866. I. S. 244.
2) 3) Andere Ausgaben in Wackernagels Bibliographie S. 49 u. 57 ff.

faßt zu haben gebührt dem Stiftspropst Michael Vehe in Halle. Sein „New Gesangbüchlin Geystlicher Lieder", gedruckt zu Leipzig im Jahre 1537, wurde die Grundlage der späteren Publicationen auf diesem Gebiete.

Manche alte katholische Lieder waren in der von Luther beliebten erweiterten Form durch die protestantischen Gesangbücher bereits in's Volk gedrungen, ehe Vehe sein Büchlein herausgab. In den katholischen Gesangbüchern finden wir daher viererlei Formen alter Kirchenlieder vertreten: 1. das alte einstrophige vorreformatorische Lied; 2. das Luther'sche erweiterte Lied; 3. das Vehe'sche ebenfalls erweiterte Lied; 4. ein mixtum compositum aus Vehes und Luthers Lied. Da ferner in den protestantischen Gesangbüchern über den alten Liedern, welche von Luther in irgend einer Weise verändert oder erweitert worden waren, sein Name steht und zwar meistens ohne den Zusatz „gebessert", so entstand natürlicher Weise im Laufe der Zeit ein heftiger Streit über das Eigenthumsrecht. Corner nennt in der Vorrede zu seinem Gesangbuche 1631 die Lieder: 1) „Der Tag der ist so frewdenreich"; 2) „Gelobet seystu Jesu Christ"; 3) „Christ ist erstanden"; 4) „Nu bitten wir den H. Geist"; 5) „Wir glauben all an einen Gott"; 6) „Jesus ist ein süsser Nam" u. dgl. mehr, **welche mit Luthers Namen verunreinigt seien, von welchen doch die gantze deutsche Christenheit weiß, daß sie älter seien als Luther vnd sein newes Evangelium.** No. 1 und 3 stehen im Val. Bapst'schen Gesangbuche (von Luther redigirt) unter den ältern Liedern, No. 6 habe ich in keinem protestantischen Druck unter Luthers Namen gefunden. Bei den übrigen ist die erste vorreformatorische Strophe von Luther verändert (No. 5) resp. erweitert worden.

Infolge der in der Vorrede Corners (siehe diese) noch weiter gemachten Aeußerungen kam der Herausgeber der „Harmonia Davidica" 1659 auf den Gedanken, daß alle Lieder allgemein christlichen Inhalts, die er in protestantischen Gesangbüchern vorfand, ursprünglich katholisch gewesen sein müßten. Er nahm eine große Anzahl in sein Gesangbuch auf und lieferte damit nur den Beweis, daß im Protestantismus außer dem negativen Elemente auch ein positives, christlich gläubiges noch vorhanden war.

Ich glaube in meiner Geschichte der betreffenden Lieder die Streitfrage über das Eigenthumsrecht in den meisten Fällen zum endgültigen Abschluß gebracht zu haben.

Verfolgen wir nun weiter die Thätigkeit auf katholischer Seite für das deutsche Kirchenlied.

Gleichzeitig mit Vehes Gesangbüchlein erschien Wizels „Deutsch Betbuch" mit 10 Liedern, aber ohne Melodien. Wizel hat sich um das katholische Kirchenlied große Verdienste erworben. Er war unermüdlich thätig, durch Uebersetzung und Erklärung liturgischer Bücher das Volk in das Verständniß und in den Geist der lateinischen Kirchengebete und -Gesänge einzuführen, sodann machte er die Katholiken auf die alten deutschen Lieder aufmerksam und dichtete selbst manche neue hinzu.[1]

Außer den „Hymni von Kethner" (1555), welche man kaum als ein Gesangbuch bezeichnen kann, erschien bis zum Jahre 1567 kein weiteres

1) Vgl. Odae Christianae 1541. Ecclesiast. Liturgia u. Hymnologium Ecclesiae 1546. Verdeutsche Kyrchengesänge 1546. Vespertina Psalmodia 1549. Psaltes ecclesiasticus 1550. (Bibliographie im I. u. II. Bd.)

... ... Vehe sche Gesangbuch fast ...
...n, sondern auch protestantische Gesangbü...
benutzte und zwar ohne jegliche Bemerkung. Di...
seine Bemühungen, den deutschen Volksgesang in ...
fanden bei manchen Katholiken Opposition. Ich ...
der Vorrede des II. Theils, wo er von seinen „...
leumdern guttes gerüchts, welche vnuerwar...
sachen hoch wider ihn verbittert sein", dahin ...
trit hatte sich übrigens, in der Hoffnung, manche
zurückzuführen, an Papst Pius V. gewandt, und u...
bei der h. Messe und Spendung der Sakramente
wenden zu dürfen. Der Papst gab abschlägigen ...
gegen, den Leuten dieses Verlangen auszureden un...
die katholische Religion in der Lausitz erhalten blei...
oberlausitz. Schriftsteller II. 430).

In den Jahren 1575 und 1576 erschien in Di...
Leisentrits Gesangbuch auf Befehl des Bischofs Veit
haben wir also das erste katholische Diöcesange...
folgten bald andere autorisirte Ausgaben. Man ve...
Gesangbuch (gedruckt in Cöln) 1599, das Constanze...
1605, Paderborner 1609, Würzburger 1628, Osnal...

Die oben angeführten Gesangbücher von Vehe...
linger Gesangbuch, sowie die Sammlung der Lieder ...
das kleine Dilinger Büchlein 1589 enthalten fast ga...
Lieder und Rufe; und doch waren diese bei Processi...
Heiligenfesten in sehr großer Anzahl schon vor der Re...
des Volkes üblich. Diese auffallende Erscheinung ...
Grund, daß die Herausgeber der genannten Samml...
standen und sich die protestantischen Gesangbücher ...
Erst die Tegernseer Gesangbücher vom Jahre 1574 a...
(Adam Walasser) und das Münchener Gesangbuch 15...

1) „Es können vnd mögen auch ...

zahl volksthümlicher Lieder, das letztere mit den Melodien. Weiter waren auf diesem Felde thätig: der Domvikar Haym von Themar in Augsburg (1584 ff.), die Schulmeister Koler (Rufbüchlein 1601) und Beuttner (Gesangbuch 1602), die Verfasser der Straubinger Sammlungen (1590, 1607, 1615), der Herausgeber des Mainzer Cantuals 1605, Corner (1631) u. a. m. Ueberdies kamen viele dieser Lieder in Einzeldrucken heraus.

Im 17. Jahrhundert nahm die Anzahl der Gesangbücher und Liederdrucke mehr und mehr zu. Abgesehen von den Bischöfen, welche die Diöcesangesangbücher einführten, waren es namentlich die Mitglieder der geistlichen Orden, welche den deutschen Volksgesang pflegten und für dessen Verbreitung sich bemühten.

Den Jesuiten gehören die in den Jahren 1619, 1623, 1625 und 1634 bei Peter von Brachel in Cöln erschienenen Gesangbücher; bekannt ist auch ihr „Psälterlein", welches mir erst in einer späteren Auflage vom Jahre 1630 vorliegt. Als Herausgeber von Liedersammlungen sind zu nennen: Conrad Vetter (Rittersporn 1605, Paradeißvogel 1613), Georg Vogler (Katechismus 1625), P. A. Curtz (**Harpffen Davids** 1659), J. Balde (Ehrenpreis 1647), Spee (**Trutznachtigall u. Güldenes Tugendbuch** 1649), P. Johann Müller (Duderstadter Gesangbuch 1671), P. Joh. Dilatus (Marianische Kirchfahrt 1682). Außerdem gaben die Jesuiten die Davidische Harmonie 1659, das Rheinfelsische Gesangbuch 1666 und den Nordstern 1671 heraus. Vermöge des internationalen Charakters des Ordens kamen auch Volksweisen anderer Nationen in unsere deutschen Gesangbücher. Ich erwähne nur die Melodie des Geusenliedes „**Wilhelmus von Nassouwe**", die italienische »**Amarillida bella**«, die niederländische »**t' was een Ridder**«. (Vgl. die Uebersichten der Melodien zum I. und II. Bd.)

Die Benediktiner, aus deren Mitte der erste deutsche Liederdichter Otfried von Weißenburg († 870) hervorging, sind im 17. Jahrhundert vertreten durch den Abt David Gregorius Corner, der das umfangreichste katholische Gesangbuch herausgab (1625, 1631).

Der Orden der Dominikaner hatte sich schon früher um das deutsche geistliche Lied verdient gemacht. Der Minnesinger Eberhard Sax (1309) ist Verfasser des Marienlobs „**Künde ich wol mit worten schone, würken ganzes lobes krone**", Johannes Tauler († 1361) dichtete „**Vns komt ein schif gefaren**" u. a., Jakob Tietz „**Ave ich grus dich edlen stam**" (1513), Johann Dungscher gab den Psalter (Trier 1621) heraus. Von den Cisterciensern lieferte Kethner im Jahre 1555 eine Uebersetzung der in diesem Orden gebräuchlichsten Hymnen mit den Melodien. Lieder von Mitgliedern dieses Ordens findet man in dem Büchlein „**Hülff in der Noth**" 1693. (Vgl. auch No. 97 und 130 in der Bibliographie des II. Bds.) Den Augustinern gehört das sogenannte Clausener Wallfahrtsgesangbuch 1653, den Karmelitern die „**Heilige Hertzens-Frewd**" vom Pater Fulgentius a. S. Maria. Cöln 1696. Unter den Franziskanern ragt Thomas Murner († 1537) auch als Dichter polemischer Lieder hervor. Außerdem gehört ihnen der Seraphische Lustgarten (1635) und die liebliche Kinder Cythar (1632). In der letzten Hälfte des 17. Jahrhunderts treten die Kapuziner mit drei bekannten Dichtern auf, Fr. Prokopius, P. Martin von Cochem und Laurentius von Schnüffis, von denen der erste durch seine Marienlieder sich den Dichternamen erworben

. .... (von verschiedenen Autoren). Im Jahre 1[illegible]
Psalter durch Jacoben Dachser". Auf katholisch[illegible]
Rutgerus Edingius im Jahre 1574 eine gereimte [illegible]
Psalters, welche gegen die Psalmlieder des Bonner
war. Bedeutender als diese Publikation ist der [illegible]
Jahre 1582 mit Melodien. In der Vorrede polemis[illegible]
Weise die Psalmlieder Luthers und erwähnt lobend [illegible]
von Melissus, Lobwasser und Datenus. Dazu kamen i[illegible]
Mainzer Psalter vom Jahre 1658 und die Harpffen
mit Melodien.

Die Evangelienlieder, Würzburg 1653, wozu i[illegible]
(1656) noch Epistellieder hinzutreten, sind nach dem
100 Jahre früher erschienenen „Sonntagsevangelien"
tischen Cantor Nicolaus Herman in Joachimsthal (15[illegible]

Die Katechismuslieder finden sich als Anhang
Quentel von 1599 an erschienenen Gesangbüchern, so[illegible]
denen Auflagen des Mainzer Cantuals vom Jahre
(Näheres hierüber im II. Bd. S. 205.)

Da über die Entwicklung der Melodien das Noth[illegible]
worden ist (II. Bd. S. 4 ff.), so schließen wir hier[illegible]
Geschichte des Kirchenliedes. Indem wir in aller Kürz[illegible]
rer Forschungen recapituliren, wollen wir zugleich ei[illegible]
fassung, der man nicht selten begegnet, richtig stellen.

Infolge der Reformation gestaltete sich das deu[illegible]
liturgischen Gesang der lutherischen Gemeinden. Ei[illegible]
Gesangbüchern sorgte für die Verbreitung desselben i[illegible]
tischen Deutschland. Der Rückschlag auf die weitere E[illegible]
lischen Kirchenliedes blieb nicht aus. Zwar hielten Paps[illegible]
fest, daß der gregorianische Choral nach wie vor der e[illegible]
sang der katholischen Kirche auch in Deutschland bleib[illegible]
Befolgung dieses Grundsatzes wurde aber der weit[illegible]
katholischen deutschen Kirchenliedes ein Hinderniß nich[illegible]
denn im außerliturgischen Gottesdienste ...

und dem Volke katholische Liedersammlungen darzubieten. Wie Luther und seine Anhänger dem alten Liederschatze manche Lieder entlehnten, so nahmen später die Herausgeber katholischer Gesangbücher aus den protestantischen Sammlungen manche „tiefgläubige und frommempfundene Lieder", wie Bone sich ausdrückt [1], in ihre Gesangbücher herüber. Wenn auf Grund dieses gegenseitigen Verfahrens der Vorwurf der „Liederarmuth" hergeleitet wird, so ist das eine ebenso ungerechte wie unwissenschaftliche Manipulation.

Diesem Vorwurf liegt indessen eine andere irrthümliche Auffassung zu Grunde. Die plötzliche und wirklich großartige Ausbreitung, welche das deutsche Kirchenlied im 16. Jahrhundert erfuhr, hat namentlich auf protestantischer Seite die irrthümliche Meinung hervorgerufen, als ob die Blüthezeit des geistlichen Volksgesanges in dieses Jahrhundert falle. Das ist aber unrichtig, denn die Blütheperiode fällt in das 14. und 15. Jahrhundert. Das erste katholische Gesangbuch von Vehe hat den größten Theil seiner Melodien ältern geistlichen Liedern entnommen. Die neuen Melodien sind wenig populär und verrathen auf den ersten Blick den mehrstimmigen Tonsetzer. Leisentrit's Gesangbücher enthalten außerdem noch eine große Anzahl Choralmelodien. Viele nicht näher nachweisbare Singweisen sind höchstwahrscheinlich alten Sequenzen entnommen. Die übrigen Gesangbücher ergeben dasselbe Verhältniß.

Aehnlich verhält es sich mit dem protestantischen Kirchenliede, welches ebenfalls seine Singweisen entweder dem lateinischen Choral oder ältern geistlichen und weltlichen Volksliedern entnahm. Arnold stellt in der Einleitung zum Locheimer Liederbuch [2] die Behauptung auf „die Melodien zu den Kirchenliedern müssen bis zum Jahre 1570 sammt und sonders als entlehnte ältere Volksweisen angesehen werden, so lange es nicht möglich ist, wenigstens von einigen die gleichzeitigen Verfasser mit historischer Sicherheit zu ermitteln". Wenn wir auch diese Behauptung in ihrem ganzen Umfange nicht vertreten wollen, so geht doch daraus hervor, daß von einer „Blüthezeit" wenigstens in Bezug auf die „Weisen", mit denen wir uns hier befassen, nicht die Rede sein kann.

Der alte vorreformatorische Melodienschatz erhielt sich in den katholischen Gesangbüchern bis zum Ende des 17. Jahrh. Doch wurden die alten Weisen mehr und mehr modernisirt und korrumpirt, neue süßlich sentimentale Melodien traten schon in der Mitte dieses Jahrhunderts hinzu. Damit soll aber nicht in Abrede gestellt werden, daß das alte Kirchenlied durch manche vortreffliche Singweisen bereichert wurde. Erst im 18. Jahrhundert verschwindet das alte Erbtheil aus unsern Gesangbüchern, um „gelehrteren" Texten und „künstlicheren", vielfach nichtssagenden Singweisen Platz zu machen.

---

1) Aschbach, Kirchenlexikon III, 330.
2) Jahrbücher für musikal. Wissenschaft. 1867. S. 21.

V. Literatur.[1]

a. Protestantische.

1. Schambach, Joh. Christoph, De veteris recentisque ecclesiae hymno »Te Deum laudamus«. Wittenberg., 1686.
2. Tenzelii, W. E., Exercitationes selectae de hymnis. Lipsiae, 1690.
3. Rango Sendschreiben von der Musica, alten und neuen Liedern. Greifswalde, 1694. 4.
4. Serpilii, G., Lieder-Concordanz. Pirna, 1696.
5. Olearius, Joh. Christoph, Entwurf einer Liederbibliothek, darin von den Liedern, deren Autoribus und Commentariis gehandelt wird. Arnstadt, 1702.
6. G. Serpilii zufällige Gedanken über Olearii Liederbibliothek. Regensburg, 1702. 2 Theile.
7. Ludovici, Gottfr., Schediasma de Hymnis et Hymnopoeis Hennebergicis. 1703. (o. Ort.)
8. Olearius, Joh. Chr., Ev. Liederschatz, darin auf alle Sonn- und Festtage ein gewisses Lied gesetzet und dabei von dessen Autore, Werth, Kraft, Fatis, Historien, Mißbräuchen, Verfälschung, Commentatoribus u. s. w. gehandelt wird. Jena, 1705. 1706. 1707. 4 Bde.
9. Olearius, Joh. Chr., Observationes ad Crusii homilias hymnodicas. 1705.
10. Serpilius, G., Anmerkungen über D. Pauli Sperati Lied „Es ist das Heyl uns kommen her". Regensburg, 1707.
11. Mayer, Joh. Friedr., Dissertatio Fridericiana de Hymno „Erhalt uns Herr bei deinem Wort". Kiel, 1707. 4.
12. Cyprianus, D. Ernst Salomon, De propagatione Haeresium per cantilenas. Coburgi, 1708. (Jenae, 1715.)
13. Götzel, G. H., De Hymnis et Hymnopoeis lubecensibus, h. e., Lübeckische Liederhistorie u. s. w. Lübeck, 1709. 4.
14. Olearius, Joh. Chr., Homiletische Lieder-Remarquen über einige Passionsgesänge. Arnstadt, 1709.
15. Olearius, Joh. Chr., Anmerkungen über Vischers Passionslied. 1710.
16. Schmidii, Joh. Andr., Dissertatio de modo propagandi religionem per carmina. Helmstadii, 1710.
17. Moelleri, Joh. Joach., Theatrum hymnologicum et deliciae hymnologicae. 1710. (?).
18. Scultetus, de Hymnopoeis Silesiorum. Viteberg., 1711.
19. Avenarii, M. Joh., Liedercatechismus mit raren Historien und nachdenklichen Remarquen. Leipzig, 1714.
20. Schamelius, Historisches Register des Naumburgischen Gesangbuches. 1717.

---

1) Soweit sie nicht im II. Bande S. 20 ff. angegeben wurde.

21. Wetzel, Joh. Caspar, Hymnopoeographia oder Historische Lebensbeschreibung d. berühmtesten Liederdichter. Herrnstadt. 4 Theile. 1719—1728.
22. Theologisches Bedenken der Wittenbergischen Universität wider das Hallische Gesangbuch. Frankfurt, 1716.
23. M. Christian Ernst Kleunii, Synopsis hymnologiae illustris nobilisque germanicae. Gryphiswaldiae, 1718.
24. Joh. Martin Schamelii Rettung und Beantwortung unterschiedener schwer scheinender Stellen und Redensarten der ev. öffentlichen Kirchengesänge. Leipzig, 1719. 3 Theile.
25. Kohlreiffii neugezierte Lieder-Crone. Ratzeburg, 1720.
26. Georgii Serpilii Historische Untersuchung: Wer doch des bekannten Liedes: *Da Jesus an dem Creutze stund*, eigentlicher Autor sei. Regensburg, 1720.
27. Schamelius, J. M., Naumburgisches glossirtes Gesangbuch nebst einer kurz gefaßten Geschichte der Hymnopoeorum. Nürnberg, 1720.
28. Serpilius, G., Unterschiedliche Nachrichten von dem Schwedischen Leich- und Begräbnißliede: „Mein Wallfahrt ich vollendet hab". 1720. Ohne Ort.
29. Olearius, Joh. Christoph, Ev. Lieder-Annales über hundert Gesänge, daraus zu sehen, wie alt etwa ein Lied sein möchte. Arnstadt, 1721.
30. Olearius, Joh. Christoph, Nachricht von einem alten und sehr raren lutherischen Gesangbuche, das zu Leipzig 1542 herauskam. Mit vielen Anmerkungen. (1721?)
31. M. David Heermanns erklärter Lieder-Schatz mit vielen Anmerkungen. Görlitz, 1722.
32. Wernsdorfius, Georg, De prudentia in cantionibus ecclesiasticis adhibenda. Wittebergae, 1723.
33. Gaezii, Georg. Heinr., Dissertatio de Odio pontificiorum in hymnos ecclesiae lutheranae. Lubecae, 1723.
34. Vogt, Historische Untersuchung, wer doch des alten und bekannten Liedes: „*Allein Gott in der Höh' sey Ehr*", eigentlicher Autor sei? Stade, 1723. 4.
35. Schamelius, Joh. M., Ev. Liedercommentarius, worin das glossirte Naumburger Gesangbuch weiter ausgeführet u. s. w. 2 Theile. Leipzig, 1724. (2. vermehrte Auflage 1737.)
36. Liebler, Joh. Bern., Hymnopoeographia Oleriana, oder Olearische Liederhistorien, darinnen unterschiedene Olearii als berühmte Liederdichter und Liederfreunde aufgeführt werden. Naumburg, 1727.
37. Klug, Joh. Daniel, Gedanken, was von den neueren Liedern zu halten sei. Hamburg, 1729.
38. Plantin, Angermannus, Dissertationes historico-philologicae Περι῾Υμνοποιων, sive de auctoribus hymnorum ecclesiae Sueo-Gothicae. Pars prior. Upsalae, literis Wernerianis. 1728. 4. Pars posterior, Ebendas. 1730. 4.
39. Busch, P., Ausführliche Historie und Erklärung der Lieder „Ein feste Burg ist unser Gott" — „Erhalt uns Herr bei deinem Wort" und des »Te Deum laudamus«, sowie Betrachtung der evangelischen

Wahrheit von der Communion unter beiderlei Gestalten in einigen vor Luther schon bekannten Liedern. Hannover, 1731—1735.

40. M. Johann Avenarii ev. Lehr- und Lieder-Predigten, darinnen Vita et fata autorum beschrieben. Leipzig, 1731.
41. D. Christ. Math. Pfaffii Dissertatio de recta Theologiae hymnodicae conformatione. Tubingae 1731.
42. M. Michael Lilienthals alte und neue Lieder mit historischen Nachrichten. Königsberg, 1736.
43. Der theologischen Facultät Leipzig Responsum wegen des neuen Nordhäuser Gesangbuchs. 1737.
44. Gottschaldt, J. J., Allerhandt Lieder-Remarquen. Erste Piece. Leipzig, 1737. Andere Piece. Ebendas. 1738. Dritte Piece. Ebendas. 1738. Vierte Piece. Ebendas. 1739.
45. Wimmer, G., Ausführliche Liedererklärung. 4 Theile. Altenburg, 1749.
46. Wetzel, Joh. Caspar, Analecta hymnica, das ist: Merkwürdige Nachlesen zur Lieder-Historie, aufs Neue mit vielem Fleiß gesammelt und den gelehrten Lieder-Freunden zum Dienst in Druck gegeben von J. C. Wetzeln Hofpredigern und Archi-Diacono in Römhild. Gotha, 1751—1756. 2 Bde.
47. Adami, Philosophisch-musikalische Betrachtung über das göttlich Schöne der Gesangsweise in geistlichen Liedern, bei öffentlichem Gottesdienst. Breslau, 1755.
48. Riederer, Dr. J. B., Abhandlung von Einführung des deutschen Gesanges in die ev. luth. Kirche überhaupt und in die Nürnbergische besonders, wobei auch von den ältesten Gesangbüchern und Liedern, so bis zu Luthers Tode herausgegeben und verfertigt worden, gehandelt wird. Nürnberg, 1759.
49. Schöber, D. G., Beitrag zur Liederhistorie der evangelischen Gesangbücher, welche bei Lutheri Lebzeiten zum Druck befördert worden. Erster und zweiter Beitrag. Leipzig, 1759—1760.
50. Mähler, J. P., Einleitung in die Liedergeschichte, Lebensbeschreibung der berühmtesten Liederdichter. Remscheid, 1762.
51. Kießling, Joh. Rud., Historische Nachricht von der i. J. 1712 in Erfurt über die drei Lieder: „O, Herr Gott, dein göttlichs Wort", „Erhalt uns Herr bei deinem Wort", „das alte Jahr vergangen ist" entstandenen Religionsstreitigkeit. Coburg, 1767.
52. Liebichs, Ehrenfried, Gedanken über die ev. luth. Kirchenlieder und deren von Neueren damit vorgenommenen Veränderungen. Hirschberg und Leipzig, 1768.
53. Ulber, Christian Samuel, von Veränderung der Kirchenlieder. Hamburg, 1768.
54. Klopfstocks Einleit. vom Kirchengesang. Kopenhagen u. Leipzig, 1769.
55. Hörner, O. F., Nachrichten von den Liederdichtern des Augspurgischen Gesangbuchs. Schwabach, 1775.
56. Haug, B., Die Liederdichter des würtemb. Landgesangbuchs nebst ihren kurzen Lebensumständen. Stuttgart, 1780.
57. Teller, W. A., Kurze wahrhafte Geschichte der ältesten deutschen Kirchengesänge. Zur Anwendung auf das für die K. preuß. Lande bestimmte allgemeine Gesangbuch. Berlin, 1781.

58. Der Werth der alten Lieder erinnerlich gemacht von einen ev. luth. Prediger. Leipzig, 1781.
59. Nöthige Berichtigung, der von Herrn Probst Teller herausgegebenen kurzen und wahrhaften Geschichte der ältesten deutschen Kirchengesänge, besonders von Dr. Luthern. Dessau, 1782.
60. Ist es recht die alten Kirchengesänge zu verändern? Eine Untersuchung nach dem Sinne des sel. Dr. Luthers. Von einem Liederfreunde. Dessau, 1782.
61. Schwart, Christ. Gottlob, Betrachtungen über das große Bedürfniß neuer und verbesserter Kirchengesänge. Leipzig, 1783.
62. Göz, M. Christ. Gottlieb, Beitrag zur Geschichte der Kirchenlieder. Nebst einer Vorrede von M. Bernhard. Stuttgart, 1784.
63. Schmieder, B. F., Hymnologie oder über Tugenden und Fehler der verschiedenen Arten geistlicher Lieder. Halle, 1789.
64. Liebner, J. A., Ueber Dr. M. Luthers Lieder und Dichtkunst. Wittenberg, 1791.
65. Veesemeyer, Dr. Georg, Beiträge zur Geschichte der Literatur und Reformation. Ulm, 1792.
66. Heerwagen, F. F. T., Literaturgeschichte der evangelischen Kirchenlieder nach den Gesangbüchern zu Bayreuth, Braunschweig, Berlin und Anspach. Erster Theil. Neustadt 1792. Zweiter Theil. Schweinfurt, 1797.
67. Kritik der neuen Liedersammlung für die Stadtkirchen in Leipzig nebst allgem. Winken für künftige Sammler kirchlicher Gesänge. Dresden, 1797.
68. Veesemeyer, Versuch einer Geschichte des deutschen Kirchengesangs in der Ulmischen Kirche. 1798. 4.
69. Johannsen, J. F., Historisch-biographische Nachrichten von älteren und neuern geistlichen Liederdichtern. Schleswig und Leipzig, 1803.
70. Richter, G. L., Allgemeines biographisches Lexikon alter und neuer geistlicher Liederdichter. Leipzig, 1804.
71. Rambach, A. Jak., Ueber D. Martin Luthers Verdienst um den Kirchengesang, oder Darstellung desjenigen, was er als Liturg, als Liederdichter und Tonsetzer zur Verbesserung des öffentlichen Gottesdienstes geleistet hat. Nebst einem aus den Originalen genommenen Abdrucke sämmtlicher Lieder und Melodien Luthers, wie auch der Vorreden zu seinem Gesangbuche. Hamburg, 1813.
72. Kinderling, J. F., Kritische Betrachtungen über die vorzüglichsten alten, neuen und verbesserten Kirchenlieder. Berlin, 1813.
73. Natorp, B. C. L., Ueb. d. Gesang in den Kirchen der Protestanten. Essen, 1817.
74. Knecht, Luthers Verdienste um Musik und Poesie. Ulm, 1817.
75. Rambach, A. Jak., Anthologie christlicher Gesänge aus allen Jahrhunderten der Kirche. Nach der Zeitfolge geordnet und mit geschichtlichen Bemerkungen begleitet von .... Altona und Leipzig, 1817—1833. 6 Bde.
76. Müller, J. J., Luthers Verdienst um die Musik. Frankfurt, 1817.
77. Grell, K., Dr. M. Luthers geistliche Lieder nebst dessen Gedanken über die Musica, von Neuem gesammelt und herausgegeben. Berlin, 1817.

78. Frantz, K. W., Ueber die älteren Kirchenchoräle. Durch Beispiele erläutert. Quedlinburg, 1818.
79. Löffler, J., Nachrichten von Liederdichtern des Gesangbuches für die protest. Gemeinde des Königreiches Bayern. Sulzbach, 1819.
80. Arndt, E. M., Von dem Wort und dem Kirchenliede nebst geistlichen Liedern. Bonn, 1819.
81. Mortimer, P., Der Choralgesang zur Zeit der Reformation oder Versuch die Frage zu beantworten: Woher kommt es, daß in den Choralmelodien der Alten etwas ist, was heut zu Tage nicht mehr erreicht wird. Berlin, 1821. 4. Mit vielen Melodien.
82. Kocher, Conr., Die Tonkunst in der Kirche. Stuttgart, 1823.
83. Beck, F. A., Luthers Gedanken über die Musik. Berlin, 1825.
84. Gebauer, A., Luther und seine Zeitgenossen als Kirchenliederdichter. Leipzig, 1827.
85. Langbecker, E. C. G., Das deutsch-evangel. Kirchenlied, ein Denkmal zur 3. Jubelfeier der Augsburger Confession. Berlin, 1830.
86. Mohnike, Hymnologische Forschungen. Stralsund, 1831—1832, 2 Bde.
87. Becker, C. F. und Billroth, G., Sammlung von Chorälen aus dem 16. und 17. Jahrhundert, der Melodie und Harmonie nach aus den Quellen herausgegeben. Leipzig, 1831.
88. Hoffmann von Fallersleben, Geschichte des deutschen Kirchenliedes bis auf Luthers Zeit von — Breslau, 1832. 2. Ausgabe. Hannover, 1854. 3. Ausgabe daselbst 1861.
89. Rambach, A. J., Der h. Gesang der Deutschen in einer nach der Zeitfolge geordneten und mit geschichtlichen Bemerkungen begleiteten Auswahl der vorzüglichsten seit Gellerts und Klopstocks Zeit erschienenen Lieder. Altona und Leipzig. 2 Theile. 1832, 1833.
90. Häuser, J. E., Geschichte des christlichen, insbesondere des evang. Kirchengesanges und der Kirchenmusik von Entstehung des Christenthums an bis auf unsere Zeit. Quedlinburg u. Leipzig, 1834.
91. Saemann, C. H., Der Kirchengesang unserer Zeit. Königsberg, 1834.
92. Historische Nachricht vom Brüder-Gesangbuch. Gnadau, 1835.
93. Jansen, J. H. F. L., Die ev. Kirchengesangskunde oder Encyclopädisches Handbuch aller nöthigen und nützlichen Kenntnisse zur Ausführung eines erbaulichen, sowohl Gemeinde-, als Altar- und Chorgesanges in den ev. Kirchen. Mit einen Vorworte von Dr. H. Gräfe. Jena, 1838.
94. Winterfeld, C. von, Luthers deutsche geistliche Lieder nebst den während seines Lebens dazu gebrauchten Singweisen und einigen mehrstimmigen Tonsätzen über dieselben von Meistern des 16. Jahrhunderts u. s. w. Leipzig, 1840, 4.
95. Tucher, Gottlieb, Freiherr von, Schatz des ev. Kirchengesangs, der Melodie und Harmonie nach aus den Quellen des 16. Jahrhunderts geschöpft etc. Stuttgart, 1840. 4.
96. Wackernagel, Phil., Das deutsche Kirchenlied von Martin Luther bis auf Nic. Hermann und Ambr. Blaurer. Stuttgart, 1841.
97. Thilo, W., Das geistliche Lied in der evang. Volksschule Deutschlands. Erfurt, 1842.

98. Weis, Dr. G., Versuch einer Theorie und geschichtlichen Uebersicht des Kirchenliedes nebst vergleichender Kritik des Breslauer und Jauerschen Gesangbuches. Breslau, 1842.
99. Stip, Gerh., Beleuchtung der Gesangbuchsbesserung, insbesondere aus d. Gesichtspunkte des Cultus. Hamburg, 1842. Musikbeilagen von Ritter Sigm. Neukomm.
100. Winterfeld, C. von, Der evangelische Kirchengesang und sein Verhältniß zur Kunst des Tonsatzes 1843—1847. 4. 3 Theile. Das 16., 17. und 18. Jahrhundert umfassend.
101. Layriz, F., Kern des deutschen Kirchengesanges. Eine Sammlung von 200 Chorälen, meist aus dem 16. und 17. Jahrhundert, in ihren ursprünglichen Tönen und Rhythmen in alterthümlicher Harmonie, 4stimmig zum Gebrauch in Kirche und Haus. Nördlingen, 1844. 2. vermehrte Auflage. Das. 1849. 3. Auflage 1855.
102. Vom deutschen Kirchenlied, wie's unsere Väter dichteten und sangen, und vom musikalischen Theil des protestantischen Cultus überhaupt. Nebst einem Anhang alter Singweisen. Mörs, 1844.
103. Pasig, Dr. Jul. Leop., Dr. Martin Luthers geistliche Lieder. Mit Anmerkungen und Beilagen begleitet. Leipzig, 1845.
104. Anthes, F. C., Die Tonkunst im evangelischen Cultus nebst einer gedrängten Geschichte der kirchlichen Musik. Wiesbaden, 1846. kl. 4.
105. —— Allgemein faßliche Bemerkungen zur Verbesserung des ev. Kirchengesanges. Wiesbaden, 1846.
106. Crusius, Dr. Fr., Dr. M. Luthers geistliche Lieder, vollständig und unverändert mit Erläuterungen. Magdeburg, 1846.
107. Koch, E. E., Geschichte des Kirchenlieds und des Kirchengesangs. Stuttgart, 1847. 2 Theile.
108. Winterfeld, C. von, Ueber Herstellung des Gemeinde- und Chorgesanges in der ev. Kirche. Geschichtliches und Vorschläge. Leipzig, 1848.
109. Heinisch, Joh. Fried., Der Gemeindegesang in der ev. Kirche von der Zeit der Reformation bis auf unsere Tage. Eine Kritik des rhythmischen Chorals etc. Bayreuth, 1848.
110. Tucher, Freiherr von, Schatz des ev. Kirchengesanges im ersten Jahrhundert der Reformation. Herausgegeben unter Mitwirkung Mehrerer. Leipzig, 1848. 2 Theile. 4.
111. Naue, Dr. Joh. Fr., Ueber den sogen. quantitirend-rhythmischen Choral. Halle, 1849.
112. Osten, von, Die Liederdichter des Würtembergischen Gesangbuches. Leonberg, 1849.
113. Mosche, K., Das Kirchenlied der Reformationszeit des 16. Jahrhunderts, eine Weckstimme für die Gegenwart. Lübeck, 1849.
114. Kriebitzsch, K. L., Geistliches Lied und Choralgesang in seiner geschichtlichen Entwicklung und Bedeutsamkeit für das kirchliche Leben, nebst einem Liederverzeichnisse und Notizen über deren Verfasser und Componisten. Jena, 1849. 2. Aufl. 1859.
115. Schauer, Dr. J. K., Geschichte der biblisch-kirchlichen Dicht- und Tonkunst und ihrer Werke. Jena, 1850.
116. Liere, C. und Rindfleisch, W., Geschichte und Erklärung der gangbarsten evangelischen deutschen Kirchenlieder. Berlin, 1851.

117. Stip, G. C. H., Hymnologische Reisebriefe an einen Freund des protestant. Kirchenliedes, I. Band (3 Hefte). Berlin, 1851—1852. II. Bd. (1 Heft) Hannover, 1853.
118. Koch, E. E., Geschichte des Kirchenlieds und Kirchengesangs der christlichen insbesondere der deutschen evangelischen Kirche. Stuttgart, 1852/53. 4 Bde. 1. Aufl. 1847. 3. Aufl. 1866—77.
119. Beyer, E., Lehr- und Bekenntnißlieder der evang. Kirche, erklärt und mit historischen Einleitungen versehen. Berlin, 1852.
120. Schauer, J. K., Geschichtliche Nachrichten über den Ursprung und die Ausbildung der Choralmelodien der deutschen ev. Kirche. Weimar, 1852.
121. Bauer, W., Das Kirchenlied in seiner Geschichte und Bedeutung. Zur Beleuchtung der Gesangbuchsnoth im Großherzogthum Hessen. Eine Weckschrift für die Gebildeten in der Gemeinde. Frankfurt a. M., 1852.
122. Stip, G. C. H., Beiträge zur Hymnologie. Hannover, 1853.
123. Frantz, Cl., Geschichte der geistlichen Liedertexte vor der Reformation mit besonderer Beziehung auf Deutschland von ...... Halberstadt, 1853.
124. Schneider, K. F. Th., Luthers kleiner Catechismus mit seinen geistlichen Liedern und Psalmen. In unveränderter Gestalt. Berlin, 1853.
125. Schauer, J. K., Luthers Reformationslied „Ein feste Burg“ geschichtlich und erbaulich behandelt, mit Musikbeilage und Lithographie. Coburg, 1853.
126. Wangemann, Archidiacon und Seminardirektor in Cammin, Kurze Geschichte des ev. Kirchenlieds ... mit besonderer Beziehung auf Vollhagens Gesangbuch. Treptow, 1853.
127. Bäßler, Ferd., Ev. Liederfreude. Auswahl geistlicher Lieder von der Zeit Luthers bis auf unsere Tage. Mit literar-geschichtlicher Einleitung, biogr. Skizzen und erbaulichen Zügen aus der Geschichte berühmter Lieder. Berlin, 1853.
128. Heinrich, Erzählungen über ev. Kirchenlieder, mit Vorwort von Ahlfeld. 4 Bde. Halle, 1854—1860.
129. Stip, G. Ch. H., Luthers sämmtliche geistliche Lieder mit Singweisen. Leipzig, 1854.
130. Schirks, W., Luthers geistliche Lieder. Nach dem Originaltext herausgegeben und mit kurzen erläuternden Bemerkungen versehen von ... Halle, 1854.
131. Hoffmann von Fallersleben, In dulci jubilo. Ein Beitrag zur Geschichte der deutschen Poesie. Mit einer Musikbeilage von Ludwig Erk. Hannover, 1854. 2. Ausgabe.
132. Schade, O., Geistliche Gedichte des XIV. und XV. Jahrhunderts vom Niederrhein. Hannover, 1854.
133. Lange, J. P., Geistliches Liederbuch nebst einer Theorie des Kirchenliedes und Beleuchtung der namhaft. kirchl. Gesangbücher. 2. Ausg. Zürich, 1854.
134. Kraußold, Dr. L., Historisch-musikal. Handbuch für den Kirchen- und Choralgesang. Erlangen, 1855.
135. Schirks, W., Geistliche Sänger der christlichen Kirche deutscher

Nation. Nach den Originaltexten mit mehreren Hymnologen herausgegeben von ...... Halle, 1854—1858. Von demselben, Geistliche Sängerinnen. Das. 1855—1856.

136. Rittelmeyer, Die ev. Kirchenliederdichter des Elsasses. Jena, 1855. (6. Bd. der Beiträge zur theol. Wissenschaft von Reuß und Canitz.)
137. Cunz, F. A., Geschichte des deutschen Kirchenliedes vom 16. Jahrhundert bis auf unsere Zeit. 2 Theile. Leipzig, 1855. 12.
138. Wackernagel, Phil., Bibliographie zur Geschichte des deutschen Kirchenliedes im XVI. Jahrhundert. Frankfurt a. M. 1855.
139. Stip, Das Kleinod der evangel. Religionsfreiheit: Erhalt uns Herr, bei deinem Wort. Jubelschrift. Leipzig, 1855.
140. Leitritz, W., Beiträge zu fruchtbarer Behandlung der durch die preußischen Regulative bestimmten ev. Kirchenlieder. Zeitz, 1856.
141. Naumann, Ueber Einführung des Psalmengesanges in die ev. Kirche. Berlin, 1856.
142. Schneider, K. F. Th., Luthers geistliche Lieder nebst einer kurzen Geschichte ihrer Entstehung. 2. Aufl. Berlin, 1856.
143. Dreher, Carl, Dr. M. Luthers sämmtliche geistliche Lieder mit Singweisen, historischen Nachweisungen und Erzählungen. Carlsruhe, 1857.
144. Göring, Chr. E., Gesangbuchskunde, d. i. Anleitung zur Kenntniß, Würdigung und Benutzung der bewährtesten evangel. Kirchengesänge und Kernlieder. Erlangen, 1858—1859. 2 Theile.
145. Bäßler, Ferd., Auswahl altchristlicher Lieder vom 2. bis zum 15. Jahrhundert. Urtexte und deutsche Uebersetzungen mit Anmerkungen. Berlin, 1858.
146. Culmann, F. B., Brosamen aus der Geschichte geistlicher Lieder und Liederdichter, besonders des Elsasses und der Pfalz. Straßburg, 1858.
147. Gödeke, Carl, Grundriß zur Geschichte der deutschen Dichtung aus den Quellen. Erster Band 1859. (Enthält eine Bibliographie zum Kirchenlied.)
148. Heinrich, J. G., Der accentuirend-rhythmische Choral. Oder: Wie läßt sich der evangel. Choralgesang in seiner wahren Einfachheit allgemein durchführen? Glogau, 1861.
149. Geffken, Joh., Kirchendienstordnung und Gesangbuch der Stadt Riga nach den ältesten Ausgaben von 1530 ff. kritisch bearbeitet und mit geschichtlichen Einleitungen zc. Hannover, 1862.
150. Culmann, B., Hymnologische Studien und Kritiken. 1862.
151. Roosen, B. C., Das ev. Trostlied und der Trost ev. Lieds um die Zeit des 30jährigen Kriegs. In geschichtlicher Uebersicht. Dresden, 1862.
152. Döring, G., Choralkunde in drei Büchern. Danzig 1865.
153. Geschichte des ev. Kirchenliedes für Schule und Haus, bevorwortet von K. Zimmermann. Halle, 1865.
154. Daniel, Zerstreute Blätter. Halle, 1866. Enthalten auch Hymnologisches.
155. Weber, H., Der Kirchengesang Zürichs, sein Wesen, seine Geschichte, seine Förderung. Zürich, 1866.
156. Jahrbücher für musikalische Wissenschaft herausgegeben von Friedrich

Chrysander. Zweiter Band. Leipzig, 1867. Enthält das Locheimer Liederbuch (1450) nebst Einleitung von W. Arnold.

157. Haase, H., Evang. Liederkunde. Geschichte und Erklärung der 80 Kirchenlieder der 3 preußischen Regulative vom 1., 2. und 3. Oktober 1854, sowie von 60 nichtregulativen Kirchenliedern. 5. Aufl. Langensalza, 1868—1870.

158. Schletterer, Dr. H. M., Geschichte der geistlichen Dichtung und kirchlichen Tonkunst, in ihrem Zusammenhange mit der politischen und socialen Entwickelung insbesondere des deutschen Volkes. I. Bd. Hannover, 1869.

159. Vilmar, Luther, Melanchthon, Zwingli, nebst einem Anhange: Das evang. Kirchenlied, nach Vilmars Tode herausgegeben von Piderit. Frankfurt 1869.

160. Liliencron, R. von, Die historischen Volkslieder der Deutschen vom 13. bis 16. Jahrhundert, gesammelt und erläutert. 4 Bände. Leipzig, 1865—1869. Der Nachtrag, die Töne und Register enthaltend, bringt viele Melodien alter Kirchenlieder.

161. Götzinger, E., Literaturbeitrag aus St. Gallen. (Geschichte des ev. Kirchengesanges in St. Gallen.) St. Gallen 1870.

162. Kade, Dr. O., Ein feste burgk ist unser got. Der neu aufgefundene Luther-Codex vom Jahre 1530, eine handschriftliche Sammlung geistlicher Lieder und Tonsätze. Mit Facsimiles und musik. Beilagen. Dresden (1872), quer 4.

163. Greiner, L. D., Unser Schul-Liederschatz. Die für unsere Volksschule vorgeschriebenen Memorirlieder besprochen und beleuchtet. Zugleich eine Methodik u. Gesch. des Kirchenlieds. Stuttgart, 1875.

164. Saran, Rob. Franz und das deutsche Volks- und Kirchenlied. Leipzig, 1875.

165. Schöberlein, Dr. Ludw., Schatz des liturgischen Chor- und Gemeinde-Gesanges nebst den Altargesängen in der deutschen evang. Kirche. Aus den Quellen vornehmlich des 16. und 17. Jahrhunderts geschöpft mit den nöthigen geschichtlichen und praktischen Erläuterungen versehen und unter musikal. Redaction von Professor F. Riegel rc. herausgegeben von .... Göttingen, 1881. 4. (2. Ausgabe.)

166. Köstlin, H. A., Luther als Vater des evang. Kirchengesanges. Leipzig, 1881.

167. Bachmann, J., Geschichte des ev. Kirchengesanges in Mecklenburg, insbesondere der mecklenb. Gesangbücher. Ein hymnologischer Beitrag. Rostock, 1881.

168. Blätter für Hymnologie, herausgegeben von Albert Fischer. Gotha, 1883. Lex.-8. dito 1884. 1885 herausgegeben von A. Fischer und Dr. Johannes Linke. Altenburg. Lex.-8.

169. Küchenmeister, Dr. R., Das ev. Glaubenslied „Ein feste Burg ist unser Gott" in Rücksicht auf die Quellen, Gelegenheitsursachen und die Zeit der Entstehung des Liedes (Anfang 1528) und seiner Melodie betrachtet. Mit einer Musiknotenbeilage. Dresden, 1884.

170. Braitmaier, Herm., Das evang. Kirchenlied. Historische Entwicklung und methodische Behandlung in Fragen und Antworten. Leipzig, 1884.

171. Achelis, E., Die Entstehungszeit von Luthers geistlichen Liedern. Marburg, 1884. 4.
172. Weber, G., H. Zwingli, seine Stellung zur Musik und seine Lieder. Die Entwicklung des deutschen Kirchengesanges. Eine kunsthistorische Studie. Zürich, 1884.
173. Bachmann, Dr. J., Zur Entstehungsgeschichte der geistlichen Lieder Luthers. Zeitschrift für kirchliche Wissenschaft und kirchliches Leben. Leipzig, 1884. 4.

Literatur.

b. Katholische.[1]

1. S. Casimiri, Regis Polon. Hymnus B. M. V. (Omni die dic Mariae, Alle Tage sing und sage.) vers. lat. germ. conscripsit Barzaeus, Canonicus Claroverd. Lucernae, 1648. 12.
2. Voigt, A., a St. Germano, Von dem Alterthume und Gebrauche des Kirchengesanges in Böhmen. 1775.
3. Kurze Geschichte der deutschen Kirchenlieder in der „Literatur des kath. Deutschland". Coburg, 1775. I. Bd. 1. Stück. S. 29—80.
4. „Ueber die Ausbreitung des kath. Kirchengesanges im kath. Deutschland neuerer Zeit" in den Ephemeriden der Menschheit 1781. Bd. II, S. 248 ff. (bei Koch, Gesch. d. K. L. VI, S. 544).
5. Einleitung zum Gebrauch des neuen Gesang- und Melodienbuchs bei der Gottesverehrung der kath. Kirche. Tübingen, 1808.
6. Mastiaux, Ueber Choral- und Kirchengesänge; Beitrag zur Geschichte der Musik im 19. Jahrhundert. München, 1813.
7. Jäck, M. F., Psalmen und Gesänge der h. Schrift, nebst den Hymnen der ältesten christl. Kirche. Metrisch übersetzt von .... Freiburg, 1817. 2 Bde.
8. Weinzierl, F. J., Hymnen und Lieder für den kath. Gottesdienst aus dem Lateinischen in gereimte Verse übersetzt. Augsburg, 1817.
9. Görres, J., Altdeutsche Volks- und Meisterlieder aus den Handschriften der Heidelberger Bibliothek. Frankfurt, 1817.
10. Die Sionsharfe oder Abhandlung über das Wesen, die Geschichte und die Literatur der kath. Kirchengesänge in der „Athanasia" von Benkert. Würzburg, 1828. 2. Bd.
11. Zur Geschichte des deutschen kathol. Kirchenliedes in der von Kerz'schen kath. Literatur-Zeitung. 1828. Juniheft. S. 345—360.
12. Zabuesnig, Katholische Kirchengesänge in das Deutsche übertragen mit dem Latein zur Seite. Neue Ausgabe mit einer Vorrede von Carl Egger. Augsburg, 1830. 2 Bde.
13. Töpler, M., Alte Choral-Melodien nebst Texten zum kirchlichen Gebrauche. Soest, 1836.
14. Deycks, Dr., Ueber kath. Kirchengesang in der Cäcilia, Zeitschrift für die musikal. Welt. Mainz, 1837. 17tes Heft.
15. Der Volksgesang in der katholischen Kirche. Historisch-politische Blätter. 1843. I. Bd.

1) Vgl. II. Bd. S. 23 ff.

16. Cantica spiritualia oder Auswahl der schönsten geistlichen Lieder älterer Zeit mit ihren originalen Sangweisen. 2 Bde. München 1845/46. 2te Ausgabe Regensburg, Pustet, 1869.
17. Königsfeld, Lateinische Hymnen und Gesänge aus dem Mittelalter, deutsch von .... Mit lateinischem Urtext, Einleitungen und Anmerkungen von A. W. von Schlegel. Bonn, 1847. II. Band daselbst 1865.
18. Hölscher, Dr. B., Das deutsche Kirchenlied vor der Reformation. Mit alten Melodien. Münster, 1848. 12.
19. Simrock, C., Lauda Sion. Hymnos sacros antiquiores latino sermone et vernaculo edidit. Altchristliche Kirchenlieder und geistliche Gedichte, lateinisch und deutsch. Cöln 1850. Spätere Auflage Stuttgart, 1868.
20. Kienemund, Heinr. Aug, Lehrer zu Neuendorf bei Worbis. Kurze Geschichte des kath. Kirchengesanges. Geistlichen, Schullehrern, Seminaristen und allen Freunden des Kirchengesanges gewidmet von .... 2te Aufl. Mainz, 1850. Die erste Aufl. erschien 1848.
21. Bollens, Fr., Der deutsche Choralgesang der kath. Kirche, seine geschichtliche Entwicklung, liturgische Bedeutung und sein Verhältniß zum protestantischen Kirchengesange. Ehrenrettung desselben wider die Behauptung, daß Luther der Gründer des deutschen Kirchengesanges sei. Tübingen, 1851.
22. Kehrein, Joseph, Kirchen- und religiöse Lieder aus dem zwölften bis fünfzehnten Jahrhundert. Theils Uebersetzungen lateinischer Kirchenhymnen (mit dem lateinischen Text), theils Originallieder aus Handschriften der k. k. Hofbibliothek zu Wien, zum ersten Male herausgegeben von ...... Paderborn, 1853.
23. Hölscher, Dr. B., Niederdeutsche Geistliche Lieder und Sprüche aus dem Münsterlande. Nach Handschriften aus dem XV. und XVI. Jahrhundert. Herausgegeben von ..... Mit Anmerkungen, Wörterbuch und einer Musikbeilage. Berlin, 1854.
24. Gärtner, Wilhelm, Te Deum laudamus! Großes, katholisches, geistliches Lieder-Buch auf Grund katholischer Gesangbücher, Anthologien und literarischer Denkmäler aus allen christlichen Zeiträumen gesammelt, geordnet und versehen mit einer einleitenden kritischen Abhandlung über das katholische kirchliche Lied überhaupt und über das deutsche insbesondere. 3 Bände. 8. Wien, 1855—1857.
25. Kehrein, Joseph, Katholische Kirchenlieder, Hymnen, Psalmen aus den ältesten deutschen gedruckten Gesang- und Gebetbüchern zusammengestellt von ..... Würzburg, 1859—1863. 3 Bde.
26. Weller, E., Annalen der poëtischen National-Literatur der Deutschen im XVI. und XVII. Jahrhundert. Freiburg im Breisgau 1862 und 1864. Enthält im II. Bande eine Bibliographie zum deutschen Kirchenliede.
27. Meister, Karl Severin, Das katholische deutsche Kirchenlied in seinen Singweisen von den frühesten Zeiten bis gegen Ende des 17. Jahrhunderts. Auf Grund älterer Handschriften und gedruckter Quellen. Erster Band. Freiburg i. Baden, 1862.
28. Dreves, L., Lieder der Kirche. Deutsche Nachbildungen altlateinischer Originale. 2. Aufl. Schaffhausen, 1868.

29. Witt, Dr. Fr., Gestatten die liturgischen Gesetze beim Hochamte deutsch zu singen? Regensburg, 1873.
30. Bohn, P., Beiträge zur Geschichte des kathol. deutschen Kirchenliedes, in der „Cäcilia". Trier, 1877/78.
31. Pailler, Wilhelm, Weihnachtslieder aus Oberösterreich. Mit 38 Singweisen. Innsbruck, 1881.
32. Kayser, Dr. J., Beiträge zur Geschichte und Erklärung der ältesten Kirchenhymnen. Mit besonderer Rücksicht auf das römische Brevier. 2. Aufl. Paderborn, 1881.
33. Gabler, Jos., Die Tonkunst in der Kirche. Linz 1883. S. 269—347. Geschichte des deutschen kath. Kirchengesanges.
34. Gabler, Jos., Neue Geistliche Nachtigall. Sechshundert religiöse Volkslieder mit ihren Singweisen in der Diöcese St. Pölten gesammelt und herausgegeben. Linz, 1884.
35. Dreves, Guido Maria, S. J. Ein Wort zur Gesangbuchfrage. Zugleich Prolegomena zu einem Büchlein geistlicher Volkslieder. Freiburg im Breisgau, 1884.

VI. Bibliographie.[1]

(Vgl. II. Bd. S. 26 ff.)

1. (1470.)[2] Gaistliche vßlegong des lebes Jhesu Cristi. 1) „Ave: got griss dich, raine magt". 2) „Maria, mutter, reine magt". (Wackern. II, 1026 u. 1027.)
2. (1470.) Der Rosenkranz von V. L. Frawen vnd Vßlegung des Psalters &c. Gedruckt zu Straßburg. 12. Enthält die Lieder: „Maria zart", mit XXI Gesetzen vnd „die Fraw vom Hymel". (Wackernagels Bibliographie 5.)
3. (1470.) Diß büch legt vß Marie Rosenkrantz vn psalter Das güldin Rosenkrentzlin Sant Anna bruderschafft. Darin das Lied: Groß gnad ist vffgestanden. 18 Bl. 4. (Wackernagel, Bibliographie 4; K. L. II, 1061.) Bibl. zu Gotha.
4. (1470.) Sequentz von vnser lieben frowen, deß münichs von saltzburg, optime composita. Am Schluß: Zu vlm gedruckt durch Johannem tzeiner von Rütlingen. Enthält die Sequenz: „Ave balsams creatur". (Wackernagel, Bibliographie 3.) Stadtbibliothek in Augsburg.
5. (1470.) Das büchlin halt jnn von erst Die siben zyt von vnser lieben frowen &c. 192 Bl. 8. Gedruckt um 1470. Uebersetzungen kirchlicher Prosen und einige Lieder. (Hoffmann 259, Wackernagel, Bibliographie 1. Gödecke, Grundriß I, 174. Kehrein I, 33.)

---

1) Der öfters citirte Sammelband von Einzeldrucken wurde mir von Herrn Prof. Dr. Crecelius in Elberfeld zur Verfügung gestellt.
2) Die in ( ) stehenden Jahreszahlen sind von mir hinzugefügt.

6. 1478. Kreuzfahrtlied. Ueberschrift: Frid vnd gnad allen christen menschen zuuor. Als man zalt 1478 jar.. Folioblatt ohne Ort. „Zu iherusalem vff der heiligen erde platz Ist gewesen der aller hôhest schatz". (Weller, Annalen II, 203.)

6a. 1490. Das deutsch Benedicite. Das deutsch Gracies. nurenberg von Hanns Hoff 1490. Großfolioblatt mit Holzschnitt. „Beit in deines drones vesten verliech den kynden vnnd den gesten den segen deiner rechten hant" ꝛc. (Germania 1879, S. 399.)

7. (1490.) Die zehen gebote. Gedruckt zu Nürnberg durch Weygel Formschneyder. Ohne Jahr. Holzschnittblatt. „Wer will eingien in das ewig leben". (Wackern. II, 1135.)

8. 1493. Der Psalter Marie, d. h. Passionslieder in Herzog Ernsts Ton, von Meister Sixt Buchsbaum. Erfurt, Hans Sporer 1493. 4. (Göd. I, 147. Gärtner XXXI. Kehr. I, 33.)

9. (1493.) Hijr heuet sik an Crux fidelis to dude. Am Ende einer um 1493 zu Rostock gedruckten Auslegung der zehn Gebote. 32 Bl. in Folio. „Der werlde wollust du verlate vnde dy nu meer to gade kere". (Wackernagel II, 1015.) Stadtbibliothek in Stralsund.

10. 1494. Vslegunge der hymbs nach der zitt des ganczen iares. mit ieren herclerungen. vnd exponierungen. vast nützliche von latin zu tütsch. 1494. 10 Bogen 8 mit Uebersetzungen von Hymnen in Prosa, nur eine in Versen. (Wackern., Bibliogr. 10. K. L. II, 570. Gärtner XXX.) „Min zung erkling vnd frôlich sing von dem zarten lichnam fron". Bibl. zu Freiburg i. B.

11. 1494. Hierinnen stônd ettlich tewtsch ymni oder lobgesange mit versen. stücken vnd gesatzen von ettlichen dingen die do zu bereitung vnd betrachtung der beicht ainem yeden. not synd Darnach ettliche kurtz vnd vast nutze vermanungen. Getruckt von Heinryco Knôblôtzer zu Haidelberg Anno 1494. 22 Bl. 4. 12 Uebersetzungen in Prosa, die den lateinischen Originalen an Zahl der Silben entsprechen, und 14 deutsche Hymnen nach Weisen lateinischer; eine Art Reimprosa. (Göd. I, 147; Hofm. 262 und 482; Gärtner XXX; Kehrein I, 33; Wackernagel, Bibliographie 8.)

12. 1494. Ein vast notdurfftige materi, einem yeden menschen, der sich gern durch ein ware grüntlich bycht flyssiglich zu dem hochwirdigen sacrament deß fronlychnams vnsers herren, ze schicken begeret. Diß materi ist auch den schlechten pfarrern nit gar on not, die es auch alle jare, jren vnderthonen verkünden solten. 64 Blätter 4. gedruckt von Heinrich Knöblötzer zu Heidelberg im Jahre 1494. Erklärung des Vater unsers, des Ave Maria, Uebersetzung lat. Lieder ꝛc. (Wackernagel, Bibliographie 9; Göd. I, 147; Gärtner XXX; Kehrein I, 33.)

13. 1494. Jn disem büchlin wirt begriffen vnser lieben frawen psalter mit drey rosenkrentzen ꝛc. mit ainem kostlichen A b c ꝛc. Aus der Cartuß zu güterstain. 24 Bl. 8. Dann 15 Bl. 16. Gedruckt. durch Cunrat Dinckmut zu Vlm Anno jm 94 jar. „O du aller heiligiste künigin, empfahe daz allersüssest wort". (Wackern., Bibliogr. 11; K. L. II, 1058.) Bibl. zu Stuttgart.

14. 1497. Der Curß vom sacrament. Vßlegung des Gloria patri. Sant Bernarts Rosenkrantz. Vollendet zu Basel vff sampstag nach sant Lucastag. 1497. 42 Bl. 8. (Nähere Beschreibung bei Kehrein I, 63; Wackernagel, Bibliographie 14; Hoffmann 265 nebst Proben bei letzterem No. 131—133.) Königl. Bibl. in Berlin. (Bildet den Anhang von No. 16.)

15. 1497. Von sant Vrsulen schifflin. Getruckt zu straßburg vff grůneck von meister bartholomeus küstler. Jn dem iar. 1497. 25 Bl. 4. Enthält das Lied: „Ein zyt hort ich vil gutter mer von einem schyfflin sagen" (W. II, 1017), von meister iohannes gösseler pfarher vnd doctor zu sant iost zu Raffenspurg. (Wackernagel, Bibliogr. 15; Göd. I, 148; Mone, Hymnen III, S. 527.) Andere Ausgaben bei Wackernagel II, S. 769. Königl. Bibl. in Berlin.

16. 1497. Der guldin Spiegel des Sunders. Basel 1497. 183 Bl. 8. Im Anhange (Titel von No. 14) Uebersetzungen lateinischer Hymnen von Ludwig Moser, bei Wackernagel II, 1070—1074.

Verbum supernum.
„Das öbrist wort ist gangen vß".
Ave vivens hostia.
„Ave, lebende hostia, die warheit vnd das leben".
Pange lingua.
„Nv sing, zung, des hochwirdigen".
Veni creator spiritus.
„Kvm schöpffer gott, heiliger geist".
Salve mater salvatoris.
„Ave, salue, gaude, vale, o maria, nu ze male".

17. 1497. Dy schydung vnnser lieben frawen in gesangs weyse. Gedruckt zu Nůrnberg. von Peter wagner. 1497. 7 Bl. 8. Enthält das Gedicht: „Vns sagt geschrifft gar offenbare". (Wackernagel, Bibliographie 13 und K. L. II, 1057; Göd. I, 147; Kehrein I, 34.) Erlanger Universitäts-Bibliothek.

18. 1497. Die Fronica in dem brieff don. Gedruckt vnd volendt zu Nůrnberg von peter wagner. 1497. 25 Blätter kl. 8. Enthält das Gedicht: „O süsser got, nach dein genaden steet mein gyr, von Regenboge". (Wackernagel, Bibliographie 12; K. L. II, 428; Gödeke I, 149.) Vgl. unten 1512. Erlanger Universitäts-Bibliothek.

19. (1500.) Vnser lieben frawen Rosenkrantz in herczog ernsts meladey. Ohne Ort und Jahr. 8 Bl. in kl. 8. „Die geschrifft gibt vnß weyß vnd ler", von Sixt Buchsbaum. (Wackernagel, Bibl. 21; Gödecke I, 147.) Andere Ausgaben bei Weller, Annalen II, 148 ff. u. 322. Abgedruckt in Wackern. K. L. II, 1062. Erlanger Universitäts-Bibliothek.

20. (1500.) Gebetbuch ohne Titel ohne Angabe des Druckortes und Jahres (vielleicht 1490 gedruckt) mit Uebersetzungen und Reimen in Prosa. u. a. vom ganzen Officium und der Messe de Beata Maria Virgine. „Alles gestützet durch ainen hochgelerten Doctor nach ordnung vnd mainung der kristenlichen kirchen vnd wie sy gesprochen vnd gebettet werden Jn allen geistlichen statten." Ausführlich beschrieben von Meister, Das kath. deutsche Kirchenlied 1862. Anhang III. Universitäts-Bibliothek in Freiburg.

21. (1500.) Jesus ackerman. „Ein schon Maister gesang jm dez muscat blut“. 4 Bl. kl. 8. „Hertz, mut schweig, rast vnd gedenck wy fast“. (Wackern. II, 650.)
22. (1500.) Ein new lied von dem Rosenkrantz vnd bruderschafft Marie, ym Jorg Schillerß thon. Nürnberg (ohne Jahr). 4 Bl. kl. 8. „Mit singen wil ichs heben an“. (Wackern. II, 1064.)
23. (1500.) Es flog ein clains walt vogelein. Lied von der Verkündigung Mariä. Blatt fol. ohne Ort und Jahr, bei W. II, 881. (Wackernagel, Bibliographie 22.) Universitäts-Bibliothek in Würzburg.
24. (1500.) Das ist ein hüpsch lied vnd lobgesang von Maria der wirdigen vnd hymmelischen keyserin. Vnd ist in dem Vnerkanten thon. 4 Bl. 8. Ohne Ort und Jahr. „O Virgo vite via, tu mundi spes, Maria, vnd in dem tron“ rc. (Wackernagel, Bibliogr. 26; K. L. II, 433; Mar. Liederkranz 264.) Universitäts-Bibliothek in Erlangen.
25. (1500.) „Maria muter außerkorn“. „Zur mettenzeit gesangen wart“. 2 Lieder ohne Ort und Jahr. 3 Bl. 4. Breslauer Universitäts-Bibliothek. (Hoffmann 339.)
26. (1500.) Eyn sinnyge beclagung der moder goedes als sy stonde an dem cruytz tzo latine geheisschen Stabat mater dolorosa. Ohne Ort u. Jahr. Kleinfolioblatt. 10 Str. „Eyn moder stoend dröuentlichen am cruytz jnd weynde jemerlichen“. (Hoffmann 351.) Köln, Wallrafianum.
27. (1500.) (Marienlied) „Ich sing euch hie auß freyen mut ain newes lydlin fein“. Folioblatt mit Holzschnitt ohne Ort und Jahr in verschiedenen Ausgaben. (Weller, Annalen II, 146; Wackernagel, Bibliogr. 1072; Mar. Liederkranz, S. 259.) Kgl. Bibl. in Berlin.
28. (1500.) Di siben hertzlaid von vnser Lieben frawen in dem guldin regenbogen don. 8 Bl. 12. Ohne Ort und Jahr. „Maria, verleich mir syn vnd krafft“. (Wackern., K. L. II, 1028.) Königl. Bibl. in Berlin.
29. 1500. Sunte margareten passye. Gedruckt in Magdeborch durch Simon Mentzer 1500. 24 Bl. 4. (Weller, Annalen II, 323.)
30. 1500. Sunte Barbaren passye. Gedruckt in Magdeborg durch Simon Mentzer 1500. 18 Bl. 4. (Weller, Annalen II, 323.)
31. 1500. Sunte Dorotheen passien. Gedruckt in der stad Magdeborch durch Simon Mentzer 1500. 14 Bl. 4. (Weller, Annalen II, 322.)
32. (1500.) Von dem tod ein geistlich lied zu singen. Ich stund an einem morgen heymlich an einem ort. Getruckt zu Straßburg. O. J. 4 Bl. kl. 8. (Wackernagel, Bibliogr. 25. K. L. II, 1297.) Universitäts-Bibliothek zu Erlangen.
33. 1501. Ortulus Anime. Getruckt vnd selíclich volendt durch Hans grüningern vff vnser lieben frowen abent der verkündung in dem iar als man zalt 1501 iar. Straßburg. 12 Bl. und 264 gez. Bl. 8. Enthält Uebersetzungen lat. Hymnen und erschien ferner 1503, 1507, 1509 und 1513 in Straßburg; 1516 und 1518 in Nürnberg, 1518 in Paris, 1520 und 1523 in Basel. (Wackernagel, Bibliogr. 28; Kehrein I, 34; Gärtner XXXI.)

Proben bei Hoffmann No. 134—137. Wackernagel, K. L. II, 1075 ff. Königl. Bibliothek in Berlin. Bibliothek in Straßburg.

34. 1503. Salus anime. Gedruckt vnd geendet in der Kayserlichen Stat Nüremberg durch Hieronymum Höltzel. 1503. 287 Bl. 16. (Wackernagel, Bibliogr. 29; Kehrein I, 34. Proben daraus in „Marianischer Liederkranz". Augsburg 1841. S. 179 u. 256. Vgl. auch Wackern., K. L. I, S. 372.) Bibl. in Weimar.

35. 1503. Von der vberwirdigsten muter gotes vnd reinen iunckfrawen Maria schoner entpfahung Hieronymi Schenck von Sumawe deutsches Carmen mit bewerung der heiligen geschrifft. Impressum in nobili Vrbe herbipolen̄. per me Martinum Schubart Anno dn̄i 1503. 6 Bl. 4. „Maria gut, won bej mir heut", mit Melodie. (Göd. I, 147; Wackernagel, Bibliogr. 31; und K. L. II, 1261; Hoffmann 467, 468; Kehrein I, 34; Gärtner XXXI; Mar. Liederkranz S. 3.) Stadtbibliothek in Colmar.

36. 1504. Ein Salue regina von Hieronymo Schenck von Sumawe jn ein Carmen gemacht vnd mit bewerten schriften gezirt vnd erleucht. Impressum in Ducali Episcopalique Ciuitate Herbipolen̄. per Martium Schubart Anno 1504 ꝛc. 12 Bl. 4. „Salue ich grus dich, lilg vnd ros", mit Melodie. (Wackernagel, Bibliogr. 32 und K. L. II, 1262.)

37. (1504.) Die fraw von himel, mit vier stimmen. Wolfgang Huber. Patris sapientia: Die weyßheit vnd götlich warheit. Daselbst. 2 Blätter in hoch 4. (Wackern. II, 1030, 1033.) Münchener Staatsbibl. Mus. pract. 156, 13 u. 12.

38. (1505.) Das Lied „Maria zart von edler art". Einzeldruck in fol. (Hoffmann 455; Gärtner XXXI.)

39. 1505. Dasselbe nach einem Drucke von Wolfgang Huber in Nürnberg. 4 Bl. in kl. 8. (Marian. Liederkranz S. 255.) Bibliothek in Kremsmünster und München.

40. 1506. Fünnff andechtiger gesetz nüw gedicht, mit ingefürter ermanung, das leydenn christi zu betrachten vnd mariam seine liebe muter, mit erinnerung yres hertzenleydes vnd mitleydens, anzeruffen vmb getruwens fürbitten gegen yrem lieben kynde, dem Thichter vnd allen Cristglaubigen menschen zu erwerben ablas der sünden, hye zeitlich vnd dort ewig freüd, mit zal der Reimen vnd der melody maria zart, Gesetzt vnd gedicht zu Haydelberg 1506. Offenes Blatt. „Maria zart, deinn sonn verrart". (Wackern. II, 1037.)

41. 1507. Dat lyden der hilger Machabeen. vnd afflas zo Mauyren bynnen Colen. Gedruckt zo Colen vnder XVI huyſſer. Im jair vnses heren 1507 ꝛc. 18 Bl. 4. (Schade, Geistl. Gedichte vom Niederrhein, S. 364.)

42. 1507. Eyn nye leedt van der alder hilgesten moder sunthe anna, in der wise vnd thone alß men singhet maria zarth. Ghedruckt tho Brunßwygk dorch Hans Dornn ynt iar 1507. Es ist das Lied „O Anna zart, tho dusser varth". (Wackernagel, Bibliogr. 34 und K. L. II, 1257.) Bibliothek zu Wolfenbüttel.

43. 1508. Das ist die hymelfart vnser lieben frauwen in des regenbogen langen don, Gar ein hůpsch lied zu singen oder zu lesenn. Dis buchlin ist getruckt in der Keyserlichen frystat, straßburg, durch Martinum Flach, jn dem Jar als man zalt nach, Christus geburt 1508 jar. 8 Bl. kl. 8. Es ist das Lied „Da gott zu ym in ewigkeit". (Wackernagel, Bibliogr. 35; Göd. I, 147; Kehrein I, 35.) Universitäts-Bibliothek in Erlangen.

44. (1508.) Ein schons lyed. von dem leben der heyligen Junckfrawen vnd martrerin Sant Katherina. In dem Muscatplůt thon. Gedruckt zu Nůrnberg. durch Herr Hansen Weyssenburger. 4 Bl. kl. 8. ohne Jahr. „Ein iunckfraw fein, sant Katherein". (Wackern., Bibliogr. 36 und K. L. II, 654.) Erlanger Universitäts-Bibliothek.

Dito Gedruckt zu straßburg durch Martin flach, Als man zalt 1508 jar. (Daselbst. Gödeke I, 148; Hoffmann 473.)

45/46. 1509. Eyn sueberlich liett off carmen von sant Vrsulen schiiff ader broderschafft in dem Buche „Die historien von sant Vrsulen vnd den Elffthausent jonffrauwen" ꝛc. Gedruckt zo Coellen vp sant Gereonsstrasse tzo der roeder portzen In dem jair vns hernn 1509. (Wackernagel, Bibliogr. 47; Göd. I, 148.) Königl. Bibl. in Berlin.

47. (1509.) Eyn schon lied von der vnbefleckten entpfencknůß Marie, in dem thon Maria zart. 10 Strophen. Es ist das Lied „Maria schon, du himelsch kron", von Niclaus Manuel. (Wackernagel, K. L. II, 1263; Gärtner XXXI.)

48. (1510.) Das ist ein schonn lied von der welt lauff, vnd von dem schweren, vnd von denen die gott lesteren. 4 Bl. kl. 8. Ohne Ort und Jahr. „Wenn ich ann sich der welte lauff", von Herm. Franck dem binder. (Wackernagel II, 1308.)

49. (1510.) Ein rosenkrantz von vnser lieben frawen gar ein hůbsches Lied. In dem brieff don. 4 Bl. kl. 8. Ohne Ort und Jahr. „Hilff maria meyd, so mag vns wol gelingen". (Wackernagel, Bibliogr. 53 und K. L. II, 1063.) Erlanger Universitäts-Bibliothek.

50/51. (1510.) Von vrsprung dess Sacramendts der Penitentz, Auch wie gnad vnd ablaß (auß not) sich yetz zu disen zeitten so groß außprait durch die barmhertzikait gots, vnd doch von etlichen dűrfftigen gar schmåchlich entpfangen wirt. Vnd ist zu singen in des Regenbogen brief weiß. 6 Bl. kl. 8. o. Ort und Jahr. „Gott hat nach seinem Leiden". (Wackernagel, Bibliogr. 55 und K. L. II, 1303.) Erlanger Universitäts-Bibliothek.

52. (1510.) Ein hubsches lied von einem Apfell der bedeuten ist Jesum vnseren seligmacher Vnd ist ynß Regenbogen langen thon. Gedruckt zu Nůrmberg. „Gesang thut vns von einem Apffel sagen." 3 Bl. kl. 8., ohne Jahr. (Wackernagel, Bibliogr. 51 und K. L. II, 1318.) Erlanger Universitäts-Bibliothek.

53. (1510.) Das ist ein hubschs liede von vnser lieben Frawen als sie vber das gebyrg gieng. Ist im roten zwinger thon. „Wer

ich in aller meyster schul gewesen". 4 Bl. kl. 8., ohne Ort und Jahr. (Wackernagel, Bibliogr. 50; K. L. II, 1299.) Erlanger Universitäts-Bibliothek.

54. (1510.) Der kempffer gaistlich. „Grofs lieb thut mich betzwingen, das ich muß heben an". Blatt in fol. (Wackernagel, Bibliogr. 48 und K. L. II, 1149.) Königl. Biblioth. in Berlin.

55. (1510.) Die zehen gebot in gesangs Weyßz. „Die zehen gebot solt du leren, wilt du die freüd im himel meren". Dasselbe Blatt, auf dem das Lied „Der kempffer gaistlich" steht. (Wackernagel, Bibliogr. 49 und K. L. II, 1126.) Kgl. Bibl. in Berlin.

56. 1511. Ayn suberlich lyet off carmen von sant Vrsulen schijff ꝛc. Andere Aufl. vom Jahre 1509. (Wackernagel, Bibliogr. 56.) Königl. Bibliothek in Berlin und Universitäts-Bibliothek in Breslau.

57. 1511. Dasselbe. Zo Cöllen jn der Smierstraſſen by Antonio Keyser. (Wackernagel, Bibliogr. 57.) Königl. Bibliothek in Berlin.

58. 1512. Ein ser andechtig Cristenlich Buchlein aus hailigen schrifften vnd Lerern von Adam von Fulda in teutsch reymenn gesetzt. Wittenburgk durch Simphorian Reinhart. 1512. 36 Bl. 8. Gereimte Vorrede Wolff Cyclops von Czwickau und fünf Gedichte von Adam von Fulda. (Gödeke, Grundriß I, 147; Wackernagel, Bibliogr. 60 und Seite 458.) Stadtbibliothek in Hamburg.

59. 1512. Ein lied von der Fronica wie sie vonn Hierusalem gen Rom ist kumen. Jm brieff thon des Regenbogens. Gedrückt zu Nürmberg durch Wolffgang Hüber. Anno 1512. 24 Bl. 8. „O süsser got, nach dein gnaden stet mein begir". (Vgl. 1497. Wackernagel, Bibliogr. 58; Gödeke I, 149; Hoffmann 475.)

60. (1512.) Uon dem helgen sacrament ein hüpsch lied Jn der brieff weyß Regenbogen ton. Zu Straßburg getrücket mich Mathis hüpfuff fleissiglich. 4 Bl. kl. 8., ohne Jahr. „Ein iunger finen meyster fraget". (Wackernagel, Bibliogr. 61 und K. L. II, 427.) Andere Ausgaben bei Weller, Annalen II, 149. Erlanger Universitäts-Bibliothek.

61. 1513. Die Bruderschafft sancte Vrsule. Gedruckt zu Nürnberg 1513. 28 Bl. 4. Enthält das bekannte Lied: „Eyn zyt hort ich vil". Vgl. 1497 und 1509. (Wackernagel, Bibliogr. 63.) Bibliothek zu Wolfenbüttel.

62. 1513. Ein lyedt von dem Rosenkrantz, wie man beten sol nach ordenlicher vffatzung der Bruderschafft in des Schilers don tzu lob ere vn preis der aller erwirdigistenn gotes gebererin Marie. Jn dem Prediger Closter tzu Hall gesatzt vnnd geordenth Nach Christi geburt 1513. 1 Bogen 4. „Ave, ich grus dich edlen stam", von Bruder Jacob Tietz von Freynstadt. (Wackern. II, 1065.)

63. 1513. Dyt is Sybillen boich vnd saget ꝛc. Gedruckt tzo Coellen vp dem Eygelsteyn 1513. 20 Bl. 4. (Schade, Geistl. Gedichte vom Niederrhein S. 294.) Vgl. No. 76.

64. 1513. **Sent Barbaren passie. Gedruckt zo Collen vp dem Eygelsteyn by myr Henrich van Nuyß. Anno 1513.** 10 Bl. 4. (Göd. I, 149; Schade, Geistl. Gedichte vom Niederrhein. S. 34.)

65. 1513. **Dorotheen passie. Gedruckt zo Coellen vp dem Eygelsteyn, In dem jair vns heren 1513.** 8 Bl. 4. Niederrheinisches Gedicht. (Göd. I, 149; Schade, Geistl. Gedichte vom Niederrhein. Hannover, 1854 S. 3.)

66. 1513. **Ein hüpsch lied zu singen wie die götlich weißheit vnd weltliche thorheyt wider einander stryten vnd disputieren vnd ist in dem gedicht Hans foltz balbierers hanen kratts thon. Straßburg, durch Mathis hüpfuff.** 1513. 4 Bl. kl. 8. „**Götliche weißheit vnd weltliche dorheite**". (Wackern. II, 1049.)

67. 1513. **Sent margareten Passi. Coellen by Henrich van Nuyß.** 1513. 8 Bl. 4. (Göd. I, 149; Schade, Geistl. Gedichte vom Niederrhein. S. 74.)

68. 1514. Dasselbe. (Schade, S. 75.)

69. 1514. **Das Plenarium oder Ewangely buoch: Summer vnd Winter teyl, durch dz gantz iar** ꝛc. **Nach der geburt Christi 1514 Gedruckt durch den fürsichtigen Adam petri von Langendorff burger zu Basel. In dem iar** ꝛc. 8 und 286 Bl. fol. Enthält die Lieder: „**In mittel vnsers lebens zeyt**" und „**Kum heiliger geyst herre gott: erfüll**". (Wackernagel, Bibliogr. 65; Gärtner XXXI; Kehrein I, 35.) Stadtbibliothek in Colmar und Königl. Bibl. in Berlin. Andere Ausgaben Basel 1516, 1518 u. 1522 in München und Freiburg i. B.

70. 1514. **Sent Anselmus vrage zo marien. Gedruckt zo Coellen vp dem Eygelsteyn by myr Henrich van Nuyß 1514.** 22 Bl. 4. (Schade, Geistl. Gedichte vom Niederrhein. S. 239.)

71. (1514.) **Sent katherinen passie.** 12 Bl. 4. (Schade, Geistl. Gedichte vom Niederrhein. S. 104.)

72/73. 1515. **Zwo Lieder von den syben Worten Jesu Christi, vnd von den zehen Geboten Gottes aus der Bibel gezogen durch Johann Böschenstein, im Ton: Es wohnet Lieb bey Liebe 1515.** Es sind die Lieder: „**Do Jesus an dem creutze stund**" und „**Wölt ir mich mercken eben vnd wölt**". (Wackernagel, Bibliogr. 75 und K. L. I, 376, II, 1327 ff u. 1330; Göd. I, 148; Gärtner XXXII; Hoffmann 218; Kehrein I, 35.)

74. 1515. „**Dich frau vom himel ruf ich an**". Offenes Druckblatt mit Noten bei Uhland 317. (Hoffmann, No. 68.)

75. 1515. **Das leiden Jesu Christi vnnsers erlösers. Sonders andächtiger lere Nutzperlicher betrachtung auß den vier Euangelisten entlichen durch Wolffgang von Män. in gesatz weiß bezwungen. Cum gratia et Priuilegio. Gedruckt vnd säligklich volendt. In der Kayserlichen stat Augspurg durch den Junngen Hannsen schönnsperger Anno dni 1515.** 67 Bl. 4.

(Wackernagel, Bibliogr. 78; K. L. II, 1319—1325; Göd. I, 148.) Bibl. in Berlin u. Gotha.

76. 1515. Dyt is Sybillen boich. Dasselbe wie v. J. 1513.

77. 1515. Das ist der segen des starcken Poppen, dardurch er selig ist worden. In dem brieff thon des Regenbogens. Nürnberg durch Jobst Gutknecht 1515. 4 Bl. kl. 8. „Ich kam einsmals fur des Paradyse thor". (Wackernagel II, 331.)

78. 1515. Ein geystlich lied von den Siben worten vnsers lieben herren die er an dem fron krütz sprach. Getruckt zu Straßburg von Mathis hüpfuff als man zalt 1515 Jar. 4 Bl. 8 mit 2 Holzschnitten. „Es fert ein heylige zyt da har mit schalle". (Wackern., Bibl. 70, K. L. II, 1326.) Erlanger Bibl.

79/80. 1517. Passio Christi von Martino Myllio in Wengen zuo Ulm gaistlichen Chorherrn, gebracht, vnnd gemacht nach der gerümpten Musica, als man die Hymnus gewont zebrauchen. Vnd hie bey angezaigt vor ydem gedicht, vnder was Melodey zuo singen werd. Cum gratia et priuilegio etc. Am Schluß: Getruckt vnd vollend, in kosten des erbern Joannis Haselbergs auſs der reichen ow Costenzer bistums. Anno 1517. Kalend. April. 4 Bogen und 1 Bl. 4 mit 26 Liedern. (Wackernagel, Bibliogr. 80 und K. L. II, 1337—1346; Hoffmann K. L. 301 bis 303; Kehrein I, 35.)

Ich gebe hier ein vollständiges Verzeichniß der Lieder nebst Angabe der Melodien:

1) Von Adam vnd Eue sündtlichem vall zuo singen vnder der Melodey deſs hymnus Conditor alme syderum.
„Gott in seim gemüet ewig beschloß".

2) Von der verfluochung Adam vnd Eue, zuo singen vnder Melodey deſs hymni Rex christe factor omnium.
„Als Sathanas diſs wort vernam".

3) Die Christenlich verkündung von Gabriele Ertzengel, zuo singen vnder dem thon. Vt queant laxis.
„Nach dem, den menschen Cherubin mit schaden".

4) Der sun gottes würt zeitlich geborn, vnder Melodey. Petrus beatus cathenarum.
„O zartes Kind, mein gott
Biſs grüst, Maria rain".

5) Von dem Palmtag zuo singen vnder Melodey. Ex more docti.
„Nach treissig jaren Christus gieng".

6) Wider die beflecker deſs Tempels gottes, zuo singen vnder Melodey des Hymnus. Christe redemptor gentium.
„Gott hatt gemacht drey Tempel schon".

7) Von dem erbärmlichen schaiden Jesu vnd Marie seiner muoter, vnder Melodey. Audi benigne conditor.
„O Jesu mein Herr, warer gott".

8) Von dem nachtmal Christi, vnder Melodey. Verbum supernum prodiens.
„Als Phase, gott des herren kam".

9) Jesus wascht seiner Junger füss, zuo singen vnder Melodey des Hymni. Primo dierum omnium.
„Der Herr Jesus vom tisch auffstund".

10) Jesus gat an ölberg, zuo singen vnder Melodey des Hymni. Sanctorum maritis inclyta.
„O Sünder tracht mit fleiss, wie dein erlösung sey".

11) Jesus würt gefangen, zuo singen vnder Melodey. Beata nobis gaudia.
„Als Christus vollendt sein gepett".

12) Jesus würt von erst für Annam gefürt, zuo singen vnder Melodey des Hymni.
„Als gfangen ist, Herr Jesus Christ".

13) Jesus würt gefürt für Caypham, zuo singen vnder Melodey.
„Jesus der Herr ward bald von dan".

14) Jesus würt die nacht im hauss Cayphe verspott, zuo singen vnder Melodey.
„Ach mensch wainent betracht, wie iesus din got".

15) Jesus würt Pylato geantwurt, zuo singen &c.
„Nacht spot, schmach, schand, verspeyung vil".

16) Jesus würt für Herodem gefüeret, zuo singen &c.
„O Jesu du mein herr vnd gott".

17) Jesus leit die gaisel vnd ruoten, zuo singen &c.
„Pylatus hort die grosse klag".

18) Jesus würt krönt mit Dorn, zuo singen &c.
„Noch gnüegt nit Jesu marter gross".

19) Jesus wirt dem volck von Pylato gezaigt, zuo singen vnder melodey. Beata nobis gaudia.
„Pilatus wolt mit fleiss den herrn".

20) Jesus wirt in tod geurtailt, zuo singen &c. (wie 19).
„Die schreiber, Priester, Pharisei".

21) Jesus trägt sein Creütz, zuo singen vnder Melodia.
„Nach vrtails val, on alle weil".

22) Zuo dem angesicht Jesu, geteutscht. Salue sancta facies, vnder Melodia. Aue viuens hostia zuo singen.
„Grüest seyestu angesicht
Got vnsers erlösers".

23) Jesus wirt genagelt an das Creütz, zuo singen vnder Melodey, dess lieds Auff dieser erd mein hertz begert.
„Jesus der her, truog sein Creütz schwer".

24) Jesus hangt am Creütz, zuo singen vnderm Hymss. Vexilla regis prodeunt, der auch geteütscht.
„Die künglich paner gend herfür
Des Creütz opfer scheindt nach gepür".

25) Jesus steygt in die hell, zuo singen vnnder Melodey.
„Als gott am Creütz gestarb".

26) Jesus wirt vom Creütz gelösst, vnder Melodey des Hymni. Aue maris stella.
„Nach dem vnd der tage".

Exemplare auf der Stadtbibliothek in Ulm, der Königl. Bibliothek in Berlin und München.

100. 1522. Ein heilsame ermanung des kindlein Jesu an den sunder getzogen auß Erasmo. Hieronymus Emser. 4 Bl. 4. „Die weyl bey mir allein man findt“. (Wackern., Bibliogr. 111 u. 112; K. L. II, 1401.) Königl. Bibl. in Berlin.

101. 1523. Hortulus anime. zu Teutsch. Getruckt zu Basel durch Thomam Wolff, für den ersamen Johann Wattenschnee. Im iar 1523. 15 u. 243 Bl. 8. (Wackern., Bibliogr. 125.)

102. 1523. In disem Biechlin seind begryffen dreü gedicht, In gesangsweyß. Außgangen Durch Johann Böschenstain. Das Erst von Göttlicher Maiestat. Das Annder von den Zehen gebotten. Das drit von begerung götlicher gnaden In den gegenwürtigen trüebselikayten. 4 Bl. 4. Das erste Lied hat die Ueberschrift: „Ain new gedicht durch Johann Böschenstain. „Gott ewig ist, on endes frist“. Das zweite lautet: „Welt jr mich mörcken eben“. Das dritte: „Von wunderlichen dingen, so will ich heben an“. (Wackernagel, K. L. I, S. 382.) Königl. Bibl. in München.

103. 1524. Hymnarius: durch das ganntz Jar verteutscht, nach gewöndlicher weyß vnnd Art zw synngen so yedlicher Hymnus, gemacht ist. Got zu lob, eer vnd preyß. Vnnd vnns Christen zu trost. Am Schluß: Gedruckht zw Sygmundslust durch Josephn Piernsyeder: in verlegung des Edln, vnnd Vestn, Görgen Stökhls An Sannd Andreasabent nach d'geburt Christi vnsers Sälygmachers. ym: 1524 Jar u. s. w. 18 Bogen kl. 4. 7 Blätter Register. 1 Titelblatt. S. 1—268 Uebersetzungen von Hymnen in Reimen. Die erste Strophe steht jedesmal unter einem vierzeiligen Notensystem, in welches aber keine Noten eingetragen sind. Dann folgen 26 nicht gez. Blätter „Nachuolgent etlich schöne gepet vnnd Lobgesanng zw Got vnd Maria“. Bemerkenswerth ist u. a. die Contrafactur zum Salve Regina. Salue Jhesu Christe, misericordia, Vita u. s. w. sodann Aduocate noster u. s. w. Et teipsum benedictum filium dei patris nobis u. s. w. O Clemens, O pie: O dulcis Jhesu fili Marie. Deutsch: „Biß gegrüest du khünig Christe vnser barmhertzikhait“ u. s. w. Später „Ain lobgsanng zun Ostern“. Christus ist erstanden“ 7 Strophen bei Wackern. II, 938. (Ausführlich beschrieben bei Wackernagel K. L. IV. S. 1113.) Das von mir benutzte Exemplar ist auf der Universitätsbibl. in Göttingen.

104. (1524.) Ain nutzbar hailsam lied In dem thon freüd über freüd. Kleinfolioblatt mit Holzschnitt ohne Ort und Jahr, enthaltend das Lied: „Hailige trifaltigkait“ ꝛc. (Wackern., Bibliogr. 146.) Königl. Bibliothek in Berlin.

105. 1525. Ain hüpschs Lied von Göttlicher Maiestat. Vnd singt mans wie Maria zart. Getruckt zu Freyburg im Breyßgaw durch Johannem Wörlin. Anno dn̄i 1525. 4 Bl. 8. mit Holzschnitt. „Gott Ewig ist, on endes frist“. 8 Strophen. (Weller, Annalen II, 150.)

106. 1525. Brüederlich uermanen alle Christenliche hertzen, dieweyl Gotslestrung, trutzliche verachtung der waren mutter gottes

Marie, mit mer artickeln, durch vffrůrige ler alle Teůtsche land belestiget, ist diß nachuolgend Dicht vffgericht vnd gemacht worden. Vnd singt mans wie den Reyter orden. Getruckt vnd vollendet in der loblichen Statt Freyburg im Breyßgaw, durch Johannem Wörlin. 1525. 6 Bl. 4. „O Gott, du höchstes gutte, ein schöpfer aller ding" von Michel Haug. Ein anderer Einzeldruck erschien zu „München durch Andre Schobsser". (Wackern., Bibliogr. 208 u. K. L. V, 1134 u. 1135.)

107. 1525. Drey gedicht, in gesangsweyß. Außgangen durch Johann Böschenstein. Getruckt zu Nůrnberg, durch Hanß Hergot. 1525. 10 Bl. 8. Dieselben Lieder wie in Nr. 102. (Wackern., K. L. I, S. 383; II, 1330—1332.)

108. 1526. Ain Missal, oder Messpuech vber das gantz jar, mit allen Jntroiten oder Eingånngen der Meß, Kyrieleyson, Et in terra, Collectn, Gradualn, Tracten, Alleluia, Sequentzen, Episteln, Evangelien, Patrem, Offertorium, Prefationn, Sanctus, Communio, Complenda, mit sampt allen Concordantzn. Von latein in teůtsch gezogen. Mûnchen, H. Schobsser in verlegung des Jos. piernsieder zu swatz. 1526. Katalog 37 v. Rosenthal in München, No. 2946.

109. (1526.) Bergkreyen. Etliche Schöne gesenge, newlich zusamen gebracht gemehret und gebessert. 5 Bog. kl. 8., ohne Angabe von Ort und Jahr. Enthält 58 Lieder, darunter viele geistliche. (Wackern., Bibliogr. 245.) Bibliothek in Weimar.

110. (1526.) Ein Lied von dem tod wie er alle stend der welt wegk nimpt. In des Regenpogen plaen thon. Oder in der Ritter weiß ein gemeß. Gedruckt zu Nůrmberg durch Kunegund Hertogin. 4 Bl. 8. „O Welt, was ist dein meysterschafft". (Wackern., Bibliogr. 237 u. K. L. II, 629.) Bibliothek zu Weimar.

111. 1527. Nouus Hortulus Anime. New Gerthlein der Seele. Paulus Schedel. Leyptzigk, durch Nickel Schmidt. Ym Jhar 1527. 8. 104 foliirte Blätter und 12 unfoliirte doch signirte. S. 101: Ein andechtigk vnd gar fruchtbar liedlen von dem leyden Christi vnsers lieben Herrn. 1527. „Thorst ich mich vnderwinden" mit der Melodie. (Wackern., Bibliogr. 257.) Königl. Bibliothek in Berlin.

112. (1527.) Ein new lied, wie sich niemant fůrsicht auff den todt. Vnd ist im thon wie man die Narrenkapp singt oder das Lied von der stat Toll. 4 Bl. 8. Nürnberg durch Christoff Gutknecht. Ohne Jahr. „So heb ichs an mit schallen". (Wackern. K. L. V, S. 921.)

113. (1528.) Ein hůbsch geistlich lied von den siben gezeyten des tags, Patris sapientia genant. Gedruckt zu Nůrnberg durch Georg Wachter. 4 Bl. 8. „Got in seiner maiestat, Jesus vnser Herre". (Wackern., Bibliogr. 267 u. K. L. II, 931.) Königl. Bibliothek in Berlin.

114. 1528. Das Vater vnser vnd Aue Maria außgelegt. Gedruckt zu Nůrnberg durch Georg Wachter. In Reimpaaren. 8 Bl. 8. (Wackern., Bibliogr. 271.) Königl. Bibliothek in Berlin.

115\. 1528. Der gulden Paradeyß öpffel. Ins Zwingers thon. Getruckt zu Augspurg durch Melchior Ramminger. 4 Bl. 8. „Adam vnd Eua speyß bracht grossen harmen" von Pamphilus Gengenbach. (Wackern., Bibliogr. 274 u. K. L. II, 1316.) Königl. Bibl. in Berlin.

116\. 1529. Alle Kirchengesang vnd gebeth des gantzen iars, von der heyligen Christlichen Kirchen angenommen, vnd bißher ym löblichen brauch erhalten .... Nu wider vbersehen mit fleyß, vnd zirlicher verdeutscht. Auch ynn vielen stucken gemehrt. Durch M. Christophorum Flurheym von Kytzingen u. s. w. Gedruckt zu Leyptzigk durch Jacob Thanner 1529. Zwei Theile. Der erste zählt 355 Blätter, der zweite 224. Enthält nur Prosa-Uebersetzungen (Wackern., Bibliogr. 288; Kehrein I, 36 u. 37.) Königl. Bibliothek in München. Großherz. Bibliothek in Gotha. Stadtbibliothek in Augsburg.

117\. 1529. Ein geistlich Lied, von den siben worten, die der Herr an dem Creutze sprach. Ein ander Liede, von eynem Apffel, vnd von dem leyden Christi. In dem roten Zwinger thon. Gedruckt zu Nürnberg durch Georg Wachter. 4 Bl. 8. Ein anderer Druck erschien daselbst „durch Valentin Newber". (Wackern., Bibliogr. 275 u. 276.) Königl. Bibliothek in München und Berlin.

118\. 1530. Dreü gar Nützliche vnd Fruchtbare Lieder, Im thon Maria zart, gar maisterlichen, durch Jörgen Preining, vor zeyten Weber zu Augspurg, gemacht vnnd zusamen gesetzt ꝛc. Am Schluß 1530. 8 Bl. 8., ohne Ort.

1) „Gott ewig ist, on endes frist".
2) „Jhesus ain wort, der höchste hort".
3) „Christus der herr, verleih mir leer".

(Weller, Annalen II, 204.) Bibl. in Wien.

119\. 1535. Brevier, Teutsch Römisch. Nämlich den Klosterfrawen, die nach dem lat. Röm. brevier ... jre tagzeit bezalen. Auch der priesterschafft. Augsburg. Weißenhorn. 1535. 4. Kat. 37 von Rosenthal in München, No. 663.

120\. 1537. Ein new Gesangbüchlin Geystlicher Lieder von Michael Vehe. Siehe die Beschreibung.

121\. 1537. Deutsch Betbuch allen Gottsfördchtigen zu heyl, an tag außgangen. Durch Georgium Vuicelium Seniorem .... Anno 1537. o. O. 243 gez. Blätter und 3 Bl. Druckfehler. 8. Auf Bl. 191—206: „Etliche Christliche Gesenge, Gebette, vnd Reymen, für die Layen, Georgij Wicelij". Nun folgen dieselben Lieder, welche in den Odae Christianae 1541 stehen, mit Ausnahme des Lobgesanges: „Benedeyt bistu". Siehe 1541. (Weller, Annalen II, 52.) Bibliothek in Zürich.

122\. 1537. Zway Schöne Gaystliche Lieder von den Syben worten, die vnnser erlöser Jhesus Christus am Creütze sprach. Lanndßhut 1537. „Do Jhesus an dem Creutze stund". „Als Jesus in der marter sein", von J. Böschenstain. (Wackern., Bibliogr. 362 u. K. L. I, S. 406, II, 1327 u. 1329.) Königl. Bibl. in München.

123. 1537. Ein new geystlich Lied von dem leyden vnnsers Herren, O Jesu Christ, dein nam der ist. 1537. Gedruckht zu Lanndßhut. (Wackern., Bibliogr. 363.) Königl. Bibl. in München.

124. (1540.) Ein new lied, der Jeger geystlich. Ein geistlich tagweiß von vnser fraw. Im thon wach auff mein hort ꝛc. Gedruckt zu Regenspurg durch Hannsen Khol. 4 Bl. 8 ohne Jahr. 1) „Es wolt gut Jeger Jagen". 2) „Marey meyn hort, vernim meyn wort". (Weller, Annalen II, 195; Mar. Liederkranz S. 271.) Königl. Bibl. in München.

125. (1540.) Ein schön News Lied, vonn der hayligen Eher. In des Hertzog Ernsts weyse oder Thon. 8 Bl. 8. „O Gott in dem Himelreich". (Wackern., Bibliogr. 417.) Kgl. Bibl. in Berlin.

126. 1541. Odae Christianae. Etliche Christliche Gesenge, Gebete vnd Reymen, für die Gotsförchtigen Läyen, Georgij Wicelij. ꝛc. 1541. Zu S. Victor Ausserhalb Mentz Drückts Franciscus Behem. 4 Bogen 8. Enthält folgende Lieder:

1) „Die Propheceien sind erfüllt", im Ton: Ein kindelein so löbelich.
2) „Aus des Vaters hertzen ewig". (Corde natus.)
3) „Zw disch dises lemblins so rein". (Ad coenam agni.)
4) „Lobsinget mit freuden". (Festum nunc celebre.)
5) „Komm heiliger Geist warer Got, Bedenck vns in all vnser not". (Veni creator spiritus.)
6) „Jerusalem du selig stad, darin frid". (Urbis beata.)
7) „Benedeyt bistu Herr ein Got vnser väter".
8) „Vater im himel wir deine Kinder".
9) „O Gelde sey gegrüsset schon". (Weltliches Lied.)
10) „Da Jesus an dem Creutze stund".
11) „Gott lobsinget, Gott dancksaget". (Pange lingua.)

(Wackern., Bibliogr. 436; Gōd. I, 217; Kehrein I, 37.) Königl. Bibl. in Berlin, Bibl. in Heidelberg und Göttingen.

127. 1549. Vespertina Psalmodia. Die Funffzig Vesperpsalmen, so die Heilige Kyrche Gottes, alle tage durch die wochen, offentlich zu singen vnd zu lesen pflegt . . Gedruckt zu Cöln in kosten Johan Quentels, Im Jar 1549. 27½ Bogen 4. Prosa-Uebersetzung der 50 Psalmen nebst Erklärung von Wizel. Universitäts-Bibl. in Freiburg i. Baden.

128. 1550. Psaltes ecclesiasticus von Wizel. Siehe Beschreibung.

129. 1552. Ein schöner Christlicher Ruff vnd Dancksagung zu Jesu Christo vnserm Herrn ꝛc. mit sampt einer Letania . . . Gedruckt zu Wien, durch die Wittib Adlerin in Sant Annen Hof. 1552. 8. 145 Strophen. „Nun gib vnns Gnad zu singen". (Weller, Annalen II, 196.) Bibliothek in Wien.

130. 1555. Die Hymni von Kethner. Siehe die Beschreibung.

131. 1557. Libellus agendarum. Salisburgi 1557. 8. „Mitten vn̄sers lebens zeit". „Christ ist erstanden". (Wackern. II, 994, 944.)

132. (1560.) Ein schön Lied Von den heiligen drey Königen zu singen. Nürnberg bey Valentin Fuhrmann. Ohne Jahr. 4 Bl. 8. 1) „Ich lag in einer Nacht vnd schlieff". 2) „Gott so wöllen wir loben vnd ehren". (Wackern. II, 915.)

133. (1560.) Ein schön Gesang, vom Leyden vnsers lieben Herren Jesu Christi. In seinem alten Thon, Wolt jhr hören ein newes gedicht. Nürnberg durch Valentin Newber. 4 Bl. 8. Ohne Jahr. (Wackern., K. L. II, 1189.)

134. 1566. Drey Geistliche Lobgesang von den Heyligen drey König, das recht new Jar damit anzusingen. Regenspurg 1566. 6 Bl. 8. „Ich lag inn einer nacht vnnd schlieff". „Mit Gott so wöllen wir loben vnd ehrn die Heylig 3 Künig mit jrem Stern". (Wackern. II, 914, 919.)

135. 1567. Joh. Leisentrits Gesangbuch. Siehe Beschreibung.

136. 1567. Ein new Gesangbüchlin Geistlicher Lieder u. s. w. Gedruckt zu Meyntz durch Franciscum Behem. Anno 1567. Nachdruck des Mich. Vehe'schen Gesangbüchleins vom Jahre 1537. 10 Bogen und 3 Blätter 8. Königl. Bibliothek in München.

137. 1568. Ein edel Kleinat der Seelen. Von der ordnung vnnd Betrachtung der alten Christlichen Kirchen, an den fürnemsten zeiten vnnd Festen des gantzen Jars. Vnd was ein frommer Christ darbey wissen vnd nutzlich bedencken soll. Mit einem angehenckten Register. Anno Dñi 1568. Getruckt zu Dilingen durch Sebaldum Mayer. 4 Bl., 281 gez. Bl. und 3 Bl. 12. Widmung Adam Walassers vom Jahre 1561 an R. Fugger. (Vgl. die Ausgabe v. J. 1562 in der Bibliographie des II. Bdes. No. 12.) Enthält 27 alte Kirchenlieder ohne Melodien. (Kehrein I, 56; Wackern., K. L. I, 473; Weller, Annalen II, 54.) Das von mir benutzte Exemplar gehört dem Herrn Dechanten Hasak in Weißkirchlitz bei Teplitz.

138. 1570. Obsequiale, Vel liber Agendorum, circa Sacramenta, Benedictiones, et Ceremonias secundum antiquum vsum, et ritum Ecclesie Ratisbonensis. 1. Cor. 4. Sic nos existimet homo, etc. Ingolstadii Ex Typographia Weissenhorniana. 1570. 167 Bl. 4. mit 15 deutschen Liedern. Am Schlusse heißt es: Sequuntur nunc aliquot Cantiones germanicae, quibus singulis suo tempore in Ecclesia cath. Ratispo. tuto vti possumus.

1) „O süsser Vatter Herre Got".
2) „Mitten wir im leben seind".
3) „Resonet in laudibus".
4) „Pver natus Bethleem. Ein Kind geborn zu Bethlehem".
5) „Der tag der ist so frewdenreich".
6) „In dulci iubilo".
7) „Christ ist erstanden".
8) „Erstanden ist der Heylig Christ".
9) „Künigin in dem Himmel".
10) „Nun mercket auff jr lieben kind".
11) „Da Jesus zu Bethania was".
12) „Jesus ist ein süsser nam".
13) „Vater unser der du bist im Himmelreich".
14) „Komm heiliger Geist Herre Gott".
15) „Der zart Fronleichnam".

No. 3 ist nur lateinisch. Sämmtliche Lieder sind mit Melodien versehen. (Wackern., Bibliogr. 915; Kehrein I, 38.) Das von mir benutzte Exemplar gehört der Universitätsbibl. in Breslau. Ein anderes findet sich auf der k. Bibl. in Berlin.

139. (1570.) Rosenkrantz vnser lieben Frawen. Reimweiß. Straubing. Ohne Jahr. (Weller, Annalen II, 166.)

140. 1573. Joh. Leisentrit's Gesangbuch. Zweite Ausg. S. Beschreibung.

141. 1574. Der gantz Psalter Dauids, nach der gemeinen alten Kirchischen Latinischen Edition auff verß vnd Reimweiß gar trewlich, verstendlich vnd geschicklich gestellet, durch Rutgerum Edingium. Mit angehenckten Lobgesengen des Alten vnnd Newen Testaments, vnd sunst allen anderen Christlichen furnemlich Kirchischen Hymnen vnd Lobgesengen. Zu Cölln, durch Maternum Cholinum. Anno 1574. 20 Bl. und 520 S. kl. 8. ohne Melodien. Dedikation und Vorrede „Dem Ehrwirdigen Herren in Got, Herren Godofridt von Werden, Abten des löblichen Gotteshauß zu S. Panthaleon in Collen, meinem gepietenden vilgunstigen lieben Herren". 23 Seiten; dann folgt: „Vorrede oder Eingang folgendes Buchlins zum Christlichen Leser". 4 Seiten; Lateinisches und deutsches Register, 10 Seiten. Die Uebersetzung der Psalmen und der Lobgesänge des Alten und Neuen Testamentes „reimweiß" S. 1—402. Daran schließt sich eine Uebersetzung des »Te Deum« und des »Symbolum Athanasii«. S. 411—484 stehen „Gemeine Kirchische Hymnen oder Lobgesenge", welche bereits in den 1572 erschienenen „Teutsche Euangelische Messen" enthalten und hieraus im III. Bande von Kehreins Sammlung abgedruckt sind. Den Schluß (S. 485—519) bildet eine Uebersetzung des Officiums vom Leiden Christi: „Taglich Gezeit vnd Betrachtung des Leidens vnsers Herrn vnd Selichmechers Jesu Christi". S. 520: „Maternus Cholinus dem gutherzigen Leser".

Leisentrit hat diese Sammlung für die dritte Auflage seines Gesangbuches benutzt, wie aus der Beschreibung der Leisentrit'schen Gesangbücher zu ersehen ist. In der Vorrede polemisirt der Verfasser gegen die Psalmenübersetzungen in den protestantischen Gesangbüchern „besonderlich in den Luterischen Psalmbuchlin so vor etliche jaren durch vnsere liebe Bonnische verlauffene kirchendiener zusamengeflickt, augenscheinlich zu sehen, da sie vnter andern Psalmen den 139 Psalm also verfelschet, das er wedder an haut noch har sich mit dem Psalm wie jn Dauid durch den H. Geist beschriben, reimet", u. s. w. Er habe sich deshalb der Arbeit unterzogen, den Psalter reimweiß oder verßweiß zu übersetzen „vmb al solche giftige verfelschte psalmbuchlin dem gemeinen man auß den henden zuschlagen, vnd einen reinen gesunden Catholischen lautern psalter wie denselbigen die Kirche iuxta vulgatam editionem vor vil hundert jaren im brauch gehabt, dafur zu geben" u. s. w.

In der Vorrede an den Christlichen Leser bemerkt er, man könne die Psalmen auf die Melodie singen, deren der Chor sich bediene, oder auch auf eine beliebige andere. Die „Kirchischen Hymnen" möge man auf die „Chorweise" singen. Stadtbibliothek in Augsburg; Universitäts-Bibliothek in Heidelberg. (Vgl. auch Wackernagel, Bibliographie 939; Gödecke I, 219.)

142\. 1571. Ein kurtze vnnd doch Christliche Vermanung zur Buß, auß dem Schönen Gleichnus vom Feigenbaum. Luce am 13. Cap. in diesen bösen vnd geferlichen zeiten, darinnen sich Gottes gerechte Straff vnd Rach heuffig fülen vnd sehen lest, sehr notwendig zu lesen. Item drey Geistliche Lieder mit drey anhenggenden Gebettlein auff jetzt gegenwertige Sterbenszeit gerichtet. Am Schluß: Getruckt zu Regenspurg durch Hans Burger. Anno Domini 1571. Die Vorrede ist unterzeichnet: Aug. Gressel, Iglauiensis.

1) „Ich danck dir lieber Herre".
2) „O Gerechter vnd doch frommer Gott".
3) „Allmechtiger gütiger Gott".

Stadtbibliothek in Augsburg.

143\. 1574. Catholische Teutsche vnd Lateinische Gesang, nach alter weiß vnd form der Heiligen Christlichen Kirchen, durch das gantz Jar, nit allein in der Kirchen, sonder auch zu hauß vnd darauß, zu Gottes lob vnnd ehr, auch zu seiner Seelen hail vnd wolfart zu gebrauchen. Getruckt zu Tegernsee. 1574. 111 Bl. 8. mit 33 deutschen und lateinischen Liedern ohne Melodien. (Kehrein I, 38; Göd. I, 218; Wackernagel, Bibliogr. 944.) In früheren Gesangbüchern und Agenden kommen nicht vor:

1) „Auß hertem wee".
2) „Es flog ein kleines waldvöglein".
3) „Es floß ein roß von Himmel herab".
4) „Christ vnser Herre".
5) „Ave viuens hostia".
6) „Frölich so wil ich singen".
7) „Mit Gott so wöllen wir singen".
8) „Die Geschrifft die gibt vns weiß".

Stadtbibliothek in Frankfurt a. Main.

144\. 1574. Das Leiden vnsers Herren Jesu Christi, auß den vier Euangelisten zusammengezogen vor 50 Jahren von Herren Wolffgang von Mån im Gefängniß gemacht, jetzt widerumb in Truck gegeben. Tegernsee. 1574. 8. Vgl. die Ausgabe 1515. (Weller, Annalen II, 322.)

145\. 1575. Kurtzer Außzug: Der Christlichen vnd Catholischen Gesång, deß Ehrwirdigen Herrn Johannis Leisentritij .... Auß Beuelch des Hochwürdigen in Gott Fürsten vnd Herren, Herrn Veiten, Bischoffen zu Bamberg, ... also auß zuziehen vnd zu singen verordnet. Gedruckt zu Dilingen durch Sebaldum Mayer. 1575. 244 S. 8. (Wackern., Bibliogr. 946 und K. L. I, S. 500; Göd. I, 218; Kehrein I, 39.) Königl. Bibl. in Berlin.

146\. 1576. Kurtzer Außzug wie vorhin. Siehe die Beschreibung.

147\. 1576. Ein Lobsame Catholische Frolockung von wegen des new gebornen Königs Jesu Christi vnsers Herren vnnd Heylandts. Gestellt durch Paulum Hoffeum in der Societet Jesu. Gedruckt zu Dilingen, durch Sebaldum Mayer. 2 Bogen 8. Beginnt: „Helfft mir das Kindlein wiegen". (Wackern., K. L. I, S. 500.) Königl. Bibl. in Berlin.

148. 1576. Piae ac devotae Benedictiones et Gratiarum Actiones in Rhytmos coniectae: ante et post mensam dicendae vel canendae. Zwey schöne, andächtige Benedicite vnd Gratias, Rheymweyß, vor vnd nach dem essen nutzlich zusprechen oder zusingen. Tegernsee. 1576. 1 Bogen 12. Enthält folgende Lieder:

1) „O Gott höchster allmächtigkeit".
2) „O Künig gut in ewigkeit".
3) „Allmechtiger ewiger Gott".
4) „O Gott im höchsten Himmelsthron".

(Wackern., Bibliogr. 950.) Darmstädter Hofbibliothek. Stadtbibliothek in Augsburg.

149. 1577. Schöne alte Catholische Gesang vnd Ruff, auff die fürnemste Fest des Jars, auch bey den Kirchfärten vnnd Creutzgängen nutzlich zu gebrauchen. Jetzt zum andern mal gebessert vnnd gemehret. Mit Röm ꝛc. Getruckt zu Tegernsee. 1577. 246 Bl. quer 16. Vgl. 1574 u. 1581. (Wackernagel, Bibliogr. 954, K. L. I, S. 502; Gärtner XXXIX; Gödecke I, 218; Kehrein I, 38; Weller, Ann. II, 55.) 33 Lieder. Zum ersten Male finden sich hier:

1) „Als Jesus Christ geboren war zu Herodis Zeiten".
2) „O Mensch gedenck mit danckbarkeit".
3) „Patris sapientia, Christus in agone".
4) „Wohlauff zu Gott mit Lobesschall".
5) „Nun gib vns Gnad zu singen".
6) „Zu Maria der Junckfraw zart".
7) „Gelobet seist du Jesu Christ". (Ruf.)
8) „Wir fallen nieder auff vnsre knie, Mariam".
9) „Hertzliches bild Maria klar".
10) „Mutter Gottes in ewigkait".
11) „In Gottes namen hebn wir an vnd ruffen all Gotts Engel an".
12) „Frewt euch jhr Christen vberall".

Königl. Bibliothek in München.

150. 1578. Catholisch Pfarbuch Oder Form vnd Weise, Wie die Catholischen Seelsorger in Ober vnd Niderlausitz (jtziger hochgefehrlicher zeit) jhre Krancken eingepfarten ohne vnterscheidt besůchen etc. Durch den Ehrw. Herren Johan Leisentrit etc. Zu Cöln, durch Maternum Cholinum. Anno 1578. 316 gez. S. und 3 Bl. 4. Darin das Lied: „Ach gůttiger Heilandt Jesu Christ, der du mein einig Erlöser bist". (Bei Wackern. V, 1320. Beschrieben in Band IV, S. 1129.)

151. 1580. Ritus ecclesiastici Augustensis Episcopatus etc. Dilingae 1580. 4. Enthält 10 deutsche Kirchenlieder, dazu 9 Melodien am Schluß.

1) „Der tag der ist so frewdenreich".
2) „Ein Kind geborn zu Bethlehem".
3) „Mitten vnsers lebens zeyt".
4) „Siesser Vatter herre Gott".
5) „Christ ist erstanden".
6) „Erstanden ist der heylig Christ".
7) „Christus fur mit schallen".
8) „Kumb heyliger Gaist Herre Gott".

9) „Der zart Fronleichnam".
10) „Jesus ist ein süsser nam".
No. 7 wird nach der Melodie von No. 10 gesungen. Bibliothek des Georgianums in München.

152. 1580. **Passio oder das Leyden vnsers Herrn Jesu Christi.... zusamen gezogen vnd in gesangs weise gestellt.** Tegernsee 1580 (von Wolfg. von Män.). Vgl. 1515, 1574. (Weller, Annalen II, 322.)

153. 1581. Cölnisches Gesangbuch von 1581 wird angeführt bei Bollens 92; Gärtner **XXXIX**; Kehrein I, 39; Weller II, 56.

154. 1581. Gesangbuch von Hecyrus. Siehe die Beschreibung.

155. 1581. **Schöne alte catholische Gesang vnd Rüff..... Jetzt zum dritten mal gebessert vnd gemehret... Getruckt zu Tegernsee** 1581. 294 Bl. quer 16 und 9 Bl. Vorrede nebst Register. Vorrede von Adam Walasser. 52 Lieder. (Wackernagel, Bibliogr. 969; Göd. I, 218; Kehrein I, 38.)

156. 1581. Die Passion von H. von Themar. Siehe die Beschreibung.

157. 1582. **Die Psalmen Dauids in allerlei Teutsche gesangreimen bracht: Durch** Casparum Vlenbergium. Siehe Beschreibung.

158. 1583. **Teutsche Euangelische Messen, Lobgesenge, vnd Kirchen Gebete,** (vgl. 1572 II. Bd) **Jetzt aber nach der letzten Edition fleissig vbersehen, mercklich gemehret, vnd verbessert.... Durch** Rutgerum Edingium.... **Zu Cölln, durch Maternum Cholinum.** 1583. 31 Bl. u. 470 gez. S. 8. (Wackern., K. L. I, S. 527; Kehrein I, 39, 66; Weller, Annalen II, 54.) Kgl. Bibliothek in Berlin.

Das von mir benutzte Exemplar der gen. Bibl. trägt den falschen Titel: **Kirchische Messen vnd Vespergesenge auff alle fürnemste Festtage der Heiligen Gottes, durchs gantze Jar etc. Ghetruckt zu Cöllen durch Maternum Cholinum.** Anno 1583. Ohne Autorangabe. Sodann: „**Das Ander Theyl**". 15 Bogen 8., wie a. 1572 im II. Bde.

159. 1583. Val. Leucht (Pfarrer der Stiftkirche S. Severin in Erfurt), Corona Sacerdotum. **Ein feiner kurtzer begriff, von der Würdigkeit der heiligen Priesterschafft:... ordentlich in schöne Teutsche Reymen gesetzet, Mit lieblichen Historien geziehret.. Gedruckt in der Churfürstlichen Statt Meyntz, durch Casparum Behem, Anno** 1583. 5 Bl. u. 39 gez. Bl. 4. „**O Jhesu Christe Gottes Sohn, der du regierst des Himmels Thron**". (Weller, Annalen II, 152 u. 196.)

160. 1584. Joh. Leisentrits Gesangbuch. 3. Ausgabe. Siehe Beschreibung.

161. 1584. Creutzgesang von H. von Themar. Siehe die Beschreibung.

162. 1586. **Sechs schöne catholische Lieder: Darunder vier Psalmen Dauids vnd zwen Gebett-Gesäng.**
1) „**Ach Gott vom Himmel sieh darein**".
2) „**Wer in der Hülff deß Höchsten ist**".
3) „**Auß tieffer Noth schrey ich zu dir**".
4) „**Wo Gott der Herr nit bey vns hält**".
5) „**O Herre Gott dein Götlich Wort**".
6) „**Erhalt vns Herr bei deinem Wort**".
Alle in jhren nachgesetzten gewönlichen Melodeyen. Gedruckt zu Ingolstadt durch Dauid Sartorium. 1586. 8 Bl. 8. Stadtbibliothek in Augsburg.

Alle Lieder sind protestantischer Herkunft.

163. 1586. Zwölff Geistliche Kirchengesäng, für die Christeliche Gemein in Druck verfertigt. In jhren eigenen Melodeyen. Gedruckt zu Jngolstadt durch Dauid Sartorium. Anno 1586. 8 Bl. 8. Enthält die Lieder:

1) „Vatter vnser der du bist im Himmelreich".
2) „Im Mittel vnsers Lebens zeit".
3) „Der Tag der ist so frewdenreich".
4) „Gelobet seyst du Herr Jesu Christ".
5) „Jesus ist ein süsser Nam".
6) „O süsser Vater Herre Gott".
7) „Da Jesus an dem Creutze stund".
8) „Christ ist erstanden".
9) „Erstanden ist der heilig Christ".
10) „Christ fur gen Himel".
11) „Kom heiliger Geist".
12) „Der zart Fronleichnam".

(Wackern., K. L. I, S. 543; Weller, Annalen II, 213.) Königl. Bibliothek in München.

164. 1586. Gesang und Psalmenbuch. München. Siehe die Beschreibung.

165. 1587. Gesangbüchlein darinnen die alte Catholische Gesäng vnd Melodeyen sampt derselben restituierten recht vnuerfälschten Texten zusammen gezogen . . . Jnßpruck, 1587. 16. (Gödecke I, 218; Hoffmann Vehe's Gesb. 125.)

166. 1588. Ein schön Lied von der Himmelfart der allergebenedeytisten Jungkfrawen Mariae, vnd was sich bey jhrer Begräbnuß zugetragen ꝛc. 13 Blätter mit 3 Liedern.

1) Vns sagt die Gschrifft gantz offenbare. 44 Str. dazu die Melodie auf der Rückseite des Titels.
2) Aureus Nummus Multitudinis et magnitudinis dolorum Christi corporalium per Joan Georgium Tibianum in versus et hunc ordinem redactus. Anno 1588. Es folgt das Lied „Christus der Herr hat für vns glitten".
3) Dolores Virginis, matris Mariae et Gladij! interni, qui prae multitudine numerari nunquam possunt. Altera pars nummi. Folgt das Lied „Maria hat auch dapffer gstritten". Stadtbibliothek in Augsburg.

167. 1588. Innsbrucker Gesangbuch. Siehe die Beschreibung.

168. 1589. Gesangbüchlein ꝛc. Jnßpruck 1589. 16. Siehe 1587. (Gödecke I, 218.)

169. 1589. Die Psalmen Dauids, wie die hiebeuor in allerleij art Reymen vnd Melodejen, durch Herrn Casparum Vlenbergium in Truck verfertigt, newlich abgesetzt, vnd allen anfangenden Schülern der Music zu dienst einfeltig mit vier Stimmen zugerichtet: Durch Cunradum Hagium Rinteleum, dieser zeit des durchleuchtigen, Hochgeboren Fürsten vnd Herrn, Herrn Johans Wilhelmn, Hertzogen zu Gülich, Cleue, Berg, Grauen zur Marck vnnd Rauenßberg, Herrn zu Rauenstein ꝛc. Musicum. Werdet voll ꝛc. Ephes. 5. Gedruckt zu Düsseldorff durch Albert Buyß, im jahr nach Christi geburt 1589. 4. Mehrere vierstimmige Sätze daraus habe ich mitgetheilt am Schluß des II. Bandes. Stadtbibl. in Mainz.

170. 1589. Dilinger Gesangbuch. Siehe Beschreibung.

171. 1589. Zwey Schöne Geistliche Lieder, vom streyt deß Fleischs wider den Geyst, das Erst, In deß Buchsbaums vnd Felbingers Thon zu singen. Das Ander. Im Thon, Da Jhesus in den Garten gieng. Am Ende: Gedruckt zu Straubing, bey Andre Summer 1589. 4 Bl. 8. 1) „Nun Höret zu jhr Christenleut, wie Leyb vnd Seel mit ein ander streyt". 2) „Wer zu mir in mein Reich wil kemmen". (Weller, Annalen II, 186.) Königl. Bibliothek in München.

172. 1590. Ansing Lieder. So von alters her, von der Jugent, zů vnderschiedlichen Zeiten vnd Fest Tågen im Jar, vor den Heusern gesungen worden, vnd noch zu singen pflegen. Am Schluß: Gedruckt zu Straubing, bey Andre Sommer 1590. 20 Bl. 8. Das Büchlein enthält 13 Lieder ohne die Melodien. Darunter folgende zum ersten Male:

1) „Da Jesus in den Garten gieng".
2) „Die heilig rein vnd auch die fein".
3) „Ich lag in einer Nacht vnd schlieff". (Vgl. No. 132 u. 134.)
4) „Ich weis mir ein Blůmlein das ist fein".
5) „In Gottes Namen heben wir an, die heiligen drey Kônig sind wolgethan".
6) „Mit Freyden wôllen wir singen".
7) „Mit freydt so wôll wir heben an".
8) „Mit Gott so lassen wir vnser Gesang erklingen".
9) „Mit Gott so wôllen wir loben vnd ehrn". (Vgl. No. 132 u. 134).
10) „Nun hör, Mensch, was dich Gott lehren wil".
11) „Zu Bethlehem ein Licht erschein".

(Wackern. I, S. 563.) Königl. Bibliothek in München.

173. 1590. Siben Schône Geystliche Kyrchen Gesång, für die Christliche Gemein, in den Druck verfertiget, zu singen, in jhren gewônlichen Melodeyen ꝛc. (Es sind die Lieder No. 13, 1, 2, 15, 14 u. 12 aus d. Obsequiale v. J. 1570 und „Da Jhesus an dem Creutze stund".) Anno D. 1590. Am Ende: Gedruckt zu Straubing bey Andre Summer. 8 Bl. 8. (Weller, Annalen II, 214.) Königl. Bibliothek in München.

174. 1590. Weinnåcht oder Kindtleßwiegen Gesang von H. v. Themar. Siehe die Beschreibung.

175. 1591. Catholisch Gesangbůchlein, inner vnd auß der h. Meß, Communion vnd Procession zu gebrauchen, ... für die Jugendt vnd gemeine leyen des bischoffthumbs Würtzburg zusammen colligiert. Würtzburg, 1591. 12. (Göd. I, 218; Kehrein I, 40. Neue Aufl. 1592, 1594, 1626, 1627, 1628, 1649 nach Kehrein's Angabe.)

176. 1593. Ein schôn andåchtigs Liedt vnd gedicht, von vnser lieben Frawen, jetzt von newem vbersehen, gebessert, vnd inn ein kômblichere Ordnung gestellt ꝛc. Getruckt zu Dillingen bey Johan Maier 1593. 11 Bl. 8. 33 Strophen. „Maria zart, von edler Art, Ein roß ohn allen Doren" ꝛc. Diese erweiterte Fassung des Liedes rührt her von Renwart Cysat, Stadtschreiber zu Lucern. (Weller, Annalen II, 171.) Bibliothek in Frauenfeld.

177. 1594. Catholische Kirchen-Gesang vor vnd nach dem Cate-

chismo zu singen. Costantz 1594. (Weller, Annalen II, 59.) Kantonsbibl. in Luzern.

178. 1595. Tibianus (Burger und Latein. Schulmeister zu Vberlingen), Joh. Georg., Encomia B. Mariae Semper Virginis. Das ist: Allerley Lobsprüch vnd fünff hundert heyliger Namen, so Mariae ... gegeben worden ... in teutsche Rhytmos gestellt. 1595. Getruckt zu Costantz am Bodensee bey Leonhart Straub, 1595. 210 Seiten. 4. (Weller, Annalen II, 196.) Königl. Bibl. in München.

179. 1595. Beurer, Joh. Jac., Hymni Trisagii vnd Geistliche Lobgesäng des hocherleuchten Vatters Synesii von Cyren, sampt etlichen Lobgesängen des auch hocherleuchten Vatters Georgii Nazianzeni in Reymen verfasset. Freyburg im Br., Mart. Böckler 1595. 8. (Weller, Annalen II, 196.)

180. 1596. Catholisches Gesangbuch. Dilingen 1596. 12. (Weller, Annalen II, 61.)

181. 1597. Drey Betbüchlein deß H. Augustini, welche zu Latein Meditationes, Soliloquia vnd Manvale genennet..... trewlich verteutscht durch W. H. Johannem Schwayger, vnser lieben Frawen Stifftkirchen zu Franckfurt am Mayn, Scholastern. Zu Cöln durch Arnoldum Quentel, im Jar 1597. (Die Vorrede schließt 1571.) Enthält Seite 123 das Lied: „Mein Gmüt sehr dörr vnd dürstig ist" mit einer Melodie; später im Paderborner Gesangbuch 1609. Stadtbibliothek in Trier.

182. 1598. Catholische Kirchengesäng für die Christliche Catholische Jugend, vnd andere etc. (vgl. Bibliographie im II. Bd. 1594.) Ingolstadt 1598. 12. (Göd. I, 218; Kehrein I, 40.)

183. 1598. Gesang vnd Psalmenbuch... Auß den alten approbirten Authoren... vnd auff ein newes corrigiert.. Gedruckt zu München bey Adam Berg. 1598. quer 16. 5 Bl. 235 gez. Bl. und 8 Bl. Register und Gebete. quer 16. 54 Gesänge mit Melodien. (Weller, Annalen II, 63.) Bibliothek in Ulm.

184. 1598. Ein andechtiger Rüff, von dem Heyligen Beichtiger vnd Nothhelffer S. Leonhart ꝛc. Getruckt zu Thierhaupten im Jar 1598. 4 Bl. 8. Auf der Rückseite des Titelblattes die Melodie. „In Gottes Namen heben wir an, wir rieffen all S. Leonhart an". 53 Str. Vgl. II. Bd. S. 134. Sammelband von Einzeldrucken.

185. 1598. Kurtze Historische, warhaffte vnd gründliche Narration oder Beschreibung, Von dem Anfang, Vrsprung, Herkommen, Frucht vnd Nutzbarkeiten des Wallfahrtens..... Auß Göttlicher heiliger Schrifft vnd approbierten, oder bewerten Historien..... zusammen getragen vnd in teutsche Rhytmos gestellt, durch Joannem Georgium Tibianum, diser zeyt burgern vnd Latinischen Schulmeistern der Catholischen Reichsstatt Vberlingen am Bodensee. Getruckt zu Costantz am Bodensee, bey Leonhart Straub 1598. 156 S. 8. Stadtbibliothek in Augsburg.

186. 1598. Ein sehr schön New Geistlich Lied vnd Lobgedicht. Von

vnser lieben Frawen Maria der außerwelten Gottes gebärerin, vnd Allerseligsten Himmelkönigin... Jn der weiß, Jn dich hab ich gehoffet Herr. Cum Licentia superiorum. Gedruckt zu Freiburg jn Vchtland Bey M. Wilhelm Mäß. Am Schlusse: Anno 1598. 8 Bl. 8. 35 Str. „Ein Jungfraw zart von Edler Art, Jrs gleichen nie geboren ward" ꝛc. (II. Bd. No. 21.) Hinter dem Liede steht der Name des Autors H. J. Soder. Dann wird gesagt, es sei erstlich 1596 vom Abt Ulrich zu Einsiedeln bei Martin Böckler zu Freiburg i. Br. in Druck gegeben worden, dann aber „durch den Autorem selbs widerumb verschaffet nachzutrucken". (Weller, Annalen II, 171.) Bibl. in Frauenfeld.

187. 1599. Geistlicher Ruff zu dem heiligen Marterer Sebastiano, Darinn sein Leben vnd Leiden begriffen wirdt ꝛc. Gedruckt zu München, durch Nicolaum Henricum. Jm Jar 1599. 15 Bl. 8. „Zw deinem lob, Herr Jesu Christ, weil du der sach anfänger bist". 92 Str. (o. Mel.). Sammelband von Einzeldrucken.

188. 1599. Alte Catholische Geistliche Kirchengeseng. Cölln, Arnoldt Quentel, 1599. Siehe Beschreibung.

189. 1600. Dasselbe, beschrieben bei Wackern., K. L. I, S. 621.

190. 1600. Constanzer Gesangbuch. Siehe Beschreibung.

191. 1600. Ein Psalm oder Geistlich Lied, Von eytelkeit der Welt vnnd vnfürsehner vberfallung deß zeitlichen Todts: Jm Thon der H. siben wort Christi am Creutz. Gedruckt zu München durch Nicolaum Henricum. 1600. 7 Bl. 8. mit Mel. „O Welt dein pracht vnd vbermut". (Weller, Annalen II, 228.) Königl. Bibl. in München.

192. (1600.) Ein schön News geystlich Lied, von der holtseligen Jungkfrawen Maria, Jm Thon, wie man singt von dem wacker Maydelein. Blatt in fol. ohne Ort und Jahr. „Jch sah einmal ein wunderschöne magt". (Weller, Annalen II, 196; Hoffmann, S. 393.) Universitäts-Bibl. in Würzburg.

193. 1602. Catholisch Gesangbuch u. s. w. Durch Nicolaum Beuttner von Geroltzhofen. Grätz 1602. Siehe die Beschreibung.

194. 1602. Speculum poenitentiae, d. i. Leben Mariae Magdalenae, dann auch Marthae vnd Lazari ... wiederum vbersehen vnd gemehrt mit schönen Figuren in truck geben. O. O. 1602. Der Autor ist: J. Augustin, Benedictinerabt zu Einsiedeln. Der Anhang enthält geistliche Lieder. Kat. 37 von Rosenthal in München, No. 204.

195. 1603. Der Psalter Davids von Vlenberg. Cöln, bei Arnold Quentel. 1603. 12. Universitäts-Bibliothek in Freiburg.

196. 1603. Ein Andächtiger Rueff für die Pilgram. Vom H. Bischoff Bennone: Darinn sein Leben gueten Thails, vnd etliche Wunderwerck begriffen. Anno. D. 1603. Am Schluß: Gedruckt inn der Fürstlichen Hauptstatt München, bey Adam Berg. Anno 1603. 10 Bl. 8.[1]

[1]) „Jhr lieben Christen singet her zu Gottes vnd Sants Bennons Ehr". 89 Str. (mit Mel.)

2) „Wir grüessen dich von Hertzen sehr,
Souil wir seyen kommen her".
Str. 90 bis 106 (mit einer andern Melodie).
3) „Wir kommen wider zu dir her
Vnd grüssen dich nochmalen sehr". 21 Str. (mit Mel.)
4) „In Gottes Namen heben wir an
Zu loben einen Heiligen Mann". 44 Str. (ohne Mel.)
Sammelband von Einzeldrucken.

197. 1604. Klingenstein, Bernh. (Musikdirektor zu Augsburg), Rosetum Marianum, Vnser lieben Frawen Rosengärtlein von XXXIII lieblichen schönen Rosen oder Lobgesängen auf Got vnd Maria durch XXXIII berühmte Componisten zu fünff Stimmen. Dillingen, Adam Meltzer, 1604. 4. (Weller, Annalen II, 65.)

198. 1604. Newe auserleßne Geistliche Lieder, Welche nit allein lieblich zu singen: Sonder auch allen gutherzigen Christen gantz tröstlich vnd nützlich zu lesen vnd zu betrachten. Von einer Geistlichen Person also in Reimen verfast vnd gestellt: An jetzo aber auffs new in Truck geben etc. Gedruckt zu München, durch Nicolaum Henricum. 1604. 3 Bogen 8. mit Melodien.
1) „Am Weyhnacht abent in der still".
2) „Last vns das Kindlein wiegen".
3) „All Tugent schon, vil Ehr vnd Lohn".
4) „Wer Ohren hat zu hören".
5) „Der grimmig Todt mit seinem Pfeil".
6) „O Hochheiliges Creutze".
7) „An jenem Tag, nach Dauids sag".
(Weller, Annalen II, 171.) Bibliothek in Frauenfeld.

199. 1605. Catholisch Cantual. Mainz 1605. Siehe die Beschreibung.

200. 1605. Rittersporn das ist, Fünff außerleßene wolgescherffte, schöne vnd gantz Christliche Betrachtungen, durch welche alle Christglaubige, gleichsam als durch einen mächtigen Stachel oder Rittersporn angetrieben vor Gott vnd allen Heyligen, zu dapfferen Sieg vnd Rittermäßigen Helden werden mögen. Allen denen zu gefallen, so nach der alten Teutschen Fromb vnd dapfferkeit dürst, mit sonderm Fleiß zusam geordent, vnd meisten theils auß dem Latein ins Teutsch gebracht worden. Durch Conradum Vetter Societet Jesu. Ingolstadt, durch Andream Angermayer. 1605. 12.

Ist die Grundlage des im Jahre 1613 erschienenen „Paradeißvogel" von demselben Autor.

Das von mir benutzte Exemplar, welches mir Herr L. Rosenthal in München zur Verfügung stellte, ist defect. Es enthält die Lieder No. 1, 13, 14, 15 und 17 im Paradeißvogel 1613. Vgl. die Beschreibung in diesem Bande.

201. 1606. Psalmen Dauids, wie die hiebeuor vnter allerley Melodeyen in Teutsche Gesangreimen durch H. C. Ulenbergium bracht: nachmals aber für die gemeine jugent einfeltig mit 4 Stimmen gesetzt vnd jetzund wiederumb auffs New mit Fleiß vbersehen vnd corrigiert, auch die beigefügte Lobgesänge des Alten vnd Newen Testaments deß etc. Ulenbergij, mit 4 Stimmen hinzugeordnet durch Cunradum Hagium.

Gedruckt zu Vrsel im Churfürstenthumb Meyntz 1606. Fol. Kgl. Paulinische Bibliothek in Münster.

202. 1606. Münchener Gesangbuch von 1606. (Neumaier, Gesch. der christl. Kunst 1856. I, S. 356.)

203. 1606. Ein schon andächtig Lied vnd Gedicht von vnser Lieben Frawen, Jetzt von neuwem etc. Gedruckt, Zu Fryburg inn Vchtland, bey Stephan Philot, 1606. 8 Bl. 8. 31 Str. „Maria zart", vgl. 1593. (Weller, Annalen II, 171.) Bibliothek in Aarau.

204. 1607. Ein hübsch new Geistlich Lied von der H. Junckfrauwen vnd Märterin S. Katharina. In seiner eignen Melodey zusingen. Gedruckt, Zu Fryburg inn Vchtland, bey Stephan Philot, Anno 1607. 8 Bl. 8. 49 Str. „In der Hauptstatt Salamina." (Weller, Annalen II, 172.) Bibl. in Aarau und Frauenfeld.

205. 1607. Drey schöne newe Lieder. Das erste: Von den drey Himmelfürsten, S. Mauritz, Victor vnd Vrs, mit sampt der gantzen gselschafft. Im Thon: Wie man den Danhauser singt. Das ander: Das Geistlich Meyen Lied. Im Thon: Es nahet sich der Sommer, etc. Das dritte: Ein kläglichs Lied eines jrrenden Menschen: Im Thon: Ich kann vnd mag nicht frölich sein, etc. Getruckt zu Costantz am Bodensee, bey Leonhart Strauben Wittib, Anno 1607. 8 Bl. 8.

1) „Ein Lied so will ich heben an
wann jhr mir wöllen nachsingen".
2) „Es nahet sich der Sommer".
3) „Ach Gott wie kann ich frölich sein".

(Weller, Annalen II, 172.) Bibl. in Frauenfeld.

206. (1607.) Drey schöne geistliche Lieder. Das erste: Von dem Heyligen Blut, so zu Willisaw vom Himmel gefallen drey Spilern auff jr Scheibentisch, etc. In seiner eignen weyß zusingen. Das ander: Ein klägliches Lied eines jrrenden Menschen, Im Thon: Ich kan vnd mag nit frölich sein. Das dritte: Auß hartem Wehe klagt Menschlichs Gschlecht. Im Thon: Auß hartem Weh klagt sich ein Held. Getruckt zu Costantz am Bodensee, bey Leonhart Strauben Wittib. Ohne Jahr. 8 Bl. 8.

1) „Koent ich die Welt verlassen".
2) „Ach Gott wie kan ich frölich sein".
3) „Auß hartem weh klagt".

(Weller, Annalen II, 173.) Bibl. in Frauenfeld.

207. 1607. Straubinger Rufbüchlein. Siehe die Beschreibung.

208. 1608. Catholische Geistliche Gesänge. Vom süssen Namen Jesu u. s. w. von der Fraternitet S. Caeciliae zu Andernach. Siehe die Beschreibung.

209. 1608. Zwey schöne Newe Geistliche Lieder. Das Erste Von dem Lobwürdigen Gotshauß Sanct Anna etc. Im Thon Einsmahls war ich Entschlaffen etc. Das ander Von

vnser lieben Frawen Siben Schmertzen etc. Im Thon Vacantz du Edle Zeith, etc. Getruckt . . . 1608. 4 Bl. 8.

1) „Ich hab mir Ausserwöhlet
Ein Orth das mir gefellet".
2) „Ach Jammer Angst vnd Noth".
(Weller, Annalen II, 197.) Bibl. in Aarau.

210. 1609. Het Prieel der Gheesteligcke Melodie u. s. w. (wie 1614. Bibliogr. II. Bd. No. 50.) Tot Brugghe. Ghedruct by Pieter Soetaert 1609. Enthält 26 lateinische, 99 niederländische und 15 französische Lieder mit 114 theils alten, theils neuen Melodien. (Cäcilia, Trier, 1878, S. 11.) Inbetreff der hier verwandten Volkslieder-Melodien vgl. meinen Aufsatz in den Monatsheften f. Musikgeschichte, 1884, No. 3. Stadtbibliothek in Trier.

211. 1609. Rosetum Marianum oder Vnser lieben Frawen Rosengärtlein von XXXIII Lobgesängen mit drey Stimmen. Meyntz, Balth. Lipp 1609. 4. Vgl. 1604. (Weller, Ann. II, 65.)

212. 1609. Vier schöne Geistliche Lieder: Das erste: Der Geistlich Jäger, etc. Das ander: Von dem Heiligen Batt, In seiner eygnen Melodey zu singen, vnd in Truck zuvor nie außgangen. Das dritt: Auß hartem wehe klagt menschlichs Gschlecht, etc. Im Thon: Auß hartem wehe klagt sich ein Heldt. Das vierdt: Ich hab so viel von Gottes Wort gehört, in Lesen vnd Schreiben: Getruckt zu Bruntrut, bey Christoffel Crakaw. 1609. 6 Bl. 8. Dichter des letzteren: Bartel Dreckßler.

1) „Es wolt ein Jäger jagen".
2) „Gottes gnad vnd sein barmhertzigkeit".
(Weller, Annalen II, 173.) Bibl. in Frauenfeld.

213. 1610. Alte Cathol. Geistl. Kirchengesäng . . . Auß Beuelch des etc. Bischoffen Eberharten zu Speier. Cölln, Quentel, 1610. Siehe 1599.

214. 1610. Caspar Ulenbergs Psalmen. Cölln, Joh. Odendall, 1610. 12. (Weller, Annalen II, 339.) Erste Ausgabe 1582.

215. 1611. Drey schöne Lobliche Creutzgesang, die ersten zwey von den H. Bischoff vnd Beuchtigern S. Vlrich vnd S. Simprecht, das dritt von der H. Märterin S. Affra, Hilaria, sampt jrer H. Gesellschafft, vnd diser Loblichen Reichstatt Augspurg Patronen allhie.... Getruckt zu Augspurg, bey Dauid Francken. 1611. 5 Bl. 8. Mit Mel.

1) „In deinem namen Herr Jesu Christ".
2) „Dein gnad verleih vns Jesu Christ".
3) „In Gottes Herren Namen, heben wir zu singen an".
(Weller, Annalen II, 216.) Bibl. in Augsburg.

216. 1611. Ein schöne Bilgerfahrt, auff die straß gen Einsiedlen 2c. In der weiß, Wie man den Graffen von Rom singt. Gedicht durch Davidt Mußlin. Getruckt zu München, bey Anna Bergin Wittib. 1611. 8 Bl. 8. „Ellend hat mich vmbgeben, In diser Welt so hart". (Weller, Annalen II, 174.) Bibl. in Frauenfeld.

217. 1611. Ein new Geistlich Lied. Von dem löblichen vnd Ehrwürdigen Gotshauß bey vnser lieben Frawen zu Werden-

stein. Derselbigen seiner grossen Patrönin vnd Nohthelfferin der Himmelkönigin Marie zu Ehren gestellt. Durch Hugonem am Stein, Bürgern zu Willisaw. Im Thon: Es steht ein Schloß in Osterreich, 2c. Maria du bist gnaden voll, Kein Mensch dir lob verschweigen soll. Gedruckt zu Costantz am Bodensee, bey Leonhard Strauben, Anno 1611. 4 Bl. 8. „Es staht ein Hauß im Schweitzerland". (Weller, Annalen II, 174.) Bibl. in Frauenfeld.

218. 1611. Ein Schön new Lied, von S. Fridlin. Jnn der Weyß, wie man den Geistlichen Joseph singt. M. M. Getruckt im Jahr 1611. ohne Ort. 4 Bl. 8. „Mein frölich hertz dz treibt mich an zu singen". (Weller, Annalen II, 174.) Bibl. in Frauenfeld.

219. 1612. Rosenkrantz, Oder der Heyligen Junckfrawen Mariae Psalter.... Erstlich verteutschet, durch den Hochwürdigen vnd wolgelehrten Herrn Valentinum Leuchtium. Ingolstatt 1612. „Gantz sehr betrübt die Mutter stund". (Mar. Liederkranz S. 182. Weller, Annalen II, 75.) Königl. Bibliothek in München.

220. 1612. Kurtze beschreibung der Gottseligen Frawen S. Jta Gräffin von Kirchberg.... Darauff volgt jetztgenannte Histori Reimenweiß,.. Getruckt zu Costantz am Bodensee, bey Leonhard Straub, Anno 1612. 9 Bl. u. 154 gez. S. 8. Widmung Abraham Gemperlins dat. Freyburg in Vchtland, zu anfang deß newen Jahrs 1590, an den Abt Matthias des Klosters Vischingen. „Vor Zeiten saß im Schweitzerlandt Ein Graff, derselbig war genandt". (Weller, Annalen II, 175.) Bibl. in Zürich und Frauenfeld.

221. 1613. (Constanzer Gesangbuch.) Catholisch Gesangbüchlein bei dem Catechismo, an fürnehmen Festen, inn Processionen, Creutzgängen, Kirchfahrten, vnd an andern Ohrten, sehr nützlich zu gebrauchen. Getruckt zu Costanz am Bodensee bey Jakob Straub, 1613. 350 S. mit 60 Liedern u. 54 Melodien. Vermehrte Auflage von 1600. Königl. Bibl. in München. U. a. kommen hier zum ersten Male vor:

1) „Kompt her jr lieben Kindlein".
2) „O Wunder groß".
3) „Reich vnd Arm sollen frölich sein".

222. 1613. Zwey schöne, newe Geistliche Lieder. Gedruckt zu Grätz, bey Georg Widmanstetter. Im Jahr 1613. 8 Bl. 8. mit Mel.:

1) „All Tugent schon, vil Ehr vnd Lohn".
2) „Wer Ohren hat zu hören".

(Weller, Annalen II, 217.)

223. 1613. Geistlicher Ruff, zu dem heiligen Martyrer S. Veit, darinn sein Leben vnd Leyden begriffen. Mehr ein schöner Ruff, von vnser lieben Frawen, zu alten Oettingen. Anno 1613. Cum facultate Superiorum. Gedruckt zu Ingolstatt, durch Andream Angermayr. 4 Bl. 8. „Wir heben an zu Gottes Lob, von einer wunder schönen Prob". 56 Str. (o. Mel.). Der zweite Ruf 12 Bl. 8. hat ein besonderes Titelblatt,

sodann das Lied: „Nvn last vns frölich heben an, Zu singen als was singen kann". 121 Str. (mit Mel.). Sammelband von Einzeldrucken.

224. 1613. Andächtiger vnd Catholischer Ruff, von dem H. Regenspurgischen Bischoff S. Wolffgango, Als sein Heylthumb, Nach sechshundert Jahren, von dem Hochwürdigen ꝛc. Herrn Wolffgango, Bischoffen zu Regenspurg, Probsten ꝛc.... Anno 1613, den 5. Maij, inn S. Emmerami Kloster allda, andächtig vnd herrlich erhaben worden ꝛc. Getruckt zu Jngolstatt, durch Andream Angermayer. Anno 1613. 19 Bl. 8. „Das walte Gott inn seinem Thron, den loben wir mit newem Thon". 179 Str. (mit Mel.). Sammelband von Einzeldrucken.

225. 1613. Der geistlich Bruder Claus: Ein außbündig schönes vnnd lehrreiches Lied, von dem vbernatürlichen Beruff, Wandel vnd Geist Nicolai von Flü Eynsidels vnd Landtmanns zu Vnderwalden inn der Eydgnoßschafft. Im Thon: wie man S. Franciscum von Assisio singt: Oder Willhelm bin ich der Thelle... Getruckt zu Costantz am Bodensee, Bey Leonhardt Straub, Anno 1613. 7 Bl. 8. Am Schlusse: Johann Joachim Eychhorn von Bellheim, Patricius zu Gelnhausen vnd Cronweissenburg. „Ein lust hab ich zu singen Auß Christlichen Muth". (Weller, Annalen II, 174.) Königl. Bibl. in Berlin. Bibl. in Frauenfeld.

226. 1613. Andächtiger Ruff von dem heiligen Leben vnd Marterkampff der glorwürdigen Jungfrau Sanct Barbara. Gezogen auß den namhafften Griechischen vnd Lateinischen Scribenten u. s. w. Anno Domini 1613. Getruckt zu Jngolstatt durch Andream Angermayer. 11 Bl. 8. „Jn Gottes Namens Lob vnd Ehr, sein wir zusamen kommen her". 160 Str. (mit Mel.). Sammelband mit Einzeldrucken.

227. 1613. Speculum poenitentiae u. s. w. wie 1602. Cölln, 1613. Enthält 12 geistl. Lieder.

228. 1613. Vetters Paradeißvogel. Siehe Beschreibung.

229. 1614. S. Thomae Aquinatis Ecclesiae Doctoris de sanctissimo Eucharistiae Sacramento Sequentia. Lauda Sion Saluatorem. Latine, Graece, Germanice edita. Augustae Vindel. ad insigne sancti Nicolai. Permissu Superiorum. 1614. Am Schluß: Excudebat Christophorus Mangius. 8 Bl. 8.

1) »Lauda Sion Saluatorem«.
2) »Σιὼν αἴνει τὸν Σωτῆρα«.
3) „Lob, o Sion, lob mit Ehren,
Deinen Heyland, Gott den Herren,
Mit Cimbeln vnd Lobgesang". 24 Str. (ohne Mel.)

Sammelband von Einzeldrucken.

230. 1614. Klag Menschliches Lebens: Sammt treuhertziger Warnung, wie sich ein Christ darinn solle verhalten. Zu München bey Johann Smischek, Kupfferstecher zu finden. Cum licentia Superiorum. Anno 1614. 8 Bl. 8. Am Schluß:

Gedruckt zu München, bey Anna Bergin, Wittib. „Auff diser Erden in gemain drey Ding ich fürnemblich bewain". Mit 4 Kupfern (ohne Mel.). Sammelband von Einzeldrucken.

231. 1614. Ein new Lied. Von der Gottseligen wie auch Heiligen Frawen Sanct Ita, ein geborne Gräfin von Kirchberg, rc. Derselben zu Ehren gemacht von einer verehelichten Weibspersonen, zu Trost allen Christlichen Frawen welche in Gott vertrawen. Im Thon: Wie der Juncker Studinger. Gedruckt zu Rorschach am Bodensee, bey Johann Rösler. 1614. 8 Bl. 8. Am Schlusse: Barbara Münchheym ist mein Nam rc. „Vor zeit zu Dockenburge saß, ein Herr deß Nam Graff Heinrich was". (Weller, Annalen II, 175.) Bibl. in Aarau und Frauenfeld.

232. 1615. Alte Catholische Geistliche Kirchengesäng u. s. w. Cölln. A. Quentel 1615. 12. Vgl. 1599 u. s. w. (Weller, Ann. II, 71.)

233. 1615. Geistliche Vbung vnd andächtige Gesäng, durch das gantze Jar zu gebrauchen, in der löblichen Sodalität, vnd sonsten in Versamblung der allerheiligsten Dreifaltigkeit, vnd seligsten Himmelskönigin Mariae, fast nach gewönlicher in katholischer Kirchen Melodey zu singen. Gedruckt in der Churfürstlichen Stadt Meyntz, durch Johann Albin, im Jar 1615.

Das Buch enthält 28 deutsche Lieder, welche zum größten Theile Uebersetzungen lateinischer Hymnen sind und, wie auch der Titel angibt, sich in ihren Singweisen genau an die Choralmelodien halten. (Cäcilia, Trier 1878, S. 11.) Stadtbibliothek in Trier.

234. 1615. Certamen poëticum etc. Monachii . . . Annae Bergiae viduae 1615. 29 Bl. 12. Enthält die lateinische Uebersetzung folgender Lieder, die mit abgedruckt sind:

1) „Der grimme Todt mit seinem Pfeil".
2) „Kompt her wer Cron vnd Insel tregt".

(Weller, Annalen II, 198.) Bibl. in Frauenfeld.

235. 1615. Vnser liebe Fraw zu S. Marienthal, das ist Historischer Relationsbericht von Miraculoß oder Wundergeschichten zu S. Marienthal im Elsaß bey Hagenaw gelegen. Mäyntz 1615. Enthält: Lauretanische Litanei der H. Gottesgebärerin Maria. Im thon: wann mein stündlein vorhanden ist, rc. oder auch: Es ist vns das heil kommen her. Von Joh. Faber, genannt Brandschied. Heylig bist du, o Maria. (Mar. Liederkranz S. 276.)

236. (1615.) Hystorische, warhaffte Erzellung eines grossen wunderwercks rc. Geschehen im Dorff Erißweil, Anno 1482 mit dem Hochwürdigsten, Heyligisten Sacraments deß Altars rc. In der Melodey: Wer mag den Sündfluß Singen rc. Getruckt zu Costantz am Bodensee, bey Jacob Straub. 8 Bl. 8. ohne Jahr. „Vil guts hat vns erzeigen". (Weller, Annalen II, 198.) Bibl. in Frauenfeld.

237. 1616. Catholische, Geistliche Kirchen Gesäng, auff die fürnembsten Festa, Auch in Processionen, Creutzgängen, vnnd

Kirchfärten: Bey der heiligen Meß, Predig, in Häusern, vnd auff dem Feld sehr nützlich zugebrauchen, Mit viel schönen andächtigen Weyhnächtgesängen vermehret vnd mit fleiß corrigiert. Gedruckt zu Paderborn, durch Matthaeum Pontanum, Anno 1616. Titelbl. u. 2 Bl. Vorrede, 3 Bl. Index, 168 pag. Seiten. 16. Enthält 41 lateinische, 75 deutsche und 4 Mischlieder mit 41 Melodien nur zu den Weihnachtsliedern. S. 97, wo die Fastenlieder beginnen, hören die Melodien auf. Königl. Bibl. in Breslau.

Außer verschiedenen »Puer natus«-Liedern treten zum ersten Male hier auf:

1) „Die Heiligen drey König mit jhrem Stern".
2) „Nun wöllen wir singen jederzeit".
sodann die Melodie zu:
3) „Es wolt gut Jäger jagen".
und die Texte:
4) O Lamm Gottes vnschuldig. } ohne Melodie.
5) So offt ich mir bild Jesum ein. }

238. 1616. Catholisch Cantual oder Psalm Buch Darinnen viel Lateinische vnnd Teutsche alte catholische Gesäng begriffen, welche man auff die fürnembste Fest deß gantzen Jahrs, auch bey dem Ampt der heiligen Meß, Processionen, vnnd sonst zu singen pfleget. Paderborn, durch Matthäum Pontanum. 1616. 8. 112 Lieder mit 80 Melodien. (Weller, Annalen II, 67.)

239. 1617. Catholische Kirchengesänge, auff alle Fest des gantzen Jahrs, in Processionen, Creutzgängen vnd Kirchfährten, bey der H. Meß, Predig, Begräbnussen, in Häusern vnnd auff dem Feldt, ꝛc. zugebrauchen sehr nutzlich. Mit zweyen Litaneyen, Sieben Bußpsalmen, vnd mit viel schönen Gesängen von vnser L. Frawen, ꝛc. vermehrt. Durch gnädigen Consens. Deß Hochwürdigen Fürsten vnd Herrn, Herrn Dietherichen Bischoffen deß Stiffts Paderborn, ꝛc. außgangen. Getruckt zu Paderborn, durch Matthaeum Pontanum, 1617. 12.

Nach dem Titelblatt 6 Seiten Dedication und Vorrede, sodann 361 gez. Seiten und 5 Seiten Index, der aber unvollständig ist. Das Büchlein enthält nach meiner Zählung 56 lateinische und 133 deutsche Texte mit 116 Melodien.

Es stützt sich auf die früheren zu Paderborn (1609, 1616) erschienenen Gesangbücher und auf das Cölnische Gesangbuch vom Jahre 1599. Neu sind die Lieder:

»Ave mater gloriosa, Stella sole clarior«.[1]
»Ave Maria gratia plena, so grüssen die Engel« mit Melodie.
„O du süsser JEsu Christ, Wie warstu erblichen".

Melodie des Pavierliedes zu dem Texte „Der grimmig Todt mit seinem Pfeil". Königl. Bibl. in Berlin.

1) Die Ueberschrift lautet: Rhythmi in laudem B. Mariae Virginis, in Ducatu Geldriae, in Putten, in impresso vetustissimo libello inventi et excerpti ab admodum Reverendo, Religioso et erudito Dn. Alberto Eggink, Abbate in Abdinghoff: in praecedentis hymni (Omni die dic Mariae) formam redacti, ita ut ad ejus numeros musicos queant decantari. S. 244.

240. 1617. Alte Catholische Geistliche Kirchengesäng, auff die fürnemste Feste, auch in Processionen, Creutzgängen vnd Kirchenfährten, Bey der h. Meß u. s. w. Auß Beuelch des ..... Herrn Eberharten Bischoffen zu Speier etc. Gedruckt zu Cölln, durch Arnoldt Quentel. 1617. 12. Erster Theil 245 Bl. (wie in der Ausgabe v. J. 1599). Zweiter Theil 72 Blätter. Die Ausgabe vom Jahr 1613 hat diesen zweiten Theil noch nicht. (Vgl. Wackernagel K. L. I, S. 622 und die Ausgabe v. J. 1619.)

241. (1618.) Threnodia oder söhnliches Klaglied. Vber den trawrigen Tödtlichen Abschid auß diser Welt, Weiland der etc. ... Frawen Annä gekrönten Römischen Keyserin, etc., Welche den 14. December deß 1618. Seliglich in Gott entschlaffen ist. Im Thon: Woher kompt mir doch dise zeit. 4 Bl. 8. Ohne Ort und Jahr. „Hör auff mein Seel trawr nit so sehr, obschon dein Sünd seind noch so schwer". 25 Str. (o. Mel.) Sammelband von Einzeldrucken.

242. 1618. Zwey schöne newe Geistliche Lieder. Das Erste: Von vnser lieben Frawen in Gormund. Im Thon: Da Jesus an dem Creutze stund. Das Ander: Ein schöne Bilgerfahrt, auf der Straß gen Einsidlen zusingen. Im Thon: Wie man den newen Tellen singt. Getruckt zu Costantz am Bodensee, bey Leonhard Strauben Anno 1618. 8 Bl. 8.

1) „Frölich so wil ich heben an,
Deß ich mich vnderwunden han".
2) „Ellend hat mich vmgeben,
In diser Welt so hart". (Von David Müßlin.)

(Weller, Annalen II, 198.) Bibl. in Aarau.

243. 1619. Drey schöne newe Christliche Lieder. Das erste. „Jesulein, du bist mein trost allwegen", etc. Das ander. „Ach höchster Gott allein, du bist der helffer mein", etc. Das dritte. „Jesulein mein, was soll ich thun, der leydige Sathan", etc. 4 Bl. 8. Am Schluß: Getruckt zu Augspurg, bey Georg Kreß. 1619.

1) 7 Strophen (o. Mel.).
2) 9 Strophen (o. Mel.).
3) 14 Strophen (o. Mel). Sammelband von Einzeldrucken.

244. 1619. Zwei schöne Newe Lieder. Das Erste, Von den heyligen dreyen Himmelfürsten S. Mauritz, Victor vnnd Vrs ... Das Ander, Von der H. Jungfrawen Regina .. München, Anna Bergin. 1619. 8 Bl. 8. „Ein Lied so wil ich heben an". „Es war eins Heyden Tochter". (Weller, Annalen II, 173.) Kgl. Bibliothek in Berlin.

245. 1619. Ein sonders Andächtiger Hymnus Von der Menschwerdung deß ewigen Sohn Gottes, vnsers lieben Herrn vnd Heylandts Jesu Christi: Allen Frommen Gottliebenden Christen zu sonderem Trost, geistl. Frewd vnnd ewigem Nutz auß dem Latein ins Teutsch gebracht. Gedruckt zu Newburg an der Thonaw durch Lorentz Danhauser. Anno Salutis 1619. 14 Blätter. 12. Enthält den Hymnus de Incarnatione:

»Ecce tandem sempiternus, Sempiterni filius«. „Sihe nun mehr deß Ewigen Allzeit ewiger Sohne" (50 Strophen). Die Melodie (am Schlusse) ist eine Umbildung der Weise „Jesus ist ein süsser nam" wie das Lied im Constanzer Gesangbuch 1600: „Dein süsse Gedächtnuß Jesu Christ".

246. 1619. Alte Catholische Geistliche Kirchengesäng. Cölln, A. Quentel. Dasselbe wie 1617. Es ist die um 72 Blätter vermehrte Ausgabe von 1599. Der Anhang enthält 48 Lieder mit 44 Melodien, darunter circa 10 die in bisherigen Gesangbüchern nicht stehen, u. a.:

1) „Als Gott Mensch geboren war".
2) „Aue Maria voller gnad".
3) „Derjenig Tag des Zorns".
4) „Dich edle Königin wir ehren".

247. 1620. Threni oder Klaglieder, in welchen Christi Marter, Creutz, Wunden vnd Leiden in der Fasten betracht wird. Würtzburg, Joh. Volmar 1620. 12. (Weller, Annalen II, 199.)

248. 1621. Alte Catholische Geistliche Kirchengesäng. Die um 96 Blätter vermehrte Ausgabe von 1599, vgl. 1617 u. 1619. (Wackernagel K. L. I, S. 622).

249. 1621. Rueff Von dem heyligen Ritter S. Gergen. Getruckt zu Augspurg, bei Sara Mangin, Wittib. 1621. 8 Bl. 8. „Zu Gottes Lob, d'gehret würd, Kyrie eleison". 108 Str. mit Melodie. Sammelband von Einzeldrucken.

250. 1621. Der Psalter, das ist, Ein Bericht von dem grossen Rosenkrantz der Ertzbruderschafft Jesu vnd Mariae, neben Beschreibung deren dazu gehörigen fünffzehen Geheimnussen vnsers Christlichen Catholischen Glaubens, in Teutsche Gesangreimen bracht etc. Per R. P. F. Joannem Dungscherum, Ordinis Praedicatorum, Concionatorem Trevirensem. Gedruckt zu Trier durch Aegidium Jmmendorff, Anno 1621. 491 Seiten. 12. Enthält u. a. den Rosenkranz in gereimten Versen mit 5 Melodien. Später ist das Lied »Jesu nostra redemptio« übersetzt: „O Lieb vnd Gier, Herr Jesu Christ", sodann 7 deutsche Psalmen für die einzelnen Wochentage mit 7 Melodien. (Cäcilia, Trier, 1878 S. 11.) Stadtbibl. in Trier.

251. 1622. Sieben schöne Geistliche Lieder etc. Getruckt zu Dilingen in der Academischen Truckerey bey Vlrich Rem. 1622. 8 Bl. 12. Enthält dieselben Lieder wie „Newe außerleßne G. Lieder. München 1604. (Weller, Annalen II, 218.) Königl. Bibl. in München.

252. 1622. Geistliche Jubell oder Frewdengesäng. Vom Leben vnd etlichen wunderwercken etc. Ignatij, von Loiola, wie auch Francisci Xauerij etc. So jüngst von Bäpstlicher Heiligkeit Greorio XV. offentlich Canonizirt, vnd für Heilig erkandt worden den 12. Martij 1622. Jhm Thon Frew dich du Himmel Königin etc. Getruckt zu Dilingen inn der Academischen Truckerey bey Vlrich Rem. 1622. 22 gez. Seiten. 8.

1) „Himmel vnd Erden stimm zusam". 57 Str. (ohne Mel.)
2) „Frewdt vber frewdt O Christenthumb". 103 Str. (ohne Mel.)
Sammelband von Einzeldrucken.

253. 1622. Kurtzer Begriff deß Lebens S. Ignatij Loiola, Stiffters der Societet Jesu. Darbey auch etwas von S. Francisco Xauerio auch der Soc. Jesu, kürtzlich wirdt angerürt. Dem gemainen Mann zu gfallen in Teütsche Vers rezogen. Getruckt zu Ynßprugg, bey Daniel Paur. 1622. 8. Bl. 8. „Wolan, ein News Gesang erkling dem grossen Schöpffer aller Ding". 49 Str. (o. Mel.) Sammelband von Einzeldrucken.

254. (1622.) Ingolstädter Jubelgesang am 12. März 1622, an welchem Tage Ignatius von Loiola vnd Franciscus Xauerius von Bapst Gregor XV. canoniziert vnd für Heilig erkandt worden. Im Thon, Frew dich du Himmel Königin. 12 Bl. 8. „Frew dich, Ignati, Edler Heldt, dich lobt vnd ehrt die gantze Welt". 119 Str. (ohne Mel.) (Wackern. V, 1492.)

255. 1624. Obsequiale vel liber agendorum. Ingolstadt. Ed. II, 1624. (Gärtner XXXIX.) Vgl. 1570.

256. 1624. Paradeißvogel .... Durch Conradum Vetter .. Zu Ingolstatt durch Wilh. Eder 1624. 8 Bl. n. 230 gez. Seiten. Neue Ausgabe von 1613. (Weller, Annalen II, 169.) Kantonsbibl. in Luzern.

257. 1624. Das Leben der Seeligen Kloster-Jungkfrawen Elisabethen u. s. w. Zu Augspurg, bey Johannes Keyel, auff dem Maurberg, in dem Wasserthurn. 1624. Titelblatt und 29 gez. S. 8. „Gott der Herr sol gelobet werden, In all seinen Wercken auff Erden". (Weller, Annalen II, 175.) Bibl. in Frauenfeld.

258. 1625. Alte Catholische Geistliche Kyrchengesäng, auff die fürnemste Feste u. s. w. Gedruckt zu Cölln, in der Quenteleyen durch Johannem Kreps. Anno 1625. Der erste Theil stimmt mit der Ausgabe 1599 überein. Der zweite Theil ist gegen die Ausgaben 1619 und 1621 bedeutend vermehrt. Er zählt 118 Blätter und 3 Seiten Index mit 77 Liedern und 67 Melodien. Die neu hinzugekommenen Lieder stammen größtentheils aus den in den Jahren 1619 und 1623 bei P. von Brachel in Cöln erschienenen Gesangbüchern, sowie aus dem Geistl. Triumphwagen. 1622. Universitätsbibliothek in Breslau.

U. a. finden sich hier zum ersten Mal:

1) „Der Menschen Heil ein kleines Kind".
2) „Dort oben in des Himmelsthron".
3) „Recht und billich zu loben ist".

259. 1625. Judicium Dei. Letzter Posaunen Schall, Welchen der Sigfürst vnd Oberiste Herrscher Himmels vnd Erden, Christus Jesus .... bald bald ergehen wirdt lassen .... Im Thon Erzürn dich nit O frommer Christ, etc. oder wie man den grimmen Todt singt. Ein anders vraltes Lied von dem Jüngsten Gericht, In seiner eygnen Melodey. Könden auch beyde in einem Thon gesungen werden. Ge-

druckt zu Rauenspurg bey Johann Schröter, 1625. 8 Bl. 8. „Kombt her was Cron vnd Znfel tregt". „An jenem tag, nach Dauidssag". (Weller, Annalen II, 175.) Bibl. in Frauenfeld.

260. 1625. Catechismus In ausserlesenen Exempeln etc. Durch P. Georgium Voglerum. Siehe die Beschreibung.

261. 1625. Groß Catolisch Gesangbuch in die vier hundert Andechtige alte vnd new gesäng und ruff ... Alles mit sonderm fleiß, aus dem mehrern bißhero getruckten gesangbüchern zusam getragen, theils auch von newen gestelt durch Dauid Gregorium Cornerum. Bei Georg Endtner dem Jüngern, Bürger in Nürnberg. Zueignung Datum: Wien 1625. (Bei Böhme, Altdeutsches Liederbuch, S. 788.) Siehe die Beschreibung der Auflage 1631.

262. 1625. Geistlicher Paradeiß Vogel. Neiß 1625. (Göd. I, 218; Hoffmann VIII; Kehr. I, 41.) Vgl. 1663. Ob identisch mit No. 69 in der Bibliogr. des II. Bds?

263. 1625. Zwey schöne newe Geistliche Lieder. Das Erste, Von dem Gottseligen Pater Fidelis, gewesenen Capuciners, vnd Guardian, ... Das Ander. Von der Gottseligen Mutter Elisabetha .... zu Reithe bey Waldsee, ... Gedicht durch Matthiam Renawern von der Weißaw. Getruckt zu Costantz am Bodensee, durch Leonhardt Straub, im Jahr, 1625. 4 Bl. 8.

1) „Ein Lied will ich jetzt heben an,
bitt wolt mit fleiß zu hören".
2) „Zu Lobe Gott dem Herren,
mercket auff jr Christenleuth".

(Weller, Annalen II, 176.) Bibl. in Aarau.

264. 1625. Hymnus Oder Lobspruch Vnser lieben Frawen sehr Andechtig zu singen oder betrachten ... Auß der Lateinischen in vnser Teutsche Sprach verdolmetscht, vnd wider in Vers gebracht, etc. Gedruckt zu Rauenspurg, durch Johannem Schröterum, Jm Jahr, 1625. 12 Bl. 12. „Alle Tag Mariae sag, Groß lob mein Seel". (Weller, Annalen II, 199.) Bibl. in Frauenfeld.

265. 1625. Vnser lieben Frawen Krufft in Mönchen .... Beschriben durch M. Johan: Bartholome Schreckenfuchs Priestern. Jngolstatt 1625.

1) „Süsse Mutter Christi".
2) „Mutter Christi frewe dich".

(Mar. Liederkranz S. 159 und 279.)

266. 1626. Ein schönes Lied, vom Leben Marter vnnd Todt, deß seeligen Vatters Fidelis, Capciners, welcher in Pündten zu Todt geschlagen worden. Getruckt zu Costantz am Bodensee, bey Leonhardt Straub, Anno 1626. 4 Bl. 8. „Ein Liedlein will ich heben an". (Weller, Annalen II, 176.) Bibl. in Frauenfeld.

267. 1627. Ein schön newes Geistliches Lied, Von S. Regina, vor niemals in Truck außgangen, Jnn seiner eygnen Melodey

zu singen. Sonsten der Blümleinmacher genandt. Gedruckt zu Augspurg, bey Johann Gottlieb Morhardt, Anno 1627. 4 Bl. 8. „Es was eins Heydens Tochter". (Weller, Annalen II, 176.) Bibl. in Frauenfeld.

268. 1627. Catholisch Manual oder Handbuch, darinn begriffen seyndt: Die Euangelia mit den Episteln deß gantzen Jahrs u. s. w.

Cantuale oder Psalmbüchlein, Teutscher vnnd Lateinischer, meistentheils alter Gesäng, sampt dem Catech. Musico. u. s. w. Jetzt von newem vbersehen, vermehret, mit vielen schönen Gesäng vnnd Gebett verbessert, welches sonderlich an jetzigen reformirten Catholischen örtern nutzlich zugebrauchen. Getruckt zu Meyntz, bey Anthonio Stroheckern, im Jahr 1627. 154 S. 8. und 8 S. Register, 6 S. Vorrede: Von Ordnung dieses Gesangbüchleins. 70 deutsche Lieder und 45 lateinische mit 80 Melodien. Vermehrte Auflage des Cantuals vom Jahre 1605. Bibliothek des Minoriten-Convents in Würzburg.

269. (1627.) Vier schöne Geistliche Lieder. Das Erste, Das Ave Maria, Gegrüßt seyst du Maria zart. Das Ander, Der Englisch Gruß, zu vnser L. Frawen, Gegrüßt seyst du Maria rein. Das Dritte: Von vnser L. Frawen, ein newer Ruff. Ave Maria du Himmel-Königin. Das Vierte, Von dem süssen Namen Jesu. Jesus ist ein süsser Nahm, etc. Gedruckt zu Augspurg, bey Johann Gottlieb Morhardt. 4 Bl. 8. ohne Jahr. (Weller, Annalen II, 177.) Bibliothek in Frauenfeld.

270. 1627. Würzburger Gesangbuch von 1627 durch Bischof Phil. Adolf. (Böhme 789; Kehrein I, 40.)

271. 1628. Dasselbe. Siehe Bibliographie im II. Bde. No. 72.

272. 1628. Paderborner Gesangbuch von 1628. (Gärtner XXXIX; Kehrein I, 41.)

273. 1628. Catholische Kirchen Gesäng, auff die fürnembste Fest vnd durch das gantze Jahr, so aus Gn. verordnung des Hochw. Hochgebornen Fürsten vnd Herrn, Herrn Frantz Wilhelmen Bischoven zu Oßnabrugk, etc. Auß den alten approbirten Authoren der Catholischen Christlichen Kirchen, Allen Pfarrhern, alten Leuten vnd jungen Kindern zu gutem verfast, auch vor vnd nach dem h. Ampt der Meßen, Predigt vnd bei dem Catechismo oder Christlicher Lehr vnd sonsten zu singen zugelassen. Getruckt zu Cölln. Durch Peter von Brachel. Anno 1628. 1 Titelblatt. Auf der Rückseite das bischöfl. Wappen. 21 Seiten Vorrede, 222 pag. Seiten und 3 Seiten Index.

Das Buch enthält 76 Lieder und Litaneien mit 65 Melodien. 2 Melodien sind doppelt abgedruckt. Es hat seine Texte und Melodien hauptsächlich dem i. J. 1619 in demselben Verlage erschienenen Gesangbuche entnommen. Neue Melodien finden sich zu den älteren Texten.

„Heut ist gefahren Gottes Sohn".
„Hör mein Gebet du frommer Gott".
Exemplar im Besitze des Herrn Wienand in Paderborn.

274. 1628. Frewdengesang darinn daß Leben, Leiden vnd Sterben dreyer seel. Martyrer auß der Societet Jesu, Paulus Michi, Jacobus Ghisay vnd Johannes de Gotto. Ingolstadt, Greg. Hänlin 1628. 8. (Weller, Annalen II, 200.) Bibl. in Frauenfeld.

275. 1628. Catholisches Gesangbuch Auß vnterschiedlichen, von der Römischen Catholischen Kirchen approbierten Gesangbüchern, von allerley Tugentgesäng vnnd Bußpsalmen colligirt, welche in Processionibus, Creutzgängen, Wallfarten, bey der H. Meß, Predig vnd Kinderlehr zu gebrauchen. Sampt etlichen Lateinischen vnd Teutschen Hymnis oder Lobgesängen, auff Sonn- vnd fürnehme Festäg deß gantzen Jahrs, neben den gebreuchlichen Tonis Vespertinis, vnnd Lytania B. Mariae Virg: etc. Mit 4. Stimmen componirt, in welchen der Discant allzeit führet den Choral; durch Johann Degen Sacellanum ad D. Martini Bambergae. Getruckt zu Bamberg, durch Augustinum Crinesium. Anno 1628. 8.

1 Titelblatt und 3 Bl. Vorrede. 607 Seiten und 8 Seiten Register (nicht alphabetisch). Enthält 132 deutsche und 26 lateinische Lieder mit 96 Melodien, davon sind 2 einstimmig, die übrigen vierstimmig. Zum ersten Male stehen hier circa 22 Texte mit 8 Melodien, darunter „Ich weiß ein schöns Lustgärtelein" und die Melodie zu dem Rosenkranzliede: „Die Schrift die gibt vns weiß und lehr", im „Herzog-Ernst"-Ton. Siehe im II. Bd. S. 376. Neue Auflagen mit einstimmigen Liedern 1670 und 1691. Germanisches Museum. in Nürnberg.

276. 1629. Molßheimer Gesangbuch. In der Vorrede der Ausgabe vom J. 1659 (II. Bd. S. 63) als erste Auflage angegeben.

277. 1629. Catholische Alt vnd newe Gesäng, So wol in der Kirchen bey der heiligen Meß vnd Predig, als auch anderßwo bey Handarbeit nutzlich zu gebrauchen. Jetzt widerumb von newem 1629 Gedruckt zu Heydelberg, Bey David Fuchßn, auff dem Kornmarckt zu finden. 12. Enthält 153 meist ältere Lieder mit 112 Melodien. 1 Titelblatt. Die Vorrede („Dedicatio") zählt 8 Seiten; darauf ein leeres Blatt, dann die Gesänge auf 378 signirten Seiten. Der Index („Verzeichnuß der Catholischen Kirchen Gesang") umfaßt 7 nicht signirte Seiten. Königl. Bibl. in Hannover.

278. 1629. Catholische Geistlike Kerkengesang vp de vornembste Feste vnd sonsten dorch dat gantze jahr nüttelick tho gebruken. Sampt den seuen Bothpsalmen vnd andere vtherlesene Catholische Leder vnd Psalmen. Dem gemeinen Vaterlandt tho nütte in düsse korte Form vnd Sprake auergesatt. Gedruckt tho Münster in Westph. bey Bernard Raßfeldt 1629. (Gödeke I, 219; Hölscher 105.) Vgl. unten 1677.

279. 1630. Het Prieel der gheestelicker Melodiie u. s. w. Antwerpen 1630. 8. Vgl. die Ausgaben vom J. 1609 in der Bibliographie dieses und vom J. 1614 in der Bibliographie des II. Bds. Exemplar im Besitze des Herrn Dompropstes Kayser in Breslau.

280. 1630. Alte vnd Newe Geistliche Catholische außerlesene Gesäng, auff Sonn- vnd fürnehme Festäg des gantzen Jars, Processionen, Creutzgängen vnd Wallfarten, bey der H. Meß, Predig, Kinderlehr in Häusern vnd auff dem Feld sehr nützlich vnd andächtig zugebrauchen. Auß sonderm Befelch, deß Hochwürdigen Fürsten vnd Herrn, Herrn Philippi Adolphi, Bischoffen zu Würtzburg, vnd Hertzogen in Franken, 2c. Sampt einem General Baß zu der Orgel, vnd jetzo new in Truck außgangen. Gedruckt in der Fürstlichen Hauptstadt Würtzburg, bey Elias Michael Zinck. Anno 1630. 12. Dieselbe Ausgabe wie 1628. (vgl. Bibliographie des II. Bds unter 1628). Von den 16 Liedern, die sich hier zum ersten Male finden, erwähne ich:

1) „Himmel vnd Erd schaw was die Welt".
2) „Jesus rufft dir o Sünder mein".
3) „Jesu deß Menschen höchste Zier".
4) „O Mensch bewein dein Sünde groß" (mit der richtigen Melodie).
5) „O Trawrigkeit, o Hertzenleyd".
6) „Wo kompt es here". Königl. Bibl. in Würzburg.

1630. Frewd- vnd Schrecken Zeichen, den vnsterblichen Seelen der sterblichen Menschen gegeben. Gedruckt 1630. Folioblatt ohne Ort. „O Ewigkeit, O Ewigkeit".

281. 1630. Zwey Trostliche Jubel-Gesang der Augspurgischen Confession, auff ihr Jubelfest, zu sonderbaren Ehren gemacht, vnnd gesungen. Im Jahr 1630. 7 Bl. 8. ohne Ort.

1) „In Luthers Jubilo, Schreyen wir Mordio".
Im Thon: In dulci iubilo. 8 Str. (o. Mel.).
2) „Wir solten iubilieren, Springen mit allen vieren".
17 Str. (ohne Mel.).
Im Thon: Christ lag in Todtes-Banden. Sammelband von Einzeldrucken.

282. 1630. Psalter C. Ulenbergs Cölln 1630. Vermehrte Auflage v. J. 1582 2c.

283. 1630. Ein schöns Geistliches Lied, Von der H. Jungfrawen Clara, 2c. Componiert von Melchior Heylig Capellan daselbsten. Getruckt zu Costantz am Bodensee, bey Leonhardt Strauben. Anno 1630. 11 Bl. 8. „Zu Assis ist geboren ein schönes Töchterlein". (Weller, Annalen II, 177.) Bibliothek in Frauenfeld.

284. 1631. Groß Catholisch Gesangbuch... Durch P. Dauid Gregorium Cornerum. Siehe die Beschreibung.

285. (1631.) Der Geistliche May. Das ist Ein schön Geistliches, Lied, von dem schönen Gardten, darinnen die liebe Gottes, vnd andere Schöne Tugenden, als schöne Blumen abzubrechen seindt. Im bekandten Thon, oder auff die weiß wie die Tageweiß zu singen. Getruckt zu Ynsprugg bey Johann Gächen. O. Jahr. 4 Bl. 8. „Es nachet sich gegen dem Summer, singen die waldtvögelein". 26 Str. (o. Mel.). Sammelband von Einzeldrucken.

286. 1631. Geistliches Jubel: oder Frewdengesang. Vonn dem Leben vnnd etlichen fürnemmen Wunderthaten deß H. Dieners Gottes Isidori, deß Baursmanns von Madrit auß Hispannien. Welcher in dem Jahr 1622 den 12. Martij u. s. w. in die Zahl der Heyligen Gottes eingeschriben worden. Im Thon: Der grimmig Todt mit seinem Pfeil. Gedruckt zu Inßprugg durch Johann Gächen. 1631. 4 Bl. 8. „Hoert an von mir, wol mit Begier, Was ich hier kurz thu singen". 20 Str. (o. Mel.). Sammelband von Einzeldrucken.

287. 1631. Corners Geistliche Nachtigal. Wien 1631. (Weller, Annalen II, 339.) Vgl. Ausgabe vom Jahre 1649.

288. 1631. Catholisches Gesangbuch, in Kirchen, zu Hauß, in Processionibus vnd Kirchfahrten, gar heilsam, nutzlich, löblich vnd andächtigklich zu gebrauchen. Mit Fleiß seligirt, corrigirt vnd vermehrt durch Valentinum Schlindel, von Hirschfeldt auff Pautten, im Stifft Töpel. Getruckt zu München, durch Nicolaum Henricum. 1631. 12. 4 Bl., 453 gez. S., 3 Bl. Register mit mehrstimmigen Liedern. (Böhme, S. 789; Kehrein I, 42; Weller, Annalen II, 132.)

289. 1631. Catholische Kirchen Gesänge, auff die fürnembste Feste, Auch in Processionen, Creutzgängen, vnd Kirchenfahrten zu gebrauchen, sampt einem Catechismo. Auß Befelch deß Hochwürdigen Fürsten vnd Herren, H. Eberhardten Bischoffen zu Speier ꝛc. Anjetzo mit vielen newen Gesängen vermehret. Mit Röm. Käy. May. Gn. vnd Freyheit. Gedruckt zu Meyntz, durch Hermann Meres, In Verlegung Johann Kreps in der Quenteley. Anno 1631. 16. 709 pag. Seiten und 11 S. Index. S. 1—4. Titelblatt und Vorrede; S. 5—33 Katechismuslieder mit 20 Melodien. S. 35—683 die übrigen Lieder: 49 lateinische, 212 deutsche und 12 Mischlieder mit 196 Melodien. S. 683—707 der „Gülden Rosenkrantz" 8 Texte mit 4 Melodien. 7 Melodien sind doppelt abgedruckt zu verschiedenen Texten. Das Gesangbuch ist eine vermehrte Auflage der früher in Cöln (bei Quentel) erschienenen Gesangbücher. Neu sind u. a.

1) »Dulcis Jesu, dulce nomen.
Süsser Jesu, Süsser Nahm".
2) Last klingen, last klingen, Ewer Stimmen rein".

Stadtbibliothek in Mainz.

290. 1631. Den Boeck der Gheesteliicke Sanghen, Bedeelt in twee deelen, Den Bliiden Requiem ende Ghelvckighe Vyt-vaert van een Salighe Seele ꝛc. Door eenen Religieus van d'Oorden van Sinte Francois ghenaemt Minder-broederen Capucynen. T'Hantwerpen, By Hendrick Aertssens, inde Cammerstrate, inde witte Lelie. Anno 1631.

Das Buch enthält auf 382 Seiten kl. 8. 142 neugedichtete geistliche Lieder vom P. Lucas von Mecheln mit Melodien. Diese sind meistens Volksliedern entnommen. Vgl. meinen Aufsatz in den Monatsheften für Musikgeschichte 1884. No. 8. Exemplar im Besitze des Herrn Kanonikus van Damme in Gent.

291. 1631. Vier Geistliche Lieder vnnd Kirchen-Gesänger. Durch A. M. von newem componirt, vnd zusammen gesetzt. Ge-

truckt zu Ingolstatt durch Gregorium Hänlin, im Jahr 1631. 8 Bl. 8. mit Melodien.

1) „Wir Menschen bawen alle vest".
2) „Als Jesus Christ geboren war".
3) „Reich vnd Arm' solln frölich seyn".
4) „Frewt euch jhr Christen all' zugleich".

(Weller, Annalen II, 177.) Bibl. in Frauenfeld.

292. (1631.) Das heylige Creutz Lied. Auß dem heiligen Passion vnsers lieben Herren Jesu Christi genommen. In seiner gewonlich Weyß zusingen. Gedenck hiebey, O frommer Christ, daß du diß Leidens Vrsach bist. 8 Bl. 8. Ohne Ort und Jahr. „Es gieng vnser liebe Frawe zu morgens in das tawe". 100 Str. (o. Mel.). Sammelband von Einzeldrucken.

293. 1631. Ein schönes Lied, Vom Leben ꝛc. Fidelis, Capuciners ꝛc. (wie 1626.) Getruckt zu Costantz am Bodensee, bey L. Straub. 1631. 4 Bl. 8. „Ein Liedlein wil ich heben an". (Weller, Annalen II, 176.) Bibl. in Zürich.

294. 1632. Liebliche Kinder Cythar, Mit newen schönen Gesängen vnd Melodeyen zugerichtet. Für die löbliche alte Kinderlehr des Franzißkaner Obseruanten Cölnischer Prouintz. Gedruckt zu Cöln, bey Peter von Brachel. Anno 1632. 12. 67 gez. Seiten mit 7 lateinischen und 19 deutschen Liedern nebst 2 Litaneien, dazu 15 Melodien. Königl. Bibliothek in Berlin.

295. 1632. Der Geistlich Bruder Claus ꝛc. vgl. 1613. Ohne Ort. 8 Bl. 8. „Ein Lust hab ich zu singen". (Weller, Annalen II, 174.) Bibl. in Aarau.

296. 1632. Ein schön newes Liedt, von dem gantzen Leben vnd Marter, auch Wunderwercken deß S. Pater Fidelis ꝛc. Getruckt im Jahr 1632. 4 Bl. 8. ohne Ort. „Mit Lust so will ich heben an". (Weller, Annalen II, 200.) Bibl. in Aarau.

297. 1632. Ein andächtiger Rueff, Vonn vnser lieben Frawen, vnd wunderlichen Vrsprung deß Klosters Etall, für die Pilger vnd Wahlfarter, so dahin kommen. Gedruckt zu Augspurg, durch Andream Aperger 1632. 8 Bl. 8.

1) „Laßt vns Gott loben allzugleich".
2) „Gegrüst seyest du Maria rein, Voll Gnaden ist ꝛc."
3) „O Maria dich heben wir an zu loben".

Sammelband von Einzeldrucken.

298. 1633. Ein newes Geistliches Gesang, von dem H. Francisco Xauerio ꝛc. In seiner aignen beygesetzten Melodey, Chorweiß lieblich zu singen. Getruckt zu München bey Cornelio Leysserio. Anno 1633. 8 Bl. 8. „Heiliger Francisce, liecht der Heidenschafft". 32 Str. (mit Mel.). Sammelband von Einzeldrucken.

299. 1634. Catholische Kirchen Gesäng, auff die fürnembste Fest des gantzen Jahrs, wie man dieselbe zu Cölln, vnd anderstwo, bey allen christlichen Cathol. Lehren pflegt zu singen .... Jetzo auffs new vbersehen, so viel die Melodey als den Text belangt, corrigirt, mit new Gesängen vermehrt vnd in eine beständige Form gebracht. Gedruckt zu Cölln Bey

Peter v. Brachel. 1634. 12. 708 S. u. 6 Bl. Reg.; 9 latein. und 243 deutsche Texte nebst 225 Melodien. Das Buch enthält fast alle in den früheren bei P. von Brachel (1619, 1623, 1625, 1628) erschienenen Gesangbüchern enthaltenen Lieder. Neu sind hier:

„Die Gottheit rein anbett verborgen hie".
„Wo soll ich bleiben mein Gott vnd Herr".
„Jesu Vatter des ewigen Liechts".

mit den Melodien. Königl. Bibl. in Berlin.

300. 1635. **Seraphisch Lustgart mit wolriechenden Blumen Catholischer gesäng gezieret durch einen Franciscaner von der Obseruantz Cölln bey Peter von Brachel. Cum Priu: Senat. et permissu Superiorum. Anno 1635.** 753 Seiten 12. inclus. 8 S. Vorrede. Am Schluß noch 8 S. Inhaltsverzeichniß und 11 S. alphabetisches Register. 10 lateinische, 274 deutsche Liedertexte mit 212 Melodien: 193 einstimmige, 11 mit beigesetztem Baß. 7 Lieder haben doppelte Melodien, von denen die zweite »Melodia domesticalis« genannt wird. Außerdem sind 2 Lieder vierstimmig und 3 dreistimmig gesetzt.

Das Buch hat eine andere Einrichtung als die sonstigen Gesangbücher. Die Lieder sind geordnet nach dem Kalender (Directorium) des Franziskanerordens, wobei die kirchl. Festzeiten in den betreffenden Monaten eingeschaltet werden. Der Kalender beginnt mit dem Fest der Beschneidung des Herrn (1. Januar) und schließt mit dem Fest der unschuldigen Kinder (28. December). Dann folgen: 1 Lied auf den h. Franciskus, Lieder von den h. h. Aposteln, Beichtigern, Jungfrauen im allgemeinen und von der Kirchweihung. S. 671—747 Wallfahrtslieder; den Schluß bilden 2 lateinische Gesänge vom h. Franciskus.

Die meisten Lieder und Melodien kommen schon in früheren Gesangbüchern vor. Der Verfasser nennt selbst den Psalter Ulenbergs, die Himmlische Harmoney. Mainz 1628, das Würzburger Gesangbuch und das schöne Gesangbuch von Rudgerus Edingius (ohne Melodien).

Außer diesen sind aber auch vlämische Gesangbücher benutzt worden. Ich verweise auf das Lied: „Mit Geistlicher frewd, Melodios", welches im Vlämischen den Reim „melodieus" hat. Die Melodie hierzu ist dem ebenfalls vlämischen Volksliede »Den lustelijcken Mey« entnommen. Andere Uebertragungen aus dem Vlämischen sind: „Die zeit ist da, das man soll frölich singen" Den tijdt is hier«, ferner „Als ich hingieng spatzieren wol in das felde grün, vnd mich wolt recreeren rc.

Einzelne Lieder tragen einen dramatischen Charakter, z. B. S. 324: Gespräch zwischen der Allerseligsten Jungfrawen, Joannem dem Täuffer, Heiligen Elisabeth, vnd der liebenden Seelen: „Durchleuchtigste Fürstin, Maria Jungfraw rein", ferner S. 121: „Gespräch zwischen der Allerseligsten Jungfrawen, Ertz-Engelen Gabriel, Allen lieben Engelen, vnd dem Menschlichen Geschlecht „Sey gegrüsset Maria schon" und S. 636: „Was ist vor newe Frewd". Das Lied „Wie schön leuchst vns o Morgenstern, O Edles holtz, o

Creutz des Herrn" ist nach Text und Melodie eine Ueberarbeitung des bekannten Nicolai'schen Liedes. Von Spee sind „Bey Finster nacht zur ersten wacht" und „Ein Schäfflein außerkohren". Sie finden sich später in der Trutznachtigall 1648 und sind vom Verfasser des Lustgart jedenfalls einer früher erschienenen Ausgabe des „Geistlichen Psälterlein"s entnommen worden. Von den Melodien wiederholen sich manche. Stadtbibliothek in Hamburg.

301. 1635. Vexillum patientiae Oder Creutz Fahnen, In welchem siben newe geistliche Gesånglein, von den siben Patrocinijs, so in der Fürstlichen Hauß-Capellen, in Weyland deß durchleuchtigisten Fürsten vnd Herrn, Hertzog Ferdinanden in Bayrn ꝛc. hochseligister Gedåchtnuß, auff den 4 Altåren Jåhrlich solemniter celebriert werden. Allen frommen Christen zu nutz vnd trost in Truck verfertiget. Mûnchen bey Cornelio Leysserio, Churfürstl. Buchtrucker vnd Buchhandler. Anno 1635. Dedication von J. Khuen. 14 Seiten und 1 Tafel mit 7 Melodien. 8. Sammelband mit Einzeldrucken.

302. 1635. Fünff Geistliche Lieder vnd Kirchen Gesånger. Das Erste: Der Geistliche Scheck oder nutzliche Betrachtung des Todts. Das Ander. Das Euangelium auff den heiligen Weyhnacht-Tag. Das Dritt. Zu dem Newgebornen Christ Kindlein u. s. w. Das Vierdt. Ein ander Weyhnachtgesang. Das Fünfft. Das Euangelium auf den H. Ostertag. Jedes in beygestellt eigner Melodey. Durch A. M. von newem componiert. Gedruckt zu Jngolstatt durch Wilhelm Eder, Anno 1635. 8 Bl. 8. Es sind die Lieder v. dem Druck des Jahres 1631 und das Lied: „Hochgelobter Herr Jesu Christ, der du an heut geboren bist". 3 Str. sodann: „Selige Mutter ausserkhorn". 3 Str. Alle mit Ausnahme dieses letzten mit den Melodien. Sammelband von Einzeldrucken.

303. 1635. Ein schöunes noch nie an tag gegebenes geistlichs Lied, auß der gantzen Histori von der Judith, auß jhrem Buechlein gezogen. Jm Thon. Wie der Engellåndisch Tantz gesungen wirdt. Zu Ynsprugg, bey Daniel Paur, 1635. 4 Bl. 8. „Von einer schönen Gschicht, werden wir vnderricht". 28 Str. (o. Mel.). Sammelband von Einzeldrucken.

304. (1635.) Vier schöne Geistliche Lieder. Das Vatter vnser... Das Ave Maria: Gegrüst seyst du Maria zart... Die zwölff Stuck deß Apostolischen Christlichen Glaubens: Jch glaub in Gott den Vatter mein... Ein Lied auff das heilig Fest vnsers Herren Fronleichnam: Der zart Fronleichnam der ist gut... Augspurg, Johann Schultes. 4 Bl. 8. ohne Jahr. (Weller, Annalen II, 178.) Königl. Bibl. in Berlin.

305. (1635.) Drey Schöne Gaistliche Lieder. Das Erste, Von S. Catharina, Das ander, Von S. Barbara. Das dritte, Wie man das Newe Jahr ansingt. Augspurg, Johann Schultes. 4 Bl. 8 ohne Jahr.

1) „Die heilig rein vnd auch die fein".
2) „Jch weiß mir ein Blümlein das ist fein".
3) „Wir kommen mit grossen Frewden dar".

(Weller, Ann. II, 178.) Kgl. Bibl. in Berlin. Zu No. 1 u. 2 vgl. 1590.

306. 1635. Drey schöne Geistliche Lieder, Das erste: Von dem Wunderlichen Blut zu Willisaw. Im Thon: Kombt her zu mir, spricht Gottes Sohn. Das ander, Was ist deß Menschen Ding. Gestellt allbeyd durch Hugonem Amstein, Burgern zu Willisaw. Das dritte Lied, Ein schöne Bilgerfahrt auff der Straß gen Einsidlen zusingen. Im Thon: Wie man den newen Tellen singt. Getruckt zu Lucern, bey Johann Hederlin, Im Jahr 1635. 8 Bl. 8.

1) „Mein junges Gmüt daß reizt mich an".
2) „Zv singen hab ich im Sinn".
3) „Ellend hat mich vmgeben".

(Weller, Annalen II, 200.) Bibl. in Aarau.

307. 1635. Zwey schöne vnd gar andächtige geistliche Lieder, von V. L. Frawen im Advent vnd sonst täglich zu singen. Straubing bey Simon Haan. Im Jahr 1635. 4 Bl. 8.

1) Ave Maria gratia plena! so grüsset der Engel die Junckfraw Maria". 12 Str.
2) „Ave Maria gegrüst seyst du von mir". 15 Str. (o. Mel.) Sammelband von Einzeldrucken.

308. 1635. Zwey schöne Newe Lieder ꝛc. wie 1619. Getruckt zu Lucern bey Joh. Hederlin. Im Jahr 1635. 7 Bl. 8.

„Ein Lied so wil ich heben an".
„Es war eins Heyden Tochter".

(Weller, Annalen II, 173.) Bibl. in Aarau.

309. 1635. Drey gar schöne newe geistliche Lieder, Das Erste: von der heiligen Büsserin Magdalena. Das Ander: von der heiligen Junckfraw Barbara. Das Dritt: von der H. Junckfraw Dorothea. Getruckt zu Ynßprugg bey Daniel Paur 1635. 4 Bl. 8.

1) „Ach Magdalena, mea gaudia!"
Im Thon: Ach Hertzig Hertz mit schmertz. 6 Str. (o. Mel.)
2) „Wer ehren will den Herren".
Wie man den Maister Hilleprandt singt. 6 Str. (o. Mel.)
3) „Es was ein Gottsürchtiges vnd Christlichs Junckfrewlein". 15 Str. (o. Mel.) In seiner aignen Weiß. Sammelband von Einzeldrucken.

310. (1635.) Zwey schöne newe geistliche Gesang. Der geistlich Scheck vnd Bräutschafft genandt. Das Erste: Von dem himmlischen Bräutigam Jesu. Das ander: Von der geistlichen Braut. Augspurg, Marx Anthony Hannas. 4 Bl. 8. ohne Jahr.

1) „Wie vnaussprechlich ist die freud". 7 Str. (ohne Mel.)
2) „O Jesu mein, o mein Jesu". 22 Str. (ohne Mel.)

(Weller, Annalen II, 177.) Königl. Bibl. in Berlin. Unter demselben Titel erschienen die zwei Lieder zu Ynßprugg bey Johann Gächen. 4 Bl. 8. Sammelband mit Einzeldrucken.

311. (1635.) Ein gar newes Geistliches Lied, Von Maria der Mutter Gottes . . . Ein anders, von dem Engel Gabriel . . . Augspurg, Johann Schultes. 4. Bl. 8. ohne Jahr.

1) „Ave Maria gegrüsset sey von mir".
2) „Als Engel Gabriel Befelch empfangen".

(Weller, Annalen II, 178.) Königl. Bibl. in Berlin.

312. (1635.) Memoriale, Wie ein Christ seiner Seele zusprechen solle ... Augspurg Johann Schultes. 4 Bl. 8. ohne Jahr. „Betracht O Menschenkind, Wie schwer". (Weller, Annalen II, 178.) Königl. Bibl. in Berlin.

313. (1635.) Ein schöner Ruff, Zu ... S. Sebastian, Darinnen sein gantzes Leben ... Augspurg Joh. Schultes. 4 Bl. 8. ohne Jahr. „Zu deinem Lob, Herr Jesu Christ". (Weller, Annalen II, 178.) Königl. Bibl. in Berlin.

314. 1635. Beste Schildtwach der H. Catholischen Kirchen, zu trost allen betrübten Hertzen in kurtze Reimen verfast, oder zu singen. Im Thon Ah limen optatum. Getruckt Im Jahr 1635. 4 Bl. 8. „O Selige Mutter voll gnaden vnd güter." 21 Str. (ohne Mel.). Sammelband von Einzeldrucken.

315. 1635. Ein newes Lied, Von der Wallstadt der Allerseligsten etc. Mariae Der vnbefleckten Junckfrawen zu Werdenstein etc. In seiner eignen Melodey zusingen. Getruckt zu Lucern, bey Johann Hederlin, Im Jahr 1635. 4 Bl. 8. „Im Schweitzerlandt Seynd veste Flüe hoch Felsen". (Weller, Annalen II, 200.) Bibl. in Aarau.

316. 1636. Mortis Bellum vniuersale: Deß Todes allgemeiner Krieg. In welchem alle Menschen vnderhalten, bestritten werden, vnd das Leben verlieren müssen. Zway newe Lieder. Heut von zweyen Soldaten obernandten Armen gesungen vnd gemacht. Villeicht bleiben sie morgen auch in diser Schlacht. Gedruckt in dem Täglichen Läger. Anno 1636.

1) „O Mensch steh ab von deiner sünd". 25 Str. (ohne Mel.)
2) „Kayser König dryfache Kron,
Ynsel vnd Bischoffs Stabe". 8 Str. (ohne Mel.)
Sammelband von Einzeldrucken.

317. 1636. Rader, M. Posaunenschall der vier letzten Dinge. Cölln, 1636. 24. mit Mel. (Weller, Annalen II, 200.)

318. 1636. Ter tria coelestia cantica, Das ist: Neun Himmelische Lobgesäng ... Durch Gallum Thomae, weylandt Pfarrherrn (zu Burggau) Augspurg 1636. (Mar. Liederkranz, S. 162; Weller, Annalen II, 200.) Königl. Bibl. in München.

319. 1636. Lobgesang dem Heyligen Sisinnio Römischen Diacono Vnd Martyri. Als er von der Stadt Rom erhaben, inn deß Collegij der Societet Jesu Kirch zu Neyß Transferirt Anno 1636. In der zu dessen Heyligen Ehr, angestellten Procession, Dedicirt vnd gesungen. Im Thon: Frew dich du Himmel Königin. Cum Facultate Superiorum. Gedruckt zur Neyß 1636. 4 Bl. 8. 86 Str. „Heut Gott zu ehren singen wir". (Weller, Annalen II, 578.)

320. 1636. Ein andächtiger Rueff. Vonn vnser lieben Frawen, vnd wunderlichen Vrsprung deß Closters Ethal, für die Pilger vnd Wahlfarter, so dahin kommen. Gedruckt zu Augspurg, durch Andream Aperger, auff vnser lieben Frawen Thor. 1636. 8 Bl. 8. „Lasset vns Gott loben all zugleich". (Weller, Annalen II, 219.) Königl. Bibl. in München.

321. 1636. Zway schöne newe Lieder, Zu vnser Lieben Frawen, in Betrübten: vnd Kriegszeiten, von Geistlich vnd Weltlichen gantz trostreich zu singen. Gedruckt im Jahr 1636. 8 Bl. 8.

1) „O Selige Muetter,
voll Gnaden vnd Güter".
Im Thon: Ah limen optatum, da mihi virtutem contra hostes tuos. 25. Str. (ohne Mel.)

2) „Maria, du vil hoher Nam,
ich armer Sünder rüff dich an".
Im Thon, wie man das von S. Catharina singet.

Sammelband von Einzeldrucken.

322. 1637. Drey schöne newe Geistliche Lieder ... Gedruckt zu München, bey Cornelio Leysserio, auff das Jahr 1637. 8 Bl. in kl. 8. (Mit Melodien.)

1) „Maria Himmel Königin
Der gantzen Welt ein Herrscherin".
2) „In Schwartz will ich mich kleyden".
3) „Solls seyn so seys, wie mein Gott will".

(Gärtner XLI; Mar. Liederkranz, S. 296; Weller, Annalen II, 158.) Königl. Bibl. in München.

323. 1637. Drey schöne Geistliche Lieder: Das Erste: Geistlich Jäger. Das Ander: Auß hartem wehe klagt Menschlich Gschlecht. Das dritte: Ich hab so vil von Gottes Wort. Luzern, David Hautt. 1637. 4 Bl. 8.

1) „Es wolt gut Jäger jagen". 8 Str. (ohne Mel.)
2) 9 Strophen (ohne Mel.).
3) Ein Bergk-Reyen. 4 Str. (ohne Mel.)

Sammelband von Einzeldrucken.

324. 1637. Drey schöne Geistliche Lieder, Das Erste, Ich weiß ein ewiges Himmelreich, Im Thon: Es ligt ein Schlößlein in Oesterreich, etc. Das Ander, Mein frölich Hertz das treibt mich an zu singen, etc. Das dritte, Ein Blümlein auff der Heyden, etc. Im Thon: Der Sommer fährt dahin, etc. Lucern, Getruckt bey David Hautt, Im Jahr, 1637. 4 Bl. 8. (Weller, Annalen II, 179.)

325. 1637. Zwey schöne Lieder. Das Erste: Von Verachtung der Welt. In einer bekanten Melodey. Das Ander: Im Thon: Ach Banden hart, etc. Lucern, Getruckt bey David Hautt, Im Jahr 1637. 4 Bl. 8.

1) „Nach dir O geistlich Leben". 16 Str. (ohne Mel.)
2) „Mein Gott vnd Herr steh du mir bey". 11 Str. (ohne Mel.)

Sammelband von Einzeldrucken.

326. 1637. Zwey schöne geistliche Lieder: das erste, von der christlichen Demuth, etc. .... Das ander Ist ein Geistlich Lied, daß vns Gott die lieben Frücht auff dem Feld Segnen, behüten vnd bewahren wölle u. s. w. Durch einen Liebhaber der Gehorsamen Jugent. Lucern, Getruckt bey David Hautt Im Jahr 1637. 4 Bl. 8.

1) „Wer Ohren hat zu hören,
der merck was ich jhm sag". 20 Str. (ohne Mel.)
In der Melodey: wie die Geistliche Fortuna.

2) „Herr Gott Vatter in deinem Thron
durch Jesum Christum deinen Sohn". 5 Str. (ohne Mel.)
In der Melodey: Wie schön leucht vns der Morgen Stern.

Sammelband von Einzeldrucken.

327. 1637. Zwey geistreiche Lieder: Das Erste der Morgenstern, das Ander, Befehlung zu Gott vmb ein selig End. Lucern, Getruckt bey David Hautt. 1637. 4 Bl. 8.

1) „Wie schön leucht vns der Morgenstern
voll Gnad vnd Warheit von dem Herrn". 7 Str. (ohne Mel.)
2) „Mein junges Leben hat ein End,
mein Frewd vnd auch mein Leid". 10 Str. (ohne Mel.)
Sammelband von Einzeldrucken.

328. 1637. Zway schön: gar newe Geistliche Lieder. Das Erste Lied. Wo kombt es here, das zeitlich Ehre, etc. In der Melodey: Mein Hertz verwundet, etc. Das ander Lied: Sag was hilfft alle Welt, mit allem Guet vnnd Gelt. In der Melodey zu singen: Ach mein Gott kan es seyn, etc. 1637. Ohne Ort. 4 Bl. 8.

1) 17 Strophen (ohne Mel.)
2) 9 „ „ „ Sammelband von Einzeldrucken.

329. (1637.) Klaglieder, Vber den Tödlichen Abgang Ihrer Röm: Kay: May: Ferdinandi II von Gottes Gnaden u. s. w., welcher diß 1637 Jahr, den 15. Februarij, sein Leben vollendet vnnd in Gott Seliglich Entschlaffen. Im Thon: Selig ist der Tag in dem ich muß scheyden, etc. Getruckt zu Ynßprug bey Johann Gächen. 4 Bl. 8. ohne Ort u. Jahr.

1) „Ach was für Trawren, Weinen vnd Klagen". 14 Str. (ohne Mel.)
2) Klag der Allerdurchl: Röm. Kayserin Eleonora
„Hilff Gott, wie wird mir dann werden". 6 Str. (ohne Mel.)
Sammelband von Einzeldrucken.

330. 1637. Geistliche Begierden Zu dem lieben vnd Heiligen Schutz-Engel, Reymen weiß also verfaßt, Durch einen sonderbahren selbigen heiligen Schutz Engels Liebhabern. In dem Thon, Der grimme Todt mit seinem Pfeil, etc. Lucern, Getruckt bey David Hautt, Im Jahr, 1637. 4 Bl. 8. „O Engelein, du Schützer mein, Du Trost vnd Frewd meins Hertzen". (Weller, Annalen II, 178.)

331. 1637. Ein schönes Lied Vom Menschen vnd Todt Begreifft in sich die Streittigkeit deß Menschlichen Lebens. In der Weiß, Wie man den Geistlichen Buxbaum singt. Getruckt zu Lucern, Im Jahr, 1637. 4 Bl. 8. „Nvn höret zu was ich euch sing, von Abenthewr ein seltzam Ding". (Weller, Annalen II, 179.)

332. 1638. Geistlicher Psalter in welchem die aufserlesenste alt: vnd newe kirchen vnd hausgesang neben den lieblichsten Psalmen Dauids verfaset seindt. Colln 1638 In verlegung Peter Greuenbruchs. 12.

Dieses Gesangbuch ist, nach der Vorrede zu urtheilen, der Abdruck einer früheren Ausgabe in gröberer Schrift, der hier zum ersten Male die Melodien hinzugefügt worden sind. Es enthält auf 449 Seiten 241 Lieder mit 100 beigedruckten meist ältern Melodien. Es ist sehr wahrscheinlich, daß viele Lieder des Psälterleins von Spee gedichtet sind. Folgende Lieder, die später in der „Trutznachtigal" 1649 stehen, finden sich mit mehr oder weniger Textvarianten schon hier vor. 1) Ach Vatter hoch entwohnet. 2) Ach wann doch Jesu liebster mein. 3) Bey finster nacht zur ersten wacht. 4) Gleich früh wann sich entzündet. 5) Ich newlich früh zu Morgen. 6) O wie scheinbar Trost von oben. 7) Thu auff Thu auff du edles Blut. 8) Wann morgenröth die nacht ertödt. 9) Heli lamma Sabactani Vatter, liebster Vatter mein. Außerdem finden sich hier die 3 im Index der „Trutznachtigal" angegebenen Lieder 1) Der Wind auf lären strassen. 2) Jerusalem du schöne Statt. 3) Ein Schäfflein außerkoren. (Vgl. Cäcilia, Trier, 1878 No. 2.) Stadtbibliothek in Trier. Das von mir benutzte Exemplar ist Eigenthum des Pfarrers Hasak in Weißkirchlitz bei Teplitz.

333. 1638. Zwey schöne Gesang. Das Erste Ein schöner Grueß zu der Hochgelobten Jungfrawen vnd Mutter Gottes Maria. Im Thon: Ist das der Leib Herr Jesu Christ. Das ander: O Wunder groß, auß Vatters Schoß etc. in seiner bekandten Melodey. Getruckt zu Ynßprugg, bey Johan Gächen. Anno 1638. 4 Bl. 8.

1) „Grüßt seyst du schöns Jungckfräwlein". 20 Str. (ohne Mel.)
2) „O Wunder groß". 5 Str. (ohne Mel.)
Sammelband von Einzeldrucken.

334. 1638. Geistliches Adieu. Oder Beurlaubung der Welt. Einer Gottliebenden Seel, so alles Zeitliches zuverlassen u. s. w. von newem componirt vnd auffgesetzt. Im Thon: O heyliger Francisce du Engelischer, etc. Gedruckt zu Straubing, durch Simon Haan. Anno 1638. 4 Bl. 8. „O Welt, O Welt dein falscher Schein". 10 Str. (ohne Mel.) Sammelband von Einzeldrucken.

335. 1638. Epithalamium Marianum, Oder Tafel Music, deß himlischen Frawenzimmers, mit newen geistlichen Gesänglein gezieret, vnd allen Liebhabern der Erbaren, vnd Verfolgern der vnerbaren, schändlichen Liedern zu Nutz vnd Trost in Truck verfertigt. Getruckt zu München, Bey Niclas Hainrich 1638. 8. Dedication vom Sacellanus Joannes Khuen. v. 15. August 1636. 12 Lieder auf 27 ungez. Blättern. Vgl. No. 83 und 92 der Bibliographie im II. Bande.

336. (1638.) Der Guldine Psalter vnser lieben Frawen. Gesangsweiß gestellt durch Sixt Buchsbaum, jn Hertzog Ernsts Melodey. Getruckt zu Ynßprugg, bey Johann Gächen. Ohne Jahr. 15 gez. S. 8. „Die Schrifft die gibt vnns weiß vnd Lehr". 21 Str. (ohne Mel.) Sammelband von Einzeldrucken.

337. 1638. Florilegium Marianum Der brinnendt Dornbusch. Mit zwölff Geistlichen Gesänglein, meniglich zu gutem, sonderlich den Ordenspersonen zu trost in Truck verfertigt. Getruckt zu München, Bey Niclas Hainrich. 1638. 27 Blätter 8. mit Notentafel. Gewidmet der Aebtissin Anna Maria Geroldtin von J. Khuen Sacerdos. dat. München 25. 3. 1638. Sammelband von Einzeldrucken.

338. 1638. Drey schöne geistliche Lieder, Das Erste: der geistlich Buxbaum, Von dem Streit deß Fleisches Wider den Geist, das Ander Wider die drey Ertzfeind der Seelen. Das dritte Gar sehr ist mein hertz entzünt, gegen Jesu Marien Kindt. Getruckt zu Lucern 1638. 4 Bl. 8.

1) „Nun höret zu jhr Christenleut". 14 Str. (o. Mel.)
2) „O Gott, verley mir deine genad". 7 Str. (o. Mel.)
3) „Gar sehr ist mir mein Hertz entzündt". 8 Str. (o. Mel.)
Sammelband von Einzeldrucken.

339. 1638. Ein schön Advent vnd Weynacht Lied ꝛc. Das ander ꝛc. Getruckt zu Lucern Bey Dauid Hautt. 1638. 4 Bl. 8.

1) „Es ist ein Rooß entsprungen". 15 Str. (o. Mel.)
2) „Reich vnd Arm sollen frölich seyn". 6 Str. (o. Mel.)
Sammelband von Einzeldrucken.

340. 1638. Dises Lobgesang ist zu Ehren der Vilseligisten Hochgebenedeytesten Jungfrawen vnd Muetter Gottes Marie u. s. w. von einem auß den Sünder doch guethertzigen Catholischen Christen gemacht: Folgendts inn das Gottshauß Einsidlen persönlich auffgeopffert, da dann sein eygen Handtschrifft vnd Namen zu finden ist u. s. w. Im Thon: Ich gieng mit lust durch einen Waldt. Getruckt zu Ynnßprugg, bey Johann Gächen. Anno 1638. 4 Bl. 8. „Ein Jungckfraw zahrt von Edler Arth". 34 Str. (o. Mel.) Sammelband von Einzeldrucken.

341. 1638. Zwei schön newe Geistliche Lieder, Das erst Von einem Holtzhacker vnd Edelmann u. s. w. Im Thon: Warum betrübst du dich mein, ꝛc. Das ander Lied Von deß Menschen Armseligkeit, vnd zergencklichen Frewden. Im Thon: Wie man die siben Wort singt. Getruckt zu Ynßprugg, bey Daniel Pauer. 1638. 4 Bl. 8.

1) „Der Mensch mueß hon vil Angst vnnd noth, wann er im Schwaiß gewinnt sein Brot". 22 Str. (o. Mel.)
2) „O Welt dein Pracht vnd Vbermut". 24 Str. (o. Mel.)
Sammelband von Einzeldrucken.

342. (1638.) Drey Geistlich gsang, Das erste Der Geistliche Jäger. Das ander: Es flog ein Vögele Leise, zu einer Jungfraw rein, ꝛc. Das dritte, Aue Maria Klare, du liechter Morgenstern. Jedes in seiner bekandten Melodey. Zu Ynßprugg bey Johann Gächen. o. Jahr. 4 Bl. 8. (o. Melodien.)

1) „Es wolt guet Jäger jagen". 8 Str.
2) 7 Strophen.
3) 12 Strophen. Sammelband von Einzeldrucken.

343. 1638. Drey schöne newe Geistliche Lieder... Das Erste Von vnser L. Frawen. Das Ander von dem Leyden Christi, die geistliche Farb genandt. Das Dritt Von dem Willen Gottes... Augspurg, Christoff Schmid. 1638. 8 Bl. 8.

1) „Maria Himmel Königin".
2) „In Schwartz will ich mich kleyden".
3) „Solls seyn so seys, wie mein Gott will".
(Weller, Annalen II, 179.) Königl. Bibl. in Berlin.

344. 1638. Ein Schönes newes geistliches Lied, sampt ainem schönen Rueff, von S. Anna: Dabey auch ein schönes Klaglied... Jesus mein Trost, mein süsse Frewd... Passaw, Conr. Frosch. 1638. 8 Bl. 8.

2) „Jesus Maria Anna".
3) „Gott gnade dir du liebe Seel". Von Anna Schielin.
(Weller, Annalen II, 179.) Königl. Bibl. in Berlin.

345. 1638. Die Vnbefleckte, Allerreiniste Jungfraw vnd Muttet Gottes, Groß wunderthetig zu Werden Stein, Lucerner Gebiets, in dem Schweitzerland, Jetzt new Reymen weiß

verfaßt, Im Thon, Nachtigall, dein edler Schall etc., Sampt vnser lieben Frawen Letaney Gesangsweiß. Getruckt zu Lucern, bey David Hautt, Im Jahr, 1638. 8 Bl. 8.

1) „In dem Edlen Schweitzer Land". 30 Str. (ohne Mel.)
2) „Frew dich, du Himmel Königin, frew dich, Gottes Gebärerin!" 42 Str. (ohne Mel.)
Sammelband von Einzeldrucken.

346. 1638. Fünff schöne andächtige Fasten Gsänger. Das bitter Leyden vnd sterben Jesu Christi zu betrachten, so wol zu Hauß als in der Kirchen zu singen. Dz erst im Thon: Ohn dich mueß ich mich aller Freüden massen. Das ander, das Geistlich Vhrwerck. Das dritte, O Hochheiliges Creutze, das vierdte Da Jesus in den Garten gieng. Das fünfft zu der Verwundten Seiten Christi. Zu Ynßprugg bey Johann Gächen. O. Jahr. 8 S. 8. (ohne Melodien.)

1) „Ohn dich wil ich mich aller Frewden massen". 21 Str.
2) „O Mensch mit fleiß gedenk all stund". 13 Str.
3) 15 Strophen.
4) 11 Strophen.
5) „Ich dich O Hertzwund Christi grüß". 4 Str.
Sammelband von Einzeldrucken.

347. 1638. Ein schöner Rueff, von dem heiligen Vorlauffer vnd Tauffer Christi Johannes etc. Getruckt zu Ynßprugg bey Johann Gächen. 4 Bl. 8. „Dv Heiliger Johannes, du vil heiliger Mann". 17 Str. (ohne Mel.) Sammelband von Einzeldrucken.

348. 1639. Catechismus In außerlesenen Exempeln, kürtzen Fragen, schönen Gesängern, Reymen vnd Reyen für Kirchen vnd Schülen von newem fleissig außgelegt vnd gestelt dürch R. P. Georgium Voglerum Engensem der Societet Jesv priestern. Würtzburg Bey Elias Michael Zinck: A°. 1639. 8. Neuer Abdruck der Ausgabe vom Jahre 1625.

349. 1639. Etliche geistliche Gesänger, So in der Ertz Bruderschafft der Allerseligsten Jungfraw vnd Mutter Gottes Mariae Vnder dem Titul deß H. Rosenkrantzes, So allezeit Abends nach dem Gebett gesungen, Allen denselbigen Brüdern vnd Schwestern zur Befürderung mehrer Andacht, in Truck gesetzt worden. Gedruckt zu Wirtzburg, Im Jahr 1639. 21 gez. Seiten. 16.

1) „Es flog ein Engel in eyle".
2) „Merck auff O Christ, nun wer du bist".
3) „Ave Maria klare".
4) „Mein Hertz das brind, in Lieb entzünd".
5) „Mein Seel schaw her, dein Ghör sperr". Nr. 1, 2, 3 und 5 mit Melodien.
Bibliothek des Minoriten-Convents in Würzburg.

350. 1639. Zway schöne andächtige Gesänger. Zu der allzeit gebenedeytesten Jungkfrawen vnd Mutter Gottes etc. Dieselbige vmb jhr Intercession vnd Fürbitt, forderst zu disen gefährlichen Kriegs Empörungen demütig: vnd andächtigklich anzurueffen: Das Erste: In vnser L. Frawen Schutz-

Mantel Melodey. Das Ander in seiner aignen Melodey zusingen. Getruckt Im Jahr, 1639. 4 Bl. 8 ohne Ort.

1) „Zv dir steht vnser Hoffnung gantz".
2) „Wer Zungen hat vnd rueffen kan".

(Weller, Annalen II, 201 und 219.) Königl. Bibl. in München.

351. 1639. Ein schönes newes Geistliches Lied von den heiligen fünf Wunden Christi in Form aines geistlichen Gesprächs deß Engels, vnd ainer kleinmüthigen trostlosen Seel. Im Thon wie man die Kayserin singt etc. Gedruckt zu Paßaw. Durch Conradum Frosch. Anno 1639. 4 Bl. 8. „O Seel, O Seel, O Seel wie lang". 43 Str. (ohne Mel.) Sammelband von Einzeldrucken.

352. 1639. Ein andächtiger Rueff etc. wie 1636. 8 Bl. 8. (Weller, Annalen II, 219.) Königl. Bibl. in München.

353. 1639. Schnitter Lied: Das ist: Kurtze reymen, wie alle Blumen, deßgleichen alle Menschen, dem zeitlichen Todt vnderworffen. Sampt einem schönen Lateinischen .... Freyburg im Vchtland. Verlegt durch Joh. Häderlin zu Lucern. 1639. 6 Bl. 8. „Es ist ein Schnitter heißt der Todt." (Weller, Annalen I, 403.) Königl. Bibl. in Berlin.

354. (1639.) Ein schön newes Geistliches Lied. Das Geistlich: Einsmals ich lust bekam, genandt. Einsmals ich lust bekam, anzusprechen Gottes Sohn. Gedruckt zu Augspurg, bey Christoff Schmid. Ohne Jahr. 4 Bl. 8. 18. Str. (ohne Mel.) Sammelband von Einzeldrucken.

355. 1640. Vier schöne newe geistliche Lieder, Von vnser lieben Frawen der etc. Getruckt zu Ynßprugg, durch Michael Wagner. Anno 1640. 10 Bl. 8 mit Melodie.

1) „O Muetter der Barmhertzigkeit
sey vnns Barmhertzig allezeit".
2) „In weiß will ich mich Klaiden".
3) „Maria braith dein Mantel auß".
4) „Der gulden Rosenkrantz".

(Weller, Annalen II, 201 u. 221; Marian. Liederkranz S. 323 ff.) Königl. Bibl. in München.

356. 1640. Ein schönes newes Lied von dem grimmigen vnd bittern Todt, vnd wie es dem Sündigen Menschen in vnd nach demselbigen ergeht. Im Thon: Erzürn dich nicht O frommer Christ. Gedruckt zu Paßaw bey Conrado Frosch. 1640. 4 Bl. 8. „Der grimmig Todt mit seinem Pfeil". 19 Str. (ohne Mel.) Sammelband von Einzeldrucken.

357. 1640. Drey schöne newe geistliche Lieder, Vonn vnser lieben Frawen der Muetter der Barmhertzigkeit ... Getruckt zu Ynßprugg, durch Michael Wagner 1640. 8 Bl. 8. mit Mel.

1) „O Muetter der Barmhertzigkeit,
dein heylig Bild vns sehr erfrewdt".
2) „Maria du Barmhertzigs Weib".
3) „Maria Brunn der guetigkeit".

(Weller, Annalen II, 201 u. 220; Marian. Liederkranz S. 342 ff.) Königl. Bibl. in München.

358. (1640.) Zwey schöne newe Geistliche Lieder. Das Erste: Zäher, der Ewigkeit vergossen vnd auffgeopffert. Ach was ist das, mein Hertz das bimbt, etc. Das ander: Ist ein Gespräch, einer verdampten Seel mit jhrem Leib. Merck auf du Gott-vergeßne Welt etc. Im Thon: Der grimmig Todt mit seinem Pfeil, etc. Augspurg, bey Marx Antonj Hannas. 6 Bl. 8. ohne Jahr. (Weller, Annalen II, 221.) Königl. Bibl. in München.

359. 1640. Der Passion, Das ist: Ein schön New Geistlich Lied, Vom Fall Adam vnd Eva, vnd Wiederbringung Menschliches Geschlechts, durch Christi Leyden vnd Aufferstehung. Jetzo aller frommen Christen zum erstenmahl in Truck verfertigt. Im Thon, wie man die Sieben Wort singet, Da Jesus an dem Creutze stund. Getruckt zu Lucern, Im Jahr 1640. 4 Bl. 8. „Die Heilige Dreyfaltigkeit in einer ewigen Gottheit". 42. Str. (ohne Mel.) Sammelband von Einzeldrucken.

360. 1640. Seufftzer zu vnser lieben Frawen, der Mutter Gottes, vnd Patronin. In ein New Lied verfasset, von einem sondrn Liebhaber derselben. Im Thon: Kehr vmb mein Seel vnd Trawre nicht etc. Lucern, im Jahr 1640. 4 Bl. 8. „Maria, Mutter Gottes rein, du bist mein trost zuflucht allein". 31 Str. (ohne Mel.) Sammelband von Einzeldrucken.

361. 1640. Der alte Schnitter. Das ist, Ein Newes Schnitter Lied, oder Blümel Gsang, von dem vralten Schnitter genandt Todt. Welcher von anfang d' Welt bißhero alle zeitige vnd vnzeitige Bluemen deß Menschlichen Geschlechts hat abgeschnitten, vnd noch täglich ja stündlich vnd augenblicklich abschneidt, auch hinfüro wird abschneiden biß zu end der Welt. Zu Nutz vnd Warnung aller noch stehenden, grünenden vnd blühenden Blumen geschriben, gesungen vnd getruckt zu Ynßbrugg, bey Michael Wagner. Im Jahr, 1640. 2 Bog. 8. mit Mel.

„Der alte Schnitter Tod genand,
Von Gott in d'Welt gesand,
Sein Sichel schon wetzet".

(Weller, Annalen II, 222.) Königl. Bibl. in München.

362. 1640. Klaglied der armen betriebten vnd betrangten lieben Seelen in dem Segfewr . . . Gedruckt zu Ynßprugg, bei Michael Wagner. Anno 1640. 8 Bl. 8. „O Schwehre Gottes Hand, Wie bist allhie zue land". (Weller, Annalen II, 221.) Königl. Bibl. in München.

363. 1640. Jesus, Maria, Joseph, Ein schönes newes Geistliches Lied, von disen dreyen hochheiligen Personen etc. Getruckt zu Ynßprugg, bey Michael Wagner. Anno 1640. 8 Bog. 8. mit Mel. „Aller gueter ding seynd drey Jesus, Maria, Joseph". (Weller, Annalen II, 221.) Königl. Bibl. in München.

364. 1640. Ein schön Geistlich Lied. Von dem Wunderlichen Blut Zu Willisaw. Im Thon: Kompt her zu mir, spricht

Gottes Sohn, etc. Lucern, Getruckt Bey David Hautt, Im Jahr 1640. 4 Bl. 8. „Mein junges Gmüht das reitzt mich an". (Weller, Annalen II, 180.)

365. (1640.) Ein newes Lied, Von der Lieb vnd Zuversicht zu der werthen Jungkfrawen vnd Mutter Gottes Maria. (Ohne Ort und Jahr.) 4 Bl. 8. mit Mel. „Amor thuet mich bezwingen, daß ich jetzt muß singen". (Weller, Annalen II, 201 u. 221; Marian. Liederkranz S. 366.) Königl. Bibl. in München.

366. 1640. (Balde, Jac.) Ehrenpreiß der Allerseligsten Jungfrawen vnd Mutter Gottes Mariae. Auff einer schlechten Harpffen jhres vnwürdigen Dieners gestimbt vnd gesungen. Nachgetruckt im Jahr 1640. 8 Bl. 8. mit Melodie. „Ach! wie lang hab ich schon begert, Maria dich zu loben". (Weller, Annalen II, 201; Mar. Liederkranz S. 313.) Königl. Bibl. in München.

367. (1640.) Ein Lobgesang Von Mariae Hilf, auf dem welschen Berg bey Milheim. In beygesetzter Melodey: Kan auch sungen werden, Frew dich du werthe Christenheit. Augspurg, bey Marx Antoni Hannas. 4 Bl. 8. „Wir wandlen hier ins Herren Hauß". (Weller, Annalen II, 201.) Bibl. in Aarau.

368. 1640. Lobgesang Zu Ehren der Vielseeligisten Hochgebenedeyten Jungfr. Maria Zu Einsidlen. etc. Getruckt zu Lucern, Bey David Hautt, Im Jahr, 1640. 4 Bl. 8. „Ein Jungfraw zart, von edler arth". 35 Str. (ohne Melodie.) Sammelband von Einzeldrucken.

369. 1640. Bruder Clauß: Das ist: Vonn dem Leben, Lehr, Standt, Handel vnd Wandel deß seligen Manns Brudr Clausen, Einsidel vnnd Landmanns von Vnderwalden etc. In ein Lied verfasset, Im Thon, wie man den Thellen singt. Getruckt zu Lucern, im Jahr 1640. 7 Bl. 8. „Ein Lust hab ich zu singen". Vgl. 1613. (Weller, Ann. II, 175.)

370. 1640. Geistlich Meyen-Lied, Von dem Gnadenreichen lieblichen Meyen, Jesum Christum am Creutz hangend etc. Im Thon: Es nahet sich dem Sommer, der Winter ist bald dahin. Getruckt zu Lucern. Im Jahr 1640. 4 Bl. 8. „Es nahet sich dem Sommer, so singen die Vögelein". 17 Str. (ohne Mel.) Sammelband von Einzeldrucken.

371. (1640.) Ein schön newes Lied, Von der Hocheiligen vnd Hocherleuchten Jungfrawen vnd Ordens-Stiffterin S. Clarae, Der Seelen-Bräutigam genandt. Wolauff mein Seel, jetzt ist die Zeit, jetzt ist der Tag etc. Ins Schnitters Melodey, oder Blümelgesang ... Zu Augspurg, bei Marx Antoni Hannas. 4 Bl. 8. (Weller, Annalen II, 221.)

372. 1641. Mausoleum Salomonis. Der Potentaten Grabschrifft, Vrlaub vnd Abschidt. Von den zeitlichen Digniteten, mit Erklärung aller Eytelkeit. Durch zwölff Geistliche Gesänger... Permissu Superiorum. München, Bey Melchiorn

Segen. 1641. 3 Bogen 12. mit Melodien. Dichter Joh. Khuen. (Weller, Annalen II, 580.)

373. 1641. Zwei schöne newe Lieder, Das erste Die Himmel=Rosen genannt, von Christi Leben, Todt vnd Wandel. Die siben Worte Christi, am Creutz gesprochen. Ynsbrugg, bey Michael Wagner 1641. 8 Bl. 8. mit den Liedern: „Es floß ein Rooß vom Himmel herab", 61 Strophen, und „Da Jesus an dem Creutze stund", 9 Strophen (ohne Melodien). Sammelband von Einzeldrucken.

374. (1641.) Zwey newe Geistliche Lieder, Auff den Geistlichen Stand gericht u. s. w. Zu Augspurg, bey Marx Anthony Hannas. Ohne Jahr. 4 Bl. 8.

1) „Gegrüßt seyst du, Francisce,
du Engelischer Mann". 5 Str. (ohne Mel.)

2) „O Wehe, wie ist meim Hertzen,
wie lang ist mir die zeit". 8 Str. (ohne Mel.)

Sammelband von Einzeldrucken.

375. 1641. Klag= vnd Frewd Lieder Erstlich, Der armen betrübten vnd betrangten lieben Seelen in dem Fegfewr. Das Ander, Jubelgesang, einer Erlößten Seel auß dem Fegfewr. Beyde Im Thon: Montebau: oder, O der bösen Stundt, da ich war verwundt, etc. Jetzt von Newem Getruckt zu Lucern, bey David Hautt. 1641. 8 Bl. 8.

1) „O Schwehre Gottes Hand". 50 Str. (ohne Mel.)
2) „O Milte Gottes Hand". 27 Str. (ohne Mel.)

Sammelband von Einzeldrucken.

376. 1641. Klaglied der armen betrübten und betrangten Seelen im Fegfewr. Ingolstadt 1641. 4 Bl. 8. (Weller, Ann. II, 202).

377. 1641. Der Seelen Trostgarten, Das ist: Ein schön new Lied, zu Lob vnd Ehren der Allerseligsten vbergebenedeyten Gebärerin vnnd Mutter Gottes Mariae. Im Thon: Es nahet sich der Sommer. Lucern, Im Jahre Christi 1641. 4 Bl. 8. „Tröstlicher schöner Meyen, Ach frõliche Sommerszeit". 15 Str. (o. Mel.) Sammelband von Einzeldrucken.

378. 1641. Ein schön Geistlich Lied, von der H. Jungfrawen vnd Martyrin Catharina. Wie sie von dem Heydnischen Keyser Maximiniano gemartert worden. Getruckt zu Lucern, Im Jahr 1641. 4 Bl. 8. „Wir lobn die heilig vnd die rein, die heilig Jungfraw Catherein". 24 Str. (ohne Mel.) Sammelband von Einzeldrucken.

379. (1641.) Zwey schöne Gesang. Das Erste vom Geistlichen Weinstock. Christo Jesu sein bitters Leyden vnd Sterben zu betrachten. Das Ander Das Magnificat, seiner Gebenedeiten Muetter, wie sie zu jhrer Baß Elisabeth vber das Gebürg gangen. Können beyde in einer Weiß, auch bey Creitzgengen gesungen werden. Getruckt zu Ynßprugg bei Johann Gächen (ohne Jahr). 4 Bl. 8.

1) „Was wöllen wir aber singen
wöllen singen ein süesses Gsang
von den edlen Weingardten
der ist erpawet schon". 14 Str. (ohne Mel.)

2) „Maria hat jhr fürgenommen
vber das Gebürg zu gehen". 16 Str. (ohne Mel.)
Sammelband von Einzeldrucken.

380. 1641. Ein schön Lied genannt Maria Zahrt, von Edler arth, — etc. Durch einen büssenden Sünder, in seiner grossen Kranckheit, der Mutter Gottes zu Ehren vnd Liebe componiert vnd gedicht. Jetzo von newem vbersehen, an vielen Orten corrigirt vnd gebessert. Getruckt zu Lucern im Jahr 1641. 8 Bl. 8. „Maria zart, von Edler art, Ein Roß ohn alle Doren". 32 Str. (ohne Mel.) Sammelband von Einzeldrucken.

381. 1643. Zwey schöne Lieder, Das Erste. Vom Leben, Marter vnnd Todt, deß seeligen Vatters Fidelis, Capuciners, welcher in Pündten zu Todt geschlagen worden. Das Ander. Von S. Maria Magdalena. In der Weyß. Gut Rüter rydt wol durch das Ried, mit lust sang er ein Tagelied. Gedruckt zu Lucern, Im Jahr 1643. 4 Bl. 8.
1) „Ein Liedlein will ich heben an".
2) „Der heilig Geist mit seiner Gnad".
(Weller, Annalen II, 180.)

382. 1644. Psalter Des H. Propheten Dauids, vnter allerley Melodeyen in Teutsche Gesang-Reimen bracht. Durch Casparum Ulenbergium Lippiensem u. s. w. Getruckt zu Cölln ex aedibus siue officina Quenteliana In Verlegung Herrn Geruvvini von Kreps beyder Rechten Doctoris. Im Schwanen vor S. Paulus. Anno M. DC. XLIV. Mit Röm. Keys. May G. vnd Freyheit. 16. 5 Seiten Widmung, 7 S. Vorrede, 6 S. Register, alle nicht numerirt. Psalter S. 1 bis 594. S. 595: „Des heiligen Aurelij Augustini Psälterlein, welches er auß den Psalmen Dauids gezogen vnd der Monica seiner mutter zugerichtet hat". — Cantica S. 615—675. S. 676: „Folgen etliche alte Catholische Kirchengesäng auff die fürnembste Feste durchs gantze Jahr in jhrem gewöhnlichen Thon zu singen". 27 bekannte Kirchenlieder. Nur das erste „Vater vnser der du bist" mit Mel. Folgen S. 718—724 die Antiphonen U. L. F. mit Gebeten in Prosa. Als Anhang S. 1—60: „Das Ampt für die Abgestorbenen", das Officium defunctorum in deutscher Prosa. Das Exemplar gehört der »Bibliotheca Rhetorum Prov. Germ. S. J.« (Wynandsraede.) Erste Ausgabe 1582.

383. 1646. Ein schön newes Kirchengesang nach der Wandlung, oder Auffhebung des heiligen Sacraments zu singen... Neben noch anderen, drey Gesängern vor der Predig, vorm H. Sacrament vnd vor der Kinderlehr zu singen. Alle in voriger Melodey. Gedruckt zu Coßnitz bey Johan Geng, 1646. 8 Bl. 8. mit Holzschnitt. Der eigentliche Drucker war G. Decker in Basel.
1) „Frewt euch jhr lieben Christen".
2) „Frewt euch jhr lieben Seelen".
3) „Frewd euch jhr Christen alle".
4) „Frewt euch jhr fromme Kinder".
(Weller, Annalen II, 159.)

384. 1647. Ehrenpreiß der Allerseeligisten Jungkfrawen vnd Mutter Gottes Mariae: Auff einer schlechten Harpffen jhres vnwürdigen Dieners gestimbt, vnd gesungen. Zu Nutz, Trost vnd wolgefallen aller Sodalium in vnser lieben Frawen Bruderschafften. Nachgetruckt zu München, bey Lucas Straub, In Verlegung Johann Wagner Buchhandlern. 1647. 8 Blätter. Auf der Rückseite des Titels 2 Melodien. Das 36strophige Gedicht: „Ach wie lang hab ich schon begeret, Maria dich zu loben" ist von J. Balde. Stadtbibl. in Augsburg.

385. 1647. Geistliches Psälterlein PP. Soc. Jesu, in welchem außerlesene alte vnd newe Kirchen- vnd Hausgesäng u. s. w. 1647. 12. (Weller, Annalen II, 97.)

386. 1648. Fünff Schöne andächtige Geistliche Gesänger vor vnnd nach dem Rosenkrantz zugebrauchen. Durch die H. Adventzeit, biß auff Weyhnächten. In der Melodey, Ave Maria klare, etc. Getruckt zu München, bey Lucas Straub. Im Jahr, 1648. 7 Bl. 8.

1) „Gleich wie der Hirsch thut lauffen".
2) „O Gott im höchsten Throne".
3) „O Gott thue vns Gefangnen".
4) „Last vns loben mit Frewden".
5) „Wir wollen auch begehren".
6) „O Mutter vnsers Herrn".

(Weller, Annalen II, 222.) Königl. Bibl. in München.

387. 1649. Trutznachtigal v. Spee. Beschrieben im II. Bde, S. 51.

388. 1649. Geistliche Nachtigal, der Catholischen Teütschen. Das ist Außerlesene Catholische Gesänge, auß gar vielen Alt und Neuen Catholisch. Gesangbüchern in ein gute und richtige Ordnung zusammengetragen, auch theils von Neuem gestellet. Jetzo zum drittenmal Corrigiert und verbessert durch D. H. David Gregorium Cornerum, der H. Schrifft Doctorn, Abbten zu Göttweig Benedictiner Ordens, etc. Gedruckt und Verlegt durch Gregorium Gelbhaar, Kays: Hoff Buchdruckern in Wien. Anno 1649. Mit Kayserlicher Freyheit. Inner 6 Jahren ohne Consens Hochernanten Herrn Abbtens nicht nachzudrucken. 8. 36 Seiten Vorrede von Corner und 4 Seiten Register, sodann 640 pag. Seiten mit 318, incl. d. Uebersetzungen aus dem Lateinischen 363 Liedern und 181[1] Melodien. Am Schluß 10 Seiten alphabetisches Register. Dann 7 Seiten Correcturen und ein Anhang von 15 Seiten mit 3 Liedern, der zum Buche gehört, denn er beginnt auf der letzten Seite des Blattes, auf welchem die Correctur steht.

1) „Ein geistlich Reise Lied im Thon: In deinem grossen Zorn. „In allen meinen Thaten, Laß ich den Höchsten rathen" u. s. w. 16 Strophen.
2) „Scheiden machet Augen naß" mit Melodie.
3) „Das walt mein Gott der mich die Nacht".

1) 281, vgl. Bibliographie des II. Bds. Nr. 117, ist Druckfehler.

1) von P. Flemming. Teutsche Poëmata, Lübeck (1642.)
3) steht in der von David von Schweinitz herausgegebenen „Penta-Decas Fidelium etc.“ Das ist Geistlicher Hertzensharffen, Von fünffmal-zehen Seiten. Fünffter Theil. Alten Stettin 1650. Universitäts-Bibliothek in Breslau.

389. 1649. Alte vnd Newe Geistliche Catholische außerlesene Gesäng, auff Sonn: vnd fürnehme Festtäg deß Jahrs, Processionen, Creutzgängen vnd Wallfahrten, bey der H. Meß, Predig, Kinderlehr, in Häusern vnd auff dem Feld, sehr nutzlich vnd andächtig zugebrauchen. Auß sonderm Befelch, deß Hochwürdigsten Fürsten vnd Herrn, Herrn Joannis Philippi, deß H. Stuls zu Mäintz Ertzbischoff, deß H. Röm. Reichs durch Germanien Ertz Cantzler, vnd Churfürst, Bischoffe zu Wirtzburg, vnd Hertzog zu Francken, etc. Sambt einem General Baß zu der Orgel, vnd widervmb new in Truck außgangen. Gedruckt zu Wirtzburg, bey Elias Michael Zincken, Im Jahr 1649. Titelblatt. 5 S. Vorrede, 17 Seiten Inhaltsverzeichniß. Darauf 495 pag. Seiten und 8 S. alphabetisches Register, mit denselben Liedern wie auch in den Ausgaben 1628 u. 1630.

Meine Bemerkung bei der Beschreibung des Gesangbuches v. 1628 (II. Bd. S. 34), daß in der Ausgabe v. J. 1649 die Melodien nicht über dem Texte, sondern für sich allein stehen, ist dahin zu berichtigen, daß dies nicht der Fall ist. Ich hielt irrthümlicher Weise die in meinem Besitze sich befindende Ausgabe, der das Titelblatt fehlt, während die Vorrede v. 15. März 1649 datirt ist, für die Ausgabe v. J. 1649. Wie ich jetzt aus der Vergleichung mit einem vollständigen Exemplar ersehe, ist meine Ausgabe eine spätere. Universitätsbibl. in Freiburg i. B.

390. 1649. Eyn Schön Neüw Lyedt Von der Eytelkheytt diesszer Stolzen wält In Seyner Eignen Melodey. Gedhruckht Im Jahr 1649. 4 Bl. 8. ohne Ort. „Wo kompt es here Dz Zeyttlich Ehre“. (Weller, Annalen I, 287.) Bibl in Zürich.

391. 1649. Sechs Schöne andächtige Geistliche Gesänger vor vnnd nach dem Rosenkrantz zugebrauchen. Von Weyhnächten biß auff Liechtmeß. In der Melodey, Gelobet seyst du Jesu Christ, etc. Getruckt zu München, bey Lucas Straub, Im Jahr, 1649. 4 Bl. 8.

1) „O Mensch beherz die grosse Gnad“.
2) „Nvn ist der Rosenkranz vollendt“.
3) „Nvn sey gegrüsst O H. Zeit“.
4) „O Edle Kindlbettherin“.
5) „Herr vnser Herr wie wunderlich“.
6) „Nimb jezt O edle Jungkfraw schon“.

(Weller, Annalen II, 222.) Königl. Bibl. in München.

392. 1649. Heylig Creutz Das ist: Kurtze History, Von dem Hochheyligen Creutz Christi, Welches ein Ochs von Braband, auß der Statt Arras, in das Land Entlibuch Lucerner Gebiets getragen. Zu Lucern, auffs new gedruckt, vermehrt vnnd corrigiert Im Jahr 1649. 4 Bl. 8. „Ein Lust hab ich zu singen, mit Demuht heb ich an“. (Weller, Annalen II, 180.)

393. 1650. Tabernacula Pastorum, die Geistliche Schäfferey, Mit vilherlei Newen Gesänglein. ꝛc. Getruckt bey Lucas Straub. In Verlegung Johann Wagners in München. 1650. 16. Die Widmung ist unterzeichnet Joannes Khuen, Sacerdos. VI und 441 S. und 33 S. Notenbeilagen enthaltend 12 (2 und 3stimmig gesetzte) Melodien, nach welchen alle Gesänge gesungen werden können. Stadtbibliothek in Augsburg.

394. 1652. Zwey schöne newe Geistliche Lieder. Das erste: Ein Bittlied zu vnser lieben Frawen, O selige Mutter, voller Gnaden, etc. Das ander: Zu dir O Jungfraw Maria rein, schreyen wir alle in gemein, etc. Gedruckt zu Lucern, Bey David Hautt. Im Jahr 1652. 4 Bl. 8. (Weller, Annalen II, 180.)

395. 1652. Lobgesang Zu Ehren der Vielseligsten Hochgebenedeyten Jungfr. Maria Zu Einsidlen etc. Gedruckt zu Lucern, Bey David Hautt, Im Jahr 1652. 4 Bl. 8. „Ein Jungfraw zart von Edler Art", vergl. 1598. (Weller, Annalen II, 180.)

396. 1652. Catechismus etc. Durch R. P. Georgium Voglerum Engensem der Societet Jesu priestern. Würtzburg bey Elias Michael Zinck. 8. Neue Ausg. von 1625. Stadtbibl. in Augsburg.

397. 1652. Dies irae dies illa, das ist, Geistliches Todtenlied der Christlichen katholischen Kirche bei Besingnussen (d. h. Begräbnissen, die mit Gesang begleitet werden) der Christglaubigen Abgestorbenen gebräuchig. Sehr andächtig zu betten vnd zu singen. Im Jahr. 1652. Permissu Superiorum. Getruckt zu München bei Lucas Straub. In Verlegung Joh. Wagners Buchhändlers daselbst.

Fliegendes Blatt 12. Enthält das Dies irae und die deutsche Uebertragung: „Ein tag des Zorns, der Jüngste tag, da All's wird z' Aschen werden" mit Melodie. (Lisco, Dies irae. Berl. 1840. S. 106.)

398. 1653. Catholische Sonn- vnd Feyertägliche Evangelia, vnd darauß gezogene Lehrstück. Sambt etlichen, zu der Christlichen Lehr vnd Lob Gottes gehörigen, am end beygesetzten, Gesängen. Alles in Teutsche Reymen vnd Melodey verfasset. Neben andächtigen, auß jedem Evangelischem Text gezogenen Gebetten. In Kirchen, Schulen, vnd Gottseeligen Versamblungen, auch zu Männiglichs privat andacht, nützlich zugebrauchen. Mit Röm. Kayserl. Mayestät Freyheit, nicht nachzudrucken. Gedruckt zu Wirtzburg, bey Elias Michael Zincken. Im Jahr 1653. 8. L

1 Titelblatt, sodann Dedication „An die Allerheiligste Dreyfaltigkeit" (3 Seiten). „An den Christlichen Leser" (5 Seiten). „An die Organisten vnd Sänger" (2 Seiten). „Außzug deren Evangelien vnd Gesängen, so einerley art der Reymen haben, vnd jhre Melodey mit einander können abwechßlen" (4 Seiten). Dann folgen 509 pag. Seiten und ein Register der Sonn- und Feiertage (3 S.). Das Buch enthält Evangelienlieder und Lehrstücke in Reimen nebst Gebeten auf alle Sonn- und Feiertage des Jahres. Das Evangelienlied ist jedesmal mit einer Melodie versehen. Das Lehrstück wird nach derselben Melodie gesungen. Am Schluß stehen noch „Etliche andere, zu der Christlichen Lehr, vnd Ehr Gottes gehörige Gesäng. Vatter vnser, der Englische Gruß, der

Glaub, die Zehen Gebott, die fünff Gebott der Kirchen u. s. w." Im ganzen finden sich hier 112 Melodien, nach Abzug der Wiederholungen 71 Originalmelodien, theilweise älteren Ursprungs. Die meisten sind neu, und rühren wahrscheinlich von dem Capellmeister Buchner her (vgl. II. Bd. S. 53). Viele Lieder aus dieser Sammlung (namentlich der vermehrten Auflage vom Jahre 1656) gingen in Folge des Erlasses des Erzbischofs Johann Philipp vom Jahre 1656 (vgl. II. Bd. S. 18) in die Mainzer Gesangbücher 1661, 1665 über. Später verschwanden sie wieder daraus, wie das Mainzer Gesangbuch vom Jahre 1679 zeigt. Exemplar auf der Stadtbibliothek in Augsburg. Melodien in diesem Bande No.: 115, 166, 229, 407.

399. 1653. **Außerlesenes Bett= Betracht= vnd Gesang Büchlein von den Sieben fürnembsten Schmertzen Mariae Matris Dolorosae. In allen Processionen durchs Jahr, Fürnemblich aber auff der Pilgerfahrt nach Eberhards Clausen, zu vnser L. Frawen Miraculoser H. Capeln gar nützlich zugebrauchen. Gezieret mit viel Anderen New vnd Vhralten vberauß schönen Melodeyen vnd Catholischen Kirch=Gesängen etc. Superiorum Permissu et Approbatione. Getruckt zu Trier, durch Hubertum Reulandt im Jahr 1653. 12.**

Das Büchlein zählt 300 pag. Seiten, sodann 4 Seiten Index und einen Anhang S. 301—324 (wohl nicht vollständig). Auch sonst ist das Exemplar defect. Es enthält im Ganzen 95 deutsche und 24 lateinische Lieder mit 60 Melodien. Die meisten sind ältern Gesangbüchern, namentlich dem Kölner Psälterlein, entnommen. Einigemale wird das mehrstimmige Psalteriolum vom Jahre 1642 citirt. Auch viele neugedichtete Lieder zur schmerzhaften Mutter mit neu componirten Melodien finden sich vor. Das Lied „Ihr Himmelsgeister ohne Zahl" trägt die Melodie des protest. Kirchenliedes: „Wie schön leuchtet der Morgenstern" und das Marienlied „Dich Fraw vom Himmel" die des damals sehr beliebten Volksliedes „Ein schöne Dahm". (Näher beschrieben in der Cäcilia. Trier, 1878, S. 19.) Das von mir benutzte Exemplar gehört der Stadtbibliothek in Trier.

400. 1654. **Ein geistliches Lied, Von dem heyligen vnd wunderthätigen Francisco Xaverio, u. s. w. Von newem vbersehen, gebessert vnd gemehrt, im Jahr 1654. Getruckt zu Lucern, bey Gottfrid Hautt. 6 Bl. 12. „Heyliger Francisce, Liecht der Heydenschafft".** (Weller, Annalen II, 181.) Bibl. in Luzern und Frauenfeld.

401. 1654. **Trutznachtigal von Spee. 2. Auflage. Vgl. 1649.**

402. 1654. **(Balde, J.) Ehrenpreiß (rc. wie 1640) Amberg. Georg Haugenhofer 1654. 6 Bl. 12. „Ach wie lang hab ich schon begert".** (Weller, Annalen II, 201.) Königl. Bibl. in München.

403. 1655. **Ein Newes Lied Von dem Vrsprung, Zunemmung, vnnd etlichen auß den fürnembsten Wunderzeichen deß Gnadenreichen Orths Vnser Lieben Frawen im Stein. In seiner eygnen Melodey zusingen: Sonsten auch wie man die Dornacht Schlacht: Item Ein Jungfraw zart von Edler art, etc. singen thut. Getruckt im Jahr 1655. 8 Bl. 8. ohne Ort. „Vil Berg vnnd Thal im Schweitzerlandt".** (Weller, Annalen II, 202.) Bibl. in Aarau.

404. 1656. **Catholische Sonn= vnd Feyertägliche Evangelia, vnd darauß gezogene Lehrstück: Wie auch Sonn= vnd Feyertägliche Episteln: Sambt etlichen, zu der Christlichen Lehr vnd Lob Gottes gehörigen, am end beygesetzten, Gesängen. Alles in Teutsche Reymen, vnd Melodey verfasset. Neben**

andächtigen, auß jedem Evangelischem Text gezogenen, Gebetten. In Kirchen, Schulen vnd Gottseeligen Versamblungen, auch zu männiglichs privat-Andacht, nützlich zugebrauchen. Mit Röm. Kayserl. Mayestat Freyheit nicht nachzudrucken. Gedruckt zu Wirtzburg, bey Elias Michael Zincken. Im Jahr 1656. 8.

Diese neue Ausgabe der Würzburger Evangelien ist durch die Hinzufügung der „Sonn- und Feyertäglichen Episteln“ und sonstiger Lieder bedeutend vermehrt. Dedication und Vorrede wie in der alten Ausgabe 12 Seiten. Seite 13—790 Evangelien-, Epistel- und sonstige Lieder. Am Schluß noch 6 Seiten Register und Druckfehlerverzeichniß. Die Einrichtung ist ganz dieselbe wie in der Ausgabe vom Jahre 1653. Zuerst ein Evangelienlied mit der Melodie, dann das Lehrstück und schließlich das Epistellied in derselben Melodie. Im Ganzen finden sich hier 118, abzüglich der Wiederholungen 73 Melodien, von diesen sind 8 neu, dagegen hat die Ausgabe 1653 6 Melodien, welche hier fehlen.

405. 1657. Heilige Seelenlust von Angelus Silesius. Siehe Beschreibung im II. Bd. S. 52.

406. 1657. Ein lied von der newerbawten Cappell genant Mariezell Bey Surse. Getruckt im Jahr 1657. 4 Bl. 8. ohne Ort. „Wolan mein Seel, thuo auff dein mund Marie Lob verkünden“. (Weller, Annalen II, 202.) Bibl. in Aarau.

407. 1658. Geistliche Nachtigal, der Catholischen Teutschen. Das ist Außerlesene Catholische Gesänge, auß gar vielen Alt und Neuen Catholisch. Gesangbüchern in ein gute und richtige Ordnung zusammen getragen, auch theils von Neuem gestellet Jetzo zum dritten mal Corrigiert, und verbessert durch H. H. David Gregorium Cornerum, der H. Schrifft Doctorn, Abbten zu Göttweig Benedictiner Ordens, Röm: Kajs: Majstätt Rath Gedruckt und Verlegt durch Johann Jacob Kürner, in Wien Anno 1658 Mit Kajserlicher Freyheit Inner 10 Jahren ohne Consens Hochernanten Herrn Abbtens nicht nachzudrucken. 8.

Titelblatt und 14 Blätter Vorrede von Corner. 2 Blätter Inhaltsverzeichniß, sodann 597 pag. Seiten und 10 Seiten Index. Enthält dieselben Lieder, welche auch die Ausgabe vom Jahre 1649 bringt. Königl. Bibliothek in Göttingen.

408. 1658. Die Psalmen des Koniglichen Propheten Davids: In Teutsche Reymen und Melodeyen verfasset. Mäyntz 1658.
Anderer Titel: Kayserlicher Psalter, das ist Psalmen Davidß etc. Getruckt zu Franckfurt am Main. Im Jahr 1658. Siehe die Beschreibung im II. Bde. S. 53.

409. 1659. Psälterlein der P. P. Soc. Jesu. Ed. 14. 1659. (Hoffmann 500.)

410. 1659. Harpffen Davids mit teutschen Saiten bespannt. Augspurg 1659. Siehe Beschreibung im II. Bde. S. 54.

411. 1659. Davidische Harmonia. Siehe die Beschreibung.

412. 1659. Der Groß-Wunderthätigen Mutter Gottes Mariae Hülff, Lob-Gesang. Gerichtet auff all jhre hohe Fest, vnd auff die Sonntäg deß gantzen Jahrs. Jedes Gesang in seiner eygenen schönen Melodey, sampt dem Orgel Baß dabey. Gestelt durch Fr. Procopium, Capucciner, der Oesterreichi-

schen Provintz Predigern. Vnd dann: Durch Georgium Kopp, der Zeit deß Fürstl. Hoch=Stiffts Passaw Organisten... Getruckt zu Passaw bey Georg Höller, im Jahr 1659. VIII, 373 S. und 4 S. Register. Stadtbibliothek in Augsburg.

413. 1661. Eucharistiale, das ist: Sechs vnd zwainzig gelehrte Geistreiche, doch mit grosser Klarheit wol außgeführte diser Zeit nothwendige nützliche Discursen oder Predigen vom Hochwürdigsten Sacrament des Altars. Gantz new gestellet durch Fr. Procopium.... Opusculum I. Gedruckt zu Passaw bey G. Höller, im Jahr Christi 1661. 8. XVI und 608 Seiten mit 6 Melodien von G. Kopp, Organist des Fürstl. Hochstiftes Passau. Stadtbibliothek in Augsburg.

414. 1661. Mäyntzisch Gesangbuch, In welchem begriffen seynd die außerlesenste, sowol alte, als neue Catholische, Latein und Teutsche Gesäng, so man das gantze Jahr in der Kirchen, in Bitt vnd Wallfarten, in Geistlichen Bruderschafften oder Versamlungen, in Kinderlehrn und Schulen pflegt zu singen: Auß sonderem Befelch deß Hochw. Fürsten, und Herrn, Herrn, Johann Philips deß Heiligen Stuls zu Mäyntz Ertz=Bischoffs, etc. deß H. Römischen Reichs durch Germanien Ertz=Cantzlers und Churfürsten, Bischoffen zu Würtzburg, Wormbs und Hertzogen zu Francken, etc. Von vielen, mit der Zeit eingeschlichenen, untauglichen Texten, ungereumbten Reymen, und andern dergleichen Truckfehlern geleutert, und verbessert, mit ernstlichem Verbott ohne außtrückliche Erlaubnuß, nichts darzu oder darvon zu thun, noch darin zu endern, Wie dann auch Mit Römischer Käyserl. Majestät, und Chur=Mäyntzischen Freyheit. Mäyntz, Und in Franckfurt zu finden. Im Jahr 1661.

502 Seiten 16. 6 Seiten Vorrede und 16 Seiten mit Registern. Das Buch enthält 251 Liedertexte, darunter 57 lateinische mit 163 Melodien. Einzelne kommen doppelt vor, z. B. S. 155 u. 165; S. 7 u. 494. Es finden sich hier viele Lieder aus den Würzburger Evangelien, welche im Erlaß Johann Philipps vom 28. Juni 1656 zum Gebrauch empfohlen worden waren. Vgl. II. Bd. S. 18 und die Vorrede in diesem Bande. Exemplar im Besitze des Herrn Wienand in Paderborn.

415. 1664. Egerisches Gesangbuch. In der Vorrede von Brauns Echo 1675 angeführt.

416. 1665. Mäyntzisch Gesangbuch. Dasselbe wie 1661. Exemplar im Besitze des Herrn Dechanten Hasak in Weißkirchlitz bei Teplitz.

417. 1665. Paderborner Gesangbuch von 1665. (Gärtner XXXIX.)

418. 1666. Rdi Patris Friderici Spee Societatis Jesv. Gülden Tugent=Buch. Das ist, Werck vnd Vbung der dreyen Göttlichen Tugenden: Glaubens, Hoffnung, vnd Liebe .... Anno 1666. Gedruckt zu Cöllen. Bey Wilhelm Friessem. 1 vol. 774 S. 12. Mit vielen Liedern ohne Melodien. Universitätsbibliothek in Freiburg.

19. 1666. Münchener Gesangbuch von 1666. 12. (Weller, Annalen II, 109. 4)

420. 1666. Musicalische Collectur . . . Lucern, Gottfrid Hautt. 1666. 12. (Weller, Annalen II, 181.) Bibl. in Luzern.

421. 1666. Gueter Tag, Das ist, Kurtz- vnnd guete Gebettlein, täglich sehr nutzlich zugebrauchen. So auch mögen gesungen werden. Im Thon: Jesus wie süß. Sampt Christlicher Kurtzweyl, Das ist Kurtz- vnd gute Gesänglein, vilfältig darmit das Gemüth zuermuntern. So auch mögen, Gebetts Weiß, gebraucht werden. An vnderschidlichen Orthen zu vor, vnd an jetzo zu Lucern nachgetruckt Bey Gottfrid Haut Anno 1666. 14 Bl. 12. (Weller, Annalen II, 181.) Bibl. in Luzern.

422. 1666. Psalter-Spiel Von zehen Seiten, das ist Zehen schöne Geistliche Gesäng nach folgender Ordnung u. s. w. Der Christlichen Jugent insonders, dann auch allen andern Gottseeligen Seelen zu geistlicher Ergötzung an Tag geben. Durch R. D. P. K. Anno 1666. Cölln, bey Friederico Friessem. 16. 48 Seiten mit 10 Liedern und 9 Melodien.

1) „Muß es dan gelitten seyn".
2) „Wer betrachtet leicht verachtet".
3) „Was fang ich an mein Gott und Herr".
4) „Was ist der Mensch auff dieser Erd?"
5) „O höchstes Gutt mein Seel vnd Blut".
6) „Ade zu guter Nacht".
7) „Was find ich vor ein Kindelein?"
8) „O Maria Jungfraw reine".
9) „O Ignati waß für flammen schlaget auß".
10) „Einen Engel Gott mir geben von der ersten stunden an".

Angebunden ein Liederbuch von 61 Seiten ohne Titelblatt mit 28 Liedern nebst Melodien auf den h. Augustinus. Bibliothek in Gaesdonck bei Goch (Rheinprovinz). Vgl. Gregoriusblatt 1885, Nr. 5.

423. 1666. Rheinfelsisches Gesangbuch. Siehe die Beschreibung.

424. 1667. Marianischer Jubel, das ist: Außerlesne Gesänglein von Maria der Himmelkönigin . . . Neben 2 gantz newen 1. die geistliche Cynthia. 2. der Blumengarten . . . Getruckt zu Lucern, bey Gottfrid Hautt, Im Jahr 1667. 12 Bl. 12. mit 11 Liedern. (Weller, Annalen II, 181.) Bibl. in Luzern und Frauenfeld.

425. 1667. Mariale Processionale. Das ist, Hundert kleine kurtze gar annehmliche Sermonel, Gerichtet für die Processionen über Land zu der seligsten Jungfräul. Mutter Gottes Mariam, deren 50. dienen zu gutter Auß ingleichen die andere 50. zu ordentlicher Wiederheimbsführung derselben, zu Mehrung der Andacht sehr nutzlich. Darbey auch die hierzu gehörige Gesänge. Durch P. Fr. Procopium. Capucciner der Oesterreichischen Provintz, sonst aber von Templin auß der Marck Brandenburg gebürtig, Priester vnd Prediger. Tot tibi sint laudes, Virgo, quot Sydera coelo. Cum Gratia et Privilegio Sac. Caes. Maj. Saltzburg, Druckts vnd verlegts Joh. Bapt. Mayr, Hoff- vnd Academischer Buchdrucker vnd Händler. Anno 1667. 8. Das

Buch enthält am Schluß S. 288—312 8 Marienlieder (ohne Melodien).

1) „Hoer mich du armer Peregrin“.
2) „Kombt her ihr liebste Kinder mein“.
3) „Maria Hülff, du edler Schatz“.
4) „O Jungfräwlicher Gnaden-Glantz“.
5) „Maria zu dir komme ich“.
6) „Mein Seel erschwinge dich“.
7) „Ave O Fürstin mein“.
8) „Hochgeehrtes Jungfräwlein“.

426. 1667. Alt-Catholischer Kirchen Jubel: Das ist, Etlich außerlesene Alt-Catholische Kirchen-Gesänglein, . . . Neben etlich beygesetzten Newen. Permissu Superiorum. Getruckt zu Lucern Bey Gottfrid Hautt, Im Jahr 1667. 12 Bl. 12. Mit 20 Liedern. (Weller, Annalen II, 181.) Bibl. in Luzern und Frauenfeld.

427. 1668. Geistliches Psälterlein der P. P. Soc. Jesu, in welchem die außerlesensten u. s. w. Cölln 1668. Genauer Abdruck des älteren Psälterleins ohne Melodien. Die zu diesen Liedern gehörenden Melodien, 193 an der Zahl, stehen in einem besonderen Theile. Cölln. 1650. (Cäcilia, Trier. 1878, S. 19.) Stadtbibliothek in Trier.

428. 1668. Musicalische Collectur, Oder Außerlesne, Geistliche, Trost- vnd Lehrreiche Gesänglein, ... Gedruckt zu Costantz, Bey Johann Jacob Straub, Anno 1668. 30 Bl. 12. (Weller, Annalen II, 181.) Bibl. in Luzern. Andere Ausgabe in Frauenfeld.

429. 1668. Zwey sonders bewährte Marianische Tagzeiten. I. Officium Von der Vnbefleckten Empfängnus Mariae etc. II. Der Schmertzliche Curß Höchst gedachter etc. von St. Bonaventura beschrieben. Nachgedruckt zu Costantz, Bey Johann Jacob Straub, Im Jahr 1668. 16 Bl. 12. Weller, Annalen II, 182.) Bibl. in Luzern.

430. 1668. Christliche Weißheit, Das ist, Verzeichnuß d' Stuck, welche ein Christ wissen soll. etc. Reymensweiß in schöne Fragen vnd Antworten gestellt . . . Lucern, bey Gottfrid Hautt, 1668. 6 Bl. 12. (Weller, Annalen II, 182.) Bibl. in Luzern.

431. 1668. Ignatianischer Jubel; Das ist, Etliche außerlesene Gesänglein von dem H. Vatter Ignatio Loyola, Stiffter der Societet Jesu, Alle in besondere Melodey, so hin vnnd wider zufinden. Cum facultate Superiorum. Gedruckt zu Costantz, Bey Johann Jacob Straub, Im Jahr 1668. 12 S. 12. mit 5 Gesängen. (Weller, Annalen II, 182.) Bibl. in Luzern und Frauenfeld.

432. 1668. Josephinischer Jubel; Das ist Ausserleßne Gesänglein von S. Joseph dem Nehr-Vatteren Jesu, Bräutigamb Mariae, Vnd Allgemeinem Welt-Patronen . . . Permissu Superiorum. Getruckt zu Lucern, bey Gottfrid Hautt, Im Jahr 1668. 6 Bl. 12. mit 8 Gesängen. (Weller, Annalen II, 182.) Bibl. in Luzern und Frauenfeld.

433. 1668. Eißfeldisches Gesangbuch. Dieses wird in der Vorrede der Ausgabe vom Jahre 1690 genannt. Wackernagel (V. S. 1330) erwähnt es mit folgenden Worten: „Das 1668 zu Duderstadt bei Joh. Westenhoff erschienene Gesangbuch, $18^1/_2$ Bogen 12. scheint aus dem Cornerischen geflossen, aber eines der besseren zu sein.“

434. 1668. Jubel guter Dingen d. i. von den drei allerbesten Dingen der Welt, d. i. auserlesene Gesänglein von vnd zu Jesu, Maria, Joseph. Lucern, Gottfrid Hautt. 1668. 12. (Weller, Annalen II, 181.) Bibl. in Luzern.

435. 1668. Ein Geistliches Lied, zu dem Ertz-Engel S. Michael. In seiner eygnen Melodey zu singen. Gedruckt im Jahr, 1668. 4 Bl. 8. ohne Ort.

1) „O Vnüberwindlicher Held“.
2) „Sanct Gabriel, O edler Geist“.
3) „Tröst die Betrangten“.
4) „O Ihr Schutz-Engel alle“.
5) „O Engel, O jhr Geister rein“.

(Weller, Annalen II, 223.) Königl. Bibl. in München.

436. 1668. Englische Schildwacht Von dem lieben H. Schutz-Engel . . . In seiner eygnen Melodey zusingen, Oder im Thon: Frewd euch jhr lieben Christen. Cum facultate Superiorum. Gedruckt zu München, bey Maria Magdalena Schellin Wittib, 1668. 8 Bl. 12. „Schutz Engel mein Beschützer trew“. (Weller, Annalen II, 223.) Königl. Bibl. in München.

437. 1669. Ein schönes Lobgesang von dem heiligen Francisco Xaverio etc. In seiner eignen Melodey lieblich zu singen. Gedruckt zu München, bey Sebastian Rauch, 1669. 12 Bl. 12. „Heiliger Francisce, Liecht der Heydenschafft“. (Weller, Annalen II, 223.) Königl. Bibl. in München.

438. 1669. Desiderium Collium aeternorum. Engel-Post. Auß dem Himmelischen Jerusalem herab in das Babylonische Jammerthal u. s. w. von Joanne Kven. München. 16. Verlegts J. Jäcklin, Churfürstl. Hofbuchtrucker. XX u. 719 Seiten u. 5 S. Register (ohne Melodien). Stadtbibliothek in Augsburg.

439. 1670. Bamberger Gesangbuch, Worinnen Außerlesen Christlich Catholische und Geistreiche Gesänger, auff Sonn- und fürnembste Festäg, und sonsten das gantze Jahr durch bey Processionen, Creutzgängen, Bitt- und Wallfahrten, auch bey dem Ampt der H. Mess, Predig, Kinderlehre, und Bruderschafften, in Häusern, und auff dem Feld, sehr trost- und nutzlich zu gebrauchen. Zuvorn von weiland deß Ehrwürdigen Herrn Johan: Degen, gewesenen Sacellano in S. Martins Pfarrkirchen allhier, mit Fleiss zusammen getragen, anjetzo vermehrt. Ex permissu Superiorum. Bamberg In Verlegung Johann Eliae Höffling Bibliop: Academ: Getruckt in d' Hochfürstl. Truckerey, Durch Johann Jacob Immel. 1670. 16.

1 Titelblatt, 6 S. Vorrede, 14 S. Inhaltsverzeichniß; sodann 552 gez. Seiten mit 259 Liedern und 176 Melodien. Am Schluß 12 S. alphab. Register. Stadtbibliothek in Augsburg.

440. 1670. Geistliche Vbungen von einem jeden Christglaubigen auff das wenigist einmahl in dem Tag mit Andacht zu-verrichten. Auß dem Römischen Exemplar, so Anno 1662. außgangen, zu München Anno 1663 nachgetruckt, Anjetzo aber zu Eingang diß 1670. Jahrs, in Reymen verfaßt worden, in der Melodey wie folgt. Getruckt zu München, bey Sebastian Rauch, 1670. 6 Bl. 12. mit Mel. „O Heiligste Dreyfaltigkeit! Demütig ich dich ehre". (Weller, Annalen II, 223.) Königl. Bibl. in München.

441. 1670. (J. Kuen) Tabernacula virtutum. Kirchenjubel in der Ferdinand-Kapelle der Graf Wartenbergischen Behausung bei Ausstellung der transferirten Reliquien, d. vierten Sonntag nach Ostern 1670. München 1670. 108 Seiten 8.

442. 1671. Catholisches bewehrtes Kirchen-Gesangbuch. Würzburg 1671. (Cantica Spirit. 2. Ausgabe. 1869, Vorrede u. I, 154.)

442a. 1671. Gesangbüchlein mit einer Litaney der H. Patronen des Eichsfelds. Duderstadii 1671.

Das Buch ist von dem Jesuiten P. Johann Müller herausgegeben, der sich um die Verbreitung des deutschen Kirchenliedes im Eichsfelde sehr verdient gemacht hat. Wolf führt in seiner „Kurzen Geschichte des Kirchengesanges im Eichsfelde. Göttingen 1815" ein Lied von diesem Pater an: „O Last der Sünden".

443. 1671. Ein Newes Lied S. Francisco Borgiae Dem Dritten General der Gesellschaft Jesu etc. München, Getruckt bey Sebastian Rauch, Im Jahr 1671. 11 Blätt. 12. mit 2 Mel.

1) „Singt all mit Frewd".
2) „Ach Käyserin! vnder denn schönen".
3) „Ich nimb vrlaub, O schnöde Welt".

(Weller, Annalen II, 223.) Königl. Bibl. in München.

444. 1673. Catholisch Manual oder Fuldisch Gesangbuch. (In der Vorrede der Ausgabe vom Jahre 1695 angegeben.)

445. 1673. Questenberg, A. Jacobina von, Andächtige Geistliche Gebett, Hymni, Collecten vnd Psalmen. Mit beygefügten Thonen. So in dem Hochlöblichen Stifft vnd Jungfraw-Closter bey den Himmelporten, Canonissarum Regularium S. Augustini in Wienn gebettet vnd gesungen worden. Mit 2 Kupfern. 7 Theile in 1 Bd. 8. (Catalog Haydinger, Wien 1876.)

446. 1673. Ein new andächtiges Lied zu Ehren der vnbefleckten Empfängnuß Mariae. etc. Einsidlen, Anno 1673. 4 Bl. 8. „Wach auff mein Sinn, wach auff mein Sinn, Mariae lob zusingen". (Weller, Annalen II, 202.) Bibl. in Aarau.

447. 1674. Corners Geistl. Nachtigal v. 1674. (Cantica spiritualia 2. Aufl. 1869. I., S. 152.)

448. 1674. Catechismale das ist: Dreyhundert Halbstündige Sermones, Oder Kinder-Lehr-Predigen, . . . Durch P. F. Procopium . . . Opusculum I—VI . . . Saltzburg 1674. 1675. 5 vol. 8. Mit vielen eingestreuten Liedern ohne Noten. Universitätsbibliothek in Freiburg.

449. 1675. Catholisches Manual; Begreiffend ein Vollständigs in der Hertzogl. Br. Lün. Residentz=Statt Hannover übliches Gesang=Buch, Mit 400 Gesängen. Gezogen aus allen Catholischen Gesang=Büchern, so je zufinden gewesen, um alle Gesänge, so wol new als alte, Teutsch und Lateinische, beysamen in einen Band zubringen; Welches von vielen frommen Christen oft zuvor eyferigst gesucht, aber niemals gefunden. Mit vorgesetztem immerwehrenden Calender: und folgends sehr andächtigen Gebet= Meß= und Rosenkrantz=Büchel. Zu End der Gesängen aber, ein Gut=Evangelisch=Catholische Glaubens Bekäntnis in Form einer herlichen Defension aller der Römisch=Catholischen Glaubens Puncten, aus Gottes Wort, wider allen Anfall, gesetzet. Hannover gedruckt und verlegt von Wolffgang Schwendiman Hoff=Buchdr. 12.

Es ist dasselbe Gesangbuch, welches Wackernagel K. L. I, 743 ff. (vgl Bibliographie im II. Bde. unter d. Jahre 1675.) beschrieben hat, nur mit verändertem Titel. Ich gebe eine kurze Beschreibung des mir zur Verfügung stehenden Exemplars. Titelblatt wie oben. Dedication: „Denen Durchleuchtigsten, Durchl. Durchl. Princeßinnen, Pr. Felicitas Charlotta, Pr. Henrietta Maria Josepha, Pr. Wilhelmina Amalia Gebornen Hertzoginnen zu Braunschweig, Lüneburg, Calenberg, Göttingen, und Grubenhagen, etc. Meinen gnädigsten Princeßinnen" etc., unterzeichnet: „Hannover 1. Mart. An. 1675." Privilegertheilung von Johan Friederich, Hertzog zu Braunschweig und Lüneburg v. 19. Febr. 1675." 1 Seite Approbation v. 1. Febr. 1675 von Valerius Ep. Mar. Vic. Apost. Dann folgt die Vorrede „An den andächtigen Singer" aus der „Davidischen Harmony 1666" abgedruckt. 2 Seiten. Kalender 14 Seiten. Jetzt beginnen die gez. Seiten 1—48 „Kurtzes Gebett=Büchel", sodann Seite 1—654 die Gesänge ohne Noten. Hier und da finden sich halbblattgroße Kupferstiche. Am Schlusse 8 Seiten Register.

Es folgt mit besonderem Titel: „Gut=Evangelisch=Catholische Glaubens=Bekantnüs, Erstlich in Römischer, Käyserlicher Wahl' vor 17 Jahren zu Franckfurth, Denen Großmächtigsten, und Durchleuchtigsten Königen, Chur=Fürsten, Fürsten, und Herren Ständen; Anjetzo Allen in gemein, die da Gott, die Warheit und ihrer Seelen ewiges Heyl lieben, zu heylsamer Bericht Von redlichen, gut=Catholischen, des Uhralten H. Römischen Reichs Unterthanen, aus klarem Wort Gottes, vorgetragen. Permissu Superior. Hannover, Bey Wolffg. Schwendimann. Anno 1675", 23 Seiten. Das Gesangbuch enthält den ganzen Kern der alten kath. Lieder. Daß auch viele protestantische aufgenommen worden sind, kann nicht Wunder nehmen, da der Verfasser die Davidische Harmony benutzt hat. Das mir zur Verfügung stehende Exemplar gehört der Herzogl. Bibliothek in Wolfenbüttel.

450. (1675.) Kleines Catholisches Gesangbüchl. Hannover bei Wolffgang Schwendiman. 32. Im Catholischen Manual daselbst auf der letzten Seite angezeigt.

451. (1675.) Immerwehrendes Lob Gottes, R. P. Spee. Hannover bei Wolffgang Schwendiman. 32. Im Catholischen Manual daselbst auf der letzten Seite angezeigt.

452. (1675.) Catholisches Schatzkästlein, sampt Gesangbüchl. Hannover bei Wolffgang Schwendiman Hoff=Buchdrucker. 32. Im Catholischen Manual v. 1675 auf der letzten Seite angezeigt.

453. 1675. Echo Hymnodiae Coelestis, Nachklang der himmlischen Sing=Chöre, das ist, Alte= und Neue Catholische Kirchen=

Gesänge, Auf die fürnehmste Zeiten deß gantzen Jahrs, wie auch Fest=Täge der gebenedeyten Mutter Jesu, und etlich anderer Heiligen Gottes. Aus approbirten Authoren der Catholischen Kirchen zusammen getragen, mit neuen Gesängern vermehret: Und zum Geistlichen Trost Aller andächtig=Catholischen Christen, zum nutzlichen Gebrauch der Herren Schul= und Kirchen=Bedienten allenthalben, bey denen gehaltenen Gottesdiensten und Wallfahrten, mit annehmlichen Melodeyen, zum Singen und Schlagen, aufs fleissigste gestellet. Von Joanne Georgio Braun, von Ubthal, Chor-Regente in Eger. Sultzbach, In Verlegung Wolfgang Moritz Endters, und Johann Andreae Endters Sel. Erben. Druckts Abraham Liechtenthaler. Permissu Superiorum. Anno 1675. 12.

1 Seite Titelblatt. Auf der Kehrseite beginnt die Dedication, 2 Seiten lang; sodann 5 Seiten Vorrede und 2 S. Inhaltsverzeichniß. Auf 591 pag. Seiten folgen dann 211 Lieder mit 143 Melodien. Am Schluß 11 Seiten Inhaltsangaben u. 8 S. alphab. Register nebst 1½ S. Correcturen von Druckfehlern. Das Buch enthält zwar noch einen Kern alter Lieder, stellenweise sind aber die alten Melodien stark modernisirt worden. Die größere Anzahl der Lieder ist neu: von Khuen, Spee, Angelus Silesius, aus der „Harpffen Davids“ etc.

454. 1675. Geistliche Jubel, Oder Frewden=Gesäng. Vom Leben vnd etlichen Wunderwercken deß H. Vatters Ignatii, von Loiol, wie auch S. Francisci Xaverii etc. Im Thon: Frew dich du Himmel=Königin, Frew dich Maria, etc. Gedruckt zu München, bey Sebastian Rauch, Im Jahr 1675. 12 Bl. 12.

1) „Frewd über Freud O Christenthum“.
2) „Frew dich du Zier der Christenheit“.
3) „Dein Lieb, Ignati, ist entzünd“.

(Weller, Annalen II, 224.) Königl. Bibl. in München.

455. 1675. Christliche Nachtigall, das ist, der Edlen vnd lieben Jugendt der Hertzoglichen Stadt Lutzenburg, zu geistlicher Lust und Lieb, auff 75 außerlesen schöne melodeyen 75 newgemachte Gesänglein, so auch Gebettweiß gebraucht werden mögen, auffgesetzt durch P. Dominicum Nergent der Societet Jesu Priestern. Gedruckt zu Cölln bei Wilhelm Friessem 1675. Ohne Melodien. Stadtbibliothek in Trier.

456. 1676. Psalter Davids vnd Lobgesänge durch C. Ulenberg verteutscht sampt alten Kirchengesängen etc. Cölln 1676. Bibliothek des Dechanten Hasak in Weißkirchlitz bei Teplitz.

457. 1676. Corners Geistliche Nachtigal. Siehe die Bibliographie des II. Bds. Nr. 117.

458. 1677. Münsterisch Gesangbuch, Auff alle Fest vnd Zeiten deß gantzen Jahrs, in der Kirchen bey dem Ampt der H. Meß, vor= vnd nach der Predig, auch in Processionen vnd Bittfahrten, in Geistlichen Bruderschafften vnd Versamblungen, auch in der Christlichen Lehr, vnd in den Schulen, wie auch zu Hauß, oder im Feldt, beym Reisen

oder arbeiten gar nützlich zu gebrauchen. Jetzo auffs new übersehen, vnd mit vielen schönen, alten vnd newen Gesängen auß vnderschiedtlichen bewehrten Gesangbüchern vermehret, vnd in diese Ordnung gebracht. 1677. Gedruckt zu Münster in Westphalen, Bey Dietherich Raeßfeldt. 16.

1 Titelblatt. „Vorrede an dem Christlichen andächtigen Sänger" 9 Seiten; „Eine bequeme Ordnung, wie das teutsche Gesäng in der Kirchen durchs gantze Jahr gar ordentlich kan gesungen werden" 9 Seiten; sodann 2 Seiten mit besonderen Bemerkungen. Darauf 1 Blatt mit den Liedertexten: „Gott in der Höh sey Preiß vnd Ehr" und „O Lamb Gottes vnschuldig". Sodann S. 1—586: 304 Liedertexte, darunter 35 lateinische, für die verschiedenen Zeiten und Feste des Kirchenjahres. Am Schluß 12 Seiten alphab. Register.

„Melodeyen, über die Gesänge und Psalmen deß Münsterischen Gesang-Buchs. Welche umb Mehrung der Ehr, und deß Lobs Gottes, auch zum Heyl und Trost des Nechsten, allen Liebhabern deß Geistlichen Gesängs, und sonderlich auch allen Organisten, Cüstern und Schulmeistern zum Dienst und Nutzen zusamen gefügt, und in diese Ordnung gebracht durch Rudolph Nagell, C. I. A. etc. Münster in Westphalen, Bey Diederich Raeßfeldt. Im Jahr 1677".

„An den Christlichen Sänger" 6 Seiten, sodann 54 Blätter mit 197 Melodien zur ersten Textstrophe.

Die Melodien sind theils dem Cölner Psalter 1638, theils dem Gesangbuch Nordstern 1671 und früheren Münsterschen Gesangbüchern entnommen. Neu ist u. a. „Kom, O kom H. Geist". Ein niederdeutsches Gesangbuch ist in Münster bereits im Jahre 1629 nachweisbar. (Siehe die Bibliogr. No. 278.) Ein hochdeutsches erschien im Jahre 1674 (vgl. die Bibliographie im II. Bde.) Aeltere Auflagen mit derselben Seitenzahl und im selbigen Format ohne Titelblatt findet man auf der Bibliothek des Ludgerianums in Münster.

Die Redaction der Melodien in diesen früheren kleineren Gesangbüchern v. 1674 etc. ist aber eine sehr vernachlässigte, sodaß der Bearbeiter der Melodien im Gesangbuche von 1677 recht hat, wenn er bemerkt, daß „Die Melodeyen hin und wieder in underschiedlichen Gesängen verwüstet und verfälschet seyn". Ueber die Einführung des deutschen Gesanges in das Hochamt vgl. die Abhandlung im II. Bde. Seite 16. Exemplare auf der Bibliothek des Ludgerianums und auf der Paulinischen Bibliothek in Münster. Das von mir benutzte gehört dem Herrn Gymnasialdirektor a. D. Hölscher in Recklinghausen.

459. 1677. Handbuchlein Paradeis Christlicher andacht R. D. Jacobi Merlo Horstij S. T. L. Pastoren Pasculi B. M. V. in Collen darinnen begriffen Ampt der H. Mutter Gottes der abgestorbenen Seelen Buspsalmen kleine Tagzeiten mit außerlesenen Gebetter Litanien gezieret Sampt einem Bild so die H. H. reliquien der Heilige 3 Konigen vnd S. Vrsulae angeruhrt. Collen In verlegung Joan: Antony Kinchy A. 1677. 348 Seiten 16. mit vielen deutschen Liedern (ohne Melodien.) Uebersetzungen lateinischer Hymnen.

460. 1678. Annus Seraphicus Seraphisches Lieb-Jahr, Oder Anmüttige Zu Göttlicher Liebe anleitende Lieder, auf alle Tage deß gantzen Jahrs von R. P. Barth. Christelio der Societät Jesu außgefertigt. Cum Facultate Superiorum. Gedruckt zu Ollmütz, bey Johann Joseph Kilian, 1678. 6 Bl. 557 gez. Seiten, 8 Bl. Register etc. und 20 Bl. Mel. 12. (Weller, Annalen II, 228.) Königl. Bibl. in München.

461. 1679. Catholisch Cantual, d. i. Alt und Neu Mayntzisch Gesangbuch. Gedruckt zu Mayntz, bey Christoph Küchler, im Jahr 1679.

588 Seiten 12. 7 Seiten Vorrede, 5 Seiten Inhaltsverzeichniß und 10 Seiten Register. Enthält 65 lateinische, 182 deutsche Lieder mit 172 Melodien. Vermehrte Auflage von 1661 resp. 1665. Die Lieder aus den Würzburger Evangelien sind hier wieder entfernt, dagegen viele neue lateinische und deutsche Lieder aus der Sammlung „Keusche Meerfräwlein" 1664 aufgenommen worden. Zum ersten Male findet sich auch das Lied: „Mein Wallfahrt ich vollendet hab". Kantonsbibliothek St. Gallen.

462. 1679. Ein schönes Lobgesang an Maria. 1679. Ohne Ort. (Weller, Annalen II, 224.) Hist. Verein in Bamberg.

463. (1680.) Drey schöne newe Geistliche Lieder: Maria Königin, Mutter vnd Helfferin, Maria Salve, etc. Das Ander: Ave Maria gratia plena, So grüsset der Engel etc. Das Dritte: Anna die du ein Mutter bist, Mariä, so Königin deß Himmels ist, etc. Im Thon: Wie man die Kaiserin singt. etc. Augspurg, Zu finden bey Johann Philipp Steudner. 4 Bl. 8. o. J. (Weller, Annalen II, 224.) Stadtbibl. in Augsburg.

464. (1680.) Zwey schöne neue Geistliche Lieder, Das Erste: Ach allerliebste Mutter mein: Lieb über alles Lieben, etc. Im Thon: Ich lig ietzt da, und stirb dahin, etc. Das Ander: Süssester Jesu, meins Hertzens Begehren, wie lang soll ich etc. Im Thon: Wie man die Cabella singt. Augspurg, zu finden bey Jacob Koppmayer. 4 Bl. 8. ohne Jahr. (Weller, Annalen II, 224.) Stadtbibliothek in Augsburg.

465. (1680.) Vier schöne neue geistliche Lieder: 1) „Maria sei gegrüßt". 2) „O du Mutter aller Gnaden". 3) „Gantz inbrünstiglich, will ich lieben dich". 4) „Nun werde ich nicht mehr leben". Augsburg, o. J. 4 Bl. 8. ohne Melodien.

466. (1680.) Drei schöne, neue geistliche Lieder 1) von St. Catharina „Die heilig rein und auch die fein, die heilig Jungfraw S. Catharein". 2) von St. Barbara „Ich weiß mir ein Blümlein das ist fein, mit rothem Gold gezieret". 3) „Nun hört ihr zart Jungfräulein". Augsburg, o. Jahr. 4 Bl. 8. ohne Melodien.

467. (1680.) Zwei neue Lieder vom h. Sebastian. Augsburg. 6 Bl. 8. 1) „Zu deinem Lob Herr Jesu Christ". 2) „Heiliger Sebastian wir ruffen dich all freundlich an". (Ohne Melodien.)

468. 1682. Gesangbuch des P. Martin von Cochem. v. 1682. (Weller, Annalen II, 118.)

469. 1683. Trutz-Nachtigal (5. Aufl.) Cöllen, In Verlag Johan Willhelm Friessems Buchhändlern 1683. Vgl. 1649.

470. 1683. Himmlische Nachtigall, Singend die Gottselige Begirden der büssenden, heiligen und verliebten Seel. In Hoch-Teütsche Sprach übersetzt und verfaßt, auch mit neuen Kupfferstichen, und anmuthigen Sing-Weisen gezieret durch Joannen Christophorum Hainzmann Phil. et

Med. Doctor: in deß Heil. Röm. Reichs Löbl. Gottshauß Weingarten Physicum Ordinarium. In Verlegung deß Authoris. Weingarten Getruckt durch Johann Adam Herckner im Jahr 1683. 16.

Eine freie Uebersetzung der Pia Desideria von Hugo. Am Schluß die Singweisen mit beziffertem Baß von J. W. S. 3 Bücher, jedes mit 144 Seiten. (vgl. No. 113 der Bibliographie im II. Bande.) Stadtbibliothek in Augsburg.

1684. Dieselbe Ausgabe.

1699. Andere Ausgabe. Augspurg, Auf Unkosten des Authoris Und bey Kroniger u. Göbels Erben zum Verkauff zu finden. Stadtbibliothek in Augsburg.

471. 1684. Rosetum Marianum oder Vnser lieben Frawen Rosengärtlein. Augspurg, 1684. 4. Vgl. 1604 u. 1609. (Weller, Annalen II, 65.)

472. (1684.) Zwey schöne Geistliche Lieder das erste: Von unser lieben Frauen zu Wertenstein. Das ander: Christi Mutter stuhnd voll Schmerzen. Beyde in ihrer eignen Melodey zu singen. Ohne Ort und Jahr. 8. 1) „Frölich so wollen wir heben an". (Weller, Annalen II, 202.)

473. 1684. Ein schön neües Lied, Von einem köstlich und Purpur-Rothen Perlein: Das ist, Von dem Leben und Marter der heiligen . . . . . Martyrin Margaretha etc. Getruckt zu Solothurn Im Jahr 1684. 8. „Ein köstlich Ding ist, was ich sing Ein schöne Margaritha". (Weller, Annalen II, 202.)

474. 1686. Geistliches Psälterlein der P. P. Soc. Jesu. Cölln. Wittwe Paul Metternich 1686. 12. (Weller, Annalen II, 573.) Bibl. in Kopenhagen.

475. 1687. Geistliche Lieder, vor der Predig vnd sonst nach Abtheilung der Zeit nutzlich zu singen. München, 1687. 16. (Weller, Annalen II, 122.) Königl. Bibl. in München.

476. 1687. Zwey schöne newe Geistliche Lieder Das Erste, ist das Zürich Lied, in der Weiß wie der Danhauser. Das Ander ist das Dürr-Rüte Lied, in der Weiß wie der Juncker Hämen, oder in Gottes Namen Amen. Am Schlusse: 1687. den 28. Mertz. 4 Bl. 8. ohne Ort. Hinter dem 1. Liede: Hanß Rycher.

1) „O Mensch wach auff in dieser Zeit".
2) „O Herr vmb deine Gnad ruff ich dich an".

(Weller, Annalen II, 182.) Bibl. in Luzern.

477. 1688. Außerlesene, Catholische Geistliche Kirchen-Gesäng, so man bey den Processionen und Christlicher Kinder-Lehr im Stifft Münster zu singen pflegt, Zum Glück seligen newen Jahr, jetzo auffs new ubersehen, mit vielen außerlesenen Gesängen vermehrt, gebessert, und in ein bessere Ordnung gebracht. Mit Gnad und Freyheit nicht nachzutrucken. Gedruckt zu Münster in Westphalen, Bey der Wittiben Raeßfeldt, Im Jahr 1688. 12.

1 Titelblatt und 2 Seiten Vorrede (wie in der Ausgabe vom Jahre 1674 II. Bd. S. 57.) S. 5—163 folgen 96 Lieder mit 13 Melodien. Am Schluß ein alphabetisches Register auf 5 Seiten. Diese Ausgabe schließt sich in ihrer ganzen Einrichtung und Ausstattung an die vom Jahre 1674 (nicht 1677!) an. Gräflich Stolbergische Bibliothek in Wernigerode.

478. 1689. Silesius, J. A. (Joh. Scheffler), Sinnreiche Beschreibung der vier letzten Dinge. Mit der himmlischen Procession vermehrt. Glatz, 1689. In Liedern. Gödeke, S. 476, No. 4.

479. 1690. Deß Miranten, Eines Welt und hochverwirrten Hirtens nach der Ruhseeligen Einsamkeit. Wunderlicher Weeg. Durch F. Laurentium von Schnüffis, Vorder-Oesterreicher Provintz Capucinern. Gedruckt und verlegt zu Costantz am Boden See, durch David Hautt, Fürstl. u. Academ. Buchdruckern. Anno .... 306 S. 16. mit Melodien. Stadtbibliothek in Augsburg. Universitätsbibliothek in Freiburg.

480. 1690. Eißfeldisches Gesang-Buch, Darinn Außerlesene alt und neue in Kirchen, Schulen und Wallfahrten übliche Gesänge zu finden. Nebst einem Bettbuchlein. Mit Ihro Churfürstl. Gn. zu Maintz Special Privilegio. Edition VI. Duderstadt, Verlegt durch Johan Westenhoff, Anno 1690. 16.

1 Titelblatt. 6 Seiten Dedication, unterzeichnet: „Geben Duderstadt am Sontag Exaudi, Anno 1686. Johann Westenhoff, Buchtrucker daselbst". 2 Seiten Vorrede und 3 Seiten Privilegertheilung vom Mainzer Erzbischof Anselmus Franciscus. Auf der Kehrseite die Tafel der beweglichen Feste. Auf 416 signirten Blätter folgen dann die Lieder, 197 an der Zahl, darunter 12 lat. Texte mit 53 Melodien. Der Anhang enthält ein „Catholisch Gebeth-Buch u. s. w. Duderstadt, Verlegt durch Johan Westenhoff, Anno 1686", 63 Seiten; sodann folgen noch 9 nicht gez. Blätter mit dem alphabetischen Register der Lieder. Außer einem Kern älterer Lieder enthält das Buch viele neuere.

Nach der Vorrede erschien das Gesangbüchlein zuerst im Jahre 1668. Der vorliegende sechste Druck ist „mit vielen neuen Gesängen vermehrt, und einem kurtzen Gebettbüchlein gezieret worden". Herzogl. Bibliothek in Gotha.

481. 1691. Drey schöne geistliche Lieder, Das Erste in der Melodey wie der Wilhelmdell. Oder, Ach Gott wem soll ichs klagen. 1673. 38 Str. Das ander Lied, von den dreyen lösen Feinden. In der weiß, wie der geistlich Hauptmann. 1691. 44 Str. Das dritt: Im Thon, Ach Gott was soll ich singen. (1670.) 91 Str. 12 Bl. 8. ohne Ort.

1) „Wach vff wach vff O Mensche".
2) „Ich ruffe dich O Herr jez an".
3) „O Herr Gott wir thun dich preisen".

(Weller, Annalen II, 182.) Bibl. in Luzern.

482. 1691. Ein newes Lied Von dem Ursprung, Zunehmung, und etlichen auß den fürnembsten Wunderzeichen deß Gnadenreichen Orths, Unser Lieben Frauen im Stein, In seiner eygnen Melodey, oder wie die Dornacher Schlacht, oder wie ein Jungfrau zart von edler Art, zu singen. Solothurn Bey Peter Joseph Bernhardt, 1691. 8. (Weller, Annalen II, 182.)

483. 1691. Gründtlicher Vortrag Dessen, Was sich bey dem wunderthätigen Gnaden-Bild der schmertzhafften Mutter Gottes in der Hertzog-Spital Kirchen zu München Anno 1690.

zugetragen ...... München 1691. „Sieh die Mutter voll der Schmertzen" etc. (Mar. Liederkranz, S. 189.)

484. 1691. Geistliches Ehren=Cräntzlein, Des heiligen Vatters Joannis von Capistrano ..., Durch Thomas Bernard de Liliis, Gewesenen Röm. Käys. und Königl. etc. Componist zu Augspurg, Obrist Trompeter zu Cölln, Director des Lust=Feurwercks und Teutscher Poët. Den 13. May Anno 1691. Regenspurg, Gedruckt bey Joh. Egidi Raith, Bischoffl. Regenspurg. Hoff=Buchdruckern. 4 Bl. 4. „Auff ihr Paucken und Trompeten". (Weller, Annalen II, 229.) Königl. Bibl. in München.

485. 1691. Bamberger Gesangbuch, Worinnen Außerlesen Christlich Catholische und Geistreiche Gesänger, auff Sonn= und fürnembste Festäg, und sonsten das gantze Jahr durch bey Processionen, Creutzgängen, Bitt= und Wallfahrten, auch bey dem Ampt der H. Meß, Predig, Kinderlehre, und Bruderschafften, auch Morgen= und Abends=Seegen=Gesänger, in Häusern, und auff dem Feld, sehr trost= und nutzlich zu gebrauchen. Zu vorn von weiland deß Ehrwürdigen Herrn Johann Degen, gewesenen Sacellano in S. Martins Pfarrkirchen allhier, mit Fleiß zusammen getragen, anjetzo zum zweittenmahl vermehrt. Ex permissu Superiorum. Editio Bamberg Secunda. In Verlegung Johann Eliae Höffling, Bibliop: Academ: Getruckt in der Hochfürstl: Truckerey, Durch Johann Jacob Immel, 1691. 12.

1 Kupferstich mit S. Heinrich und S. Kunigunda, sodann das eigentliche Titelblatt. 6 Seiten Dedication, unterzeichnet von „Haunß Elias Höffling Bibliop: Academ:". 2 Seiten Privilegertheilung von Bischof Marquard Sebastian, sodann 562 gez. Seiten mit 241 Liedern und 167 Melodien. Am Schluß 11 Seiten alphabet. Register. 2 Seiten Register von Wallfahrtsliedern und 1 Seite Inhaltsangaben. Stadtbibliothek in Augsburg.

486. 1693. Alte und Newe Geistliche Catholische außerlesene Gesänger, auff Sonn= und fürnehme Festtäg deß gantzen Jahrs, Processionen, Creutzgängen, und Wallfahrten, bey der H. Meß, Predig, Kinderlehr, in Häusern, und auff dem Felde sehr nutzlich und andächtig zugebrauchen. Auß sonderem Befelch deß Hochwürdigsten Fürsten und Herrn, Herrn Joannis Philippi, deß H. Stuls zu Mayntz Ertz=Bischoffen, deß Heil. Römischen Reichs, durch Germanien Ertz=Cantzlern und Churfürsten, Bischoffen zu Würtzburg und Wormbs, Hertzogen zu Francken, Sambt einem General=Baß zu der Orgel, mit sonderbahrem grossem Fleiß auffs new sambt etlichen schönen am End beygetruckten Gebetten und newen Liedern anjetzo vermehrt, corrigirt und verbessert. Würtzburg, bey Martin Richter 1693. 12.

Vorrede von 1649 (5 Seiten), sodann Inhaltsverzeichniß (17 Seiten). 476 paginirte Seiten mit den Liedern und Melodien. Am Schluß 2 Register auf 11 Seiten, sodann ein Anhang von 19 Seiten mit (neueren) Liedern, welche zu Wallfahrten können gebraucht werden. Die Melodien stehen hier wie in der Ausgabe vom Jahre 1628 ff. in Verbindung mit dem Texte der ersten Strophe. Der Inhalt ist derselbe wie in den früheren Auflagen. Vgl. 1628 im II. und 1630 in diesem Bande.

487. 1694. Psalter Ulenbergs mit uhralten bewährten Kirchen-Gesängen Cölln 1694. Vgl. 1582.

488. 1695. Mirantische Maul-Trummel Oder wohlbedenckliche Gegen-Säze böser, und guter Begirden .... Durch F. Laurentius von Schnüffis .... Costantz .... 1695. 16°. Mit vielen Bildern und Melodien. Universitäts-Bibliothek in Freiburg.

489. 1695. Alte Catholische Geistliche Kirchengesäng etc. Trier 1695.

(Vgl. No. 132 der Bibliographie im II. Bande.) Ist ein Nachdruck des in Cöln in der Quentelehen durch Johannem Kreps 1625 gedruckten Gesangbuches.

490. 1695. Ein mährisches Directorium chori auf Befehl des Bischofs Karl, Grafen von Lichtenstein edirt.

Enthält 40 Lieder in deutscher und 43 in böhmischer Sprache, mit den Melodien. (Beschrieben in den „Fliegenden Blättern" von Witt 1881, S. 6.)

491. 1695. Harpffen Davids mit teutschen Seiten bespannt. Augspurg 1695. 16. (Frühere Ausgaben 1659 und 1669. Siehe die Beschreibung im II. Bande, S. 54.)

492. 1696. Catholisches Gesang-Büchlein In welchem Unterschiedeliche Catholische Gesänge auff die fürnehmsten Fest des gantzen Jahrs in der Kirchen und bey den Processionen Creutzgängen oder Wallfahrten und andern Orthen sehr nutzlich zu gebrauchen. Mehrmahln von den Authore mit schönen Neuen Geistlichen Gesängen verbessert und zum Druck verfertiget. Permissu Superiorum. Amberg Gedruckt bey Christian Oeser 1696. 16. 1 Blatt 230 Seiten u. 11 Bl. Ohne Melodien. Universitäts-Bibliothek in Göttingen.

493. 1696. Mirantische Maul-Trummel etc. Durch F. Laurentium von Schnüffis. Vorder-Oesterreichischer Provintz Capucinern. Gedruckt bey J. Adam Köberle in der Fürstl. Bisch. Truckerei. Zu Constantz in Verlag Leonh. Parcus. Anno .... XXII und 338 S. mit Melodien. Stadtbibliothek in Augsburg.

494. 1697. Gottliebender Seelen Paradeys, darinnen Anmuthige ..... Gebetter in allerley Anligen .... Samt geistreichen Hymnis etc. Vorhero durch den Hochgelehrten und geistreichen Herrn Jacobum Merlo Horstium .... in Latein herausgegeben. Anjetzo aber ins Teutsche übersetzet von Andrea Bresson, Art. et Philos. Mag. von Stadt Volckach in Francken. Bamberg. In Verlegung Arnold Heyl. 1697. 16. XIV und 780 Seiten. Vgl. 1677. Stadtbibl. in Augsburg.

495. 1697. Geistliches Psälterlein der P. P. Soc. Jesu. Cölln bey H. und Frantz Metternich 1697. 12. (Weller, Annalen II, 573.) Bibliothek in Kopenhagen.

496. 1697. Straßburger Gesangbuch 1697. 12.

Das Titelblatt fehlt in dem mir zur Verfügung stehenden Exemplare. Das erste Blatt enthält die »Approbatio et Mandatum Rmi. D. V. Generalis«, ... unterzeichnet: »Datum Argentinae, Die 23. Februarii Anni

1697. Fr. de Cammilly Vic. Gen. De Mandato Ricciusa. (3 Seiten.) Sodann folgt die Ertheilung eines Privilegs auf 10 Jahre: „Auß sonderbarem Befehl und Genaden Ihro Hochfürstlichen Eminentz, Herrn, H. Cardinals, Landgraffen von Fürstenberg, Fürsten und Bischoffen zu Straßburg": Wilh. Egon an den bischöfl. Buchtrucker Michael Storck. In der Privilegertheilung wird das Buch „Neuvollkommenes Catholisches Gesangbuch des Bischthums Straßburg" genannt und dabei der Gebrauch anderer Gesangbücher untersagt.

Das Büchlein enthält sodann auf 614 pag. Seiten 266 Liedertexte. In den Indices (18 S.) ist das Lied „Nichts ist so edel als die Zeit" ausgelassen worden. Melodien sind 149 vorhanden. Auf zwei Melodien wird hingewiesen, die im Buche selbst nicht vorkommen. „All Menschen herkommen auß Erden" und „Himmel und Erden stimmet an". Außer dem Kern alter Lieder und Melodien enthält das Buch eine ziemliche Anzahl neuer Lieder ohne Kraft und Schwung. Der Einfluß der Figuralmusik macht sich in der rhythmischen Ausbildung der Melodien bedeutend bemerklich. Dem Liede: „O ihr edle Himmels Knaben" ist ein fünfstimmiger Canon beigegeben. Exemplar im Besitze des Herrn Dechanten Hasak in Weißkirchlitz bei Teplitz.

497. 1699. Katholisch Cantual, d. i. Alt und Neu Mayntzisch Gesangbuch u. s. w. Gedruckt zu Mayntz. In Verlag Joh. Mayrs, Hoff und Universitäts Buchdruckers. 1699. 588 S. 16. mit Melodien. Stadtbibliothek in Augsburg.

498. 1699. Himmlische Nachtigall. Neue Auflage des Buches vom Jahre 1683.

499. 1699. Paderborner Gesangbuch von 1699. (Gärtner XXXIX.)

500. 1700. Catholisches Gesang-Büchlein In welchem Unterschiedliche Catholische Gesänge auff die fürnehmsten Fest des gantzen Jahrs in der Kirchen und bey denen Processionen Creutz-Gängen oder Wallfahrten und andern Orthen sehr nutzlich zu gebrauchen. Und anietzo von dem Authorn wieder mit schönen Neuen Geistlichen Gesängern vermehrt und eyfferigst zum Druck beförderet. Permissu Superiorum. Amberg Druckts Christian Oeser 1700. 16. 1 Bl. 233 S. 21 S. ungez. Ohne Melodien. Universitätsbibliothek in Göttingen.

VII. Die vorzüglichsten katholischen Gesangbücher aus dem 16. und dem Anfange des 17. Jahrhunderts

nach ihren Quellen und ihrem gegenseitigen Verhältnisse geschildert nebst Beschreibung einiger späteren Gesangbücher.

Das Vehe'sche Gesangbüchlein 1537.

Ein New Ge- | sangbüchlin Geystlicher | Lieder, vor alle gutthe | Christen nach or- | denung Chri- | stlicher kir | chen. | Ordenung vnd Gebrauch der | Geystlichen Lieder, so in diesem bü- | chlin begriffen synt, findest du am | ende diß Büchlins. | Ephe. 5. | Werdet voll des heyligen gey- | stes, vnd redet vndereinander von Psalmen | vnd geystlichen Lobgesengen, Synget lob | dem Herren in ewerm hertzen. | Gedruckt zu Leiptzigk durch | Nickel Wolrab. | 1537. |

Das Vehe'sche Gesangbuch zählt 87 Blätter in kl. 8. Die Paginirung ist von Blatt 50 an unrichtig und bleibt um 10 Nummern im Rückstand. Das letzte paginirte Blatt 70 muß also die Zahl 80 tragen, sodann folgen noch 7 unpaginirte Blätter.

Inhalt: Blatt 1 Titel; Blatt 2 Vorrede an den „Radtsmeister der löblichen Stadt Hall, Caspar Querhamer". Sodann folgen die Lieder größtentheils mit Melodien. Dieselben sind nicht numerirt. Würde man das thun, so erhielte man 55 Nrn. Texte. Doppelt sind abgedruckt:

„Vnser zuflucht o Gott du bist".
„Erbarm sich vnser Gott der Herr". } 1 Strophe.
„Mein seel macht den Herren groß".

Schöne Noten im 5zeiligen System. Blatt 64 (resp. 74) b folgen gothische Choralnoten im 4zeiligen System zu der Prosa „Aue durchleuchte stern des meres" Ave praeclara maris stella von Seb. Brant. Blatt 69 (resp. 79) „Ende des Gsangbüchleins geystlicher Lieder". Sodann folgen noch 5 Lieder. Am Schlusse heißt es: „Ende der Gesäng aus der heyligen Schrifft G. W. (G. Witzel!) Sodann folgt „Ordnung vom gebrauch der Psalmen vnd Lieder", 4 Seiten. Alphabet. Register 3 Seiten (unvollständig); Correcturen 1¼ Seite. Am Ende „Gott allein die Ehre".

Melodien enthält das Buch 47, davon ist eine doppelt abgedruckt: auf den Seiten 35a und 40b.

Die Lieder des Vehe'schen Gesangbuches sind der Vorrede zufolge entweder alte, oder von Caspar Querhamer und einem andern gutherzigen Christen (G. Wicel) verfaßte. Alt sind folgende Lieder:

*1) Christ ist erstanden. Blatt 31.[1]
*2) Dangk sagen wir alle mit schalle. 30.
*3) Das synt die heyligen X gebot. 8.[2]
*4) Der tag der ist so freudenreych. 28.
*5) Dich fraw von hymmel ruff ich an. 35.
*6) Fraw von hertzen wir dich grüssen. 34.
*7) Gegrüsset seyst du Maria. 4.
*8) Gelobet seyst du Jesu Christ. 29.[3]
*9) Gott der vatter won vns bey. 47.[4]
*10) Gott sey gelobet vnd gebenedeyet. 49.[5]
*11) Ich glaub in Gott vatter almechtigen. 5.
*12) Jesus Christus vnser Heyllandt. 46.[6]

Das * vor dem Text zeigt an, daß das Lied mit einer Melodie versehen ist. Die Zahl nach dem Texte bezeichnet die Blattnummer.

1) Nachweisbar die ersten 3 Strophen.

2) Es gibt viele ältere Lieder von den zehn Geboten; ob die Fassung bei Vehe zu den alten Texten gehört, scheint mir zweifelhaft, da sie mit den bekannten älteren Liedern nicht übereinstimmt, sondern mehr wie eine Nachdichtung zu dem Luther'schen Liede aussieht.

3) Nachweisbar die erste Strophe.

4) Alter Litaneigesang mit variirendem Texte.

5) Erste Strophe alt, aber hier in der Fassung, welche Luther ihr gab. Die übrigen Strophen sind neu hinzugedichtet.

6) Wahrscheinlich alt, ohne die Strophen 6 bis 19.

*13) In dulci iubilo. 30.[7]
*14) In Gottes namen faren wir. 44.[8]
15) Königyn der hymmel. 32.
*16) Kom heyliger geyst, Herre Gott. 44.[9]
*17) Mein zung erklyng. 45.
*18) Mitten wir ym leben synt. 59.[10]
*19) Nu bitten wir den heyligen geyst. 43.[11]
*20) O ewiger vatter, biß gnedig vns. 49.
*21) O Gott, wir loben dich. 9.[12]

Von G. Wizel.

22) Da Jhesus an dem Creutze stundt. 72.
23) Die Propheceyen sind erfüllet. 69.
24) Lobsinget mit freuden. 70.
25) Vatter ym hymel, wir deine kinder. 71.
26) Zu disch dieses Lemlins so rein. 70.

Von Seb. Brant.

*27) Aue durchleuchte stern des meres. 64. Demnach höchst wahrscheinlich von

Caspar Querhamer.

*28) Ach Herr, dein ohren neyg zu mir. 20.
*29) Ach lieber Herr, ich bitte dich. 60.
*30) Als Jesus Christus vnser Herr, entziehen. 43.
*31) Als Jesus Christus vnser Herr von todten. 42.
*32) Als Maria nach dem gesätz. 39.
*33) Auß hertzemgrundt schrey ich zu dir. 27.[13]
*34) Die menschen warlich selig synt. 26.
**35) Erbarm sich vnser Gott der Herr. 22. 23.
36) Ewiger Gott, wir bitten dich. 61.
*37) Gelobet sey Gott ewiglich. 51.
*38) Gelobet sei Gott vnser Herr. 38.
*39) Ich glaub in Gott den vatter mein. 7.
*40) In dieser zeyt loben wir all. 32.
**41) Mein seel macht den Herren groß. 36.
*42) Mein wort, o Herr, zu ohren nym. 14.
*43) Mit hertz vnd mundt ich loben wil. 16.
*44) O Gott vatter, dangk sag ich dir. 46.
*45) O heyliger Gott, erbarm dich mein. 18.
*46) O Jesu Christe Gott vnd Herr. 41.
47) O jhr heyligen Gottes frundt. 63.
*48) O wie groß ist die seligkeyt. 62.
*49) So bald der mensch erschaffen ward. 50.
**50) Vnser zuflucht, o Gott, du bist. 3. 4.
*51) Wer da wonet vnd sich enthelt. 24.
*52) Wir sollen all dangk sagen Gott. 40.

Die Vehe'sche Sammlung repräsentirt das erste, bis jetzt bekannt gewordene katholische Gesangbuch mit Musiknoten. Der Herausgeber hat aber die beim katholischen Volke schon vor der Reformation üblichen Lieder und Rufe nicht so berücksichtigt, wie man hätte erwarten sollen. Wir können dieses daraus schließen, daß die Lieder des Vehe'schen Gesangbuches mit den

7) Alt, aber aus protestant. Quelle, wie die fehlende Str. Mater et filia beweist.
8) Ob alle Strophen alt?
9) 10) 11) Nachweisbar die erste Strophe; in No. 18 mit der Luther'schen Redaction.
12) Diese Prosaübersetzung hat große Aehnlichkeit mit derjenigen, welche im Erfurter Gesangbuche 1531 das „Alt Tedeum Laudamus" genannt wird.
13) Eine Umdichtung des protest. Liedes: „Aus tiefer Not schrey ich zu dir".

handschriftlich überlieferten oder anderweitig bekannt gewordenen vorreformatorischen Liedern kaum in der ersten Strophe übereinstimmen. Vielleicht stand Vehe auch dem Volke fern, sodaß ihm jene Lieder nicht bekannt waren.

Die früher schon erschienenen protestantischen Gesangbücher enthielten, wie aus dem **Erfurter Enchiridion 1524, Straßburger Kirchenampt 1525, Erfurter Gesangbuch 1531** und vielen andern zu ersehen ist, manche ältere vorreformatorische Lieder mit „gebessertem" resp. erweitertem Texte, sodaß sie für viele ältere Singweisen die älteste gedruckte Quelle abgeben, z. B. „**Gelobet seist du Jesu Christ**", „**Nun bitten wir den heiligen Geist**", „**Komm heiliger Geist Herre Gott**", „**Mitten wir im Leben sind**", „**Wir glauben (all) in einen Gott**", „**Gott sey gelobet vnd gebenedeyet**".

Es lag deshalb sehr nahe, daß die Herausgeber katholischer Gesangbücher, die früher erschienenen protestantischen benutzten. Vehe hat dieses unzweifelhaft gethan, denn er bringt alte katholische Lieder in der von den Protestanten beliebten „gebesserten" Form, z. B. „In dulci jubilo", „**Gott sei gelobet und gebenedeyet**", „**Mitten wir im Leben sind**". Das Beispiel Luthers, der alte katholische Lieder erweiterte, ahmte Vehe nach und dichtete ebenfalls neue Strophen hinzu. Man vergleiche die Nrn. 1, 8, 10, 14, 16, 18, 19 des Verzeichnisses und die Geschichte der einzelnen Lieder.

Die Melodien zu den genannten ältern Texten sind ebenfalls alt. Nur die zu No. 3 von den X Geboten scheint mir eine neue zu sein. Zu den älteren Melodien gehört die des Liedes No. 27 „**Aue durchleuchte**" = „Ave praeclara maris stella", ferner Nr. 39 „**Ich glaub in Got**" = „**Wir glauben (all) in einen Gott**".

Die Einleitung zum Vater unser „**Vnser zuflucht o Gott du bist**" trägt die Melodie des Luther'schen Psalmliedes „**Aus tieffer not schrey ich zu dir**" (II. Bd. S. 213). Die Melodie des darauffolgenden Vater unsers wird im Mainzer Cantual 1605 als eine alte bezeichnet. Dem Text „**Erbarm sich vnser Gott der Herr**" sind zwei Melodien beigegeben. Die erste kommt in den späteren kath. Gesangbüchern zu dem Liede „**Aus hartem Weh klagt menschlichs Geschlecht**" vor. Eine Melodie ist zweimal notirt zu den Liedern „**Dich fraw von hymmel**" und „**Wir sollen all dangksagen Gott**".

Die neuen Melodien sind nach der Vorrede von Johanne Hoffmann und Wolffgango Heintzen componirt.

In Bezug auf die Einführung des deutschen Gesanges in den Gottesdienst hält Vehe an der in seiner Gegend üblichen Tradition fest, wonach nur vor und nach der Predigt und bei Processionen deutsche Lieder gesungen wurden. Das am Schlusse mitgetheilte Regulativ lautet:

Ordnung vom gebrauch der Psalmen vnd Lieder.

Sontag vnd Feyertag.

Vor der Predig.

Vnser zuflucht, o Gott du bist.
Gegrüsset seyst du, Maria.

Nach der Predig.

Ich glaub in Gott.
Oder, Das sint die zehen Gebott.

Christag, vnd newen jars tag.

Vor der Predig.

Der tag der ist so freudenreich.

Nach der Predig.

Gelobet seist du, Jesu Christ.
Oder, Dangk sagen wir all mit schal.

Ostertag.

Vor der Predig.

Christ ist erstanden.

Nach der Predig.

In dieser zeyt loben wir all.
Oder, Kônygin der hymmel, frew dich Maria.

Hymmelfart Christi.

Vor der Predig.

Gelobet sey Gott ewiglich.

Nach der Predig.

Als Jesus Christus vnser Herr.
Oder, Kônygin der hymel.

Pfingsttag.

Vor der Predig.

Nu bitten wir den heyligen.

Nach der Predig.

Kom, heyliger geist, Herre Gott.

Christi fronleychnams tag.

Vor der Predig.

Vnser zuflucht. vnd Gegrüsset seistu.

Nach der Predig.

Gott sey gelobet vnd gebenet.

In der Procession des selbigen tags.

Mein zung erkling.
Jesus Christus vnser heyll.
Gott sey gelobet vnd ge.
Auß hertzens grund.
Erbarm sich vnser Gott der Herr.
O heyliger Gott, erbarm dich mein.
O Gott, wir loben dich.
Item, Auch die andern Psalmen, Lobgesang, dangk vnd bitt lieder.

Marci vnd in der Creutzwochen.

In Gottes namen faren wir.
Gott der vatter won vns bey.
O ewiger vatter, biß genedig vns.
O heylger Gott, erbarm dich mein.
Item, die andern Psalmen, Lobgesang, vnd dangklieder, mit dem lied,
Sobald der mensch erschaff.
Item, Mitten wir im leben.

Vff alle vnser lieben frawen fest.

Vor der Predig.

Vnser zuflucht, o Gott, du bist.
Gegrüsset seyst du Maria.

Nach der Predig.

Conceptionis: Fraw von hertzen.
Natiuitatis: Dich fraw von hy.
Visitationis: Meine sele macht den Herren groß.
Assumptionis: Wir sollen all dangksagen.
Annuntiatonis: Gegrüsset seystu.
Oder, Fraw von hertzen.
Purificationis: Als Maria nach.

Johannis des Teuffers.

Vor der Predig.

Vnser zuflucht. vnd Gegrüsset seistu.

Nach der Predig.

Gelobet sey Gott vnser Herr.

Apostel tag.

Vor der Predig.

Vnser zuflucht.
Gegrüsset seist.

Nach der Predig.

O Jesu Christe, Gott vnd Herr.
Oder, Als Jesus Christus vn.

Aller heyligen tag vnd vff sonderliche Fest der heyligen.

Vor der Predig.

Vnser zuflucht etc. Gegrüsset.

Nach der Predig.

O wie groß ist die seligkeit.
Oder, O jr heyligen Gottes frundt.

Volgt das Register.

Exemplare des Vehe'schen Gesangbüchleins befinden sich auf der Hofbibliothek in Wien, sodann auf den Bibliotheken in Göttingen, Gotha und Hannover. Ein Mainzer Nachdruck vom Jahre 1567 auf der k. Bibliothek in München.

Das von mir benutzte Exemplar gehört dem Gymnasialdirektor a. D. Dr. Hölscher in Recklinghausen.

Wizels Psaltes ecclesiasticus. 1550.

PSALTES ECCLESIA- | STICUS. | Chorbuch der Heili- | gen Chatolischen Kirchen, | Deudsch, jtzundt new | ausgangen. | Durch Georgium | Vuicelium. | Mit Rhöm. Keis. Maiestat | Gnade vnd Freyheit. | In verlag Johan. Quentels, Bürger vnd Buchdrücker zu Cölen. | Gedruckt durch Frantz Behem, | zu S. Victor bey Mentz. | Im Jar | M.D.L. klein 4.

Auf der Rückseite des Titelblattes einige Sprüche aus Lactantius Firmianus und ein Psalmvers. Auf 6 ungezeichneten Blättern folgt dann die Vorrede. Ein siebentes Blatt enthält ein Verzeichniß aller Chorgesänge und Gebete dieses Buches, welches 180 gez. Blätter umfaßt. Am Schluß (Blatt 180 b) steht: „Ende des Kyrchischen Chorbuchs. Inhalt:

1) Catechumenischer Tauffhandel.
2) Die Kirchische Lytanien.
3) Verdeudschte Frue gezeit.
4) Kirchische Missen.
5) Sieben Erhortation bey den sieben Sacramenten.
6) Responsorien.
7) Antiphen durchs Jar.
8) Allerley Collecten.
9) Matutin Lob.
10) Vesperlob sampt den Completorien.
11) Precationen im Abentlobe Gottes.
12) Prefation in ämptern der Missen.
13) Weihenachten gesenge.
14) Palm, Ostern vnd Pfingstgesenge.
15) Processiongesenge.
16) Creutz-Wochen.
17) Gewönlichs Marienlob.
18) Vnterrichtung von allerley Kirchischer benediction.
19) Item von Kirchischen Spectakeln.
20) Braut Misse.
21) Was zur Leich gehöret, vnd desgleichen u. s. w.

Aus dieser Inhaltsangabe ersehen wir schon, daß wir kein eigentliches Gesangbuch vor uns haben. Es stehen auch keine Melodien darin, aber wegen der alten deutschen Kirchenlieder mit den historischen Notizen dazu haben wir uns veranlaßt gesehen, das Wissenswerthe hier zusammenzustellen und auch die Uebersetzungen alter lateinischer Lieder in ihren Anfangszeilen mitzutheilen.

Bl. 53 a. Dich Gott loben wir, Dich HErr bekennen wir, Dich ewigen Vater ehrwirdiget das gantz Erdreich, u. s. w. Das Te Deum.

Bl. 53 b. Das Benedictus also.
Gesegnet sey der HErr, der Gott des Israels, denn er hat heimgesucht, vnd erlösung geschaffet seinem Volck 2c.

Bl. 56 a. Sonderlich wird an diesem sehr grossen Fest, der kurtz Sequentz gesungen, Grates genent, der auch daselbst deudsch ist, vnd darauff vnsere Alten sungen:
Gelobet seystu Jhesu Christ, 2c.

Bl. 58 b. Quem pastores, 2c.
DEn die Hirten lobeten sehr, Erboten die Engel lob vnd ehr 2c.

Bl. 59 a. Nunc Angelorum, 2c.
Nu ist die Engelische herligkeit den Menschen auff erden erschienen 2c.

Bl. 59 b.
Dies est letitie.
Der tag der ist so freudenreich 2c. (1. Strophe.)
Orto Dei Filio.
Ein Kindelein so löbelich, ist vns geboren heute, 2c. (2. Str.)
Vt Vitrum non leditur.
Als die Sonn das Glas, mit irem klaren scheine, 2c. (3. Str.)
Angelus Pastoribus.
Die Hirten auff dem felde warn, erfuren newe mere, 2c. (4. Str.)

Bl. 60 a. In Natali Domini.
An des HErren geburtstage frewen sich alle Engel, 2c.
Puer natus in Bethlehem.
Es ist das Kind zu Bethlehem geborn, des sich Jerusalem frewet, 2c.
Exultandi tempus est.
Nun ists zeit, das man fur freuden auffspringe, 2c. (2. Strophe.)
Alle welt sey frölich, weil der Heiland geboren ist, 2c.

Bl. 60 b. In dulci Jubilo.
In dulci Jubilo, Singet vnd seid fro, ꝛc.

Bl. 61 a. Resonet in Laudibus.
Zion sampt den gleubigen sol von Lobe erschallen, ꝛc.
Vt Sol uitrum penetrat.
Wie die Sonn durch ein Glas dringt, da doch kein riss geschicht, ꝛc.

Bl. 61 b. Puer nobis nascitur.
Das Kind ist vns geborn, das aller Engel regent ist, ꝛc.
En Trinitatis Speculum.
Der Spiegel der Dreifaltigkeit, erleuchtet der Welt Finsterkeit. ꝛc.

Bl. 88 a. Trawrgesang, auch von vnsern Vorfaren gesungen.
Da Jhesus an dem Creutze stund, vnd jm sein ꝛc.

Bl. 98 a. Das Victime Paschali vntern Prosen durchs Jar.
Hie iubiliert die gantze Kirche mit schallender hoher stim, vnd vnsäglicher freud.
Christ ist Erstanden, von der Marter bande, des ꝛc.

Bl. 99 a. Gemeinen Mans Procesgesang.
Also Heilig ist der Tag, das jn kein Mensch mit lobe erfüllen mag, ꝛc.

Bl. 100 b. Regina coeli, &c. Daruon hernach. Vnter diesem vntaddelichem gesange, pflegt der Läy deudsch zu anworten:
Ein Königin in dem Himel, des Frewe dich Maria, ꝛc.
Item vnsere lieben Vorfaren haben auch auff Ostern deudsch also gesungen:
Frewet euch alle Christenheit, Gott hat nu vberwunden, ꝛc.

Bl. 103 b. Es werden in dieser Creutzfart (Marcusprocession) auch die schönen Ostergesenge, lateinisch vnd deudsch vbers feld gesungen. Zu dem, haben vnsere Voreltern mancherley, besondere, andechtige gesenge zu singen gewisset, dero freilich vber die 50. durch allen Christen Lande vnd Stedt zuhauff zulesen weren. Zwey oder drey wil ich hernach zur kleinen Litany erzelen.

Bl. 105 b. Creutzwoche. Vnsere lieben Vorfaren sungen in dieser Bittfart vnter anderen diese gesenge. Erstlich die zehen Gebot Gottes:
Gott der HErr ein ewiger Gott, hat vns geben zehen Gebot, durch die hand des Moysi, hoch auff dem berge Sinai, Kyrie eleison, ꝛc.

Bl. 106 b. Gott ward an ein Creutz geschlan, Er hatt noch nie kein vbels than, ꝛc.

Bl. 107 a. Noch ein ander alt deudsch Lied.
In Gottes Namen faren wir, Seiner Gnaden begeren wir. ꝛc.

Bl. 108 a. Gemeiner Läygesang auff dis here Fest.
Christ fure zu Himel, was sendet Er vns herwider, ꝛc.

Bl. 112 a. Hie (bei den Prosen Spiritus sancti vnd Veni) singt die gantze Kirch.
Nu bitten wir den heiligen Geist, ꝛc.

Bl. 116 a. Vnter der Prosen dieses Fests, (Dreifaltigkeit) wird vom Volck deudsch gesungen.
Des helffen vns die Namen drey, die Einige Gottheit wone vns bey, ꝛc.

Bl. 118 b. Warleichnamsfest: Darunter (Lauda Zion) singt der gemein Man:
Gott sey gelobet vnd gebenedeiet, der vns selber hat gespeiset, Mit seinem Fleische vnd mit seinem Blute, Das gib vns lieber HErre zu gute, Kyrie eleeson. (Einzige Strophe!) Der Text, Jhesus Christus vnser Heiland, ꝛc. wird als ein Lied von Huß bezeichnet, darin er die Misse oder das Sacrament des Altars Hostiam nennet, das ist, ein Opffer, wider die jtzigen Albimontenser.

Bl. 119 b. Ein Christlich vnd Catholisch Liedt hieruon, welches zu singen, als Pange Lingua, ꝛc.
Gott lobsinget, Gott danckfaget, Lobs vnd dancks sey kein mass, ꝛc.

Exemplare auf der Convictsbibliothek in Tübingen, auf der Herzogl. Bibliothek in Wolfenbüttel, auf der Stadtbibliothek in Colmar, den Universitätsbibliotheken in Bonn, Breslau und Freiburg in Baden.

Andere Bücher Wizels, welche deutsche Lieder enthalten, findet man in der Bibliographie dieses Bandes beschrieben unter den Jahren 1537 und 1541, 1549 und im II. Bande unter 1545 und 1546.

Die Hymni v. Kethner 1555.

Die hym= | ni, oder geistlichen | Lobgeseng, wie man | die in der Cystertienser | orden durchs gantz | Jar singet. || Mit hohem vleis ver= | teutschet, durch, Leonhar | dum Kethnerum. || Anno. M. D. L. V. 8. A. Schluß: Gedruckt zu Nürnberg | durch Valen= tin | Geyßler.

1 Titelblatt mit Holzschnitt, sodann auf 5 Seiten die Dedication vom Schwager Kethners, Johannes Gruen, an den Abt von Hailßbron, Herrn Friderico Schörmer (Bl. a II — a IIII). Auf der Kehrseite von Bl. a IIII bis Bl. e VI folgen 37 Uebersetzungen lateinischer Hymnen mit 33 Melodien. Von diesen wiederholen sich 5; es bleiben demnach noch 27 alte Choral-Melodien. Ueber jedem Hymnus stehen die Anfangsworte des lateinischen Textes. Unter den Noten ist der deutsche Text ohne jede Rücksicht auf die Silbenvertheilung aufs Gerathewohl abgedruckt worden, sodaß es schwer hält, manche Texte nach den beigegebenen Melodien zu singen.

Die Uebersetzungen rühren nicht alle von Kethner her, sondern sind theilweise ältern Ursprungs.

1) »Ad coenam agni providi«: „Laßt vns nun all fürsichtig sein" steht bereits in dem auf Anregen Thom. Münzers herausgegebenen Büchlein „Teutsch Euangelisch Messze. Alstedt 1524", ferner im (protest.) Augsburger Gesangbuche 1529. (W. III, 503.)

2) »A solis ortus cardine«: „Christum wir sollen loben schon" Strophe 1, 2, 3, 4 und 8 des Luther'schen Liedes im Erfurter Enchiridion 1524.

3) »Christe qui lux es et Dies«: „Christe, der du bist tag vnd liecht" im (protest.) Schumann'schen Gesangbuche 1539 unter den Liedern „von den Alten gemacht".

4) »Enixa est puerpera«: „Die edle Mutter hat geborn", Strophe 5, 6, 7 und 8 des oben citirten Liedes „Christum wir sollen loben schon" und eine neue Strophe.

5) »Pange lingua gloriosi«: „Mein Zung erkling vnd frölich sing" von Johann Mönch von Salzburg.

6) »Veni Creator Spiritus«: „Komb Gott Schöpffer Heiliger Geist" im Erfurter Enchiridion 1524, von Luther.

7) »Veni Redemptor gentium«: „Nun komb der Heiden Heiland" im Erfurter Enchiridion 1524, von Luther.

Exemplar auf der Königl. Bibliothek in Berlin.

Die Gesangbücher Leisentrits 1567, 1573, 1584.

Geistliche | Lieder vnd Psalmen, der | alten Apostolischer recht vnd warglau= | biger Christlicher Kirchen, so vor vnd nach der | Predigt, auch bey der heiligen Communion, vnd | sonst in dem haus Gottes, zum theil in vnd vor den | Heusern, doch zu ge= wönlichen zeitten, durchs gantze | Jar, ordentlicher weiß mögen gesungen werden, | Aus klarem Göttlichem Wort, vnd Heiliger ge= | schrifft Lehrern (Mit vorgehenden gar schönen | vnterwei= sungen) Gott zu lob vnd ehre, Auch zu er= | bawung vnd erhal= tung seiner heiligen allge= | meinen Christlicher Kirchen, Auffs | fleissigste vnd Christlichste | zusamen bracht[1]. | Durch | Johann: Leisentrit von Olmutz, | Thumdechant zu Budissin etc. | An Leser. | Dis klein gedicht, kauff liess vnd richt, | Christlicher pflicht, es rewt dich nicht. | Cum Gratia & Priuilegio. | Am Schluß: Gedruckt zu Budissin, durch Hans Wolrab M. D. Lx v ij. 8.

Das ander Theil | Geistlicher lie= | der von der allerheiligsten Jung= | frawen Maria der außerwelten Mut= | ter Gottes, Auch von den Aposteln, Martyren, | Vnd anderen lieben Heiligen, mit vorgehenden gar | schönen, vnd jetziger zeit zu wissen nottwendi= gen | vnterweisungen, Aus heiliger Geschrifft vnd der= | selben Lehrern, GOTT zu Lob vnd seiner ge= | liebten Mutter, auch allen heiligen Gottes zu | ehren, mit schuldigstem Catholischem | fleis zusamen bracht.[1] | Durch | Johann: Leisentrit von Olmutz, | Thumdechant zu Budissin, etc. | Lucc am 1. | Alle geschlechte werden mich selig sagen, denn | er hat grosse ding an mir gethan, der do mechtig ist | vnd sein Name heilig. | Psal. 138. | Mir aber (O Gott) sint deine freund Ehren= | wirdig, vnd jre Fürst= liche wirde starck worden. | Am Schluß: Gedruckt etc. (wie oben). 8.

Der erste Theil enthält:

1 Titelblatt und 11 nicht gez. Blätter mit der Vorrede an den Kaiser Maximilian etc., sodann ein zweites Titelblatt, mit welchem die Paginirung beginnt: Im ganzen 355 mit römischen Ziffern gez. Blätter. Am Schluß befinden sich noch 13 ungez. Blätter mit einem Gebete Leisentrits und verschiedenen Registern.

Der zweite Theil enthält:

1 Titelblatt und 8 ungez. Blätter mit der Vorrede an den Abt Balthasar von Ossigk und der Epistola ad Hecyrum. Das zweite Titelblatt beginnt mit p. II. Die letzte paginirte Seite trägt die Zahl LXXV. Es folgen noch 9 ungez. Blätter mit dem Register u. a.

Die alphabetischen Inhaltsverzeichnisse der Lieder sind unvollständig, daher die varirenden Angaben der Hymnologen über die Zahl der Lieder. Da die Leisentrit'schen Gesangbücher für das katholische Kirchenlied von großer Bedeutung sind, so habe ich es für zweckmäßig gehalten, ein vervollständigtes Inhaltsverzeichniß mit kurzer Angabe der Quellen zusammen zu stellen.

---

1) In der Ausgabe vom Jahre 1573 heißt es noch „gemehret vnd gebessert". 1584: „Abermals reuidiret gemehret vnd gebessert".

Leisentrit 1567.[1]

I.

Laufende Nr.

1. Ach Gott las dir befolen sein. Bl. 280. Um 1 Strophe vermehrt im protest. Straßb. Gesangbuch 1568.
2. *Ach Gott von Himel sich darein. 270. Umdichtung von Luthers Lied.
3. *Ach Herr dein ohren neig zu mir. 244. Vehe.
4. *Ach lieber Herr ich bitte dich. 291. Vehe.
5. *Allmechtiger gütiger Gott, du allerhöchster. 63.
6. Almechtiger Schöpffer vnd Gott. 263.
7. Als Jesus Christ gecreuzigt war. 94. Bonner Gesangbuch 1561.
8. *Als Jesus Christus vnser HErr, von todten. 164. Vehe.
9. *Als Maria nach dem gesetz. 53. Vehe.
10. *Also heilig ist der tag. 120. Wizel 1550 (alt).
11. *Als wir warn beladen. 14. Trillers Singebuch (1555) 1559.
12. *Am Sabath frü Marien drey. 140. N. Hermans Sonntagsevangelien 1561.
13. *Angelus ad uirginem. 15.
14. *Aus des Vaters hertzen ewig. 26. Wizel 1537.
15. Aus grosser angst vnd tieffer not. 282. Trillers Singebuch (1555) 1559.
16. *Aus hertzen grundt schrey ich zu dir. 243. Vehe.

17. *Barmhertziger ewiger Gott, dir klag ich. 316. Hecyrus.
18. *Barmhertziger ewiger Gott, vns danckbar. 310.
19. **Barmhertziger Herr Jhesu Christ, dem alles. 129.
20. Barmhertziger Herr Jhesu Christ, des macht vnd gwalt. 328.
21. **Bey deiner Kirch erhalt vns Herr. 279. Umdichtung von Luthers Lied: Erhalt vns Herr.

22. *Cedit Hyems eminus. 144.
23. *Christe geborn in reinigkeit. 41.
24. Christe du bist der helle tag. 347. Er. Alberus. Hamburger Enchiridion 1558.
25. *Christ der du bist das liecht vnd tag. 346. Salus anime 1503.
26. Christ fuhr gen Himel. 168 (alt).
27. *Christ ist erstanden etc. Alleluja. 118. Aus Vehe. (3 Str.)
28. Christ ist erstanden etc. Kyrioleison. 119 (alt).
29. *Christo dem Osterlemlein. 133. Nic. Hermans Sonntagsevangelien 1561.
30. *Christum hat Gott zum Sacrament. 221.
31. *Christum wir sölleu loben schon. 25. Luther.
32. Christus der vns Selig macht. 76. Aus Hecyrus von M. Weiße. Brüdergesangbuch 1531.
33. *Christus ist vnser speis vnd tranck. 220.
34. Christus mit seinen Jüngern ging. 289. Von Joh. Zwick. Straßburger Gsb. 1537.

35. *Da Jesus an dem Creutze hung. 91. J. Böschenstain.
36. Da Jesus an dem Creutze stund. 93. Aus Vehe von Wizel 1537.
37. *Da kommen solt der Welt Heilandt. 7. N. Hermans Sonntagsevang. 1561.
38. *Da Maria im Kindelbet. 55. Ebendaselbst.
39. *Dancket dem Herren Christo. 21. N. Hermans Sonntagsevangelien 1561.
40. *Dauck sagen wir alle mit schalle. 20. Vehe.
41. Das Fest vnd herrlich zeit. 167. Später in Rutgerus Edingius Teutsche Euangelische Messen, Cöln 1572 S. 340.
42. *Das ist der tag, den Gott gemacht hat. 39. Hecyrus.
43. *Das Sacrament ein gheimnus ist. 221.
44. *Das sind die heilgen Zehn Gebot. 147. Vehe.
45. *Der blosse Buchstab schafft den Todt. 298.
46. *Der Glaub in lieb so thetig ist. 299.
47. *Der Glaub ist ein bestendig hab. 298.
48. *Der Heiden Heylandt kom her. 5.

1) Die Angaben beziehen sich nur auf den Text. Das * bezeichnet Melodie.

49. *Der heilgen leben. 138. Deutsch Euangelisch Messe. Alstedt 1524 (von Thomas Münzer?).
50. *Der heilig Geist vnd warer Gott. 182. Trillers Singebuch (1555) 1559.
51. Der Herr Gott ist mein trewer Hirt. 242. Daselbst.
52. *Der Herr vnd Gott von ewigkeit. 196. Daselbst.
53. *Der Mensch ist recht selig vnd from. 239. Daselbst.
54. *Der tag der ist so frewdenreich. 19. Behe.
55. *Des Königs Panir gehen hervor. 90. Deutsch Euangelisch Messe. Alstedt 1524 (Münzer?).
56. *Dich Gott wir loben vnd ehren. 259. Hecyrus.
57. Die aller höchst barmhertzigkeit. 149.
58. Die Erbsünd kompt von Adams schuldt. 115. Gegenlied zu dem protest. Liede „Durch Adams Schuld ist ganz verderbt".
59. *Die Menschen warlich selig sind. 251. Behe.
60. Die Prophezeien seind erfüllt. 33. Aus Behe von Wizel.
61. *Die Osterlich zeit bringt vns. 124. Hecyrus.
62. Dies est laetitiae in festo regali. 48.
63. Dies est laetitiae in ortu regali. 45.
64. *Die zeit ist sehr heilig. 38.
65. *Durch den vngehorsam. 10. Hecyrus.
66. *Durch Jesum Christ, geleret ist. 219.

67. *Ecce Maria genuit. 51.
68. **Ein jeder mensch der da selig werden wil. 191. B. Trillers Singebuch (1555) 1559.
69. *Ein kind geborn zu Bethlehem etc. Hie leit. 23 (alt).
70. Ein Kind geborn zu Bethleem etc. Sein name. 24. Trillers Singebuch (1555) 1559.
71. *Ein Kindt von Gott vns geben ist. 35.
72. *Ein Knecht ders Herren willen. 278.
73. En trinitatis speculum. 50.
74. **Erbarm sich vnser Gott der Herr. 246. Behe.
75. *Erstanden ist der heilig Christ. 131 (alt).
76. Erstanden ist der Herre Christ. 132. B. Trillers Singebuch (1555) 1559.
77. *Es ist ein Kindlein vns geborn. 34. B. Trillers Singebuch (1555) 1559.
78. *Es ist nun vorhanden die zeit. 66. Hecyrus.
79. *Es kam ein Engel hell vnd klar. 31. B. Trillers Singebuch (1555) 1559.
80. *Es kommen vber vns geferlich zeit. 313.
81. *Es war ein mal ein grosser Herr. 277. B. Trillers Singebuch (1555) 1559.
82. Ewiger Gott wir bitten dich. 286. Behe.
83. Exultandi tempus est. 45.

84. *Fest vnd hoch auff dem Thron. 165. B. Trillers Singebuch (1555) 1559.
85. *Frew dich du werde Christenheit. 141. alt. Wizel 1550, Kleinat 1562.

86. *Gelobet sey Gott ewiglich. 169. Behe.
87. *Gelobet sey Gott vnser Herr. 253. Behe.
88. *Gelobet seistu Jesu Christ. 18. Behe.
89. Gott der Herr ein ewiger Gott. 149. alt (bei Wizel 1550).
90. *Gott des Vaters weißheit schon. 74.
91. *Gottes Namen solt jr loben. 236. B. Trillers Singebuch (1555) 1559.
92. *Gott heilger schöpffer aller stern. 3. Deutsch Euangelisch Messe. Alstedt 1524 (von Th. Münzer?).
93. Gott lobsinget, Gott danckaget. 215. Wizel 1537.
94. *Gott sey gelobet vnd gebenedeyet. 216. Aus Behe.
95. *Gott Vater im höchsten Thron, wir bitten. 289 und 199.
96. Gott ward an ein Creutze geschlan. 156. Wizel 1550 (alt).
97. Groß ist Gottes barmhertzigkeit. 306.
98. *Gros vnd heilig vber allen. 77. B. Trillers Singebuch (1555) 1559.
99. Gütiger Jesu Christ. 123.

100. *Herr Christe Schöpffer aller welt. 95. B. Trillers Singebuch (1555) 1559.
101. Herr Gott Vater in ewigkeit. 197.

102. *Herr Gott Vater im Himelreich. 263. Von C. Huberinus. Kleiner Catechismus Augsburg 1544.
103. *Herr Jesu Christ, mein trost du bist. 331.
104. *Herr Jesu Christ war mensch vnd Got. 326. P. Eber. Frankfurt 1563.

105. *Ich das elend menschlichs leben. 336.
106. *Ich gleub in Gott den Vater mein. 154. Behe.
107. Ich gleub in Gott Vater Allmechtigen, der erschaffen. 302.
108. *Ich preise Gott mein lebenlang. 232.
109. Jesu Christ der du bist kommen. 57. Hecyrus.
110. Jerusalem du selig Stadt. 274. Wizel 1537.
111. *Jesus Christus des barmhertzigen Gottes Son. 85.
112. *Jesus Christus ist erstanden. 127.
113. *Jesus Christus vnser Heilandt. 213. Behe.
114. *Jesus Christus vnser Herr vnd Heiland. 126. Hecyrus 1581, Anhang zum Brüdergesangbuch 1566.
115. *Jesus Christus vnser seligkeit. 73.
116. *Ihr Christen jetzund frölich seid. 21.
117. *In armut Christus ist geborn. 109. In Behe's Lied „Sobald der Mensch erschaffen war" enthalten.
118. *In dieser zeit loben wir all. 142. Behe.
119. *In dulci iubilo. 23. Behe.
120. In Gottes namen faren wir etc. Vorleih vns. 152. Aus Behe.
121. In Gottes namen faren wir etc. Nu hilff. 154. Wizel 1550 (alt).
122. *In Gottes wort üb dich mit fleis. 300.
123. In hoc anni circulo. 49.
124. In natali Domini. 47.

125. Kom der Heiden trewer Heiland. 6. Hecyrus.
126. Kom Gott Schöpffer heiliger Geist, besuch. 175. Luther. Erf. Enchiridion 1524.
127. Kom Gott Schöpffer heiliger Geist, dieweil. 183. Val. Trillers Singebuch (1555) 1559.
128. *Kom heiliger Geist Herre Gott, deiner. 180. Nach Mich. Weiße 1531 bearbeitet.
129. *Kom heiliger Geist Herre Gott, erfüll. 185. Behe.
130. *Kom heiliger Geist warer Gott, bedenck. 177.
131. *Kom heilger Geist warer Gott, gib. 176.
132. *Kom heiliger Geist warer trost. 174.
133. Kom Herr Gott o du höchster hort. 30. V. Trillers Singeb. (1555) 1559.

134. *Last vns all mit jnnigkeit. 303.
135. *Last vns Jesum Christum vnsern Heylandt. 162.
136. *Last vns in einigkeit, Gott zu lob. 9. Hecyrus.
137. *Last vns loben Gott. 307.
138. Last vns nun all vorsichtig sein. 122. Deutsch Euangelisch Messe. Alstedt 1524 (Münzer?).
139. Laus Domino resonet. 45.
140. *Lob ehr sey Gott im höchsten thron. 79. Hecyrus.
141. *Lob sey Gott in ewigkeit. 37. Hecyrus.
142. *Lob saget vnd dancket dem Herren. 223.
143. Lob singet mit frewden, alle. 168. Aus Behe von Wizel.
144. Lob vnd danck wir sagen. 98. V. Trillers Singebuch (1555) 1559.

145. Mach zu nicht lieber Herr. 282.
146. Magnum nomen Domini. 47.
147. Mein hertz für frewd aufffspringt. 166. Nic. Hermans Sonntagsevangelien 1561.
148. **Mein seele macht den Herren gros. 13. Behe.
149. *Mein wort O Herr zu ohren nim. 225. Behe.
150. *Mein zung erkling, vnd frölich sing. 211. Behe.
151. Mensch wiltu leben seliglich. 150. Eine Zusammensetzung von Strophen aus den beiden Liedern Luthers „Mensch wiltu leben seliglich" und „das synd die heylgen zehn gebot".

152. *Mit hertz vnd mund ich loben wil. 227. Behe.
153. *Mitten wir im leben sind. 324. Behe.

154. *Nim von vns Herr Gott. 156.
155. Nobis est natus hodie. 46.
156. *Nunc Angelorum gloria. 50.
157. *Nu bitten wir den heiligen Geist. 184. Behe.
158. Nuhe feiret alle Christen leut. 29. B. Trillers Singebuch (1555) 1559.
159. *Nu höre zu jeder Christenman. 333.
160. *Nu last vns im glauben. 238. B. Trillers Singebuch (1555) 1559.
161. *Nun last vns singen. 210.
162. *Nun singet lob mit jnnigkeit. 343. B. Trillers Singebuch (1555) 1559.

163. *O du ewiger Gott, zurstöre. 281. B. Trillers Singebuch (1555) 1559.
164. *O du Gütigster Herr vnd Gott. 342.
165. O Gnediger Vatter vnd Gott. 345.
166. *O Gott Vater danck sag ich dir. 261. Behe.
167. *O Gott Vater im Himelreich. 348. B. Trillers Singebuch (1555) 1559.
168. *O Gott Vater im höchsten Thron. 233. Daselbst.
169. *O Gott wir loben dich. 255. Behe.
170. *O gütiger Schöpffer vnd Herr. 65. Von Hecyrus, mit Varianten auch bei Ebingius „Teutsche Ev. Messen 1572“.
171. O gütigr Gott in ewigkeit. 283. Wenzesl. Linck. 1526.
172. *O gütigster Herr Jesu Christ. 42. Hecyrus.
173. *O gütiger vnd süsser Gott. 319.
174. *O heilger Gott erbarm dich mein. 230. Behe.
175. *O heiliger Geist der du mit grossem gwalt. 172. Hecyrus.
176. *O Herr Gott Vater won vns bey. 194. B. Trillers Singebuch (1555) 1559.
177. *O Herr ich klag, das ich mein tag. 330. In H. Fincks „Schöne außerlesene lieder Nürnberg 1536“ (um 1500 componirt).
178. *O Herr Jesu Christ Gottes Son, aller heiligen. 161.
179. *O Herr Jesu Christ Gottes Son, der du von. 209. Hecyrus.
180. *O Herr wir sagen dir lob vnd danck. 264. C. Huberinus. Kl. Catechismus 1544.
181. *O Jesu Christ, bis du mein gantz zuuorsicht. 328.
182. *O Jesu Christ, dein Nam der ist. 68. Bibliogr. No. 94 u. 123.
183. O Jesu Christ vnser Heyland. 344.
184. O Jesu Christ, welcher du bist, im Himmelreich. 70.
185. *O König Israel gerecht. 79 (zweiter Theil von: Lob ehr sey Gott im höchsten Thron). Hecyrus.
186. O Mensch bedenck zu dieser frist. 337. B. Trillers Singebuch (1555) 1559.

187. *Preiß sey Gott im höchsten throne. 33. B. Trillers Singebuch (1555) 1559.
188. Puer natus in Bethlehem. 44.
189. Puer nobis nascitur. 44.

190. Quem pastores laudauere. 48.
191. *Quiescat ira tua. 158.

192. Resonet in laudibus. 45.

193. Sey gelobt vnd gebenedeyt. 198. Hecyrus.
194. *Singet frölich alle gleich. 130. B. Trillers Singebuch (1555) 1559.
195. Singet Lob vnd Preiß mit schallen. 214. Daselbst.
196. Sit laus honor et gloria. 200.
197. *So bald der mensch erschaffen war. 99. Behe.
198. Spiritum sanctum hodie. 187.
199. Spiritus sancti gratia. 186.
200. Surrexit Christus hodie. 144.

201. Tres Magi de gentibus. 49.

202. *Vnglück sampt seinem bösen Heer. 287. B. Trillers Singebuch (1555) 1559.
203. *Vnser Herr Jesus Christus. 218.

204. *Vater im Himel wir deine Kinder. 292. Aus Behe von Wizel.
205. *Von der Christlichen gemeine. 272. V. Trillers Singebuch (1555) 1559.
206. *Von des ewigen Vaters Thron. 81.
207. *Von edler art, gantz schön vnd zart. 275. V. Trillers Singb. (1555) 1559.
208. *Vorley vns frieden gnediglich. 287. 3 Strophen (erste von Luther?).

209. *Wach auff liebe Christenheit. 28. V. Trillers Singebuch (1555) 1559.
210. *Wann mein stündlein vorhanden ist. 323. N. Herman, Historien von der Sindflut. 1562.
211. *Weil Gott trew vnd warhafftig ist. 113.
212. *Wenn der ewige Gottes Sohn. 349. Hecyrus.
213. *Wer da wonet vnd sich enthelt. 248. Behe.
214. Wer auff Gottes barmhertzigkeit. 116.
215. *Wer Gottes Wort wil recht verstan. 300.
216. *Wir Christen all jtzt frölich sein. 137. V. Dietrich. Nürnberg. 1543.
217. Wir dancken dir ewiger Gott. 265.
218. *Wir dancken dir lieber Herre. 96. Walasser. Ein edel Kleinat. 1562.
219. Wir sagn dir danck Herr Jesu Christ. 343.
220. *Wir wollen heute loben vnd preisen. 207.
221. Wol auff nu last vns singen all. 4. V. Trillers Singebuch (1555) 1559.

222. *Zu Tisch dieses Lemleins so rein. 121. Aus Behe von Wizel.
223. Zv dir erheb ich meine Seel. 235. V. Trillers Singebuch (1555) 1559.

II.

224. *Als Maria die Junckfraw rein. Bl. 17. V. Trillers Singeb. (1555) 1559.
225. Ave Hierarchia. 25.

226. *Christus in diese Welt ist kommen. 50. V. Trillers Singebuch (1555) 1559.

227. *Da Jesus Schöpffer aller ding. 48. N. Hermans Sonntagsevangelien 1561.
228. *Dich Fraw von Himmel. 12. Aus Behe.
229. Die ersten Menschen Gott der Herr. 37. Hecyrus.

230. *Fraw von hertzen wir dich grüssen. 22. Aus Behe.

231. *Gegrüsset seistu aller heiligste Maria. 23.
232. *Gegrüsst seistu Maria rein. 13. Hecyrus.
233. *Gott der Vater wohn vns bey. 54. Behe.
234. *Güttigster Herr Jesu Christ. 39. Hecyrus.

235. *Herr Gott dich loben alle wir. 52. P. Eber?
236. *Herr Jesu Christ Gottes Sohn. 41. Hecyrus.

237. *Illuminare Jerusalem. 73.
238. *Jn Gottes Namen fahren wir. 59. Aehnlich wie im 1. Theil.

239. *Königin der Himele. 24. Aus Behe.

240. *Laudem Deo dicam per secula. 60.

241. *Maria zart von edler art. 15. alt.

242. *Nun last vns Gott den Vater samentlich. 35. Hecyrus.

243. *O der süssen gnaden gros. 19. V. Trillers Singebuch (1555) 1559.
244. *O ewiger Vater bis gnedig vns. 56. Behe.
245. *O Jhesu Christe Gott vnd Herr. 33. Behe.
246. O ihr heiligen Gottes freund. 44. Behe.
247. *O wie gros ist die seligkeit. 43. Behe.

248. Surrexit Christus hodie. 74.

249. **Wir sollen all dancksagen Gott. 10. Behe.
250. *Wir wollen singn ein lobgesang. 46. N. Hermans Sonntagsevangelien 1561.

Das Leisentrit'sche Gesangbuch 1567 enthält also 250 Texte.
Diese vertheilen sich wie folgt.

27 lateinische Texte.

47 Lieder aus Vehe. Nicht aufgenommen sind die Nrn. 7, 11, 27, 30 und 50 des Verzeichnisses bei Vehe. Das Lied No. 1 daselbst ist von Leisentrit nur theilweise benutzt worden. Dem Lied No. 12 daselbst fehlen bei Leisentrit die eingeschobenen Strophen 6 bis 19.

Noch 8 Lieder aus Wizels Werken. 1 von J. Böschenstain. 1 von R. Edingius.

25 Lieder von Hecyrus, wovon aber zwei (32 und 114 bei Leisentrit) den Gesangbüchern der böhmischen Brüder entnommen sind, darunter No. 32 von M. Weiße.

39 Lieder von Val. Triller.

9 Lieder von N. Hermann.

4 Lieder von Luther.

14 sonstige protestantische Lieder.

Merkwürdig bleibt es, daß Leisentrit nicht die geringste Andeutung darüber gibt, daß er das katholische Gesangbüchlein von Vehe fast ganz abgedruckt und das protestantische von V. Triller so ausgiebig benutzt habe, während er doch in einem Briefe, der nach der Vorrede zum II. Theil (1567) abgedruckt ist, erwähnt, daß er von Hecyrus Lieder für sein Gesangbuch erhalten habe (Vgl. II. Bd. S. 49).

Melodien enthält das Leisentrit'sche Gesangbuch 181.

Davon wiederholen sich drei. No. 11 u. 65; 98 u. 111; 232 u. 250.

Aus dem Vehe'schen Gesangbüchlein finden sich hier 36 Melodien. No. 1, 2, 4, 5, 6, 8, 9, 10, 13, 16, 17, 18, 19, 20, 21, 28, 29, 32, 34, 35 (2 Mel.), 37, 38, 39, 40, 41 (2 Mel.), 42, 43, 44, 45, 46, 48, 49, 51 und 52 des Verzeichnisses von diesem Buche.

Zu den Texten 3, 12, 31, 33 daselbst bringt Leisentrit andere Melodien.

Dem lateinischen Kirchengesange sind entnommen die Melodien zu No. 11, 13, 14, 22, 25, 29, 31, 37, 38, 39, 48, 49, 52, 55, 56, 61, 65, 67, 69, 75, 77, 78, 84, 90, 92, 98, 100, 111, 130, 131, 132, 135, 140, 150, 154, 156, 162, 163, 170, 185, 187, 191, 204, 205, 208, 218, 222, 224, 231, 237, 240, 243 und eine große Anzahl, die ich nicht nachzuweisen vermag.

Dem geistlichen Volksgesange gehören die Melodien zu No. 10, 35, 85, 122, 176, 177, 202, 220, 239, 241.

Melodien protestantischer Kirchenlieder tragen die Nrn.: 2, 16, 21, 79, 104, 113, 115. 179, 182 und 216. Ich rechne hierzu nicht diejenigen Melodien, welche dem lateinischen Kirchengesange oder dem vorreformatorischen geistlichen Liede angehören und zuerst in protestantischen Gesangbüchern vorkommen.

Die zweite Auflage des Leisentrit'schen Gesangbuches erschien im Jahre 1573 und wurde von Gregorius Leisentrit, dem Vetter des Johann Leisentrit, besorgt. Dieser betheiligte sich nur an der Revision, „so vil seiner hohen geschefft halben hat geschehen können".

Der erste Theil zählt 20 ungezeichnete und 339 gezeichnete Blätter. Am Schluß finden sich noch 6 ungez. Blätter mit dem Index.

Der zweite Theil enthält 9 ungez. und 49 gez. Blätter mit noch 6 ungez. Blättern am Schluß.

Diese zweite Auflage stimmt im ganzen mit der ersten überein. Die wenigen Aenderungen will ich hier angeben.

Die lateinischen Lieder »Illuminare Jerusalem« (mit Mel.) und Surrexit Christus hodie (ohne Mel.) gingen aus dem II. Theil 1567 in den I. Theil v. J. 1573 über. Die Melodie zu dem Liede „In Armut Christus ist geborn" I, 1567 ist in I, 1573 als zweite Melodie dem Liede „Sobald der Mensch erschaffen war" beigegeben. Das Lied „Ich glaub in Gott den Vatter mein" I, 1567 hat I, 1573 den Anfang: „Wir glauben all an einen Gott".

Zwei Liedertexte finden sich in der zweiten Auflage, welche in der ersten nicht stehen:

1) „Nun laß o Herr den diener dein". (1 Str. ohne Mel.)
2) »Eia, eia nunc simul jubilemus«. (ohne Mel.)

dagegen fehlen hier

I. Texte mit Melodien.

1) „Die Osterlich zeit".
2) „Ei Knecht ders Herren willen".
3) „Nu höre zu jeder Christenmann".
4) „O ewiger Vater bis gnedig".
5) „Vnser Herr Jesus Christus".
6) „O Gott wir loben dich".
7) »Laudem Deo dicam«.
8) »Cedit hyems eminus«.

II. Die Melodien zu folgenden Texten.

1) „Christus ist vnser speis vnd tranck".
2) „Der blosse Buchstab schafft den Todt".
3) „Erbarm sich vnser Gott der Herr". (eine.)
4) „Gott Vater im höchsten Thron".
5) „Kom heiliger Geist, Herre Gott, erfüll".
6) „Wer Gottes wort wil recht verstan".

III. Folgende Texte.

1) »Ave Hierarchia«.
2) „In Gottes namen fahren wir" (ein Text).
3) »Spiritus sancti gratia«.
4) „Wer auff Gottes barmhertzigkeit".

Die zweite Auflage hat also 12 Texte und 14 Melodien weniger als die erste, dagegen 2 neue Texte, also im ganzen 240 Texte und 167 Melodien.

Die dritte Auflage vom Jahre 1584, von Joh. Leisentrit selbst besorgt, ist eine bedeutend vermehrte.

Inhalt: Ein Titelblatt in lateinischer Sprache: Catholicum Hymnologium Germanicum orthodoxae vereque Apostolicae ecclesiae etc. A. Reverendo Dno Joanne Leisentritio Decano Budissinen: etc. Darauf 7 ungez. Blätter mit einem Briefe des Papstes Gregor (Datum Roma. die 6. Julii 1577) an Joh. Leisentrit, und einem Schreiben dieses letzteren an den Apostolischen Nuntius J. F. Bonhomius vom 27. Januar 1584. Beide Briefe sind in lateinischer Sprache abgefaßt. Darauf folgen weitere 12 ungez. Blätter, enthaltend ein zweites, deutsches Titelblatt, die Dedication an den Kaiser Maximilian u. a. m. Mit dem dritten Titelblatt beginnt die Paginirung durch arabische Ziffern: 360 gez. Blätter. Am Schluß noch 24 ungez. Blätter, von denen das letzte abgesehen von der Holzschnitteinfassung leer geblieben ist.

Diese enthalten ein Lieder- und Sachregister, sodann die Protestatio vere catholica (Joan. Leisentrii) in piae precationis contra haereses hoc tempore recitandae easque abiurandi formam redacta cum vera peccatorum confessione u. a. m. Am Schluß heißt es: »Salvo tamen per omnia Sedis Apostolicae et omnium Catholicorum prudentius sentientium iuditio. Cum gratia et Priuilegio. **Gedruckt zu Budissin, Sonst Bautzen genant, In der Hauptstadt des Marggrafftbumbs Ober Laußnitz. Durch Michael Wolrab** 1584«.

Der zweite Theil enthält zunächst ein Titelblatt und 7 ungez. Blätter mit einer Epistola dedicatoria des Autors ad. Rev. etc. Dominum Martinum Archiepiscopum Pragensen, sedis Apostolicae legatum etc. Datum die prima mensis Aprilis 1584. u. a. Mit dem zweiten Titelblatt beginnt die Paginirung durch arabische Ziffern. Bl. 1—217 stehen die Lieder mit ihren Melodien. 217—218a **Die Werck der Barmhertzigkeit**, Bl. 218b—225b Lieder- u. Sachregister, Bl. 226—228 die Epistola Lamperti Episcop. Neapolitan. ad Joan. Leisentritium. Bl. 229—238a verschiedene lateinische Gebete, Sententiae Patrum pro authoritate ecclesiae, ein Schreiben des Patriarchen von Konstantinopel ad Germanos Lutheranos. Bl. 238b ein Nachwort des Autors. Den Schluß bilden zwei ungez. Blätter mit der Erklärung »Salvo tamen« (wie oben).

Mit Rücksicht auf das mitgetheilte Inhaltsverzeichniß der ersten Auflage will ich im Folgenden das Verhältniß der dritten Auflage zur ersten klar stellen.

In der Ausgabe 1584 kommen folgende Lieder in Wegfall:

I. Texte mit Melodien.

No. 22, 159, 169, 203, 226, 227 und 240 des Verzeichnisses von 1567.

II. Texte ohne Melodien.

No. 121, 199, 214 und 225.

III. Die Melodien zu folgenden Liedern.

No. 33, 45, 49, 74 (2. Melodie), 95, 117, 129, 205, 215, 235. Der Text dieses letzteren ist in den Ruf „**In Gottes Namen heben wir an**" eingeschaltet worden. 72, der Text ist übergegangen in das Lied „**Beidt heupt vnd Leib**".

Aus dem ersten Theil der Ausgabe 1567 gingen in den zweiten Theil der Ausgabe 1584 über: No. 38*, 44*, 49* (die Melodie geht auf das Lied „**Christ der Engel Zier**" über) 56*, 87*, 89, 96, 106* (mit dem Anfang „**Wir glauben all an einen Gott**") 109, 117* (die Melodie geht auf das

* bezeichnet mit Melodie.

Lied über „Sobald der Mensch erschaffen war"), 120, 148**, 151, 154*, 191*, 204*, 197*.

Aus dem zweiten Theil 1567 ging in den ersten 1584 über No. 237*.

Neue Lieder im I. Theil 1584.

1. *Aller barmherzigster Herre Gott. Bl. 319. Edingius 1572. II, S. 222.
2. Als Jhesus Christ geboren war, zu Herodis zeiten. 59. M. Weiße 1531. Tegernsee 1577.
3. **Auß hertem wee klagt menschlichs gschlecht. 7.
4. *Beidt heupt vnd Leib von einem Geist. 292.
5. Glorj Lob vnd ehr sey dir Christ. 95. Edingius 1572. S. 186.
6. *Gott ist auff Erden kommen. 65.
7. *Gott Vater mein, im höchsten thron, der du dein allerliebsten Sohn. 334.
8. *Ich wider sage dir Sathan. 347. Edingius 1572. II, S. 217.
9. *Jesus ist gar ein süsser nam. 54. Tegernsee 1577.
10. *Jerusalem du selge Stadt. 266. Edingius 1572. S. 489. Die Melodie steht 1567 bei dem Liede „Von der Christlichen gemeine".
11. *Kom heiliger Geist Schöpffer mein, vnd geuß. 179. Edingius 1572. S. 369.
12. *König der heiligen Engel. 167. Edingius 1572. S. 356.
13. *Lob sey Gott im höchsten thron. 23.
14. *Mein lieber Gott der ist mein Hirt. 336. Joh. Leon 1575.
15. *Mein Seel dem Herren sing Lobsang. 353. Edingius 1572. II, S. 223.
16. Mein Zung erkling zu aller frist. 216. Edingius 1572. S. 385.
17. Mitten im lebn sind wir im Tod. 328. Edingius 1572. S. 135.
18. *Mitten wir im leben seind. 327.
19. *Nu wol Gott das vnser gesang. 55. Joh. Zwick 1540.
20. *O gütiger Herr Christ, des lichts. 125. Edingius 1572. S. 274.
21. *O Jhesu vnser Erlöser. 150. Edingius 1572. S. 343.
22. O Mensch gedenck mit danckbarkeit. 100. Tegernsee 1577.
23. *O welch ein selige grosse frewd. 171. Edingius 1572. S. 362.
24. *Reicher Gott ewiger Vater. 300. Edingius 1572. II, S. 218.
25. *Secht heut wie der Messias. 92. M. Weiße 1531.
26. *Sey gegrüst du hoher Festag. 128. Edingius 1572. S. 299.
27. *Schöpffer aller ding König Christ. 120. Edingius 1572. S. 180.
28. *Steh bey vns heilige Dreyheit. 200. Edingius 1572. S. 379.
29. *Tewres Creutz wo findt man deinsgleich. 123. Edingius 1572. S. 269.
30. *Wolauff zu Gott mit lobesschall. 193. Tegernsee 1577.

Neue Lieder im II. Theil 1584.

31. *Ach Herre Gott, köndt ich aus. 28. Bergkreyen 1536.
32. *Als die Weisen verwarnt von Gott. 117.
33. *Als Johannes zu Christo sandt. N. Hermans Sonntagsev. 1561.
34. Als Jhesus von seinm Leiden redt. 118.
35. *Ave Jesu Christe. 146.
36. **Ave in aeuum sanctissima caro. 194.
37. *Ave Maria klare. 17.
38. *Bis gegrüst du Meerstern. 15. Edingius 1572. II, S. 16.
39. *Christ der Engeln zier. 63. Edingius 1572. II, S. 61. (Melodie 1567 No. 49.)
40. *Christ der Herr seine Jünger fragt. 67. N. Hermans Sonntagsev. 1561.
41. *Christi port wird jtzt durchgenig. 11. Edingius 1572. II, S. 55.

42. *Da Christ sein Jünger warnen thet. 85. N. Hermans Sonntagsev. 1561.
43. *Der Herr Gott Israels sey benedeit. 13. Edingius 1572. II, S. 184.
44. *Den König den gecreutzten. 128. Edingius, Psalter 1574. S. 487.
45. *Der letzte tag nu kommen wirdt. 206. M. Moller 1584.
46. Der obrist Richter Christus. 209.
47. *Die Schrifft zeigt vns an klar vnd hell. 69. N. Hermans Sontagsev. 1561.
48. *Do Jesus jetzt in Tod gehn solt. 65. N. Hermans Sonntagsev. 1561.

49. *Ehrwirdiger der Martyrer. 79. Edingius 1572. II, S. 128.
50. *Ein newes licht ist entsprossen. 81.
51. *Es frolockt was im Himel ist. 57. Edingius 1572. II, S. 1.
52. **Es was ein Gottfürchtiges. 88. N. Hermans Sonntagsev. 1561.

53. Friß Sauff vnd lebe nur im sauß. 212. (Als Ton angegeben zu einem Gegenlied No. 71.)

54. *Gegrüsset seystu Maria volr gnad. 200.
55. *Gnade gütiger Herre Gott. 94.
56. *Gott der du deiner Ritter Kron. 100. Edingius 1572. II, S. 118.
(56a.) *Gottes des Vaters weißheit schon. 141. Auch im I. Theile 1584.
57. *Gott in der höh sey preis vnd ehr. 15. Edingius 1572. II, S. 199.

58. Herr Christe Licht vnd leben. 110. Edingius 1572. II, S. 135.
59. *Hertzliches bildt Maria klar. 18. Tegernsee 1577.
60. Heut singt die liebe Christenheit, dem Herrn. 107.
61. *Heut singt die liebe Christenheit, Gott lob. 101. N. Hermans Sonntagsevangelium 1561.

62. *Jesu der Welt behalter from. 93. Edingius 1572. II, S. 157.
63. *Jesu du Kron der Jungfrawen. 87. Edingius 1572. II, S. 26.
64. *Jesum Christum der welt Heylandt. 71. N. Hermanns Sonntagsev. 1561.
65. Jesus am Galileischen Meer. 113.
66. *Jesus Christus nostra salus. 196. Von Huß.
67. Jesus Christus vnser Heiland, dem die Bösen. 197. Das vorige übersetzt.
68. Jesus Christus vnser Heiland, den vns der Vater. 193. (Aus Behe. Aehnlich im I. Theile 1584.) Hier als Ruf in 14 zweizeiligen Strophen.
69. Jesus zu seinen Jüngern sprach, Als ihm war. 120.
70. *Jesus zu seinen Jüngern sprach, So mir jemandt. 75. N. Hermans Sonntagsev. 1561.
71. Ihr Christen nehmt an diessn bericht. 212. Gegenlied zu No. 53.
72. **In Gottes Namen hebn wir an. 104. Tegernsee 1577.
73. *Isti sunt sancti qui pro testamento. 112.
74. *Judicabit judices. 208.

75. Kom her aller heiden Heylandt. 22. Edingius 1572. S. 28.
76. *Kompt last vns frolocken dem Herrn. 126. Edingius 1572. II, S. 181.

77. *Libera me Domine.

78. *Mein seel sol gros machen den Herren. 10. Edingius 1572. II, S. 186.
79. *Mein süsser Gott Herr Jesu Christ. 41.
80. *Mutter Gottes in ewigkeit. 27. Tegernsee 1577.

81. Nu las o Herr den diener dein. 38. Edingius 1572. II, S. 47.
82. *Nu höret zu jhr Christen Leut. 200. H. Witzstat.

83. *O Anna zart, zu dieser fart. 44. Bibliogr. No. 42.
84. *O Heilandt Herr Jesu Christ. 168.
85. *O Herr Jesu Christ Gottes Sohn. 192. Hier als Ruf in 23 zweizeiligen Strophen; in vierzeiligen Strophen im I. Theil.
86. *O Mensch flech was du redst vnd thust. 212.

87. *Saulus vmbs gsetz eyuert gar sehr. 58. N. Hermans Sonntagsev. 1561.
88. *Schöpffer Himmels vnd aller ding. 92. Edingius 1572. II, S. 113.
89. *Siehe des Martrers Laurenti. 77. Edingius 1572. II, S. 100.
90. *So heilig dis Fest ist. 190. Edingius 1572. S. 387.

91. Thomas des Herrn zwelff Jünger ein. 112.

92. *Vnser zuflucht o Gott du bist (mit Vater unser der du bist). 198. Behe.
93. *Vnser Zuflucht o Gott du bist (mit Vater unser im Himelreich). 199.
94. *Wir loben dich Gott vnd Herren. 203. Edingius 1572. II. S. 182.
95. *Wend von vns Herr deinen zorn. 145.
96. *Zank, hader, gros vneinigkeit. 216.

Die dritte Ausgabe von Leisentrits Gesangbuch enthält demnach (mit No. 56a) 97 Texte mehr als die erste. Von diesen kommen bereits im I. Theil 1567 mit wenigen Veränderungen vor die Nrn. 56a, 68 und 85. Die Quellen, welchen dieselben zum größten Theile entnommen sind, habe ich in kurzen Notizen angegeben.

37 Texte sind von Rutgerus Edingius[1] (Teutsche Euangelische Messen Cöln 1572 und Psalter Cöln 1574).

2 Lieder sind aus Behe.

Aus protestantischen Quellen stammen 14 Lieder (10 von N. Herman und 4 von andern Autoren). Ein lateinisches Lied ist von Joh. Huß und zwei rühren von M. Weiße (Brüdergesangbuch 1531) her.

Die 83 Melodien vertheilen sich wie folgt:

33 sind dem lateinischen Kirchengesange entnommen: No. 7, 10, 11, 12, 20, 21, 23, 26, 27, 28, 29, 35, 36, 38, 39, 41, 44, 49, 51, 52, 56, 62, 63, 66? 73, 74, 76, 77, 78, 88, 89, 90, 94, 95.

Melodien aus protestantischen Gesangbüchern tragen die Nummern 3, 32, 61 und 92. No. 66 ist die alte Weise des Huß'schen Liedes. No. 82 bringt den Ton des Lindenschmidliedes. Auch No. 19 gehört wahrscheinlich dem weltlichen Volksgesange an.

Von den übrigen mögen noch viele dem lateinischen Kirchengesange angehören, andere dem geistlichen Volksgesange entnommen sein.

Die dritte Ausgabe von Leisentrits Gesangbuch zählt demnach 250 + 97 = 347 Texte. Ausgefallen sind 11. Es bleiben also 331 **Texte**.

Melodien enthält dieselbe 181 + 83 = 264. In Wegfall kommen 18. Es bleiben demnach 246 Melodien. Die Melodie zu dem Liede „Die Osterlich zeit" aus der ersten Ausgabe 1567 ist in der dritten vertauscht mit einer andern aus dem Gesangbuche des Hecyrus 1581. Hinzugekommen ist eine zweite zu der Litaney aus der ersten Ausgabe „Vater im Himmel".

Die dritte Ausgabe enthält demnach 247 **Melodien**. Von diesen wiederholen sich 12 zu folgenden Texten:

1) „Durch den vngehorsam".
„Als wir warn beladen".
2) „Gros vnd heilig vber allen".
„Jesus Christus des Barmhertzigen".
„Tewres Creutz, wo findt man".
3) „Gegrüst seistu Maria rein".
„Wir wollen singen ein Lobgesang".
4) „Herr Christe Schöpffer aller Welt".
„Schöpffer aller ding, König Christ".
5) „Kom heilger Geist warer trost".
„O welch' ein selige grosse freudt".
6) „Wolauff zu Gott mit lobesschall".
„In Gottes Wort üb dich mit fleis".

---

1) Da die Bücher keine Indices haben, so fügte ich die Seitenzahl hinzu.

7) „Der Herr vnd Gott von ewigkeit“.
„Steh bey vns heilige Dreyheit“.
8) „Da Maria im Kindelbeth“.
„Christi port wird igt durchgengig“.
9) „Es war ein Gottfürchtiges“.
„Fest vnd hoch auff den Thron“.
10) „Jesus Christus nostra salus“.
„Jesus Christus vnser Heylandt“.
11) „Kom heilger Geist warer Gott, gib“.
„Kom heilger Geist Schöpffer mein vnd geuß“.
12) „Gott des Vaters Weißheit schon“.
„Judicabit judices“.

Das von mir benutzte Exemplar der Ausgabe 1567 gehört dem Herrn Gymnasialdirektor a. D. Hölscher in Recklinghausen, die zweite Ausgabe 1573 stellte mir der Senior des Domkapitels in Bautzen Herr Canon. Kutschgank zur Verfügung. Das Exemplar der dritten Ausgabe lieh mir Herr Pfarrer Verkoyen in Friedrichsthal bei Saarbrücken.

Außerdem sind folgende Bibliotheken zu nennen.

1. Ausgabe. Universitätsbibliotheken in Breslau und Berlin. Convictsbibliothek in Tübingen. Herzogl. Bibl. in Gotha.

2. Ausgabe. Königl. Bibliothek in München. Herr Dr. Biltz in Berlin.

3. Ausgabe. Universitätsbibliothek in Breslau. Stadtbibliothek in Augsburg.

Dilinger Gesangbuch 1576.

Kurtzer Außzug: | Der Christli= | chen vnd Catholischen | Gesäng, deß Ehrwirdigen | Herrn Joannis Leisentritij, Thum= | dechants zu Budessin | Auff alle Sontag, | Fest vnd Feyertäg, durch das gantz | Jar, in der Catholischen Kirchen | sicherlich zu= singen. | Auß Beuelch des Hochwür= | digen in Gott Fürsten vnd Herren, | Hern Veiten, Bischoffen zu Bamberg, | sampt eines Ehrwürdigen Thumm=Capitels | daselbsten, für derselbigen Hochlöbli= | chen vnd Kayserlichen Stifft al= | so außzuziehen vnd zu= sin= | gen verordnet. | Mit Röm. Kayser May. Freyhait. | Gedruckt zu Dilingen, durch | Sebaldum Mayer. | M.D.LXXVI. kl. 8.

Das Buch, mit Bildern und Zierleisten schön ausgestattet, zählt 244 gez. Seiten, 3 Seiten Vorrede und 2 Seiten Register, welches aber nicht alphabetisch geordnet ist. Von den 62 numerirten Liedertexten ist einer „Kom h. Geist Herre Gott, erfüll vns deiner Gnaden gut“ ohne Melodie. Dieselbe Melodie haben No. 27, 28; 20, 31, 41, 42, 43; 46, 47, 48; also bleiben noch 54 Singweisen.

Die Texte und die Melodien sind aus Leisentrit entnommen mit Ausnahme der folgenden:

1) „O süsser Vatter Herre Gott, verleih das wir erkennen“.
2) „Vater vnser der du bist im Himmelreich“.
3) „Mitten wir im leben seind“.
4) „Erstanden ist der heilig Christ“.

Diese sind nach Text und Melodie aus dem Obsequiale ecclesiae Ratisb. Ingolstadt 1570.[1] No. 4 hat außer den 14 Strophen aus dieser Agende noch 3 Schlußstrophen aus Leisentrit.

Ueber den Zweck des Buches gibt die mitgetheilte Vorrede Auskunft.

Das von mir benutzte Exemplar stellte mir Herr Antiquar L. Rosenthal in München zur Verfügung. Außerdem sind noch Exemplare auf der K. Bibl. in München, Stadtbibliothek in Augsburg und der K. Bibl. in Berlin. Dieses letztere trägt die Jahreszahl 1575.

Prager Gesangbuch von Hecyrus 1581.

Christliche Gebet | vnd Gesång auff die | heilige zeit vnd Fayer= | tage vber das gantze Jar. | Ephes: 5. cap. | Ihr solt vom Wein | nit truncken werden, da= | rinn vnkeuschheit ist, son= der wer= | det vol des heiligen Geistes, vnd | redet vntereinander von Psal= | men vnd Lob, vnd Geistlichen ge= | sången, Singet vnd lob singet | dem Herren in ewren hertzen. | Cum consensu Reue | rendissimi Anthonii Archiepi- | scopi Pragensis & c. | Gedruckt zu Prag durch | Michael Peterle, 1581. 8.

1 Titelblatt und 8 Bogen ohne Blattzahlen mit Buchstaben signirt.

Blatt A II steht die Vorrede vom Verfasser „Christophorus Hecyrus, sonst Schweher", Pastor in Caden.

Blatt A III: Vnterricht auff diese Gebet vnd Lobgesång.

Blatt A IV u. s. w.: Der erste Theil der Gebet vnd Gesång auff die heilige zeit vnd Fayertage.

Blatt E II b: Der Ander Theil der Gebet vnd Gesang von den Heiligen. An den Festen der Jungfrawen Marie. Am Fest der verkůndigung Marie mögen gesungen werden ettliche Gesang die im Aduent gesetzt sein.

Blatt F VIII b: Der dritte Theil der Gebet vnd Gesang auff alle Tag vnd zeit.

Schlußblatt H VIII: Summa Deo laus, pax viuis, requiesque Sepultis. Gedruckt zu Prag, bey Michael Peterle. Mit Röm. Kay. May. Freyheit nicht nach zudrucken. Cum consensu Reuerendissimi Anthonij Archiepiscopi Pragensis etc. ANNO DOMINI M.D.LXXXI.

Das Buch enthält 52 Lieder und 23 Melodièn mit eingeflochtenen Gebeten. Die Lieder sind numerirt.

Ich gebe hier ein alphabet. Verzeichniß derselben.

1. Allmechtiger gütiger Herr, dir sey allzeit. No. 49. Im Thon wie oben das 34.
2. *Barmhertziger ewiger Gott, dir klag ich. 15.*
3. Christus der vns selig macht, kein böß. 16. Patris sapientia.*
4. *Da Christus der König der ehrn. 19. Cum Rex gloriae.
5. *Das ist der tag den Gott gmacht hat. 9. Haec dies quam fecit Dominus.*
6. Das seind die zehen Gottes gebot. 47. Im Thon: Im Namen Gottes faren wir.

Die vor dem Text mit * bezeichneten Lieder haben Melodien.

1) Bibliographie No. 138.

7. *Dich Gott wir loben vnd ehren. 48. Te Deum laudamus.*
8. Die ersten Menschen Gott der Herr. 40. Jm Thon: Da Jesus an den Creutze.*
9. *Die Osterlich zeit hat vns bracht. 21.*
10. Durch den vngehorsam vnsers Vatters Adam. 2. Jn der Melodey, Aue Hierarchia.*
11. *Es frewn sich der Engel schar. 35. Congaudent angelorum chori.
12. Es ist nun vorhanden die zeit. 13. Jm Thon: Ex more docti.*
13. *Gegrüst seystu Maria rein. 34.*
14. Gelobt seystu Herr Jesu Christ. 6.
15. Gott der du den Ehlichen stand. 50. Gesang wie oben das 45.
16. *Gottes Son auff erd ist kommen. 18. Der Passion.
17. *Gott Vatter der barmhertzigkeit. 44.
18. Gott Vatter im höchsten Thron. 28. Jm Thon: Aue virgo virginum.*
19. Gütigster Herr Jesu Christ. 41. Jm Thon: En e mola typica.*
20. Herr Jesu Christe warer Gottes Son. 4. Jm Thon: Mittitur archangelus.
21. *Herr Jesu Christ Gottes Son von einer Jungfraw rein. 42.*
22. *Herr Jesu öffne vnsern Mund. 23.
23. *Jch glaub in den Allmechtign Gott. 45.
24. Jesu Christ der du bist kummen. 11. Jm Thon: A solis ortus cardine.*
25. Jesus Christus in die Welt ist kummen. 43. Gesang im Thon: Es wirdt schier der Jüngste tag her kommen.
26. *Jesus Christus vnser Herr vnd Heiland, der für vns den bittern tod vberwand. 22.*
27. *Jesus Christus vnser Heiland, der für vns den tod vberwand. 20.
28. Kom der Heiden trewer Heyland. 1. Das Gesang Veni redemptor.*
29. König der ehrn Jesu Christ. 24. Gesang im Thon wie oben die 19. Cantio.
30. Lasset vns lobn vnsern Gott. 8. Jm Thon: In natali Domini.
31. *Last vns all Gott den Vatter samentlich. 39.*
32. Last vns bedencken zu aller frist. 51. Jn der weiß wie oben das Vatter vnser gesungen wirdt.
33. Last vns in einigkeit. 3. Jm Thon: Aue rubens rosa.*
34. *Lob ehr sey Gott im höchsten thron. 17. Gloria, laus et honor.*
35. *Lob, ehr vnd preise, sey hertzlicher weise. 38.
36. Lob sey Gott in dem höchsten Thron. 5. Jm Thon: A solis ortus cardine.
37. *Lob sey Gott in ewigkeit. 7.*
38. Maria selge Jungfraw rein. 36. Jm Thon: O sancta mundi Domina.
39. Mein Zung lob Gott für all wolthat. 32. Pange lingua gloriosi corporis.
40. O der grossen barmhertzigkeit. 30. Ein ander Gesang im Thon wie oben der 20.
41. O Gott Vatter im höchsten Thron. 27. Jm vorigen Thon.
42. O Gütigster Herr Jesu Christ. 10. Gesang in der vorgesetzten melodey.*
43. O Gütigster Schöpffer vnd Herr. 14. Audi benigne conditor.*
44. *O heiliger Geist der du mit grossem gwalt. 25.*
45. O Herr Jesu Christ Gottes Son. 29. Jm Thon: Jesus Christus nostra salus, quod.*
46. O Wie ein heiligs wolleben. 31. O sacrum conuiuium, in der andern weiß, Jesus Christus.
47. Sey gelobt vnd gebenedeiet. 26. Gesang im Thon: O lux beata Tri:*
48. *Wenn der ewige Gottes Son. 52.*
49. *Wir dancken dir gütigster Herr. 12.
50. Wir solln heut Gott in den Himmeln. 37. Gesang im Thon wie oben 33.
51. *Wir solln heut loben vnsern Gott. 33.
52. *Zu dir o Gott im höchsten thron. 46.

Die meisten Lieder hat Hecyrus selbst gedichtet. No. 3 von M. Weiße findet sich schon im Gesangbuche der böhmischen Brüder vom Jahre 1531. Ebendaselbst steht auch das bei No. 25 als „Ton“ angegebene Lied: „Es wird schier der jüngste Tag herkommen“. No. 26 steht mit der Melodie im Anhange zum großen Brüdergesangbuche vom Jahre 1566.

Was nun die 22 Melodien angeht, welche den Liedern beigegeben sind, so gehören die Nrn. 4, 7, 11, 13 und 34 dem lateinischen Choralgesange an, No. 21 trägt eine altdeutsche Volksweise und No. 26 und 31 sind dem Gesange der böhmischen Brüder entnommen.[1]"

Von diesen Liedern hat Hecyrus 25 seinem Freunde Leisentrit überlassen. Dieser nahm sie 1567 in sein Gesangbuch auf[2], versah sie aber durchweg mit andern Melodien. Nur die von No. 2, 7 und 34 stimmen miteinander überein. Außerdem findet sich die Melodie von No. 9 mit wenigen Varianten in der dritten Auflage von Leisentrits Gesangbuch 1584. Exemplar auf der Stadtbibliothek in Augsburg.

Ulenbergs Psalter 1582.

Die Psalmen Dauids | in allerlei Teutsche gesang= | reimen bracht: | Durch | Casparum Vlenbergium Pastorn | zu Keiserswerd, vnd Canonichen | S. Swiberti daselbs. | Psal. LXXXVIII. | Selig ist das volck, das jauchtzen kan. | Gedruckt zu Cöln, durch Gerwinum Ca= | lenium vnd die Erben Johan Quentels, | Im Jar M.D.LXXXII. | Mit Römis. Keiserlicher Maiestat Gnad | vnd Freiheit nit nachzůdrucken. | 12.

1 Titelblatt. 20 Bl. Vorrede. 3 Bl. „Erinnerung von den melodeien vnd ihrer signatur". S. 1—640 die 150 Psalmen Davids mit den Melodien. S. 641—661 „Des heiligen Aurelij Augustini Pselterlein, welchs er aus den Psalmen Dauids gezogen, vnd der Monica seiner mutter zugerichtet hat": „Got vatter, Herr allmechtig, gros hieroben". S. 662—668 alphabetisches Register. S. 669—744:

„Kurtzer bericht der gantzen Christlichen Catholischen Religion, samt Warnung wider allerlei vnser zeit Irthum, beid den Catholischen vnd fremder lehr anhengigen nützlich weiterer erklerung nachzufragen zu befůrderung ihrer seligkeit". Am Schluß noch 2 Seiten Correcturen. Die Psalmenübersetzungen gehören zu dem Besten, was auf kath. Seite in jener Zeit gedichtet worden ist. Sie sind den Uebertragungen des Rudgerus Edingius, welche 10 Jahre früher in Cöln erschiegen, vorzuziehen, weil die Ausdrucksweise glatter und der Reim ungezwungener ist.

Melodien enthält die Sammlung nach Abzug der Wiederholungen 81. Die Ausgabe v. J. 1613, welche durch Aufnahme der „Cantica oder Lobgesänge des Alten vnd newen Testamentes" vermehrt ist, hat 5 Melodien mehr. Die Ausgabe vom Jahre 1644 hat auch noch einen Anhang älterer Kirchenlieder mit einer Melodie zu dem Liede: „Vater unser der du bist".

Viele Texte und Melodien gingen in die späteren Gesangbücher über. (Vgl. die Mittheilungen im II. Bd. S. 50.)

In diesem Bande tragen folgende Lieder Melodien des Psalters:

---

1) Man vergleiche hiezu die Notizen zu den einzelnen Liedern im I. u. II. Bande.
2) Ich habe diese mit einem * nach dem Text bezeichnet. Vgl. auch II. Bd. S. 49.

„Es führt drei König Gottes Hand“ Ps. 31.
„Herr Gott Vatter in Ewigkeit“ Ps. 87.
„Nun laßt vns sonderlicher weiß“ Ps. 17.

Andere möge man im Namenregister unter „Ulenberg“ nachsehen.

Ueber den Zweck des Buches gibt die mitgetheilte Vorrede (1613) Auskunft.

Exemplare auf der Königl. Bibl. in Berlin und auf der Bibl. des Collegium Ludgerianum in Münster.

Die Lieder des Haym von Themar.

I.

Passion, oder | Das aller heyligist bitter leiden vnd | sterben Jhesu Christi, vnsers einigen | Erlösers vnd Seligmachers, auß den vier Hey: | Euangelisten genommen, vnd Reymmen weyß, in ein Ca: | tholisch Creützgesang gemacht worden, Zuuor inn Truck | nye außgangen, vnnd inn bey getruckter Melodey, | gar andechtig zusingen. | Durch einen Catholischen Priestern, | Allein dem wahren einigen Sohn Gottes vnd | Mariä, zu ewiger danck: sagung, vnd frischer gedechtnuß, | seines aller Heyligsten Creutz verdienst, für das gantz Menschlich | geschlecht geschehen etc. Darnach auch der Christlobwürd: Brü: | derschafft (newlicher jaren in vnser lieben Frawen Thumb | stifft Augspurg auffgericht) vnd sonst allen Catholi: | schen Kirchfärttern, wann man mit dem Creutz | geht, zunutz vnd wolfahrt inn denn | Truck geben worden, Anno |

Johan Dominij. 1581. Haym. |

Auf der Rückseite:

AMo Christj 320. lebt der Hey: Kirchenlehrer, Eusebius Pamphilus Catholischer Bischoff zu Caesarien, in Palestina gewesen. Der schreibt inn seiner Kirchen Historien im 9. Büch, am ersten Capitel, von den Creütz oder walfahrt gesängen also. Die Christen singen Hymnos. Das ist lobgesäng oder Psalmmen Den gantzen Weg, vnd durch die Gassen der Statt etc.

O Domine Jhesu Christe } Passio tua, salus nostra.
Et mors tua, Vita nostra.

Sodann folgt die Passion:

„In Gottes namen heben wir an, Das Leyden Christi singen schon. O Mensch laß dirs zu Hertzen gahn“. mit der Melodie. 227 Strophen auf 23 nicht gez. Blättern. kl. 4.

II.

Christenliche Catholische Creutz | gesang, vom Vatter vnser vnnd Aue | Maria, von denn zwölff stucken deß A: | postolischen Glaubens, etc. | Durch einen Catholischen Prie: | stern, Gott zu lob vnd ehr, vnnd der gemai: | ner lobwürdigen Bruderschafft zum Hayligenberg, | inn vnser lieben Frawen Thumbstifft inn Augspurg, etc. Auch | sonst anderen Catholischen Christen zu gutter wolfart, | wann man mit dem Creutz gehet, wie auch inn |

der Kirchen zusingen ist, inn den Truck | gegeben worden. | Mercks wol. | Das Aue Maria ist im Himel erdacht, | Hat vns das Vatter vnser auff Erden bracht. | Denn Christlichen glauben, haben die Apostel gmacht, | Kein frommer Christ das nie veracht. | Anno 1584. Johann Haym. | 8. 4.

6 nicht gez. Blätter incl. Titelblatt mit den 3 Liedern:

1) „Vatter vnser der du bist, Kyrieleyson,
im Himel da ewige frewde ist", mit Melodie.
2) „Gegrüsset seyst du Maria zart, Kirieleyson.
Geboren von Königklicher art,
Maria rain".
3) „Ich glaub in Gott den Vatter mein, Kirieleyson.
Der Himel vnd Erd erschuff gar rain".

III.

Drey Gaystliche vnd Catholische | Lobgesang, Christo vnserm einigen Selig- | macher, vnd Mariae allgemainer Christenhait für- | bitterin, zu Lob vnd Ehrn, auch der Lobwirdigen | Bruderschafft zum Hayligenberg, In vnser lieben | Frawen Thumbstifft zu Augspurg, vnd sonst | allen frommen Catholischen Christen zu | guttem inn Truckgeben worden. | Das Erst, Aue viuens Hostia, auß dem La- | tein, durch einen Catholischen Priestern in Reimen | gestelt, vnnd auff das Fest vnsers HERREN Fronleich- | nambstag inn der Procession, Wie auch sonst durchs gantze | Jar, nach der wandlung im Ambt der hayligen Meß, | in bey getruckter Melodey, Vom zartten Fron- | leichnam andechtig zusingen. | Das ander Lobgesang, vom zarten Fron- | leichnam Jesu Christo der ist gut, auch in ob- | gemelter Melodey zusingen. | Das dritt Lobgesang, Von Maria der Mut- | ter Gottes, auff alle jhre Festag durchs gantz Jar, | inn obgemelter Melodey auch zusingen. | Anno Domini 1584. Johann Haym. | 8. 4.

12 Blätter incl. Titelblatt. Auf der Kehrseite des Titelblattes das Lied: „Gegrüßt seystu heilig opffer rain" mit Melodie. Sodann die Lieder:

„Der zart Fronleichnam der ist gut" und
„Maria Mutter Gottes in ewigkait,
Erwölet auß Himels throne".

in der obigen Melodie.

Außerdem noch folgende Lieder ohne Melodien:

1) „Königin inn dem Himel".
2) „Christus fur gehn Himel".
3) „Komm hayliger Gayst, Herre Gott,
Erfüll mit deiner gnaden gut".

Schließlich: „Ein newer Catholischer Christen : ruff, zu der heiligsten Göttlichen Dreyfaltigkeit, vmb abwendung alles vbels, Allgemainer Christenhait zubitten". „Kyrieleyson. Du bist ein schöpffer deß Himels vnd auch der Erden", mit Melodie.

No. 1 und 3 bei Vehe. 2 bei Leisentrit 1567.

IV.

Schöne Christenliche Catholisch Wein= | nächt oder Kindtleß wiegen Gesang, etc. Allen Gott= | liebendten Christen, die sich in Christo Jesu, jhrem Haylandt, dem | New gebornen Christ Kind= lein zuerfrewen begehren, wie man | es zu Weinnächt zeytten zu Augspurg, in vnser lieben | Frawen Thumbstifft, Järlich zusin= gen pflegt. | Vnnd dann | Göttlicher, Hayligsten Triefaltigkait, Lobwürdigen, Christlichen | Bruderschafft zum Hayligenberg Andex. Newlicher Jaren, in vnser lie= | ben Frawen Thumbstifft Augspurg auff gericht, Wie auch allen frommen Ca= | tholischen Christen, zu nutz vnnd gutem, Sampt etlichen Lettaneyen | von den lieben Hayligen Gottes, in den Truck geben worden | Durch Johannem Haymmen von Themar, Thumb= | uicarier vnnd Prie= stern Hoherstifft Augspurg. | 1590. | kl. 4.

42 Blätter. Am Schluß: „Gedruckt zu Augspurg, bey Josiam Wöhrly, bey dem Hayligen Creütz, hinder der Kirchen, Anno 1590. Jar".

Das Büchlein enthält folgende Lieder; die mit einem * bezeichneten sind mit Melodien versehen.

1. *Der tag der ist so frewdenreich.
2. Als nu jhr zeyt verhanden war.
3. Die Edlen König Weiß vnd reich.
4. Alß vier zehen tag verlauffen schier.
5. Herodes auch gantz zornig wardt.
6. *Es ist ein Kindelein geborn.
7. *Es schreibt Lucas der Euangelist.
8. *Als Jesus Christ geboren war.
9. *Es kam ein Engel hell vnd klar.
10. *Maria saß in jhrem Saal.
11. *Es flog ein Vögelein leyse.
12. *Es ritt ein Fürst, in frembde Landt.
13. *Jesus war zmitternacht geborn.
14. *Ein Kindlein in der wiegen.
15. *Puer natus in Bethleem.
    Ein Kindt geborn zu Bethlehem.
16. *In dulci Jubilo.
17. Gelobet seystu Jesu Christ.
18. *Gegrüst seyst Maria, Du Königin.
19. *Jesus ist ein süsser Nam, vnser lieben Frawen ruffen wir an.
20. *Maria Gottes mutter won vns bey.
21. *O lieber Herr S. Peter, wir ruffen dich an mit fleiß.
22. *Maria Gottes Mutter, Bitt Gott für vns.
23. *Die Haylig Jungkfraw S. Barbara.

Die Lieder, welche Melodien haben, sind in den I. und II. Band dieses Werkes aufgenommen worden.

Die gesperrt gedruckten Lieder erscheinen hier mit den Melodien zum ersten Mal.

Die Melodie, welche in No. III dem Liede „Gegrüßt seystu" beigegeben ist, findet sich mit Varianten im Obsequiale 1570 zu dem Liede „Der zart Fronleichnam". Das Lied IV. No. 1 ist aus Vehe. No. 2, 3, 4 und 5 stehen bei Vehe in dem Liede „Sobald der Mensch erschaffen war".

Die Melodie von No. 9 (Leisentrit) ist hier neu. No. 15 ist dem betreffenden Liede im Obsequiale 1570 sehr ähnlich. Von No. 16 stehen Melodie und 3 Strophen bei Vehe 1537. No. 17 hat den Luther'schen Text. Die Melodie von No. 20 ist derjenigen, welche bei Vehe zu dem Liede „Gott der Vater won vns bey" steht, verwandt.

Exemplar auf der Königl. Bibliothek in Berlin.

Das Münchener Gesangbuch 1586.

Gesang vnd Psalmenbuch. | Auff die fürnemb= | ste Fest durchs gantze Jar, inn | der Kirchen, auch bey Processionen, | Creutzgang, Kirch vnd Wahlfarten | nützlich zugebrauchen. | Auß den alten approbirten Authorn | der Christlichen Kirchen zu gutem in di- | se Ordnung gebracht. | Jedem Lobgesang vnnd Psalmen ist sein | gewönliche Melodey mit vleiß zuge= | ordnet worden. | Mit Geistlicher vnd Weltlicher Obrigkeit be= | willigung in Truck verfertigt. | 1586. | Gedruckt zu München, bey | Adam Berg. | Cum gratia et priuilegio Caes: Maiest. | 8.

1 Titelblatt, auf dessen Rückseite die Vorrede beginnt. Diese zählt 3 Seiten, dann folgt ein nicht alphabetisch geordnetes Register (2 S.) und ein Ruf: „O liebe fromme Christen" (5 Bl.). Auf Blatt 1—111[1] stehen die Lieder mit den Melodien.

Ich gebe zunächst ein Verzeichniß der Lieder mit den Quellennachweisen.

1. *Also heylig ist diser Tag. Bl. 26. T 1574, 1577. Leisentrit 1567.
2. *Auß hertem weh klagt. 1. T 1574, 1577. Melodie bei Vehe 1537 zu dem Liede „Erbarm sich vnser Gott der Herr".
3. *All welt soll billich frölich sein. 108.
4. *Christ der du bist liecht vnd tag. 16. Leisentrit 1567.
5. *Christ ist erstanden. 20. T 1574. Vehe 1537, Leisentrit 1567. Dazu

5a. *Es giengen drey Frawen. 21.

6. *Da Jesus an dem Creutze stund. 15. T 1574, 1577. Leisentrit 1567.
7. Der Tag der ist so freudenreich. 4. T 1574, 1577. Vehe 1537.
8. Dich Gott wir loben vnd ehren. 32. T 1577. Leisentrit 1567.
9. *Der König wirdt sein wolgemut. 92. Ulenberg 1582.
10. *Dies est laetitiae. 3. T 1574. ff. Leisentrit 1567 vgl. No. 7.
11. Ein Kind geborn zu Bethleem. 8. T 1577. Obsequiale, Ingolstadt, 1570.
12. *Erstanden ist der heylig Christ. 23. T 1574, 1577. Obsequiale 1570.
13. *Es floß ein Rosn von Himmel herab. 17. T 1574.
14. *Erhör O Gott die klage mein. 84. Ulenberg 1582.
15. *Es frewet sich billich Jung vnd Alt. 106.
16. *Frew dich du werde Christenheit. 24. T 1574, 1577. Leisentrit 1567.
17. Frewd euch jhr Christen vberal. 53. T 1577.
18. Gegrüsset seyst du Maria zart. 59. Haym von Themar 1584.
19. *Gelobet seystu Jesu Christ. 5. T 1574, 1577. Vehe 1537, Leisentrit 1567.
20. Gott des Vatters weißheit schon. 14. T 1574, 1577. Leisentrit 1567.
21. *Gelobt sey Gott der Vatter. 70.
22. *Gott sey mir gnädig dise zeit. 82. Ulenberg 1582.
23. *Hör mein Gebet du frommer Gott. 89. Ulenberg 1582.
24. *Jesus ist ein süsser Nam. 8. T 1574, 1577. Obsequiale 1570, Leisentrit 1584.
25. *In dulci iubilo. 6. T 1574, 1577. Vehe 1537.
26. *In mitten vnsers lebens zeit. 10. T 1577. Vehe 1537.
27. *In Gottes namen hebn wir an. 49. T 1577. Leisentrit 1584.

---

1) Blatt 110 und 111 sind nicht gezeichnet.
Das * bezeichnet „mit Melodie".

28. Ich glaub in Gott den Vatter mein. 60. Haym von Themar 1584.
29. *Ich rueff zu dir mein Herr vnd Gott. 87. Ulenberg 1582.
30. *Königin der Himmlen frew dich Maria. 27. T 1574, 1577. Leisentrit 1567.
31. *Kom heyliger Geist Herre Gott. 27. T 1574, 1577. Vehe 1537.
32. Mein gmüet sehr dürr vnd durstig ist. 67.
33. *Mein Hirt ist Gott der Herr. 98. Ulenberg 1582.
34. *Mein Hertz auff dich thut bawen. 101. Ulenberg 1582.
35. Nun gib vns gnad zusingen. 34. T 1577.
36. O Herr wir preisen deine güetigkeit. 55.
37. *O liebe fromme Christen. 1.
38. *O Maria dich heben wir an zu loben. 46.
39. O du heylige Dreyfaltigkeit. 62.
40. *O Selig dem der teure Gott. 78. Ulenberg 1582.
41. *O Gott mein rhum schweig. 94. Ulenberg 1582.
42. *Patris sapientia. 12. T 1574, 1577. Vgl. No. 20.
43. *Puer natus in Bethleem. 7. T 1574, 1577. Obsequiale 1570.
44. Regina coeli. 27. T 1577.
45. *Süsser Vatter Herre Gott. 11. T 1574, 1577. Obsequiale 1570.
46. Surrexit Christus hodie. 24. T 1574, 1577. Leisentrit 1567.
47. So fallen wir nider auff vnsere Knie, den wahren. 56.
48. *Straff mich Herr nit in grimmen mut. 76. Ulenberg 1582.
49. *Straff mich Herr nit in grimmen mut. 80. Ulenberg 1582.
50. *Vatter vnser der du bist. 57. Haym von Themar 1584.
51. *Warumb empören sich die Heiden. 105. Ulenberg 1582.
52. *Wol auff zu Gott mit lobesschall. 29. T 1577. Leisentrit 1584.
53. *Wir fallen nider auff vnsere Knie Mariam. 45. T 1577.
54. *Wol auff jhr Völcker all. 99. Ulenberg 1582.
55. *Zu dir ruff ich in böser zeit. 90. Ulenberg 1582.

J. J. 1574 gab A. Walasser zu Tegernsee ein Gesangbüchlein mit vielen volksthümlichen Liedern und Rufen heraus. Die Melodien wurden als bekannt vorausgesetzt und deshalb nicht den Texten beigefügt. Im Jahre 1577 erschien eine vermehrte Auflage dieses Gesangbüchleins an demselben Orte, ebenfalls ohne Melodien. (Vgl. in der Bibliographie 1574 u. 1577.)

Auf diese Gesangbücher stützt sich, wie die Vorrede besagt, das Münchener Gesangbuch 1586. Der Herausgeber dieses letzteren wollte den Texten der genannten Bücher die Melodien beigeben. In wie weit dieses geschehen ist, kann man aus der obigen Zusammenstellung ersehen. Ich habe zunächst die Tegernseeer Gesangbücher verzeichnet (T), in welchen das betreffende Lied des Münchener Gesangbuches enthalten ist; sodann habe ich die ältern Quellen angegeben, in welchen die Lieder, wenn auch mit mehr oder weniger bedeutenden Varianten schon früher vorkommen. Genauere Auskunft hierüber findet man in der Geschichte der einzelnen Lieder.

Das Münchener Gesangbuch, welches sich durch seine volksthümliche Haltung in Text und Melodie den früher besprochenen Gesangbüchern (von Vehe, Leisentrit und Hectrus) gegenüber vortheilhaft auszeichnet, enthält (No. 5a mit eingerechnet) 56 Lieder mit 42 Melodien.

Folgende Texte treten hier, resp. in den Tegernseer Gesangbüchern zum ersten Male auf: 2, 3, 5a, 13, 15, 17, 21, 27, 32, 35, 36, 37, 38, 39, 42, 44, 47, 52 und 53.

Folgende Melodien kommen in früheren Gesangbüchern nicht vor: 3, 5a, 13, 15, 16, 21, 27, 37, 38, 52.

Von Haym von Themar sind No. 18, 28 und 50 mit der Melodie.

Aus Ulenbergs Psalter stammen folgende Texte mit den Melodien: 9, 14, 22, 23, 29, 33, 34, 40, 41, 48, 49, 51, 54 und 55.

Exemplare auf der Königl. Bibliothek in München
thek in Wien und auf der Paulinischen Bibliothek i

Dilinger Gesangbuch 1

Ein schönes | Christlichs | vnnd Catholis
für | die gemeynen Leyen: | Auff die fü
gantzen Jar. | Gedruckt zu Dilingen, | Durch |
D.M.LXXXIX. | 16.

141 gez. Seiten und 3 Seiten Register, welches
Da überdieß die Beschreibungen bei Meister und Wack
so gebe ich das Verzeichniß der Lieder.

1. *Also heilig ist der tag. Seite 49.
2. *All Augen hoffen in dich Herr. 101.
3. *Christus der vns selig macht. 39.
4. *Christ ist erstanden. 46.
5. Der tag der ist so frewdenreich. 7.
6. *Dancket dem Herren Christo. 16.
7. Da JEsus an dem Creutze stund. 43.
8. Ein Kind geboren zu Bethlehem. 28.
9. *Es kam ein Engel hell vnd klar. 20.
10. Erstanden ist der heilig Christ. 51.
11. Erhöre Gott die klage mein. 124.
12. *Felschlich vnd arg betrogen ist. 37.
13. *Gelobet seyst du Jesu Christ. 9.
14. *Groß vnd heilig vber alle. 33.
15. Gegrüßt seyst du Maria zart, Voller gn
16. Gott sey mir gnedig diser zeit. 120.
17. Hör mein Gebett du frommer Gott. 131
18. *In dulci iubilo. 12.
19. Ich glaub inn GOtt den Vatter werth.
20. *In Gottes Namen fahren wir. 97.
21. Ich ruff zu dir mein Herr vnd Gott. 13
22. Kom Herr Gott O du höchster hort. 5.
23. Kom heiliger Geist HErre Gott. 136.
24. *Kom heiliger Geist wahrer Trost. 134.
25. Mit einem süssen schall. 13.
26. *Mein zung erklin...

33. *Puer natus in Bethlehem. 28.
34. *Resonet in laudibus. 25.
35. Singen wir mit frölichkeit. 25.
36. *Straff mich Herr nit in eiffermut. 107.
37. Straff mich Herr nit in eyffermut. 115.
38. *Surrexit Christus hodie. 51.
39. Vatter vnser im Himmelreich, der du vns lehrest. 89.
40. *Wolauff nu laßt vns singen all. 3.
41. Wir loben dich Herr in deinem Thron. 104.

Also im Ganzen 41 Lieder mit 23 Melodien.

Zum ersten Male finden sich hier die Texte 2, 12 [aus Val. Trillers Singebuch (1555) 1559.] 15, 19, 25, 35, 39 und 41.

Aus Ulenbergs Psalter 1582 stammen No. 11, 16, 17, 21, 29, 31, 36, 37.

No. 28 steht im Tegernseer Gesangbuch 1577 und No. 34 in Obsequiale 1570.

Die übrigen Texte sind aus Leisentrits Gesangbuch 1567 (resp. Vehe 1537).

Was die Melodien angeht, so stammen drei (29, 31 und 36) aus Ulenbergs Psalter. No. 34 aus dem Obsequiale 1570. No. 2 trägt die Melodie des alten lateinischen Gesanges »In natali Domini«, tritt aber hier zum ersten Male auf. Ebenso ist die Melodie von No. 38 eine neue. Die übrigen 17 Melodien kommen schon bei Leisentrit (resp. Vehe) vor. Das Triller'sche Lied No. 12 hat die Melodie des Hymnus »Vexilla regis« (bei Leisentrit: „Des Königs Panier".)

Das von mir benutzte Exemplar gehört dem Herrn Professor Dr. Crecelius in Elberfeld. Es befinden sich ferner Exemplare auf der Königl. Bibliothek in München und der K. Hofbibliothek in Wien.

Das Innsbrucker Gesangbuch 1588.[1]

Catholisch | Gesangbüchlein, bey | dem Catechismo, auch fürnembsten | Festen des Jars, vnd inn den Pro- | cessionen oder Walfahrten zu- | gebrauchen. | Der Jugend vnd allen liebhabern Ca- | tholischer Religion zu gutem in dise Ord- | nung zusamen gebracht | .

Lehret vnd vermanet einander mit Psalmen, lob | vnd Geistlichen Gesangen, singet vnd lobsinget dem | Herrn in ewren Hertzen, Ephes. 5. Coloss. 3. Mit Röm. Kay. May. Freyheit. | Zu Ynßprugg Truckts Hans Paur. 1586. MDLXXXVIII.

2 Blätter Vorrede und 129 gez. Bl. Am Schluß 3 Blätter Register und Correctur.

Das Büchlein enthält 66 Lieder mit den Melodien.

Zum ersten Male finden sich hier:

„Aue, Maria, du Himmelkönigin".
„Der Engel kam von Himels thron".
„Der Kirchengebott setz" (Katechismuslied).

1) Es war mir nicht möglich, das Exemplar aus Wien zu erhalten. Ich habe aber der Vollständigkeit wegen die kurze Beschreibung nach Wackernagel (K. L. I, S. 551) hier eingefügt.

„Es ist fürwar zu klagen gar“.
„Es ist nit gnug, kan ich dir sagen“.
„Es muß erklingen vberal“.
„Gelobet seistu, Christe, in deiner“.

Exemplar auf der K. Hofbibliothek in Wien.

Das in Cöln 1599 gedruckte Speirische Gesangbuch.

Alte Catholische | Geistliche Kirchen= | geseng, auff die für= nem̄ste | Feste, Auch in Processionen, | Creutzgängen vnd Kirchen= fär= | ten: Bey der H. Meß, Predig, in | Heusern, vnd auff dem Feld zu= | gebrauchen, sehr nützlich, | sampt einem Ca= | techismo. | Auß Beuelch | Deß Hochwürdigen Für= | sten vnd Herrn, Herrn Eber= | harten Bischouen zu Speir, | vnnd Probsten zu Weis= | senburg, etc. in diese | ordnung ge= | stelt. | Gedruckt zu Cölln, | Durch Arnoldt Quentell. | M.D.XCIX. | Mit Röm: Keys: Mayest: Priuil: vnd Freiheit. | 16.

1 Titelblatt. 2 S. Vorrede und 8. S. alphabet. Register, in welchem das Lied „Ach Jesu lieber Herre“ fehlt. Außerdem 245 gez. Blätter. Bl. 1—20 Catechismusgesänge (ähnlich wie im Mainzer Cantual 1605; vgl. II. Bd. S. 205).

Bl. 21—242 stehen die Lieder, 174 an der Zahl, darunter 42 lateinische, mit 114 Melodien. Doppelt abgedruckt sind die Melodien:

1) {„Wir fallen nider auff vnsere knie“.
„Es frewet sich billich jung vnd alt“.

2) {„Straff mich Herr nicht in eyffermut“.
„Erhör O Gott die klage mein“.

Es bleiben also noch 112 Melodien. Die weiteren Ausgaben dieses Büchleins 1600, 1610, 1613, 1617, 1619, 1625 bis zum sogenannten Mainz-Speierer Gesangbuch 1631 haben alle diese Auflage mit 245 Blättern unverändert beibehalten. Dagegen hat die Ausgabe v. 1617 ff. einen Anhang von 71 Blättern, die von 1625 einen solchen von 118 Blättern (vgl. die Bibliographie). Die Ausgabe von 1599 stützt sich hauptsächlich auf Vehes und Leisentrits Gesangbücher. Auch Ulenbergs Psalter 1582 und das Münchener Gesangbuch sind benutzt worden.

Zum ersten Male treten hier folgende Lieder und Melodien auf:

1. **Ach Jesu lieber Herre, dir sey lob. Blatt 106.]
2. Betracht mit fleiß, O frommer Christ. 232.
3. Das heyl kompt vns gewißlich her. 227. Umdichtung des Spengler'schen Liedes „Es ist das Heyl vns kommen her“.
4. *Der Spiegel der Dreyfaltigkeit. 40. 1 Str. bei Wizel 1550. (En trinitatis speculum.)
5. *Ein Kindt geborn zu Bethlehem u. s. w. frewet euch. 36. (Puer natus in Bethlehem laetamini.)
6. *Ein Kindt geborn zu Bethlehem, in diesem Jahr. 38. (Puer natus in Bethlehem, in hoc anno.)
7. *Ein Kindt geborn zu Bethlehem u. s. w. O lieb. 37. (Puer natus in Bethlehem, Amor.)
8. *Erstanden ist der heilig Christ. 76. (In dieser Textfassung und Melodie neu.)
9. *Es ist ein Ros entsprungen. 29.

Das *. bezeichnet „mit Melodie“.

10. Gegrüst seistu Maria rein, Du bist auß Gottes gnad. 156.
11. Joseph lieber Joseph mein. 47.
12. *Litanei der Heiligen. 96.
13. *Litanei vnser lieben Frawen. 179.
14. *Lobe Syon deinen Herren. 129.
 (Lauda Sion Salvatorem.)
15. Lob sollen wir singen, dem viel werthen Christ. 70.
 (Laus tibi Christe, qui pateris.)
16. *Magnum nomen Domini. 41. (Text bereits in Leisentrits Gesangbuch 1567. Melodie hier zum ersten Male.)
17. *Maria rein O Jungfraw zart. 159. [Melodie schon bei Leisentrit „Da kommen solt der welt Heylandt". (Ave maris stella.)]
18. *O jungfraw zart Maria schon. 241.
19. *O jhr Heiligen Gottes freundt. 192. (Text schon bei Behe 1537. Melodie hier neu.)
20. *O liecht heilge dreyfältigkeit. 123. (Uebersetzung des Hymnus »O lux beata Trinitas« von Rutgerus Edingius „Teutsche Euangelische Messen". Cöln, 1572. S. 24. Melodie bei Leisentrit 1567.)
21. *O anbettlich Dreyfältigkeit. 125.
 (O Adoranda Trinitas.)
22. *Psallite vnigenito, Jesu Dei filio. 47.
23. *Puer nobis nascitur rector angelorum. 39.
24. *Salue festa dies mit dem Ecce renascentis. 77.
25. *Seydt frölich vnnd Jubilieret. 42. Die erste Strophe in N. Hermans Sonntagsevangelien 1561.
 (Omnis mundus iucundetur.)
26. *Victimae paschali mit eingeschalteten deutschen Liedern. 74.
27. *Wir bitten euch jhr Engel klar. 185. (Melodie bei Leisentrit 1567 zu dem Liede „Herr Gott dich loben alle wir".)

Auch die Lieder, welche früheren Gesangbüchern entnommen sind, haben mancherlei Varianten in Text und Melodie aufzuweisen, welche in den historischen Notizen zu den einzelnen Liedern vermerkt sind.

Das Constanzer Gesangbuch 1600.

Catholisch | Gesangbüchlein, in | fünff vnderschidliche Theil | abgetheit bey dem Catechismo, | auch fürnemmen Festen, in Pro= | cessionen, Creutzgängen vnd | Kirchenfärten sehr nutzlich | zuge= brauchen. | Sampt zweien Letaneyen, | vom Zarten Fronleichnam | Christi, vnd seiner werden Mutter, | item Psalter Marie, alles in | Gesangs weyß ge= | stelt. | Cum facultate Superiorum. | Ge= truckt zu Costantz am Bo= | densee, bey Nicolao Kalt. | 1600. | 16.

Nach dem Titelblatt 2 Blätter Vorrede, sodann 127 mit arabischen Ziffern gez. Blätter, daran schließen sich Bl. I bis LXVI, mit römischen Ziffern paginirt. Dann folgen wieder unter arabischen Ziffern Bl. 130 bis 176. Am Schluß 3 Blätter Register, welches nicht alphabetisch geordnet ist. Ein Anhang bringt auf 21 nicht gez. Blättern den Catechismus von Canisius. Das Gesangbüchlein, dessen Ausstattung eine schlechte ist, enthält im Ganzen 117 Liedertexte (18 lateinische, 97 deutsche und 2 Mischlieder) mit 78 Melodien. 2 Melodien stehen doppelt zu denselben Liedern, welche ich aus dem Cölner Gesangbuch 1599 angegeben habe. Auch der Text „Also heilig ist der Tag" ist doppelt abgedruckt mit Varianten in den Melodien. Die meisten Texte und Melodien sind dem vorhin beschriebenen Cölner Gesangbuch vom Jahre 1599 entnommen, einige sind aus dem Gesangbuche Leisentrits 1567, dem Psalter Ulenbergs 1582 und dem Münchener Gesb. 1586.

Neu sind hier folgende Texte und Melodien:

1. *Als wir waren beladen. Bl. 8. (Nur die Melodie, Text von Triller, bei Leisentrit 1567.)
2. *Auß hartem wehe klagt. 2. (Nur Melodie; Text: Tegernsee 1574. Leisentrit 1584.)
3. *Dein süsse gdächtnuß Jesu Christ. 36.
4. *Frew dich du Himmel Künigin. 76.
5. *Gegrüst seystu Maria rein, voll Gnaden. 127.
6. *Kompt her zu mir spricht Gottes Sohn. 166. (Vorher schon in protest. Gesangbüchern.)
7. Lehren will ich des Christen Herz. XXXI. (Vnser lieben Frawen Psalter.)
8. *O Gott Vatter von Himmel reich, Herr Jesu Christ. 118. (Litaney vom hochw. Sacrament deß zarten Fronleichnams Jesu Christi.)
9. *O hochheiliges Creutze. 56. (Mit der Melodie einer Baßstimme.)
10. *Wol auff nun laßt vns singen all. 1. (Nur die Melodie ist neu. Der Text von Triller, bei Leisentrit 1567.)

Das von mir benutzte Exemplar gehört der Stadtbibliothek in Augsburg.

Das Exemplar, welches Wackernagel (I., S. 622) beschreibt (vgl. II. Bd. S. 30, No. 31), stimmt mit dem Augsburger vollständig überein. Nur steht auf dem Titelblatte des ersteren nach dem Worte „Kirchfärten" der Zusatz „auß befelch für das Bistum̄ Costantz."

Das Beuttner'sche Gesangbuch (1602.) 1660.

Catholisch | Gesang Buch, | Darinnen vil schöne, newe, | vnd zuvor noch nie im Druck gese- | hen, Christliche, andächtige Gesänger, die | man nicht allein bey dem Ambt der heiligen | Meß, in Processionibus, Creutz: vnnd | Walfahrten, sondern auch zu Hauß sehr | nützlichen gebrauchen | mag. | Jetzund von newem sonders fleiß v- | bersehen, corrigirt, vnd zum sibenden- | mahl in Druck verfertigt, | Durch | Nicolaum Beüttner, von | Geroltzhoven. | Cum Licentia Superiorum. | Gedruckt zu Grätz, | Bey Frantz Widmanstetter. | In Verlegung Sebastian Haupt. | Im Jahr, 1660. | 8.

1 Titelblatt, 4 Bl. Vorrede und „Nützlicher Vnderricht". 408 gez. Seiten mit den Liedern und, S. 380—408, einem Anhange von Bußpsalmen, Litaneien und Gebeten. Am Schluß auf 3 ungez. Blättern das alphabetische Register. Nicolaus Beuttner, Schulmeister und Choralist in Merzenthal, aus Geroltzhoven gebürtig, gab zuerst im Jahre 1602 sein Gesangbuch heraus. Die vorliegende Ausgabe ist, wie aus dem Titel zu ersehen, die siebente. Da die Vorrede vom 1. Mai 1602 beibehalten wurde, und auch von einer vermehrten Auflage nicht die Rede ist, so nehme ich die Beschreibung des Buches an dieser Stelle vor und nicht später zum Jahre 1660.

Das Gesangbuch enthält 141 deutsche numerirte Lieder mit 86 Melodien. Beuttner hat eine ganze Anzahl von Liedern aus früher erschienenen kath. Gesangbüchern geschöpft. Ich habe in der folgenden Zusammenstellung die Quellen angegeben, in welchen die Lieder entweder unverändert oder mit Abweichungen zu finden sind. Daß Beuttner alle von mir citirten Quellen gekannt habe, will ich nicht behaupten. Die Gesangbücher von Vehe, Leisentrit (auch die 3. Ausgabe von 1584), die Lieder des Haym von Themar, das Cölner Gesangbuch vom Jahre 1599 (resp. das Constanzer v. J. 1600) und das Münchener Gesangbuch v. Jahre 1586 hat er gekannt und benutzt. Auch protestantische Liederdrucke oder Gesangbücher haben ihm vorgelegen. Das beweisen die Lieder 18, 31, 50, 74, 97, 100 und 101. Außerdem bringt er noch andere protestantische Lieder aus Leisentrits Gesangbüchern: 24, 41, 51, 60, 67, 79, 80, 81, sodann No. 4 von M. Weiße und No. 22 das Lied Hußens »Jesus Christus nostra salus« deutsch. Die übrigen Texte scheiden sich in alte Kirchenlieder und in volksthümliche Rufe und Litaneien. Die ersteren hat Beuttner mit mehr oder weniger Abänderungen aus ältern Gesangbüchern herübergenommen, die letzteren dagegen hat er (vgl. die Vorrede) aus dem Volksmunde aufgezeichnet.

Von den 86 Melodien gehört eine, No. 122, dem Gesangbuche der böhmischen Brüder 1531 an. Die Melodien, welche Beuttner in früheren Gesangbüchern vorfand, nahm er selten unverändert in seine Sammlung auf. Die meisten mußten sich einer volksmäßigen Redaction oder Umgestaltung unterziehen. Zum ersten Male traten hier die Melodien auf zu folgenden Liedern: 36, 37, 42, 49, 52, 54, 55, 56, 57, 58, 59, 63, 65, 66, 68, 70, 71, 72, 76, 77, 78, 80, 83, 85, 86, 90, 96, 99, 100, 103, 104, 105, 106, 110, 111, 112, 114, 118, 123, 124, 125, 127, 128, 129, 131, 132, 133, 134, 136, 137, 138, 139, 140.

Andere volksthümliche Weisen werden als bekannt vorausgesetzt. Die Ueberschrift zu No. 98 lautet: „Im Thon: Ich waiß mir ein Blůmblein ist hubsch vnd fein, etc." Das Lied No. 45 soll gesungen werden „wie man die Tagweiß singt: Oder, Ich stund an einem Morgen". Zu den beiden Liedern 75 und 97 wird als Ton angegeben „O Christe Morgenstern". Dieses Lied, welches im Buche selbst nicht steht, erschien zuerst im Jahre 1579 in einem Leipziger Zweiliederdruck und findet sich von 1586 an (Leipziger Gesangbuch) in vielen protestantischen Gesangbüchern.

Aehnliche Melodien tragen die Lieder: 24 und 31; 37 und 129; 42 und 65; 66 und 134.

I. Theil.

1. *Auß hartem weh klagt. Seite 11. 1 Strophe mehr als das Münchener Gsb. 1586. Melodie „Erbarm sich vnser Gott der Herr". Vehe 1537 mit Varianten.
2. Also heilig ist der Tag. 43. Cöln, 1599.
3. Christe der du bist Liecht vnd Tag. 31. Leisentrit 1567.
4. *Christus der vns seelig macht. 35. Von M. Weiße 1531, bei Leisentrit 1567. Mel. »Patris sapientia«.
5. Christ ist erstanden. 44. Libellus Agendarum Salisburgi 1557 und Ritus eccl. Aug. Episcop. Dilingae, 1580. In diesen beiden Büchern 1 Strophe mehr „O du h. Creutze".
6. Christ der fuhr gen Himmel. 53. Strophe 1, 3 und 5 bei Leisentrit 1567.
7. Christ vnser lieber Herre. 53. Nach dem Tegernseer Gsb. 1574 verändert und erweitert.
8. *Christ der fuhr gen Himmel, frew dich Maria. 54. Als Ruf bearbeitet neu. Mel. „Freu dich du Himmelskönigin".
9. Der Tag der ist so frewdenreich. 14. Bei Vehe. Beuttner 1 Strophe mehr.
10. Da Jesus an dem Creutze stund. 40. Leisentrit 1567 mit Varianten.
11. *Der zart Fronleichnam. 68. Obsequiale 1570. In der vorliegenden Fassung neu.

Das * bezeichnet „mit Melodie".

12. **Ein Kind geborn zu Bethlehem.** 20. 14 Strophen, davon 7 bei Leisentrit 1567 mit Varianten.
13. **Ein Kind geborn zu Bethlehem** rc. **Nun frewet.** 21. 1 Strophe. Cöln 1599.
14. ***Erstanden ist der heilig Christ.** 46. Nach dem Obsequiale 1570 erweitert mit Varianten.
15. ***Frew dich du werthe Christenheit.** 50. Text in dieser Fassung neu. Melodie München 1586 mit Varianten.
16. **Frew dich du werthe Christenheit, daß Gott ist auffgefahren.** 57.
17. **Gegrüst seystu Maria zart, Kyrie eleison.** 6. H. v. Themar, Creutzgesang 1584. München 1586.
18. **Gelobet seyst du Jesu Christ.** 19. Luther'sche Fassung. Erfurter Enchiridion 1524.
19. ***Gott sey gelobet vnd gebenedeyet.** 74. 1 Strophe mehr wie bei Vehe 1537.
20. **Gott der Vatter wohn vns bey.** 80. In dieser Fassung neu.
21. ***In mitten vnsers Lebens Zeit.** 22. Vehe 1537 mit Varianten.
22. ***Jesus Christus vnser Heylandt, Dem die Bösen.** 72. Leisentrit 1584.
23. **Jesus ist gar ein suesser Nam.** 79. Tegernsee 1577. München 1586.
24. ***Komb Herre Gott du höchster Hort.** 2. Von Triller. Leisentrit 1567.
25. ***Königin in dem Himmel.** 42. 2 neue Strophen zu Vehe 1537.
26. ***Komm heiliger Geist wahrer Trost.** 62. Leisentrit 1567.
27. ***Komm heiliger Geist Schöpffer mein.** 64. Von Edingius, bei Leisentrit 1584 mit Melodievarianten.
28. **Komm heiliger Geist, Herre Gott.** 58. Vehe 1537.
29. ***Mein Zung erkling.** 66. Vehe 1537.
30. **Mit einem süssen Schall.** 18. 1 Strophe mehr als das Dilinger Gsb. 1589 und Cölner 1599.
31. ***Nun komb der Heyden Heylandt.** 1. 2 Strophen weniger als Luthers Lied im Erfurter Enchiridion 1524 und in den Hymni von Kethner 1555.
32. **Nun bitten wir den heiligen Geist.** 61. Vehe 1537.
33. ***O Vatter vnser der du bist.** 4. H. von Themar, Creutzgesang 1584 mit Varianten.
34. ***O Vatter vnser der du bist im Himmelreich.** 7. Obsequiale 1570 mit Varianten.
35. **O Vatter vnser der du bist, im Reich der genaden.** 25.
36. ***O Jesu du bist milt vnd bist gut.** 26.
37. ***O Herre Gott das seynd dein Gebott.** 28.
38. ***O Gütiger Schöpffer Gott vnd Herr.** 29. Leisentrit 1567 mit Varianten.
39. ***O Süsser Vatter Herre Gott.** 38. Im Obsequiale 1570 ohne die letzte Strophe bei Beuttner, und im Münchener Gesangbuch 1586 ohne die zweite. Varianten in der Melodie.
40. ***O Heiliger Geist, der du mit grossem Gwalt.** 59. Von Hecyrus bei Leisentrit 1567 mit vielen Varianten in Text und Melodie.
41. ***Preiß sey Gott in höchsten Throne.** 16. Von Triller. Leisentrit 1567 mit Varianten.
42. ***Sey hochgelobt vnd benedeyt.** 82. Von Hecyrus bei Leisentrit 1567. Mel. ähnlich der „**Es floß ein Rosn vom Himmel herab**". München 1586.
43. ***Vnd Christ der ist erstanden, Von seiner Marter.** 45. Text in dieser Form neu. Melodie „**Jesus ist ein süsser Nam**". Obsequiale 1570 mit Varianten.
44. ***Vnd Christ der ist erstanden, Alleluia.** 49. 1 Strophe. Melodie „**Erstanden ist der heilig Christ**". Obsequiale 1570. Dilinger Gesangbuch 1576.
45. **Wolt ihr mich eben mercken.** 32. Vgl. Bibliogr. a. 1515 u. 1523.
46. **Wir gelauben all in einen Gott.** 77. Verschieden von der bisherigen Fassung in kath. und protest. Gesangbüchern.

II. Theil.

47. ***All Welt soll billich frölich seyn.** 248. 2 Strophen mehr als im Münchener Gesangbuch 1586 mit Melodievarianten.
48. **Ave Maria Himlkönigin, vnd aller Welt.** 263. Cöln 1599.
49. ***All Augen hoffen auff dich Herr.** 354. In dieser Fassung neu.
50. **Auß meines Hertzen grunde.** 375. (11 Strophen.) Im protest. Hamburger Gesangbuch 1592 und im Greifswalder 1592 mit Varianten.

51. Christ du bist der helle Tag. 379. Von Erasmus Alberus bei Leisentrit 1567.
52. *Da Jesus in den Garten gieng. 103.
53. *Da Jesus Christ auff Erdenreich gieng. 116. Text neu. Melodie „Wol- auff zu Gott mit Lobesschall". München 1586 mit einigen Varianten.
54. *Die erste Frewd die Maria empfieng. 123.
55. *Das ist Mariae guldener Rosenkrantz. 154.
56. *Den lieben Sanct Johannes loben wir. 165.
57. *Der Heilig Herr Sanct Wolffgang. 200.
58. *Das erste Blut das Christus vergoß. 203.
59. *Da Gott der Herr auff Erden gieng. 207.
60. Da Christus sein Jünger warnen thet. 289. Von N. Herman, bei Leisen- trit 1584 mit Varianten.
61. Das heilig Creutz vnsers Herrn. 291.
62. Den heiligen Bischoff Sanct Nicola. 296.
63. *Dich Gott wir loben vnd ehren. 309. Von Hecyrus, bei Leisentrit 1567 mit Varianten. Melodie eine andere.
64. Der Frid deß Herren Jesu Christ. 372.
65. *Es kam ein schöner Engel. 129. Melodie ähnlich der Weise „Es floß ein Rosn von Himmel herab". München 1586.
66. *Es flog ein Täublein weisse. 134.
67. Es war einmal ein grosser Herr. 231. Von Triller bei Leisentrit 1567; von Beuttner erweitert.
68. *Es war einmal ein reicher Mann. 301.
69. Es wolt gut Jäger jagen. 329.
70. *Ehr sey Gott in der Höhe. 361.
71. *Gegrüst seystu Maria ein Königin. 162. Melodie neu. Vom Text einige Strophen in H. von Themar „Weinnächt Gesang" 1590.
72. *Gott der Himmlisch Vatter. 228.
73. *Gelobt sey Gott der Vatter. 324. Melodie München 1586 mit Varianten. Text zählt hier 33 Str.; bei Beuttner 19.
74. Gehabt euch wol zu disen Zeiten. 356. Augsburger Einzeldruck 1550. Leipziger (protest.) Gsb. 1582.
75. Gott zu Lob vnd auch zu Ehren. 367.
76. *Herr, Gott himmlischer Vatter erhör doch. 96.
77. *Heiliger Herr St. N. hab vns. 193.
78. *Heiliger Herr St. Lorentz. 298.
79. *Herr Jesu Christ war Mensch vnd Gott. 331. Von P. Eber bei Leisen- trit 1567 mit Varianten.
80. *Herr Gott Vatter im Himmelreich. 352. Mel. neu. Der Text in C. Hu- berinus Catechismus 1544 in 3 vierzeiligen Strophen (Leisentrit 1567) ist hier um 8 weitere vermehrt worden.
81. Herr Gott wir sagen dir Lob vnd Danck. 357. Wie bei dem vorigen Liede. Huberinus hat 3 Str., Beuttner 9.
82. *In Gottes Namen walfarthen wir. 85. Vehe 1537 mit einigen unbe- deutenden Varianten.
83. *Ich waiß ein edlen Weingartner. 106.
84. In Gottes Namen heben wirs an, Von Maria. 120.
85. *In Gottes Namen so heben wir an, Vnd was Gott. 148.
86. *In Gottes Nahmen so fahren wir, Herr deiner. 177.
87. In Gottes Namen heben wir an, Vnser liebe Fraw. 213.
88. Jesus gieng in den Garten. 214.
89. In Gottes Namen so heben wirs an, Hilff Maria. 233.
90. *Zu Gottes Namen so wöllen wir fahren, d. h. Geist. 253.
91. In Gottes Namen heben wir an, Gott wölln wir loben. 271.
92. „ „ „ „ „ „, Zu singen von Maria. 275.
93. *„ „ „ „ „ „, Vnd ruffen all Gottes Engel. 312. Einige Strophen bei Leisentrit 1584 und im Münchener Gesangb. 1586. Melodie wie im letzteren mit Varianten.
94. *Jerusalem du selige Statt. 316. Text von Wizel bei Leisentrit 1567. Beuttner hat die 3 letzten Strophen geändert und die Melodie vereinfacht.
95. *Ihr lieben Christen kompt nun her. 340. Melodie in Ulenbergs Psalter 1582 „Straff mich Herr nicht".

96. *In Gottes Namen heben wir an, der alle ding. 346.
97. Im Namen deß Herren Jesu Christ. 370. Morgenlied nach dem protest. Liede „Ich danck dir lieber Herre“ (Schumanns Gsb. 1539) bearbeitet.
98. Ich danck dir Herr Allmächtiger Gott. 377.
99. *Komb heiliger Geist zu vns herab. 259.
100. *Kompt her jhr Singer vnd trett herfür. 363. Ueberarbeitung des Brautliedes von N. Herman „Hiefür, Hiefür, vor eines frommen breutgams thür“. 1556. Melodie neu.
101. Lobt Gott den Herrn, denn er ist sehr freundlich. 358. Zweiliederdruck. Nürnberg. Gutknecht. o. J. Leipziger (protest.) Gesb. 1582.
102. Lobt Gott in seinem höchsten Thron. 360.
103. *Merckt auff jhr Sünder alle. 112.
104. *Mariam die Jungfraw werthe. 145.
105. *Merckt jhr die grosse Marter. 182.
106. *Maria ist ein liechter Stern. 189.
107. Maria Gottes Mutter, nu stehe. 195.
108. Merckt auff jhr frommen Christenleuth. 209.
109. *Maria zart von edler Art. 219. Melodie Leisentrit 1567 mit Varianten. Text in dieser Fassung neu.
110. *Mein Gemüth sehr dürr vnd durstig ist. 343. Text von 30 Strophen (ohne Mel.) im Münchener Gsb. 1586. Beuttner hat 15 Strophen, theilweise neue.
111. *Nun helfft vns all Gott ruffen an. 127.
112. *Nun wölt jhr hören ein süeß Gesang. 142.
113. Nun bett jhr Frawen vnd jhr Mann. 216.
114. *Nun singet all mit reichem Schall. 241.
115. Nun wölln wir aber heben an, zu singen von einem Rosenkrantz. 269.
116. Nun wöllen wir auch singen, sogar mit. 273.
117. Nun wöllen wir aber heben an, wölln singen. 278.
118. *O Herr Gott Vatter im Himmelreich, Erbarm dich. 88. Litaney.
119. O Herre Gott erbarme dich, wol vber vns. 187.
120. O Herr wir preisen dein Gütigkeit. 265. In dieser Fassung neu. Erste und letzte Strophe im Münchener Gsgb. 1586.
121. O Herre Gott erbarme dich, wol vber vns. 294.
122. *O Herre Gott ich klage dir. 333. Mel. „Nun loben wir mit Innigkeit“. Brüdergesangbuch 1531.
123. *O Herr ich klag, daß ich mein Tag. 337. Einige Strophen bei Leisentrit 1567. Melodie neu.
124. *Sanct N. lieber Herre mein, Du wölst auch vnser. 100.
125. *So bitten wir Gott den Vatter. 109.
126. So fallen wir nider auff vnsere Knie. 262. München 1586.
127. *Sanct N. lieber Herre mein, du wöllst vnsr. 279.
128. *Sanct N. du heiliger Martyr groß. 282.
129. *Sanct N. lieber Herre mein, du wölst vnsr. 285.
130. Sanct N. du reine Magd. 287.
131. *So heben wir auch zu loben an den Ritter. 319.
132. *Vnd Jesus gieng ein harten Gang. 137.
133. *Vnd Jesus ist ein süesser Nam. 169. In dieser Fassung neu.
134. *Vnd vnser lieben Frawen. 198.
135. Vnd Christ der ist erstanden, Frew dich Maria. 244. Das alte Lied als Ruf bearbeitet und erweitert.
136. *Wolts auff jhr Mann vnd auch jhr Weib. 173.
137. *Was wöllen wir aber heben an, wölln singen von. 224.
138. *Wol an den heiligen Jüngsten Tag. 238.
139. *Wol in dem Namen Jesu Christ. 256.
140. *Was wölln wir aber nun heben an. 305.
141. Zu Ehrn der Göttlichen Mayestat. 266.

Das von mir benutzte Exemplar befindet sich auf der Universitätsbibliothek in Breslau.

Mainzer-Cantuale 1605.

Catholisch Cantual oder | Psalmbůchlein: | Darinnen viel | Lateinische vnnd Deutsche, | aber meistentheils alte Catholiche | Gesånge begriffen, welche man auff die | fůrnembsten Fest deß gantzen Jahrs, auch | bei dem Ampt der H. Meß, Processio= | nen, vnd sonst zusingen | pflegt. | Jetzt von Newem vbersehen, ver= | bessert, vnd in ein feine Ordnung gebracht | vnd gestelt: Ein jedes mit seinen | Noten vnnd Melo= | dey: | Außtheylung sampt einem Ordent= | lichen Register. | Gedruckt in der Churfůrst= | lichen Statt Meyntz, durch | Balthasar Lippen, Im | Jahr 1605.

6 Blätter mit der Vorrede und 208 gez. Seiten 8. S. 1—99 Lieder für die kirchlichen Festzeiten. S. 100—138 Processionsgesänge. S. 139—181 **Catechismus Gesång** mit einer Vorrede, die im II. Bd. S. 205 abgedruckt ist. S. 181—202 **Gesång von vnser lieben Frawen.** S. 203—208 zwei alphabetisch geordnete Register.

Das Büchlein, dessen frühere Auflagen bis jetzt nicht bekannt geworden sind, enthält 74 deutsche und 39 lateinische Texte, dazu ein Mischlied mit 91 Melodien.

Nach den Angaben der Vorrede können wir die Lieder in drei Gruppen vertheilen:

1) in solche, „**so zuuor nie getruckt, aber bey vnsern lieben Vorfahren gebreuchlich gewesen**".

2) „**etliche auß andern Catholischen Bůchlein**".

3) „**etliche (jedoch wenig) Newe.**

Eine direkte Benutzung von Vehe's (resp. Leisentrits) Gesangbuch hat stattgefunden bei den Liedern „**O ewiger Vatter biß gnedig vns**" und „**Mein Seel macht den Herren groß**". Eine Anzahl anderer Lieder, darunter „**Es ist ein Ros entsprungen**", findet sich im Cölner Gesangbuch 1599.

Zum ersten Male finden wir hier folgende Lieder und Melodien.

1. Adoro te devote latens Deitas. S. 85.
2. Dies est laetitiae, nam processit hodie. 30.
3. Eia mea anima. 32.
4. Exultemus et laetemur hodie. 58.
5. Jure plaudant omnia. 31.
6. O salutaris hostia. 98.
7. Resurrexit Dominus. 71.
8. Surgite Sancti. 101.
9. **Alle Welt springe vnd lobsinge.** 17.
10. **Abel der opfferte Gott ein Lamb.** 98.
11. **Aber wollen wir singen.** 133.
12. **Christus ist erstanden, Kyrie eleison.** 69.
13. **Christus fuhr gen Himmel, Kyrie eleison.** 76. Mel. No. 12.
14. **Dich Gott wir loben vnd ehren.** 123.
15. **Ein Kindelein so lôbelich.** 1. 2 Str. ohne Melodie.
16. **Es ist ein tag der frôligkeit.** 28.
17. **Es ist erstanden Jesus Christ.** 72. Mel. No. 7.
18. **Es sungen drey Engel.** 135.
19. **Frewt euch jhr lieben Seelen.** 96.
20. **Für allen dingen ehren wir Gott.** 136.
21. **Geborn ist vns ein Kindelein, von einer Jungfraw.** 8.
22. **Groß vnd Herr ist Gottes Nam.** 21.

23. Gott der sey gelobet vnd gebenedeyet. 80.
24. Geborn ist vns ein König der ehre. 35.
25. Joseph lieber Joseph mein, hilff mir. 24.
26. Ich bette dich an demütiglich. 86. Mel. No. 1 oder 34.
27. Jesus Christus vnsere seligkeit, der vmb vnsertwillen. 132.
28. Ich weiß ein Maget schöne. 189.
29. Maria, Maria, Christ den sie. 57.
30. Sancta Maria bitte Gott für vns. 192.
31. Vns ist geborn ein Kindelein, von einer. 19.
32. Von einer Jungfraw außerkohrn. 9.
33. Wer sich deß Meyens wolle. 60.
34. Wir wollen alle singen, wir wollen. 99.

9 dieser Texte sind Uebersetzungen lateinischer Lieder:

No. 9. Omnis mundus iucundetur.
14. Te Deum laudamus.
16. Dies est laetitiae.
17. Resurrexit Dominus.
22. Magnum nomen Domini.
24. Quem Pastores laudavere.
26. Adoro te.
31. Puer nobis nascitur.
32. Nobis est natus hodie.

No. 12 und 13 sind als Rufe bearbeitet. No. 15 bildet eigentlich die zweite Strophe des Liedes „Der Tag der ist so frewdenreich“, kommt aber als selbständiges Lied außer bei Wizel 1550 in katholischen Gesangbüchern sonst nicht vor. No. 23 tritt hier zum ersten Male in seinem ganzen vorreformatorischen Texte auf. Luthers Citate aus dem alten katholischen Liede treffen diese Fassung. No. 25 ist verschieden von dem Liede gleichen Anfanges im Cölner Gesangbuch 1599. No. 29 ist in das Victimae paschali eingeschoben.

Von den 91 Melodien, welche das Büchlein bringt, wiederholen sich 8. Zum ersten Male finden sich hier die Melodien zu folgenden Liedern: 1, 2, 4, 5, 6, 7, 8, 11, 12, 18, 20, 21, 23, 27, 28, 29, 30, 32, 33 und 34.

Außerdem stehen neue Weisen zu den Texten:

Surrexit Christus hodie. S. 66.
Betracht mit fleiß o frommer Christ. S. 174.

Dem lateinischen Liede No. 5 ist ein zweistimmiger Satz beigegeben, der eine verbesserte Auflage des alten Organums aus der »Musica enchiriadis« (10. Jahrhundert) bildet. Die erste Stimme findet sich später bei dem Liede „Nachtigall dein edler Schall“. (Corners Gesangbuch 1631).

Von den Melodien zu den Katechismusliedern, stimmen zwei: „Ich glaub in Gott den Vatter“ und „Vatter vnser“ mit den Weisen des Cölner Gesangbuches 1599 überein. Die letztere Melodie steht schon mit Abweichungen in Vehe's Gesangbüchlein 1537.

Das Mainzer Cantual gehört zu den Gesangbüchern, welche einen volksthümlichen Charakter tragen.

Vermehrte Auflagen dieses Buches erschienen zu Hildesheim 1625 und Mainz 1627. (vgl. die Bibliographie No. 268, II. Band No. 67).

Die Ausgabe 1605 befindet sich auf der Herzogl. Bibliothek in Gotha und auf der k. Hofbibliothek in Wien.

Das Straubinger Rufbüchlein 1607.

Ein new Rueff- | Büchlein, | Vonn Etlichen | sonderbarn Catholischen, Wahl- | fahrten-Gesängen, so Gott, seiner lieben | Mutter, vnd dem heyligen Sacramenten deß | Altars zu Ehren, gemacht, vnd füglich zum Preiß | Gottes mögen gesungen | werden. | Wie nachfolgendes Blat zu erken-nen geit. | 1607. quer 8.

1 Titelblatt mit einem Holzschnitt und 1 Bl. Vorrede, darauf 82 nicht gez. Blätter mit den Liedern. Am Schluß: Non semper Hyems. Zu Straubing, bey Andre Sommer.

Das Büchlein enthält folgende Rufe:

1. *Ach ach wie mag ich frölich seyn,
 Wann ich gedenck der grossen Pein.

 Passion.

2. *O hochheyliges Creutze.
3. *Hoert zu jhr Christen überall,
 Frew dich S. Benno.
4. *Jhr lieben Christen singet her,
 Frew dich S. Benno.
5. *Ave Maria du grosse Keyserin
 vnd aller Ding ein Herscherin.
6. Gelobet sey Gott der Vatter
 in seinem höchsten Thron.
7. Mit Gott der allen dingen
 ein Anfang geben hat.
8. Als man zehl dreyzehenhundert Jahr
 vnnd sieben vnd dreyssig das ist war.
9. Jn Gottes Namen hebn wir an
 Vnnd rüffen all Gotts Engel an.

Zum ersten Male treten hier auf die Texte 1, 3, 4, 5, 7 und 8 und die Melodien zu No. 2 und 5. Die Melodie zu No. 1 ist gleich der Weise „Wolauff zu Gott mit Lobesschall" und zu 3 und 4 „Frew dich du Himmelskönigin".

Exemplar auf der Herzogl. Bibliothek in Wolfenbüttel.

Andernacher Gesangbuch 1608.

Catholische | Geistliche Gesänge, | Vom süssen Namen Jesu, | vnd der Hochgelobten Mut- | ter Gottes Mariae etc. | Von der Fraternitet S. Ceciliae | Zu Andernach in Lateinisch vnd Teut- | sche verß Componirt vnnd Collegirt. | Vtriusque sexus parthenicis priuatim | & in pijs congregationibus. Auch in | Bittgängen, Walfahrten, Creutzgängen, | Processionen, Stationen, Gottsdrach- | ten, Frücht vnd Landsägnungen | vnd bey der Kinderlehr | zugebrauchen. | Gedruckt zu Cölln, | Durch Gerhart Greuenbruch. | Anno M.DC.VIII. 16.

1 Titelblatt, sodann 17 ungez. Blätter mit einer Dedication in lateinischer Sprache »Ad Sereniss. Principem ac Dominum, D. Ferdinandum, Utriusque Bavariae Ducem, Comitem Palatinum Rheni,

Archiepiscop. Diaecesios Colon. electum, et confirmatum Coadiutorem etc.« datirt vom 1. März 1608, von der Fraternitas S. Caeciliae intra Andernacum. Ein darauf folgendes Epigramm ist unterzeichnet Ex fraternitatis eiusdem nomine M. Baltasarus Solen, Daunenis.

Darauf folgt die Vorrede zu dem Christlichen Leser. S. 1—609 stehen die Lieder, welche numerirt sind (I—CLXXVII.) Am Schluß 15 nicht gez. Seiten mit einem lateinischen und deutschen, alphabetisch geordneten Index.

Wie aus der Vorrede ersichtlich, sollte diese Sammlung dazu dienen dem protestantischen Bonner Gesangbuch, welches am Rheine in vielen Auflagen[1] verbreitet war und auch in den Händen mancher Katholiken sich befand, ein katholisches an die Seite zu setzen. Die Bruderschaft der h. Cäcilia zu Andernach begann bereits im Jahre 1604 mit den Vorarbeiten zu diesem Gesangbuche. Eine Eigenthümlichkeit desselben liegt darin, daß jedem deutschen Liede ein lateinisches beigegeben ist, entweder ein alter Hymnus oder ein späteres lateinisches Lied, oder ein auf Grundlage des deutschen Textes angefertigtes neues lateinisches Lied, wobei das Versmaß in lateinischer Sprache erklärt wird. Daher die über vielen Liedern stehenden Bezeichnungen »Dimetri fere Octosyllabi« oder »Jambicus Tetrastrophus Dimetri« und ähnliche. Weil aber die Melodien bunt durcheinander geworfen sind und die alten Hymnen theils die alten Weisen tragen, theils mit neuen Melodien versehen worden sind, so halte ich es für zweckmäßig eine Zusammenstellung sämmtlicher lateinischer Texte zu geben unter Beifügung des betreffenden deutschen Liedes.

Ich habe sodann in kurzen Notizen angegeben, aus welcher Zeit, oder von welchem Autor der Text herstammt. Die Belege dafür findet man in den Sammlungen Daniels, Mone's und Wackernagels. Für diejenigen Texte, welche in diese Sammlungen nicht aufgenommen worden sind, habe ich meine Quelle in einer Anmerkung notirt. Das * zur Seite der deutschen Lieder gibt an, daß der betreffende Text zum ersten Male in diesem Gesangbuch vorkommt.

1. Ad caenam agni prouidi. 235. VI. s.[2]
   Zum Tisch dieses Lämbleins so rein.
2. Adeste nunc puelluli. 24.
   Kompt her jr Kinder singet fein.*
3. Adoro te supplex latens Deitas. 375. Thomas von Aquin.
   Ich bitt innig dich verborgne Gottheit ahn.*
4. Ad te Maria supplices 448.
   Dich Fraw von Himmel ruff ich ahn.
5. Altis homo suspirijs. 7.
   Auß hertzen weh klagt menschlichs gschlecht.
6. Alme Domine. 224.
   Jesu lieber Herr.*
7. Amor Jesu continuus. 90. Bernhard von Clairvaux.
   Die liebe Jesu stetigkeit.*
8. A solis ortus cardine. 106. C. Sedulius.
   Christum wir sollen loben schon.
9. Assumpta est Maria in Coelum. 435. Antiphon.
   Maria ist erhöcht vber alle Chor der Engel.*
10. Audi benigne conditor. 175. Gregor I.
    O Schöpffer mildt, vnd gütig sehr.*

1) Mir bekannt sind 1561, 1569, 1579 und 1595. 2) s = saeculum.

11. Aue Aue Aue Maria Gratia plena. 410. Der englische Gruß.
Gegrüsset seiestu Maria Voller gnaden.
12. Aue Maria candida. 416.
Gegrüst seistu Maria rein.
13. Aue Maria clara. 381.
Aue Maria klare.
14. Aue Maria gratia plena Ingressus domum virginis. 412.
" " " " Der Engel kam zu Maria.*
15. Aue Maria regina nobilis. 436.
Aue Maria du Himmels Königin.
16. Aue Maris Stella. 388. V. Fortunatus.
Gegrüst seistu Meerstern.
17. Aue mundi spes Maria. 445. Bonaventura (?).
Der Welt hoffnung Maria schon.*
18. Aue praeclara et Sanctissima Maria. 443.
Gegrüsset seystu allerheiligste Maria.
19. Aue viuens Hostia. 362. XV. s.
Gegrüst seist heilges Opffer rein.
20. Augusta regum corpora. 142.
Ich lag in einer nacht vnd schlieff.
21. Aulae polaris incolae. 510.
O Ihr heilig Gottes freundt.
22. Author Deus caelestium. 2.
O Gott im höchsten Himmelsthron.*

23. Benedicamus Domino. 542. Responsorium.
Wir wöllen loben vnserm Herrn.*
24. Benedicamus laudes Christo. 533. Responsorium.
Wir wollen Lob preiß sagen Christo.*
25. Benedicta tu in mulieribus. 381. Antiphon.
Benedeit bistu vnder den Weiberen.*
26. Benedictus Dominus Deus Israel. 562. Lobgesang des Zacharias.
Der Herr Gott Israels sey gebenedeit.

27. Christe Redemptor omnium. 517. XII. s.
Christ vnser Herr Erlöser bist.*
28. Christe qui lux es et dies. 568. VII. s.
Christ, der du bist das Liecht vnd tag.
29. Christi fidem cum Catharinā nobilē. 499.
Als Sancta Cathrina ein Christin worden war.*
30. Christus surrexit hodie. 250. XIV. s.
Der heilig Christ erstanden ist.
31. Clarum decus jeiunij. 169. Gregor I.
Der Fasten grosse wirdigkeit.*
32. Conditor alme siderum. 21. VI. s.
O heiliger Schöpffer aller Stern.*
33. Credo in Deum patrē omnipotentē. 335. Das apostol. Glaubensbekenntniß
Ich glaub in Gott Vatter Allmächtigen.
34. Crucis cruente stipite. 171.
Da Jesus an dem Creutze stundt.
35. Crux fidelis inter omnes. 209. V. Fortunatus.
Theures Creutz wo findt man deins gleich.
36. Cum Christus Agni mystico. 197.
Als Jesus an dem Nachtmal saß.*
37. Cum luce prima Sabbathi. 247.
Am Sabath früh Marien drey.
38. Cum Matre Jesu Virgine. 278.
Jesum vnd seine Mutter zart.*

39. Da Passionis tristem. 284.
Gib vns gnad zu betrachten.*
40. De stirpe Dauid nata. 66.
Es ist ein Ros entsprungen.

41. Dei rogantes nomine. 601.
Theilet vns mit ein gute steur.*
42. Deum precemur, supplices. 296.
Last vns Gott treulich ruffen an.*
43. Deus sacri baptismatis. 582.
O Herr du hast vns ausserkorn.*
44. Dicata summo templa Numini. 539.
Last vns gehen zum Hauß des Herrn Christ.*
45. Dies est laetitiae In ortu regali. 52. XIV. s.
Der tag ist so frewden reich Allen Creaturen.
46. Domine ne in furore tuo arguas me. 256. Psalm 6.
Ach Herr straff mich nicht in deinē grimmē.*
47. Dies est laetitiae, nam processit hodie. 92. XIV. s.
Dieser tag viel freuden hat dan vns ist geboren Gott.*

48. En nauis institoris. 87.
Vns kompt ein Schiff gefahren.* Tauler † 1361.
49. E nocte Christus tartari. 232.
Erstanden ist der heilig Christ.
50. En trinitatis speculum. 70. XIV. s.
Der Spiegel der Dreyfältigkeit.
51. Est Jesus nobis natus in Bethleem. 32.
Ein Kind ist vns geboren zu Bethleem.*
52. Exaltata es. 434. Antiphon.
Du bist erhaben.*
53. Ex more docti mystico. 157. Gregor I.
Als wir recht wol gelernet sein.*
54. Exultet coelum laudibus. 477. XII. s.
Der Himmel jetzt frolocken soll.*
55. Exultet orbis gaudijs. 252.
All Welt soll billich frölich sein.
56. Exurge sponsa, post mea. 590.
Christ sprach zus Menschen Seel vertraut.*

57. Festum nunc celebre. 308. Rhab. Maurus.
Diß herlich hoch Fest heut.*
58. Fit porta Christi peruia. 36. V. s.
Die pford Christi nun offen staht.*
59. Flamen sidereum sacrum potensque. 323.
O heiliger Geist, der du mit groß gewalt.

60. Gaude Maria Templum summae Maiestatis. 379. XV. s.
Frew dich Maria Tempel der höchsten Maiestet.*
61. Gloria laus et honor sit. 189. Theodulfus.
Lob ehr vnd preiß sey dir Herr Christ.*
62. Gloria Patri et Filio. 340. Doxologie.
Lob Ehr sey Gott Vatter Vnd dem Sohn.*
63. Grates nunc omnes reddamus Domino Deo. 112. VI. s.
Danck sagen wir alle, mit schalle dem Herren.

64. Hodierna lux diei. 407. XII. s.
Diesen tag wir feyren wollen.*
65. Huc jubilus symphonus. 306.
Frewd euch jr Christen alle.*
66. Huc properè contendite. 543.
Wer Gott verlobt ein Pilgerfahrt.*

67. Jam lucis orto sidere. 565. V. s.
Dieweil die Sonn jetzt tringt heran.*
68. Jesu corona virginum. 505. Ambrosianisch.
Jesu aller Jungfrawen Kron.*
69. Jesu Deus dilecte. 575.
Ach Jesu lieber Herre.

70. Jesu Deus dulcissime. 418.
Mein süsser Gott Herr Jesu Christ.
71. Jesu dulcis memoria. 598. Bernhard von Clairvaux.
Jesus süß dein gedächtnuß ist.*
72. Jesu fauo suauius. 585.
Jesus ist gar ein süsser Nam.
73. Jesu nostra redemptio. 312. V. s.
O Jesu vnser erlöser.*
74. Jesu, quadragenariae. 178. V. s.
Jesu der du geordnet hast.*
75. Jesu redemptor orbis. 138.
O süsser Herr Jesu Christ.*
76. Jesu Saluator seculi. 514. XI. s.
Jesu seeligmacher der Welt.*
77. Illustris alto Nuncius. 44.
Es kam ein Engel hell vnd klar.
78. In dulci jubilo, nun singet vnd seit fro. 81. Mischlied.
Mit einem süssen schall Nun frölich singet all.
79. In hoc anni circulo. 120. XIV. s.
Diß new Jahr ist freudenreich.*
80. In natali Domini. 128. XIV. s.
Zur geburt des Herren Christ.*
81. In nomine Patris, Et Filij. 329. Das Kreuzzeichen.
Im Namen des Vatters, Vnnd Gott des Sohns.
82. Inuentor rutuli dux bone luminis. 214. A. Prudentius.
O gütiger Herr Christ des liechts erfinder bist.
83. Inuiolata intacta et casta es Maria. 401. XV. s.
O Maria laß geniessen Deiner vorbitt die dich grüssen.*
84. Judicabit Judices Judex generalis. 607. Leisentrit 1584.
Der öberst Richter Christus Wirdt Gerichte sitzen.
85. Kyrie eleison. 221. Responsorium.
86. Laetare nunc Ecclesia. 241.
Frew dich du werde Christenheit.
87. Lauda Sion Saluatorem. 341. Thomas von Aquin.
Lobe Sion deinen Herren.
88. Laudemus omnes vna. 291.
Wir wollen all heut loben.
89. Laudes Crucis attollamus. 520. Adam von S. Victor.
Last vns stimmen nun erklingen.*
90. Laudes Deo perenniter. 61.
Gelobet seystu Jesu Christ.
91. Laus sit Deo parenti, Deo ter optimo. 280.
Gelobet sey der Vatter, In seinem höchsten Thron.
92. Laus sit Deo parenti, Qui sponte promissum. 99.
Lob sey Gott im höchsten thron, Der auß Barmhertzigkeit.
93. Laus sit patri ampla sublimi. 79.
Preiß sey Gott im höchsten throne.
94. Laus tibi Christe qui pateris. 203. XIV. s.
Lob sollen wir singen dir viel heilger Christ.
95. Litaniae Lauretanae et Romanae de Sanctis. 256.
96. Lumen ad reuelationem gentium. 399. Antiphon.
Ein Liecht zu erleuchten die Heiden der Welt schnell.*
97. Magnificat anima mea Dominum. Et exultauit spiritus meus. 429.
Mein Seel soll groß machen den Herren mein. Lobgesang Mariä.
98. Magni parentis Abraham. 5.
O Herr Gott Vatter Abraham.*
99. Magnum nomen domini Emanuel. 34. XIV. s.
Maria geboren hat Emanuel.*
100. Maria flos, orbis honos. 110.
Maria rein, du hast allein.*

101. Maria sole clarior. 440.
Hertzliches Bild Maria klar.
102. Maria virgo nobilis. 451.
Maria zart von edler art.
Du bist ein Kron ꝛc.
103. Maria virgo virginum. 461. XV. s.[1]
Maria aller Jungfraw Kron.*
104. Mentes ouate piae. 352.
Frewt euch jhr lieben Seelen.
105. Mortis citatae tempore. 603.
Wan mein stündlein vorhanden ist.
106. Mundi secuta lubrica. 507. G. Fabricius. Basel 1553.[2]
Maria Magdalena zwar.*

107. Natus est nobis hodie. 94. XV. s.
Es ist ein Kindlein vns geborn.
108. Nicolai solennia. 492. XV. s. (?)
Sant Nicolasen heiligs Fest.*
109. Nouis adeste gaudis. 40.
Ir Christen jetzund frölich seyd.
110. Nouum ordimur hymnū nouū melos. 148.
Wollet jhr hören singen ein wunder liedt.*
111. Nunc Angelorum gloria. 75. XIV. s.
Heut ist der Engel glorischein.*
112. Nunc Angelorum supplices. 470.
In Gottes Namen fahn wir ahn.
113. Nunc dimittis seruum tuum Domine. 400. Lobgesang Simeons.
Nun laß O Herr den Diener dein.*
114. Nunc insonent gratissima. 330.
Singet zu Gott mit lobesschall.
115. Nunc voce laeta dulciter. 348.
Nun last vns sonderlicher weiß.*

116. O beata, beatorum Martyrum solennia. 479. XIII. s.
O der heilgen, vnd der seelgen Märtrer Christi heilges Fest.*
117. O Crux. 528. Antiphon.
O Creutze.*
118. O Digna Crux sublimis. 531. XV. s.
O hoch vnd heilges Creutze.
119. O Gloriosa Domina. 397. Ven. Fortunatus.
O Olorwürdig Fraw hoch von ehrn.*
120. O lux beata Trinitas. 331. V. s.
O liecht heilge Dreyfältigkeit.
121. O Mater Christi fulgida. 431. XV. s.[3]
O Mutter Christi rein vnd klar.*
122. Omnes aduigilate. 488.
Wacht auff jhr Christen alle.*
123. Omnis mundus jucundetur. 58. XIV. s.
Seyt frölich vnd jubilieret.
124. Orante Jesu supplice. 195.
Da Jesus in dem Garten gieng.*
125. Os in coelum, terra pono. 426.
Mein Gsicht ich gen Himmel kehre.*

126. Pange lingua gloriosi. 358. Thomas von Aquin.
Mein Zung erklingt vnd frölich singt.
127. Paruulus nobis nascitur. 96. XV. s.
Gott Vatter in dem höchsten thron.*

---

1) Stiftsbibliothek in St. Gallen Cod. No. 309.
2) Vgl. Wackernagel, K. L. I, 518.
3) Stiftsbibliothek in St. Gallen Cod. 408.

128. Pater noster, qui es in Coelis. 572. Das Gebet des Herrn.
Vatter vnser der du bist in den Himmelen.
129. Patris sapientia. 180. XIV. s.
Gott des Vatters weißheit schon.
130. Perenne carmen Angeli. 434. XV. s.
Die Engel singen süssen sang.*
131. Pium, Deus hunc ordinem. 553.
Zu dieser vnser Bilgerfahrt.*
132. Pium rogamus supplices. 275.
In vnsern nöhten bitten wir.*
133. Praeco preclarus sacer et Propheta. 474.
O heilger Christ Prediger vnd Teuffer.*
134. Psallite vnigenito Jesu Dei filio. 63. XV. s.
Singt vnd klingt Jesu Gottes Kind. 64.
135. Puer natus amabilis in hoc Anno. 116.
Das süsse liebe Jesulein, In diesem Jahr.*
136. Puer natus de virgine. 114.
Ein Kindt geborn von einer Magt.*
137. Puer natus in Bethleem Bethleem. 126. XIV. s.
Ein Kindt geborn zu Bethleem, Bethleem.
138. Puer nobis nascitur. 30. XIV. s.
Vns ist geborn ein Kindelein.*
Von dem Himlischen Fürsten.

139. Quem nunc Virgo peperit. 84. XIV. s.
Den geboren hat ein Magdt.*
140. Quem terra, pontus aethera. 395. Ven. Fortunatus.
Den Himmel Erd vnd tieffes Meer.*
141. Quiduis amor suffert Dei. 484.
Die Liebe Gottes alles leid.*
142. Qui solis excellit jubar. 205. G. Fabricius. Basel, 1560.[1]
Der vbertrifft der Sonnen glanz.*

143. Regina coeli laetare, Alleluia. 222. XIV. s.
Königin des Himmels erfrew dich Maria.
144. Regina foelix aeteris. 227.
Frew dich du Himmel Königin.
145. Resonet in laudibus. 73. XIV. s.
Zu Bethlem ward Gott geborn. *
146. Rex Christe factor omnium. 199. Gregor I.
Schöpffer aller ding König Christ.
147. Rex gloriose martyrum. 486. V. s.
König der heilgen Märtyrer.*
148. Rex Israel tuus tibi. 192. G. Fabricius. Basel 1553.[2]
Dein König Israel kompt daher.*

149. Salue Cru sancta, salue mundi gloria. 528. XV. s.
Dich Creutz ich grüß Aue der Welt glory groß.*
150. Salue Regina, Mater misericordiae. 468. XI. s.
Gegrüsset seistu Edleste Königin.*
151. Saluete flores Martyrum. 112. A. Prudentius.
Gott grüß euch Martrer Blümelein.*
152. Salutis ecce fertiles. 155.
Nun ist die gnadenreiche zeit.*
153. Sit laus honor et gloria. 333. XV. s.
Glori Lob Ehr dem Vatter sey.*
154. Spiritum sanctum hodie. 326. XV. s.[3]
Den heilgen Geist vnd waren Gott.

---

1) Vgl. Wackernagel I, 508.
2) Daselbst 507.
3) Ich fand das Lied bei Triller 1555 notirt.

155. Stabat mater dolorosa. 163. Jacobus de Benedictis.
Christi Mutter stundt mit schmertzen.*
156. Sub mystico velamine. 356.
Christum hat Gott zum Sacrament.
157. Summi largitor praemij. 161. Gregor I.
O geber höchstes Himmels lohn.*
158. Summi triumphum Regis. 299. Sequenz X. s.[1]
Christus fuhr gen Himmel.
159. Surrexit Christus hodie. 234. XIV. s.
Warhafftig nun erstanden ist. — Erstanden ist d. h. Christ.

160. Te Deum laudamus. 557. Ambrosius.
Wir loben dich Gott vnd Herrn.
161. Te Mariam laudamus. 456. XIV. s.
Maria Lob wir bzeugen hie.*
162. Templo Chorus superno. 493.
Es ist ins Himmels Throne.*
163. Te lucis ante terminum. 571. Ambrosius.
Wir bitten dich, O trewer Hirt.*
164. Te supplicamus Auspice. 547.
In Gottes Namen wällen wir.
165. Tibi Virgo proni supplicamus. 1.
Wir fallen nider auff vnsere knie.
166. Tres Magi de gentibus. 135. XV. s.
Drey König auß frembden landt.*
167. Tuae saluti credita. 578.
O Christ hab acht der lieben zeit.*
168. Tuam Deus clementiam. 289.
Wir bitten hoch in vnsrem leidt.*

169. Veni creator Spiritus. 317. Gregor I.
Kom heilger Geist warer trost.
170. Veni redemptor gentium. 18. Ambrosius.
Kom der Heiden trewer Heiland.
171. Veni Sancte Spiritus, Et emitte. 320. König Robert von Frankreich.
Kom heilger Geist Schöpffer mein.
172. Veni Sancte Spiritus Reple tuorum. 315. Antiphon XIV. s.
Nun bitten wir den heiligen Geist.
173. Verbum bonum et suaue. 404. XII. s.
Das wort Aue süß vnd gute.*
174. Vexilla regis prodeunt. 186. Ven. Fortunatus.
Des Königs Phanier gehn herfür.*
Des Creutz geheimnuß u. s. w.
175. Victimae paschali laudes immolent. 254. XII. s.
Christus ist erstanden Von der Marter alle.
176. Virgo editura filium. 48.
Als Maria die Jungfraw schon.*
177. Virgo Dei puerpera. 391.
Maria Mutter Gottes.*
178. Virgo Deum purissima. 421.
Als Maria die Jungfraw rein.
179. Vincenti. 484. Antiphon.
Dem vberwinder.*
180. Vita sanctorum: decus angelorum. 239. XI. s.
Der heilgen leben thut stets nach Gott streben.
181. Vox clara ecce intonat. 15. V. s.
Ein klare stimm schaw wirt gehört.*
182. Vrbem sanctam vidi Hierusalem. 540. Prose.
Ich sah Jerusalem die heilge Statt.*

---

1) Stiftsbibliothek in St. Gallen Cod. 340.

183. Vrbs beata Jerusalem. 534. VII. s.
Jerusalem du selge Statt.*
184. Vt natus est in Bethleem. 132.
Es hat geborn ein Kindelein.*

Diese 184 Nummern bezeichnen aber nicht ausschließlich eigentliche Lieder. Es sind auch Prosatexte darunter: Vgl. No. 9, 23, 24, 25, 33, 52, 62, 81, 85, 95, 96, 117, 128, 179.

Alle Texte mit Ausnahme von No. 63, 143 und 172 sind mit Melodien versehen.

Ich gebe nun ein Verzeichniß derjenigen lateinischen Texte aus früher und späterer Zeit, welche die Originalmelodie bei sich haben.

1, 6, 7, 8, 9, 16, 17, 23, 24, 25, 26, 28, 30, 32, 35, 45, 46, 50, 52, 57, 60, 61, 62, 64, 71, 73, 78, 79, 80, 81, 82, 83, 85, 87, 89, 94, 95, 96, 97, 99, 107, 108, 111, 113, 117, 120, 123, 126, 127, 129, 134, 135, 136, 137, 138, 139, 145, 146, 149, 150, 153, 154, 158, 159, 160, 161, 166, 169, 171, 172, 173, 175, 179, 180, 182.

Eine Anzahl älterer lateinischer Lieder trägt die Ueberschrift „In seinem Kirchenthon o d e r w i e f o l g t". Hier haben wir also neue Melodien, welche den betreffenden Texten ursprünglich nicht eigen sind:

No. 10, 31, 53, 54, 67, 68, 74, 76, 106, 119, 121, 140, 147, 151, 155, 157, 163, 170, 174, 181, 183.

Diese sind also als solche bezeichnet, welche nicht den Kirchenton zur Melodie haben. Andere tragen diesen Vermerk nicht, gehören aber doch dazu: 3, 19, 27, 33, 58, 118. Zweifelhaft sind 84, 103, 116, 130.

Folgende Lieder sind in den Ueberschriften durch die genannten Versmaßbestimmungen gekennzeichnet und nach meiner Ansicht lateinische Uebersetzungen deutscher Originaltexte: 2, 5, 13, 20, 22, 29, 40, 59, 65, 70, 75, 77, 90, 92, 93, 98, 100, 109, 114, 164, 177, 184.

Außerdem scheinen auch folgende Texte zu den Uebersetzungen zu gehören: 4, 12, 15, 21, 34, 37, 39, 48, 49, 51, 55, 56, 66, 69, 72, 86, 88, 91, 101, 102, 104, 105, 110, 112, 122, 124, 131, 144, 156, 162, 165, 167, 176, 178.

Die Lieder 106, 142, 148 rühren von dem protestantischen Dichter G. Fabricius her. Ich finde sie in Georgii Fabricii Chemnicensis, uiri clarissimi, Poematum sacrorum Libri XXV. Ex postrema autoris recognitione. Basileae per Joannem Oporinum 1567. S. 225, 226 und 238. Wackernagel bringt dieselben Lieder in seinem I. Bande aus früheren Ausgaben der Werke dieses Dichters. Merkwürdig bleibt, daß der Herausgeber des Andernacher Gesangbuches zu No. 106 »Mundi secuta lubrica«, einem Liede von der h. Magdalena, die Ueberschrift setzt: „In seinem Kirchen Thon oder wie folgt". Daraus sollte man schließen, dieser Text gehöre zu den ältern lateinischen Kirchenliedern. Da nun aber die mir vorliegende Sammlung der Lieder des Fabricius gar keine älteren lateinischen Lieder enthält, so glaube ich, daß auch das fragliche Gedicht, welches die Ueberschrift trägt »De peccatrice recepta«, den Fabricius zum Autor hat.

Als zweifelhaft bleiben noch übrig: 14, 18, 36, 38, 41, 42, 43, 44, 115, 125, 132, 133, 141, 152, 168.

Gehen wir nun dazu über, das Verhältniß des Andernacher Gesangbuches zu den früheren Gesangbüchern klar zu legen, so müssen wir zunächst

... damaligen Volksliedern entnommen sein.
ton, No. 110 ein Hirtenweise, No. 167 „Dein
Frölich bin ich aus Hertzengrund".

Wie oben bemerkt, bringt der Herausgebe
Weisen. Außerdem hat er eine große Anzahl M
sangbüchern entnommen und dieselben in der bun
gewürfelt. Der Leser kann sich davon überzeuge
Index in meinem I. und II. Bande nachschlagen
Exemplar auf der K. Bibliothek in München

Vetters Paradeißvogel

Paradeißvogel, | Das ist, | Himmelis
solche Betrachtungen, dardurch das | Mensch
erlustiget, von | der Erden zum Paradeiß
Frew= | den gelockt, erquickt, entzündt, vnd
sten theils auß den heiligen alten Vättern,
außerlesen, zusam̄ gezogen, vnd auß dem
men alten Teutschen zugefallen in | vnser Sp
Conradum Vetter der | Societet Jesu. | Lo
Vögelein, | Vom Nebel in der Sonnen Sch
von der Erd erschwingn, | Vnd mit dir in
Zu Ingolstatt durch Andream Angermay
M.DC.XIII. | 1 Bd. kl. 8.

Auf der Rückseite des Titelblattes das Fugg
Unterschrift: „GOTT gseng den Stammen
Das nichts begert allein was recht."

11 Seiten Dedication und Vorrede. 3 Seite
paginirte Seiten mit den Liedern und 3 Melodien
Satze. Der Inhalt ist folgender:

1) Liebliche Betrachtung von der Glori
macht von Petro Damiano Cardinaln zu O
Augustini Sprüchen.

„Ad perennis vitae ..."

3) „Alle Tage sing vnd sage“, vierstimmig. Siehe II. Bd. S. 382.

4) Inbrünstiges Lobgesang deß heiligen Bernhardi zwischen Christo vnd seiner Mutter Maria vmbgeweßlet:

„Deß höchsten Vatters höchster Sohn du bist“.

5) Von der wunderreichen Geburt Christi sonderbare Verß deß H. Bernhardi.

„Gantz Frewden voll,
Der Christen Chor auffhupffen soll“.

6) Nachtigall deß H. Bonauenture.

»Philomena, praeuia«.
„Nachtigall dein edler Schall,
Ist ein gewisses Zeichen“.

7) »Vexilla Regis prodeunt«.

„Deß Königs Fahnen geht herfür
Das heilig Creutz thut scheinen“.

8) »Pange lingua«.

„Zung, liebe Zung, thu da das best,
Vnd gib vns hie berichte“.

9) Planctus Beatae Mariae Virginis, Im Thon Maria zart. „Maria rein dein Klag allein, Ist vber alles Klagen“. 52 Strophen. Mit Melodie (steht im II. Bd. No. 27).

Strophe 11: „Da steht mit Grund, die Mutter stund,
Lateinisch Sabat Mater.
Wol componirt, mit Versen zirt,
Zusingen vnd zulesen,
Josquin ist Meister gwesen“.

10) »Sabat Mater«.

„Die Mutter stundt hertzlich verwundt“. Mit Melodie.

11) »Planctus Beatae Mariae Virginis«.

„Maria Klag war schwär vnd groß,
Als sie sach ihr Kind also bloß,
Genagelt an das Creutz mit schmertz,
Was Leyd lidt da jhr ellends Hertz?“ 33 Strophen.

12) Deß heiligen Abts Bernhardi Gebett zu den vnderschidlichen Glidern Christi in seiner heiligen Marter.

Füße: „Sey du gegrüst, O Heil der Welt“.
Knie: „Ich grüsse dich Herr Jesu Christ“.
Hände: „Gegrüst seyst guter Hirt Jesu“.
Seite: „Gegrüst sey, Jesu, höchstes Gut“.
Brust: „Gegrüst seyst du mein Gott mein Heil“.
Herz: „Von Hertzen grüß ich dich, O Hertz“.
Angesicht: „Du blutigs Haupt ich grüsse dich,
Gekrönt mit Dörnen ich dich sich,
Durchstochen vnd zerrissen wüst,
Zerschlagen vnd mit Schimpff gegrüßt“ ꝛc.

13) Deß Wolgebornen Herrn Johannsen Freyherrns zu Schwartzenberg, etc. Wunder schönes Reimgedicht, genannt „Kummertrost“. (Vor 100 Jahren.)

„Wer Weiß wil seyn vnd vnbetört“ etc. S. 133—182.

14) Deß H. Bernhardi Klag oder Gesprech zwischen der Seel vnnd dem Leib eines Verdampten. Facht an im Latein »Noctis sub silentio«.

„Jch lag ein mal zu Winters Zeit".

15) Deß H. Dominici Carthäusers Ermahnung zur Buß. Facht an im Latein: »Homo Dei Creatura«.

„O Mensch der du von Gott erschaffn".

16) »Cur mundus militat«.

„Wem kriegst, O Welt, in disem Heer?"

17) „Die Mayestät vnd Herrligkeit,
Der gantzen Welt, streckt sich so weit". etc.

Die 6. Strophe:

„Der grimmig Todt mit seinem Pfeil", sodann noch 22 Str.

18) „Mein Buß hab ich so lang gespart
Biß ich bin auff der letzten fahrt".
Von Joh. v. Schwartzenberg.

19) „So offt ich schlagen hör die Stund,
Gsegn ich mein Stirne, Hertz vnd Mund".

20) „O lieber Herr Gott, nim von mir,
Alls was mich hindern mag von dir".
v. Bruder Clasen v. Niederwald.

No. 1, 13, 14, 15 und 17 stehen im „Rittersporn" 1605. Dieses Büchlein von Vetter bildet die Grundlage des „Paradeißvogels". Vgl. in der Bibliographie d. J. 1605. Exemplar auf der Königl. Bibliothek in Breslau.

Voglers Catechismus 1625.

Catechismus | Jn außerlesenen Exempeln, kurtzen Fragen, | schönen Gesängern, Reymen vnd Reyen für | Kirchen vnd Schulen von newem fleisig außgelegt vnd ge= | stelt | Durch R. P. Georgium Voglerum Engen- | sem der Societet JESV priestern. | Würtzburg | Bey Jahann Volmari Ao. MDCXXV. | Cum permissu sup: et | priuil. S. Caes. Maies. 8.

1 Titelblatt mit einem Kupferstich, auf welchem Engel und Heilige mit Musikinstrumenten dargestellt sind. Dann folgen 15 nicht gez. Blätter. Diese enthalten die Dedication des Druckers an Christian Baur von Eysenegk, Röm. K. M. auch F. F. Bamberg. vnd Würtzburgischen Rath, Approbation, Druckprivilegium, Vorrede an den günstigen Leser und das vierstimmige Lied „Kom heyliger Geist Schöpffer mein".

Der Catechismus mit eingestreuten ältern Liedern und gereimten Versen umfaßt 1035 Seiten.

1) Catechismus D. Petri Canisii in Frag vnd Antwort für gemeine Leyen vnd Junge Kinder gestellt (S. 1—34).

2) Catechismus in Exempeln (S. 35—505).

3) Kinder Jubel Catholischer Gesäng. (S. 506—604).

4) Catechetisch Vhrwerck auff alle Stund in gemein. d. i. das Lied „So offt ich schlagen hör die Stund" (S. 605—608).

5) Geistliches Morgensüpplein. (S. 609—614).

6) Geistliches Schlafftrüncklein. (S. 615—620). S. 621—637 folgen verschiedene Register.

7) Fragen vnd Reyen. Außlegung aller vnd jeder Stuck deß Catechismi in Fragen vnd Antwort, mit darauffgehörenden Choris. Wie dieselbige auff jeden Sontag in der Kirchen, vnd die Wochen hindurch, in den Schulen sollen widerholt, recitiert, vnd gleich darauff mit vndergezognen Intercalar Versen, auff zweyen Chören, gesungen werden. Wie folgt (S. 638—1035).

Das Buch enthält 152 Lieder (resp. gereimte Texte) mit 66 Melodien und sechs 4 stimmigen Tonsätzen. Die meisten eigentlichen Lieder stehen in der Abtheilung „Kinderjubel". Besonders beliebte Melodien „Frew dich du Himmelskönigin", „O vnüberwindlicher Held" u. a. wiederholen sich mehrmals.

Die älteren Liedertexte, welche sich hier vorfinden, sind größtentheils den in Cöln bei Quentel und Brachel (1619 und 1623) erschienenen Gesangbüchern entnommen. Zum ersten Male finden wir hier das Passionslied „O Mensch bewein dein Sünde groß". (Vgl. No. 221); außerdem circa 25 neue Lieder, welche theiweise in die späteren Gesangbücher, namentlich in die Corner'sche Sammlung 1631 und den von den Jesuiten herausgegebenen Cölner Psalter 1638 übergingen.

Eine Anzahl Melodien entlehnte der Verfasser den obengenannten Gesangbüchern. Das Lied S. 20 „Es seyn die Heyligen Sacrament" hat die phrygische Weise des Lutherschen Liedes „Aus tiefer not" zur Melodie.

Sodann haben meine Vergleichungen ergeben, daß 17 Melodien dem französischen Psalter von Marot und Beza (vgl. II. Bd. S. 47) entnommen sind.

Vogler S. 448. Weil dann der Baum. Psalm 9.
S. 462. Gar gern gib. Psalm 117.
S. 463. Heylig, Heylig. Psalm 30.
S. 593. Auff, auff mein Kind. Psalm 105.
S. 599. Bey guter Zeit. Psalm 24.
S. 766. Mein Vatter süsser Bräutigam. Psalm 24.
S. 663. In dir wil ich inbrünstiglich. Psalm 106.
S. 668. Daß einer sey ein wahrer Christ. Psalm 83.
S. 754. Hoffen auff Gottes Gütigkeit. Psalm 113.
S. 762. O Vatter gib vns gnädiglich. Psalm 91.
S. 770. O Gott ich bitt dich inniglich. Psalm 5.
S. 817. Auff einem Berg Sina genant. Psalm 109.
S. 829. Glaub Hoffnung sambt der Liebe. Palm 25.
S. 835. Das vierdt helt schöne Kinderlehr. Psalm 52.
S. 905. Das schöne Wortlein Sacrament. Psalm 42.
S. 946. Guts thun, böß lassen. Psalm 42.
S. 915. Die Tauff ein Wasserbad. Psalm 60.

Die Melodie „O Mensch bewein dein Sünde groß" (S. 546) ist die Baßstimme eines vierstimmigen Satzes, und dem Liede „Gegrüsset seystu Maria, du bist voll Gnad vnd Zier" (S. 572) ist nach der Ueberschrift die Volksweise „Wer sich deß Meyens" beigegeben worden.

Das von mir benutzte Exemplar gehört der Bibliothek des Minoritenconvents in Würzburg.

Corners Gesangbuch 1631.

Groß Catolisch | Gesangbůch | Darin fast in die fünff | hundert Alte vnd Neůe Ge= | sang vnd Ruff, in ein gut vnd | richtige Ordnung auß allen | biß hero außgangenen Ca= | tholischen Gesangbůchern zu | sammen getragen vnd ietzo | aufs Neůe Corrigirt worden. | Durch | P. Dauid Gregorium Corneru | der H. Schrifft Doctorn Jetzo | Priorn auff Göttweig. | Cum Gratia et priuelegio S. Cae. M. | Getruckt in verlegung | Georg Enders des Jüngeř | See: Erben in Nürmb: | Ao. 1631. 8.

1 Titelblatt und 15 nicht gez. Blätter mit der Dedication, der Vorrede und dem Inhaltsverzeichniß. Darauf folgen 1039 gez. Seiten mit den Liedern, welche numerirt sind. (I bis CCCCXCIX). Am Schluß ein alphabetisches Register auf 14 nicht gez. Seiten.

In der Vorrede sagt Corner, daß sein Gesangbuch bereits im Jahre 1625 in 2000 Exemplaren gedruckt worden sei, und daß er jetzt eine verbesserte und vermehrte Auflagé veranstaltet habe. Als Quellen werden angeführt die Gesangbücher, welche „in Mayntz (1628), Cölln (1619, 1623 bei Brachel), Würtzburg (1628), Heydelberg (1629), Amberg (?) vnd andern Orthen indessen neulich außgangen seyen" sowie der Catechismus vom P. Georgius Vogler, Soc. Jesu (1625). An einer andern Stelle führt Corner noch Leisentrits Gesangbuch (1567 u. 1584), Ulenbergs Psalter (1582) und die in Cöln gedruckten Speirischen Gesangbücher (1599, 1613, 1617, 1625) an. Ich habe in ( ) die Jahreszahlen beigefügt, damit man sich über die benutzten Quellen in der Bibliographie des I. u. II. Bandes orientiren kann.

Außerdem hat Corner, wie meine Vergleichungen ergeben haben, noch folgende Sammlungen benutzt: Das Beuttner'sche Gesangbuch vom Jahre 1602, die Straubinger Creutzgesang 1615 und den Paradeißvogel von Vetter 1613. Den beiden ersten hat er viele Rufe entnommen.

Da ich die erste Auflage vom Jahre 1625 nirgendwo ausfindig machen konnte, so muß ich mich auf die Beschreibung der zweiten beschränken.

Dieselbe enthält 76 lateinische und 470 deutsche Texte mit 276 Melodien.

6 Texte sind doppelt abgedruckt.

1. Ave Maria gratia plena, So grüssen die Engel. S. 69 mit 14 Strophen, S. 574 mit 13 Strophen.
2. Gelobet seyst Maria rein. S. 57, und S. 804 mit den Anfangsworten „Gegrüßt seystu Maria rein".
3. Gegrüßt seystu Maria rein. S. 815 und 817.
4. Jesus der gieng den Berg hinan. S. 209 und 349.
5. Maria Mutter Jesu Christ. S. 582 mit 15 Strophen, S. 587 mit 12 dieser Strophen.
6. Die Mutter Gottes ruffen wir an. S. 553 und 926.

Das Corner'sche Gesangbuch repräsentirt, wie die Vorrede treffend bemerkt, den Kern aus den früher erschienenen Gesangbüchern. Sowohl die streng kirchlichen, als auch die volksthümlichen geistlichen Lieder sind in einer Auswahl hier vereinigt. Außer diesen ältern Liedern bringt Corner eine große Anzahl neuer Texte und Melodien. Die zahlreichen neuen Rufe sind jedenfalls aus dem Volksmunde aufgezeichnet worden. Von Corner selbst rühren 19 Liedertexte her. Es sind folgende:

1. Dir sey Lob, Preyß vnd Ehre. S. 838.
2. Da Gott die Welt erschaffen wolt. S. 65.
3. Dem grossen Gott, dem Schöpffer aller dinge. S. 699.
4. Deß Tages Liecht komt jetzt herfür. S. 1.
5. Eh das vergeht deß Tages schein. S. 35.
6. Grüsst seyst Maria Gnadenvoll. S. 813.
7. Grüst seystu Maria, Himmlisch Monarchia. S. 51.
8. Gott Vatter der Allmächtigkeit. S. 813.
9. Groß Lob vnd Ehre sag mein Seel dem Herren. S. 933.
10. Heilger Geist, O Herre mein. S. 286.
11. Jesu du süsser Heyland mein. S. 3.
12. Mensch thu offt vnd viel bedencken. S. 25.
13. O Vatter liebster Vatter mein. S. 811.
14. O Jesu Christ mein Gott vnd Herr. S. 38.
15. O Mutter Gottes außerkorn. S. 542.
16. Sey gegrüst du edle Speiß. S. 444.
17. So offt mir klingt in meinen Ohren. S. 25.
18. Vatter im höchsten Throne. S. 837.
19. Zu einer Jungfraw zart. S. 47.

Von diesen Liedern ist nur No. 7 im Gesangbuche Corners 1631 mit den Buchstaben D. G. C. (David Gregorius Corner) bezeichnet. Die übrigen, welche in dessen „Geistliche Nachtigal" 1649 übergingen, sind dort in der genannten Weise gekennzeichnet. Der Vollständigkeit wegen will ich noch hinzufügen, daß dieses letztere Gesangbuch noch folgende von Corner gedichtete Lieder enthält, welche in der großen Ausgabe v. J. 1631 nicht stehen:

1. Der Tag vertreibt die finstere Nacht. S. 35.
2. Jesu meins Hertzen süssigkeit. S. 54.
3. Vns ist geborn ein Kindelein, von einer Jungfraw rein. S. 89.
4. Wer Christum will zum Freunde han. S. 382.

Wir gehen nun dazu über, das Verhältniß des Corner'schen Gesangbuches zu den protestantischen Gesangbüchern klar zu stellen. (Vgl. dazu die Vorrede.)

Corner bezeichnet 7 Lieder mit der Ueberschrift »Incerti authoris«.

1) S. 22. „Dancket dem Herren, dann er ist sehr freundlich." Dieses Lied steht ohne die beiden Zusatzstrophen im Brüdergesangbuch 1544, hat also wahrscheinlich den J. Horn zum Autor.

2) S. 41. „Die Sonne wird mit jhrem schein". Ohne die letzte Strophe im Brüdergesangbuch 1531, rührt also von M. Weiße her.

3) S. 23. „Herr Gott nun sey gepreiset". In dieser Fassung bereits im Erfurter (protest.) Gesangbuche 1550 und in vielen protestantischen Gesangbüchern vor Corner. (Vgl. Fischers Lexikon I, 265.)

4) S. 933. „Lobt Gott den Herren, denn er ist sehr freundlich". Mit Weglassung der vorletzten Strophe und dem Anfange „Lobet den Herren, denn u. s. w." in einem Drucke: Zwey schöne Geistliche Lieder, an stadt des Gracias zu singen nach dem Essen. Nürnberg, durch Fridrich Gutknecht. o. J., sodann in vielen protestantischen Gesangbüchern vor Corner (Fischer II, 38.)

5) S. 24. „Singen wir auß Hertzengrund." Stimmt überein mit der Fassung des protest. Gesangbuches „Hundert Christenliche Haußgesang. Gedruckt zu Nürmberg durch Johan Koler (1569). Ein ähnliches Lied steht im Eichorn'schen Gesangbuche Frankfurt a. d. O. 1569

und in vielen andern protestantischen Gesangbüchern vor Corner. (Fischer II, 258).

6) S. 924. „Warumb betrübst du dich mein Hertz“. Dieses Lied erschien zuerst in dem Druck „Zwey schöne newe Geistliche Lieder. Getruckt zu Nürmberg durch Val. Newber, sodann im Joh. Eichorn'schen Gesangbuche 1569. Corner hat jedoch die Strophe „Auff daß du nicht lidst“ mehr. Diese findet sich in dem niederdeutschen Gesangbuche „Vthsettinge Etliker Psalmen vnd Geistliker Leder. Lübeck 1567“. Außerdem steht das Lied in einer großen Anzahl protestantischer Gesangbücher vor Corner. (Fischer II, 321.)

7) S. 893. „Weltlich Ehr vnd zeitlich Gut“. Dieses Lied steht ohne die letzte Strophe im Brüdergesangbuch 1531 und ging sodann in viele protestantische Gesangbücher über. Der Autor ist M. Weiße.

Mit der ersten Ausgabe von Leisentrits Gesangbuch 1567 hat Corner folgende aus nicht katholischer Quelle stammenden Lieder gemeinsam. No. 12, 15, 31, 32, 37, 38, 52, 55, 79, 81, 84, 100, 104, 171, 221, 235 des von mir gegebenen Verzeichnisses.

Mit der dritten Ausgabe 1584: No. 2, 42, 52, 61, 67 des Verzeichnisses.

Außerdem sind noch folgende Lieder zu nennen:

1) „Auß meines Hertzen grunde“. S. 9. 7 Strophen wie im Hamburger Gesangbuch 1592 und vielen andern protestantischen Gesangbüchern. (Wackernagel V, S. 177.) Bei Beuttner hat das Lied 11 Strophen.

2) „Fälschlich vnnd arg betrogen ist“. S. 344, von Triller. Auch im Dilinger Gesangbuch 1589 und Cölner 1599.

3) „Herr Gott wir sagen dir Lob vnd Danck“. S. 16, wie in Beuttners Gesangbuch No. 81 des Verzeichnisses.

4) „Heut triumphieret Gottes Sohn“. S. 250. Das Lied kommt auch im Neyßer Gsb. 1625 und Bamberger 1628 vor. Ueber die früheren protest. Quellen vergleiche man No. 276 der Melodien im I. Bande.

5) „Kompt her zu mir spricht Gottes Son“. S. 870. Vgl. No. 220 der Melodien im I. Bande.

6) „O Lamb Gottes vnschuldig“. S. 194. Im Paderborner Gsb. 1616 ohne Melodie. Vgl. No. 202 der Melodien im I. Bande.

7) „O Herre Gott in meiner noht“. S. 971. Das Lied steht hier und im Bamberger Gsb. 1628 mit der Ueberschrift „Deß berümten Musici Jacobi Galli, sonst Händl genannt, vorbereitung zum sterben, an die heilig Dreyfaltigkeit“.

Der Text ist von Nicol. Selnecker, in dessen „Psalter Leipzig 1578“ und „Christliche Psalmen, Lieder etc. Leipzig 1587“ er steht. In diesem letzteren Buche findet sich unter der Melodie die Bemerkung „Jacob Handel comp.“, welche natürlich nur auf die Melodie Bezug nimmt. Daher rührt wohl die irrige Angabe in Corners Gesangbuch und in den protestantischen Gesangbüchern vor Corner. (Vgl. Fischers Lexikon II, S. 170.)

8) „O Mensch bewein dein Sünde groß“ aus Voglers Catechismus 1625 resp. dem Würzburger Gesangbuch 1628. Vgl. No. 221 der Melodien im I. Band.

9) „Seyd frölich vnd jubilieret". S. 115. aus dem Cölner Gsb. 1599. Vgl. No. 49 im I. Bande.

10) „Wach auff, wach auff O Menschenkind" S. 899. Aus dem Straubinger „Creutz vnd Kirchen Gesänger 1615". Das Lied erschien zuerst in einem Einzeldruck, Nürnberg, durch Friderich Gutknecht. o. J. und findet sich sodann in den Gesangbüchern der Wiedertäufer 1570 und 1583. Vgl. Wackernagel III, 1280.

11) „Als der gütige Gott vollenden wolt sein Wort". S. 50, von M. Weiße im Brüdergesangbuch 1531. Vgl. No. 20 in diesem Bande.

12) „Gelobet seyst du Jesu Christ". S. 97. Ein mixtum compositum aus Vehe's und Luthers Lied. Vgl. No. 30 in diesem Bande.

13) „Deß Heilgen Geistes reiche Gnad". S. 288. Greifswalder Gesangbuch 1587. Vgl. No. 351 in diesem Bande.

14) „Gen Himmel auffgefahren ist". S. 268. Vgl. No. 327 in diesem Bande.

Im ganzeu wären es demnach 42 Lieder in Corners Gesangbuch, die theils von protestantischen Autoren herrühren, theils ihrer ersten Quelle nach nicht katholischen Ursprungs sind.

Meine Vergleichungen haben ferner ergeben, daß abgesehen von den bereits angeführten Liedern 8 lateinische und 53 deutsche Texte zum ersten Male hier vorkommen, darunter das alte Lied des Conrad von Queinfurt „Du Lentze gut".

Von den 276 Melodien, welche das Gesangbuch enthält, wiederholen sich 8.

1. Ave Maria gratia plena. S. 69 und 573.
2. Gleich wie der Hirsch zur Wasserquäll. S. 60.
   Parvulus nobis nascitur. S. 99.
3. Es floß ein Ros vom Himmel herab. S. 353.
   O du heilig Dreyfaltigkeit. S. 340.
4. Jesus ist ein süsser Nam. S. 316.
   O Seel in aller Angst vnd Noth. S. 447.
5. Jesus der gieng den Berg hinan. S. 349.
   Mein Gmüht sehr dürr vnd durstig ist. S. 1027.
6. Heilger Gott, Herr Zebaoth. S. 17.
   All Tugent schon. S. 877.
7. Frewt euch ihr lieben Seelen. S. 439.
   Gelobt sey Gott der Vatter. S. 778.
8. Last vns S. Peter ruffen an. S. 629.
   Nun lobet Gott im hohen Thron. S. 931.

Aus protestantischen Gesangbüchern stammen 12 Melodien. Man vergleiche die Nummern 82, 202, 221 u. 276 im I. Bande u. 94, 196, 197 III, 233, 291, 316 II, 323 u. 346 im II. Bande.

Aus dem französischen Psalter von Marot und Beza. (vgl. II. Bd. S. 47) sind drei Melodien entnommen. Vgl. No. 41, 111 und 236 im II. Bande.

Aus dem Gesangbuch der böhmischen Brüder ist eine Melodie nachweisbar. No. 309 im II. Bande.

Zum ersten Male treten hier 57 Melodien auf, darunter viele aus dem Volksmunde geschöpfte Weisen. Einige sind weltlichen Ursprungs, z. B. der Benzenauer Ton (No. 26 im I. Bande), „Mein Gmüth ist mir verwirret" (II. Bd. 395), der Jakobston (I. Bd. 308). Das herrliche alte Frühlingslied „Du Lentze gut", von Conrad von Queinfurt, erscheint hier in seiner ursprünglichen Gestalt zum ersten Male. Die Melodie steht zwar schon in V. Trillers Singebuch (1555) 1559, aber mit einem umgearbeiteten Texte.

Die übrigen Melodien hat Corner den oben angeführten ältern Gesangbüchern entnommen.

Das von mir benutzte Exemplar befindet sich auf der Universitätsbibliothek in Würzburg. Wackernagel gibt an, daß auch auf der Wiener Hofbibliothek und in Kloster-Neuburg bei Wien Exemplare vorhanden seien.

Davidische Harmonia 1659.

Davidische | Harmonia. | Das ist, Christlich Ca= | tholische Ge= sänge, mit | vorgesetzten Melodeyen, auff | alle hohe Fest durch das gantze | Jahr, wie auch auff andere Zeiten | vnd Fälle. | Zusammen getragen, | Auß vnterschidlichen Gesang Bü= | chern, vnd jetzo zum erstenmal in dise | Form gebracht. | Permissu eorum, ad quos | pertinet. | Gedruckt zu Wienn, bey | Johann Jacob Kürner, | im Jahr 1659. | 16.

1 Kupferstich und 1 Titelblatt. Seite 1—7 Vorrede, 8—9 Register, sodann folgen die Lieder S. 10—271. Am Schluß 6 Seiten Register.

Das Buch enthält im ganzen 115 Lieder mit 95 Melodien, welche sehr nachlässig redigirt sind. Drei derselben wiederholen sich.

Der Herausgeber hat fast nur protestantische Gesangbücher als Vorlagen benutzt. Ich habe 74 Lieder gefunden, für welche sich ältere protestantische Quellen nachweisen lassen. Nicht nur ganz bekannte Lieder Luthers: „Christ lag in Todtes Banden", „Nvn frewt euch lieben Christen gmain" und andere, hat der Verfasser entweder unverändert oder mehr oder weniger „gesäubert" in sein Gesangbuch aufgenommen, sondern er hat sogar alte katholische Lieder, welche er in katholischen Gesangbüchern finden konnte, aus protestantischen herüber genommen. Die bekannten vorreformatorischen Lieder: „Mitten wier im Leben seynd" und „Nvn bitten wir den heiligen Geist", bringt er in der Textfassung und mit der Erweiterung Luthers. Sogar die Uebersetzung des Te Deum „Herr Gott dich loben wir" und das Magnificat „Mein Seel erhebt den Herren" nimmt er mit den Melodievarianten aus protest. Gesangbüchern. Die „Litaney für allgemeine Noth vnd Anligen" ist ebenfalls in Text und Melodie nach protestantischer Vorlage bearbeitet und erweitert worden.

Für die specifisch katholischen Lieder, wie z. B.: „O Christ hie merck", „Frewt euch ihr lieben Seelen", „Maria Mutter Jesu Christ", mag der Verfasser kath. Gesangbücher benutzt haben. Für die Lieder: „Komm H. Geist mit deiner Gnad", „O Gott mein Erlöser", „O Jesu du mein Süssigkeit", vermochte ich bis jetzt eine ältere Quelle nicht aufzufinden.

Daß der Herausgeber alle Lieder, die er aus protest. Gesangbüchern herübergenommen, wegen ihres allgemein christl. Inhaltes für ursprünglich katholische gehalten haben soll, scheint mir doch kaum glaublich zu sein. Der eigentliche Grund für dieses Verfahren wird am Schluß der Vorrede angedeutet: Man wollte die zum Katholicismus zurückgekehrten Gemeinden ihre alten Lieder weiter singen lassen und andern die Rückkehr des Singens wegen nicht erschweren. Vgl. die Vorrede.

Ich gebe, um meine Behauptungen zu beweisen, das Inhaltsverzeichniß der Lieder mit Hinweisung auf die Nummern im I. oder II. Bande, wo man nähere Auskunft finden kann. Das * vor dem Texte zeigt an, daß dem Liede eine Melodie beigegeben ist; das * nach dem Texte gibt an, daß das betreffende Lied entweder protestantischen Ursprunges ist oder doch aus protestantischen Gesangbüchern abgedruckt wurde.

Das von mir benutzte Exemplar gehört der Univ. Bibl. in Göttingen.

*Ach Gott vom Himmel sih darein. 152. * II, 323.
*Ach Gott vnd HErr wie groß, ꝛc. 137. * II, 264.
Ach HErr mich armen Sünder. 125. * II, S. 350.
*Ach lieben Christen seyd getrost. 188. * II, 287.
*Allein Gott in der Höh sey Ehr. 229. * II, 291.
*Allein zu dir HErr JEsu Christ. 127. * II, 268.
*Allein auff Gott setz dein vertrawen. 179. * II, 286 mit einer andern Melodie.
Als JEsus Christus Gottes Sohn. 78. * Die ersten 6 Str. aus dem 14str. Liede von M. Weiße im Gesangbuch der Böhm. Brüder 1531.
*An jenem Tag nach Davids sag. 113. II, S. 323 mit einer andern Melodie.
*Auß tieffer Noth schrey ich zu dir. 132. * II, S. 213.
*Auß meines Hertzen Grunde. 235. * II, 237.
*Ave Maria klare du liechter, ꝛc. 14. II, 15. II.

*Christum wir sollen loben schon. 17. * I, 35.
*Christus der vns selig macht. 43. * I, 188.
*Christus der ist mein Leben. 254. * II, 337.
*Christ ist erstanden. 48. I, 242.
*Christ lag in Todtes Banden. 50. * I, 284.
Christ fuhr gen Himmel. 77. I, 326.
Christ fährt dahin. 77. Voglers Catechismus 1625.
*Christ vnser HErr zum Jordan. 123. * I, 10.
*Christe der du bist Tag vnd Liecht. 245. Im Schumann'schen Gesangbuch 1539 unter den Liedern „von den Alten gemacht", im Zwick'schen Gesangbuch Zürich 1540 dem W. Meuslin zugeschrieben. Vgl. W. II, 564.
Christ der du bist der helle Tag. 246. * Von Erasmus Alberus. Hamb. Enchiridion 1558.

*Da JEsus an dem Creutze stunt. 45. I, 197.
*Dancksagen wir alle. 28. * Protest. Bearbeitung der Sequenz Grates nunc. I, 31.
*Dancket dem HErrn, dann er ist sehr ꝛc. 240. * II, 254.
*Danck sey Gott in der Höhe. 238. * II, 245.
*Das alte Jahr vergangen ist. 30. * I, 105.
*Der Tag der ist so frewdenreich. 23. * I, 43. Alt, aber hier in protest. Fassung.
*Der du bist drey in Einigkeit. 83. * I, 355.
*Der Herr ist mein getrewer Hirt. 196. * II, 289.
*Der grimmig Todt mit seinem Pfeil. 255. II, 329 mit einer andern Melodie.
*Diß seynd die H. Zehen Gebott. 116. Wie bei Vehe I, 295.
*Durch Adams Fall ist gantz verderbt. 200. * II, 258 a.

*Ein Kind geborn zu Bethlehem. 27. I, 52. Wie im Cölner Gesangbuch 1599.
*Erbarm Dich mein O HErre Gott. 130. * I, 14.
*Erhalt vns HErr bey deinem Wort. 151. * II, 316.
*Es führt drey König Gottes Hand. 32. I, 108. Melodie II, 367.
Es ist gewißlich an der Zeit. 270. * Von B. Ringwald. Geistl. Lieder vnd Geberlin. Franckfurt a. d. O. 1586.
*Ewiger Gott wir bitten dich. 72. II, 275. Melodie I, 267.
*Ewiger Vatter biß gnädig vns. 74. I, 298.

*Frew dich du Himmel Königin. 53. II, 10.
*Frewt euch jhr lieben Seelen. 87. I, 405.

Gegrüst seystu Maria rein. 57. II, 69.
*Gelobet seystu JEsu Christ. 25. I, 45. Strophen von Vehe und Luther.

*Gleich wie der Hirsch zur Wasserquell. 11. I, 94.
*Gott der Vatter wohn vns bei. 84. * I, 297. Luther'sche Fassung.
*Gott sey gelobet. 143. I, 384. Vehe's Lied mit Hinzufügung der alten Strophe „das Sacramente vor vnserm letzten Ende".

*Helfft mir Gottes Güte preisen. 31. * I, 106.
HErr Christ thue mir verleyhen. 267. * Von Jeremias Nicolai in Phil. Nicolais Frewdenspiegel. Frankfurt 1599.
*HErr Christ der einig Gottes Sohn. 203. * II, S. 211.
*HErr Gott dich loben alle wir. 98. * II, 93. Melodie wie bei Corner.
*HErr Gott dich loben wir. 219. * I, 363.
*Herr Gott nun sey gepreiset. 241. * II, 196.
HErr JEsu Christ war Mensch, ꝛc. 250. * II, 346.
HErr JEsu Christ ich weiß gar wol. 260. * Von B. Ringwald, Geistliche Lieder vnd Gebetlin. Frankfurt a. d. O. 1586.

*Ich danck dier lieber Herre. 233. * II, 244.
*Ich hab mein Sach Gott heimbgestelt. 207. * II, 284.
*JEsu wie süß, wer dein gedenckt. 173. I, 124.
*JEsus Christus vnser Heyland. 52. * I, 283.
*JEsus Christus vnser Heyland, der von vns den Gottes Zorn. 146. * I, 380.
*Ihr lieben Christen frewt euch nun. 265. * Von Erasmus Alberus. Einzeldruck 1546. (W. III, 1032.)
*Ihr Praedicanten schreyet all. 155. II, 324 mit einer anderu Melodie.
*In dulci Jubilo. 22. * I, 50. Alt, aber hier in der Fassung der prot. Gesangbücher.
*In dich hab ich gehoffet HErr. 187. * I, 117.
In Gottes Namen wallen wir. 58. I, 295. Vehe's Lied mit Hinzufügung der Doxologie.
In Gottes Namen fahren wir. 183. * Dreistrophiges, neues Lied im Bonner (protest). Gesangbuche 1561.

*Komb Gott Schöpffer H. Geist. 81. * I, 344.
Komm H. Geist mit deiner Gnad. 79. 4 Strophen. Quelle mir unbekannt.
*Kombt her zu mir spricht Gottes Sohn. 164. * I, 220.

*Litaney von vnser lieben Frawen. 90.
*Litaney von allen Heyligen. 105.
*Litaney für allgemeine Noth vnd Anligen. 190. * Nach der Litaney im Val. Bapst'schen Gesangbuche 1545 bearbeitet in Text und Melodie.

Maria Mutter JEsu Christ. 89. I, 335.
*Mein Seel erhebt den HErren. 230. * Text und Melodie im Val. Bapst'schen Gesangbuche 1545.[1]
*Mit Fried vnd Frewd ich fahr dahin. 262. * II, 347.
*Mitten wier im Leben seyndt. 247. * I, 300.

*Nun bitten wir den H. Geist. 80. * I, 337.
*Nun frewt euch lieben Christen gmain. 198. * II, 295 mit der Melodie von No. 289 daselbst.
*Nun gib vns Gnad zu singen. 65. I, 370.
*Nun kom der Heyden Heylandt. 10. * I, 1.
*Nun last vns den Leib begraben. 263. * II, 358.
*Nun lob mein Seel den HErren. 226. * II, 290.

*O Christ hie merck. 85. I, 394.
*O Gott mein Erlöser. 128. II, 263. Quelle mir unbekannt.
*O Gütiger Gott in Ewigkeit. 185. * II, S. 268; Mel. No. 321 daselbst.
*O HErre Gott begnade mich. 133. * II, 267.
*O JEsu du mein Süssigkeit. 55. I, 124. Quelle mir unbekannt.
*O ihr Heiligen Gottes Freund. 103. II, 114; II.
*O Lamb Gottes vnschuldig. 47. * I, 202.

1) Die kath. Gesangbücher haben andere Uebersetzungen (vgl. II, 51).

*O Maria dich heben wir an zu loben. 94. II, 14.
*O Mensch bewein dein Sünde groß. 35. * I, 221.
*O vnüberwindlicher Heldt. 101. II, 96.

*Sag, was hilfft alle Welt. 167. II, 348a.
*Sey Lob vnd Ehr. 232. I, 267.
*Singen wir auß Hertzen grund. 242. * I, 76; II, 251.
*Sols seyn so seys. 169. Wie in Corners Nachtigall 1649.
So wahr ich leb, spricht Gott, rc. 139. * Nicol. Hermans Sonntagsevangelien 1561. S. 166.

*Vater vnser im Himmelreich. 120. * II, 346.
*Verleyh vns Fried genädiglich. 184. II, 280 wie bei Leisentrit 1567.
*Vom Himmel hoch da komm ich her. 18. * I, 82.
Von Gott will ich nicht lassen. 211. * II, 285.
Vom Himmel kam der Engel Schaar. 21. * Luther. Klug'sches Gsb. 1543.
*Von deinetwegen seynd wir hie. 62. II, 180.

*Warumb betrübst du dich mein Hertz. 204. * II, 283.
*Wann ich in Angst und Nöthen bin. 215. * II, 281.
*Wenn mein Stündlein verhanden ist. 251. * II, 332.
*Wenn wir in höchsten Nöthen seyn. 210. * II, 282.
Wer da wil hören die H. Meß. 140. Wie im Bamberger Gesangbuch 1628.
Wer in dem Schutz deß höchsten ist. 213. * II, S. 278.
*Wir fallen nider auff vnsere Knye. 60. II, S. 132.
*Wir glauben all an einen Gott. 118. * I, 366.
*Wie schön leuchtet der Morgenstern. 216. * II, 296.
*Wo Gott zum Hauß nicht gibt sein Gunst. 148. * II, 210.
Wol auff zu Gott. 56. I, 370.
*Wol dem der in Gottes Forchten steht. 149. * Das Luther'sche Lied aus dem Erfurter Enchiridion 1524 mit Hinzufügung der Doxologie.

Rheinfelsisches Gesangbuch 1666.

Christliches | Catholisches zu St. Goar | übliches Gesang-Buch, mit | vorgesetzten Melodeyen auff alle hohe | Feste durchs gantze Jahr, wie auch auff an- | dere Zeiten vnd Fälle mit Fleiß zusam- men getra- | gen, vnd in diese Form gebracht, vnd meh- | rentheils dem Wienerischen, | Davidische Harmonie | genannt, nachgedruckt | Permissu eorum, ad quos | pertinet. | Erstlich gedruckt zu Wien, bey Johann Ja- | cob Kürner, im Jahr 1659. | Vnd jetzo mit ver- schiedenen Liedern vnd Psalmen vermehrt, nachgedruckt | zu Augs- purg | Bey Simon Vtzschneider, auff vnser lieben Frawen Thor. | Im Jahr Christi. 1666. 12.

1 Titelkupfer mit den Worten „Rheinfelßisch Deutsches Catholisches Gesangbuch 1666". Das zweite Blatt bringt den obigen Titel. Vorrede wie in der Dav. Harmonie, 418 Seiten mit 178 Liedern und 147 Melodien. Sodann folgt die Approbation:

Praesens Liber qui Harmonia Davidica intitulatur, nihil continet in fide suspectum, aut bonis moribus adversum; Quare ad fidelium consolationem securè imprimi poterit. Ita censeo in Carmelo Colon. Die 23. Dec. A. 1664. Ego Fr. Jac. Emans S. T. D. & Prof. O. Ord. Carmel.

Auf der Rückseite dieses Blattes beginnt das Register (17 Seiten), welches die Lieder für die einzelnen Sonn- und Festtage angibt. Daran schließt sich ein alphabetisches Register von 8 Seiten.

Die Davidische Harmonie erscheint hier in bedeutend vermehrter aber auch verbesserter Auflage in Bezug auf die Melodien. Die unsingbaren Melodien des ersteren Buches sind entweder richtig gestellt oder durch andere ersetzt worden.

Das Rheinfelsische Gesangbuch enthält zunächst sämmtliche Lieder der Davidischen Harmonie mit Ausnahme der drei Litaneien und des Liedes „**Wohlauff zu Gott mit Lobesschall.**"

Außerdem finden sich hier 67 Lieder und 56 Melodien, welche in der Davidischen Harmonie nicht enthalten sind. Davon sind 48 Texte mit 37 Melodien früheren katholischen Gesangbüchern, namentlich dem Kölner Psalter 1638 entnommen. Da nur eines dieser Lieder „**Wohlauff nun laßt vns singen all**" protestantischen Ursprunges ist (Val. Triller's Singebuch 1559), so ist also das Rheinfelsische Gesangbuch um 47 specifisch katholische Kirchenlieder reicher geworden.

Obwohl der Herausgeber der Dav. Harmonie nach der Vorrede die Verse abdruckt: „**Hier ist nicht Opitz Kunst: Nicht Orpheus süsse Leyer**" u. s. w. hat der Verfasser des Rheinfelsischen Gesangbuches die Kunst des genannten Dichters nicht verschmäht. Er nahm 19 Psalmenübersetzungen desselben in sein Gesangbuch auf. Die 19 Melodien dazu gehören sämmtlich dem französischen Psalter von Marot und Beza an. (Vgl. II. Bd., S. 47.)

Ich gebe hier ein Verzeichniß derselben nach der Ausgabe Dantzigk 1637.

1. **Auff meine Seel vnd sage Lob.** S. 399. Opitz S. 287. Melodie Psalm 103.
2. **Auß disem tieffen Grunde.** S. 376. Opitz S. 374. Melodie Psalm 130. (II, 390.)
3. **Bewahr O Gott mich.** S. 380. Opitz S. 30. Melodie Psalm 16.
4. **Das ist mir lieb, daß mein.** S. 414. Opitz S. 331. Melodie Psalm 74.
5. **Der Himmels-Baw vnd Zier.** S. 383. Opitz S. 41. Melodie Psalm 19.
6. **Erbarme Gott, erbarme meiner dich.** S. 367. Opitz S. 138. Melodie Psalm 51 (II, 372).
7. **Gott ist die Zuflucht wann wir.** S. 408. Opitz S. 123. Melodie Psalm 46.
8. **Gott ist mein Hirt.** S. 387. Opitz S. 54. Melodie Psalm 23.
9. **Herr geuß deines Eyfers Flammen.** S. 363. Opitz S. 98. Melodie Psalm 38 (II, 369).
10. **Herr höre mein Gebett vnd Flehen.** S. 378. Opitz S. 400. Melodie Psalm 143 (II, 386).
11. **Herr schicke ja nicht Rache.** S. 357. Opitz S. 10. Melodie Psalm 6 (II, 329).
12. **Herr laß mein Recht für dich.** S. 406. Opitz S. 115. Melodie Psalm 43.
13. **Lobt frölich Gott, singt jhm zu.** S. 403. Opitz S. 78. Melodie Psalm 33.
14. **Mein Hertz heb dich von der Erden.** S. 389. Opitz S. 57. Melodie Psalm 25.
15. **O Herr höre mein Gebett.** S. 372. Opitz S. 283. Melodie Psalm 102 (II, 376).
16. **O selig ist vor aller Welt.** S. 359. Opitz S. 76. Melodie Psalm 32 (II, 368).
17. **Wer jhm deß Höchsten Schirm erkießt.** S. 411. Opitz S. 260. Melodie Psalm 91.
18. **Wie ein Hirsch, den man will.** S. 393. Opitz S. 112. Melodie Psalm 42.
19. **Wie schön vnd voller Lieblichkeit.** S. 396. Opitz S. 239. Melodie Psalm 84.

Das Rheinfelsische Gesangbuch, wahrscheinlich auf Betreiben des Jesuitenpaters Johann Morren, der von 1660 bis 1668 der kleinen 300 Seelen zählenden katholischen Gemeinde in St. Goar vorstand, herausgegeben, sollte ebenfalls dazu dienen, den Protestanten den Rücktritt zur katholischen Kirche zu erleichtern. (Vgl. den Schluß der Vorrede und Grebels Geschichte der Stadt St. Goar 1848. S. 374 ff.)

VIII. Vorreden aus den Gesangbüchern.

Vorrede aus Vehe. 1537.

Dem Achtbarn Ersamen vnd Fursichtigen weisen Herrn Caspar Querhamer, der löblichen Stadt Hall, Radtsmeister, meinem großgunstigen Hern vnd besondern freundt, Wunsche ich Michael Veh, Doctor vnd Probst der stifftkirchen zu Hall, heyll vnd ewigen fryden.

GRoßgünstiger lieber Herr vnd freundt Ich hab in kurtzuerschienen tagen etliche geystliche Lieder vnd Lobgesang, zum teyl von den Alten, zum theyl von ewer weißheyt, vnd einem andern guthertzigen Christen, auß dem Euangelio, Psalmen, vnd heyliger geschrifft, zu fürderung der andacht, vnd mehrung göttliches Lobs gemacht, in ein Gesangbüchlin zuhauff getragen. Die melodeien der alten lyder, auch ettliche von E. W. gemacht, vnuerendert lassen bleiben. Ettliche aber synt von den wirdigen Herrn, vnd in der Musica berümpten meistern, Johanne Hoffmann, vnd Wolffgango Heintzen, des Hochwürdigsten durchlauchtigsten vnd hochgebornen Fürsten vnd herrn, Herrn Albrechten der heyligen Röm. kirchen Cardinals Ertzbischoffs zu Meyntz vnd Magdenburg etc. meines gnedigsten Herren, künstreichen organisten, von neuwem mit fleiß gemacht worden. Vnd dweyll bey E. W. vnd auch mir in vergangner zeitt, von vylen gutten Christen fleissigs ansůchen geschehen, vnd offt begert worden, zuuerschaffen das etliche geistliche vnuerdechtliche gesanglyder würden angericht, welche vom gemeynen Leyen Gott zu lob vnd ehren, zu auffweckung des geysts vnd anreytzung der andacht, möchten in vnd ausser der kirchen, vor vnd nach der predig, Auch zur zeit der gemeinen bitfarten, vnd zu andern heyligen gezeitten gesungen werden, hat michs für gut angesehen solchs büchlin (welchs kein schandt od schmachlyd in sich schleust) durch den truck zu mehrern vnd vylen mit zutheilen, welchs ich in der besten meinung gethan E. W. vnd der andern arbeyt, dardurch fruchtbar zumachen, Auch euch vnd allen frommen Christen damit zu dienen E. W. wol jr diß lassen wolgefallen. Vnd ob es von etlichen würd getadelt, deren schmacheit, in gedult mit schweigen helffen verantworten. Hiemit seyt Gott befolhen. Datum zu Hall in Sachssen. 1537.

Die Hymni von Kethner 1555.

Dem Erwirdigen Vatter In Christo vnd Herrn, Herrn Friderico Schörmer, Abbt deß Closters Hailßbron seinem gnedigen vnnd günstigen Herrn.

HOchwirdiger Jnn Gott Vater vnd gnediger Herr, Ewren gnaden ist vnuerborgen, Das die Musica Erstlich nicht zu vnzüchtigen dingen vnd Gotlosen liedern erfunden worden. Wie sie dann zu vnsern zeyten vonn vilen bösen leuten gemainlich mißbraucht wurdet, sonder zu Gottes ehr, vnd wecklegung der schweermütigkeit, Auch wie Theophrastus vnd Democritus schreiben, zu lindernus viler kranckheit, vonn Heyligen vnd künstlichen leuten erfunden vnd erdacht worden, Wie wir solches ein fein Exempel haben am Dauid, welcher mit seiner Harpffen vnd mit seinen Psalmen, den bösen geist, der den König Saul plagete, vertreiben vnd stillen kont, Von welcher vrsach wegen auch souil schöner sprüch hin vnd wider in der heyligen schrifft gefunden werden die vnns zu solchem Gottesdienst vermanen, Das wir Gott mit geistlichen liedern vnd Lobgesengen ehren vnnd preisen sollen, Wie dann Sanct Paulus sagt, zu den Collossern am dritten Capitel, Last das wort Gottes in euch wonen reichlich, Jn allerley weißheit, Lernet vnd vermanet euch selbs mit Psalmen vnd lobgesengen vnd geistlichen liedern, Jn der gnade, Vnd singet dem Hern jn ewren hertzen. Aus welchem leichtlich zuuerstehen ist, Das Psalmen vnd Hymnos singen, nicht allein, nicht sünd vnd vnrecht, Sonder vil mehr von Gott gebotten vnnd ein treffentlicher Gottesdienst sey. Weil aber nun mein lieber Schwager seliger Leonhardus Kettner, Etzliche Hymnos, So in Ewr Gnaden vnd derselben Ordens Clöstern vnd Kirchen gebreuchlich gesungen werden auff ewr gnaden anregen vnd verursachung auß dem Latein jns deutsch gebracht hat, Jn ewr gnaden Kosten vnnd verlegung, vnd doch nach dem gnedigen willen Gottes mit todt abgangen, Ehe er solche hette jn trück außgehen lassen, Vnnd ewr gnaden (denen ers gemeint) zuaignen können, So hab ich in diesem fall meinem lieben verstorbnen Schwager seligen gern dienen, Vnd Ewr. G. solche verdeütschte Hymnos zuschreiben, wollen, Damit nicht allein Ewr gnaden Christlich gemüt gegen Gottes wort, den leuten möchte kunt werden, Sonder das menigklich merckte vnd verstünde das auch noch in ewr gnaden, Closter ein kleines heufflein der Christen vberig, Gott gebe lang, Die weil sampt die Clöster den bösen namen haben müssen, Als thue man darin nichts, Dann das man dem teuffel diene, mit gotlosen singen, fressen, sauffen vnd andern sünden mer, Bit derhalben E. Gnaden gantz vndertenig, die wolle in solchem jrem Christlichem fürnemen fort faren, Vnd gottes wort, auch alle die, so solches lehren, fürdern, vnd jnen helffen, Damit die Christlich Kirch auch bey vns zunemen möge, Vnd nit den namen haben müsse, Dieweil es ein Closter ist, Als müste man vonn stundan dem Teuffel darinnen dienen, Sonder das der rechte gottesdienst erhalten, Vnd sein ehr vnnd glori gepreiset werde, Damit beuilhe ich ewr gnaden in den schutz vnd schirm des allerhöhesten E. G.

Diener Johannes Gruen.

Vorrede aus Leisentrits Gesangbuch. I. Theil 1567.

Dem aller Durchlauchtigsten vnd Grossmechtigsten Fürsten vnd Herren, Herrn Maximiliano dem Andern Römischen Keyser, zu allen zeiten Mehrer des Reichs, etc. etc. (folgen die weiteren Titel) Gnad, Fried, heil vnd alle wolfart von Christo Jesu vnserem HERRN, vnd mein andechtigstes Gebet zu GOTT dem Allmechtigen, sampt meinen vnterthenigsten gehorsamsten vnd pflichtigsten diensten beuor.

ALLer] Durchleuchtigster vnd grossmechtigster Römischer Keyser, auch zu Vngern vnnd Behem König etc. Aller gnedigster Herr. Wir lesen bey dem Eusebio in Historia Ecclesiastica, vnnd andern der Christlichen Kirchen Lehrern, vnsern lieben vorfahrn, von den Arrianischen vnd dergleichen Ketzern, Wie dieselben mit hohem ernstlichen fleiss sich bemühet, Wieder die Altgleubigen Catholischen Christen, gar viel vnd manicherley lester vnnd schmehlieder, Jn Landes gebreuchlicher sprach, zuuolziehen, Vnd dieselben an vnterlas zusingen, Domit sie auffrur, mord, vnd alles vbel an vnd zugerichtet, Die Catholischen gar hefftig geplaget, vnd vber andere tegliche verfolgung vnnd wiederwertigkeitten, Bey menniglich in grosse verachtung gebracht.

Diesem nit vngleich hat Paulus Samozatenus auch gethan, vnd die Psalmen, so zu Christi vnsers HErren vnd Heylands lob vnd ehr, Von vnseren lieben vorfahren vnnd Altgleubigen Christen, aus sonderlicher eingebung des heiligen Geistes, gemacht vnd volzogen gewesen, er abgeschafft vnd an stat derselben, Zu forderung seines vnmenschlichen hochmuts vnd Ketzereyen, andere eigensinnige vnchristliche lieder erdacht, Vnd dieselben zusingen verordnet, Domit er seinen anhang gemehret, Vnd viel menschen von vnserem vralten Christlichen glauben abgefüret, in mancherley Secten vnd parthein (wie der Ketzer art vnd eigenschafft ist) zerteilet.

Aller gnedigster Herr vnd Keyser, Itziger zeit gehet es in gar viel orten, Stetten, Flecken vnd Dörffern, nit viel anders zu, dann die alde, eintrechtige, vnzetrenliche vnd allein seligmachende Christliche Religion, Wird durch die vnzelbaren manichfeltigen Secten, wohn vnd meinungen, gar jemmerlich geschmehlert, vnd werden teglich allerley trötzige, auffrürische, lester vnd schandlieder, so wol zuuerachtung ordentlicher Obrigkeit, als zuuertilgung, des alden Christlichen Glaubens, gemacht, Gesungen vnd gebraucht, nit allein vor vnd in den Heusern, Sondern auch offentlich in dem Hauss Gottes, Dardurch der gemein man wird verbittert, sonderlich aber die vnschüldige Jugent jhr dieselben zu jhren lebtagen einbildet, Doraus dann ein Vnchristlicher eiffer, grosser verachtung, vnuerwindtliche schmehung, vnd hinderlistige geferliche verfolgung, wieder die Altgleubigen Christen entsprossen vnd vberhand genomen, auch von tag zu tag in Catholischen ortern mit gewalt pflegen einzureissen, machen die leut gantz jrre, boßhafftig, ja auch abfellig von rechter Christlicher ban vnd aller andacht.

Da solchem vnordentlichem beginnen, neben Göttlicher hülffe, zeitlich nit wird geraten, sondern das die Catholische Jugent solte solchs trötzigen vorhabens auch gewonen, Dormit erzogen werden vnd erwachssen, Ist in warheit einer newen, nach ergerer, boßhafftiger Welt künfftig zubesorgen, Dann je gewesen, Wie albereit die frommen auffrichtigen alten Christen nit wenig darüber sich bekümmern, vnd doch das gemeine, besonder aber das junge Volck das singen jhnen nit wehren lest, singet was jhnen vor kümmet es sey Christlich oder vnchristlich etc.

Weil ich dann, vnwirdig, allhie in der Geistlichen mir befohlener Jurisdiction, so weit sich dieselbe erstrecket, In gar vil ortern desgleichen bisher sehen vnd hören müssen, doch jhnen für mein person, allein was E. Röm: Key: May: aus angeborner güttigkeit, durch aller gnedigste einsehung gethan, nit stewren noch weren können, Bin ich vervrsacht worden, neben Göttlicher verleyhung (krafft tragendes Ampts) meinen möglichen fleis dißfals vorzuwenden, Vnd habe erstlich zu lob, ehr vnd preis GOTtes, darnach zu auffnemung vnd erhaltung der Altgleubigen, wahrer, Apostolischer, Christlicher Kirchen, letzlich vnd sonderlich zu forderung der menschen Seelen selickeit, mit schüldigem Christlichem fleis, die nothwendigsten alten Kirchen geseng, auch etliche Psalmen, Vnnd andere geseng mehr, Aus klarem Göttlichem Wort, so wol aus den Orthodoxischen Gottsfürchtigen heiliger Schrifft Lehrern, mit vorgehenden Melodeyen, vnd auff ein jedes vornembst Fest kurtzen, doch Christlichen vnterweisungen zusammen bracht, vnd in zwe bucher verordent, so vor vnd nach der Predigt, ja auch ane verletzung der substantz Catholischer Religion, Bey der Mess, vnter dem Offertorio vnd heiliger Communion, Zum theil auch in vnd vor den heusern, Durchs gantze Jar, Zu gewönlichen zeitten, mögen aus gelesen oder vnuermischter weis gesungen werden.

Domit niemand in obgedachter meiner Jurisdiction vrsach habe vorzuwenden, Als mans an Christlichen gesengen hette mangeln lassen, Vnd also auch den frommen guthertzigen Christen (im fall der notturfft) Einiges Vnchristliches Liedt vor die handt zunemen, Vrsach gegeben würde, sonder hiermit zufrieden sein, frembde Lehr, fremde Gottes dienst (als die vnter den Aposteln vnd Apostolischen successorn vnd nachfolgern, In alder vnd gemeiner Christenheit, gar nicht bekand noch gebreuchlich gewesen) desto ernstlicher meiden, sich dieselben nicht jrren, Viel weniger verfüren lassen, wies dann des menschen heil, vnd der Seelen seligkeit notturfft erfordert.

Zu deme vnd vber das, Hab ich in höchster bewegung der vorstehenden noth, auch auff emsig anhalden vnnd begeren der Catholischen Religions Hertzlich vorwanten, nicht sollen noch können vnterlassen, solch gesangbuch durch den druck, in tag zu geben, Vor allen dingen aber, Ewer Röm: Key: May: etc. hochverstendigem vnd angebornem recht Christlichem Juditio vnd vrtheil es zu vnterwerffen, in vnterthenigster bit Ewer Röm: Key: Ma: geruchen, nit dz werck, welchs gar gering vnd schlecht ist, sonder das gemüth bewegen, vnd mit Keyserlicher güttigkeit allergnedigst an vnd vernemen, mich sampt mir befohlenen Catholischen heufflein, in aller gnedigstem Schutz erhalden.

Darkegen, Das der almechtige Gott durch Jesum Christum vnsern Herren, in welches hand das hertz des Königes stehet, wolle E. Röm: Key: May: sampt jhrem geliebten gemahl, gebrüdern, Erben, Auch dem gantzen haus von Osterreich, vnd allen regirenden Christlichen Potentaten, seinen Göttlichen segen geben, vnd mit seiner vnerschöpten barmhertzigkeit, ein langes leben, glückselige regierung, Sieg vnd vberwindung, Wieder all jhre Feinde, verleyhen, Das erkennet sich die gantze Catholische Clerisey vnnd ich an vnterlass, mit recht andechtigen hertzen auffs fleissigste zu bitten schüldig vnd pflichtig, Thun es auch jeder zeit gantz willig vnd gern, Datum Budissin den 1. May: Anno 1567.

E. Röm: Key: May:
Aller vnderthenigster Capplan
vnd hochdemütigster diener.
Johan : Leisentrit,
Thumdechant zu Budissin, etc.

Vorrede aus dem II. Theil des Leisentrit'schen Gesangbuches 1567.

Dem Ehrwirdigen vnd andechtigen in Gott Herrn, Herrn Balthasari, des Gestiffts vnnd Gottes hauß zu Ossigk Abt vnd Prelaten, der Catholischen, Wargleubigen, Christlicher Religion, beständigem Patrono, seinem Gnedigen Herrn.

Wünschet Johan: Leisentrit Thumdechant zu Budissin, etc. Gnad, Fried vnd Barmhertzigkeit, von Gott dem Himelischen Vater, durch Christum Jesum vnsern Herrn.

Ehrwirdiger in GOTT Gnediger HErr, Aus was hochdringenden vnd sonst erheblichen vrsachen, Ich mit gar grosser müh, arbeit, vnd vnkosten, das Deutsche Gesangbuch de tempore zusammen bracht, vnd durch den druck an tag kommen lassen, wird in der Vorred an die Röm: Kay. May: etc. Vnseren aller gnedigsten Herrn, Etlicher massen gemeldet. Vorsehe mich, das hirdurch, neben Göttlicher hülff, etlichen vnordentlichen vorhaben vnd beginnen, so bey den Catholischen bereit einreisset, solte gestewert, vnd die frommen, Alt vnd rechtgleubigen Christen, als der füglicher erhalten werden.

Weil aber die alte Apostolische, vnd recht Christliche Kirch glaubet, heldet vnd schützet, die Vorbitt der lieben Heiligen, dieselbe auch im Altenvnd Newen Testament gegründet ist, welche von den maul Christen vnd meister klügeln, gar vnbillich voracht et wird, Vornemlich aber von der Hochheiligen Jungfrawen Maria, der ausserwelten Mutter Gottes, gar schimpfflich reden thun.

Habe ich aus warem Christlichem gemüth vnd eyffer, zu forderung vnd erhaltung der ehren, lobs vnd preises, der reinen zarten Jungfrawen Mariae, vnd der andern lieben Heiligen Gottes, auch nicht können noch sollen vnterlassen, Ein sonderlich Buch (welchs das andere Theil des Deutschen Gesangbuchs genant wird) zuuolzihen, Darinnen nit allein Gesenge von der Mutter vnd heiligen Gottes, sonder auch rechte Christliche vnterweisungen zubefinden, welche jtziger hochuorgiffter zeit, sehr notwendig sind zuwissen.

Demnach dann der hochwirdigste in Gott Fürst vnd Herr, Herr Anthonius Ertzbischoff zu Prag etc. mein gnedigster Herr, der alten, vnzertrenten, Catholischer vnd warer, Christlicher Religion (Got lob) mit gar trewem, auffrichtigen vnnd Christlichen hertzen verwant (denen der Allmechtige gutige Gott, nach seinem Göttlichen willen, zu trost vnd forderung der gutherzigen Christen, ein lange zeit erhalten wolle) kan ich wol leiden, vnd bin zufriden, das sein F. G. es Judicire, vnd ob ich darmit zu viel oder zu wenig gethan, kan vnnd wil ich mich, als (vnwirdig) ein mitgliedt Catholischer Kirchen, gar gern weisen lassen.

Weil ich aber auff den rechten Fels vnd grundtfeste bawe, so verhoffe ich nicht allein, sonder bin es auch gewis, sein Fürstliche so wol E. G. vnd alle recht Geistliche vnd Catholische Prelaten, werden mit mir zu frieden sein, mein Hertz, willen vnd meinung, gegen Catholischer Religion, hir mit im besten vermercken, vnd dieser meiner erklerung glauben, meinen missgönnern aber vnd verleumdern guttes gerüchts, welche vnuerwarter auch vnuerschulter sachen, hoch wider mich verbittert sein, keine stadt noch raum geben.

Derhalben vnd dieweil mir bewust, das E. G. in der rechten, warhafftigen, volkommenen erkentnis Catholischer Christlicher Kirchen, sich Christlich vnd Gottselig verhalten, Auch die Ehr der ausserkornen mutter Gottes vnd anderer lieben heiligen, ernstes fleis thun befördern, Hab ich vor allen dingen bey mir beschlossen, dieses Gesangbuch de Sanctis, E. G. wolmeinende zu dediciren, vnd wegen erzeigter wolthat, mit einem zeichen der danckbarkeit kegen E. G. mich zuerkleren, gantz dinstlich bittende E. G. wollen solchs in gnaden erkennen, mein vorhaben, mühe vnd fleis mit Christlicher lieb annemen, mein gnediger Herr sein vnd bleiben.

Dargegen den Allmechtigen Gott, dz er E. G. sampt dem hoch gedachten Herrn Ertzbischoffe vnd andern dergleichen Christlichen Prelaten, in der Heiligen, Allgemeinen, jmmerwerender, Christlichen Kirchen, bis zum ende bestendiglich erhalte. Ihre vnterhanen vnd befohlenen Schefflein, vor allem jrthumb, Secten vnd Rotten (so wider den einigen Vralten Catholischen Glauben eingerissen) gnediglich behüte, vnd in rechtem, warhafftigen, stets werenden auch durch die lieb wirckenden glauben, einhellig zu zeitlicher vnd ewiger wolfart, vor allem vbel beware, höchstes fleis zu bitten, Ich keins weges wil vorgessen, Hiemit was E. G. lieb vnd dienstlich. Datum Budissin, etc. den 4. May, Anno 1567.

Auf die Vorrede folgen einige Epigramme und dann der Brief an Hecyrus. Aus diesem theile ich einen wichtigen Passus mit.

Eruditione et pietate praestanti viro, Domino M. Christophoro Hecyro, Ciui et Archigrammateo Buduicensi, Catholicaeque fidei assertori, Amico suo Charissimo. Joannes Leisentritius senior, Ecclesiae Budissinen: Decanus etc. S. P. D.

Novum genus hominum exoriri videmus, Charissime Hecyre, a quo meus animus vehementer abhorret, summis enim conatibus student supprimere funditusque evertere omnia, quae ad plantandam et conservandam Orthodoxam et Catholicam religionem spectant u. s. w. Am Schlusse heißt es: Qua propter cum illa, simul et reliqua Germanice versa atque ad schismata et seditiones (ut praefatus sum) reddita, nihil aliud nisi amarulentiam et aemulationem sonantia passim vulgo decantentur: non quievi donec pro retinenda fide Catholica vereque Christiana pietate promovenda et recuperanda, aliquot Hymnos Ecclesiasticos congererem, et Germanice redditos, partim etiam a me ipso compositos, vetustioris Ecclesiae nostrae Orthodoxae melodiis, quantum fieri potuit, applicarem. Unde praesens confeci Hymnologium, cui et tuas cantiones Catholicae religioni consentaneas, mihi bono et Catholico Zelo communicatas, pariter inserui, et ea, qua debui et potui diligentia in praesentem librum, magnis profecto impensis absolvendum, redegi, ut eo, commodius Haereticae cantilenae ex Catholicorum manibus excuterentur. Si Deus voluerit et si vixerimus, plura his similia in usum Catholicorum brevi Typis excudi faciam, Deus omnipotens, Pater Domini nostri Jesu Christi, te salvum atque incolumem diu conservet, faxitque ut Leisentritium tuum redames, atque in illorum numero retineas, qui tibi ex animo favent. Datum Budissinae in domo nostra Parochiali. 6. Calend: Aprilis Anno Domini 1567.

Leisentrits Gesangbuch 1573. Vorrede aus dem II. Theil.

Dem Durchlauchtigen hochgebornen Fürsten vnd Catholischem, wahrem Christlichem Potentaten vnd Herrn, Herrn Albrecht Pfaltzgraffen bey Rein, Hertzogen in Ober vnd Nieder Bayern etc. Meinem gnedigen Fürsten vnd Herren etc.

Gottes gnad, Heilfertigen Friedt, Seligmachende bestendigkeit, vnd allen Christlichen zustandt, von Jesu Christo vnserem Heylandt vnd Seligmacher, sampt meinen demüttigen vnd jederzeit bereit willigen diensten beuor.

An Hertzogen in Beyern.

DVrchlauchtiger, Hochgeborner Fürst, Catholischer Christlicher Potentat, Genediger Herr, Es ist menniglichē kund vnd offenbar, hirneben auch in dem Ersten vorgehenden theil dieses Deudschen Gesangbuchs, aus der dedicatoria epistola an die Römische Kayserliche auch zu Hungern vnd Behaim König: May: etc. gründtlichen zuuornemen, Aus was erheblichen bewegnussen, der Ehrwirdige vnd Ehrnveste Herr Johan Leisentrit, des Bischthumbs zu Meissen, in Ober vnd Nieder Lausitz Administrator, vnd höchsterwenter Key: May: daselbst, in Geistlichen sachen Commissarius generalis, Thumbdechant zu Budissin etc. mein geliebter Herr vnd Vetter, des vorschienen 67 Jahres, vornemlich aber durch Göttliche hülff, zu erhaltung allgemeiner, Heiligen, Christlicher Kirchen heils, vnd förderung Göttlicher ehre, lobs vnd preiß auch den einfeltigen gutherzigen Christen, zum besten, vordeudschte Hymnen, Sequentzen, vnd Psalmen, de tempore wie sie die Wahre Allgemeine Christliche Kirchen, in Lateinischer sprach recht vnd Seliglich gebrauchet, (warlich mit grosser mühe, arbeit vnd vnkosten) anzuordnen, vnd folgends durch den Druck an tag kommen zulassen, vorursacht worden, Dadurch zu diesen vnsern hochgefehrlichen zeiten, etzlichen Ketzerischen, hochergerlichen vnd auffrürischen, Bergkreyen vnd Liedern, gesteweret, vnd dieselben aus der Catholischen Henden wiederumb gebracht würden. Demnach aber kurtz vorschiener zeit, vngefehrlich bey vier jar lang nacheinander, zu Jngelstad in der hochlöblichen, recht Christlicher Vniuersitet vnnd hoher Schulen, ich studiret, vnd aldo augenscheinlich befunden, wie mit gar ernstlichem fleiß, E. F. G. aus angebornē, wahrem Christlichem gemüt, trachten, anordenen vnd befehlen, durch die Professores daselbst, neben den freyen künsten vnd Philosophien, auch die Theologiam vnnd Heilige Schrifft, vnuorfelschter, recht Catholischer weiß, zu tractiren, zu lernen vnd in tag zu geben, hirinnen vnkosten vnd notwendige Christliche sorgfeltigkeit, gar nit sparen, Hierdurch E. F. G. kegen Gott, vnd seiner heiligen Allgemeinen Christlicher Kirchen, vnd derselben wahren Gottesdienst, offentlich vnd in wahrer that also hertzlich geneigt, zu erkennen ist, das jedes frommes, gutherziges Mensch, E. F. G. nicht vnbillich, ohn vnterlaß sol danckbar sein, in seinem teglichē gebet, kegen Gott, Zu dem ist es auch gewis, das von etzlichen hochgelerten, großgeachten vnd Gottsfürchtigen Mennern, ich vernommen, das E. F. G. solten willens gewesen sein, anzuorden, das etzliche Psalmen vnd Catholische gesenge, in die deutsche sprach möchten transferiret, vollzogen vnd vor den gemeinen Catholischen Man, in tag gegeben werden, Weil aber vnd alßbald, berürtes meines Herrn vnd Vetters Gesangbuch, durch den Druck außgangen, solte E. F. G. jr anordnung haben einstellen lassen, Daraus ich, (vnwirdig) vnd jeder zuerkennen, das solch Gesangbuch E. F. G. wird gefallen vnd es beliebet haben, welchs in E. F. G. Landen so wol als in andern Christlichen Prouincien Stedten vnd flecken (wo die Altgleubige, recht Christliche vnd Seligmachende Catholische Religion, im schwang ist) bey den frommen gutherzigen menschen (Gott lob) bestendigen nutz thut schaffen.

Derhalben vnd demnach dieser Exemplar keine mehr zu bekommen, aber der gemeine Catholische trewhertzige Christ, hirnach, mit grossem ernstlichē fleiß forschet vnd fraget, hab ich mehr gedachten meinen Herrn vnd Vettern, bitlichen vormöcht, das sein Ehrwird, solch Gesangbuch (so viel seiner hohen geschefft halben hat geschehen können) auffs newe vbersehen, was vorhin vnrecht gesetzt vnd gedruckt, corrigiret, gemehret vnd gebessert, auch inhalt und vormög der Altglaubigen Christen, embsiges vnd hoch fleissiges bitten vnd begeren, auffs newe zu Drucken dem Buchdrucker zugestelt, daneben weil es dann nicht allein (wie oben gedacht) kund vnd offenbar ist, Sondern auch das werck in warer that offentlich zeugnus gibt, das E. F. G. mit hertzlicher trew vnd auffrichtigkeit, ja mit Gottseliger angeborner recht Fürstlicher bestendigkeit, in jhrer Vralten Vorfaren vnd hochlöblichster gedechtnus, Altvätern, fusstapffen getretten, vnd also neben vnd durch Göttlicher vorleihung, der alten, wahren, Christlicher Religion, hertzlich vorwandt sein, vnd in der vnzertrenten, Christlicher Kirchen einigkeit, standthafftig vorbleiben, die vntereinander selbst vneinige, vngegründte, ja vnbestendige newe Lehrer, sich nichts jrren lesset, sonder wider dieselben jre oben angezogene in heiliger Schrifft wolgegründte Theologos, (vnter welchen der Ehrwirdige Edle, Ehrnueste vnd zu erhaltung der Kirchen Gottes, vnd derselben eingeleibten gliedern, woluordienter, hoch Christlicher förderer, Herr Martinus Eisengrein, der heiligen schrifft Doctor, Probst zu Öttingen, vnd der hohen Schul zu Jngolstadt Vicecantzler etc. mein großgünstiger Herr vnd Patron, nit der geringste ist) hefftig schreiben, der Ketzer vngrundt, vnd vnbestendigkeit erweissen vnd darthun lassen, welchs jtziger hochvorgifftiger zeit, den betrübten, Altglaubigen vnd von Ketzern hochengstigten Catholischen Christen zu hohem trost gereichet vnd hirdurch also confirmiret vnd gestercket werden, das sie numehr alle widerwertigkeit vnd verfolgungen (weil die Catholische Religion noch solche Potentaten, schützer vnd schirmer hat) auch in diesen vnsern betrübten örtern, als der gedültiger tragen vnd leiden, Solches ich meinem einfalt nach in warheit hochbeweget, vnd vor Christlich erachtet, dieses andere Theil des Gesangbuchs von den Heiligen Gottes, aus kurtz erzelten vrsachen, vor allen dingen E. F. G. zu dediciren vnd derselben zuzuschreiben, damit es dem gemeinen Christlichen man, desto lieber vnd den Catholischen standthafftigen Christen, als der augenemer werde, auch der einfeltige Christ, sich desto fleissiger darinnen ersehen vnd also augenscheinlich erfahren möchte, wie doch gar Christliche vnd gute, ja sehr angeneme Gesenge, die Altglaubige, Catholische vnd Christliche Kirche, in Lateinischer sprache, durchs gantze Jahr braucher, dadurch wir Gott vnd Mariam seine gebenedeyte Mutter, auch alle lieben Heiligen, loben, ehren vnd preisen, zu förderung vnseres heils, vnd ewiger gedechtnus der lieben Heiligen vnd Martyrer Christi, denen wir nachfolgen, vnd jhre fürbit bey Gott vns mit zu teilen, begeren sollen: Bitte derhalben E. F. G. ich auffs demüttigste vnd vnterthenigiste E. F. G. geruhen, vielerwentes meines geliebten Herrns vnd Vetters, auch meine vrsachen genediglich bewegen, diese mühe, arbeit vnd möglichen fleiß, mit Fürstlichen gnaden annemen, vnd jhr Christlich gefallen lassen, daneben mein gnediger Fürst vnd Herr, sein vnd bleiben, vnd gar nicht zweiffeln, das des gantze Catholische heufflein, so Gott alhie in Lausnitz, noch wunderlich erhelt, sol vnd wird (wie es dann one dis geschicht) Gott den Himlischen Vater, durch Jesum Christum vnseren einigen Heylandt vnd seligmacher, vor E. F. G. vnd aller derselben vorwandten, langes leben, glückliche regiment, vnd allen wilferigen zustandt, mit gebürendem fleiß, trew vnd andechtigkeit, ohn vnterlaß zu bitten, keinen möglichen fleiß sparen, dessen E. F. G. zu vns alhie, samptlichen vnd sonderlichen, gewis, vnd keines andern sich genediglich vorsehen sollen vnd wollen, Der Allmechtige güttige vnd Barmhertzige Gott, wolle E. F. G. in glückseliger regierung, zu trost, hülff vnd beystandt, ja zu schutz vnd schirmen, der Catholischē, wahrer, Christlicher Religion, lang erhalten, gesegenen vnd gebenedeyen, in ewigkeit Amen. Datum Budissin, den 6. August: Anno 1573.

E. F. G.
Demüttiger vnd gehorsamer
Diener.
Gregorius Leysentritt zu
Olomutz vnd Budissin.
Canonicus &c.

Vorrede aus dem Dilinger Gesangbuche v. 1576.

DJeweil (laider) als die täglich erfahrung mit sich bringet, an vilen enden vnd orthen in der Kirchen vor vnd nach der Predig auch vor, nach vnd vnder dem H. Ampt der Meß, teutsche Lieder oder Gesäng, der ein guten thail nit Catholisch, sonder verdächtlich sind, gesungen werden, will vonnöten sein, hierinn Christliche mittel zu suchen, auff das dieselbigen abgeschafft vnd gute Catholische darauff sich (das sie ohne irrthum seyen) menigklich verlassen mag, an die stat verordnet werden.

2. Hiemit sollen alle andere Gesäng, so in disen vnd also nit begriffen, abgeschafft werden.

3. Dise aber vnd ein jedes zu seiner zeit, wie allda verzaichnet, soll vorthin gesungen werden.

4. Auß dem H. Ampt der Meß, soll wegen diser Gesäng nichts außgelassen werden.

5. Wie an ainem jeden ort bißhero vor, nach oder vnder dem H. Ampt der Meß, die Predig angefangen ist worden, soll forthin, auch also war genommen werden, vnd darauff ehe das der Prediger auff die Cantzel steiget, ein Catholisch gesang (wie dann zu jeder zeit verzeichnet) gesungen werden, Daß ander gesang, wann er nun die Predig angefangen vnd darauff ein heilig Vatter vnser vnd der Englisch Gruß gebettet, Daß dritte Gesang, nach vollenter Predig, Daß vierte nach der Vesper, vnd also durch das gantze Jahr alle Sontag, Fest vnd Feiertäg.

6. Solche Gesäng, sollen die Schulmaister jre Schuler in der Schul lehren, alß dann in der Kirchen singen, auff das auch das Gemain volck solche begreiffen vnnd mit singen könne.

7. Vnd der vrsach, auff das menigklich in kurtzer zeit, solche Gesang lernen möge, seind nit auff alle vnd jede Sontag, Fest vnd Feyertäg, besondere Gesäng, sonder etwan ein Gesang, auff mehr Sontag, Fest vnd Feyertäg verordnet zu singen, wie dann auch hierauff das Gesangbüchlein des Erwürdigen Herrn Leisentritj gerichtet.

8. Es seind alle Gesang, einander nach mit ziffer vermerckt, Wann sichs derhalben begibt, das einmaln im Jar gesungen wirdt, wirdt solcher Gesang nit widerum̄ gesetzt, sonder mit seiner ziffer vermerckt, wo er zu-suchen ist.

Aus dem Psalter Ulenbergs 1582.

Die 40 Seiten umfassende Vorrede polemisirt namentlich gegen die protestantischen Psalmlieder und bespricht außerdem die Zeitverhältnisse in nicht gerade säuberlichen Ausdrücken. Da die Vorrede der Ausgabe vom Jahre (1603) 1613 einen Auszug aus der vorliegenden bringt, so gebe ich hier nur den auf die Melodien bezugnehmenden Passus.

Erinnerung von den melodeien vnd ihrer signatur.

Man findet viele leut, in sonderheit vnter denen, welche in catholischen Stifft vnd Pfarschulen erzogen sind, die wol auff den Chorgesang verstand haben; wissen sich aber nicht mit der signatur vnd noten musicae figuralis zubehelffen. Derwegen ist im anfang mein bedencken gewesen, die melodeien in beiderlei noten für alle Psalmen zusetzen. Dieweil ich aber hernach erinnert worden, daß sölches fast vnförmlich stehen, vnd in dem büchlein grosse reume nemen wurde, hab ich ein ander mittel bedacht, damit auch denen, welche des Chorsangs allein kündig sind, gedienet werden möchte: Vnd ist diß, Daß für alle melodeien zweierlei claues signate gezeichnet sind; ist aber eine signatur von der andern mit einem langen vberzwerch gezogenem strichlein vnterscheiden. Wenn denn nun einer die melodeien in Chornoten haben vnd singen wil, der sehe allein auff die ersten claues, welche nach Chorsangs weise gezeichnet sind, lasse die andern faren, vnd singe denn alle noten gleich wie Chornoten. Wer sich aber hierin nicht füglich richten kan, der thu ihm also; schreibe die melodeien aus, die er begeret zu fassen, verzeichne allein die erste signatur, welche auff Chorweise geschrieben ist, lasse die andere bleiben, setze darnach an stat der Figuralnoten seine bekante Chornoten; schreibe für die viereckteten ◇, auch für die geschwenzten ◇ ◇ eine sölch e; für diese gebundene eine sölche ; für diese , eine sölche ; für die letzten , eine sölche , so hat er die melodeien in Chornoten. Zum Exempel

Des dreissigsten Psalmen melodei stehet also:

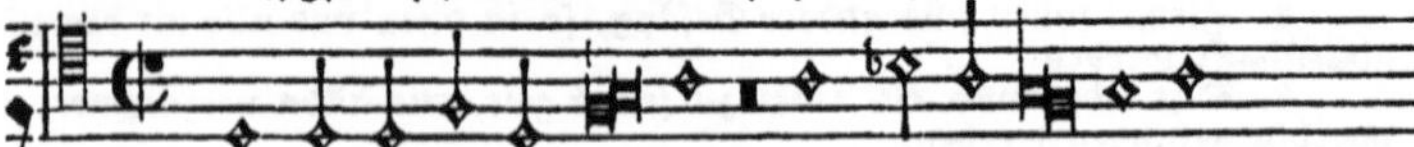

Wer diß wil in Chorsang vbersetzen, der thu hinweg daß mit dem Zeichen ₵, vnd verwechsele darnach die Noten, wie itzt gemeldet, so gibt sichs auff diese weise:

Ein anders. Die Buspsalmen gehen also an:

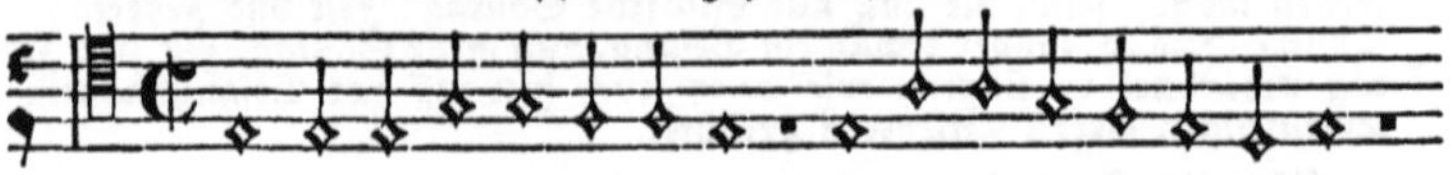

Wenn nu die Figuralsignatur mit ihrem zeichen weggethan wirt, vnd die verwechselung mit den noten geschicht, in massen oben stehet, so gibt sichs also:

Was aber die pausam oder das schweigzeichen angehet, das also geschrieben ist ⸺, soll der Chorsenger wissen, wo das stehet, da muß er so lang still halten, als man vber einer solcher noten singet, nach der mensur einen schlag, vngeferlich so lang, daß man den othem gemechlich hole. Auch sind die melodeien also zugerichtet, daß eine jegliche syllabe jhre einzige besondere noten hat; denn lange notenzüge vber einem wort zumachen hab ich zu diesem wercke nicht dienlich erachtet: Nun aber kümt es wol, jedoch nicht offt, daß mitten im Psalm ein versus mit einer syllaben notwendiglich verlenget wirt; alsdann muß man am gelegenen ort zwo syllaben vnter eine noten zwingen: Wo aber das geschehen soll, da ist ein sölches zeichen ◡ gesezt, bedeutet, daß die beiden syllaben, da das zeichen vnter stehet, vnter eine noten gehören; vnd muß dieselbe alda gebrochen werden. Also kan man alle melodeien in Chorsang bringen, sie schicken sich auch fein dazu; Es möchten denn die aus dem g bmol gehen einem nicht fast wol geübeten Chorsenger etwas schwerer zusein düncken; Das doch nicht ist, wenn man sich nur weiß nach der besonderen art vnd eigenschafft des bmollargesangs zuhalten. Wiewol ich auch etliche sölcher melodeien, wenn sie mehrmal fürfallen, dem Chorsenger zubehilff auß dem g bmol in d bdur versezt habe; wie an des andern Psalmen melodei zusehen; damit sie sich etwas besser zum Chorsang geben. Zweiffel nicht, wer des Chorsangs ein wenig bericht hat, wirt aus dieser anleitung die melodeien einnemen vnd brauchen können: Das denn geschehe zu des allmechtigen Gottes ehr, welche mit dieser arbeid gesucht wirt, Amen.

Münchener Gesangbuch 1586.

An den Geistlichen Leser.

Freundlicher geliebter Leser, Es sagt der heylig Apostel Paulus, zu den Colossensern, recht vnnd wol lehret, vnd vermahnet euch selbst, mit Psalmen, Geistlichen Lobgesängen, Danckſagungen vnd singet Gott zu ewrem Herrn. Weil die Engel im Himmel (wie der Prophet Esaias, am sechten Capittel bezeugt) den Allmechtigen Ewigen Gott, mit dem heyligisten Gesang Sanctus, 2c. vnaufhörlich loben, ehren vnd preisen, Zu welchem von seiner Allmacht, wir gleichsfals also erschaffen, vnd geordnet, das seinen Göttlichen genaden, wir vm̄ alle empfangne vnnd künfftige wolthaten, auch mit müglichistem fleiß, vnd inbrinstiger andacht, Dancksagen, sein lob, vermüg der Lehr, des heyligen Pauli, nach vnsern höchsten kräfften mehren, vnd zieren sollen, Wie dann Bernhardus meldt. Das die vndankbarkeit, ein prinnender Wind sey, der den Brunn, der Göttlichen genaden, vnnd Barmhertzigkeit verzert, hinweck nimbt, vnd außdrucknet. Aber in disen Geistlichen Gesangen, vnnd Psalmen, die nit allein inn den Creützgengen, oder Kirchfärten, sonder vor vnnd nach der Predig, auch zu allen höchsten Festen, vnnd zeiten zugebrauchen sein, sagt man Gott hochfleissigen lob ehr vnd danck, bitt jne für alles anligen, der Algemainen Christlichen Kirchen, Es wirdt auch, ein Christlich Hertz erwöckt, entzünt, vnd auffgemuntert, zu Gottgefelliger, auch angenemer andacht, vnd Gott der Herr, in seinen lieben Heyligen, gelobt Psal. 150. Weil ich dann, von vielen Andechtigen Gotsförchtigen, Personen, hoch ermahnet, vnd gebeten worden, Das klein Gesangbüchlein, welches hieuor zu Degernsee angefangen

..., vnd eingeschlichen, Dardurch die ainfeltigen
vnnd außgereit werden, vnd diß Gesangbüchlein, bey G
Jungen vnd Alten Personen nütz, auch alles guts schaff
in demselben andechtig, vben, belustigen, dise Gesang
Geistlichen gedancken wol anwenden, böß geschwätz Leic
Bulerlieder, welche bey der jungen Welt, sonsten fast im
wirdt, in sonderheit, wirdt man also auch den bösen Gei
rath vnd that, mit ernst widersteen können, Ich hab a
munderung, der frommen Catholischen Christen andacht,
auch jhrem Negsten, die 7 Buß Psalm, vnd anders so ein
reimweiß in schöne thön gebracht, Weil dise Gesang,
kläglich, auch fürnemlich in der Fasten zugebrauchen sei
vnd gesetzet. Diß alles Christlicher lieber Leser, hat ma
vnderweisung willen, anzeigen sollen, damit diß Büechlei
hail, vnd deines Nechsten besserung gericht werd, gebra
desselben, sehr offt mit frewden, vnd gedult, biß etw
aufferbauung, der Catholischen Christen, gleichsfals dienst
nach volgt.

Speierisches Gesangbuch. Cöln (Quentel

Vorrede an den Andechtigen Leser.

DJeweil der H. Königliche Prophet David die Liel
loben angereizet, mit diesen worten, jhr Kinder lobendt
den namen deß Herren, Psal. 112. auch der H. Apost
Epistel an die Colossern, alle Menschen zu solchem lobe
mundert, Also sprechend: Lehret vnd vermahnet euch
vnd Lobgesängen vnd Geistlichen gesängen, vnd mit d
Gott in ewern hertzen, Vnd dann viel andechtige fromme
Personen offtermals gewünschet vnd begeret haben, das
gesäng zusammen gezogen vnd gedruckt wurden. So seind
Lateinischen und Teutschen Schulkindern, vnd dem gemein
ich deß Stiffts Speyr, zu dienst vnd gutem, schöne, alt
dechtige vnd Geistliche Kirchengesäng, so wol Lateinisc
dieses Büchlein verfast worden[1], vor vnd nach dem C
Predigen, in vnd ausser der Heiligen Meß, bey
und Kirchfärten, ja auch daheim in den Heusern, vnd d
elde, in vnd bey der Handtarbeit, zu vnderschiedlichen
ganze Jahr zu singen vnd zugebrauchen, auff das von
elobt vnd gepreiset, viel böse schendtliche ...

Beuttners Gesangbuch (1602) 1660.

Dem Catholischen Christlichen Leser wünscht von Gott dem HErrn, Nicolaus Beüttner von Gerolzhoven im Francken landt, der Zeit im Fürstenthumb Steyr, Schulmeister vnd Kirchendiener, Glück vnnd Hayl auch zeitliche vnnd ewige Wolfahrt, durch JEsum Christum, Amen.

Freundlicher Günstiger lieber Leser: wiewol viel herrliche, schöne, vnd von der Catholischen Kirchen approbierte Gesangbüchlein vorhanden, so hab ich doch auff freundtlich ersuchung guter Herrn vnnd Freund, nicht vnderlassen können, diese gar alte herkommende Catholische Gesänger, welche von vnsern lieben Voraltern erdacht, vnd nicht allein in der Kirchen, sonder auch in Processionibus, Creutz: vnd Walfahrten, auch in jhren Häusern andächtig gesungen, vnd GOtt damit gelobt haben. Weil aber bey etlichen Pfarrkirchen kein Choralsinger, auch man an etlichen Orthen, als in Dörffern, nicht haben kan, hab ich dises Büchlein in zwey Theyl gemacht. Im Ersten, daß man von einer Zeit zu der andern in der Kirchen bey dem Ambt der Heyligen Meß, Teutsche Gesäng GOTT zu lob, vnd allen seinen lieben Heyligen zuehrn, singen, vnnd Christlich gebrauchen kan. Im Andern Theyl aber, hab ich die Kirchfährter Rüff, deren man etliche beym Ambt der Heyligen Meß, wie auch in Processionen vnnd in Häusern, nach eines jeden guten Wolgefallen, gar wol sicher singen mag, welche ich eines theyls selber, vnd etliche von frommen Catholischen Christen, die solche von jhren lieben alten Voraltern gelehrnt, vnd ich auch von jhnen erfahren, fleissig, vnd auffs einfältigist zusammen gebracht.

Weil ich dann gesehen vnnd gehört, daß schier so offt ein Kirchen oder Gottshauß, so offt andere Gesäng vnd Rüff, in Processionen, vnnd bey der heyligen Meß, gar vngleich mit den Gsätzen, Reimen, Sylben vnnd Melodeyen, Auch haben jhrer etliche an manchen Orthen, von der Catholischen Kirchen verworffene Gesangbücher gebrauchet, in denen spöttische vnnd verbottene Gesänger durcheinander gemengt seyndt begriffen gewesen, nun aber gäntzlich abgeschafft, mag man wol gnugsahme Catholische Gesangbücher bekommen, vnnd gar kein Außredt suchen.

Weil dann nun jetzundt vmb diese Refier allenthalben diese fast gleichförmige Gesänger nützlich gebraucht werden, hab ich desto mehrer Vrsach gehabt, auff daß nicht solche schöne alte Gesänger in abwesen, vnnd leichtfertiger weiß in Vergessenheit gerathen, solche zusammen in ein Buch zu bringen, vnnd denen, so nach vns kommen werden, zu einer Gedächtnuß diß Büchlein verehren wöllen, damit man mög forthin denen alten Fußstapffen, vnsern lieben Voraltern, deren ein jeder frommer Christ fleissig nachfolgen soll, vnnd sich vor den verbottnen Büchern gantz vnnd gar enthalten. Bin hochfleissig bittend, der Christliche Leser wölle hiemit für lieb nemmen, vnnd wo vbersehen, daß in etlichen zuvil, oder zu wenig wäre, dasselb günstlichen vnd gutwillig Catholisch corrigiern: Solches stehet mir allezeit Gehorsamblich zuverdienen. Thue mich hiemit dem günstigen Leser in sein Christlich Gebett vnderthäniglichen befehlen. Datum zu St. Lorentzen, den 1. Tag May, im 1602. Jahr.

Nicolaus Beüttner Geroltshovens: Choralis: apud
D. Laurent: Valle Merzens:

Nützlicher Vnderricht denen Vorsingern.

Es ist nicht allweg an Versen, oder Reimen gelegen sonder am Verstandt vnnd Andacht, vnnd wie sich der Text vnder die Noten am besten schickt, auch die einfältigen solches desto besser vnd leichter lehrnen vnd begreiffen können: Derohalben die Jenigen, so vorsingen, sollen zuvor die Melodey, Item den Text, etlich mahl wol vbersehen vnd lehrnen, so kan man den Text desto leichter vnderbringen, auch fleissig achtung geben, damit die Wörter, welche lang, gleichfals, welche kurtz wöllen gesungen werden, nit grob vndereinander mengen, ein confusion machen, sonder alles fein langsam, verständig, vnd außdrucklich nennen, vnd daß sich die Melodey fein reimet, so kan man solches verstehen, vnd leichter nachsingen: vnd wo viel Text ist, desto geschwinder, wo aber wenig Text, deso langsamer singen, damit die Melodey vnd Text miteinander jhren rechten fortgang haben.

Von Syllaben vnd Wörtern, oder Vocaln.

WO zu viel oder wenig Sylben weren, mag man wol darzu oder darvon nehmen, damit die Melodey fortan für sich bleibe. Als Exempel: Wo heiligen, das seynd drey Syllaben, so lese man heilgen, zwo Sylben darfür, wann der Text zulang vnder die Noten wäre: Item, vnser, vnsr, leben, lebn, gewesen, gewesn, vnd dergleichen: Wo aber zu wenig Text und mehr Noten stünden, so kan man den Text amplificirn, oder mehren: Als, Gbett, lese man Gebett, Himml, Himmel, geheiligt, geheiliget, Jeruslem, Jerusalem, etc.

Von Noten vnd Melodey.

WO viel Text vnd zu wenig Noten, Item, wo zu vil Noten, vnd wenig Text wären, so kan man die Noten, gantze vnnd halbe Schläg von einander theylen, oder die Schwartzen vnd halbe Schläg zu gantzen machen, vnnd den Text fein drunter applicieren. Man kan auch etliche bekandte Melodey auff etliche Gesäng fein andächtig singen, vnd welche tauglich oder bequem seyndt, nützlichen gebrauchen.

(Es folgen noch einige Passus, die auf den Gesang keinen Bezug haben: „Von Ergernuß, vnnützem Geschwätz, vnnd bösen Wandlen“, sodann „Von Gebrauchen“.)

Vorbericht aus dem Mainzer Cantual (1605) 1627.[1]

Ordnung vber dieses nachfolgendte Cantual oder Psalmbuch.

JN diesem Cantual seynd, mehres Theils alte Catholische Gesänge, so zuvor nie getruckt, aber bey vnsern lieben Vorfahren gebräuchlich gewesen, zusammen getragen, etliche seynd auß andern Catholischen Büchlein genommen, etliche aber von newem darzu gesetzet, vnd an vielen Oertern vermehret vnd gebessert, wie der günstige Leser hinden in dem Register zumercken hat.

Wie die Pastores vnd Custodes oder Kirchner diese Gesäng gebrauchen mögen.

ES solten die Pastorn wol billich das Ampt der heiligen Meß durchauß Lateinisch singen, vnd die Leyen darbey das H. Leyden Christi auß jhren Bettbüchern oder an jhren Rosenkräntzen nach dem Exempel jhrer Vorfahren betrachten, jhrem Heylandt darfür dancken, vnd so wol jhre eygene, als die gemeine Noth der gantzen Christenheit hierin befehlen, auch die Gnade vnd Verdienste Christi, die er vns am heiligen Creutz erworben, durch diß Melchisedechisch Opffer desto kräfftiger an sich ziehen. Dann zu diesem End hat Christus der Herr das H. Hochwürdig Sacrament deß Altars eingesetzet, nicht allein der Communion halben, sondern daß es wehre ein täglich jmmerwerendes Opffer nach der Ordnung Melchisedech, durch welches vns zwar sein heilig Leyden fürgebildet, vnd ins Gedächtnuß gebracht, seine erworbene Dienste aber desto reichlicher vns zugewendet würden. Wie dann alles was in der H. Meß gesungen oder gelesen, alle eusserliche Ceremonien so darinn gebraucht, alle Priesterliche paramenta vnd Kleydung nichts anders thun, als daß sie dem gemeinen Mann den Todt des HErrn verkündigen.

Nun geschicht aber offt, daß die Kirchner oder Opfferleuht wenig hülff haben im singen, vnnd dem Choral allein zuschwach seyn. So müssen auch bißweilen die Pastorn noht halben die Meß lesen, vnnd können sie nicht singen, wann sie gleich gern wolten, darumb daß sie mehr als ein Kirch bedienen vnd verwalten müssen. Vber das haben viel Leyen jetzo ein grössere Lust bey dem Gottesdienst zu singen, als obgesagter Weiß zubetten oder zubetrachten.

Damit nun solche einfallende Mängel ohne Abgang der Catholischen Religion vnnd Christlicher Andacht verbessert werden, können die Pastorn

---

1) Da in meinem Exemplar v. J. 1605 die Vorrede fehlt, so habe ich dieselbe der Ausgabe v. J. 1627 entnommen. Sie stimmt mit der vom J. 1605 fast wörtlich überein.

vnd jhre Kirchner vnder dem Ampt, es werde dann gesungen oder gelesen, auch Nachmittags bey der Vesper, oder beym Catechismo, folgende Ordtnung Teutsch zusingen halten.

Ordtnung in dem Singampt zu halten.

Zum ersten: Wann das Ampt der Meß gesungen wirdt, sollen der introitus, Kyrie, Gloria, & in terra pax (wann die Zeit davon ist) Item die Collecten vnd die Epistel, darnach das Alleluia, Jedoch nit in Septuagesima oder in der Fasten, Lateinisch gesungen werden.

Zum andern, vor das Gradual oder Tractum, auch vor dem Sequentz, auch bißweilen vor das Alleluia, wann keine hohe Feste seyn, mögen die Kirchner ein Teutsches Gesang auß diesem Büchlein nehmen, wie es die zeit, oder das Fest mit bringen, jedoch müssen diese Gesäng nicht all zu lang seyn.

Zum dritten, wann aber grosse hohe Fest seyn, wird das Alleluia billich gesungen, wie auch der Sequentz, vnter welchem doch auch etliche kurtze bekante gewöhnliche Teutsche Verß mögen mit gesungen werden, als in den heiligen Weyhnachten: Grates nunc omnes, vnd, Gelobet seystu Jesu Christ. In den H. Ostern, Christ ist erstanden, vnd das Victimae paschali, wie an seinem Ort notirt wird. In den H. Pfingsten, Nun bitten wir den, etc. vnder den Sequentz, Veni sancte Spiritus, & emitte coelitus, &c. allzeit nach zweyen Lateinischen Versen, am H. Fronleichnams Tag, Gott der sey gelobet, vnder das Lauda Sion, nach etlichen Versen, wie es die Zeit leydet.

Zum vierdten, das Evangelium soll auch gesungen werden, vnd sollens die Christen mit gebürender andacht anhören, das ist, auch nichts darunter singen.

Zum fünfften, nach dem Evangelio, wann der Priester will predigen, soll er erst das Credo Lateinisch anfangen, wann es das Fest erfordert, darauff kan der Kirchner anfangen den Apostolischen Glauben auß dem Catechismo vnd wann der Glaub außgesungen, hebt man die Predig an. Nach vollendter Predig, singt der Kirchner das Vatter vnser vnnd Ave Maria, vnder deß verfüget sich der Pastor wider zu dem Altar, singt, oder spricht das Dominus vobiscum vnnd lieset das Offertorium darunder oder vor dasselbig mag das Volck aber, ein Teutsch Gesang singen, biß zur Praefation.

Zum sechsten, die Praefation vnd Sanctus, sollen auch gesungen, vnd nie außgelassen werden.

Zum siebenden, von dem Sanctus an biß zu der Eleuation, ist mit Teutschen Gesängen still zuhalten, vnd sollen in dieser Zeit die Leyen bey sich selbst jre andacht vben gegen das H. Hochwürdig Sacrament, mit betten, Betrachtung des H. Leydens Christi, hievor dancken, sich vnnd die jhren, auch alle ihre Noht darinn befehlen, wie sie dann auch in der Predig, im Catechismo, auch sonsten von den Pastorn hiezu sollen vnderweiset werden.

Zum achten, nach der Eleuation soll allzeit ein Teutsch Gesang von dem H. Sacrament gesungen werden, nemblich einen Sontag oder Fest, Gott der sey gelobet, den andern, Frewet euch jhr lieben Seelen, den dritten, Wir wollen alle singen, den vierdten, O salutaris hostia, vnd Abel der opfferte, etc. den fünften, Der heilige wahre Leichnam, etc.

Zum neundten, wann grosse Fest seyn, soll das Pater noster, vnd Agnus Dei, gesungen werden. Sonst mag man auch an deren statt von dem heiligen Fronleichnam Christi fort singen.

Zum zehenden, Wann viel Communicanten seyn, werden etliche Verß, auß dem Ave viuens hostia, Teutsch vnnd Lateinisch gesungen, biß zu der Postcommunion.

Zum elfften, Die Collecten am Endt der Meß, welche man nennet die Postcommunion, sollen allzeit gesungen werden, wie auch das Ite missa est, oder Benedicamus, nach dem die Zeit erfordert, sampt seinem Deo gratias.

Zum zwölfften, nach dem Deo gratias, mag man das Ampt beschliessen, mit einem kurtzen Gesäng von dem fürfallenden Fest, oder von vnser Lieben Frawen, Ave gegrüsset, oder von dem Patrono desselben Orts Sancte N. bitt Gott für uns. Vnnd diese Ordnung soll gehalten werden von den Pastorn, vnnd jhren Kirchnern zu dem Singampt.

der Pastor an einem Ort das Ampt helt, allein predigt mag er vor der predig den Glauben, Vatter vnser, Ave Maria oder etwas anders singen.

Bey der Vesper, Salve vnd Catechism

Wo es gebräuchlich auff die höchsten Fest die Ve zusingen, soll darunder nichts Teutsches sondern alles werden. Nach vollendter Vesper oder Salve mag eins Gesäng nach dem es das Fest erfordert, werden hinzu nachten vnd Ostern, wo man keine Vesper helt, mögen Kirchen die Christliedlein vnnd Ostergesäng gesungen we

Diese obgesatzte Ordnung dienet denen Pastorn, allermeisten, welche bißher noch keine gewisse weise in den gehalten, oder welche Catholische vnd Vncatholische Gesä gemenget, vnd in jhren Kirchen bißher nicht ohne jhre Ergernuß, Glaubens- und Seelen gefahr gesungen haben.

Wo man aber das heilig Ampt durchauß Lateinisch bessere Gewonheiten im singen gebräuchlich seyn, die nicht Glauben, noch der H. Kirchen Gebott, oder Satzungen daselbst ist diese Ordnung vnvonnöthen.

Catholische Geistliche Gesänge etc. Von der Fratern zu Andernach 1608.

An den Christlichen Leser.

VNnder aller listigkeit (Günstiger Leser) welche der Nenschen von dem alten, allein seligmachenden Glauben rauchen pflegt, ist zwar nicht die geringste, das er sich a emühet, allgemach auß den Hertzen der Menschen auß achtung nit allein der grossen geheimnussen Gottes, sonde nd wandels seines geliebten Sohns, dessen hochgelobter N postelen, als auch aller Heiligen Gottes, welcher leben len zu einer Regel, vnd vorbilt das höchste gut zuerla rden.

Solches aber auß den Hertzen der Menschen gantz vn weil es in sich abschewlich, jha nicht allein den gelehr lechten, einfaltigen leuthen ein grewel scheint zu sein, d ehlung deren welche sich zum theil in dem Leben des isti vnd seiner vielgeliebten

Dieses Vatters der lügen spitzfinnigkeit, seindt meisterlich vnserer zeit abtrinnige Caluinisten, Lutheraner, vnnd was sonst mehr für monstra hin vnd wider herumber schweben, als gehorsame Kinder nachgefolgt, wie dan zu sehen ist das gethan hat der Melanthon, Bucerus, vnd andere newgleubige, viel örter zu geschweigen, vornemlich binnen Bon, vnd sonst durch das gantze Ertzstifft Cölln: welcher faction Predicanten, nach einpflantzung der newen falschen meinungen, nach abschaffung der Vhralter Christlicher Kirchen Ceremonien, nach verdamung der vor viel hundert Jahren im brauch gewesnen Bildnussen, nicht haben beruhen können, biß sie auch gentzlich alle Christliche, von der Mutter Gottes (welcher sie dan insonderheit feindt seindt) sambt viel anderen heilgen Gottselige Gesäng außgemonstert, vnd an statt derselben ein Teutsches Psalm vnd Gesangbuch (das Bonnisch Psalm oder Gesangbuch intituliert) zu Bon gedruckt, hin vnnd wider in aller Gemüth eingepflantzet hetten, welches auch der massen gebraucht vnd geliebt (vielleicht dieweil kein anders zur zeit Teutsch Catholisch vorhanden) ist worden daß es wegen der Exemplaren manglung, zum zweiten mal in druck außgangen, zum feylen kauff bracht ist worden, vnd herdurch noch etwas vom Lutherthumb (jetzt schwerlich abzuschaffen) conseruirt vnd kleben blieben.

Derhalben solchem vnfall, etlicher massen vor zukommen, auff dz die bißhero sehr geliebte Ketzerische Psalm, vnnd Gesangbücher, allgemach wie sie eingerissen, also auch in verdruß der Leser kommen möchten, haben wir vnsrer vor zweyen Jahren gethaner verheischung nach, diß Geistlich Gesangbuch, von allen auch anderen Catholischen hymnen, vnd Lobgesängen gemehrt vnd gebessert, jetzunder so wol Lateinisch als Teutsch, sampt beygetruckten Melodyen, Gott zu förders, vnnd der Hochgelobter Mutter Gottes, vnnd Jungfrawen Mariae etc. zu Lob vnnd Ehr, auch dem gemeinen Man, vnd sonderlich der Jugendt zum besten, vnd nutz in druck außgehen lassen. Damit auch wir vnd jedermenniglich, in Stätten vnd Dörffern, widerumb zu den Catholischen Festen, in Processionen, Stationen, Gottsdrachten, Creutzgängen, Bittgängen, Frücht oder Landsegnung, Pilgerfarten, vor oder nach der Predig, vnnd Kinderlehr, vnsern Gottesdienst, altem löblichen Christlichen brauch nach, mit Fasten, Betten, Gesängen mit Creutz vnd Fahnen, Wachsliechtern, vnd Klockengeleuth, etc. verrichen vnd (wie in Göttlichen sachen billig) zierlich halten mögen.

Es wirdt sich aber allhie, wie auch in allen andern gutten wercken, gantz vnd gar nicht ahn Tadtler, vnd dieses Büchleins (doch in keinem guten) obseruirer mangeln lassen, da einem vielleicht etliche schlechte Melodyen, oder der jetzt scharffsinniger Welt, etlicher versen einfältiger Text, miß fallen wirt, dem andern das beygefügte Latein, (als dem gemeinen Man vnnützlich) außzulassen am besten scheinen wirdt, Dem dritten auch eine grosse vermessenheit, das demnach keiner Gottseliger Psalmen meldung gethan wirdt, in deren statt, auch etliche bey den Lutherischen bekandte Gesäng beygesetzt seind.

Welcher Obseruirer geschliffne wort bey dem günstigen Leser nach vnserer meinung gegebenem bericht, in keinem weg stat noch platz haben werden: Dan weil vnser Buch nicht allein ist den Gelehrten, vnd scharpffsinnigen, sonder vielmehr den einfältigen Leuten, vnd albereit auffwachsenden Kindern, zu guttem vnd heil zu bereit. Ist dannoch vonnöten gewesen deren verstand vnd naturen, in vielen sich zu accommodiren, vnd dieweil bey vielen einfäldigen, Alten Leuthen wunderbarliche Meditationes, vnnd Melodyen von dem Christkindlein, auch allerseligsten Jungfrawen Maria, gefunden werden, welche der jetziger scharpffsinniger Welt zur andacht nicht bequemlich, so haben wir als viel müglich, jhre alte Tonos behalten, vnd andere Text der Jugendt, vnd auch einfältigen zu gefallen, also appliciert, das sie sich deren ohn schew, auch im angesicht vnd in gehör der Ketzer, mit einẽ Gottseligem eyffer gebrauchen mögen: So ist auch das Latein nicht vor den gemeinen einfältigen Man hinzu gesetzt, sonder zum theil weil viel auch ein wenig im Latein erfahren, mehr zu demselbigen lust tragen als zu dem Teutschen, zum theil auch das zu zeiten, an Gottseeligen örtern, Processionen, vnd Kinderlehr die junge Knäblein, mit den jungen Mägdlein, zween Chor gebrauchen, vnd also nach dem 148. Psalm Jung vnd Alt in dem Lob Gottes erschallen möchten, vnnd könten: Viel weniger wehr es für eine vermessenheit zurechnen, das in vnserm Büchlein etliche auch bey den Lutherischen bekandte Gesäng beygesetzt seindt, da sie doch nit bey den Lutherischen als new, sondern vor deren geburt, bey den Catholischen gebraucht, vnd von denen (wie auch andere viel mehr sachen) in reissenden Wolffs weiß abgenommen, vnd in schaffskleidern verkaufft seindt worden: Also das wissentlich nichts gegen den ersten alten, wahren, Catholischen, Apostolischen vnd bestendigen Römischen Glauben eingesetzt sey, vnnd da dessen im geringsten etwas were, wollen wirs gern emendirt haben: Der Psalmen aber ist kein meldung gethan, das sich vnser Buch derhalben nicht zu weit erstrecket, da doch sich einjetweder, nach seinem wolgefallen des Ehrwürdigen Herren Caspari Vlenbergij, gantz fleissig verteutschen Psalters, gebrauchen künte. Viel mehr aber haben wir vns zu beförchten, vnd derhalben nicht an guter ermahnung manglen lassen, das vielleicht wie dan offtermahlen (Gott sey es geklagt) geschicht, vnsere gesäng von den leichtfertigen Jungfrawen, vnd Knaben, Gott vnnd seiner Hochgelobten Mutter, mehr zum spot, als zum Lob an vnbequemen örtern, vnnd zeiten vornemblich zur Vesper vnder der Kronen, mit andern vnnützen vnd insonderheit leichtfertigen gesängen vermischt werden, welche da sey mit Göttlichen Gesängen angesangen, zu letzt mit groben, vnnd vnsaubern Bulers Liedlein enden, wer derhalben gut, das denselben allzeit vor augen stünd, was recht vnd wol ein Geistlicher Poet, Leuinus Brechtius, in der warheit von den selben also geschrieben hat.

Pro cantilenis lubricis,
Vae personabit horridum,
Lamenta, planctus, verbera,
Blasphemiaeque perpetes;
Pro dissolutis gressibus,
Saltare cum Proserpina,
Flagris adacti flammeis,
Furijsque compallemini.

Das ist,

Vor leichtfertigen Liedlein,
Ach wie wirdt jhre klage sein,
Sie werden heulen, weinen thun,
Vor singen dantzen bey der Kron,
Darnach wirdt sie auch quelen,
Das ewig Fewer der Hellen.

Vnd solches wehklagen, fängt bey etlichen ahn (auch etwan mit streichen) so bald sie zur Ehe gegriffen haben. Viel anders, vnd mit grösserem bißhero gespürten nutzen, wissen sich vnserer Christlicher gesäng, zur Gottes, vnnd seiner Hochgelobter Mutter Ehr, zu gebrauchen, vornemblich die Jungfrawen, welche auß freyem willen, ohn einiges Glübt, vnser lieben Frawen Schwesterschafft, zu jhrer, doch vornemelich zu beförderung der Kinderlehr eingetreten, vnnd angenommen haben, deren bey zeit der Kinderlehr, Pilgerfahrt, vnd Processionen demütige Gesäng so viel erhalten haben, das bey vielen die Kronen, vnd bey denselbigen gebreuchliche Bulersliedlein, in verdruß kommen seindt, vnnd ist zu verhoffen, das durch gemelter Jungfrawen im Gottesdienst sönderlichen eiffer viel leichtfertigkeit abgeschafft, vnd in deren platz viel Tugenden eingepflantzt werden.

Vnd wolt Gott das deren, vnd vieler anderer Gottseliger Menschen Exempel nach, sich alle fromme Eltern befleissigen wolten, jhre Kinder offtermahlen in die Kirch, vnd Kinderlehr zu führen, auch neben dem betten, vnd Catechismo, diese Geistliche Gesäng (die auch an statt des Gebets gebraucht werden können, in welchem der allersüssseste Nam Jesus, vnnd Maria, so offt vnnd lieblich repetirt wirdt) fein lernen vnd zu gemüt führen. Dan wer kan außsprechen, was ein Mütterlich Hertz vor freude haben wirdt, wan sie jhr liebes Kindlein, das noch nicht viel reden kan, würd hören, wie die junge Vöglein das allersüsseste Jesulein, auß dem reinen vnd kleinen Mündlein quidelen? O wie selig seindt die Eltern, deren Kinder mündlein, erst den Honig süssen Namen Jesus anruffen, loben vnd preisen?

Dan gemeinlich was im Namen Gottes anfangt, das endet sich auch in Gottes Namen: O derhalben jhr selige kinder, die den Namen Jesus vnd Maria zu reden anfanget: O ein seliges end dieser kinder in dem allein seligmachenden Name Jesu, wie wirt die milte Mutter Gottes Maria jhren Sohn diesen kinderen am end so lieblich zeigen.

Daher dann recht vnd wol vnsere Mutter die Christliche Kirch in einem Gottseligen hymno jederman zum lob Gottes ermant, da sie singet: Te senes & te juuentus, paruulorum te Chorus, turba matrum, virginumque simplices puellulae, voce concordes, pudicis perstrepent concentibus, saeculorum saeculis: Das ist O Gott dich sollen loben die Alten vnd die Jugend, vnd der kleiner kinder geseschafft, die Schar der Märtrer vnd Jungfrawen die einfältige junge Mägdlein, sollen mit gleicher stimmen züchtig, erklingen lassen, jhr Gesang zu allen zeiten.

Welchem kan wol hinzugesetzt werden, was man list bey dem Heilgen Propheten Dauid, im 148. Psalm auff diese weiß: Die König der Erden vnd alles Volck, die Fürsten, vnd alle Richter der Erden, sollen loben den Namen des Herren. Dessen spruch hat sich nicht geschembt nachzufolgen, Albertus IV. ein Hochgeborner Fürst, vnd Ertzhertzog in Osterreich, als von im schreibt Cuspianus in vita Alberti V. welcher wo er auch ist in die Kirchen kommen, hat er sich zu den singenden gestelt, vnd auß besonderem eiffer, vnd liebe Gottes, hertzlich mit gesungen.

Also hat auch Gregorius Magnus, ein heilger Pabst, zu Rom zwei besunder Häusser gebawt, in welchem die kinder besonder die heilge Geistliche Gesäng lehrten. Welchem dan auch nachgefolgt Paulus des Namens der dritte welcher (da jhm wol bewust, das der kinder andacht, vnd Lobgesäng Gott, vnnd der liebe Mutter Gottes angenehm ist) hat zu Lauret ein Collegium von zwölff zartstimmigen, züchtigen vnd andächtigen Jünglein, angestelt, welche vnser L. Frawen der Mutter Gottes Lob in jhrer geburts Capellen, alle stundt täglichs gesungen fried, vnd vergebung der Sünde von Gott, vnd seiner L. Mutter gebetten. Wie dasselb dann auch mit einem grossen Wunderzeichen bezeugt, vnd bestetiget ist worden, daruon zusehen historia Lauretana lib. 3. e. 3. Wil allhie verschweigen des demütigen Vatters Francisci, welcher zu Weihnachts Fest, in der Kirchen ein Christkriplein gemacht, vnnd Hew darein gelegt, ein Ochß und Eselein darbey gestelt, vnd wolte also nach dem Gebott Christi, wie die kinder das Himelreich nemen, vnd also mit den kindern auff einfältige weiß Gott mit reinem Lob loben vnnd preisen. Dan gewißlich Gott wils also haben, das die kinder im anfang jhrer sprach, stim vnd reden, erstlich das süsse Jesulein heraußer zieren sollen, dauon dan mit verwunderung in dem 8. Psalm gesagt wirdt: Herr du hast dir lob gemacht auß den Mündlein der jungen kinder, ja es fangen dich an zu loben, die noch an der Mutter Brüsten liggen.

Derhalben hat auch Christus, in der herrlichen Procession von Betphage vnnd Bethanien gen Jerusalem, niemandt vom Lob Gottes heischen still schweigen. Also da klein vnnd groß Mans vnd Weibs geschlecht, so jhm mit Palmzweigen entgegen kamen, die so vor jhm hergiengen, vnnd nach kamen, auch seine Jünger, die vmb jhn waren fieng an der gantze hauff so mit jhm herunder stiegen, mit freuden Gott zu loben mit lauter stimme vber alle thaten die sie gesehen hatten, vnnd sprachen: Gebenedeit sey der da kombt ein König im Namen des Herrn: Fried sey im Himel vnd Ehre in der hohe, O sanna etc.

Wiewol diß die Juden vnd Phariseer vbel verdroß, vnnd wolten Jesus solt sie heischen still schweigen, vnd darumb straffen: Er antwort aber vnnd sprach zu jhnen: Ich sage euch wo diese schweigen, werden die stein schreien. Also nicht allein gefelt Gott dem Allmächtigen aller Menschen Lobgesäng, sonder auch zu zeiten derselben Lob begert vnd erfordert.

Weil dan Gott der Allmächtig sein Lob, auch durch die kleine kinder will ausgebreit haben, so verhoffen wir, es werden alle Catholische diese vnsre arbeit vnd gutte meinung nit verachten, sonder vielmehr billigen, vnd im guten annemen, die Ketzerische Bücher, nach dem Exempel S. Pauli verbrennen, die Weltliche Liedlein, vnd leichtfertigkeit abschaffen, vnd die alten Ceremonien, vnd heilge Gesäng, zu gewönlicher zeit vnnd ordnung bey der Kinderlehr, Predig, Creutzgängen, Bittgängen, Pilgerfahrten,

Frücht, oder Landt segnung, Processionen, Stationen, Gottsdrachten, mit Wachskertzen, Windtliechtern, Glockengeluth, Orgelen, Posaunen, Seitenspiel vnd Gesang, auff alt Catholisch brauchen, also Gott, vnd die Mutter Gottes bitten, jhnen dienen vnnd Lobsingen, so ist kein zweiffel, die Allerseligste Mutter Gottes vnnd Jungfraw Maria, sampt allen Heilgen, werden den lieben Gott erbitten, das er vmb solches Lobs willen, den Eltern, Kindern, vnd jedermenniglich, in diesem vnd jenem Leben frieden, vnd alles guts widerfahreu lassen, Amen.

Vorrede aus dem Psalter Ulenbergs 1603 u. 1613.

Dem Durchleuchtigen Hochgebornen Fürsten vnd Herrn, Herrn Johan Wilhelm, Hertzogen zu Gülich, Cleue, vnd Berge, Grauen zu der Marck vnd Rauensperg, Herrn zu Rauenstein, meinem gnedigen Fürsten vnd Herrn.

DVrchleuchtiger Hochgeborner Fürst, Gnediger Herr, Es ist kündig auß den Kirchen historien vnd heiligen Vättern, daß vor alters die Ketzer vnter andern mitteln, damit sie jhr Werck vnd Jrrthumben fortgesetzt, auch allerley von jhnen selbs gemachte geistliche Lieder und Lobsenge gebraucht, dadurch sie das gemeine Volck freundlich an sich gehalten, oder sunst zu jhren Rotten gezogen haben. Solches zeuget vom Apollinari dem Ertzketzer Nicephorus libro II. cap. 12. Von den Arrianern, Historia Tripartita libro 10. cap. 8. Von Paulo Samosateno, Eusebius libro 7. cap. 24. Von Harmonio einem Syrer, des Ketzers Bardesanae son, Nicephorus libro 9. cap. 16. Von den Donatisten, der H. Augustinus Epist. 119. ad Januarium. Vnd sind dieselbige Gesenge in gemeiner Landsprach vnter seinen lieblichen Melodeyen dergestalt zugericht gewesen, daß sie die menner in Zechen bei dem Wein, auch bey jhrer arbeid, vnd die Weiber am rocken haben singen können. So haben sich auch die Sectarien in jhren beykünfften mit solchem vleis vnd eifer in denselben Lobsengen geübt, daß sie wol gantze nächte darüber beynander blieben, wie Nicephorus am obgemeldten ort von den Arrianern zeuget, Ja es haben die Donatisten den Catholischen jhren vnfleiß in sölcher vbung verweißlich auffrücken dürffen, Jnmassen auß der 119. Epistel des H. Augustini zuuermercken.

Wenn nu sölche list von den Ketzern gebraucht worden, So haben die Catholische Bischöue vnd Lehrer mit gebürlichem vleiß dazu gethan, haben für das gemein Volck das zusingen fast geneigt, andere Catholische vngefelschte Gesenge zugerichtet, damit sie nicht durch brauch der Sectischen Lieder von gemeinschafft der H. Kirchen abgefürt würden: Wie sich denn umb solche arbeid der H. Ephraim wider des Harmonij vnd seines vatters Bardesanae Rotten in Syrien: der H. Chrysostomus wider die Arrianer zu Constantinopel: der H. Augustinus wider die Donatisten in Africa, trewlich angenommen, Jnmassen auch von Mario Victorino Afro kündig, daß er Catholische Lobsenge von der H. Dreyfeltigkeit (ohn zweiuel wider die Arrianer) gemacht. Also hat man dem vnrath umb etwas wehren, vnd die anschlege der widerwertigen hinder sich treiben können.

Was dieses fals die Sectarien bei vnsern zeiten vorgenommen, wie sie die Psalmen Dauids gesangsweiß für das gemeine Volck zugericht, vnd jhre Jrrthumben hin vnd wider behendiglich eingeschoben: was massen sie auch (ein jegliche Secte zu jhrem vorteil) neben den Psalmen allerhand lieder gemacht, Darunter etliche zufinden: so nicht allein mit falscher lehr vergifft, sonder auch bissig vnd zu erbitterung der gemüter auff Catholische Geist- vnd weltliche Oberkeit gestellet: vnd wie sie sölchen Gesangbüchern verfürische Catechismos, Sectische Kirchen Ordnung, vnd was deßgleichen ist, angehenckt: vnd dadurch bey dem vnbehütsamen gemeinen Volck vnheil angericht, daß ist aller welt genügsamb kündig.

Nun haben sich hingegen im alten Christenthumb fromme bedechtige Menner funden, die sölchen vnrath zeitlich vermerckt, vnd auß Christlichem einer, nach dem exempel der obgemeldten H. Vätter, gegenwehr zuthun fürgenommen: Haben derwegen an Stat der Sectischen Lieder gute Catholische, vnd vngefelschte Gesangbücher für die Leyen gestellet, vnd dem gemeinen

Volck zu dienst außgehen lassen: Wie denn der Ehrw. wirdigen vnd Hochgelehrten Herrn Johan Leisentrits, Thumdechanden zu Budissin, vnd Rudgeri Edingij (anderer zugeschweigen) außgangene Psalmen vnd Gesangbücher vorhanden.

So hab Ich mich durch derselben Herrn arbeid, damit sie der Christenheit in Teutschen landen ohn zweiuel mercklich gedienet, neben andern vrsachen auch bewegen lassen, an solch Gottselig, hochnotwendig Christlich werck, nach meinem einfalt die hand mit zulegen. Hab derwegen die Psalmen Dauids fürgenommen, vnd dieselben nach jhrem rechten wahren verstand, so viel mir dem nachzuforschen möglich gewesen, in allerley Teutsche Reimen bracht, hab auff ein jedes genus Carminis oder art reimen besondere Melodeyen zugerichtet vnd verordnet. Darunter auch etliche, fast die beste vnd lieblichste Melodeyen auß dem Marotischen oder Caluinischen Psalter gebraucht worden: Inmassen vor alters der H. Ephraim des obgedachten Retzers Harmonij liebliche Melodeyen behalten, vnd andern, reinen Catholischen Text vnter denselben den Catholischen in Syria zusingen verordnet. Daß also, wer da wil, gesangweiß mit dem H. Propheten Dauid Gott loben, preisen, jhm dancken, seine Wercke rühmlich erzelen, jhn anruffen, vnd kürtzlich in allerley zustand, mit jhm reden kan.

Und dürffen sich die einfeltigen nicht besorgen einiger aufffetzlichen felschung, oder hinderlistigen teuscherey, deren die widerwertigen in etlichen fast vielen Psalmen zu vberzeugen: Denn ob Ich wol wegen der gezwuugenen art zu reden, solche version vnd dolmetschung brauchen müssen, welche die Gelehrten paraphrasin nennen: vnd derhalben des Propheten Wort nicht also genaw nach den Syllaben vnd Buchstaben behalten können, sonder zuweilen den Text etwas erweitern, vnd den sinn mit mehren worten paraphrastischer weiß geben müssen; so wirt sich doch befinden, daß gleichwol des Texts inhalt volkömlich da ist, vnd die ware meynung des heiligen Geists allenthalben vnuerrückt bleibet.

Diß Büchlein, Durchleuchtiger, Hochgeborner Gnediger Fürst vnd Herr, hab Ich für ein vnd zwentzig Jaren, da es erstlich in Truck gefertigt worden, auß damahls angezogenen bewegnussen Ew. F. G. vnderthenig dedicierr vnd zugeschrieben: Wie Ichs denn jetzt abermahl vnter derselben E. F. G. löblichen Namen außgehen lassen, nachdem es widerumb vbersehen, vnd mit einem nicht geringen zusatz gemehret. Denn Ich auch die andere Gesenge des Alten vnd Newen Testaments, was deren hin vnd wider in der heiligen Schrifft zufinden, hinbey gethan, weil sie von demselbigen Geist, der die Psalmen Dauids gesungen, durch die außerwehlte Werckzeugen, den Moysen, Exodi 15. Deuteron. 32.; die Debora vnd Barac, Judic 5.; Die Anna Elcanae weib, 1. Reg. 2.; Die Judith, Judic 16.; Den Propheten Jsaiam, Jsaiae 12. vnd 26.; Den König Ezechiam, Jsaiae 38: Den Jonam, Jonae 2: Den Habacuc, Hab. 3: Die H. Mutter Gottes Maria, Lucae 1: Den Zachariam, Lucae 1: Den alten Simeon, Lucae 2, gestellet worden: Bitte nochmahl vnterthenig, Ew. F. G. wölle Jhr diese meine geringe arbeid in jhren schutz vnd schirm befohlen sein lassen: Dieselbe hie mit dem Allerhöchsten in gnaden langweilig zugefristen befehlend.

Datum Cölln den 20. Augusti, Anno 1603.

Ew. F. G. vnderthениger

Casparus Vlenbergius Lippiensis.

Paradeißvogel 1613.

Der Hochwolgebornen Frawen, Frawen Mariae Fuggerin zu Kirchberg, Weissenhorn, vnd Mindelheim, ꝛc. Gebornen Gräffin von Schwartzenberg, Meiner gnadigen Frawen, Gottes Segen vnd alle Wolfart.

VOR siben Jaren, Hochwolgeborne gnädige Fraw, haben E. G. ein kleines Büchlein, der Rittersporen intitulierr, von mir, als einem alten Schuldner vnd Diener, gnedig empfangen. Wann aber solches Büchlein schon lengst zukauffen nicht mehr verhanden, vnnd der Trucker solches dem gemeinen Mann, vnd vilen andächtigen Hertzen zu bestem wünsch, widerumb vnder die Preß zunemmen, vnd nachzutrucken, bey mir deßhalben angehalten: Als hab ich solches nit allein zuuor mit gutem Fleiß vbersehen, vnd wo von nöten corrigirt, sond' auch mit reichem Zusatz also ersetzt vnd gemehret, daß es billich für ein news Büchlein zuhalten, vnd mit einem newen Namen sollen geziert werden. Derwegen ich es nit mehr Rittersporn sonder guter Vrsachen halber, den Paradeißvogel nennen wöllen.

Dann, wie diser Vogel, nach angeben deren, so von seiner Natur schreiben, sich nie auff den Erdboden lasset, sonder jederzeit in der Höhe deß lustigen vnd hayteren Luffts lebt vnd schwebt, auch so gar, wann er zu Rasten gedrungen wirdt, mit nichten auff die Erden kombt, sonder von Gott wunderbarlich mit zweyen Schnirckeln vnd gleichsam Schnürlein versehen, sich an die eussersten Nästlein der Bäum gantz artlich anhenckt, vnnd solcher Gestalt auch schlaffend im freyen Lufft bleibt.

Eben also ist auch dises Büchlein beschaffen, dz es die Hertzen, Gemüter, vnd Seelen dern, die es lesen, betrachten, vnd erwegen, mit macht von dem schwern, staubigen, katigen Erdboden, vnd jrdischem Tunst vber sich locket, erhebt, vnd gleichsam verzuckt, von der Tieffe in die Höch, von der Finsternuß zum Liecht, von dem Irrthumb zur Warheit, von Gefar der Laster zur Sicherheit der Tugendt, von Kümmernuß zum Trost, vom Tod zum Leben, mit eim Wort, von disem Jammerthal vnd Nothstall in das Himmelische Paradeiß, vnder die Himmelische Paradeißvögel, vnder die liebliche Nachtigallen, vnder die schneweissen, vnd süssingende Schwanen, vnder die hochfliegende Adler aller Patriarchen, Propheten, Aposteln, Euangelisten, Martyrer, Beichtiger, Jungfrawen, ja aller Engel, Ertzengel, Cherubin, vnd Seraphin, da man die einige von Ewigkeit außerlesene Taub Mariam die Jungfrewliche Gebärerin vnd Mutter Gottes, da man den wahren Pelican, vnnd einigen Phönix Christum Jesum, da man Gott selber, vnd in jme alles das sehen, haben, vnd besitzen wirdt, was kein Aug nie gesehen, kein Ohr nie gehört, vnd in keines Menschen Hertzen nie kommen ist.

Wie nun dises E. G. eigenthumblich zugehörendes Büchlin, nit gemindert, sonder an jetzo gemehret, vnd wo nit durch mich (allgemach zum Grab hindeichenden) doch etwann durch andere, noch mehr vnd mehr möchte gemehret werden: Also wünsche E. G. ich, das sie sampt jrem hochgeliebten Herrn Gemahel, Herrn Söhnen, vnd Frewlin, von Gott in allen Gaben vnd Gnaden, zeitliche vnd ewige Wolfart betreffend, jmmer fortwachsen, mehr vnd mehr gemehret, gesegnet, erhalten, vnd den einigen Geber solcher Gnaden, in disem vnd künfftigem Leben, ewig lieben, loben vnd preisen mögen. Bitte darneben E. G. als derselben allzeit bleibender Schuldner, die wöllen jhr, was an meinem Vermögen abgeht vnd ermangelt, den guten Willen gnedig gefallen lassen. Datum Ingolstatt an dem Fest der Reinigung der aller reinisten Jungfrawen Marie, im Jahr 1613.

Ewer Gnaden Vnwürdiger Diener

Conrad Vetter.

An den Leser.

WEil etliche schöne in disem Büchlein begriffne Hauptstuck, nicht allein zulesen, vnd zubetrachten, sonder auch andächtig zusingen bequem, vnnd schon ohne daß vorhin jedes in seiner Melodey vnd Thon, mit beygesetzten Noten, getruckt außgangen: Als die Nachtigall S. Bonauenturn: Der Jubel S. Bernhardi im Thon, Gelobet seystu Jesu Christ: Das Lobgesang deß H. Fürstens Casymiri, zu vier Stimmen componiert: Maria Rein, dein Klag allein, im Thon; Maria Zart, von edler Art, etc. Hab ich diß Orts die Noten nicht beysetzen wöllen, weil es meniglichen frey steht, nach Wunsch vnnd Wolgefallen einen schönern vnnd allerschönsten zuerwehlen: auch an jhme selber billich ist, Gott den Herrn nit nur auff eine, sonder auff allerley Weise, vnd allerley Thon, zuloben vnd zupreisen.

Welches ich sonderlich darummen melden wöllen, weil meniglichen bewüßt, was bißweilen, vnd schier gemeinglich für vnschambare, vnzüchtige, ärgerliche, vnd der Jugend hochschädliche Reimen vnd Rayen Lieder, den gantzen Sommer auff der Gassen, vnd den Winter in den Stuben gesungen werden, da man doch bedencken soll, wie vil den Eltern selber daran gelegen, ob die zarten junge Hertzen jrer Söhnen vnd Töchtern, als noch newe

Geschirlein, mit Hönig oder Gifft, mit gutem oder bösem Safft, mit züchtiger od' vnzüchtiger, löblicher oder schändtlicher, Göttlicher od' Gottloser Anführung vnnd Vnderweisung eingenommen vnd angefüllt werden. Vnnd warumben solte es den jungen Knaben vnd Jungfrawen nicht tausentmal lustiger vnd lieblicher seyn, S. Bonauenture holdselige Nachtigall, in den Sommerrayen auff der Gassen nachzusingen, als andere leichtfertige Bulenlieder? Von deme so vil nit kan gesagt werden, als vil daran gelegen. Lebe wol, vnd bitt Gott für mich.

Paderborn 1616.

Günstiger Leser.

GAntz weißlich vnd fürsichtig haben vnsere Gottselige Voreltern, die Christliche fürwendung gethan, daß, so wol die fürnemste Hauptstück vnd geheimniß vnsers Catholischen Glaubens, als auch viele erbäwliche Vnderricht, vnd Wegweisung eins Gottgefälligen Lebens Reymenweiß verfasset, mit holdseligen Melodeyen gezieret, durch den Truck menniglich, gleichsam in die Hand vnnd Busem geschoben würden. Dann des milden Trosts vnd jnniglicher Süssigkeit, so die Erwachsene auß solchen Kirchengesängen schöpffen, vnd offt mit reichlicher vergiessung der hellen Andachtträher, an Tag geben, zugeschweigen, weisets die tägliche erfahrung klärlich auß, daß durch solches Exercitium, die liebe Jugendt, vnd vngefälschte Kindheit, die hohe vnd treffliche Geheimnissen der Göttlichen Weißheit, leichtlich vnd gleichsam Spielweiß ergreiffe, wolfasse, vnnd trewlich behalte.

Desto lieber ich solche Christliche Gesänge für dißmahl, mit außlassung etlicher Noten (weil ohne das solchē Abgang, die es Schulhälter vnd Schulhälterin mit dem Vorsingen, leichtlich ersetzen werden) vnd etwas wenigern Truck, in diß kleine Format eingezogen, deren Beschwehrnuß zu ringern, welche etwan sich grössern Kostens schewen oder beschweren mochten.

Segnet mich der liebe Gott bey wolfähriger Gesundheit, will ich das grössere Gesangbuch wol außgebessert, vnd mit ansehelichem Zusatz vermehrt, in zimlichem wrrth, dem Leser förderlichst zu Handt richten, Hiemit Gottes schutz befohlen, Dat. Paderborn den 22. Febr. Im Jahr 1616.

Matthaeus Pontanus
Typog.

Paderborner Gesangbuch 1617.

Dem Hochwürdigen in GOtt Fürsten vnd Herrn, Herrn Dietherichen von Gottes Gnaden erwehlten vnd bestettigten Bischoffen des Stiffts Paderborn, etc. Meinem gnädigen Fürsten vnd Herrn.

HOchwürdiger Fürst, Gnädiger Herr, als der HOcherleuchter Esaias im Geist, den Heylandt der Welt erkennet, vnd den vbergrossen Seelenschatz, so dannenhero den Außerwehlten GOttes entspringen solte, hat er nachfolgender massen frewdigens Hertzens gejauchtzet vnnd frolocket, Exulta et lauda habitatio Sion quia magnus in medio tuo sanctus Israël. Zwar weil wir die Zeit vbertroffen, darinnen die Sonne der Gerechtigkeit erglänzet, vnd das Liecht der Warheit vber die Veste Sion herfür brochen ist, frolocken vnd preisen GOtt billich in vnserm Hertzen mit Psalmen vnnd Geistreichen Gesängen, offerentes illi semper hostiam laudis et fructum labiorum, inmassen vns solchs der Apostel lehrt, dann er je aller Ehren würdig, vnnd sein Lob keines Zung außsprechen kan, In erwegung, dann der Mensche insgemein von Naturn zum Gesang geneigt, vnd dahero viel sich beflissen, durch eytele Weltsichtige Gedicht die Irrdische Weltkinder zuerlüstigen: Andere durch geschminckte hypocritische Syrenengesänge, die Vnuerständigen, in Irrsalen vnd Aberglauben zuuergleiten, dagegen aber viele, wegen Christtragender Liebe vnd Andacht, vnzellige Geistliche Cantiones, so auß den Psalmen Dauids, als alten Kirchischen Hymnis, in Teutsche Rhytmos verfasset, vnd dadurch GOtt zuuerehren den Catholischen fürgebildet, Vnnd nach dem erspürt das dannenhero nicht wennig Geistliche Früchten bey jedes alters vnd Stands

Personen, auch treffliche Liebe vnd affection zur pietet der Gemeinde angeberet ist, haben demnach mehre Vrsach genommen sich in derngleichen Geistlichen Gedichten zugebrauchen, ist also ein Büchlein auffs ander herfür gangen.

Weiln demnach, Gnädiger Fürst, durch die menge der Authorn gedachter Gesänge anzahl, von Tag zu Tag dermassen, gewachsen vnd zugenommen hat, daß vnmüglich ist alle in ein Buch zubegreiffen, gleichsam das dieselben zumahl von allen vberlauffen, gelehrnt vnd zum gebrauch gezogen werden, als hab ich auff antreiben vnd gutachten, verständiger trewhertzigen, etlich fürnehme Collectanea, auß den Alten vnd Neuwen nach Art vnd erheischung dern Festen vnd Zeiten außerlesen, in ein Fasciculum zusammen getragen, vnd ans Liecht kommen lassen, in Hoffnung, weiln dieselben wegen des Büchleins geringigkeit von jedwedern ohn sonderbare Kosten, können zu weg gebracht, durchsungen vnd behalten werden. Auch das die materi vnd Posten theils an sich bekandt, theils newe Geist- vnd liebliche Gedichte haben, solle dieser Arbeit nicht allein Vielen angenehm vnd gefällig seyn, sondern beyde Jungen vnd Gewachsenen sich damit zu Hauß, Feldt vnd Kirchen, rc. Christlich zuüben, Anlaß geben. Damit aber ich, zu solchem meinem Intento fürderlich gedeye, dabenebens wegen deren geraumen Zeit, von Ewer Fürstl. Gnaden mir gnädig indulgirter exemption vnd Befreyunge, meine in Vnderthänigkeit schuldige Gemüths Danckbarkeit in etwa erzeigte, hab kein vm̄gang haben mögen, diß obgedacht Büchlein deroselben vnderthänig widerumb auffs new zu dedicirn vnnd zu zuschreiben demütigs fleisses bittende, E. F. G. jmmer wie vor, mich dern Fürstlichen protection anbefohlen seyn, diese meine geringfügige labores im besten verstehen, vnd vnder dern hochberühmten autorament, approbation vnd Bewehrunge herfür gehen vnd zu Tag kommen lassen wollen. Die welche ich langwehrender glückseeliger Fürstlicher Regierunge zu fristen, GOtt den Allmächtigen ergeben vnd fleissigst befehlen thue. Geben zu Paderborn, den 19. May, Anno 1617.

E. F. Gn. Vnderthäniger gehorsamer
Matthaeus Pontanus
Buchtrucker.

An den günstigen Leser.

Günstiger Leser, weil dieses grosse Psalmbuch mit Noten, so ich Anno 1609 getruckt auffgangen, vnd von vielen geliebt, als bin ich verursacht, dasselbe widerumb auffzulegen, vnd mit viel vnd mehr Gesängen zuerweittern, versehe mich es werde hierin der guthertzige Leser, ein sonders wolgefallen tragen. So mir hernacher weittere Anleittung gegeben wirdt, wil ich mich allzeit der Andacht guter Catholischer Hertzen accomodiren, hiemit GOtt befohlen.

Matthaevs Pontanvs.
Typograph.

Mainzer Gesangbuch 1628.

Vorred an den günstigen Leser.

Demnach in dieser Churfürstlichen Stadt Maintz in nechsten Jahren her mercklich vnd augenscheinlich gespührt worden, daß zur fortsetzung eines Christlichen Eyffers, vnd Gottgeselliger Andacht, nicht allein in der lieben Jugend, sondern auch in beydes Geschlechts Bürgern vnd Jnnwohnern gemeldter Stadt, vnder anderen die Teutsche Catholische Kirchengesäng gantz nütz- vnd beförderlich seyn; Als hatt es etliche liebhaber deß Gottesdienst für gut angesehen solche Gesäng aus den bewerthsten bißhero in vmbligenden Städten, als Cölln, Speyr, Wirtzburg, Bamberg, etc. Getruckten Gesangbüchern in ein bessere Ordnung zu verfassen, auch mit etlichen newen, jnsonderheit vnsere der Stadt vnd Ertzstiffts Patronen betreffenden Lobgesängen zuvermehren, vnd vber daß ein Bassum generalem deren jedem beyzufügen. Welches dann von jhnen bestes fleisses beschehen, vnd mir auff Gn. willen vnd begehren deß Hochwürdigsten in Gott Fürsten vnd Herrn, Herrn Georgii Friderici Ertzbischoffen zu Mayntz, Bischoffen zu Wormbs, deß H. Römisch. Reichs durch Germanien Ertz-Cantzler vnd Churfürst, etc. meines gnädigsten Herren, in Truck zugeben vergünt. Worauff ich dasselbig in gegenwertiger Form außgefertigt, bin der tröstlichen Hoffnung es werden meine geliebte Mittbürger vnd Bürgerin, auch andere mehrermehlter Stadt vnd Ertzstiffts Mayntz jnnwohner, jnnsonderheit aber Pfarrherrn, Catechisten, vnd Schulmeister, an deme ein dencknütziges Gefallen vnd Beliebnuß tragen. Geben Mayntz am heiligen Pfingstabend deß 1628 Jahr.

Antonius Strohecker.

Vorrede aus dem Osnabrücker Gesangbuch 1628.

Von GOttes Gnaden Frantz-Wilhelm, Postulierter Bischoff zu Oßnabrugk, Probst zu Regenßburg, Graff von Wartenberg, Herr zu Wald, etc.

DJeweil nach den Theologischen vnd fürnemsten dreyen Haupttugenden, dē Glauben, Hoffnung vnnd Liebe, die nechste vnd vortrefflichste Zierath des Christlichen hertzens ist, die Andacht oder GOTTesforcht, auß welcher alles, so wol zeitlich als ewiges Gut, wie auß einer brunnquell, reichlich entspringet vnd herfleust, nach außsprach deß heiligen Apostels Pauli in seinem nechsten Sendschreiben zum Thimotheo am 4. Capittel: die Andacht ist zu allen dingen nützlich, vnd hat verheissung dieses vnnd des zukünfftigen Lebens, Also daß, welcher ein Christlichen, auffrichtigen, friedsamen mit allerhand notturfft versehenen, wider alle Feinde bewehrten, vnnd zur ewigen Herrlichkeit leitendem wandel vnd Leben führen wil, mit dieser Tugend zuvorderst versehen, vnnd in derselben zum fleißigsten geübt seyn müsse.

Nach dem auch hergegen, nichts also vngereimbt, vnnd in einer Christlichen gemein so vngezimtes ding ist, als anschawen das einfältige Volck ohne GOtt vnnd sein Forcht, gleich wie die vnvernünfftige Thier, weit von aller affection vnd neigung zum Gebett vnnd Andacht allein dahin gesehen, wie sie zeitliche haab vnnd gut zusammen scharren vnnd behalten mögen. Auch noch viel kläglicher zuvernehmen, daß vnwissende, einfältige Leyen vnterm schein wahrer Andacht, Gebett oder Gesäng, mit allerhand Irrthumben vnnd falschen Lehren, verführt vnd angesült werden, Also, da Wir tragender Obrigkeit halber, solches bey uns hertzlich erwogen, seind mit allem fleiß dahin gesinnet vnd bedacht, daß in den Vns anbetrawten Christlichen Seelen vnd Hertzen, wahre Religion, Andacht vnd Gottesforcht, zum förderſten erhalten, vortgesetzet, vnnd was vielleicht an einem oder andern mangeln würde, zum ehisten eyngesäet vnd gepflantzet würde, Welche Andacht Wir in deme gesetzt vnd gesteller haben wollen, daß nit allein GOTTes des Allmechtigen Mayestät vnnd Hochheit mit demühtigem vnnd nidertrachtigem gemüht vnnd gedancken, recht Christlichem hertzen von den vnserigen jnniglich verehret vnd angebetten werde, Sondern auch das mit offentlichen eusserlichen Zeichen vnnd Ceremonien, als kniebiegen, händfalten vnd sonderlich mit öffentlichem Betten vnd Singen, eben diese Hochheit GOTTes mit Forcht vnd Andacht, bekennet, gelobt vnd angeruffen werde.

Hierbenebenst aber, befinden wir es selbsten vnnd werdens von vnseren darzu Deputierten also glaublich berichtet, daß bey vnsern Vnterthanen, theils durch natürliche angeborne neigung, theils durch langen hergebrachten brauch vnnd Gewonheit, diese Affection eyngepflantzet, bestercket vnnd befestiget worden, daß sie an Feyr vnd Sonntagen vor vnd nach dem Ampt der Heil. Meßen, Predig, vnd bey der Christlichen Lehr oder Catechismo, jhr Andacht auch darin stellen vnd setzen, daß sie nebenst inniglichem Gebett, Christliche Gesänge, nach mutterlicher art vnd sprach, mit lauter stim gebrauchen mögen.

Dabey wir vns Vätterlich vnd gnedig, der Apostolischen ermanung vnnd Exempels entsunnen, (1. Corinth. 9. v. 22.) seind den schwachen worden als ein schwacher, auff daß wir die schwachen gewünnen, seind jederman alles worden, auff daß wir jhnen allen helffen vnnd sie alle seelig machen könten. Haben also vnseren vns anbetrawten gemühtern vnnd inclinationen, in so viel gnedig vns accommodirt, daß gegenwertiges Büchlein verfertigt wurde, welches andächtige vnnd der rechten wahren allein seligmachender Catholischer Religion gemäßen Gesänge begriffe, auß welchen die Seelsorgere vnd Pfarrverwaltere, Schulmeister oder welchen das Gesäng in Kirchen anbefohlen seyn möchte, nach gegebener Ordnung sichere vnd zur zeit bequeme vnnd taugliche Gesänge außnehmen, beym heiligen Ampt der Meß, auch vor vnd nach der Predig vorsingen vnnd halten sollen, ja so gar in gemeinen vnnd familiar brauch vnd vbung bringen sollen, daß man hernacher auff Acker vnd Werckstätte, in häußern vnnd gassen, kein vnziemliche, Ketzerische vnnd verdächtige Gesäng vnnd Lieder höre, auch von Thürn vnnd Kirchen keine andere abgesungen vnd geblasen werden sollen, als eben diese, welche in vorgesteltem Buch verfasset vnnd begriffen seyn.

Mit welchem vnserem ernstlichem vnnd endlichen Willen Wir vns gewiß versehen, daß nebenst eynführung vnnd bestettigung des wahren heylsamen Catholischen Apostolischen Glaubens, vnd Beförderung Göttliches Nahmens vnnd Ehren, vnserer vns anvertrawte Seelen Heyl vnd Seeligkeit, wie auch die Vbung also mit rechtschaffenen, Christlichen recht Catholischen Glauben vnd guten Sitten, am meisten befördert vnd promovirt werden solle.

Dann also hats Gott dem Allmechtigen gefallen (Exod. 15. v. 20.) daß nebenst dem Eltisten des außerwehlten Israelitischen Volcks, auch Maria die Schwester Aaronis mit Paucken oder Trommen dem weiblichen Geschlecht vorgehen vnnd des glücklichen Durchzugs durchs rohte Meer mit Lobgesang, laut auß die Göttliche Güte vnd Barmhertzigkeit lobte vnnd preisete. Also hat den frommen alten vnd schier Christlichen haußschuleren den ältern Tobiam, der Engel Raphael vnterwiesen, daß er für empfangene wolthaten vnter den Haußgeschäfften, Gott Gesangsweise loben solle, Dann also ermahnet er jhnen, in seinem Abzug: Daß ich bey euch gewesen bin, ist Gottes wille, dem sagt vnd singet lob vnd danck. (Tob. 12. v. 18.)

Gleicher gestalt hat die Siegreiche Vberwinderin Judith mit welcher die Andacht erzogen, erwachsen vnnd beym gantzen Judischen Volck vermehret worden, nach zerschlagung der Assyrier dieses Lobgesang dem HErrn gesungen vnd gesprochen: Fahet an dem HErren auff den Trummen, singet dem HErren mit Cymbalen, singet jhm ein new Lobgesang: Ja diese Arth mit Gesang, GOtt zu loben, ist dem königlichen Propheten David dermaßen angelegen gewesen, daß er nicht allein mit mühe den Psalter zugerüstet, mit vnkosten allerley Spieler vnnd Sänger bestelt, sondern auch das gantze Volck angereitzet, mund vnnd stimm nicht zusparen beym Lob vnd Danck Gottes: wie klärlich außweiset das sechszehende Capitul ersten Buchs der Königen Chronick, der 32. 69. 95. vnd 97. Psalmen, Ja damit sich kein alter oder standt der Menschen hiervon entschuldigte, rufft er reyenweiß auff aller Menschenstandt, im 148. Psalm: Jhr Könige auff Erden vnnd alle Völcker, Fürsten vnd alle Richter auff Erden, Jüngling vnd Jungfrawen, Alten mit den Jungen, lobet den Nahmen deß HErren, das Lobgesang sollen thun alle seine Heiligen.

Ist aber diß nicht allein bey Judischer und alten Testaments Andacht bestanden, sondern habens die H. Aposteln vnd jhre Lehrjüngere vnder die erstangehende noch blühende vnnd eyffrige Andacht der newer Christen Gesetz in gebotten, daß sie in jhren versamlungen vnd Kirchen, sich des Lobgesangs vben vnd brauchen sollen, dann also treibt die Colosser an, der H. Paulus (Coloss. 4. v. 16.) vermahnet auch selbst mit Psalmen vnnd Lobgesang vnnd geistlichen Gesängen vnd mit dancksagung vnd singet GOtt in ewrem hertzen. Gleicher weise, vnterweiset bemeldter Apostel die Epheser wie sie in Kirchen vnnd freundlichen Zusammenkünfften, sich mit Göttlichem Lob verhalten solten, sprechend: Redet vntereinander von Psalmen vnd Lob vnd geistlichen Gesängen, singet vnd lobsinget dem Herren in ewerem hertzen. (Ephes. 5. v. 19.)

Vnd diese Andacht zwar, wie sie bey den Kirchen jhren Anfang gewonnen, also hat sie sich in die Stätt vnd gassen, in heußeren, Kauff- vnnd Handwercksladen, vnd so gar auff dem Acker außgestrecket, wie dann der H. Basilius (lib. de spir. cap. 7 & 29.) von seiner zeit Christen schreibet, daß wider der Arrianer Gottloßigkeit alle gassen vnnd Felder erschollen seyn, mit dem Lobgesang der Allerheiligster Dreyfaltigkeit, Ehr sey dem Vatter vnnd dem Sohn vnd dem H. Geist, etc. Wie dann auch einen

Christlichen Meyrhoff also beschreibet, der H. Hieronymus (epist. 17 ad Marcellam.) Meyrhöff vnnd gantzer Bawrschafft ist ein stillschweigens ausserhalb des Psalmengesangs, wo du dich hinwendest, so singt der Ackermann am pflug Alleluia, der schwitzender Schnitter vnd Kornärndter, der fleissiger Weingärtner trösten vnnd erquicken sich mit den Psalmen Davids, diß pfeiffen die Hirten, diß sind die Wehr vnnd zeug der Ackerleute. Dahero dann der H. Chrysostomus (homil. in Psal. 41.) wie in allem also auch in diesem altem Gottseligem Gebrauch zuerhalten emsig ermahnet so ernstlich die Haußwirt vnnd Vätter daß sie Hauß vnd Hoff mit Geistlichen Gesängen, so sie in Kirchen gelernet, erfüllen sollen. Dieses, spricht er, sag ich euch nicht darumb, daß jhr allein GOtt lobet, sondern daß jhr ewre Weib vnnd Kinder lehret, dieselbe Lieder singen, nicht allein wann sie weben, ärnden oder sonst einiges Haußwerck verrichten, sondern auch vornemlich am Disch vor vnnd nach dem essen, daß jhr singet mit ewren weib and kindern mit Lobgesang vom Tisch abgehet.

Vnnd bey diesem so löblichen Gebrauch zu verharren, befinden die heilige vnnd Hochgelährte Männer, große vornehme vrsachen, dann sie sahen, daß durch Lieblichkeit deß Gesangs vnd Melodey viel heilsame Lehr die Hertzen durchtrungen, vnnd theils zum rechten Glauben, theils zum Christlichen Wandel anreitzeten. Von jme selbsten bedenckts der heiliger Augustinus (lib. 9. confess. c. 6 & lib. 10. c. 33.) daß jhm zum offtern die augen vnd wangen mit zähern vberlauffen vnd einen anfang seiner Andacht gewonnen, wann er in der Kirch zu Meyland den Gesang, welches vom H. Ambrosio angestelt, beywohnete, vnd dieses hat der heiliger Ambrosius (Conc. de basil. non tradendis haereticis Niceph. Callist. hist. Eccles. lib. 9. cap. 16. lib. 33. cap. 8. Horat. Tursell. lib. 2. vitae P. Xauerii cap. 30.) nicht allein beym Augustino sondern auch bey vielen andern so mit Arrianischem gifft inficirt waren, zur erkäntnuß der warheit nützlich zu seyn, gespüret, wie auch der H. Ephren in Syria, der heiliger Chrysostomus zu Constantinopel, vnnd zum newlichsten der heiliger Franciskus Xauier in bekehrung der blinder Heydenschafft durch gantz Indien nichts ersprießlich zu dempffung der Irrthumb vnd Ketzereyen befunden, als eben durch Christliche Gesäng in Lands vnnd Mütterlicher spraach, so wol der Jugend als auch gemeinem Volck die Christliche Lehr vorhalten.

Dieweil Wir dann ebener massen bedacht vnd gesinnet, alles was zum geistlichen Seelen frommen besten pflantzung vnd auffwachsen ersprießlich seyn mag, bey Vnsern Vnterthanen vor die hand zu nemmen, vnnd hierbey glaubwürdig verstendigt werden, daß durch Vnsers Stiffts Pfarr- vnd Kirspels Kirchen, so wol in Stätten als Fleck- vnnd Dörffern, in offentlichen Kirchen vnnd Schulen vor vnd nach den Predigen, auch vnter dem hohen Ampt der H. Meß, nicht allein verdächtige Lieder vnd Gesäng gesungen, sondern auch von Christlichen Kirchen verworffener vnnd verdamter, ja auch offentlicher außgeruffener Ketzer, schädlich spargierte vnnd außgesprengte Bücher, offentlich vor vnnd in die hand genommen, vnschuldige Jugendt vnd Leyen hierauß verdamlich, zu jhrem ewigem schaden vnterwiesen werden, Also daß sie an statt wahrer Andacht, Gebett vnd Gesäng mit Gottslästerlichen wider GOtt, wider seine liebe Heiligen angefült werden: Vnnd da sie bey Sonn- vnnd heiligen Tagen GOtt schuldige dienst leisten, seine huld vnnd gnad erwerben, anstehende häuffige Straffen mit Gesang vnd Gebett ablehnen solten, vielmehr die ruthen vnd zorn Gottes mit solcher Gottloßigkeit auff sich laden.

So ist Vnser endlicher Wille vnnd ernstliche Meynung welchen Wir mit diesem, allen Pfarrherrn, Predigern, Seelsörgern, Capellan vnd welchen der Kirchengesäng wird anbefohlen sein, Ober- vnd Vnter Schulrectoren vnnd Meistern, Custern, Thurnwechtern, Bläsern vnnd Spielleuten, in gnaden zuwissen thun, daß sie alle obged. Bücher, auß Kirchen, Schulen, vnnd Gebrauch des gemeinen Volcks abschaffen, Hingegen auß Vnserm Befehlich jhnen vorgetragenes Gesäng vnnd Psalmenbuch an hand nehmen, darauß die liebe Jugend vnterweisen, den Alten in Kirchen vorsingen, von Thürnen, Morgens, Abendts vnnd Mittags, anders nichts abblasen oder spielen, als was in diesem Büchlein mit sicherer Ordnung vnd designation vorgeschrieben wird.

Wann aber nun wider gnediges Versehen vnnd Hoffnung etliche gesunden werden solten, welche diesem vnserm gnedigen Willen zugegen handlen würden, werden Wir nach ernst dieses Vnsers wolmeinens, wider dieselbige mit arbitrari Straffen nach eines jeden Standts vnnd Condition, durch vnsere Geistliche vnnd Weltliche Beampten procediren vnd verfahren lassen, Demnach sich ein jeder wird zurichten vnnd vor schaden zu hüten wissen, etc.

Aus Voglers Catechismus 1625.

Günstiger Leser.

NAch dem ich nun in das zwäntzigest Jahr ohn vnderlaß den Catechismum in Kirchen vnd Schulen, auß Befelch meiner Vorsteher gelehrt, vnnd wie man spricht, Lehrgelt gnug hab geben müssen, biß ich ein Weiß hab angetroffen, welche der noch blüenden Jugendt zu gleich angenem nuz vnd bequem, dan auch den Eltern fürderlich were: hab ich nach langwieriger Vbung, diesen Catechismum practicum nicht mit den Catechisten weder an tauglichen Exempeln, noch an kurtzen Außlegungen Gesängeren oder anderen Vbungen, nichts mangle.

Weil aber diß Buch allermeisten für Kinder ist angesehen, soll keiner hie subtile Witz vnnd spitzfündige oder scharpffgedrete Sachen suchen, weil dergleichen subtiliteten der lieben Jugend sehr wenig nutzen.

Hie wirdt die Christliche Lehr für Kinder Kindisch, für Einfeltige Einfeltig: recht vnd schlecht für Augen gelegt: auch vnderweilen ein Ding auff zwo, drey, vierley Weiß vorgebrockt vnd eingestrichen, damit noch zarte Jugend nothwendige Stück zur Seligkeit, entweders auff diese, oder auff ein andere Weiß annemlich ergreiffen möge: Dann auch, daß Göttlicher Dingen Erkandtnuß, je länger je tieffer wurtzle, in Wachßweiche Hertzen eingetrückt, gantz festiglich hafte, nur durch kurtze Exempel, jetzt durch kurtze Fragen vnd Antwort, dann durch Gesänger in vnderschiedlichen Melodeyen, Concerten vnd Reyen: damit auch der Catechist mancherley Mittel, Weiß vnnd Griff in der Hand habe nur diesen, nur jenen zu helffen, mit lieblicher Abwechßlung ohn welche der Verdruß sich vber die massen bald erregen wil. Soll sich der Verhör- vnd Lehrmeister bey Leib nicht schämen, mit Kindern Kindisch, vnd schlecht mit schlechten Leutlein zu handlen, weil auch die Weißheit deß ewigen Vatters vnser schwachheit auff vnnd angenommen, nach vnserm Verstand sich wöllen richten, etlichen Milch, starcke Speisen den anderen, dargereicht, mit höchster Gedult vnd Demuth.

Zum andern, ist dieser Catechismus so wol für Kirchen als Kinderschulen vermeint, damit in den Schulen die gantze Wochen hindurch werde widerkewet, was nechstuerwichnen Sontags in der Kirchen war außgelegt: daß jede Außlegung mit jhren Fragen vnnd Antwort dest leichter möchte in frischer Gedächtnuß behalten werden: dann auch, daß man daheimb, fürnemblich winterszeit, in den Spinn- vnd Neestuben etwas kurtzweiliges habe zu lesen, zu singen, vnd fürzubringen.

Zum dritten, ist alles in kurtze Fragen vnd Antwort eingetheilt, dieweil man mit langen Predigen, die Kinder, vnd einfältige Leut, gemeinlich mehr verwirret, als beförderet: daß auch die Elteren vnnd Lehrmeister kurtze Fragen gleich an der Hand haben, jhre Kinder zuexaminieren, was sie zugenommen in Erkantnus Gottes: damit dann die Kinder angewiesen werden von gehörter Catechismus Lection zu disputieren, entweders daheim vorm Tisch, oder aber offentlich in Kirchen vnd Schulen.

Zum vierdten, hab ich newe Gesänger vnd Reyen darumb gemacht, weil ich gesehen, daß gar keine Gesänger vorhanden, in welchen der Catechismus mit seinen Außlegungen, zu dem Ziel, welcher der Catechist haben soll, begriffen. Gedachte bey mir selbsten, es stehe vber die massen lächerlich, daß etliche ein gantzes Jahr lang zwey oder drey Gesänger die Catechetischen Jugend wollen vorsingen, die sich auff außgelegte Matery, so wenig schicken als der arme Judas auff Pfingsten.

Zum fünfften, sollen die Reyen in zweyen Chören gegen einanderen also gesungen werden, daß nach zwo Strophis ein Intercalar Verß, werd eingemengt, wie fol. 470. vnd 644. zusehen, durch welche fast tröstlich, in newer anmůtiger Weiß, nicht allein der Verstandt, sondern auch der Will, fein lieblich vnd kindlich, sich in Gott den Herren erschwinge, mit Glauben, Hoffen, Lieben, Loben, Dancksagen, Anruffen, etc. Wer aber dieses Buch in Kirchen vnd Schulen nutzlich brauchen wil, muß meines erachtens verschaffen, daß auff das wenigst drey Exemplar die Knaben, vnd drey die Tóchteren haben, auß welchen sie ein Stropham gegen dem anderen singen. Der gemein Hauff aber, kan leichtlich einen Intercalar oder zwen, außwendig lernen, vnd bedarff keiner Bůcher.

Zum sechsten, seyn zwar viel Melodeyen allhie zufinden: jedoch, soll dessethalben keiner erschrecken, weil nicht vonnóthen, daß einer mehr, als einige, außwendig lerne: vber ein einige Melodey, kónnen alle vnd jede Chori gesungen werden. Zu kurtzweyliger Abwechslung aber, kan man nun in dieser, nun in jener Weiß singen. Wo gar keine, auß getruckter gefiele, wird sehr leicht sein einem jeden, ein andere Melodey zu erdencken, nach eignem Lust Gust vnd gefallen: vber welche sich alsbald der gantze Catechismus schicken wirdt, wann nur ein einiges Gesátzlein, mit new erfundner Melodey eintrifft. Der Generalbaß welcher bey etlichen zufinden, ist dahin vermeint, daß man vnderweylen die Orgel darzugebrauchen kóndte.

Zum siebenden, wer Exempla haben wil, fůr diß oder jenes Stůck deß Catechismi, der besehe Indicem. fol. 621.

Zum achten, wil allerdings vonnóthen seyn daß man in Vnderweysung der Jugend gute Ordnung halte, welche vngefehr in folgenden Stůcken steht. Darumb merck.

I.

Daß die fůglichste Zeit den Catechismum zulehren, ist die Nachmittag Zeit am Sontag: so bald man dann vmb halber eins das Klocken Zeichen hóret, sollen Christliche Elteren, sich mit jhren Kindern vnd Gesind, die Tauff vnd Firmpatten mit jhren Anvertrawten, strack zu der Kirchen verfůgen: drob vnd dran seyn, daß jhrem Ampt vrd versprechen nach, Sonn- vnd Feyertág heyliger von jhnen zugebracht, vbermássiges Fressen, Sauffen, Tantzen, Spielen, Můssiggang, vnd dergleichen nicht geringe Laster vermyden bleiben.

II.

Sobald die Kinder versamlet seyn, sollen die Knaben auff jhren Báncken abgesóndert, mit jhren Verhórmeistern sitzen: Die Tóchteren ebenmássig mit jhren Lehrmeisterin: von welchen sie erstlich in geheim sollen fůrgeschriebene Lection abhóren: dann sollen sie die Kinder lehren beichten, communicieren, Meß hóren, den Rosenkrantz betten: etwas sagen von dem nechstkůnfftigen Festag: wie sie jhre Elteren vnd Haußgesind zur Beicht vnd Communion sollen ermahnen. Dann kan man fragen wer seine Haußgenossen oder andere im Cathechismus vnd Glaubens Sachen vnderwiesen: wer Flucher, Gottslásterer, die Weinsauffer gestrafft: wer táglich Meß gehórt, den Rosenkrantz gebettet, Weyhwasser heimgetragen, sein Altárlein, sein Krippelein auffgericht, was man darbey gebettet oder darbey fůr ein Andacht verricht. Denen die fleissig sein gewesen, sollen Verhór- vnd Lehrmeisterin Gaben geben.

III.

Weil viel nicht betten kónnen, oder sehr vbel betten, kónnen die Verhórmeister vnnd Lehrmeisterin zeigen, wie das Morgen- vnnd Abendstund- vnd Schußgebett zuuerrichten, was man zu dem Geleut des Aue Maria betten, bey dem Rosenkrantz betrachten soll.

IV.

Nach der verhór, soll man etwas singen, entweders auß dem Kinderiubel nach Gelegenheit deß Fests, oder auß den Hanptstůcken des Catechismi wie fol. 5. 11. 15. 20. 25. 30. 403. 415. 435. 440. 465. 603. verzeichnet. Oder so man wil, auß den Choris außgelegter Matery.

V.

Soll der Catechist also den Anfang machen, daß er sich erstlich mit dem grossen, dann auch mit dem kleinen Creutz auff der Stirn, Mund, vnd Brust bezeichne, und bette, wie fol. 1. zufinden.

Die Kinder aber, vnnd das ganze Volck jhm nachspreche mit gebognen Knyen gegen dem Altar. Aber gegen jhrem Gesicht, soll der Catechist stehn, vnd acht geben, ob die Kinder mit zusammen gelegten Händen, mit in Himmel auffgehebten Augen, züchtig, andächtig jhr Ampt verrichten. Darzu dann auch alle Verhörmeister vnnd Lehrmeisterin in jhren Bäncken behülfflich seyn werden.

VI.

So bald das Gebett verricht, soll der Catechist widerholen, was vor acht Tagen gesagt ist: also, daß er auß einem, oder mehr Kindern was sie behalten, erfrage, vnd jhnen auff das gespor helffe, damit nicht die Elteren, zugleich mit jhren Kindern, verschämbt werden.

Mann kan auch zwey, oder mehr, auß voriger Lection disputieren lassen, doch also, daß sie zwar in der Schulen darzu seyen abgericht vnd verhört worden auß dem Buch.

Als dann soll mit Erzehlung oder Ablesung schöner Exempel, widerholte Matery etwas kräfftigers den Kindern vnd dem Vmbstand eingetrieben werden. Welche Exempel im Indice fol. 621. kündten auffgesucht werden.

VII.

Dann soll man offentlich etliche Kinder hören, wie sie den Cathechismum Canisij vnderweilen auch in reymen gegen einander recitieren: wie sie jhr Kinderspiel gelernet, was sie für Exempel behalten haben, die fleissigen loben vnd begaben, darzu dann vnderweilen die Elteren reiche Herren, vnnd Matronen stewren solten, kan meines erachtens kein Gelt besser angelegt werden.

VIII.

Dann kan der Cathechist fortfahren in seiner außlegung: erstlich sagen wo von er jetzunder reden woll: zum anderen soll er kein lange Predig noch gewäsch machen. Sondern in sehr kurtzen fragen, sehr kurtzen antworten sein Lehr den Kindern vorbrocken vnd einstreichen: gleich darauff etlich auß jhnen mit freund vnd lieblichen Worten examinieren, ob sie die Antwort auff jede Frag trewlich behalten. Zum dritten kan er etwan ein Exempel erzehlen, welches sich auff außgelegte Stücklein schickt, weil Exempel vnnd Gleichnussen viel helffen zu erklärung der Sachen, vnd die Hertzen lieblich bewegen.

IX.

Sollen die Kinder ermahnet werden, was gesagt ist fleissig zubehalten: alle vnd jede Stück daheim, vnd in den Schulen, die gantze Wochen zu widerholen, darauß zu disputieren: jhren Eltern vnd Freunden zu erzehlen, was sie gehört und behalten haben.

X.

Volgt der Beschluß, in welchem erstlich daß Gebett soll gesprochen werden wie fol. 33. verzeichnet. Dann ein Chorus mit seinem Intercalar gesungen, welcher die Wochen hindurch gelernet vnd geübet worden in den Schulen, vnd außgelegte Matery deß Catechismi in sich halte.

XI.

Zur vnderweiß der Kinder wird sehr nutz vnd behülfflich seyn. Daß erstlich die Schulkinder täglich in dem Catechismo, oder Kinderspiel lernen lesen oder auffsagen.

Zum andern, daß sie alle Mittwochen vnd Freytag, auß letzter Catechismus Lection disputieren.

Zum dritten daß sie täglich im Anfang oder End der Schulen gegen einanderen den Chorum vnd Intercalar mit Versen Singen, welcher mit außgelegter Materij verzeichnet.

Zum vierdten daß alle Spieltäg vormittag die Kinderschulen von den Catechisten besucht werden, vnnd etliche bestelt, die nechstkünfftigen Sontag offentlich in der Kirchen gehörte Lection gegen einander auffsagen oder dißputieren. Dann das man die Kinder lehre singen vnd in denen Stücken vnderweise, welche oben §. 2. der längenach seyn den Verhör- vnd Lehrmeistern fürgeschrieben.

Zum fünfften, damit die Jugend desto mehr zunemme an Weißheit vnnd Gnaden, vor GOtt vnd den Menschen, sollen alle Schulkinder täglich zur Meß geführt werden, vnnd außgelegt was die Meß sey, was jhre Ceremoni bedeuten.

Zum sechsten, sollen sie alle Monat zur Beicht geführt werden, vnnd zuor wol vnderricht seyn in dem Beichtspiegel, dann auch in denen Stücken die zu rechter Beicht vnnd Buß gehören, oder zu der heiligen Communion.

Zum siebenden, soll ein jedes Schulkind seine Patron bey Gott haben, deren Gebett vnd Fürbit, es sich täglich demütig befehle.

Zum achten, wann etwann ein Procession soll angestelt werden, ist gut daß man sie zuuor in der Schul darzu ermahne, vnnd jhnen starck einbilde, daß sie in offentlicher Procession still vnd züchtig seyen, jhre Sinn verwahren, nicht schwetzen noch verwehnt seyen.

Letzlich, soll sich der Catechist mit einem Wort befleissen damit durch jhn auff dieser Erd, gemehret werd, die Göttlich Ehr, je mehr vnd mehr, mit dieser Lehr.

So viel hab ich dem günstigen Leser nicht können verhalten. Geben zu Würtzburg in festo Annunciat. B. Virginis Anno 1625.

Bamberger Gesangbuch 1628.

Dem Hoch Ehrwürdigen in Gott Vatter vnd Herrn, Herrn Erasmo Behaim, Abbten vnd Praelaten deß Closters Langheim, Cistercienser Ordens, Meinem gnedigen Herrn.

Es schreibet Cuspinianus in vita Alberti V. Hoch Ehrwürdiger in Gott Vatter, Gnediger Herr. Daß der Aller-Allerdurchleuchtigiste Fürst vnnd Ertzhertzog in Oesterreich, Albertus IV. dem Gottesdienst und lob Gottes mit solchem Eyfer hab beygewohnt, Daß, wo er auch ist in die Kirchen kommen, hat er sich zu den Singenden gestelt, und mit besonder Andacht vnd Lieb gegen Gott hertzlich mitgesungen. Ohn zweiffel hat er bedacht, wie viel heiliger Leut im Alten und Newen Testament, Gott mit Hertzen vnd Mund zu loben, sich beflissen haben. Wie wir dann lesen Exod. 15. Daß Moyses vnd Aaron mit jhrer Schwester Maria das Lobgesang Cantemus Domino vff zween Chör gesungen haben. Deßgleichen auch Anna, 1. Reg 2. Nachdem sie Gott mit jren Sohn Samuel begabt. Also hat auch gethan der fromme König Ezechias Jsa. 38. Nachdem er wunderbarlich von seiner tödtlichen Kranckheit erledigt worden. Vnd die drey edle Knaben im fewrigen Ofen, Dan. 3. Vnter allen aber ist Dauid der fürnembste Singer in Jsrael gewesen, 2. Reg. 23. Dann er sich nicht begnügen lassen, daß er (vnangesehen er mit so viel wichtigen Geschefften seines Königreichs, vnd mit so manchen schweren Kriegen beladen gewest) selbst so viel Psalmen vnd geistliche Gesänger componirt vnd zusammen getragen: sondern hat solche auch für sich vnd mit andern Singern gesungen, auch offt selbst mit Seyten vnd Harpffen darzu gespielet: Vnd vber diß alles mit gewaltigen vnkosten 280. Singer bestelt, alle sampt Meister in solcher Kunst, vnd dieselbigen in schöner Ordnung auff 24. Chör oder Sorten außgetheilt, welche ohn vnterlaß singen vnd Gott loben müssen. Dann also vermahnet vnd reitzt er sie an zum lob Gottes, da er spricht: Psal. 148. Die König der Erden, vnd alles Volck, Jüngling vnd Jungfrawen sollen loben den Namen des HErrn. Wollen wir suchen im Newen Testament, sind sich zum ersten die Königin Himmels vnd der Erden, die vbergebenedyte Gottes Gebärerin Maria, mit jhrem vberaußschönen Magnificat. Darnach die lieben Engel mit jrem himlischen Gloria in excelsis Deo. Zacharias fengt an des Benedictus. Der alte Simeon beschleust mit dem Nunc dimittis. Wie hat doch das andechtige Hosianna Filio Dauid der frewdigen Jerosolymitanischen Jugent, Christo dem HErrn so wol gefallen, daß er zun Phariseern sprach, Matth. 21. Wann diese solten schweigen, müsten ehe die Stein anfangen zu schreyen, vnd jhn ansingen. Wil jetzt nicht sagen von den vhralten Teutschen, welche, da sie noch in der Heydenschafft gewesen, die herrlichen Thaten| jhrer Voraltern in Reimen vnd Gesangsweiß der posteritet haben wollen commmendirn, wie auß vielen Cronicis zu sehen. Daß auch die ersten andechtigen Christen Gott zu loben mit Psalliren vnd singen so wol als jetzunder im brauch gehabt, bezeugen viel heilige Vätter und Lehrer, als Dionysius Areopagita, de Eccl. Hier. Basilius, Lactantius, Augustinus, Isidorus, Ambrosius, Gregorius Magnus. Vnd sonderlich der H. Bernardus, Medit c. II. Epist 312. rühmet das Gesang, vnd schreibt wie es sol beschaffen sein, daß es Gott dem HErrn gefalle. Solcher Gott wohlgefelligen Vbung haben auch nachgesetzt viel alte ansehnliche Menner bey 60. vnd 70 Jahren, welche sich nicht geschembt in Chor zu tretten, daß Rorate vnd Tricesimum B. Virginis in aller frue mit den Schulmeistern vnd Cantoribus zu singen, wie ich in der Jugent zu Weißmain in meinem Vatterland, vnd an anderen Orten deß Stiffts Bamberg gesehen, vnd gleichsamb ab ineunte aetate, die alten anmütigen geistlichen Melodien apprehendirt, folgends von Jahren zu Jahren verhofft, etliche der fürnembsten mit vier Stimmen zu sehen, solcher hoffnung aber nit genossen. Hab mich zwar viel zu gering geschetzt, etliche mit gebürender |zier vnd kunst auff 4. Stimb zu componirn, doch hat mich der Eyfer, in befürderung Gottes ehr, so weit gebracht, daß ich mich vnterwunden, mein vorhaben ins Werck zu richten Gott geb was auch die neydischen Zoili darwider werden ausgiessen. Vnd in dem ich sorgfeltig weiter nachdenck, wer mir alsdann in meinem proposito werde patrocinirn, vnd dem ich billig diese Gesänger solte dedicirn, hab ich befunden, daß E. G. vor andern zuerwehlen sey. Sintemahl deroselben Ehrlöbliche H. Antecessores die Music vnd Musicanten specialiter haben geliebt, befürdert, vnd jhnen mit allen Gnaden gewogen, vnd günstig sein gewesen. In welchen E. G. jhnen nicht allein nachfolgen, sondern auch je mehr vnd mehr der Gottesdienst tam viua quam instrumentali voce durch dero befürderung zunimbt. Ich hab auch billig specimen gratitudinis sollen exhibirn, wegen der vielen Wolthaten, die ich von E. Gn. Hochlöblichen Closter hab empfangen, sonderlich in dem, daß ich durch dero hülff vnd gnediger befürderung, ad Sacerdotium vnwürdig bin promouirt worden. Also hab ich vnterthänig vnd demüthig zu bitten. E. G. als mein Gnediger Herr vnd Patron woll jhm diese Dedication lassen belieben, vnd nicht ansehen wie schlecht vnd einfältig diese Gesänger sind componirt, sondern viel mehr den guten affect Gottes Ehr zu befürdern, darauß erkennen. Hiemit deroselben zu beharrlichen Gnaden mich empfehlent. Bamberg, den 2 Nouembris, an welchem Tag zu Bamberg die Gedächtnuß der H. Martyrer Eustachii vnd seiner Gesellen begangen wird, Nach vnsers Heylands vnd Seeligmachers Geburt in sechtzehen hundert sieben vnd zwantzigsten Jahr.

F. Gn.

Vnderthäniger

Johann Degen, Sacellanus ad
D. Martini Bambergae.

Aus der Dedikation von Corners Gesangbuch 1631.

Dem Edlen Gestrengen Herrn, Gabriel Gerhard von Falbenstein zum Hohlerhof, Wolverordneten Herrn Pflegern der Göttweigischen Herrschaft Niedern Rhaina. Wie auch dessen Hochgeliebten Frawen Gemahlin, der Edlen Gestrengen Frawen, Magdalenae Gerhardin Gebornen von Altenaw, etc. Meinem, als Vettern, Hoch Ehrgeliebten Herrn vnd Frawen.

VOr ohngefähr sechs Jaren, da ich, als Pfarrer der Kayserlichen Stadt Rötz, noch die gefährliche bürden der Seelsorgen auff mir trug, hab ich meinen lieben Pfarrkindern vnd sonst männiglich auß den gemeinen Leuten, sonderlich denen, welche sich vnlengst von den Sectischen Irrthümmern zu der allein Seeligmachenden Catholischen Religion begeben gehabt, vnd zuvor deß verführischen Singens gewohnet gewest, zum besten, auß all den Catholischen Gesangbüchern, so ich damaln haben können, ein zimblich groß Buch zusamb getragen, auch dasselbe mit allerley nützlichen Gesängern, welche zu Hauß vnnd zu Kirchen, wie auch bey Processionen vnd Kirchfahrten zu allen vnterschiedenen Fasten vnd Jahrszeiten deß Jahrs kōnen gesungen werden, so reichlich vermehret, daß ich es nicht vnbillich das Groß Catholische Gesangbuch tituliren können.

Vnd ob wol die erste Edition wegen meiner vielfaltigen occupationen, vnd der Abschreiber (denen ich zuviel getrawet) grossen vnfleiß zimblich vbereylet worden: Jst selbige gleichwol so weit gerahten, daß inn kurtzer zeit vber 2000 Exemplaria aufkaufft, vnd hernach keines mehr zu bekommen gewest, also daß ich zu einer newen edition von vielen fürnehmen Orten zu mehrmalen ersucht, auch durch vberschickung anderer gar nützlicher Newer vnd alter Gesänger, den vorigen zu inferiren, angelangt vnd angetrieben worden.

Denen zu willfahren, beförders aber die Ehre Gottes, auch dißfals zu vermehren, hab ich diese Arbeit nochmahln auff mich genommen, voriges Gesangbuch nicht allein an vnzehlich viel orthen corrigiret, sondern auch fast vmb den dritten Theil verbessert, vnnd hergegen andere Gesänger, deren man leicht gerahten können, außgemustert, damit das Buch nicht all zu groß vnd vnbequem zu brauchen würde.

Zu welchem Werck denn gar viel genutzt haben die zwar kleine doch sehr gute Gesangbüchlein, so auff befähl hoher Chur. vnd Fürsten zu Mayntz, Cölln, Würtzburg, Heydelberg, Amberg, vnd andern orthen in dessen neulich außgangen seyn. Sonderlich hat zu jetzt ernennten kleinern, wie auch zu diesem grössern Gesangbuch viel zugetragen, der Ehrwürdige Hochgelährte P. Georgius Vogler, Soc. Jesu, welcher seinen köstlichen Catechismum mit schönen Gesängern, Reymen, vnd Reyen sehr nützlich gezieret, auß denen allen ich gleichsamb den Kärn zusammen gezogen, vnd in diß grosse Gesangbuch transferiret, daß also diese andere edition vmb ein weites vollkommener vnd besser sein wird als die erste.

Solches so sehr verbessertes Gesangbuch aber hab ich dem Herrn Vettern vnd seiner HochEhrgeliebten Gemahlin nicht nur Brauchshalber, sondern vielmehr darum dedicieren, vnd zu eim Glückseligen Frewdenreichen newen Jahr offerirn wollen, damit auch dieses Geistliche praesent vnser bißhero zusammen getragene mehrentheils Geistliche grosse freundtschafft desto mehr bestätiget vnd je länger je vollkommener würde, denn ich achte für gewiß, daß niemahln vnter sterblichen Menschen, einige so vollkommene freundschafft erfunden worden, welche durch euserliche offerta vnd bezeugnuß der jnnerlichen liebe, nicht grösser vnd vollkommener hette können gemacht werden. etc. etc.

(Was nun folgt ist von keinem Interesse für den Kirchengesang.)

Der Schluß lautet:

Gott wolle jhm vnser seuffzents Singen inn diesem Jammerthal der Zäher so lang lassen gefallen, biß er wirdig mache, die süssigkeit der Englischen Harmoney in der Glory der Kinder GOttes anzuhören. Fiat. Fiat. Göttweig zu dem eingehenden Newen Jahr nach Christi vnsers HErren Geburt 1631.

P. David Gregorius Cornerus,
S. S. Theologiae Doctor,
Prior daselbst.

Vorbericht zu den Corner'schen Gesangbüchern v. J. 1631, 1649 u. s. w.[1]

Herrn, Herrn Abbtens zu Göttweig Vorrede an den andächtigen Singer, von rechtem Gebrauch vnnd Mißbrauch deß singens.

GRoß vnnd fast vnglaublich ist die liebliche Süssigkeit vnnd kräfftige Würckung deß Singens, also daß sie auch die allerhärtesten Gemüther einnimbt vnd bezwinget. Dann da sihet man, das kein Stand auff Erden so

1) Unser Vorbericht ist in der Fassung gegeben, wie ihn die Geistl. Nachtigal vom Jahre 1649 enthält. Das Gesangbuch Corners vom J. 1631 enthält denselben Vorbericht mit einigen Varianten, aber vielen Druckfehlern.

hoch, kein Ambt so müheseelig, kein Mensch so schlecht, der nicht durch ein anmütiges Gesang könte bewegt vnd erweicht werden. Kleine Kinder in der Wiegen, die grossen in schwerer Arbeit, die Geistlichen in der Kirchen, die Weltlichen in jhren Häusern, der König in seinem Pallast, der Soldat im Feld, der Wandersmann bey Tag, der Wächter bey Nacht, der Bawr vnd Handwercker wann jhnen der Schweiß vbers Angesicht laufft, alle diese werden erfrewet, vnd in jhrem Weynen, Sorgen, leydt, Mühe vnd Arbeit, ergezet durch ein holdseliges liebliches Gesang.

Vnd was ist wunder, daß die Menschen durchs singen sich lassen bewegen vnd ermuntern, weil wissentlich, das auch die vnvernünfftigen Thier ein anmuthung haben zur Music: Was frewt die schöne Vögelein mehr, als wenn sie hören jhr liebliche Stimmlein so holdselig erklingen? Wer ist so gar aller Frölichkeit feind, der jhnen nicht mit lust zuhöret, wenn sie im Wald gleichsamb miteinander streiten, welches das ander vberstimmen, vnnd mit seiner Lieblichkeit vberzwingen möge? mit dem lieblichen Schall deß singens wird der Vogel gelockt ins Netz, der Hirsch auffgehalten in vollem Lauff, der Hund gehezt vnd wieder gelocket. Mit keiner Kunst ist der streitbar Elephant ehe zu fangen, als mit dem Gesang. Ein Roß gehet vnder seinem Reuter viel munterer vnd wackerer, wenn er mit lust sein frische stimme läst in dem Lufft erklingen. Das also die vernünfftige heydnische Poeten nicht ohne vrsach vom Orpheo vnd Amphiona fürgegeben, wie durch jhr lieblich: vnd künstliches singen nit allein die wilden Thier vnd die Fisch im Meer, sondern auch gar die Bäume vnd Stöck in den Wälden, die Stein vnd Felsen an den Bergen gezogen vnd bewegt seyn worden: denn sie dadurch zuverstehen geben wollen, das kein menschlichs Gemüth so grob, vnzogen, so stöckisch vnd blöckisch, ja so steinern vnd felsich seyn könne, daß sich nicht durch ein lustiges wolgestimbtes vnd süß klingendes Gesang thet bewegen, ziehen vnd lenden lassen.

Vnd ist nicht wunder, das so grosse Krafft vnd Lieblichkeit im singen verborgen ist, weil in demselben drey ding sich beysammen finden, deren ein jedweders für sich selbst gnug ist, das menschliche Herz vnd Gemüth zugewinnen. Denn im Gesang ist zu finden die Anmutigkeit vnd Holdseligkeit der menschlichen Stimm vnd Sprach: im Gesang ist die Lieblichkeit der Poetischen Syllaben vnd Reimen, im Gesang ist die Süssigkeit der schönklingenden auf: vnd absteigenden Melodey vnd der Musicalischen Harmoney. Daß ich jezo der halb todten Musicalischen Instrumenten, der Pfeiffen vnd Geigen, der Harpffen, Cythern, Lauten vnd Orgeln (welche man offt vnd viel mit vnd neben dem Gesang brauchet) geschweige; als wenn nit zu so vielfacher Lieblichkeit vnd hochbeweglichen Süssigkeit deß singens, auch ein annemmliche hochsinnige Materi kombt, das ist, wenn die sach selbst, von welcher das Gesang gemacht worden, auch nicht allein lieblich vnd annemmlich, sondern hochwichtig vnd voller Weißheit ist. Was kan mehrers zur bewegung deß menschlichen Gemüts begehrt werden, Vinum & musica laetificant cor, & super utraque dilectio sapientiae; Tibiae & psalterium suavem faciunt melodiam, & super utraque lingua suavis, sagt der Sohn Syrachs (Eccles. 40, 20). Der Wein vnd die Music erfrewen das Herz, aber die Liebe zur Weißheit mehr als dise beyde, Pfeiffen vnd Psalterspiel geben ein liebliches Gethön, aber vber beyde ist ein holdselige Rede. Wann auch diese Lieblichkeit vnd verborgene Krafft deß singens zu erlernung der wahren Göttlichen Weißheit, zu vermehrung deß Lobs Gottes vnd seiner Heiligen, zu fortpflanzung Christlicher Religion, vnd zum auffnemmen der wahren Kirchen Gottes angewendet wird, ist nicht leicht zu sagen, was für ein Nuz durch Gottselige Rüff vnnd Geistliche Gesänger zu wegen kan gerichtet werden.

Wie aber nichts so gut vnd fürtrefflich von Gott gegeben, seine Ehr vnd der Menschen Seligkeit dadurch zufördern, welches nit auch der Teuffel zur Sünden vnd vermehrung deß höllischen Reichs pflegt zu mißbrauchen: Also ists gerathen, daß sich derselben die Menschen (ohne zweiffel auß anlernung des Teuffels) zu allerley gar grossen, abschewlich: vnd verdamblichen Sünden, auffs vbelste mißbrauchen. Dann da hört man fast täglich, wie durch alle erdenckliche Süssigkeit deß singens die allerschändlichste, vnchristlichste Büberey vnd Vnzucht durch die Ohren vnd äusserliche Sinnlichkeit in die Hertzen der Menschen eingegossen werde, also, daß man sich jetzo nit schämbt offentlich in aller Welt Ohren mit höchster vnverschämigkeit solche Schand zuklingen vnd zusingen, die Geilheit deß Fleisches dadurch zureitzen, darob sich billich ein jedes menschlichs Hertz (da anders ein einziger Blutstropffen recht Christlicher Erbarkeit in demselben were) zu tod schämen solt, nur daran zugedencken. Vber diß ist jetzo das singen das allerbest vnd bequembste Instrument worden, dessen sich die Leut gebrauchen, wenn sie jhren Nechsten leichtfertig wider die Christliche Lieb vnnd alle Billichkeit vrtheilen, zur banck hawen, verleumbden vnnd verkleinern, vnd durch hochverbottne Paßquill vnd famoslibel vmb sein bestes Kleynod der Ehren bringen wollen.

Allermeists aber ists durch die liebliche süssigkeit deß singens aller Gottseligkeit und Andacht der Boden außgestossen worden, in dem sich die Ketzer dieses mittels gebraucht vnnd durch lustige, aber jrrige vnd verführische Lieder den rechten Glauben verhaßt gemacht dargegen jhre falsche verdambliche Jrrthumber fortgepflantzet vnd außgebreitet haben. Denn dieses grifflein, nemblich Ketzerey durch lieblichkeit der Music außzubreiten, haben die meisten Ketzer gebraucht. Hat nicht Paulus Samosatenus die alten geistreichen Hymnos vnd Kirchen Gesäng hochschädlich verkehrt? Haben nicht die Arianer vnd Pelagianer das Gifft jhrer gottlosen Lehr mit singen fast durch die gantze Christenheit außgossen? Haben nicht die Donatisten eben durch dieses meisterstuck die einfältigen Leuth an sich gezogen? Eben also hat gethan Harmonius ein Syrische Ketzerfrucht, vnd der Ertzketzer Apolinaris. (Euseb. lib. 7. c. 24. Hist. Trip. lib. 10. c. 8. Augustin Epist. 119. ad Januar. Niceph. li. 9. c. 16 & l. 10. c. 8.)

Was dörffen wir aber diesen so hochschädlichen mißbrauch deß singens mit dem Exempel der alten allbereit verdampten Ketzer bezeugen, weil wir bey jetzigen noch schwebenden Ketzereyen in der erfahrung viel scheinbahrer befinden, daß wir die noch vbrige Ketzermeister alle alte geweste Ketzer in arglistigkeit vnd boßheit: also auch in der Kunst den gemeinen Mann durch lieblich: holdselige ketzerische vnd boßhafftige Liedlein zubethören vnd zuverführen weit vbertreffen: wer hat jemalen, so lang die Christenheit stehet, so viel abschewliche Jrrthumb, so viel falsche Jnzichten, so viel gifftige stich, wider den vhralten recht Christlichen Glauben, wider die H. Kirch Gottes, wider das höchste Haubt der Christenheit, vnd wider die Gesalbten deß Allerhöchsten Gottes, in die allerlieblichsten anmütlichsten Reymen vnd Melodeyen versetzt vnd gezwungen, als man jetzo in den Lutherisch: vnd Calvinischen Gesangbüchlein findet? welche Schlang vnnd Natter hat jemaln so falsche vnd verführische Zäher geweinet, als da seyn die Reimen deß Lobwassers? welch wilder Beer hat jemaln so brummelt, welch grimmiger Löw so gebrüllt, wie in seinen Gesängen gethan der zornig Luther? wil einer des Lutherischen Geists (ander zugeschweigen) ein mercklich Exempel haben, so höre er nur den anfang deß allerletzten Liedleins, welchs Luther kurtz vor seim Vndergang gemacht, wie solchs vnder andern zu finden ist im Nürmbergischen Lutherischen Gesangbuch mit dieser Vberschrifft.

D. Martini Lutheri letztes Gesang, zum valete dem Römischen Pabst gemacht, vnd den Kindern zu Mitfasten an stat deß Todts außtragen, gemelten Pabst auß der Kirchen zu jagen.

Jm Thon:

Erhalt vns HErr bey deinem Wort.

NVn treiben wir den Pabst hinauß, auß Christi Kirch vnd Gottes Hauß, darin er mördlich hat regiert, vnnd vnzehlich viel Seelen verführt.

Troll dich auß du verdambter Sohn, du rothe Braut von Babylon, du bist der Grewl vnd Antichrist, voll Lügen, Mord, vnd arge List.

Dein Ablaß Brieff, Bull, vnd Decret, ligt nun versigelt im Secret, darmit stalstu der Welt jhr Gut, vnd schändest dardurch Christi Blut.

Ob nun zwar dieses falschen Propheten garstige Propheceyung (sonderlich in dem, was er zu End dieses seines Gedichts vom frischen hergehenden Sommer propheceyet) gar augenscheinlich gefehlt, also daß die Lutherischen die grobe Vnwarheit von vertreibung vnd vndergang deß Pabsts könten mit Händen greiffen, wenn sie wolten: Demnach kützeln sich jhrer viel mit solchen falschen prognosticis, vnd singen dieselbe mit Lust, seynd auch dergleichen famos Charten nicht wenig in den vncatholischen Gesangbüchern verfast, vnnd werden den gemeinen Leuten in so annemblichen Thon eingekewet, daß sie nicht wolten daß allersüssete Hönig vnd Zucker schlecken für ein solches Gesänglein.

Vnnd gleich wie die Sectenmeister durch solche Liedlein jhre vnselige Irrthumb anfangs fortgepflantzet vnd außgebreit; also thun sie auch dieselbe noch mit singen erhalten: sintemal daß gemeine verführte Vöcklein nicht leicht dahin zubringen, daß es ein so holdseligen Glauben verlassen solte: denn es mit eim lieblichen frischen Gesänglein so gut vnd lustig in ein Wirths: oder Schenckhauß beym kühlen Wein vnd Schalmeyen als in der Kirchen oben vnd brauchen kan, von welchen gar wol können gesagt werden die Wort deß Propheten Ezechielis: In canticum oris sui vertunt sermones tuos, & tu es eis quasi carmen musicum, quod suavi dulcique sono canitur Sie verkehren (O GOTT) deine Wort in ein Liedlein jhres Mauls, das mit lieblichem vnd süssem Thon gesungen wird (c. 33, 32.). Der heilige Vatter Hieronymus fället vber der Juden vnd Ketzer Gesang ein gleichmässiges Vrtheil, sagend: Judaeorum oratio & psalmi, quos in synagogis canunt, & haereticorum composita laudatio, tumultus est domino & (ut ita dicam) grunnitus suum, & clamor asinorum. (Ep. ad Rusticum Mon.) Der Juden Gebett vnd Psalmen, die sie singen in jhren Synagogen oder Judenschulen, vnd der Ketzer gedichte Lobgesäng, sind vor Gott dem HErrn ein Tumult (oder Lärmengeschrey) vnnd (also zureden) ein gruntzen der Sew vnd Geschrey der Esel. Auß disem allein ist gnugsamb zuerkennen, wie schädlich vnd gottloß sei das singen wegen der bösen, Bulerischen, Paßquillischen oder Ketzerischen Gesäng.

Vnd kombt zu dem noch ein anders Vnheil, das nemblich auch die gar guten Gottseligen Lieder können mißbraucht werden, wenn sie nicht Gott zu Ehren, oder zu aufferbawung deß Menschen: sondern bloß vnnd allein zu dem End gesungen werden, sich selbst darmit zu kützeln vnd zu erlustigen, oder ein eytele Ehr bey andern mit singen zuereigen. Dieser so vielfacher Mißbrauch deß Singens, hat viel trefflichen Leuten vrsach geben zu zweiffeln, ob der Nutz oder Schaden, so außm Singen erfolget, grösser seye? vnd ob es besser were, das Singen gar abzuschaffen, oder zu befürdern? Der hocherleuchte Lehrer Augustinus sagt vber sich selbst soviel: Ita fluctuo inter periculum voluptatis & experimentum salubritatis, magisque adducor (non quidem irretractabilem sententiam pro ferens) cantandi consuetudinem approbare in Ecclesia, ut per oblectamenta aurium infirmior animus ad affectum pietatis assurgat: tamen cum mihi accidit, ut me amplius cantus, quàm res, quae canitur, moveat, poenaliter me peccasse confiteor, & tunc mallem non audire cantantem. Ich stehe in zweiffel zwischen der Gefahr der Wollust (deß singens) vnnd zwischen der erfahrnen Nutzbarkeit: Doch laß ich mich dahin bringen (doch daß diese meine meynung nicht vnwiderrufflich oder vnfehlbar sey) daß man das singen in den Kirchen gut heissen vnd passiren sol lassen, damit das schwache vnvollkommene Gemüt durch die erlustigung der Ohren, zur Gottseligkeit genaiget vnnd auffgerichtet werde, gleichwol aber, wenn mirs widerfehrt, daß ich grösser Lust an der Melodey, als an dem was die Melodey in sich helt, so bekenn ich, daß ich sträfflich gesündigt hab, vnd damaln wolt ich lieber nicht hören singen (lib. X. Confess. c. 33.). So viel Augustinus. Ja ich halte auch darfür, diß sey die eintzige Vrsach, das so wenig Catholische Doctores jhre bemühung dahin anwenden wollen, ein recht wolgeordnetes vnd corrigirtes teutsch Gesangbuch zu verfassen: Dahin gegen die Vncatholischen mit jhren teutschen Gesängen, so wol in der meng, als in der ordnung, den vnsern vberlegen zuseyn sich eusserst befleissen, ich hab vnder etlich vnnd dreyssig Catholischen Gesangbüchlein gar wenig gerechte gefunden. Deß Herrn Doctor Vlenbergers Psalter, Herrn Doctor Leisentrits Gesangbuch, vnd sonderlich dasjenig, welchs auß Ihr Fürstl. Gn. Herrn Eberhardts Bischoffs zu Speyer gnädigen Befelch, zu Cöln mehrmahln gedruckt worden, seynd die besten, so mir fürkommen: aber gleichwol gehet jhn in der meng vnd vollkommenheit aller der Materien, vnd sonderlich in andächtigen, von den alten teutschen Christen, so lang gebrauchten Rueffen viel ab, die vbrigen seynd mehrertheils sehr schlecht, etwa von vngelehrten Schulmeistern oder Buchdruckern gemeiniglich ohne Namen deß Authoris, nit ohne sondern nachtheil vnd schaden der H. Religion in Druck gegeben worden.

Vnnd ist mir auch vnverborgen, das noch auff heut vil fromme andächtige eyfrige Catholische vorhanden, denen das teutsche singen nicht fast lieb, oder auch (wegen der Ketzer mißbrauch) wol verdächtig ist, die auch derentwegen die Arbeit ein recht Catholisch Gesangbuch zu fertigen, nicht zum besten angewendt zu seyn vermeynen.

Wie nun aber ich gäntzlich darfür halte, es sey das exercitium teutsche geistliche Gesäng vnd Ruff zu singen nicht allein nicht zuverwerffen, sondern auch sehr nützlich vnnd befürderlich zur rechten Andacht: also achte ich auch, daß die bemühung ein volkommeners vnd ordentlichers Gesangbuch, als die bißhero außgangene zuverfertigen, sehr wol angelegt seye. Vnd diß sonderlich darumb, dieweil wir zum singen in heiliger Schrifft mit Worten, vnd gar kräfftigen Exempeln genugsamb werden angewiesen. Denn (anderer orth deß alten Testaments zugeschweigen) allein in den Psalmen Davids, deß gar andächtigen vnd heiligen Singers, werden wir vber die funfftzig mal zum singen ermahnet, mit disen oder dergleichen Worten: Cantate Domino, psallite Deo, jubilate, psalmum dicite &c. Singet, Psalliret, Jubiliret Gott dem HERRN: (Psal. 32. 3.). Bene psallite ei in vociferatione, Psalliret jhm wol, mit frischer, heller oder völliger Stimme. So ist auch im newen Testament die ernste Ermahnung deß heiligen Pauli gar wol in acht zunemmen, welcher an vnterschidenen Orthen seiner Episteln vns antreibt, daß wir vns selbst vnter einander lehren, ermahnen vnnd auffmuntern sollen, mit Psalmen, Lobgesängen vnd geistlichen Liedern, welche wir GOTT singen sollen in vnsern Hertzen, das ist, von grund vnd auß Andacht vnsers Hertzens.

Disem nun so eyferigen anmahnen deß Geists Gottes im alten vnd newen Testament haben sich gemäß verhalten die allerheiligsten Leut, so in der Schrifft berühmbt seyn: Als Moyses vnd Aaron mit jhrer Schwester Maria, welche gleichsamb per choros vnd processiones, Moyses mit den Männern, Maria mit den Weibern, das schöne Lobgesang cantemus Domino, mit frewdiger Andacht gesungen. (Exod. 15. 1.) So hat auch than die Rittermässige Debora mit dem Feld Hauptman Baruck nach eroberten Sieg. (Iud. 15. 1.) So hat than die heilige Fraw Anna, nach dem sie Gott mit jhrem Sohn Samuel begabt. (1. Reg. 2. 1.) So hat gethan der fromme König Ezechias, nach dem er wunderbahrlich von seiner tödtlichen Kranckheit erledigt worden. (Isa. 38. 9.) So haben gethan die drey edle Knaben, Ananias, Azarias, vnd Misael im frewrigen Ofen; (Dan. 3. 52.) So haben gethan anderer mehr hocherleuchte Männer Gottes im alten Testament: welche doch alle im singen vnd psalliren weit vbertroffen hat, der Mann nach dem Hertzen Gottes David, der per excellentiam genennet wird egregius psaltes in Israel, ein fürtrefflicher Psallirer in Jsrael. Denn er sich nicht begnügen lassen, daß er (vnangesehen er mit so viel wichtigen Geschäfften seines Königreichs, vnnd mit so manchen schweren Kriegen beladen gewest) selbst soviel Psalmen vnd Geistliche Gesänger componirt vnnd zusammen getragen, sondern hat solche auch selbst für sich vnnd mit andern Singern gesungen, auch offt selbst mit Saiten vnd Harpffen darzu gespielet, vnd vber diß alles mit gewaltigem Vnkosten zweyhundert vnd achtzig Singer bestellt, allesambt Meister in solcher Kunst, vnd selbige in schöner Ordnung in 24. Chör oder Sorten außgetheilt, welche ohn vnterlaß singen vnd Gott loben müssen, wie an mehr orthen heiliger Schrifft, vnd auch sonderlich beym Josepho weitleufftig zulesen. Wiewol solche schöne Ordnung vielmehr Gott selbst, durch seine Propheten, als der König David außtheilen lassen, wie außdrücklich geschrieben stehet. (1. Paral. 6. 31. 1. Par. 15. 16. & cap. 25. per totum. Joseph l. 7. utiq. v. 11. 2. Para. 29. v. 25.)

Im newen Testament haben wir noch viel edlere Singer, dann da führet erstlich den Chor die Königin Himmels vnd der Erden, die vbergebenedeyte Gottes Gebärerin Maria, mit jhrem vberauß schönen Magnificat; (Luc. 1. v. 46). In Warheit seynd glückselig gewesen die Ohren der frommen alten Elisabeth, welche die Himmlische Stimme dieser alleredlesten Singerin würdig gewest seyn zuhören; vnd hat das schon damalen geheiligte Kind Joannes einen Frewdensprung in Mutterleib gethan, da es nur ein einigen

Gruß gehört auß diesem hochgebenedeyten Munde herfür brechen, was wird es auff diß so schön klingende Magnificat fur Frewdenzeichen geben haben? noch seliger aber seynd die Ohren der jenigen, welche neben andern glorificirten Jungkfrawen in der Seeligkeit würdig seyn, vnserer höchstehrngedachten Himmelskönigin, als vorgeherin vnnd vorsingerin das newe Gesang nachzusingen (Apoc. 5. 9.), denn dasselbige so arthlich vnd lieblich, vnd mit so vil himmlischer Kunst componirt vnnd gebunden seyn wird, daß es auch nicht alle die im Himmel seyn, sondern allein die jenigen, so der allerseligsten Mutter Gottes in Jungkfräwlicher Reinigkeit nachgefolgt seyn, werden vermögen zusingen, vnnd dem Lamb nachzufolgen, wo es jmmer hingehet. Verzeyhe mir mein kühnes begehren, O du Göttliche Singerin, daß ich mit andern dich liebhabenden Seelen, seufftzen, wüntschen vnd begehren darff: Amica mea, speciosa mea, ostende mihi faciem tuam, sonet vox tua in auribus meis, vox enim tua dulcis, & facies tua decora. Mein Freundin mein gar schöne zeig mir dein Angesicht, laß deine Stimme klingen in meinen Ohren, denn süß ist dein Stimm, vnnd sehr schön ist dein Angesicht (Cant. 2, 14.); Bin ich ja nicht würdig vnter den reinen Jungkfräwlichen Stimmlein mein Mund auffzuthun, vnd selbst mit zu singen: So mach mich zum wenigsten würdig, nur von ferrn zu stehen vnd zu hören, was wo vnd wie schön du mit deinen himmlischen Jungkfrawen singest, vnd auff was schönen guldenen Strassen deß himmelischen Jerusalems, auff was lustige Wiesen, Gärten vnd Oerter deß lustbahren Paradeyses jhr mit dem Lamb hingehet, vnnd wie jhr ewre vberauß selige Reyen vnd Processionen anstellet?

Nach der Himmelkönigin (welche, wie gesagt im newen Testament die erste vnnd letzte Singerin gewest) folgen die Himmels Fürsten, welche mit jhrer Englischen Stimm das new geborne Jesus Kindlein mit dem schönen Gloria in Excelsis Deo angesungen haben. (Luc. 2, 14.)

Bey diesen himmlischen Melodeyen, solt einem nicht fast schwer seyn zuvergessen oder zuvberhören das schöne Lobgesang deß alten Zachariae. (Luc. 1, 68.) Das liebliche Schwanengesang Nunc dimittis deß alten Simeons. (Luc. 2, 28.) Das andächtige Hosianna filio David, der frewdigen Jerosolymitanischen Jugend, (Matt. 21, 9.) welches Christo so wol gefallen, das, als es etliche Phariseer wolten beredt vnd eingestellet haben, er solches Gesang gut geheissen, sagend, daß wenn diese solten schweigen, müsten ehe die Steine anfangen zu schreyen vnd jhn ansingen.

So ist auch glaublich, daß die heiligen Apostel sich dieser Andacht zu singen mehrmahls werden gebraucht haben, weil Paulus vnnd Silas auch in der jnnersten Gefängnuß vnd im Stock geschlagen liegend, zu Mitternacht anfangen haben zu singen, vnnd mit so heller Stimm, daß es die andere in den eusserten Zimmern der Gefängnuß haben können hören, wie solches von jhnen gnugsamb zuverstehen gibt der H. Lucas in den Apostolischen Geschichten, da er in Griechischer Sprach schreibt: προσευχόμενοι ὕμνον, daß sie ein Hymnum ein Lobgesang gesungen haben.

Nun diser gar heiligen trefflichen Singer aller, sage ich, könne in betrachtung der vorangezogenen himmlischen Music leicht vergessen werden: Aber eins weiß ich nicht zuübergehen, noch zuvergessen, das Christus selbst sein Göttlichen Mund auffgethan, vnd damaln gesungen, da er jetzt an sein Leyden vnd allerschwersten Todtskampff gehen sollen, (Matth. 26. v. 30.) denn da man vermeinet, es solte sich sein biß in Todt betrübte Seele kaum mehr regen können, sihe da rühret vnd erhebt er so gar seine liebreiche Zungen, vnd zuckersüsse Lefftzen, vnd singet erst ein Lobgesang nach dem letzten Abendessen mit seinen Jüngern, vnd darauff gehet er stracks den Oelberg zu, seine bittere Todtsangst außzustehen. O wer wolte da nicht losen, wann er das letzte Gesang dieses Göttlichen Schwanen solte anhören? wer wolte da nicht wunder erstummen, wenn der Sohn Gottes (den man niemaln hat sehen lachen, aber offt weinen) jetzo sein letzte Mahlzeit mit ein schön lautenden Lobgesang beschleust. Vnd was können wir auch von dem gedencken, das eben dieser Sohn Gottes im Evangelio sagt: Cantavimus vobis & non saltastis? Wir haben euch gesungen, vnd jhr habt nicht gedantzt. (Luc. 7, 31.)

Coeli silet concentus ordinum,
Modulante Monarchâ Cardinum;
Philomela rauca repelleris,
Hic de cantu si te jactaveris.

Der Himmel Gsang mag schweigen wol,
Wann Gott der HErr selbst singen sol,
Dein Stimm ist schlecht schön Nachtigal,
Wenn Christus lest sein Stimm erschalln.

Nach Christo vnnd sein H. Aposteln haben wir auch den stäten vblichen brauch deß singens bey der Kirchen Gottes gar von anfang deß Christenthumb zufinden: Dann also schreibt Philo ein Jud. (lib. de suppl. virtutibus.) Tertulianus ein Christ; (in Apologet.) Plinius der ander ein Heyd. (Epist. 97. ad Trajanum.) Daß die ersten gottseligen Christen haben pflegen morgens vor Tags (in der eusserſten Verfolgnng) zusammen kommen, vnd Christo jhrem GOTT zu ehren ein Lobgesang zu singen. So haben die alten andächtigen Christen das singen nit allein in Kirchen vnd Häusern bey den lebendigen, sondern auch so gar bey bestättigung der Todten (so wol als jetzunder) im brauch gehabt, wie solches bezeugen der vralte Martyr Dionysius Areopagapita (de Eccles Hierar. 7.) vnd der H. Hieronymus, in seinem Sendschreiben vom Todt vnd Begräbnuß Fabiolae vnd Paulae, (epist. ad. Oceanum & epist. ad Eustochium.) ja das noch mehr ist zuverwundern eben dieser Hieronymus schreibet auch (in vita Pauli 1. Eremitae.) daß der H. Einsiedler Antonius, als er den H. Paulum den ersten Eremiten begraben, wiewol er in der wilden Wüsten allein gewesen, vnd ausser deß Löwen, so das Grab gemacht, niemand bey sich gehabt, dennoch Christlichen Gebrauch nach, Psalmen vnd andere Gesänger bey der Begräbnuß gesungen habe.

Weil denn nun das Exercitium geistlicher besingnuß so ein vralter, Christlicher, vnd Gottseeliger gebrauch ist, warumb wolten wir vns nicht bemühen, dasselbe zuerhalten vnd (wo etwan ein mißbrauch darzu geschlagen) dasselbe widerumb zuverbessern? vnd das vmb so viel desto mehr, dieweil wir schuldig seyn die Ehr vnd das Lob Gottes, auch der armen Seelen Wolfahrt auff allerley mügliche mittel vnnd wege zubefördern, die an bequembsten, besten vnd kräfftigsten zu diesem ende können erdacht werden. Nun ist vnder den menschlichen eusserlichen mitteln nach der Predig deß Göttlichen Worts, vnd nach dem hochheiligen Sacrament kaum ein kräfftigers, bessers vnd annemlichers mittel (sonderlich für die anfangende vnd vnvolkommene Christen, deren die Welt jetzo voll ist) als mit schönen Lobgesängern Gott ehren, mit lehrreichen Psalmen vnd wolklingenden Liedern die Menschen zuaufferbawen, vnnd deren Gemüter zu bewegen: warumb solten wirs dann umb etlicher Mißbräuch willen, die wol können vnderlassen werden, nit gebrauchen.

Das deßwegen der heilige Geist der Reimen, Psalmen, vnd geistlicher Gesänger Stiffter vnd Author seye, bezeuget der hocherleuchte heilige Kirchenlehrer Basilius (In Psal. 1) mit sehr reichen Worten, sagend: Quando Spiritus S. vidit nos aegrè persuaderi ad complexum virtutis ac proinde ad jucundam vitae rectitudinem per hoc lentescere, quod toti ad consectandam voluptatem propenderemus, quid fecit? nimirum Scripturae suae dogmatis mistim inscripsit concinnam istam numerorum modulationem, ut auribus permulctis ac delinitis melico vocum consensu, clam ac velut aliud agentes sineremus in animos nostros irrepere eloquiorum utilitatem; Idque pro more sapientis medici, is enim pharmacum oblaturus austeriusculum quidem adversanti cibos, nec probè concoquenti, subinde oras calicis praelinit melle. In hoc sanè excogitati sunt concinni isti concentus psalmorum, ut qui per aetatem pueri etiam dum sunt, aut certè morum maturitate nondum induruerunt, dum in speciem concinunt ac modulantur, re ipsa animas erudiunt suas. Das ist, da der heilige Geist gesehen hat, wie schwer wir zubereden seyn, daß wir vns vmb die Tugend recht annehmen, vnd daß wir derentwegen träg vnd langsamb seyn, ein rechtschaffnes Leben anzustellen, weil wir gantz vnd gar der Wollust nachhängen, was hat er gethan? Er hat die Lehren seiner H. Schrifft hin vnd wider vermischet mit wolgestimbten klingenden Reimen, damit in dem die Ohren durch so süssen schön lautenden klang gestreichelt vnnd bestrichen werden, wir auch gleichsamb ohn vnser auffmercken die Nutzbarkeit der Göttlichen Sprüche in vnser Gemüter mit einschlipffen liessen: Auff die manier, wie zuthun pfleget ein hochverständiger Artzt, welcher wenn er ein widerwertige Artzney einem soll einbringen, dem die Speiß widerstehet, vnd der nicht wol däwen kan, so bestreicht er zu zeiten den Rand des Bechers mit eim Hönig. Also seynd auch die wolgestimbte zusammen klingende Psalmen zu dem end erdacht, damit die jenigen, so entweder Alters halben noch Kinder seyn, oder aber in der Tugend noch nicht erhärtet oder volkommen vnd beständig, in dem sie dem ansehen nach nur singen vnd klingen, in der warheit vnd im Werck jhre selbst aigne Seelen lehren vnd vnterrichten. So weit Basilius. Zu deme so ist das helle lautklingende singen auch darumb zu loben, dieweil es ein offentlichs Zeugnuß vnd Bekantnuß ist, erstlich vnsers Catholischen Glaubens wider alle Heyden vnd Ketzer: vnd denn auch ein Kennzeichen, daß vns das Christliche Gesatz vnd die Catholische Andacht nicht schwer, sondern ring vnd leicht ankomme, ja nur ein lust bringe: Denn ein frölichs Gesang (wenn es nur zu rechter zeit verrichtet wird) machet ja eim vernünfftigen Menschen ein lustigs vnnd frölichs Gemüth, wie solche jhre lust ohne zweiffel empfunden, der offtgemelte Königliche Psalmist, weil er sagt (Psal. 118. 54.) Cantabiles erant mihi justificationes tuae in loco peregrinationis meae; Deine Rechte (oder dein Gesatz, welches da rechtfertigt) hab ich mir zu Gesängern gemacht, oder habs singend gelernet, vnd verrichtet in dem orth meiner Pilgerschafft. Von solcher zugelassenen gar wol zimenden Lust, deren man in singen geniessen kan, redet auch gar schön der alte Kirchenlehrer Lactantius (lib. 6. instit. c. 21.) sagend: Si voluptas est audire cantus & carmina, Dei laudes canere & audire jucundum sit. Haec est voluptas vera, quae comes & socia virtutis est; haec est non caduca & brevis, ut illae quas appetunt, qui corpori ut pecudes serviunt: sed perpetua, & sine ulla intermissione delectans. Bringet einem das singen vnd reimen einen lust, so lasse er jhm das Lob Gottes zu singen vnd zuhören einen lust seyn. Diß ist ein warhafftige ergetzlichkeit, welche ein Bekleyderin vnnd Gespielin der Tugend ist. Dieser Lust ist nicht zergänglich vnd kurtz, wie die jenigen, die nur begehren dem Leibe, wie das Vich, dienen, sondern ist beharrlich vnnd beständig, welche ohne auffhören erlustiget vnd erfrewet. Was für eine geistliche Süssigkeit vnd holdselige Frewde die Kirchengesänger in dem Hertzen des H. Augustini (lib. 9. confess. c. 6.) verursachet, bezeugt er selbst mit wunderschönen Worten in seiner Beicht zu Gott, sagend: Quantum flevi in hymnis & canticis tuis suave sonantis Ecclesiae tuae vocibus commotus acriter? voces tuae influebant auribus meis, eliquebatur veritas tua in cor meum, & ex ea aestuabat affectus pietatis, & currebant mihi lachrymae & benè mihi erat in eis. O wie sehr habe ich geweinet, bey den geistlichen hymnis vnd Gesängern, wie scharpff und kräfftig haben mich beweget die Stimmen deiner süßklingenden Kirchen. Deine Wort flossen mir in meine Ohren, vnd durch sie ward in meinem Hertzen geschmeltzet vnd geleutert deine Warheit, von derselben erhitzte sich mein Gemüth zur Gottseligkeit, es flossen mir die Zäher, vnd mir war wol bey denselben. Widerumb sagte er in selbiger Confession, (lib. 10. c. 33.) cum reminiscor lachrymas meas, quas fudi ad cantus Ecclesiae tuae, in primordijs recuperatae fidei meae, magnam instituti hujus utilitatem agnosco. Wenn ich gedencke an meine Zäher, welche ich vergossen habe bey den Kirchen Gesängen, bald im anfang meiner Bekehrung zum Glauben, so befinde ich daß dieser brauch (deß singens) grossen nutz mit sich bringet. Vber diß hat auch das singen ein sonderbahre Krafft, das sonst hin vnd her schweiffende Gemüt auffmercksam zubehalten, vnd gleichsamb zu zämen, daß es nicht frembden Gedancken, so bey dem Lob Gottes nicht zulässig seyn, nachhängen thue vnd wegen solcher auffmercksamer Andacht ist Gott das singen offtmalns viel angenehmer, als das einfache betten, dahero das gemeine Sprichwort erwachsen: Qui benè cantat bis orat: Wer wol und recht singet, der bettet zwyfach, ohn solche auffmercksame Andacht ist das singen kein nutz, wie da saget der alte Isidorus, (lib. 3. de sum. bono c. 7. num. 40.) nihil est sola voce canere sine cordis attentione; es ist nichts nur mit der Stimm singen, ohne auffmercken deß Hertzens.

Mehr hat das singen auch diese Tugend, daß es die Geistlichen Sachen, so man lernen vnd wissen muß, zur Seeligkeit den menschlichen Gemüthern, sonderlich der Jugend, vnd den einfaltigen vil leichter, besser vnd schärpffer imprimirt, einbildet vnd einpropffet, als das blosse reden, sagen, betten oder sonst mündlichs vnderweisen: Darumb sagt der Kirchenlehrer Ambrosius (in psalm. 118. ad. v. 54.) gar wol, Quae bene canemus, cantare consuevimus, & quae melius cantantur, melius nostris adhaerent sensibus. Was wir wol vnd fertig können, pflegen wir zu singen: vnnd je besser etwas gesungen wird, je besser behalten wirs in vnsern Sinnen, oder in der Gedächnuß. Deßwegen denn auch schon vor langen zeiten die Heyden im gebrauch gehabt, jhre Gesetz vnnd Lehren, welche sie der Jugend gar wol vnd scharpff einbilden wollen, jhnen in Versen oder Reimen, vnd Gesangweise vorzutragen, (Test. Aristot. sect. 10. probl. 28.) vnd eben dahero ist bey den Christen noch vil ein nutzlicher Brauch fast in allen Landen, sonderlich in Welschland vnd Spannien, ja so gar in der newen Welt auffkommen, das durch Reimen vnd singen der Catechismus vnd die Kinderlehr der Christlichen Jugendt eingebracht wird.

Weiter wird noch mit dem singen vertriben die Melancholey vnnd Trawrigkeit des Gemüts, welche ist ein Zerstörerin aller Andacht: dahero sich offtermals die H. Martyrer in der grossen Pein, ja gar in Todtes nöthen mit eim frölichen Gesang ermuntert vnnd getröstet haben.

Mit dem singen wird auch vnser Nächster gar sehr aufferbawet vnd zur Andacht gezogen, daß wenn er vns höret singen, er auch mit hilfft andächtig nachsingen, gleichwie Saul vnter den Propheten auch hat angefangen zu propheceyen vnd mit zu singen. (1 Reg. 16.)

Mit dem singen wird der Teuffel verjagt, daß er das Lob Gottes nicht verhindere: wie dann durch deß Davids Saytenspiel der böse Geist vom König Saul hat müssen weichen. Hinwiederumb mit dem singen locken vnd erfrewen wir die Engel, vnd vergleichen vns gar sehr mit den himmlischen Geistern, welche ohn vnterlaß mit jhrem Englischem Gesang Gott lobsingen vnd benedeyen: vnd heben wir also noch in dieser müheseeligen Pilgerschafft an das jenige zuverrichten, was wir im Himmel in der vielfaltigen Gesellschafft der heiligen Engel ewiglich zuthun gedencken.

Wem nun mehr so bewegliche anmahnen, vnd so kräfftige Exempla der H. Schrifft vnd d' ersten Christenheit, wie auch der so mannigfache reiche Nutz vnd Frucht deß singens, kein anmuthung macht zu Geistlichen Liedern vnd Gesängen, dem wil ich wol glauben, daß er, für sich vnd für andere, aller Gesangbücher wol gerathen kan: wer aber durch dise geistliche erinnerung oder auch durch bewegnuß deß H. Geistes, vnd durch antrieb der zum singen sehr geneigten Natur ein Begierd hat, sich in diesem Exercitio zu vben, vnd sein Gemüt dardurch gegen Gott zuerheben, der darff sich darvon durch den mannichfaltigen mißbrauch nicht lassen abhalten; denn der mißbrauch vnd der schade, so durch die Ketzer vnd böse Weltkinder mit dem singen beschicht, wird durch das nicht auffgehebt, wenn wir vns gar keiner teutschen Gesänger gebrauchen, sondern sie werden in jhrer Boßheit vielmehr dadurch gestärckt, vnd die vnserigen bey so schlecht beschaffenen Sachen verachtet. Drumb müssen wir vielmehr dahin bedacht seyn, daß wir dißfalls den Ketzern nichts nachgeben, vnd weil sie die Feinde Gottes vnnd seiner Kirchen sich dieses so kräfftigen Mittels zu Gottes Vnehr vnd der armen Seelen Verdamnuß so fleissig gebrauchen, warumb wolten wir nicht auß dem, was jhnen ein Gifft ist, gar ein köstliche Theriaca machen, welches dem ketzerischen vnd fleischlichen Gifft widerstehe, hingegen die Ehre Gottes, vnd der Menschen Seeligkeit befürdere. Nun kan diß gar wol vnd leicht geseyn, wenn wir nur folgende Conditiones wol in acht nehmen.

Erstlich vnd vor allen dingen, daß die Materi vnd die Sach selber, oder der Inhalt, von welchem das Gesang gemacht ist, nichts gottloses, vnehrbars oder fleischlichs, wie auch nichts daß dem wahren Glauben zuentgegen sey, sonder viel mehr gar Christliche, nutzliche gottseelige vnd aufferbawliche Lehren vnd Sachen in sich begreiffe.

Zum andern ist auch sonderlich wol in acht zunehmen, daß das Gesang nicht von ein bewusten oder denuncirten Ketzer gemacht vnd componirt sey. Denn ob gleich etwa seyn kan, daß man auch ein Perlein im Misthauffen oder Koth findet, vnd daß auch ein solch verkehrter Ketzer etwas guts vnd gerechts in die Reimen vnd Melodeyen bringen thut (welches aber wegen jhrer boßhafften art gar selten geschicht) so schmeckt doch gleichwol daß Bier nach dem Faß, vnd ist solchs Gesang wegen deß authoris den recht andächtig eyffrig: Catholischen Hertzen nicht recht annemblich, sonder widerstehet jhn, als wie ein köstlichs Tranck, so in eim vnsaubern Trinckgeschirr auffgetragen wird. Auß dieser vrsach bin ich anfangs der meynung gewesen, gar kein einigs Gesang, so in Ketzerischen Gesangbüchlein zufinden, in diß Catholische mit einzubringen: aber diese maynung hat mir gar ein gottseliger Pater der Societet Jesu gewendet, vnd mir zu Gemüth geführt, daß die Vncatholischen jhre Gesangbüchlein mit nicht wenigen vnsern vhralten andächtigen Gesängern gespickt: ja so gar vermessen gewesen, daß sie auch deren etliche mit deß Luthers Namen verunreiniget: als da seyn: Der Tag der ist so frewdenreich, Gelobet seystu Jesu Christ, Christ ist erstanden: Nun bitten wir den H. Geist: Wir glauben all an einen GOTT: Jesus ist ein süsser Nam, etc. vnd dergleichen mehr, von welchen doch die gantze teutsche Christenheit weiß, daß sie älter seyn als Luther vnd sein newes Evangelium. Nun wolle sich keines weegs gebühren, solche gute alte Andachten, dann auch daß gemeine Volck so lang gewohnt, nur darumb außzulassen, daß sie auch von Feinden deß wahren Glaubens gebraucht, vnd jhnen fälschlich zugeschriben werden. So hab aber ich auch selbst in der erfahrung befunden, daß es viel hundert Personen (so vnter den Vncatholischen aufferzogen vnd verführt worden, nach dem sie die Ketzerei verlassen, vnd sich wieder zum alten allein seligmachenden Christenthumb gewendet) vber die massen schwer ankommen, deß lieblichen singens (dessen sie bey den vncatholischen örtern gewohnt) sich abzuthun vnd zu gerathen. Vnd weil sie der Catholischen gesunde Lieder noch nicht gelernet, oder auch alters halben nicht ohne sondere Mühe hetten lernen können: als haben sie sich etlicher Gesänger, so in den Lutherischen Gesangbüchern zufinden, vnnd in denen nichts, daß der Catholischen Religion zuwider begriffen gewest, zu jhrer devotion gebrauchet. Denen nun zu sonderbahrer lieb vnd gefallen habe ich etliche wenig (etwan bey zehen solcher Gesänger, die eines vnbekannten authoris seyn, von welchen man nicht weiß, ob er Catholisch oder vncatholisch seye gewesen) in diesem Buch inserirt, deren sie sich ohne einige Sorg eines ketzerischen Giffts gebrauchen könten. Dieselbige nun habe ich vnter dem Titul incerti authoris gemerckt, vnd darumb auch desto lieber hinzu gesetzt, weil ich vermaynet, daß sie eben so bald von Catholischen, als vncatholischen concipirt seyn, nicht allein wegen der Materi die sie tractiren, welche gut Catholisch: sondern auch darumb, daß sie in etlichen Catholischen Gesangbüchern zufinden, vnnd in den ketzerischen (da sie auch stehen) keinem authori zugeschrieben werden, da doch dieselben sonsten so gar kützlich seyn, daß sie nicht leichtlich ein Gesang in jhre Büchlein inseriren, deme sie nicht jhren Namen anklecken, vnd solte es gar der Hannß Sachß selber seyn, welcher ein Schuster zu Nürnberg gewesen ist, vnd seiner groben Comediantischen Zoten vnnd Possen halber zimblich beschryen ist.

Zum dritten, hat ein Christlicher Singer auch wol in acht zu nehmen, daß er im singen ein rechtmessige intention vnd meynung brauche, das ist, daß er nicht singe nur eytele Ehre durch seyn annembliche Stimm zu erjagen: auch nicht nur sich oder andere bloß mit dem lieblichen Klang der frölichen Melodeyen zu kützeln vnd erlustigen: Sondern vilmehr durch die Wort, vnnd durch den jnnhalt deß Gesangs Gott zu ehren, vnd sich selbst oder andere zu aufferbawen. Sic canet servus Christi (sagt der heilige Hieronymus cap. 5. ad Ephes.), ut non vox cantantis, sed verba placeant quae leguntur; So soll ein Diener Christi singen, daß man jhm nicht mehr gefallen lasse, die Stimme deß singens, als die Wort die gesungen werden. Was der H. Augustinus dißfals selbst vber sich klage, wie er jhms für ein Sünd gehalten, wenn er mehr erlustigung in der Lieblichkeit deß klangs, als in den Worten deß Gesangs gesuchet, hab ich schon oben erzehlt. Der H. Bernhardus (Medit. c. 11) erkennt eben dieses, vnd straffet sich selbst darumb, Saepe ad sacrum mysterium vocem meam fregi, sagt er, ut dulcius cantarem, & magis delectabar in vocis modulatione, quam in cordis compunctione: Deus vero, (cui non absconditur, quidquid illicitum perpetratur) non quaerit vocis lenitatem, sed cordis puritatem; nam dum cantor mulcet populum vocibus, Deum irritat pravis moribus. Jch hab öffters bey der heiligen Meß meine

Stimm gebrochen, daß ich desto lieblicher singen thete, vnd hat mich mehr erlustiget die art oder weise im singen, als die bußfertige Andacht im Hertzen. Aber Gott, (dem kein Sach, die sich nicht gebühret zu thun, verborgen ist) begehrt nicht die Lieblichkeit der Stimme sondern die Reinigkeit des Hertzens. Denn wenn der Singer nur das Volck wil streichlen mit seiner Stimm, so erzürnet er Gott mit seinen singen, an eim andern Orth, nach dem er eben dises der Singer verbrechen scharff beredet, schleust er mit diesen Worten: Cave ne sicut delectaris altitudine vocis, sic delecteris elatione mentis; Schaw hüte dich, daß du nicht eben ein solchs Wolgefallen oder Lust habest an der Hoffart deines Hertzens, wie du ein Lust hast an der erhebung deiner Stimm, vnnd was ists wunder, daß diese heilige so hocherleuchte Männer (die aller vnordentlicher Frewd vnd Lustbarkeit dieser Welt abgesagt) die eytele Lust deß klingens vnd singens gestrafft vnnd verachtet, weil solche auch der Heydnische Cicero nicht gut heissen wollen: Musica (sagt er) non ideo a Diis data, ut ad delicias convertamus, & aurium pruritum: sed ut quod animae consonantiam turbat, & harmoniam, hujusce voluptatis delinimento sedari, ac ad ordinem redigi valeat; die Music ist dem Menschen nicht darumb von Gott gegeben, daß mans nur zu Lust soll anwenden, die Ohren damit zu kützeln: sonder daß wir mit dieser ergetzlichkeit das jenig damit streicheln, vnnd in ein Ordnung bringen sollen, welchs die einigkeit vnd schöne vbereinstimmung deß Gemüts vnd der affecten vnruhig macht. Auß welchem allen ein Gottliebender Singer wol abnehmen kan, daß es kein Andacht, sonder ein Mißbrauch des singens sey, wann man nur den Ohren vnd der Eytelkeit, nicht aber Gott vnd der Seelen zu lieb singt. Auß dieser vrsach haben etliche Closterfrawen in jhren Statutis auch dieses, daß sie nicht mit gantzer lieblichen Stimm, sonder gleichsamb mit strauchenden, oder durch die Nasen anstossenden Hall jhren Kirchengesang verrichten, halten sich auch also der schönen Regul deß H. Augustini.

Non vox: sed votum: non chordula musica: sed cor
Non cantans: sed amans cantat in aure Dei.
Nichts nutzt d' Stimm vnd Saitenklang,
Wenn d' Andacht nicht das Hertz durchdrang,
Das Hertz welchs ist der Liebe voll:
Klingt in den Ohren Gottes wol.[1]

Zum vierdten seynd auch beym singen wol abzunehmen die vnderschidliche Weisen vnd Melodeyen oder Thon deren etliche recht ernsthafft langsamb vnd gar erbar lauten, andere aber klingen all zu frisch vnd etwas liederlich den weltlichen Reuter: oder Bulenliedlein nit fast vngleich. Nu wer wol hoch zu wündschen, das solche frische, vnd die Warheit zusagen, in geistlichen Sachen allzu frech Melodeyen niemaln wehren aufkommen, vnd das man[2] die alte einfaltige aber in Warheit recht züchtige, graviteтische vnd sehr andächtige geistliche reputation (wie dieselbe nicht allein in cantu Gregoriano, sondern auch in den meisten alten teutschen Gesängern gespürt wird) erhalten vnd niemaln het fahren lassen: Denn ja in alle weg wol in acht zu nehmen die köstliche Lehr deß mehr angezogenen H. Vatters Bernhardi (Epist. 312.), der also schreibt, Cantus ipse si fuerit, plenus sit gravitate, nec lasciviam resonet nec rusticitatem. Sit suavis, ut non sit levis, sic mulceat aures, ut moveat corda; tristitiam levet, iram mitiget, sensum litera non evacuet, sed faecundet. non est levis tractura gratiae spiritualis, suavitate cantus abuti à sensuum vilitate, & plus insinuandis intendere vocibus, quam insinuandis rebus. Wolte Gott es were bey dieser guldenen Lehre deß heiligen Vatters geblieben, so were hoffentlich das fleischliche genante Evangelium bey den fleischlichen Menschen, durch dergleichen mehr fleischlich als geistliche Melodeyen nicht so weit eingesungen worden: weil aber bey der jetzigen allzusehr verführten vnnd verjrrten Welt, die alte Andacht mit sambt der Göttlichen Lieb gar sehr erkaltet, vnd die Menschen durch die frische gar zu holdseelige Melodeyen so wol der Ketzerischen, als der Bulerischen Liedlein allberait gantz eingenommen vnd verzärtelt seyn, daß sie ob dem alten Ernsten Majestätischen Kirchengesang verdrossen, vnnd dem Fleisch mehr annemblichen

1) Diese Zeile fehlt in der Ausgabe 1649.
2) „war" ist Druckfehler.

Thonen ergeben seyn, muß man da ein Aug zuthun, vnd jhnen die Lieblichkeit der newen Melodeyen gestatten, doch mit diesem vnterscheid, daß man in der Kirchen, vor vnd nach der Predig, allein die alten erbarn, vnd gar züchtigen Melodeyen gebrauche: Zu Hauß aber, oder auff der Strassen, kan man die jenigen, so etwas frisch vnd weltlich lauten, lassen passiren, die so hochsündige, leichtfertige Bulerliedlein desto leichter zu vnterlassen vnd zuvergessen. Die Ruff gehören für das einfältige gemeine Volck, solche bey den Processionen vnnd Kirchfahrten zusingen.

Endlich so ist auch billich im singen der vnterschidt der Zeit fleissig zuhalten, daß man bey frölicher Zeit fröliche, bey trawriger Zeit trawrige Gesänger singe: vnd sonderlich zu den hohen Festen, Weynachten, Fasten, Ostern, Pfingsten, etc. solche Lieder gebrauchen, die mit den Gehaimbnussen, welche man selbige Zeit betrachtet, vberein stimmen. Denn wer würde den jenigen nicht verlachen, der am H. Christtag wolt singen Christ ist erstanden, vnd am Charfreytag: Der Tag der ist so frewdenreich? Mir ist nicht vnbewust, das vberwitzige Ketzer gefunden werden, welche allen vnterschied, so wol der Festtag als deß singens gern wolten durch einander buttern, wie ich denn einsmals selbs in einer Lutherischen Kirchen ein heimblich Calvinischen Praedicanten am dritten Advent Sontag hab hören auff der Cantzel anheben zu singen: Christ ist erstanden, aber seine damaln noch Lutherische Zuhörer (welche der Catholischen Andacht vmb ein gutes näher verwand zuseyn vermeynen als die Calvinischen) lachten jhn selbst auß, vnd waren jhrer sehr wenig die dem Praedicanten begehrten nachzusingen. Als aber nach der Predig der Schulmeister anfieng zusingen. Nun komb der Heyden Heyland, sang alles Volck fleissig mit, denn diß war de tempore jenes nicht. Wenn nun diese Conditiones beym singen observirt werden, die jetzo mit mehrerem seynd außgeführt worden, ist kein zweiffel, das singen sey nicht allein billich zuzulassen, vnd zubehalten, sondern auff viel wege auch gar sehr nützlich vnnd hoch aufferbawlich, sonderlich bey den gemeinen einfaltigen Leuthen. Diesen nun zu Lieb, Nutz vnd Wolgefallen, hab ich auff vieler Gottseeliger Hertzen begehren, diß Gesangbüchlein, theils auß den alten bißhero gehabten Gesangbüchlein zusammen getragen, theils von newem componirt, in welchen ich mich sonderlich dieser drey ding beflissen: Erstlich die andern bißhero etwan von vnbedachten Schreibern vnd Schulmeistern außgangene Gesangbüchlein (in welche viel grobe errata mit einkommen) sovil sich thun hat lassen, zu corrigiren. Darnach allerley Materien, die man durchs gantze Jahr singen, vnd die ein gottliebende Seel begehren kan, völliger vnd in grösserer meng, als vor diesem geschehen zusammen zubringen. Drittens hab ich alle dise Materien vnd Gesänger in ein gar bequeme richtige Ordnung bringen wollen, wie dieselbe allhier verzaichnet ist.

Seraphisch Lustgart. Cölln 1635.

Dem Wolehrwürdigen in Gott Vatteren vnd Herrn F. Joanni Theodoro Rheinfeldt, des gantzen Seraphischen Ordens Generall Diffinitoren, Wie auch Fratrum Minorum de Obseruantia der Cölnischen Prouintz Prouincialen, Meinem Wehrten Vatteren vnnd Hochgeehrten Herrn.

DAß mir allzeit habe angelegen sein lassen, Wolehrwürdig in Gott Vatter Hochgeehrter Herr, dem Heilig vnd Hochlöblichen Orden S. Francisci Insonderheit aber der strenger Obseruantz, meinem geringen vermögen nach, die Truckerey belangend, alle hülff vnd vorschub zuleisten, verhoffe werden E. W. nicht in abred sein; dazu mich dann nicht allein die andacht gegen den Heiligsten Vatteren Franciscum vnd wolgeneigte affection seines H. Ordens jederzeit angereitzet: sondern auch die obligation welche in mir erkenne, weil augenscheinlich spuere (wie auch menniglich rühmet) das wolermelter E. W. Orden anders nichts als der Seelen Heil suchen, vnd zu dem end in dem Euangelischen Acker der Catholischen Kirchen ansehentliche früchten hervor bringen; welches Papst Innocentius der dritte im gesicht für vierhundert Jahren vorgesehen, daß nemblich die Lateranensische Kirche zum fall nahend, vom H. Francisco auffgehalten vnd auff seinem rucken ruhete.

Weil nun zu dessen beforderung dieses gegenwertiges Wercklein an tag kommen vnd zu sunderlicher aufferbawung der Catholischen andacht, jedermeniglichen so wol Geist- als Weltlichen standts, insonderheit aber der Jugend dienet, welcher vnterweisung E. W. Religion mit grossem lob vnd nutzen sich von etlich hundert Jahren biß hiehero vnuerdrossen vnd heilsam vnterwunden, wie zu sehen an dem in Heiligkeit vnd Wunderwerck hochberhümten Patri Theodorico Monasteriensi, welcher vmb das Jahr 1470. mit seinem Catechismo nit allein Brabandt, Hollandt, Westphalen (in welchen örteren sich mehrentheils auffgehalten) sondern auch schier gantz Teutschlandt, vnderwiesen vnd erleuchtet, selbiger Catechismus ist auch allhie zu Cöllen vmb das Jahr 1480. gebraucht vnd bey Arnoldt von Achen getruckt, darnach Anno 1489. (zweiffels ohn durch heuffigen abzug vnd stetigen gebrauch der Kinderlehren) bey Johannen Kolhoff, mit beygefügten betrachtungen des Ehrwürdigen P. Theodorici Osnabrugensis auch S. Francisci Ordens Priestern, vnd folgends ist dieser Catechismus abermals bey Johan Kolhoff Anno 1598. getruckt worden. Gleiche sorgfeltigkeit zur Catholischen vnderweisung zeigen mehr andere Hocheyfferer der Barfüsser Obseruantz, vnder welchen billich zugedencken des Hochwürdig in Gott P. Joannis Nasi Weybischoff zu Brixen, welcher zu zeit des Ketzers Lutheri geleuchtet demselben mit vnerschrockenem Heldenmuth das Haupt gebotten, auch Conradi Clingij vnd des vortrefflichen P. Joannis Feri Thumpredigers zu Meyntz, diese sampt vielen anderen mehr, haben sich zu vertheidigung vnd fortpflantzung der Catholischen Religion vnd Christlichen vnderweisung auffs höchst bemühet, vnd E. W. heiliger Orden, dem höchsten zu lob in seliger arbeit noch täglich kein fleiß noch mühe sparet, vnd nit vnbillich, weil solches zur execution des instituti, Ordinis Seraphici principaliter gehörig, dan was bedeuten die wort Christi, Francisce, Vade & repara domum meam, quae, vt cernis, tota destruitur, anders, als eben dieses, vnnd darumb singt auch gleichmessig, von im die Kirch: Non sibi soli viuere, sed & alijs proficere vult Dei zelo ductus.

Hab also die, vor diesem außgangene Gesangbüchlein, zusammen in eine richtige ordnung verfassen, vnd dabey die jenige Gesäng fügen lassen, so auff die vornembste Festagen der Seraphischen Ordens bequem, vnd in welchen der Heiligen Leben vnd Wunderwerck begriffen werden. Neben den Gesängen so von alters her in der Catholischen Kirchen gesungen vnd gebraucht worden, hab auch etliche newen, insonderheit von der allezeit Lobwürdigen Jungfrawen Mariae auff anmütige liebliche melodeyen gesetzet, damit die vnnütze fleischliche Lieder (welche wie des Draconis satzungen mit Menschenblut geschrieben) der Jugendt auß mund vnd hertzen verbannet wurden, vnd dieses hat vor zeiten erkandt der H. Ephrem: dan da bey den Syrern im gebrauch waren des Harmonij gifftige Lieder, hat er andere gottselige in dero platz zugerichtet, weil nit die melodeyen sondern die Wort, sträfflich, gottloß vnd schändtlich sind.

Diese alle aber sind in solche ordnung abgetheilet, daß jedem Monat die Gesäng zugeeignet, dessen Festag in dem fürfallen, vnd schließlich jedem Monat zwey Gesäng bey gefügt, daß erste von der allerseligsten Jungfrawen Maria, das ander von des Heiligsten Vatters Francisci Wunderwercken, welche nach Ordnung der Monat wochentlich bey den Kinderlehren, das erste an statt des officij de immaculata Conceptione, Das ander de sacris stigmatibus S. P. Francisci, fruchtbarlich können gebrauchet werden. Vnd ob zwarn viel schöne herrliche Gesangbücher, als nemblich die Psalmen Dauids H. Caspari Vlenbergij, dem durchleuchtigsten Fürsten vnd Herrn, H. Johan Wilhelmen Fürsten zu Gülich, Cleue vnd Berg, etc. dedicirt; Die Himmlische Harmony, sub praesidio Reu. ac Eminentissimi Princip. Elect. Moguntini D. Georgij Friderici, Das Würtzburgisch Gesangbuch, sub praesidio Reu. ac Illustriss. Princip. Herbypol. D. Philippi Adolphi, Item das schöne Gesangbuch Rutgeri Edingij, vnnd andere außgangen, so ist doch keines dem Seraphischen orden so bequem als eben dieses.

Das ich aber dieses Wercklein E. Wol Ehrwürden dedicire vnd zuschreibe, bewegt mich theils vnd Insonderheit deroselben Hochrühmlichen eyffer, andacht, vnersparter fleiß müh vnd sorg jhrem H. Orden wol vorzustehen, vmb derentwillen dieselbe nunmehr nicht allein drittenmahls zum Prouincialat Ampt einmüthig erwehlet, sondern auch an jetzo des gantzen

Seraphischen Ordens Generall Praelatur des geheimbden Diffinitorij Hochrühmlich betretten; theils auch damit dieses werck (weil es vnter E. W. protection an tag kommt) den H. Orden desto angenehmer, vnd bestes vermögens, sonderlich aber bey den Kinderlehren gebraucht vnd außgebreitet werde.

Wie ich nun verhoffe es werde dieses mein vorhaben der Catholischen Kirchen zu aufferbawung vnd sonderbarem nutzen gedeyen: also woll ich nit zweifflen E. W. werden nit in vnguten vermercken, das ich solches vnder deroselben schutz außgehen lasse, verhoffentlich es werde menniglich (bevorab in disen Landen) wegen E. W. bekanten gottseligen Namen, vnd Andacht desto anmüthiger sein: Dieselbe hiemit Göttlicher Obacht empfehlend. Datum Cölln. Am tag der Verkündigung Mariae, Anno 1635.

Ewer WolEhrwürden
Dienstgeflissener
Peter von Brachel
der Elter.

Catholische Sonn- vnd Feyertägliche Evangelia. Wirtzburg 1653.

An den Christlichen Leser.

DJeweil das Fundament vnser Seeligkeit auff dem Glauben an Christum bestehet; dieser Glaub aber, nach zeugnuß deß H. Apostels Pauli, (Rom. 10. 17) auß dem gehör vnd fassung deß Heil. Evangelij muß ergriffen werden; hat die Christliche Catholische Kirch, auß eingebung deß Heiligen Geists, von vhralters her, wohl vnd löblich, sich nach der zeit schickende Evangelia, auff alle Sonn- vnnd Feyertäg des Jahrs, der gestalt außgetheilet, daß solche nicht allein in dem Hochheiligen Mysterio, Ambt vnd Opffer der Heiligen Meß, Lateinisch; sondern auch vor den Predigten, in vnserer Teutschen Mutter-sprach, dem Volck sollen offentlich vorgelesen vnd außgelegt werden.

Diese der Catholischen Kirchen vhralte vnd hochlöbliche Intention desto mehr zu befürdern, damit das Christliche Volck die Evangelia, vnd darauß gezogene Lehrstück desto besser fasse vnd behalte; haben etliche wohlmeinende, die Ehr Gottes, vnd den Gemeinen Nutzen der Christenheit liebende Personen (wohlwissend, daß den Menschen gemeinlich annehmlicher vorkomme, auch leichter einfliesse, vnd länger in der gedächtnuß verwahrt bleibe, was reymen vnd gesangweiß wird eingegossen) jhnen lassen angelegen seyn, gedachte Evangelia, sambt kurtzen daran hangenden Lehrstücklein, neben etlichen zu der Christlichen Lehr, vnd Lob Gottes gehörigen Gesängen, in gegenwertige Teutsche Reymen, fleissig vnd auffrichtig zuverfassen. Welches dann durch hülff vnd beystand Gottes, verhoffentlich, also ins werck gericht, vnd vollbracht worden; daß darinnen, wie es sich dann ohne daß in solcher Heiligen Evangelischen Histori vnd Lehr nicht anders gezimmet hette, nichts weitläuffiges, darzu vngehöriges, wie in der weltlichen Poësi, vmb mehrere Zierde deß Redens, zugeschehen pflegt, eingeführt; noch auch zu erspahrung der mühe, durch kürtze, vnd dunckele satzung, der Text verkürtzt vnd vnclar gelassen worden.

Vnd weil die neigungen der Menschen, auch der geschmack in Gottseligen übungen vngleich, also, daß einer mehr lust an Reymen vnd Gesängen; andere vileicht an der Prosa, oder loßgehenden Sprach empfinden; hat man für gut geachtet, nach einem jedwederm Evangelio, ein darauff gestelltes Gebett, in gemeiner vngebundener sprach, bey zu setzen; im übrigen sie auff den gemeinen Evangelischen Text vnd Prosam zuweisen, auff das also männiglich ein genügen mög geschehen.

Den wahren sinn deß Evangelischen Texts belangend, vnangesehen diese Rhytmische Teutsche übersetzung, wo sie etwan vmb vollkommenheit der Reymen etwas erweitert, oder eingezogen worden, nach reifflicher erwegung Gelehrter Theologen, genantem Text, wo nit von wort zu wort gemäß, dannoch nit widerlauffend, sonder in dem sinn vnd verstand gleich lautend ist befunden worden; dannoch vnderwürfft man sie der Censur vnd vrtheil der Allgemeinen, Christlichen, Catholischen Kirchen: nicht aber deren Zertrenten vnd Particular Kirchen; durch welcher zwispalt kein einhellige, gewisse; sondern nur vielfaltig-zertrente, vnd vngewisse vrtheil heraußer zukommen pflegen.

Was nun die Reymen in sich selbst betrifft, weiln solche so wol in Teutscher, als Lateinischer vnd anderen Sprachen, in gewissem metro, maß, länge, vnd kürtze der Syllaben, Caesuren, vnd fällen bestehen; wird der newen Teutschen Reymen kunst Erfahrner darüber zu vrtheilen haben. Diß allein aber sey zu erklärung vnsers vorhabens, nicht aber zur entschuldigung, bey gesetzet, daß in etlichen wenigen Monosyllabis, oder einsyllabigen worten, Nominibus Propriis vnd Compositis, die quantität, kürtze oder länge, vmb deßwegen nit so eben, vnd verbündlich gehalten worden, weiln theils dardurch der Text (welches doch, wie vermeldet nit sein soll) hätt können versetzt, verdunckelt, oder an seinem rechten Verstand schadhafft werden: theils die Nahmen gewisser Personen, welche doch nit auß zulassen gewest, nit wohl sich hätten zu den Reymen schicken können: theils auch, weil die Monosyllaba in Teutscher Sprach, bey allen Teutschen Poëten durchgehend, bißweilen lang, bißweilen kurtz pflegen gebraucht zuwerden.

Gleich wie nun solches Werck allein zu der Ehr deß Allerhöchsten, vnd Mehrung der Catholischen Andacht, vnd Liebe gegen Gott vnd den Nechsten, angesehen: also wölten wir nicht gern erfahren, das solche Göttliche Gesäng, in den Wirthshäusern, bey dem Wein, Mahlzeiten, Eiteler Gesellschafft auff offentlichen Gassen vor den Häusern, von den Armen Studenten, Schülern vnd Leuten, oder sonst auß leichtsinnigem muth gesungen solten werden, vnd also das Heilige Göttliche Evangelium dardurch in vnehrerbietsamkeit vnd geringschätzung gerathen möchte: sonder wünschen, begehren vnd bitten, daß solche in den Kirchen, Geistlichen Versamblungen, bey den Predigten, Processionen, Catechismis vnd Schulen, zu Mehrung so wol der allgemeinen, offentlichen; als auch der privat vnd sonderbaren Andacht eines jeden Menschen, mögen gesungen vnd gebraucht werden: damit die Ehr, vnd das Lob der Allerheiligsten Dreyfaltigkeit in vnserm Hertzen groß, vnd in vnserm Mund schön vnd angenehm; die aufferbawung aber deß Nechsten, neben beförderung vnserer Seelen Seeligkeit, wolbeobachtet, vnd steiff erhalten werde. Welches der Gütige Himlische Vatter, durch JEsum, seinen liebsten Sohn, seiner Catholischen werten Kirchen in gemein, vnd allen Christen Menschen in particular, allergenädigst wölle wiederfahren, vnd empfinden lassen.

Die Christliche Catholische Andacht wölle mit diesem vnserem guten Willen vnd Intention auff dißmahl für lieb nehmen. Wann wir spühren vnd vernehmen werden, daß vnser arbeit derselben angenehm, vnd ersprießlich seyn wird; wöllen wir noch weiters alle Sonn- vnd Feyertags Episteln, auch die Psalmen Davids, durch beystand Gottes, gleicher gestalt in Teutsche Reymen verfasset, dem Gemeinen Nutzen zum besten, nechstens ans licht geben.

An die Organisten vnd Sänger.

ES haben die Gesäng, welche auff gewisse Melodey gestellt seyn, ein solche eygenschafft vnd beschaffenheit, daß dieselbe, wann jhr eigener Ton vnd cadenzen auffrichtig, wie sie von Wohlerfarnen Musicis componirt, vnd auff die numeros der Reymen eingerichtet seyn, vnverfälscht gelassen, vnd gesungen werden, viel lieblicher zu gehör kommen, vnd desto leichter, auch von dem Gemeinen, vnd sonsten in der Singkunst vnerfahrnem Volck, behalten werden. Solches Zihl nun auch in gegenwärtigen Evangelien vnd Gesängen zu erhalten, werden die Organisten vnd Cantores oder Sänger hiemit ersucht vnd erinnert, daß sie deroselben Melodeyen jhr natürliche hergebrachte annehmligkeit, durch vnnöthige Fugen, Coloraturen, läuff vnd vmbschweiff, nicht entziehen: auch nit oben hin in der eyl, dantz- oder sprüngweiß vberlauffen; sondern den allhie vorgeschriebenen Musicalischen noten, figuren vnd zeichen gemäß (welche darumb auch in dem General Bass mit fleiß desto leichter, vor alle Organisten, gesetzt worden) natürlich, langsam, gravitätisch, vnd wie es sich bey solchem heiligen Text gebühret, andächtig vorschlagen vnd vor-singen, vnd die Jugend lehren: damit das Gemeine Volck den Ton vnd Melodey desto leichter begreiffe, vnd also dieselbe von allen, auff gleiche weiß, ohn vnderschied erlernt vnd gesungen werden.

So ist ferner auch zumercken, daß die jenige Evangelia, so ejusdem metri seyn, das ist, deren Gesetz in der art, vnd in der zahl der Versen, Syllaben vnd Reymen einander gleich seyn, wiewohl sie bißweilen jhre eigene sonderbahre Melodeyen haben; dannoch zu denselben nicht also verbunden sein, daß sie nit miteinander abwexlen können, vnd also eins auff deß andern Ton oder Melodey, nach belieben vnd gutdüncken, könne gesungen werden.

Wie viel aber, vnd welche Evangelia ejusdem metri, oder einerley art seyn, erweist der folgende Außzug.

Clausener Gesangbuch. Trier 1653.

Zu den Andächtigen Pilgern.

Im alten Gesätz Tob. 4. vnd Eccl. 7. cap. werden wir ermahnt: Gemitus matris tuae ne obliuiscaris etc. Vergiß nimmermehr deß Schmertzens deiner Mutter, vnd gedenck, daß du nicht, dan durch Sie gebohren bist.

Vmb wie viel billiger vnnd schuldiger sollen wir eingedenck sein der Schmertzen vnser Würdigster Mutter Mariae, weil anders nicht, als durch Sie, wir zum Ewigen leben gebohren seindt? Gleich wie deroselben auch im geringsten nicht vergessen seindt vnsere Gottselige Vorfahren, welche anfänglich Jahrs 1440 zu diesem heyligen vnnd Miraculosen Orth mit sonderbarem Eiffer vnd Andacht Bitt vnd Wallfahrten angestelt, die Schmertzhaffte Mutter Jesu allhie zu Ebers Clausen zu verehren, vmb von Jhr, in Betrübniß Trost, in Widerwärtigkeit Hülff zu erlangen.

Dahero dan in erfahrung selbst befunden, was geschrieben Joan I. cap. De plenitudine eius accipiunt omnes. Von Jhrer Fülle der Himmlischen Gaben vnd gnaden geniessen alle. Die Krancken werden gesund, die Stummen redend, die Blinden Sehend, die Tauben Hörend, etc.

Wardurch wir billig, in ansehung der vielfaltigen alhie ertheilten Gnaden vnd geschehenen Wunderwercken, zu einer schuldigsten danckfagung, die wolangefangene vnnd bißhero Hochlöblichst continuirte Andacht bey Jung vnd Alt im schwang zu halten, fernern anleitung geben wollen mit diesem gegenwertigen Gesang vnd Bettbüchlein: welches zu Ehren der Sieben fürnembsten Schmertzen (so die Hochbetrübte Mutter Maria beym leben vnd sterben jhres allersüssesten Sohns Jesu empfunden) in Sieben Haupt Stationes oder Betrachtungen außgetheilt, Ein jedwedern Schmertzen mit beygesetzten Gesang vnd Betrachtungen absönderlich zuuerehren. So wird auch hierin, in offentlichen processionen ein gutte Ordnung im singen gesetzt, womit die Andächtige Pilgram vielfaltige Bücher bey sich zu tragen enthoben verbleiben. Die außtheilung der Stationen, wan vnd wo eines jedwedern Schmertzens verehrung auff dem weg, an die Hand genommen soll werden, ist den Herrn Pastoren heimgestelt vnd deren Vorsängern.

Bitten vnd wunschen dabey auß gantz innerlichem Gemuth, der Erforscher aller Hertzen wölle das Lob der kleinen vnd vnschuldigen, zur abbüssung vnsrer grossen Schulden, durch vorbitt der Gewaltiger Himmel Königin Mariae, Mildt vätterlich auffnemmen, vnd zu der algemeinen Kirchen aufferbawung, auch vnser ewig vnd zeitlicher wolfahrt gelangen lassen: Amen. Datum Eberharts Clausen 1653. Ipso Ven. Compassionis Deiparae etc. Aller Gottes vnd Mariae Liebhabern vnd Pilgramen geistliche Diener Prior vnd Conuent daselbsten.

Vorrede aus der „Davidischen Harmonia“ 1659.

An den andächtigen Singer.

ES ist verhoffentlich fast einem jeden bekandt, wie vns mit denen Waldvögeln der Singe-Kunst Annemblichkeit von der Natur eingepflantzt, vnd nicht nur die H. Vätter deß Alten Testaments, sondern auch vnsere liebe Vorfahren im Newen Testament, jhrem Schöpffer zu Ehren, anmuthige Lieder gedichtet, dem HErrn gesungen, vnd seinen Namen gelobet haben.

Derowegen ein Vberfluß zu seyn erachtet wirdt, vil von der Singe-Kunst Vrsprung vnd fortpflantzung zu erzehlen; Zumahln Herr Cornerus Abbt zu Göttweig, in der Vorred über seine Geistliche Nachtigal dem Grundbegierigen schon genugsamen Bericht darvon geben.

Dises aber ist der andächtige Singer zu erinnern, daß er sich nit wolle verwundern, wann jhm in diser Davidischen Harmoni Lieder vorkommen, die sich nach heutiger Teutschen Dichter-Kunst nicht auff die Prob setzen lassen: Dann hier niemahls im Vorsatz gewesen, dem Singer mehr mit zierlichen, nach der Kunst geschrenckten Reymen, als mit alten wolgemeynten Geistlichen, durch anmuthige Melodeyen versüßten Gesängen, seine Andacht gegen GOtt desto fewriger zu machen.

So können wir auch vnsern Vorfahren keines wegs verargen, daß sie jhre Gesänge nicht so kunstmässig, als wir, GOtt lob, jetzo thuen können, gemacht: Sintemahln in allen Sachen der Anfang schwär, vnd vil leichter ist etwas zu verbessern, als zu erfinden, dahero der Erfinder vor dem Verbesserer allzeit das Lob darvon träget. Welches wir vnsern lieben Voreltern auch hierinnen mit allem Recht gönnen, vnd jhnen höchsten Danck sagen sollen, daß sie vns zu solchem angenehmen GOttesdienst die Bahn gebrochen, darauff wir jhnen je länger je besser nachgehen können.

Vnd damit derselben gute Intention vnd jnbrünstige Andacht der Ewigkeit dest mehr dancknehmig einverleibt werden möchte, ist in disen Gesang Büchel mit fleiß dahin gesehen worden, daß die Lieder, wie sie entweder vom Dichter selbst erstlich gestelt, oder doch schon vor vilen Jahren gebraucht worden, fast vngeändert zusammen getragen wurden.

Darbey gleichwol der andächtige Singer zu beobachten hat, daß die Newglaubig Vncatholische die meiste Gesäng, so bey ihnen im gebrauch seyndt, von der Röm: Catholischen Kirchen, vngeacht sie in jhren Gesang Büchern jhre eigene Namen darüber geschriben, entlehnet haben; Gleicher gestalt, als wie, nach Luthers selbst Bekandtnuß, die H. Schrifft, Abentmahl, Absolution, die Glaubens Bekantnuß, Vatter vnser, Zehen Gebott etc. an jhne vnd die seinigen, von der Röm: Catholischen Kirchen gekommen. Gleich wie aber Luther vnd sein Anhang mit denen obgemelten Stücken vmbgangen, daß sie nemlich deren etliche vnverändert gelassen, etliche aber gestimmelt, vnd mit jhrem Gifft beschmiert; Also haben sie auch mit denen alten Gesängern der Catholischen Kirchen gehandelt: deren etliche vnverändert von jhnen gelassen, welche der Censur dessenthalben befreyt seyndt; Andere aber haben sie mit jhren Irrthumben verunreiniget, welche man jetzo darvon gesäubert, vnd der Catholischen Lehre gleichförmig gemacht hat.

Schlüßlichen, ist dise Arbeit zu dem Zihl vnnd Endt gerichtet, damit, sampt denen Alt-Catholischen, die nunmehr durch GOttes Barmhertzigkeit zum rechten Schaffstall bekehrte Hertzen, durch die bewegliche Singekunst, GOtt im Geist, vnd in der Warheit andächtig vnd eyferig loben, preysen, vnd in Gott jhrem HERRN sich hie zeitlich, vnd dort ewig erfrewen mögen. Welches man allen Gottliebenden von Hertzen wüntscht, vnd den Gottseeligen Singer bittet, er wolle sich diser auß guter Intention übernommenen Arbeit, förderist zu Gottes Ehren, vnd dann zu seiner Seelen geistlicher Erquickung, Heyl, vnd Seeligkeit fleissig gebrauchen.

An den Klügling.

Hier ist nicht Opitz Kunst:
Nicht Orpheus süsse Leyer;
Der Alten Andacht ists,
Und ihres Eyfers Frucht.

Drum Klügling mach jetzt Platz;
Herzu wer ernstlich sucht
Was himlisch ist, vnd mehrt
Der rechten Andacht Fewer.

Mainzer Gesangbuch 1661 und 1665.

Vorred. An den Christlichen Sänger.

Das gemeine Mäyntzische Gesangbuch, sonsten auch Cantual genand, ist bey verflossenen langwirigen Kriegszeiten, theils durch offt widerholten unfleissigen Truck mit so mannigfaltigen Fehlern überhäuft worden und dergestalt verwildet, daß es ihm selbsten nicht mehr gleichförmig ist, sondern vielmehr in ein ungestalte Mißgeburt als in ein förmlich Gesangbuch außgeschlagen.

Dann erstlich den Text oder Innhalt der Gesängen betreffend, seynd in denselbigen viel, der Heil. Schrifft und waren bewehrten Kirchen Historien ungemäse Fehler eingeschlichen. Zweytens ist die Form oder Gestalt der Gesängen dermassen verstellt, daß weder die Syllaben ihr rechte Maß, weder die Verß ihrer Syllaben gehörige Zahl, weder die Gesetz ihre gebürliche Reymen erhalten; dahero dann offtermals auff nur ein musicalische Noten viel Syllaben, oder hingegen auff ein eintzige Syllabe viel musicalische Noten haben müssen gezogen und gezwungen werden, welches dem gemeinen Mann einzulegen und zu singen unmüglich war, und also nothwendig darauß vielmehr ein verwirrtes Geschrey, als eine ordentliche Harmoni entstehen müssen. So ist drittens auch in den Melodeyen und musicalischen Noten dergestalt verfehlt, daß auch die sonst wolerfahrne Musicanten, Organisten und Sänger sich selbsten nicht mehr darein finden können.

Diesen, und dergleichen mehr Fehlern zu begegnen ist nothwendig erachtet worden, ermeldtes Gesangbuch, auß dem Grund zu reformiren und zu verbesseren, wie dann auch in diesem Truck der Anfang gemacht worden, dergestalt, daß die untaugliche Gesänger, und der ungereumte Text entweder gar außgeschlossen, oder geendert; die Verß und Reymen aber (so viel es vor dißmal seyn können) entweder eingezogen, oder aber nach Erforderung der Sachen erweitert, und dem Thon gemäß in ein gewisse Ordnung gebracht worden.

Damit aber in dieses erneuerte Gesangbuch oben angezeigte, oder andere dergleichen Fehler mehr ins künfftig nicht einschleichen; So wird hiermit allen, deß Ertzstiffts Mäyntz Buchverlägern oder Truckern ernstlich verbotten, mehrbesagtes Gesangbuch ohn außtrückliche Erlaubnuß noch durch Zusatz noch durch Abnehmung im geringsten zu verändern.

Solle auch in den Kirchen, gottseligen Versammlungen und Wallfahrten, neben den jüngstaußgangenen Sonn- und Feyertäglichen Evangelien, Episteln und Psalmen Davids, sonst kein anders Gesangbuch ohne Verwilligung eingeführt oder gebraucht werden.

Alles zu deß Allerhöchsten Ehr, der Catholischen Kirchen zu Nutzen, und der Seelen Heyl zum besten.

Bamberger Gesangbuch 1670.

Dem hochwürdigsten Fürsten und Herrn, Herrn PHILIPP VALENTIN, Deß Heiligen Römischen Reichs Fürsten und Bischoffen zu Bamberg, auch Fränckischen Craiß Directorn.

Meinem Gnädigsten Fürsten und Herrn.

WAnn dem Keyser Leoni, und Tiberio Constantino, noch heutigen Tags zu sonderbaren Ruhm nachgeschriben wird, daß dieselben sich vernehmen lassen, es könte kein Gelt besser angelegt werden, als was man zu Erhaltung der Kirchen und Schulen verwenden thut; und eben deßwegen der großmächtige Käyser Carl der Fünffte eines wohlbestellten Statt-Regiments dieses einige Kennzeichen solle gehabt haben, wo die Schulen und Uhrwerck wol angeordnet gewesen; so hab ich desto weniger Bedenckens getragen, Ew. Hochfürstl. Gnaden dieses vorhero schon von Herrn Magister Johann Degen gewesenen Caplon zu S. Martin allhier seel. an Tag geben: seithero aber durch das leidige Kriegswesen distrahirt und nun auff meine Costen wieder auffgelegt auch unterschiedlich augirt: und verbesserte Bambergische Gesangbuch zu unterthenigsten Ehren zu dedicieren, weilen nicht allein dieselbe zu eben diesem Ende umb Beförderung der Kirchen und Schulen-Standts, die allbereit eingerissene Confusion abzustellen, angeregtes Gesangbuch de novo in Truck zu geben, gnädigst placidiret; sondern auch unter andern ruhmwürdigen Sachen, fürnemblich dahin jederzeit bedacht gewesen, daß in Kirchen und Schulen jedesmahl mit Vorstellung wohlerfahrner Leuth eine rechte Ordnung gehalten werden möchte; also daß Sie, was anfangs ermelte Keyser Leo und Tiberius Constantinus in ihrer Haydenschafft nur mit Worten gerümbt, in dem Werck selbsten Christlöblich erwiesen haben, und deßwegen ihnen weit vortringen, ohne zweiffel wohlwissende, daß nach den Gesatzen Plutarchi und Quintiliani ein gute Ordnung der Kirchen und Schulen, worinn die zarte Jugend beedes die Frombkeit und Gelehrtheit begreiffen thut, anders nichts, dann ein guter Burgerstand seyn könne, welcher durch dergleichen Einhelligkeit der Bücher, als vorgesetzte einige Richtschnur erhalten, und zum fruchtbarlichen Wohlstand gebawet wird; so bey diesem Werck umb so viel weniger zweiffelhafftig, dieweiln nicht allein darinnen das Lob der Allerheiligsten Dreyfaltigkeit, deß einigen Sohns Gottes unsers Erlösers, und der gebenedeyten Himmels-Königin Mariae, sondern auch absonderlich der glorwürdigeu Stiffts-Patronen und aller lieben Heiligen, mit allerhand schönen Harmonien enthalten, wodurch jedermann zur Aufferbäwlichkeit gebracht, und was etwan entzwischen durch unordentliche Confusion der so vielen eingeschlichenen frembden Gesangbücher verirret worden, hierdurch reducirt und verbessert werden kan. Dahero ich gäntzlich darfür gehalten, ich würde mich deß Lasters der verhasten Undanckbarkeit nicht entbrechen können, wann dieses dem Ansehen nach, zwar gering, der Nutzbarkeit halben aber sehr hoch importierliches Werck (wiewoln ich meinerseits anders nichts, als die Costen und Mühe darzu gethan habe) einem andern, dann seinem eigenen Restauratori und Erhalter zuschreiben, und offeriren solte; der unterthenigst-tröstlichen Hoffnung lebend, Ew. Hochfürstliche Gnaden werden mir solches nicht für ein hochmütige Künheit auffnehmen, sondern vielmehr die Bezeugung meiner schon längst schuldigsten Danckbarkeit in Gnaden erkennen, auch dieses Büchlein in dero Hohen Schutz also Gnädigst erhalten, damit vorderist die höchste Ehr Gottes befördert, die liebe Jugend gleichsam darinnen erzogen und unterwiesen, auch sonsten jederman zum Göttlichen Lobgesang angetrieben werden möge; von Hertzen wünschend, daß der Jenige, welcher mit Englischen Lobgesang unauffhörlich im Himmel gepriesen wird, Ew. Hochfürstl. Gnaden langwürig glückliche Regierung, beständige Gesundheit, und alle Fürstliche Wohlfahrt gnädigst verleyhen wolle, dero mich zu Gnaden empfehle. Datum Bamberg, am Tag der glorwürdigen Apostel Philippi und Jacobi, Anno 1670.

Ewer Hochfürstl. Gnaden
Unterthenigst Trewgehorsamber
Hanß Elias Höffling,
Bibliop. Academ.

Münstersches Gesangbuch 1677.

Vorrede an dem Christlichen andächtigen Sänger.

DAß wir Menschen Gott dem Herren mit Lobgesängen, Preiß vnd Dancksagungen loben, ehren vnd heiligen sollen, solches ist zu ersehen an gar vielen örteren der heiligen Schrifft, so wol Alten als Newen Testaments, da solches auch in den Psalmen Davids zum offtermahlen wiederholet wirt, wie da stehet im 30. Psalm vnd 5 Verß. Ihr Heiligen Lobsinget dem Herrn, dancket vnd preiset seine Herrligkeit, vnd im 96. Psalm, am I Verß. Singet dem Herrn ein newes Liedt, singet dem Herrn alle Welt, singet dem Herrn vnd lobet seinen Nahmen, etc.

Eben dergleichen Ermahnungen vnnd Auffmunterungen zum Preiß, Dancksagung vnd Lobgesängen zu Gott, finden wir auch gar viel im newen Testament, als Ephes I. am 5. vnd 19. Verß. Werdet voll Geists, vnd redet vntereinander von Psalmen vnd Lobgesängen, vnd Geistlichen Liedern, singet vnd spielet dem Herrn in ewrem Hertzen, vnd saget Danck allezeit für alles, Gott vnd dem Vater in dem Nahmen vnsers Herrn Jesu Christi, vnd Coloss. am 3. c. v. 16. Lehret vnd vermahnet euch selbst mit Psalmen vnd Lobgesängen vnd Geistlichen Liedern, vnd singet dem Herrn in ewrem Hertzen.

Solche und dergleichen Sprüche vnnd Anreitzungen zum Lobgesängen vnd Preiß Gottes hat die H. Schrifft in sich gar viel, welche kürtze halben hie nicht dörffen gesetzet werden. Daß das Geistliche Gesäng aber allezeit von Anfang in der Catholischen Kirchen im Löblichen Gebrauch gewesen ist, zeugen auch die H. Vätter in vielen jhren schrifften, als S. Hieron. ad. Laetam, das vor 1300. Jahren die Kinder in den Wiegen das heilig Alleluia gelehrnet haben. Also spricht auch S. Basilius l. de Spiritu sancto, c. 7. das fromme Christen das Gloria Patri, &c. auff jhrer Werckstätte gesungen haben.

Der H. Hieron. Epist. 17. ad Marcellam. daß der Ackersman auff dem Feldt hinder der Pflug das Göttliche Lob vnd Alleluia gesungen haben. Der H. Chrysost. hom. in psal. 41. daß auch die Weiber Geistliche Gesänge bey jhren spinnen, etc. gebrauchet haben, vnd daselbst von der nutzbarkeit deß Geistlichen Gesängs also: Nichts ist daß die Seel also erhebt, vnd jhr gleichsam Flügeln gibt sich von der Erden zu zwingen, etc. Alß ein Gesang von göttlichen sachen in Reimen eingefasset etc. Wo Geistliche Gesänge seyndt, da fleucht hinzu die Gnad des H. Geists: vnd durch den Mund wirdt die Seel geheiliget. Vnd S. August prol. in psalmis also: Der Psalm erbawet die Liebe, dann durch die zusammenstimmung der Wort verursacht er die vereinigung der Hertzen, er vertreibt die Teuffeln, ladet die Engeln zu gehülffen: Ist ein Schildt im Nächtlichen schrecken, eine Ruhe in der Tags Arbeit, den kindern jhr schütz, der Jugendt jhr geschmück, den Alten jhr Trost, den Weibern jhr bequemeste zierde. Auch spricht Theodoretus in hist. Relig. c. 36. nach erzehlung der wunderbarlichen Tugendten deren vielfältigen Jungfrawen, so er gesehen: bißweilen haben zweyhundert vnd fünffzig, mehr oder weniger beyeinander gelebt, eine speiß gessen, allein auff Matten geschlaffen, vnd wolle mit jhren Händen zu gerichtet, Jhre Zunge aber mit Hymnen vnd Lobgesängen Gott geheiliget. Dieser Schulen der Weißheit (sagt er) seyn vnzahlbar viel, nicht allein in vnserm Lande, sondern auch durch gantz Orient, Palaestinam oder Judaeam, Egypten, Asien, Pontum, Ceciliam, Syriam, vnd gantz Europam gewesen.

Wie wol nun auß diesem allen gnugsam ist zu ersehen, daß das Geistliche Gesäng Gott dem Herrn ein sehr angenehmer Dienst ist, auch nicht ein newer, sondern gar alter, auch an allen Ecken der Welt ein berümbter vnd löblicher gebrauch gewesen ist; So kan doch auch nicht geschweigen den grossen Fleiß vnderschiedlicher Ketzeren, welche sie in übung der Geistlichen Lobgesängen angewendet haben: wie da zeugen obgemelte H. Vätter als unter andern Nicephorus l. 9. c. 16. & l. II. c. 12. hist. tripartita, l. 10. c. 8. Eusebius l. 7. c. 24. S. Augustin. Epist. 119. ad Jannarium, das vor Alters die Apolinaristen, Arrianer, Donatisten, vnd viel andere mehr jhre Secten vnd Jrrthumben starck fort gesetzet durch das Gesäng dan sie selbsten allerhand geistliche Lieder vnd Lobgesänge gemachet vnd gebraucht haben, vnd damit das gemeine Volck freundtlich an sich gehalten, vnd zu jhren Rotten gezogen, vnd seyndt dieselben Gesänge in gemeiner Landsprache under seinen lieblichen Melodeyen dergestalt zugerichtet gewesen, daß die Männer in dem Zechen bey den wein, auch bey jhrer Arbeit, vnd die Weiber am Rocken haben singen können. So haben sich auch die Arrianer in jhren beysammenkünfften mit solchen Fleiß vnd Eyffer in denselben Lobgesängen geübt, daß sie wol gantze Nächte darüber beyeinander blieben.

Diesem List der Ketzer eine gegenwehr zu thuen, haben sich die Catholische Bischöffe vnd Lehrer ernstlich beflissen, vnd für das gemeine Volck, (welches zum singen fast geneigt) andere Catholische, vngefälschte Gesänge zugerichtet, damit sie nicht durch den Brauch der Sectischen Lieder von der Gemeinschafft der H. Kirchen abgeführet würden. Jn welchem Werck dan auch trewlich gearbeitet haben der H. Ephraim wider deß Harmony vnd seines Vatters Bardesanae Rotten in Syrien, der H. Chrysostomus wieder die Arrianer zu Constantinopel, der H. Augustinus wieder die Donatisten in Africa, vnd andere mehr. Nach diesem Exempel der H. Vätter haben sich biß hieher viele fromme, trewhertzige vnd bedächtige Männer in vnserem alten Catholischen Christentumb befunden, welche auch auß Christlichen Eyffer in platz der Sectischen Lieder gute Catholische vnd vngefälschte Gesänge, theils wol gantze Gesangbücher dem gemeinen Volck zum Nutzen vnnd Dienst in vnsere löbliche teutsche Sprach zugerichtet vnnd außgehen lassen.

Weilen nun auch viele Menschen befunden werden, welche dieser Gottliebenden Männer grosse Arbeit zu jhrem Heyl anzuwenden sich befleissen, in deme sie grössere anmühtung, Andacht vnd Liebe zu Gott schöpffen, durch das geistliche Gesäng, als durchs Gebett: Auch weilen allhie im Stifft Münster an etlichen örteren viele geistliche Gesänge im Brauch seyn, welche sich bißhero in vnserm Münsterischen Gesangbuch nicht befunden, vnd haben also vnderschiedtliche frembde Gesangbücher gebrauchet, under welchen auch wol anderer Religions-bücher gefunden werden, vnd in übung selbiger Lieder einer dem andern in Irrung vnd verwirrung bringt: Ein solchen Mißbrauch hinführo zu vermeiden; Auch damit die liebe Jugendt (welche gemeinlich von Naturen zum singen geneiget) durch das vielfältige jetzo schwebende böse Pestilentische seelen gifft der weltlichen Lieder nicht möge verführet vnd vergifftet werden, sondern durch die übung deß geistlichen Gesängs zum Dienst Gottes möge angeführt werden, vnd zuvorderist,

Weil jetzt-regierende Ihro Hoch F. Gnaden zu Münster, etc., Vnser gnädigster Landts Fürst vnd Herr Krafft derselben außgelassenen gnädigsten Patentis gnädigst verordnet vnd anbefohleu, daß hinführo in allen Kirspelskirchen, auch unterm Ampt der H. Meß teutsche Lieder nach Art der Zeit gesungen werden sollen.

Als ist zum höchsten Nützen der zarten Jugendt, wie auch zum besten deß gantzen Vatterlands gegenwertiges reines Gesangbuch auß dem Uralten Münsterischen Platteutschen vnd Hochteutschen, wie auch auß vnderschiedtlichen bewehrten Gesangbüchern die üblichste, so wol alte als newe Gesäng in diese Ordnung zusammen getragen, vnd in Eylff theile abgetheilet, nach den Zeiten vnd Festen deß gantzen Jahrs, in welchen sich der Mensch so wol im Lob Gottes, als auch in allen Tugenden üben kan: Vnd zweiffelt man nicht, die Herrn Pastoren, Seelsorgere vnd Catechisten, auch Cüster vnd Schulmeistern, wie insgleichen Haußvätter vnd Müttern, auch alle Sänger vnd Liebhabere des Göttlichen Lobs, werden nach jhren rühmlichen Eyffer dieses Büchlein in übung bringen, durch befürderung, durch lehrung, durch anreitzung, durch selbsten gebrauch, vnd sonsten auff welche weise jmmer geschehen kan: damit die Ehr vnd Lob Gottes durch jeden möge getrieben vnd vermehret werden. Weilen aber in diesem Gesangbuch viele Lieder begriffen, welche noch mit jhren Melodeyen bey manchen unbekant seyn, so sollen nechst Göttlicher Hülff alle die Melodeyen über dieses Gesangbuch einen jeden Gottliebenden Sänger zu Nutz in kurtzen verfertiget vnd allein getrucket werden. Alles zu der Ehr deß Allerhöchsten, zum Nützen der Catholischen Kirchen, zum Heyl der Seelen, vnd zum besten deß lieben Vatterlandts.

Die nun folgende „bequeme Ordnung, wie das teutsche Gesäng in der Kirchen durchs gantze Jahr gar ordentlich kan gesungen werden" zeigt wie man in früheren Zeiten ohne sog. „deutsche Singmessen" fertig werden konnte. Für alle kirchlichen Feste und heiligen Zeiten sind hier passende Lieder aus dem Gesangbuche zum Gebrauch bei der h. Messe angegeben, z. B.

Im Advent.

Zur Procession, Auß hartem weh.
Zur Epistel, Singt auff, lobt Gott.
Zum Offertorio, Der Heyden Heylandt komme her.
Zur auffhebung das dritte vnd folgende Verse auß dem Gesang: O Christ hie merck.
Zur Communion, Wollauff nun last vns.
Nach dem Seegen des Priesters, Ave Maria gratia plena.

Nach der Predig, O Gott wolst vns verzeihen, oder zum wenigsten den mittelsten Verß darauß, warnach der Priester mit: Fiat pax etc. vnd zugehörender Collect den Gottesdienst beschliesset.

Für das h. Pfingstfest werden folgende Gesänge angegeben:

Zur proc. Veni creator, mit den teutsch.
Zur Epistel, Veni sancte spiritus so 3 mahl der Priester am fuß des Altars kniendt anfanget.
Zum Offert. Nun bitten wir den H. Geist.
Zur Elevation, Ist das der Leib. Herr J. Chr.

Zur Communion, Komm, O komm Heiliger Geist.
Nach dem Seegen, Komm H. Geist wahrer Gott.
Der priester auffm predigstul anfangendt, Nun bitten wir den H. Geist, das Verß 3 mahl.

Nach der predig das letzte Verß auß dem Gesang, Nun bitten wir den H. Geist. Vers. et Collecta de festo.

In dieser Weise werden auch für die übrigen Feste und Sonntage die Lieder bestimmt.

Zu mercken.

I. Wann das Stunde-Gebett zur Oster- oder Weynachtszeit gehalten wirdt, dann kan man in platz zweyer obgemelten Liedern, etwa zwey Lieder von selbigen Festen dazwischen singen.

II. Wann Procession mit dem H. Sacrament gehalten wirdt, außer der Oster- vnd Weyhnachtszeit mag man singen, Dich Gott wir loben vnd ehren, oder: Ich bette dich an, oder: Lobe Syon. Wann auch viele Communicanten seyn, mag auch eins der letzgemelten Hymnen, oder Frewet euch jhr liebe Seelen, oder Jesu wie süß. Vnter reichung der Communion mit einer Stimm allein gesungen werden.

III. In denen Processionen vnd Bittfahrten können füglich gesungen werden, zur Oster- vnd Pfingstzeit der dritte vnd vierte Theil, sonsten die Gesänge vor der heiligen Dreyfaltigkeit, vnd der gantze 5. vnd 6. Theil, auch mehrentheil der 7. vnd 8. auch etliche auß den 9. vnd 10. theil, vnd die siben Bußpsalmen, wie auch fol. 91. & 109, 183.

IV. Allwo kein starckes Chor ist, da mag ausserhalb der Oster- vnd Weyhnachtszeit (in Dominicis & ferijs), in platz deß Introitus, gesungen werden: Nun lobet Gott im hohen thron, vnd zum Gloria in Excelsis, Gott in der höh sey Preyß vnd Ehr, such am nechstfolgenden Blat.
Zum Credo, In Gott dem Vatter glaube ich.
Zum Agnus Dei, O Du Lamb GOttes vnschuldig.
NB. Der Priester fängt das Gloria in Excelsis vnd Credo, wie gebräuchlich, auff Latein an, vnd das Chor fahret zu teutsch fort.

V. Es muß diß Gesang in der H. Meß nicht zu lang gemacht werden, sondern man muß sich nach dem Priester richten, vnd da es nöthig, dasselbe abkürtzen, außgenommen das Gloria in Excelsis, vnd den glauben sollen gantz zum endt gesungen werden. Das Gesang zur Elevation fängt man ehe nicht an, als nach Erhebung des Kelchs, vnd zur Communion alsbaldt nach dem Agnus Dei.

VI. Zur Seelmeß vnd Begräbnuß der Todten mögen gesungen werden:
1. Mitten wir im Leben seyndt.
2. Herr Jesu Christ war Mensch vnd Gott.
3. O des Tages der wirdt verzehren, Wie auch den Vierten vnd Sechsten Bußpsalm.

An den Christlichen Sänger.

ES ist bekant, daß niemahlen ein Gesang oder Liedlein eine Anmühtigkeit, oder den rechten Geschmack und Art hat, wan es nicht mit seiner recht zugehörigen Melodey gesungen wird; da dan auch die Melodeyen hin und wieder in underschiedlichen Gesängen verwüster und verfälschet seyn, als werden derhalben einem jeden Sänger zum Gefallen und Nutzen diese Melodeyen ohn viel Colloraturen gar kurtz und rein fürgesteller, und gebe auch dabey kürtzlich dem einfältigen Sänger zur Nachricht folgende Regulen und Vnterricht nebenst Bedeutung der gemeinesten Zeichen, auch nothwendigster Wissenschaft der allgemeinen Sangkunst.

Erstlich ist zu wissen, daß der Gesang zweyerley ist, als nemlich mol und dur, und haben beyde sieben Claves oder literas, als A, B, C, D, E, F, G, und der Voces oder Stimmen seyn sechs, als nemlich: Vt, re, mi, fa, sol, la, und werden wegen Veränderung die Claves und Voces zugleich außgesprochen, wie folgt:

A	la	mi	re.
B mol	fa	B dur	mi.
C	sol	fa	vt.
D	la	sol	re.
E	la		mi.
F	fa		vt.
G	sol	re	vt.

Vnd wird solches im singen in der Veränderung gebrauchet also:

In Cantu Duro.			In Cantu molli.		
Auffsteigend.		Absteigend.	Auffsteigend.		Absteigend.
A	Re	la.	A	mi	la.
B	mi	mi.	B	fa	fa.
C	vt	fa.	C	vt	sol.
D	re	sol.	D	re	la.
E	mi	la.	E	mi	mi.
F	fa	fa.	F	vt	fa.
G	vt	sol.	G	re	sol.

Zweytens kan die Mutation oder Veränderung füglich geschehen in cantu molli, im auffsteigen in D und G mit re, und im niedersteigen in D und A mit la.

Vnd in cantu duro, im auffsteigen in A und D mit re, und im niedersteigen in A und E mit la, siehe an folgende Figur:

Veränderung in cantu molli.

vt re mi fa re mi fa sol la sol fa la sol
fa mi re vt.

Veränderung in cantu duro.

vt re mi fa sol re mi fa sol la sol fa mi la
sol fa mi re vt.

Zum Dritten ist nöhtig zu wissen, und in acht zu nehmen, wann man anfangen will zu singen, daß man erstlich mercke und sehe was für ein Clavis oder Schlüssel gezeichnet sey, auch obs mol oder dur und worin man anfange, damit der Ansatz recht gemacht werde. Deren clavis aber so gezeichnet werden, seynd nur drey, als nemblich C F G. siehe an folgende Figur mit ihren Zifern;

Anzeig- und Bedeutung der Zeichen mit ihren Zifern.

1. 2. 3. 4. 5. 6. 7. 8. 9. 10. 11. 12. 13. 14. 15.
16. 17. 18. 19. 20. 21. 22. 23. 24. 25. 26. 27. 28. 29. 30. 31. 32.

1. Ist c in erster Linie, und wird genent ein niedriger Discant. 2. ist der mittel Cant. 3. ist der Alt clavis. 4. ist der tenor clavis. 5. ist der höchste Cant. 6. ist der hohe Cant. 7. ist f, und ist der allzeit der Bass clavis, und wird genent der höchste Bass, 8. ist der gemeine Bass. 9. ist der tieffeste Bass. 10. ist auch f, und wird gemeinlich im choral also gezeichnet, 11. ist C auch im choral gemeiner clavis. 12. ist b, wo das gezeichnet, da ist das Gesang mol, und wo es nicht gezeichnet, da ist es allezeit dur. 13. Wo dieser Strich durch alle fünff Linien gezogen ist, theilet er im Musicalischen Gesang ab den Tact oder Schlag der Noten, aber in diesem Büchlein endigt er gemeinlich ein Reim, oder Rey im Vers, wo man Athem schöpfft.

Zum Vierten ist nöhtig zu wissen der Valor oder Maß der Noten, wie viel zum Tact oder Schlag gehören, welcher Tacts Zeit ist ein Nieder- und Auffschlag mit der Hand, folgendts: 14. ist ein doppelter Schlag: 15. ist ein gantzer schlag. 16. ist ein halber Schlag. 17. ist ein Viertel. 18. ist ein achtentheil, 19. ist ein sechszehentheil.

Zum Fünfften die Pausen oder stillschweigen unterm gleichen Tact sind folgende: 20. ist 4 schläge. 21. ist 2 schläge. 22. ist ein Schlag. 23. ist ein halber Schlag. 24. ist ein Viertel. 25. ist ein achtentheil. 26. ist ein Punctum, welcher Noten es folget, bedeutet es halb so viel als die Note gantz in sich selber ist, muß alsdann selbige vor dem Punct stehende Note noch halb so lang darzu gehalten werden als die Note in sich ist. 27. est signum valoris simplicis, bedeutet den Anfang der Melodey eines gleichen preises der Noten. 28. bedeutet einen ungleichen preiß der Noten, und werden genent tripla, deren dann underschiedliche seyn, als drey Schläge einen Tact, oder 3 halbe, oder 3 viertel etc. 29. ist ein Semitonium, vor welcher Noten es stehet, muß dieselbe ein halben Thon höher genommen werden, und wo in dessen platz ♭, muß sie ein halben Ton niedriger genommen werden. 30. est signum repetitionis, und muß alsdann Wiederholung geschehen. 31. est signum custodis, zeiget an am End der Leyter die erste Note in folgender Leyter. 32. Wo dieses über oder unter der Leyter stehet, begreifft es die Noten, deren dann 2. 3. oder mehr über eine Silbe gesungen werden, etc.

Wann dieses alles als principaliste und nohtwendigste Wissenschafften eines Sängers recht und wol beobachtet werden, dann werden nicht allein gegenwärtige Melodeyen gar leichtlich zu erlernen seyn, sondern man wird auch mit gar geringer Mühe in der edlen Singkunst in kurtzer Zeit erfahren werden, wann man sich nur recht übt in dem auff- und abspringen, Fällen und Cadentien, als Tertien, Quarten, Quinten, Sexten, etc. mol oder dur, rein auff- und abspringen, auch dabey vor allen Dingen die maß der Noten, als Länge und Kürtze derselben im singen zu halten nach ihrer rechten Proportion, welches allezeit der Melodey ihre rechte Lieblichkeit geben muß; dann wann alle Noten gleich langsamb oder gleich geschwind gesungen werden, hat keine Melodey im Gehör rechte Art. Es soll aber ein Sänger ins gemein mehr dem langsamen, als geschwinden singen zugethan seyn, dann die Geschwindigkeit nimbt dem Gesang die Lieblichkeit im Gehör, wie alles in praxi weiter zu erlernen.

II.

Besonderer Theil.

Adventslieder.

(No. 1—29.)

No. 1.

Veni Redemptor gentium.

Der Heyden Heylandt komm herzu.

I. Handschrift aus dem 15. Jahrhundert. Beuttner (1602) 1660. Paderborn 1609, 1616, 1617. Cöln (Brachel) 1619. Hildesheim 1625. Mainzer Cantual 1627. Würzburg 1628 ff. Osnabrück 1628. M.-Speier 1631. Seraph. Lustgart 1635. Molsheim 1659.

1
Ve - ni Re - demp - tor gen - ti - um, Os - ten - de par - tum
Der Hey-den Hey - landt komm her - zu, Der Jung-fraw - en Ge-
2 3 4
vir - gi - nis, Mi - re - tur o - mne sae - cu - lum, Ta - lis
burt kund thu, Die al - le Welt groß Wun - der nimbt, sol - che
par - tus de - cet De - um.
Ge - burt Gott allein ge - ziembt.

Der lateinische Text mit der Melodie steht zunächst in einem Pergamenthandschrift aus dem 15. Jahrhundert (in meinem Besitze). Der obige deutsche Text im Mainzer Cantual 1627.

Die Paderborner Gesangbücher haben den Text:

Varianten:

1) d e f g statt d f g g; Beuttner u. a.
2) a g statt a, daselbst. Paderborn 1609 ff.
3) f d statt f e, daselbst. 1616 ff.
   e statt f e, Hildesheim 1625. Mainz 1627.
4) Würzburg 1649 u. a.:

„Nun kom̃ der Heyden einigs Heyl
Der Jungfrawen Geburt vns zeig,
Der gantzen Welt es wunder nimpt,
Solch ein Geburt wol gezimpt".

Beuttner 1660 u. a.

Komb Herre Gott du höchster Hort,
Deß Vatters Sohn vnd ewiges Wort,
Komb Messias du Edler Held,
Auff dich wartet die gantze Welt.

Cöln 1619, Würzburg 1628, M.-Speier 1631.

„Der Heyden Heylandt kom her" u. s. w.

In einigen Gesangbüchern steht die Melodie um eine Quart erhöht, natürlich mit ♭-Vorzeichnung.

Der heiden Heylandt kom her.

Der Hymnus Veni Redemptor gentium.

(K. I, 42; W. V, 1224.)

II. Leisentrit 1567 ff. Cöln (Quentel) 1599. Corner 1631. David. Harmonia 1659. Erfurt 1666. Münster 1677. Straßburg 1697.

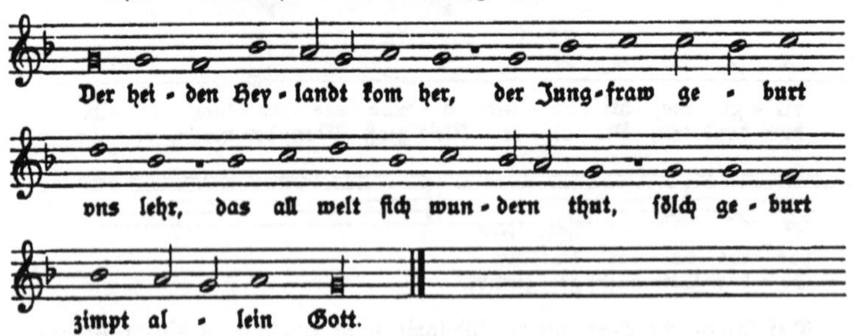
Der hei - den Hey - landt kom her, der Jung-fraw ge - burt
vns lehr, das all welt sich wun - dern thut, sölch ge - burt
zimpt al - lein Gott.

Nun komb der Heyden Heylandt.

Der Hymnus St. Ambrosij, Veni Redemptor gentium Teutsch.

(W. III, 16.)

III. Beuttner (1602) 1660.

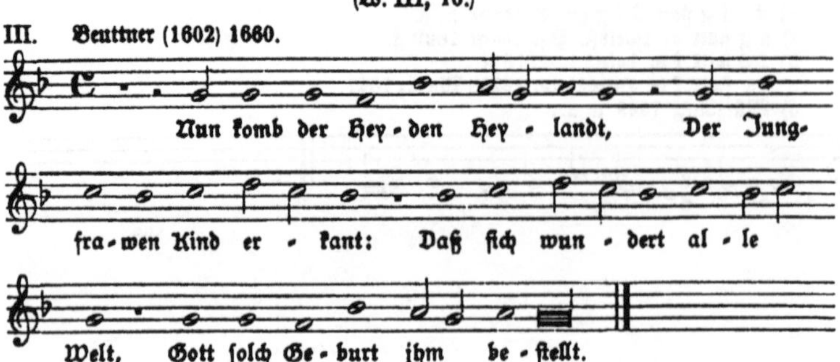
Nun komb der Hey - den Hey - landt, Der Jung-
fra-wen Kind er - kant: Daß sich wun - dert al - le
Welt, Gott solch Ge - burt jhm be - stellt.

DEr Heyden Heyland komme her.

IV. Bamberg 1628, 1670, 1691.

VE - ni re - demp - tor gen - ti - um, o - sten - de par - tum
DEr Hey - den Hey - land kom - me her, der Jung-fraw - en Ge-
Vir - gi - nis, mi - re - tur o - mne se - cu - lum, ta - lis
burt vns lehr, daß al - le Welt groß wun - der nimbt, Sol - che
de - cet par - tus De - um.
Ge - burt al - lein Gott zimbt.

Der Hymnus »Veni redemptor gentium« gehört zu den ältesten Gesängen der abendländischen Christen. Der Verfasser desselben ist nach dem einstimmigen Urtheil der Hymnologen: der h. Ambrosius. „Für keinen andern Hymnus", sagt Kayser, „ist die Autorschaft des Ambrosius so vielfach bezeugt als für diesen". Der h. Augustinus deutet in seiner 372. Rede darauf hin, der Papst Cölestin führt in der Ansprache auf dem Concil zu Rom 430 unter Bezugnahme auf den h. Ambrosius die erste Strophe wörtlich an. Im fünften Jahrhundert nennt Faustus Rhegius in seiner Epistola ad Gratianum und im sechsten Cassiodor den h. Ambrosius als Autor.[1]

Schon aus dem 12. Jahrhundert besitzen wir eine Uebertragung ins Deutsche:

1) „Chome vrloser der diete zaeige gebvrt der maide". Kehrein, Kirchen- und religiöse Lieder 1853, S. 30.

Außerdem führen wir noch folgende Verdeutschungen an:

2) „Kum har, erlőser volkes schar", von Heinrich von Loufenberg (W. II, 755; Hoffmann No. 210).

3) „Kom, erloser aller leute", aus einer Papierhandschrift des Marzellengymnasiums in Cöln v. J. 1460 (W. II, 891; Hoffmann 211).

4) „Erlediger der vőlckher, khum", Hymnarius, Sigmundslust 1524 (W. II, 1348).

5) „Nu kom der heiden heiland", zuerst im Erfurter Enchiridion 1524, sodann in V. Bapst Gesangbuch 1545 mit der Ueberschrift „Durch D. Martin Luther verdeutschet", ging mit wenigen Aenderungen auch in kath. Gesangbücher über. Kethner Hymni 1555. Beuttner (1602) 1660. Davidische Harmonia 1659 und Rheinfelsisches Gesangbuch 1666.

Die übrigen Texte, zu welchen unsere Melodie in kath. Gesangbüchern vorkommt, sind folgende:

1) Daniel IV. S. 4 ff. Dr. J. Kayser, Beiträge zur Geschichte und Erklärung der ältesten Kirchenhymnen. 2. Aufl. Paderborn 1881. S. 170.

1) „Kom der Heiden trewer Heiland“, bei Leisentrit 1567 u. s. w. von Hecyrus.
2) „Kom Herr Gott o du höchster hort“, bei Leisentrit u. a. von Triller in dessen Singebuch (1555) 1559.
3) „Der heiden Heylandt kom her“, bei Leisentrit 1567.
4) „Nun kom̃ der Heyden einigs Heyl“, im Paderborner Gesangbuch 1609 ff.
5) „Der Heyden Heylandt komm herzu,“ im Mainzer Cantual 1627.
6) „Nun komm der Heyden Heylandt her“, Straßburg 1697.

Die schöne Melodie, welche wohl gleichen Alters mit dem lateinischen Texte ist, steht schon im Erfurter Enchiridion 1524 zu dem Liede Luthers. Im Val. Bapst'schen Gesangbuche 1545 ist die Fassung derselben gerade so, wie bei Leisentrit 1567. Auch den Liedern: „Verleih vns Frieden gnädiglich“ und „Erhalt vns Herr bei deinem Wort“ (No. 280 und 316 a im II. Bde.) liegt die Melodie unseres Hymnus zu Grunde.

Im Gesangbuch der Böhmischen Brüder (1531) 1539 steht sie bei dem Liede: „Von Adam her so lange zeit“, von M. Weiße. (W. III, 255.)

No. 2.

Kom der Heiden trewer Heiland.

Veni redemptor gentium.

Hymnus auff sein Choral Melodey, oder wie folgt.

(K. I, 43; W. V, 1193.)

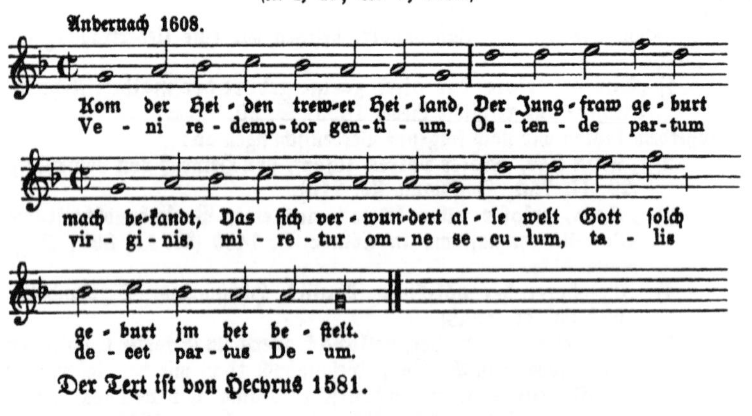
Andernach 1608.
Kom der Hei - den trew-er Hei - land, Der Jung - fraw ge - burt
Ve - ni re - demp - tor gen - ti - um, Os - ten - de par - tum
mach be-kandt, Das sich ver - wun-dert al - le welt Gott solch
vir - gi - nis, mi - re - tur om - ne se - cu - lum, ta - lis
ge - burt jm het be - stelt.
de - cet par - tus De - um.

Der Text ist von Hecyrus 1581.

No. 3.

Komm Herr Gott, O du höchster hort.

Cöln (Brachel) 1619, 1634. Osnabrück 1628. Cölner Psalter 1638.

1

Kom̃ Herr Gott, O du höch - ster hort, Des Vat - ters Son vnd

e-wigs Wort, Komm Mes-si-as du Ed-ler Heldt, Auff dich
war-tet die gan-tze Welt.
1) Cöln Psalter 1638.
Kom Gott, kom Herr du u. s. w.
2) Osnabrück 1628 und Cöln 1634.
Auff dich

Die Melodie ist eine volksthümliche und beginnt im „Bruder Veitston". Vgl. dazu No. 109, 308, 361 und 366 im II. Bande. Der Text ist aus Val. Trillers Singebuch (1555) 1559.

No. 4.

O Gott des gstirns Herr Jesu Christ.

Conditor alme Syderum.

I. Kethner, Hymni 1555. Hdschr. Antiphonar 1481 (Aachen).

O Gott des gstirns Herr Je-su Christ, der du ein liecht der
glau-bign bist, Er-hör vn-ser ge-bet ge-mein, der du wilst
al-ler Hey-land sein.

Varianten 1481. 1) g; 2) d; 3) c.

Gott heilger schöpffer aller stern.

Ein Schön Andechtig recht Christlich Geistlich Lied im Aduent auff den Hymnum Conditor alme syderum gerichtet.

(K. I, 39; W. III, 499.)

II. Leisentrit 1567 ff. Dilinger Gesangbuch 1589. Cöln (Quentel) 1599. Neyß 1625. Corner 1631. Mainz 1628.

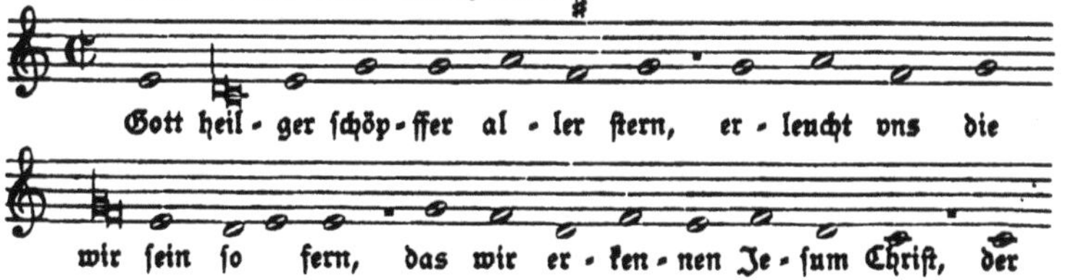
Gott heil-ger schöp-ffer al-ler stern, er-leucht vns die
wir sein so fern, das wir er-ken-nen Je-sum Christ, der

vor vns Mensch ge - wor - den ist.

In der dritten Ausgabe von Leisentrits Gesangbuch (1584) ist die Melodie um eine Quint erhöht worden.

Im Dilinger Gesangbuche und den übrigen steht der Text: „Wolauff nu last vns singen all“.

O heiliger Schöpffer aller Stern.

Conditor alme siderum.

III. Andernach 1608. Cöln (Brachel) 1619. Würzburg 1628, 1630 ff. Osnabrück 1628. M.-Speier 1631. Molsheim (1629) 1659. Mainz 1661, 1665. Nordstern 1671. Brauns Echo 1675. Münster 1677. Straßburg 1697.

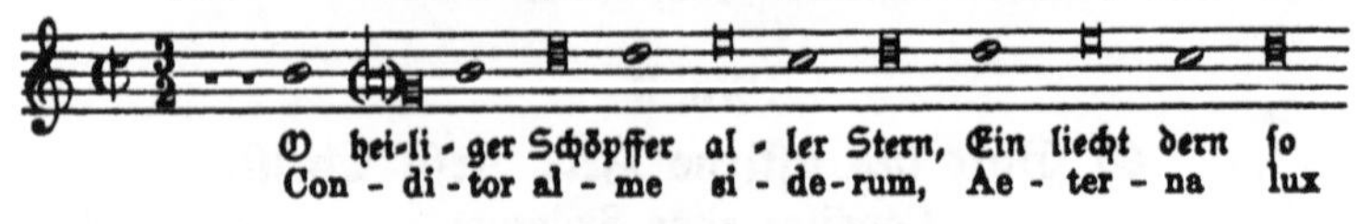
O hei-li - ger Schöpffer al - ler Stern, Ein liecht dern so
Con - di - tor al - me si - de-rum, Ae - ter - na lux

1 2
sich zu dir kehrn, Al - ler Men - schen heil Je - su Christ, Er - hör
cre - den-ti - um, Christe re - demp - tor om - ni - um, Ex - au-

3
die Sün - der die - ser frist.
di pre - ces supp-li - cum.

1) und 3) Cöln Brachel d statt h. 2) Osnabrück 1628 hat die Note c nicht.

Nordstern:

„O Heyland reiß die Himmel auff“.

In den Würzburger Gesangbüchern u. a. steht die Melodie ohne die ( ) Noten zu dem Texte „Wolauff nun last vns singen all“.

Brauns Echo:

„Last uns ihr Christen singen all“.

Mainz 1661 ff.:

„O Heil der Welt Herr Jesu Christ,
Der du deß Himmels Schöpffer bist“.

O Heyland reiß die Himmel auff.

(K. I, 53; B. V, 1517.)

IV. Cöln (Brachel) 1623, 1625, 1634. Bamberg 1628, 1670, 1691. Erfurt 1666.

1 2
O Hey-land reiß die Him - mel auff, Her - ab, her- ab

3
4
vom Him - mel lauff, Reiß ab vom Him - mel Thor vnd Thür, Reiß
5
ab was schloß vnd Rie - gel für.

Varianten. Bamberg 1628.
1) g fehlt. 2) b statt d. 3) a fehlt. 4) f b statt g. 5) wie 3.

Bamberg und Erfurt: „Heiliger Schöpffer aller Stern“. Im Erfurter Gesangbuch steht das Lied im geraden Takt.

Der Hymnus »Conditor alme siderum« wird zu den Gesängen gerechnet, welche nach ambrosianischem Muster gedichtet sind. Die Hymnologen setzen ihn in das 6. Jahrhundert. (Mone I S. 49; Wackern. I No. 112 und 113; Daniel I, S. 74.) Die Melodie stammt jedenfalls aus derselben Zeit. Von vorreformatorischen Uebersetzungen führen wir an:

1) „Schepfaer heiliger der sterne“

aus dem 12. Jahrhundert (Kehrein, Kirchen- und religiöse Lieder. 1853, S. 27.)

2) „O Heiliger schepfer aller sterne,
O ewiges licht, dir glauben wir gerne“

um 1460. Bibl. des Marzellengymnasiums in Cöln. (Hoffmann 157. Wack. II, 911.)

3) „Der gstirn o pschaffer heyliger,
Der du ain liecht pist Deiniger.“

Hymnarius zu Sigmundslust 1524. (W. II, 1347.)

Die Uebersetzung:

1) „Gott heilger schöpffer aller stern“, bei Leisentrit u. s. w. wird dem Wiedertäufer Thomas Münzer zugeschrieben. Sie steht nämlich in dem auf Münzers Anregung herausgegebenen Buche: Deutsch Euangelisch Messe. Alstedt 1524. Wackernagel bemerkt aber selbst: „Eine direkte Angabe irgendwo, daß das Lied von Thomas Münzer sei, ist mir nicht bekannt“. (W. III, 499). Dem Leisentrit'schen Liede fehlt übrigens die 5. Strophe des 7stroph. Liedes bei Münzer.

2) Das Lied: „Wolauff nu last vns singen all“, bei Leisentrit u. a. steht bereits in dem Triller'schen Gesangbuche 1555. (Vgl. II. Bd. S. 45.)

3) „O Heiland reiß die Himmel auff“, steht zuerst im Cölnischen Gesangbüchlein vom Jahre 1623.

4) „Last vns jhr Christen singen all“, zuerst im katholischen Heidelberger Gesangbuch vom Jahre 1629.

5) „O Heil der Welt Herr Jesu Christ“, zuerst im Mainzer Gesangbuch 1661.

Uebertragungen von protestantischer Seite sind zusammengestellt bei Koch K. L. I, S. 52. Auch die Melodie fand im protest. Kirchengesange vielfach Verwerthung.

Im Brüdergesangbuche (1531) 1539 findet sie sich bei dem Liede: „Kert euch zu mir o lieben leüt“, von M. Weiße. (W. III, 391.)

No. 5.
Wolauff nun laßt uns singen all.

(K. I, 40; W. IV, 30.)

Constanz 1600.

Wol-auff nun laßt vns sin - gen all, psal-lie-ren mit
frö-li-chen schall, vnd dan - cken mit De-mü-tig-keit
dem Vat-ter al-ler gü-tig-keit.

Der Text ist aus Val. Trillers Singebuch (1555) 1559.
Die Melodie steht zu No. 4, IV in harmonischem Verhältnisse.

No. 5a.
Last vns in einigkeit.
Ein anders gleiches Inhalts.

(K. I, 44; W. V, 1195.)

Leisentrit 1567 ff.

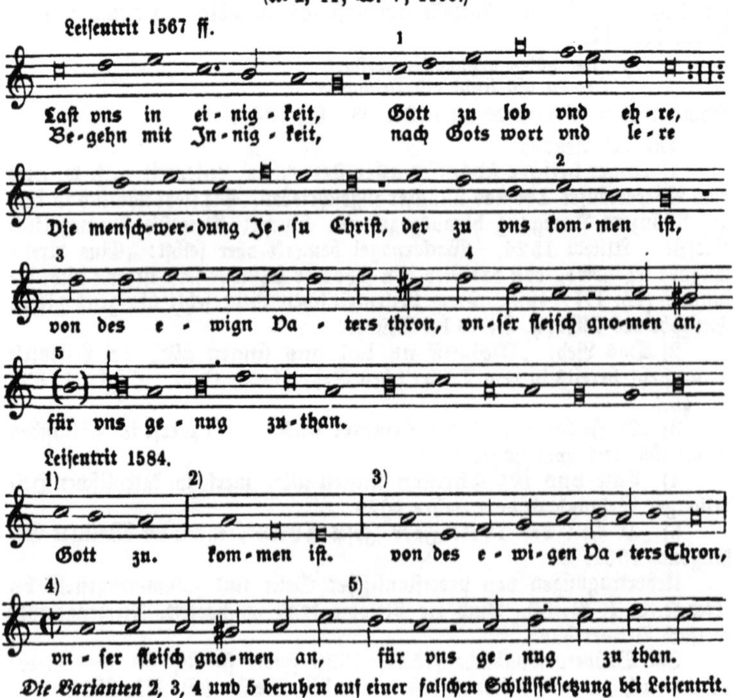
1
Last vns in ei-nig-keit, Gott zu lob vnd eh-re,
Be-gehn mit Jn-nig-keit, nach Gots wort vnd le-re
2
Die mensch-wer-dung Je-su Christ, der zu vns kom-men ist,
3
4
von des e-wign Va-ters thron, vn-ser fleisch gno-men an,
5
für vns ge-nug zu-than.
Leisentrit 1584.
1)
2)
3)
Gott zu. kom-men ist. von des e-wi-gen Va-ters Thron,
4)
5)
vn-ser fleisch gno-men an, für vns ge-nug zu than.

Die Varianten 2, 3, 4 und 5 beruhen auf einer falschen Schlüsselsetzung bei Leisentrit.

Der Text ist von Hecyrus, der denselben Leisentrit überlassen hatte, bevor er seine eigenen Lieder, Prag 1581, herausgab. (Vgl. die Beschreibung in diesem und im II. Bande.) Als Melodie wird hier das Lied »Ave rubens rosa« angegeben. Ich bringe dieselbe zur Vergleichung aus dem Brüdergesangbuch (1531) 1539, wo sie bei dem Liede steht „Got sah zu seiner zeyt“, unter No. 200 in diesem Bande.

No. 6.

Da kommen solt der Welt Heilandt.

Ein ander Geistlich Lied, von verkündigung der Menschwerdung Christi, Lucae am I. Kan auch auff den tag Annuntiationis Mariae gesungen werden.

(K. II, 416; W. III, 1373.)

I. Leisentrit 1567 ff. Cöln (Quentel) 1599. M.-Speier 1631.

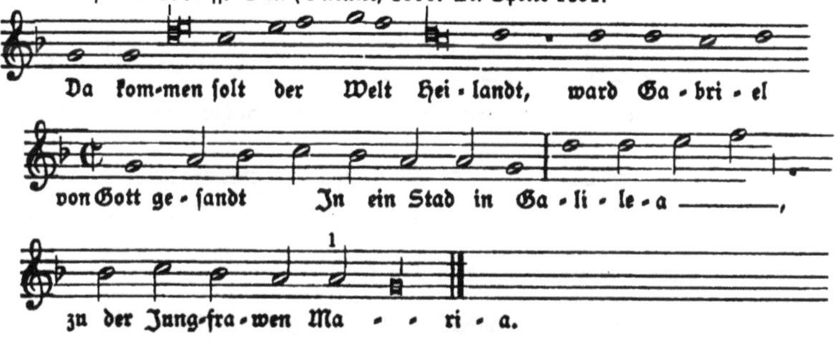
Da kom-men solt der Welt Hei - landt, ward Ga - bri - el
von Gott ge - sandt In ein Stad in Ga - li - le - a ———,
1
zu der Jung-fra - wen Ma - - ri - a.

1) Note c fehlt im Cöln. Gsb. 1599.

Der Text ist aus Nic. Hermans Sonntagsevangelien 1561. Bl. 140. Die Melodie ist die des Hymnus »Ave maris stella«. Vgl. dazu das Lied im II. Bande No. 7.

Maria rein O Jungfraw zart.

(K. II, 424; W. V, 1419.)

II. Cöln (Quentel) 1599. Constanz 1600.

Ma - ri - a rein O Jung-fraw zart, wir lo - ben heut
dein Him - mel - fart, dann du bist al - les lobs wol wehrt, im
Him - mel vnd auff die - ser Erd.

Eine andere Melodie zu diesem Texte findet man im II. Bande No. 58.

No. 7.

Durch den vngehorsam, vnsers Vaters Adam.

Ein recht Andechtiger Gesang von der Menschwerdung Christi.

Ave Hierarchia.

(K. I, 45; W. V, 1194.)

I. Leisentrit 1567 ff. Bamberg 1628, 1670. Corner 1631. Erfurt 1666. Prag 1655.

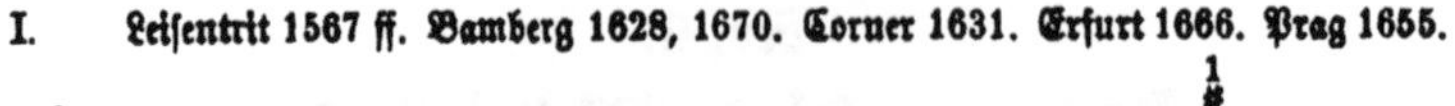

Durch den vn - ge - hor - sam, vn - sers Va - ters A - dam,
warn wir ver - ma - le - - deit, ver-dampt in e - wig-
keit, An seel vnd geist ver - wundt, nichts war an vns
ge - sundt.
Bamberg.

Prag 1655 1) d statt b. 2) b statt f.

Das Bamberger Gesangbuch 1628 ff., Corner 1631, Erfurt 1666 haben den Text:

»Ave Hierarchia, caelestis et pia«
„Gegrüst seyst Maria, Himlisch Monarchia".

Als wir warn beladen.

Ein ander Löblicher Gesang von der vorheischung vnd zukunfft Christi.

(K. I, 46; W. IV, 31.)

II. Leisentrit 1567 ff. Dilinger Gsb. 1576. Neyß 1625.

Als wie warn be - la - den, mit e - wi - gem scha-den, verhisch
Gott aus gna-den, das er wolt her - sen - den, den wa-ren
Mes - si - am, zu trost vns e - len - den.

1) Irrthümlich steht bei Leisentrit 1567 als Schlußnote g.

Die Melodie ist dem lateinischen Gesange »Ave Hierarchia« entnommen, der wahrscheinlich aus dem 15. Jahrh. stammt (W. I, 416). Der Text „Durch den vngehorsam“ ist von Chr. Hecyrus, der ihn seinem Freunde Leisentrit überlassen, bevor er seine Lieder (1581) selbst drucken ließ. Der zweite Text „Als wir warn beladen“ steht in Val. Trillers Singebuch 1555 mit der Melodie. Im Brüdergesangbuch (1531) 1539 finden wir die an erster Stelle angeführte Melodie zu dem Liede „Menschenkind merck eben“ (W. III, 259). Nachstehend geben wir noch zwei weitere Melodien.

No. 8.

Gegrüst seyst du Maria.

Das Ave Hierarchia, so man auch im Advent zu singen pflegt, Lateinisch vnd Teutsch.

D. G. C(orner).

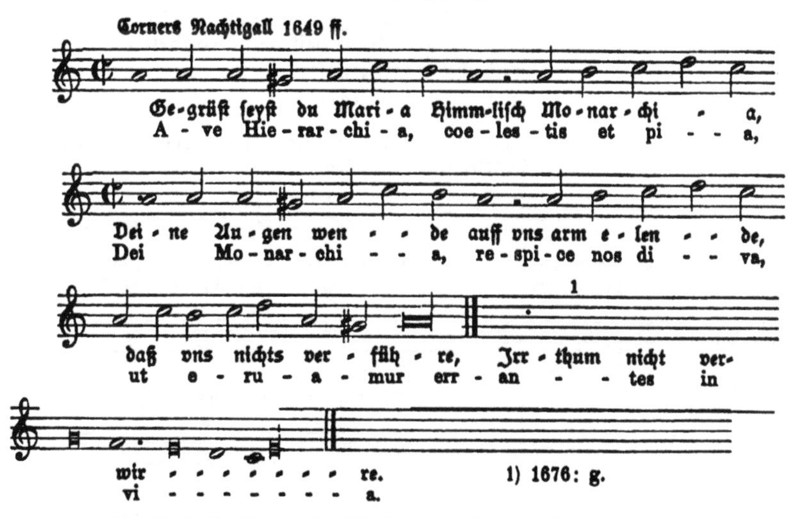
Corners Nachtigall 1649 ff.
Ge-grüst seyst du Mari - a Himm-lisch Mo - nar - chi - a,
A - ve Hie - rar - chi - a, coe - les - tis et pi - - - a,
Dei - ne Au - gen wen - - de auff vns arm e - len - - de,
Dei Mo - nar - chi - - - a, re - spi - ce nos di - - va,
1
daß vns nichts ver - füh - re, Irr - thum nicht ver-
ut e - ru - a - mur err - an - - - tes in
wir - - - - - - - - - re.
vi - - - - - - - - - a.
1) 1676: g.

Die Melodie könnte die Altstimme zu No. 7 abgeben.

No. 9.

Als wir waren beladen.

Constanz 1600.
Als wir wa - ren be - la - den mit e - wi - gen scha - den,
ver-hieß Gott auß gna - den das er wolt her - sen - den

(♭)
den wah - ren Me - ßi - am, zu trost vns el - lenden —————— .

Vergleiche in Bezug auf den Text No. 7. Die Melodie steht ebenfalls zu No. 7 in einem harmonischen Verhältnisse, wenn man sie einen Ton tiefer nimmt.

No. 10.

Aus hertem wee klagt menschlichs gschlecht.

Ein schöner Christlicher Catholischer gesang, von der Menschwerdung Christi, Aus obgedachten heiligen Propheten vnd Euangelisten.

(K. I, 49; W. II, 1156.)

Leisentrit 1584. Andernach 1608. Paderborn 1616, 1617. David. Harmonia 1659. Erfurt 1666. Rheinfelsisches Gsb. 1666.

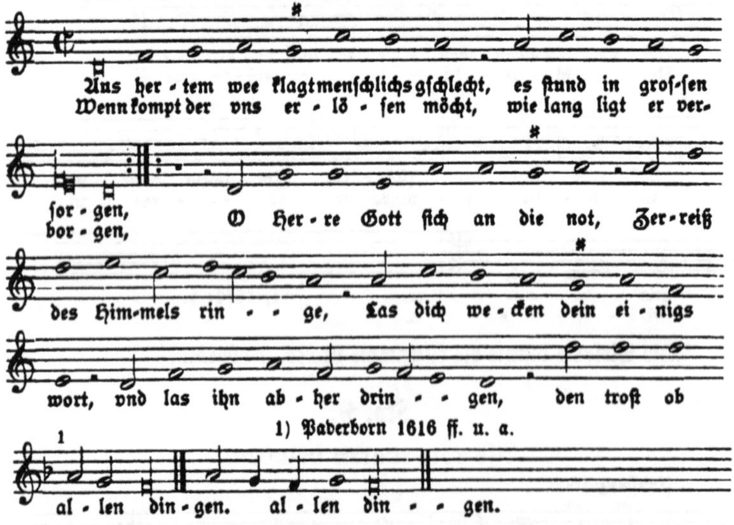
Aus her - tem wee klagt menschlichs gschlecht, es stund in gros-sen
Wenn kompt der vns er - lö - sen möcht, wie lang ligt er ver-
sor - gen,
bor - gen,
O Her - re Gott sich an die not, Zer - reiß
des Him-mels rin - - ge, Las dich we - cken dein ei - nigs
wort, vnd las ihn ab - her drin - - gen, den trost ob
1) Paderborn 1616 ff. u. a.
1
al - len din - gen. al - len din - - gen.

Das Andernacher Gesangbuch bringt an erster Stelle eine lateinische Uebersetzung: »Altis homo suspiriis, pulsabat aeger astra« etc.

Die Davidische Harmonia 1659 und das Rheinfels. Gesangbuch 1666 haben den Text:

„Christ vnser Herr zum Jordan kam
nach seines Vatters Willen" u. s. w.

Tauflied von M. Luther, welches i. J. 1541 als Einzeldruck erschien und 1543 im Klug'schen Gesangbuche steht (W. III, 43). Die obige Melodie findet sich auch in diesem Gesangbuche, sowie im Val. Bapst'schen v. J. 1545. Der Schluß hat hier die Noten c h a. Die Melodie kommt jedoch schon früher vor. In Joh. Walthers Gesangbüchlein 1524 ist sie dem Texte: „Es wollt vns Gott gnädig sein" beigegeben. (Vgl. Fischer I, 77.) Das Lied „Aus hertem wee" ist die geistliche Umgestaltung eines sog. Wächterliedes: „Aus hertem we klagt sich ein held in strenger hut verborgen", welche mit nur einer Variante („laß dich erwecken dein eynigs volk") in Rotenbuchers Bergkreyen 1551 steht. Wackernagel (II, 1156) bringt diese Umdichtung aus der Handschrift Val. Holls v. J. 1525. Die Tegernseer Gesangbücher 1574 ff. enthalten bereits den Text unsers Liedes. Weder die obige Melodie noch eine der folgenden hat mit der Melodie des Wächterliedes irgendwelche Aehnlichkeit. Man vergleiche die letztere in Böhme's Liederbuch No. 111. Vgl. auch den Ruf unter No. 413 im II. Bande.

No. 11.

Aus hertem wee klagt menschlichs gschlecht.

Ein andere Melodey.

Leisentrit 1584.

Aus her - tem wee klagt menschlichs gschlecht, Es stund in
Wan kompt der vns er - lö - sen möcht, Wie lang liegt
gros - sen sor - gen.
er ver - bor - gen.
O Her - re Gott sich an die noth,
Zer - reiß des Him-mels rin - ge, Las dich we - cken dein ei - nigs
wort, vnd las jhn ab - her drin-gen, den trost ob al - len Din-gen.

No. 12.

Erbarm sich vnser Gott der Herr.

Ein geystlich Bitlied gezogen aus dem Psalmen, Deus misereatur nostri.

(K. II, 620; W. V, 1164.)

(Auß hertem weh klagt menschlichs gschlecht.)

Vehe 1537. Leisentrit 1567, 1584. München 1586. Cöln (Quentel) 1599. Constanz 1600. Cöln (Brachel) 1619, 1634. Neyß 1625. Corner 1631. M.-Speier 1631. Seraph. Lustgart 1635. Corners Nachtigall 1649. Nordstern 1671. Mainz 1661, 1665.

Er-barm sich vn - ser Gott der Herr, Vnd geb vns sei - nen
Seyns antz - litz schein er zu vns kehr, In die - sem ar - men

se - gen,
le - ben,
Er wol vns auch ge - ne - dig sein, Vnd
sei - nen weg an - zey-gen, Das wir von Yr-sall bley-ben rein,
Vnd vns zur war-heyt neygen, Sein Heyllandt auch er - ken - nen.

In den Gesangbüchern außer Vehe und Leisentrit steht der Text: „Auß hertem weh klagt menschlichs gschlecht“ mit folgenden Varianten:

1) Cöln (Brachel) 1619 ff. Ger. Lustgart 1635.
1) Mainz 1661 ff.

No. 13.

Auß hartem wehe klagt.

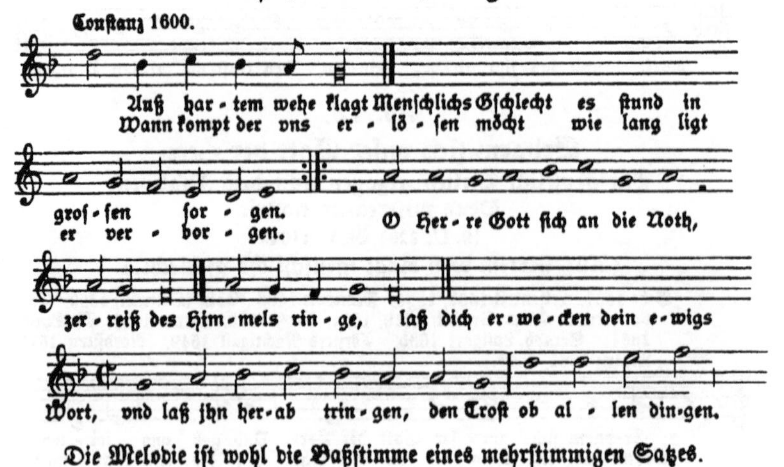
Constanz 1600.
Auß har - tem wehe klagt Menschlichs Gschlecht es stund in
Wann kompt der vns er - lö - sen möcht wie lang ligt
gros - sen sor - gen.
er ver - bor - gen.
O Her - re Gott sich an die Noth,
zer - reiß des Him - mels rin - ge, laß dich er - we - cken dein e - wigs
Wort, vnd laß jhn her - ab trin - gen, den Trost ob al - len din - gen.

Die Melodie ist wohl die Baßstimme eines mehrstimmigen Satzes.

No. 14.

AVß hartem weh klagt Menschlichs Geschlecht.

Ein anders, im Advent zusingen.

I. Beuttner (1602) 1660.

Avß har-tem weh klagt Menschlichs Geschlecht, es stund in
Wann komt der vns er-lö-sen möcht, wie lang ist
gros-sen sor-gen:
er ver-bor-gen:
O Her-re Gott, hilff vns auß noth,
zer-reiß deß Him-mels rin-gen, Laß dich doch er-we-cken
du e-wi-ges wort, Vnd laß jhn ab her brin-gen,
Den Trost ob al-len din-gen.

Diese Melodie hat einige Sätze gemeinsam mit der nachstehenden Weise des protest. Liedes „Erbarm dich mein, o Herre Gott".

ERbarm dich mein, O HErre Gott.

(W. III, 70.)

II. Davidische Harmonia 1659. Rheinfels. Gesb. 1666.

ER-barm dich mein, O HEr-re Gott nach dei-ner grossn
Wasch ab, mach rein mein Miß-se-that, ich beicht mein Sünd,
barm-her-tzig-keit,
vnd ist mir leyd,
Al-lein ich dir ge-sün-digt hab,
das äng-stet mich vnd ley-de drob, das böß für dir mag
nicht be-stahn, du bleibst ge-recht ob du vr-thei-lest mich.

Protestantisches Kirchenlied von Erhart Hegenwalt. Den Text finde ich bereits im Erfurter Enchiridion 1524 mit einer anderen Melodie. Die obige habe ich mit derjenigen, die in Val. Bapst's Gesangbuch 1545 steht, verglichen und keine Variante gefunden. Nach v. Tucher II, No. 345 steht dieselbe schon in Joh. Walthers Gesangbüchlein v. J. 1524. (Vgl. Fischer, Lexikon I, 166.)

No. 15.

O Gott im höchsten Himmelsthron.

(W. V, 1460.)

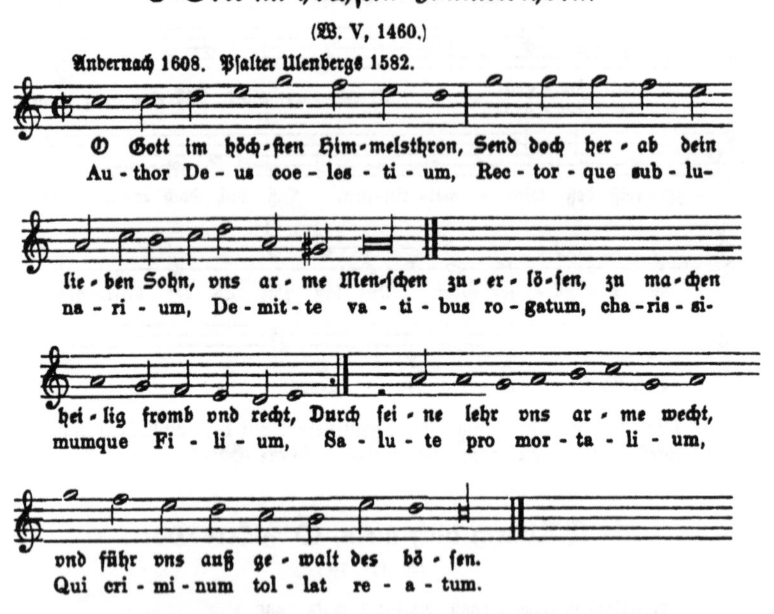
Andernach 1608. Psalter Ulenbergs 1582.
O Gott im höch-sten Him-melsthron, Send doch her-ab dein
Au-thor De-us coe-les-ti-um, Rec-tor-que sub-lu-
lie-ben Sohn, vns ar-me Men-schen zu-er-lö-sen, zu ma-chen
na-ri-um, De-mit-te va-ti-bus ro-gatum, cha-ris-si-
hei-lig fromb vnd recht, Durch sei-ne lehr vns ar-me wecht,
mumque Fi-li-um, Sa-lu-te pro mor-ta-li-um,
vnd führ vns auß ge-walt des bö-sen.
Qui cri-mi-num tol-lat re-a-tum.

Das deutsche Lied steht bereits in einem Tegernseer Liederdruck v. J. 1576. (Siehe die Bibliographie.)

Der lateinische Text ist wahrscheinlich eine Uebertragung des deutschen.

Die Melodie kommt in Ulenbergs Psalter 1582 zu folgenden Texten vor:

Psalm 47 „Gros ist der Herr im heilgen Thron". (K. III, 173).
„ 72 „Freundhold vnd gut on allen fehl". (K. III, 198).
„ 76 „Ich rieff zum Herrn mit meiner stimm". (K. III, 202).
„ 126 „Wo Got der Herr nicht bawt das haus". (K. III, 252).
„ 139 „Erlös mich Herr mit starcker hand". (K. III, 265).

No. 16.

Ein klare stim̄ schaw wirt gehört.

Vox clara ecce intonat.

Hymnus auff sein Choral Melodey, oder wie folget.

(W. II, 1446.)

Andernach 1608. Leisentrit 1584.
Ein kla - re stim̄ schaw wirt ge - hört, dar - durch die
Vox cla - ra ec - ce in - to - nat, ob - scu - ra
dun - ckel - heit zer-stört. Die träum laß von vns trei - ben
quae-que in - cre-pat, pel - lan - tur e - mi - nus som - ni-
fern, Dan Chri - stus scheint von Him-mel her.
a, Ab ae - the - re Chri - stus pro - mi - cat.

Der lateinische Hymnus findet sich handschriftlich aus dem 11. Jahrhundert auf der Stiftsbibliothek in St. Gallen (Cod. 413, 35 und 414, 22.) Wackernagel setzt denselben in das 5. Jahrhundert (KL. I, 56). Aus dem 12. Jahrhundert besitzen wir eine Uebertragung ins Deutsche: „Diu stimme berhtel sich billet". (Kehrein, Kirchen- und religiöse Lieder. 1853, S. 29.)

Der Hymnarius von Sigmundslust 1524 enthält ebenfalls eine Uebersetzung:

> „Ain helle stym̄, nym war, erhilt,
> all vinsterung mit gwalt erstilt." (W. II, 1350.)

Die obige Melodie ist nicht die Choralmelodie (vgl. Hymni de Tempore et de Sanctis. Solesmis 1885, p. 28). Ich finde sie in Leisentrits Gesangbuch zu dem Evangelienliede:

> „Christ der Herr seine Jünger fragt,
> was man doch von jhm hielt vnd sagt".

Aus Nicol. Hermans Sonntagsevangelien 1561, Bl. 150. Dieser hat keine Melodie angegeben.

No. 17.

Es flog ein Täublein weisse.

Täublein Weiß.

(K. I, 55; W. II, 885.)

Beuttner (1602) 1660. Corner (1625) 1631. Dessen Nachtigall 1649 ff.

Es flog ein Täub - lein weis - se, Von Him - mel her - ab,

In En - ge - li - scher Klai - de, Zu ei - ner Jung - fraw
zart, Er grüs - set sie gar hüpsch vnd seu - ber - leich, Ihr
1
2
Seel ward hoch - ge - zie - ret, Ge - seg-net ward ihr Leib,
Corner
1631. 1649.
Ki - ri - e - lei - son.

1) Corner f. 2) Corner a statt e.

Ein liebliches geistliches Volkslied aus dem 15. Jahrhundert.

„Daß der Ton einem weltlichen Liede angehöre, kann man vermuthen, aber nicht beweisen", sagt Böhme in seinem Altdeutschen Liederbuche, S. 707. Aus dem vorliegenden Texte braucht man auf ein weltliches Lied nicht zu schließen, denn die Taube ist ja das Symbol des h. Geistes. Mehr gerechtfertigt ist dieser Schluß bei dem Liede: „Es flog ein Vögelein leyse", von Haym von Themar 1590, welches ebenfalls die Verkündigung Mariae zum Inhalte hat. (II. Bd., No. 40). In einer späteren Fassung (1638) lautet der Anfang: „Es flog ein Engel in eyle" (II. Bd., No. 40. II).

Die obige Melodie hat wohl einige Aehnlichkeit mit derjenigen, welche Haym von Themar bringt. Dagegen ist die Melodie des Liedes „Vnd vnser lieben Frawen" bei Beuttner und „Zu Ehren vnser Frawen" bei Corner (II. Bd., No. 83) keine andere als die obige bis zu dem Worte „zart".

No. 18.

Es wolt gut Jäger jagen.

Der Geistliche Jäger.

(K. I, 56; W. II, 1137 ff.)

I. Paderborn 1616, 1617. Cöln (Quentel) 1619 ff. M.-Speier 1631. Erfurt 1666.

Es wolt gut Jä - ger ja - gen, wolt ja - gen in Him - mels
Thron, Was be - geg - net jhm auff der Hey - - den,
Ma - ri - a die Jung-fraw schon.

Es wolt ein Jäger jagen.

Ein anders altes Advent Gesang, der Geistlich Jäger genannt.

II. Corner (1625) 1631. Prag 1655.

Es wolt ein Jä - ger ja - gen, wolt ja - gen ins Him - mels
Thron, was bgeg - net jhm auff der Hey - den, Ma - ri - a
die Jung - fraw schon.

Das Prager Gesangbuch bringt das Lied im $\frac{3}{2}$ Takt mit folgenden Varianten:

1) g f e d statt f e d.
2) e h statt d c.

Das Lied repräsentirt die geistliche Umdichtung eines nicht gerade sauberen Jägerliedes:

„Es wolt ein jäger jagen
wolt jagen in einem holz"

aus dem 15. Jahrhundert (bei Böhme, No. 436). Schon frühzeitig erfuhr der weltliche Text verschiedene geistliche Umdichtungen. Wackernagel bringt eine solche aus den Bergkreyen Nürnberg, 1551. (II, 1137.) Später erscheint das Lied sehr oft in Einzeldrucken immer mit der Ueberschrift: „Der Geistlich Jäger". Bei Beuttner (1602) 1660 steht nur der Text mit Hinweisung auf die Melodien der Lieder: „Heiliger Herre St. Lorentz" (II. Bd. 130) und „Vnd vnser lieben Frauen" (das. 83.) Im Straubinger Rufbüchlein 1615 wird bemerkt: „Ist in der Maria Magdalena der Büsserin Melodey zu singen". Das wäre also das Lied: „Merckt auff jhr Sünder alle" bei Beuttner. (II. Bd. 157.) Im (protest.) Bonner Gesangbuche 1579 lautet die Ueberschrift: „Ein schön Geistlich Lied, Im Thon, Wie das Meydenburger Lied. („O Magdeburg halt dich feste, du wolgebawtes haus" etc. bei Böhme 405.) Der „geistliche Jäger" wurde also nach verschiedenen Melodien gesungen. Die beiden mitgetheilten haben wenig Aehnlichkeit mit der Weise des weltl. Liedes.

Eine andere Umdichtung veranstaltete H. Knaust in seinen „Gassenhawern, Christlich verendert. Franckfort. 1571". Statt der h. Jungfrau kommen hier die drei Schwestern Glaube, Liebe und Hoffnung vor. (Wackern. K. L. IV, 1166. Vgl. Hoffmann, Gesch. d. Kl. 1861, S. 398.)

No. 19.

Da Engel Gabriel befehl empfangen.

Ein newes Adventlied. S. Gabriels Gruß genannt.

(K. I, 52.)

Corner (1625) 1631. Dessen Nachtigall 1649 ff.

Da En-gel Ga-bri-el be-fehl em-pfan-gen,
Durch der Alt-våt-ter bitt vnd groß ver-lan-gen,
von
Gott dem Herrn, dz ver-kůnd solt wer-den der Men-schen Heyl
all-sam-en, O Ma-ri-a.

Das Lied kommt noch in einem Augsburger Einzeldruck um 1635 vor. (Vgl. die Bibliographie.)

No. 20.

Zu einer Jungfraw zart.

Die alte Sequentia, Mittit ad Virginem, so man im Advendt zu singen pflegt, verdeutscht.

(K. I, 41.)

Corner (1625) 1631. Dessen Nachtigall 1649. Erfurt 1666.

Zu ei-ner Jung-fraw zart, ein En-ge-li-scher Bot, vom
Mit-tit ad Vir-gi-nem non quem-vis An-ge-lum, sed
1
Himl ge-sen-det wardt, von dem lieb-rei-chen GOtt, Ga-bri-el
for-ti-tu-di-nem su-um Ar-chan-ge-lum, A-ma-tor
1) Corner 1649.
der Ertz-en-gel gut. Ga-bri-el der Ertz-en-gel gut.
ho-mi-nis.

Die Nachtigall von Corner hat das Lied eine Quint tiefer transponirt im 3/2 Takt.

Die Geistliche Nachtigall, Erfurt 1666, bringt zu dieser Melodie den Text:

„Es klagt das menschlich Geschlecht,
Ach wann kömpt der Gerecht." u. s. w.

Schon vor 300 Jahren hielt die allgemeine Sage in Frankreich den P. Abälard († 1142) für den Verfasser dieser Sequenz (Clichtovaeus in adnot. bei Rambach Anthologie I, S. 264.) Wackernagel bringt den lat. Text aus einer Münchener Handschrift cod. germ. 716 des 15. Jahrhunderts. (I, 182.) Mone (II, 343) aus einer Handschrift des 14. Jahrhunderts Clm. 17645 zu München.

Vorreformatorische Uebersetzungen:

1) „Des menschen liebhaber
sant czu der maide her" von Johann Mönch von Salzburg. (W. II, 576. Kehrein, Kirchen- und religiöse Lieder, S. 169.)

2) „Von Got so wart gesannt
Der Jungkfrawen her czu landt" von O. von Wolkenstain (W. II, 639.)

3) „Hin zu dir, megde vin
sent got den engel fin" von Heinr. v. Loufenberg (W. II, 760.)

Die Uebersetzung von M. Weiße im Gesangbuch der böhm. Brüder 1531:

„Als der gütige got
Volenden wolt sein wort" (W. III, 260)

ging in viele protest. Gesangbücher (Fischer I, S. 39) und auch in das Gesangbuch v. Corner 1631, über.

Dieser hat aber auch selbst die obige Uebersetzung geliefert: „Zu einer Jungfraw zart", welche nur einen Theil der Sequenzen-Melodie beibehält.

Ich gebe nachstehend die Uebersetzung des Oswald von Wolkenstain (1367—1445) aus einer Handschrift aus dem Anfange des 15. Jahrhunderts, von welcher ich eine Copie besitze.

Von Got so wart gesannt.

Ain ander Mittit ad virginem.

(W. II, 639.)

I.
Von Got so wart ge-sannt, der Jungkfrawn her czu lannt, ein en - gel wol
Der pot der was so starck, na - tu - re i - ren sarck czubrach er vnd
er-kant, Ga-bri-el was er ge-nannt dem go - tes ster - cke czam.
ver-park, der Jungk-frawn al - len arkch, magt mue-ter was ir nam.
II. 1
Ü - ber all na - tur trat der kü-nig Jungk ge-porn, sein reich sein
Den veint den tra-cken er stach, dy hat er gar ge-macht, ir hoch-fart
czep-ter hat all sünd gar ab - ge-schorn, des hat er lob vnd er.
er czu-brach vnd hat in nicht ge - stat, das sy im hersch-ten mer.

III.
2
Weicht ho-her trit hind-an, ir für-sten hel-le kind, seit wir Ma-
Tret her-füer en-gel klar, wer-bet schon ew-re wortt, macht dy ge-schrift
ri-am han, do-mit wir wor-den sint tail-haft des va-ter reich.
of-fen-bar, die vor nie wart ge-hort, von kai-nem po-ten geleich.
IV.
Her enn-gel wer-bet schon, Au-e das sag ich dir Jungkfraw ge-na-
Jungkfraw en-pha-het got, der wil ver-menschen sich, ir lais-tet sein
den vol, wer-bet got sey mit dir, vnd went dir al-le vorcht.
ge-pot das ge-lau-bet sicherleich, sein geist dy sa-che worcht.
V.
Ge-lau-big was dy maid, vnd west an al-len wanck was ir der
Der vns be-schaf-fen hat vnd al-les menschleich ge-slächt, von sei-ner
en-gel sagt, das was ir al-les dangk, do-mit sy Got en-phie.
hant ge-tat, er was ye vnd ye ge-recht, der vns auch nie ver-lie.
Der vns be-holf-fen ist, vnd went vns sün-den flamm, der süeß herr
3
Jhe-sus krist, für vns ad pa-tri-am, do er wont ye vnd ye.

Im Original stehen nicht je zwei Strophen unter den Noten, sondern jede Strophe für sich. Für den an zweiter Stelle stehenden Text sind von mir die Noten in ( ) hinzugefügt worden. Varianten kommen nur zwei vor:

1) c statt a.
2) d f statt c d.
3) Das Lied des Mönchs von Salzburg „Des menschen liebhaber, sannt czu der maide her" aus dem Ende des 14. Jahrhunderts hat dieselbe Melodie mit folgender Schlußvariante:

3)

Die Sequenz besteht also aus 5 verschiedenen Melodiesätzen (Chorälen):

Strophe 1 und 2 werden nach dem ersten Choral gesungen.
„ 3 „ 4 „ „ „ zweiten „ „
„ 5 „ 6 „ „ „ dritten „
„ 7 „ 8 „ „ „ vierten „ „
„ 9,10 „ 11 „ „ „ fünften „ „

Die lateinische Sequenz und die Uebertragung aus dem Brüdergesangbuche v. J. 1531 findet man in K. Schlechts Geschichte der Kirchenmusik. 1871, S. 232 ff.

No. 21.

Ave Maria zart.

Dieses neu Liedlein kan nicht allein zu H. Advents- sondern zu aller Zeit nach belieben gesungen werden.

Brauns Echo 1675.

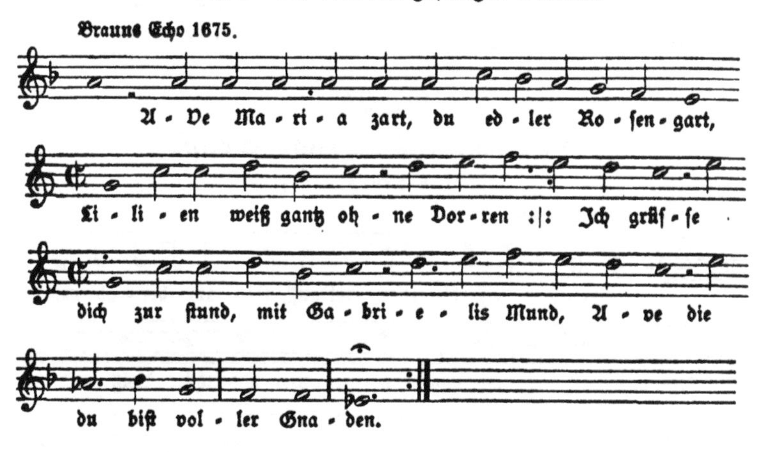
A - ve Ma - ri - a zart, du ed - ler Ro - sen - gart,
Li - li - en weiß gantz oh - ne Dor - ren :|: Ich grüs - se
dich zur stund, mit Ga - bri - e - lis Mund, A - ve die
du bist vol - ler Gna - den.

No. 22.

O Gabriel du getreuer Knecht.

Eißfeldisches Gesangbuch 1690.

O Ga - bri - el du ge - treuer Knecht, ich weiß ein Jung-frau
gantz ge - recht, die - selb ich mir ver - mäh - let hab, du solt
ihr brin - gen gros - se Gab.

No. 23.

Aue Jungfraw außerkoren.

Gespräch Gabrielis vnd Mariae.

Cölner Psalter 1638. Münster 1677.
A - ue Jung-fraw auß - er - ko - ren, Von Gott ge - be- ne - deyt
Vol - ler gnad, se - lig ge - bo - ren, Von sün - den gantz be - freyt
Du wirst ge-bärn ein Kin - de - lein, vnd blei-ben doch ein Jung-fraw rein, JE - - sus soll sein na - me sein.

No. 24.

O Heyland reiß die Himmel auff.

(K. I, 53; W. V, 1517.)

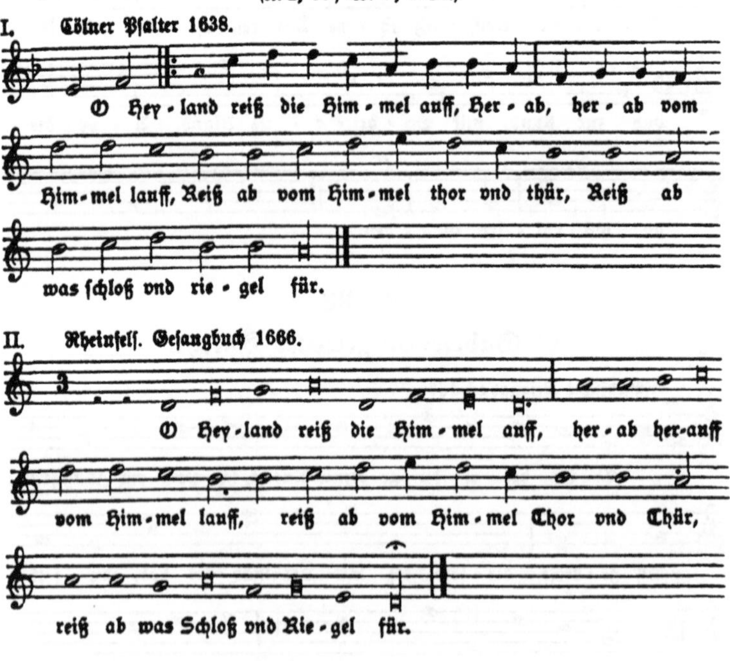
I. Cölner Psalter 1638.
O Hey - land reiß die Him - mel auff, Her - ab, her - ab vom Him - mel lauff, Reiß ab vom Him - mel thor vnd thür, Reiß ab was schloß vnd rie - gel für.
II. Rheinfels. Gesangbuch 1666.
O Hey - land reiß die Him - mel auff, her - ab her-auff vom Him - mel lauff, reiß ab vom Him - mel Thor vnd Thür, reiß ab was Schloß vnd Rie - gel für.

Inbetreff des Textes vergleiche man die Bemerkungen zu No. 4.

No. 25.
Gleich als der hirsch.

(K. I, 54.)

Cölner Psalter 1638. Münster 1677. Psalteriolum 1642.

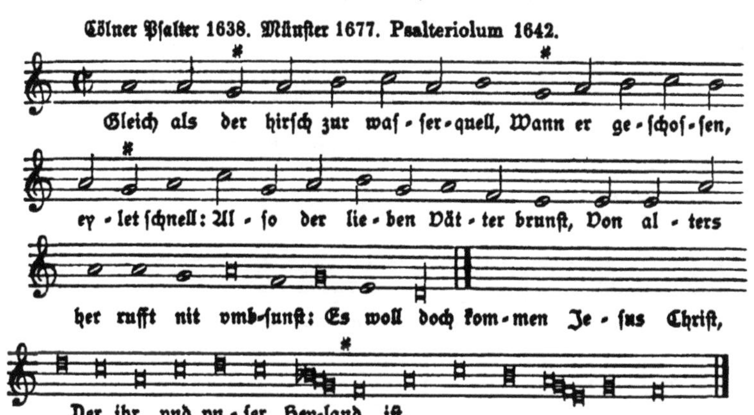
Gleich als der hirsch zur was - ser - quell, Wann er ge - schos - sen,
ey - let schnell: Al - so der lie - ben Vät - ter brunst, Von al - ters
her rufft nit vmb-sunst: Es woll doch kom - men Je - sus Christ,
Der jhr vnd vn - ser Hey-land ist.

Der Text findet sich zuerst in Voglers Katechismus 1625 mit der Melodie des »Parvulus nobis nascitur«.

No. 26.
Da GOtt die Welt erschaffen wolt.
Ein andächtiger Ruff, von dem Fall Adams vnd der Menschwerdung Christi.[1]

(K. I, 57.)

Corner (1625) 1631. Dessen Nachtigall 1649 ff.

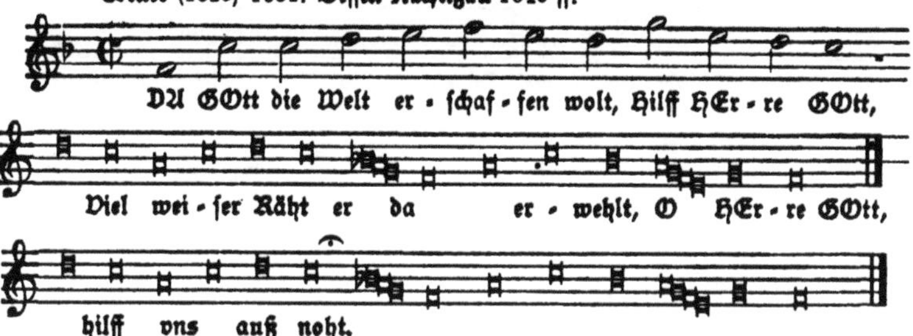
DA GOtt die Welt er - schaf - fen wolt, Hilff HEr - re GOtt,
Viel wei - ser Räht er da er - wehlt, O HEr - re GOtt,
hilff vns auß noht.

Die Melodie besteht aus dem Anfang und Schluß des sog. „Benzenauer Tons". Dieses Lied erzählt die Schicksale des Helden in der Schlacht bei Kopfstein 1504. Der Vergleichung halber gebe ich die Melodie, welche

---

1) In der „Geistl. Nachtigall 1649" lautet die Ueberschrift weiter „in etwas verbessert. D. G. C(orner)."

sich handschriftlich im Cod. M. 53 der Dresdener Bibliothek befindet, aus dem Werke „Die historischen Volkslieder der Deutschen vom 13. bis 16. Jahrhundert von R. von Liliencron." Nachtrag 1869, S. 35.

Nun wend ir hö - ren sin - gen ie-zunt ein nüw
Von nüw ge - sche - hen din - gen, wie es er - gan-
ge - dicht
gen ist? vil büch - sen und Kar - thon - ne sach man
im vel - de stan, gen Kopf-stein an die mu-ren liess man
sy all ab - gan.

Dieser Ton war im 16. Jahrhundert zu politischen und selbst geistlichen Liedern höchst beliebt, bemerkt Böhme in seinem Altdeutschen Liederbuche, S. 471. Ich glaube, daß Corner denselben hat singen hören und daraus die Melodie zum obigen Rufe zusammengestellt hat.

No. 27.

Singt vff lobt Gott.

Cölner Psalter 1638. Münster 1677.

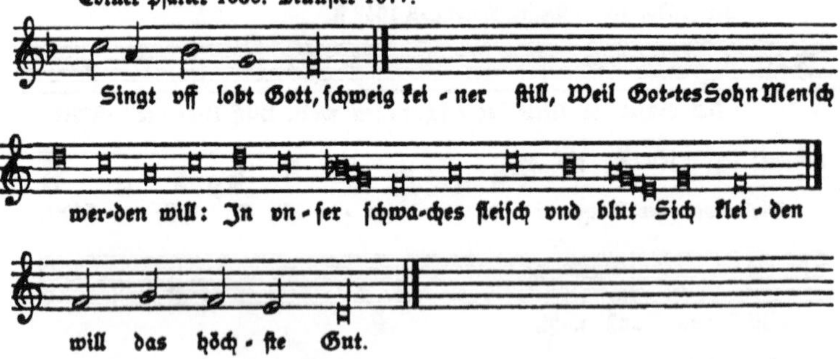
Singt vff lobt Gott, schweig kei - ner still, Weil Got-tes Sohn Mensch
wer-den will: In vn - ser schwa-ches fleisch vnd blut Sich klei - den
will das höch - ste Gut.

Der Text findet sich bereits in dem i. J. 1623 bei P. von Brachel in Cöln erschienenen Gesangbuche.

No. 28.

SJngt auff, lobt Gott, schweig niemand stil.

Erfurt 1666.
SJngt auff, lobt Gott, schweig nie-mand stil, weil Got-tes
Sohn Mensch wer-den wil, in un-sers schwa-ches Fleisch
und Blut, sich klei-den wil das höch-ste Gut.
* Erweiterung zu dem unten angegebenen Texte.

Die Melodie findet sich in demselben Gesangbuche erweitert zu folgendem Texte:

„Ein Jungfraw zart, von Edler Art,
ihrs Gleichen nie gebohren ward,
von Königlichem Stammen,
sie ist die Recht von Davids Gschlecht,
Maria heist ihr Namen."

Man vergleiche hierzu die Melodie des 66. (98 u. 118) Psalms im französischen Psalter: Les Pseaumes mis en Rime francoise par Clement Marot et Theodore de Beze, par Thomas Courteau, pour Antoine Vincent 1566.

Ren-dez à Dieu louange et gloi-re etc. Ps. 118.

No. 29.

Wie Gott werd kommen.

Cölner Psalter 1638. Münster 1677.

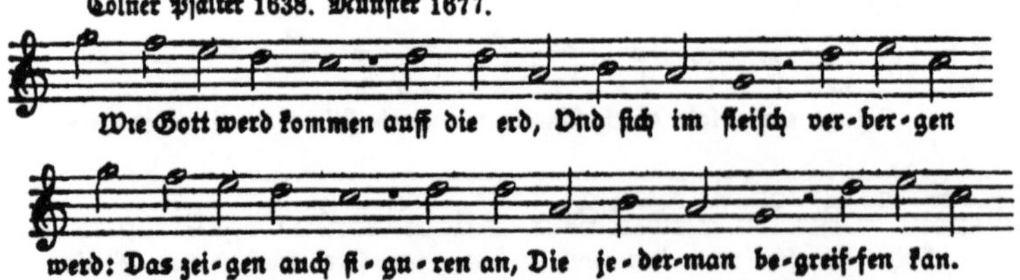
Wie Gott werd kommen auff die erd, Vnd sich im fleisch ver-ber-gen
werd: Das zei-gen auch fi-gu-ren an, Die je-der-man be-greif-fen kan.

Der Text steht bereits in dem i. J. 1623 bei P. von Brachel in Cöln erschienenen Gesangbuche. Das im II. Bande unter No. 69, IV mitgetheilte Lied „Gegrüst seystu Maria rein“ hat eine ähnliche Melodie, welche ich im Bamberger Gesangbuche 1628 zu dem Texte „Gegrüsset sey die rechte Hand“ u. s. w. vorgefunden habe.

Weihnachtslieder.

(No. 30 — 95.)

No. 30.

GElobet seyst du Jesu Christ.

Vff den Heyligen Christag vnd Newe Jahrstag.

(K. I, 98; B. V, 1168.)

I. Behe 1537. Leisentrit 1567 ff. Dilinger Gsb. 1576, 1589. Münchener Gsb. 1586. Paderborn 1609 ff. David. Harmonie 1659. Rheinfels. Gesangbuch 1666. Erfurt 1666.

GE - lo - bet seyst du Je - su Christ, das du mensch
ge - bo - ren bist, Von ei - ner Jung-fraw das ist war, des
frew - et sich der En - gel - schar, Ky - ri - e - leis.

Varianten:

1) c statt h Leisentrit. Dilinger Gsb. Münchener Gsb. David. Harmonie u. a.

2) Dieselben.

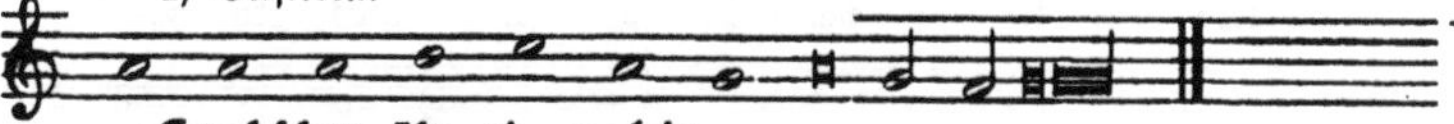

Engel-schar Ky - ri - e - leis.

Ein anders lobgesang vnd Dancksagung.

(K. I, 100; B. V, 1169.)

II. Cöln (Quentel) 1599. Constanz 1600. Cöln (Brachel) 1619, 1623, 1634. Vogler 1625. Neyß 1625. Würzburg 1628, 1630 ff. Osnabrück 1628. Mainz 1628. M.-Speier 1631. Molsheim (1629) 1659. Nordstern 1671. Münster 1677. Straßburg 1697.

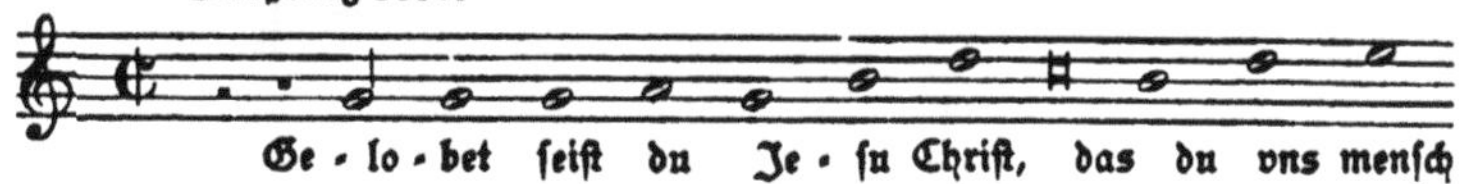

Ge - lo - bet seist du Je - su Christ, das du vns mensch

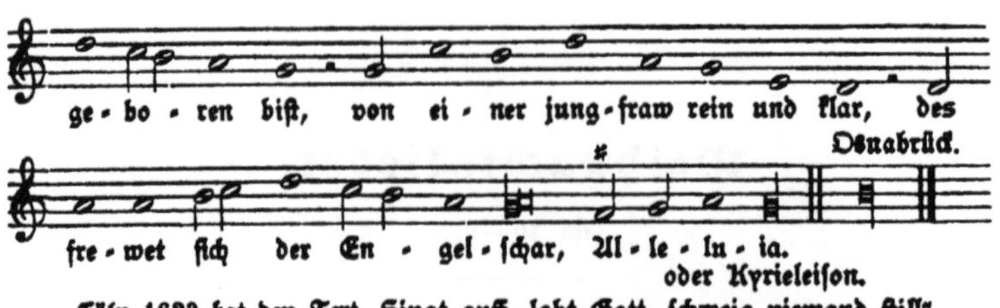
ge - bo - ren bist, von ei - ner jung - fraw rein und klar, des
Osnabrück.
fre - wet sich der En - gel - schar, Al - le - lu - ia.
oder Kyrieleison.

Cöln 1623 hat den Text „Singt auff, lobt Gott, schweig niemand still“.
Vogler 1625 hat den Text „Wir loben alle Jesum Christ“. (K. I, 414.)

Ein Anderer Catholischer Weihnachtgesang, bey dem Gottsdienst vnd Ampt der heiligen Meß nach der wandlung zu singen.

III. Kolers Ruesbuechl 1601.[1])

Ge - lo - bett sei - stu Je - su Christ das duß mensch
ge - bo - ren bist, Von ei - ner Junck - frau dz ist war,
deß frei - et sich der En - gel - schar. Ky - rie - lei - son.

Laudes Deo perenniter.

(W. V, 1171.)

IV. Andernach 1608.

Ge - lo - bet sey - stu Je - su Christ, Das du Mensch
Lau - des De - o per - en - ni - ter Chri - sto ca -
ge - bo - ren bist, Von ei - ner Jung - fraw das ist war,
namus dul - ci - ter, Qui na - tus est de vir - gi - ne,
Des fre - wet sich der En - gel schaar, Vnd die da
Gau - dent po - la - res in - co - lae Hym - num ca -
sin - gen glo - ri - a In ex - cel - sis De - o.
nen - tes glo - ri - a In ex - cel - sis De - o.

Der lateinische Text ist höchstwahrscheinlich eine Uebertragung des deutschen.

---

1) Handschrift aus der Bibliothek des Cl. Brentano, jetzt im Besitze der Erben Nathusius.

V. Bamberg 1628, 1670, 1691. Prag 1655.
GE - lo - bet sey - stu Je - su Christ, daß du Mensch
ge - bo - ren bist, von ei - ner Jungfraw rein vnd Clar, deß
1
fre - wet sich der En - gel schar, Ky - rie elei - son.
1 2 3
1) Bamberg 1670 ff. die Note cis (c) nicht
2) Prag
Schar, Ky - rie - e - lei - son.
3) Bamberg 1670 ff. fis statt g.

DAs sind die heylgen zehn gebot.

(W. III, 361.)

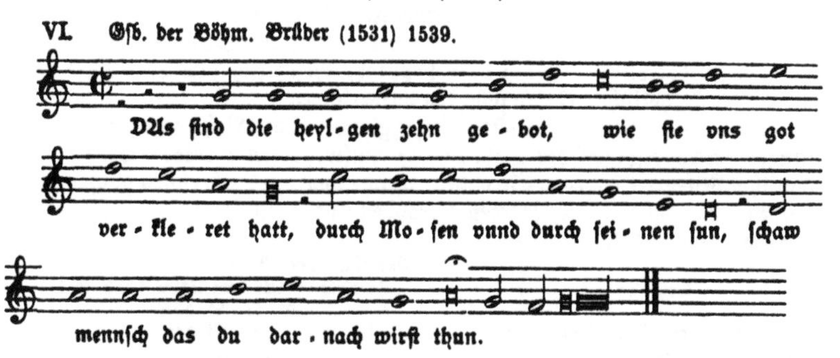
VI. Gsb. der Böhm. Brüder (1531) 1539.
DAs sind die heyl - gen zehn ge - bot, wie sie vns got
ver - kle - ret hatt, durch Mo - sen vnnd durch sei - nen sun, schaw
mennsch das du dar - nach wirst thun.

Das Lied „Gelobet seist du Jesu Christ“ ist wenigstens seiner ersten Strophe nach vorreformatorisch. In einer Handschrift der Königl. Bibliothek in Kopenhagen (Mscr. Thottiana 8. No. 130, cod. chartaceus a. d. J. 1370) heißt es Bl. 17:

»Hinc oportet ut canamus cum angelis septem gloria in excelsis:
Louet sistu ihū crist,
dat du hute gheboren bist
van eyner maghet. Dat is war.
Des vrow sik alde hemmelsche schar. Kyr.«

Aehnlich wiederum auf Bl. 50. (Jahrbuch des Vereins für niederdeutsche Sprachforschung. 1881. S. 1.)

Die oben angeführten lateinischen Worte bilden den Schluß der Sequenz »Grates nunc omnes«. Daran schloß sich also das deutsche Lied. So berichtet auch Wizel in seinem Psaltes eccl. 1550. S. 56: „Sonderlich wird an diesem sehr grossen Fest der kurtz Sequenz gesungen Grates genent ....., vnd darauff vnsere Alten sungen „Gelobet seystu Jhesu Christ" u. s. w. (1 Strophe am Schluß Kyrie eleeson.)

In dem Ordinarium inclitae ecclesiae Swerinensis. Rostock 1519, wird bei der Beschreibung des »Officium in Die nativitatis Domini« angeordnet: »Cantores inchoabunt ‚Grates nunc omnes' tribus vicibus. Hunc usum chorus flexis genibus persequitur et interim celebrans sacramentum populo ad adorandum ostendit: Populus vero canticum vulgare: Ghelauet systu Jesu christ, tribus vicibus subjunget.« Das Volk sang also nach der Sequenz Grates, die dreimal wiederholt wurde, auch dreimal das Lied „Gelobet seist du Jesu Christ".

Das ist alles, was uns die Urkunden über das vorreformatorische Vorhandensein dieses Liedes berichten.

Obwohl die Melodie zu diesem Texte uns handschriftlich nicht überliefert worden ist, so kann man doch nicht darüber im Zweifel sein, daß dieselbe ebenfalls vorreformatorisch ist. In allen katholischen und protestantischen Gesangbüchern finden wir denselben Melodie-Körper, allerdings mit mancherlei Varianten.

In protestantischen Gesangbüchern hat das Lied 7 Strophen. Im Erfurter Enchiridion 1524 lautet die Ueberschrift „Eyn deutsch Hymnus oder Lobgesang". In späteren z. B. dem Bapst'schen Gesangbuche 1545, welches unter Luthers Redaction erschien, lautet sie: „Ein Lobgesang von der geburt vnsers Herrn Jhesu Christi. D. Mart. Luther." Da erste Strophe und Melodie vorreformatorisch sind, so kann sich die Autorschaft Luthers nur auf die Hinzufügung der 6 weiteren Strophen beziehen. Diese neuen Strophen wurden bald populär, sodaß sich alle oder einzelne in späteren katholischen Gesangbüchern wiederfinden.

Auch die ersten katholischen Gesangbücher von Vehe und Leisentrit bringen Erweiterungen des ursprünglich einstrophigen Liedes. Vehe und nach ihm Leisentrit haben 6 Strophen, welche von den Lutherschen ganz verschieden sind. In diesen Vehe'schen Strophen finden sich Anklänge an frühere vorreformatorische Lieder z. B.

Vehe Str. 2.

„Gelobet sey die Junckfraw zart,
Von der Christus geboren ward."

Strophe 5.

Dann so das Kyndlein nit geborn,
wern wir allzumal verlorn.
dieweyl es nu geboren ist,
so dancken wir dir, Jesu Christ u. s. w.

Der Tag der ist so freudenreich.
Handschrift aus dem Jahre 1435. (bei W. II, S. 523).

„Salig ist die junckfraw zart,
von der vns geporen wart."

Daselbst.

War vns das chindel nicht geporn,
so war wir allzumal verlorn
Eya susser ihesu christ,
wann du mensch geporen bist u. s. w.

Daraus könnte man vielleicht den Schluß ziehen, daß diese Strophen nicht von Vehe oder einem seiner Mitarbeiter herrühren, sondern früher schon vorhanden waren.

Ich gebe im folgenden eine Zusammenstellung der Textstrophen.

I.

Luther.

Str. 1) Gelobett seystu Jhesu Christ.
2) Des ewigen vatters eynig kyndt.
3) Den aller welt kreyß nye beschloß.

4) Das ewig liecht gehet da hereynn.
5) Der son des vatters got von ardt.
6) Er ist auff erden kommen arm.
7) Das hat er alles vnns gethan.

Erfurter Enchiridion 1524. Val. Bapst'sches Gesangbuch 1545 etc. Auf katholischer Seite in dem Koler'schen Ruefsbuechl 1601 (handschriftlich) und bei Beuttner (1602) 1660.

II.

Vehe.

1) Gelobet seyst du, Jesu Christ.
2) Gelobet sey die Junckfraw zart.
3) Gelobet sey der Engel schar.
4) Des frew sich alle Christenheyt.
5) Dann so das kyndlein nit geborn.
6) Dich bytten wir auch hertzigklich.

Vehes Gesangbüchlein 1537, Leisentrit 1567 ff. u. a.

III.

Str. 1, 2, 3 von II.
4, 5, 6, = 2, 3 und 4 von I.
7 = 6 von I.
8) der vns alhie versamlet hat.
9) das wir als wol gesegnet sein.
10 = 7 von I.
11 = 6 von II.

Tegernsee 1574, 1577; Zwölff Geistliche Kirchengesäng. Ingolstadt 1586. Mit Ausnahme der Strophen 8 u. 9 im Cölner Gesangbuch 1599, Constanzer 1600, in der Davidischen Harmonie 1659 u. s. w.

IV.

Str. 1 bis 4 von I.
5 = 6 von I.
6 = 7 von I.
7 = 2 von II.
8 = 3 von II.
9 = 6 von II.

Im Münchener Gesangbuch 1586, bei Haym von Themar 1590.

Die älteste Quelle für die Melodie ist ein Einzeldruck (Wittenberg), den Wackernagel in das Jahr 1524 setzt (Bibliogr., S. 57), sodann Johann Walthers Gesangbüchlein Wittenberg 1524. Im Brüdergesangbuche (1531) 1539 ist dieselbe einem Liede von den zehn Geboten zugetheilt worden.

No. 31.

Dangk sagen wir alle mit schalle.

Grates nunc omnes.

Vff den heyligen Christag.

(K. I, 59.)

I. Vehe 1537. Leisentrit 1567 ff. Cöln (Quentel) 1599. Erfurt 1666. Münster 1677.

Dangk sa - gen wir al - le mit schal - le dem Hern vn - serm Gott,
der durch sein ge-burt vns er - lö - set hat, Von der teuf - fe - li-schen

macht vnd ge-walt, Dem sol- len wir mit sei - nen En-geln frö - lich
sin - gen all - zeyt preyß in der ho - he.

Ein ander Grates nunc omnes.

(K. I, 60.)

II. Leisentrit 1567 ff. Dilinger Gsb. 1589. David. Harmonia 1659. Rheinfels. Gesangbuch 1666.

Dan - cket dem Her - ren Chri - sto dem wa - ren gott, der vn - ser
fleisch an sich ge - no - men hat, vnd des Teuf-fels krafft zur-stört, vnd
von seim Joch vns loß ge-macht, Dem sol- len wir al - le, sampt
den En-geln mit schal-le, sin -gen ehr sey Gott in der hö - he.

Die Davidische Harmonia 1659 und das Rheinfelsische Gesangbuch haben den Text:

„Dancksagen wir alle,
Gott vnserm Herrn Christo,
Der vns mit seinem Wort hat erleuchtet.“ u. s. w. (W. III, 599.)

Der Sequenz Grates nunc omnes.

III. Mainzer Cantuale 1605.

GRa-tes nunc om-nes red-da-mus Do-mi-no De - o, qui su - a
na - ti - ui - ta - te nos li - be - ra - uit de di - a - bo - li - ca
po - te - sta - te. Hu - ic o - por-tet vt ca - na-mus cum an - ge - lis
1
sem-per glo-ri - a in ex - cel-sis.

1) Brüder-Gesb. 1539 Schluß: h a g g.

Das Brüdergesangbuch hat dieselbe Melodie zu dem Texte:

„Lobet got o lieben Christen,
singet jm mit dem psalmisten.“ (W. III, 266.)

Die Weihnachtssequenz »Grates nunc omnes« rechnet Wackernagel (I, 88) mit Unrecht zu den Gesängen des h. Gregor I. Dieser große Papst hat wohl Hymnen aber keine Sequenzen gedichtet.

Schubiger (Sängerschule, S. 52) gibt den Gesang aus dem St. Gallener Codex 546 (v. J. 1507) mit der Ueberschrift »Auctore incognito«. Derselbe wurde nach dem schon erwähnten Ordinarium der Kirche zu Schwerin v. J. 1519, so vorgetragen, daß zunächst einige Sänger die Sequenz intonirten, d. h. den ersten Theil derselben dreimal sangen bis zu dem Worte »potestate«. Der Chor fuhr dann knieend fort »Huic oportet« u. s. w. Das Volk sang darauf dreimal „Gelobet seyst du Jesu Christ“. Dieses deutsche Lied steht also im engen Zusammenhange mit der Sequenz; auch einzelne Melodiegänge haben Aehnlichkeit miteinander. Im Andernacher Gesangbuch 1608 schließt sogar das 3strophige Lied „Gelobet seyst du Jesu Christ“ jedesmal mit den Schlußworten der Sequenz »Gloria in excelsis« (Deo). Die meiste Aehnlichkeit mit dem Inhalte der Sequenz hat die zweite Strophe in diesem Gesangbuche:

„Gelobet seistu Jungfraw zart,
von der Christus geboren wardt,
Vns armen Sündern all zu trost,
Das wir durch jhn würden erlost.
Drumb singen wir jetzt gloria in excelsis Deo.“

Von den mitgetheilten Uebertragungen dürfte die von Vehe vielleicht alt sein. Die des Leisentrits Gesangbuches: „Dancket dem Herren Christo“ steht in N. Hermans Sonntagsevangelien, Wittenberg 1561, Bl. 12. Die Uebersetzung aus der Davidischen Harmonia „Dancksagen wir alle Gott“ findet sich im Erfurter (protest.) Gesangbuche vom Jahre 1527.

No. 32.

Lob sey Gott im höchsten thron.

Von der Freudenreichen geburt Jesu Christi vnsers HErren sub nota Aue virgo virginum.

(K. I, 58; W. V, 1217.)

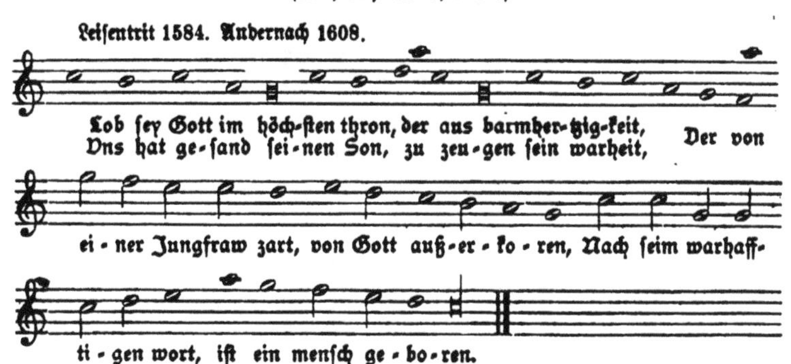
Leisentrit 1584. Andernach 1608.
Lob sey Gott im höch-sten thron, der aus barmher-tzig-keit,
Vns hat ge-sand sei-nen Son, zu zeu-gen sein warheit,
Der von
ei - ner Jungfraw zart, von Gott auß-er - ko - ren, Nach seim warhaff-
ti - gen wort, ist ein mensch ge - bo - ren.

Das Andernacher Gesangbuch hat dazu eine lateinische Uebersetzung:

»Laus sit Deo parenti,
Qui sponte promissum
Mundo diu jacenti
Natum dedit Christum,
Quem parturiuit virgo,
Deo praeelecta,
Vatum recepto verbo
In carne terrena.«

Der deutsche Text dieses Liedes ist von Hecyrus; er steht in dessen Gesangbuch 1581: „Im Thon A solis ortus cardine". Die Singweise ist, wie die Ueberschrift besagt, einem alten Marienliede aus dem 15. Jahrhundert entnommen. (Mone II, No. 400). Im Gesangbuche der böhmischen Brüder 1544, 1560 u. s. w. steht sie ohne irgendwelche Variante zu dem Liede: „Nv last vns zu dieser Frist, begehn eintrechtigklich" mit der Ueberschrift »Gaudeamus pariter, omnes etc.« (W. III, 419). Ob nun diesem lateinischen Liede oder dem »Ave virgo« die Melodie ursprünglich angehört habe, vermag ich nicht zu entscheiden.

No. 32a.

Myn hertz is ervüllet mit vrolichkeit.

Handschrift No. 724 der Trierer Stadtbibliothek aus dem 15. Jahrhundert.

Myn hertz is er-vül-let mit vro-lich-keit, van vreu-den
moiss ich syn-gen, uns ist up ge-gan-gen dat licht
der se-lich-keit, laist uns mit suys-sen stym-men clyn-gen,
laist uns suys-sen sank an-he-wen, want uns ist ge-ge-wen,
gar wie-der dat e-wi-ge le-wen durch Ma-ri-en
der vil rey-nen junc-frau-en.

Mitgetheilt von E. Bohn in der Cäcilia. Trier 1877, S. 84.
Die übrigen 7 Strophen findet man in Mone's Hymnen II, S. 432.
Das Lied stammt meiner Ansicht nach aus dem 14. Jahrhundert.
Dasselbe gehört eigentlich als Marienlied in den II. Band.

No. 33.

Ihr Christen itzund frölich seid.

Ein ander Geistlich Lied, Dorinne die Historia der Geburt Christi begriffen ist.

(K. I, 61; W. V, 1225.)

Leisentrit 1567 ff. Andernach 1608. Cöln (Quentel) 1619. Cöln (Brechel) 1619. Reyß 1625. M. Speier 1631.

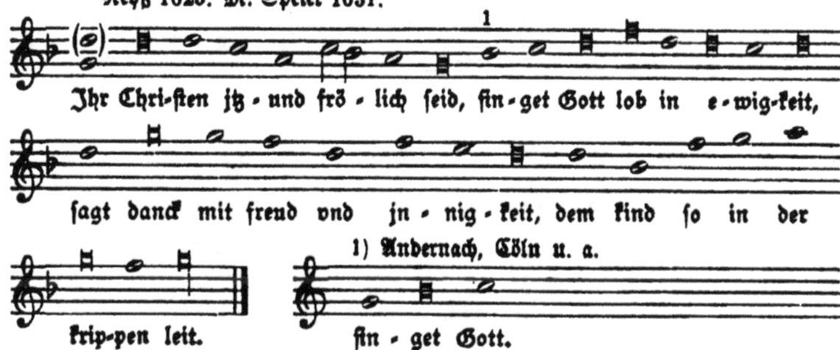
Ihr Chri-sten itz - und frö - lich seid, sin-get Gott lob in e-wig-keit,
sagt danck mit freud vnd in - nig - keit, dem kind so in der
krip-pen leit.
1) Andernach, Cöln u. a.
sin - get Gott.

Einige Gesangbücher beginnen das Lied mit der Note d.

Das Andernacher Gesangbuch hat das Lied im $\frac{3}{2}$ Takt und dazu die lateinische Uebersetzung:

»Nouis adeste gaudiis
Laetis crepate canticis.
Nato nouum cum jubilo
Melos sacrate Jesulo.«

No. 34.

Christum wir sollen loben schon.

Der Hymnus von der Geburt Christi, A solis ortus, in seiner Kirchenmelodey, mag euch auff die weiß jr Christen jetzund frölich seidt, gesungen werden.

(K. I, 62; W. III, 17.)

I. Leisentrit 1567 ff. Dilinger Gsb. 1576. 1589. Bamberg 1628, 1670, 1691. Erfurt 1666.

Chri-stum wir sol - len lo - ben schon, der rei - nen magdt Ma-
ri - en Sohn. So weit die lie - be Son-ne leucht, vnd
al - ler Welt ein en - de reicht.

Bamberg 1628 im 3 Takt 1) h statt a. Die in ( ) stehenden Noten fehlen daselbst.

In Leisentrits Gesangbuch steht noch folgender Text, den das Dilinger Gesangbuch 1589 unter die obige Melodie gesetzt hat:

1) „Nun feyret alle Christenleuth,
vnd laßt vns frölich singen heut
zu lobe Gottes gütigkeit,
vnd dancken jhm mit innigkeit."

Aus Val. Trillers Singebuch (1555) 1559. (K. I, 65; W. IV, 41.)

II. Kethner 1555.

Chri - stum wir sol - len lo - ben schon, der rei - nen maid Ma-
ri - e Son, So - weit die lie - be Son - ne leucht, vn an
al - ler welt en - de reicht.

Kethner hat die Melodie nochmals zu dem Liede:

„Die edle Mutter hat geborn, Enixa est puerpera.
den Gabriel verhies zuuorn" u. s. w. (Vgl. S. 132.)

Der Hymnus Sedulij, A solis ortus cardine. Teutsch.

III. Cöln (Quentel) 1599 ff. Andernach 1608. Cöln (Brachel) 1619, 1634. Paderborn 1616, 1617. Hildesheim 1625. Mainz 1627. Würzburg 1628, 1630 ff. Mainz 1628. M. Speier 1631. Corner 1631. Molsheim (1629) 1659. Mainz 1661, 1665. David. Harmonia 1659. Rheinfels. Gesangbuch 1666. Nordstern 1671. Münster 1677.

A so - lis or - tus car - di - ne ad - us - que ter - rae li - mi-
Christum wier sol - len lo - ben schon, der rei - nen magdt Ma - ri - ae
tem Christum ca - na - mus prin - ci - pem, Na - tum Ma - ri-
Sohn, so weit die lie - be Son - ne leucht, vnd al - ler Welt ein
1) M. Speier 1631.
ae Vir - gi - nis.
en - de reicht.
Christum canamus etc.

Der lateinische Hymnus hat den Caelius Sedulius (5. Jahrh.) zum Verfasser. Die Melodie ist jedenfalls gleichzeitig.

Von deutschen vorreformatorischen Uebersetzungen nennen wir folgende:

1) »Von svnnen vfrvnst anegenge
vns an der erde ende.«

Kehrein, Kirchen- und religiöse Lieder. Paderborn 1853, S. 34.

2) „Von anegeng der sunne klar
bis an ein ende der werllde gar", vom Mönch von Salzburg.

Aus einer Handschrift der Münchener Staatsbibliothek cod. germ. 1115 fol. aus der ersten Hälfte des 15. Jahrhunderts (W. II, 562).

3) „Verr von der sunne vfegang
vntz zu der erden vmbenang," von Heinrich von Loufenberg.

Straßburger Handschrift B. 121. 4. (W. II, 756).

4) „Vom auf vnd nid' gang d'Sunn
biß zw dem endt der Erdt mit wunn."

Hymnarius von Sigmundslust 1524. (W. II, 1353.)

Die Uebersetzung bei Kethner 1555 und Leisentrit 1567 „Christum wir sollen loben schon", welche in die meisten kath. Gesangbücher überging, finde ich zuerst im Erfurter Enchiridion 1524 ohne Autorangabe.

Das Val. Bapst'sche Gesangbuch 1545, welches unter Luthers Redaction erschien, hat folgende Bemerkung über dem Liede: „Der Hymnus, A solis ortu, durch Mart. Luther verdeutscht. Der Deutsch Text singet sich auch wol vnter die Lateinischen Noten."

Die Melodie daselbst stimmt mit der Fassung des Cölner Gesangbuches 1599 genau überein. Die Weise im Erfurter Enchiridion 1524 ist volksthümlicher gehalten und weist bedeutende Varianten auf. Die Melodie im Brüdergesangbuche 1539, bei dem Liede „Lobsinget Gott vnd schweyget nicht", stimmt im ganzen mit der Leisentrit'schen Fassung überein.

No. 35.

Aus des Vaters hertzen ewig.

Der Hymnus von Christi Geburt, Corde natus Deutsch.

(K. I, 63; W. V, 1150.)

Leisentrit 1567 ff. Dilinger Gsb. 1576.

Aus des Va-ters her-tzen e-wig, ist ge-born Je-su Christ,
Al-pha vnd O ge-heis-sen mech-tig, dann er an-fang
vnd en-de ist, al-le ding er-schaf-fen gentz-lich, al-les
was ist war vnd wird, im Him-mel vnd auff Erd-reich.

Das in der Ueberschrift genannte lateinische Lied besteht aus den Strophen 4, 7, 8, 9 und 37 des Hymnus ad omnes horas:

»Da puer plectrum, choreis
ut canam fidelibus« etc. (W. I, 38.)

von Aurelius Prudentius, mit Hinzufügung einer Doxologie:

»Tibi, Christe, sit cum patre«, welche nach Wackernagel nicht von Prudentius herrühren soll. Schubiger theilt in seinem Buche Musikalische Spicilegien. Berlin 1876, S. 105 eine Melodie hierzu aus dem Codex 367 von Einsiedeln (XI.—XII. Jahrhundert) mit, welche ich, der Vergleichung halber folgen lasse.

Cor-de na-tus ex pa-ren-tis an-te mundi ex-or-di-um,
al-fa et o cog-no-mi-na-tus, ip-se fons et
clau-su-la om-ni-a que sunt fu-e-runt,
que-que post fu-tu-ra sunt se-cu-lo-rum se-cu-lis.

Eine alte Uebersetzung von H. von Loufenberg theilt Wackernagel (II. Bd. 761) mit:

„Vs dem vätterlichen herczen
ist er geboren ewenclich."

Papierhandschrift der Stadtbibliothek in Straßburg cod. B. 121. 4, aus dem 15. Jahrhundert.

Eine andere aus dem Hymnarius von Sigmundslust 1524 beginnt:

„Aus des höchsten vaters hertzen
ist geporn vor welt anfanng." (W. II, 1354.)

Die obige bei Leisentrit ist von Wizel. Sie findet sich zuerst in dessen „Deutsch Betbuch allen Gottsförchtigen zu heyl an tag außgangen. Anno 1537"; sodann in Odae Christianae 1541.

Die Strophen 30 und 31 des oben erwähnten Hymnus »Da puer plectrum«, dem das »Corde natus« entnommen ist, finden sich in der Psalmodia des Lucas Lossius 1553 mit dem Hymnus des Fortunatus »Pange lingua« verbunden; dagegen ist der Melodieanfang »Pange lingua« vom h. Thomas von Aquin derselbe wie beim »Corde natus ex parentis«.

No. 36.

Wach auff liebe Christenheit.

Ein ander andechtiges Lied, von Christi Geburt.

(K. I, 64; W. IV, 39.)

Leisentrit 1567 ff.

Wach auff lie-be Chri-sten-heit, lo-be Got-tes güt-tig-keit,

denn er vn - ser Va - ter ist, durch den Her - ren Je - sum
Christ, der vns ist ein mensch ge-born, von der Jungfraw
auff - er - korn, zu vor - sü - nen Got - tes zorn.

Der Text steht in Val. Trillers Singebuch (1555) 1559. Sollte die Melodie nicht von einem alten Tanzliede herrühren? In den „Geistlichen Ringeltentzen" Magdeburg 1550 findet sich der Anfang unserer Melodie:

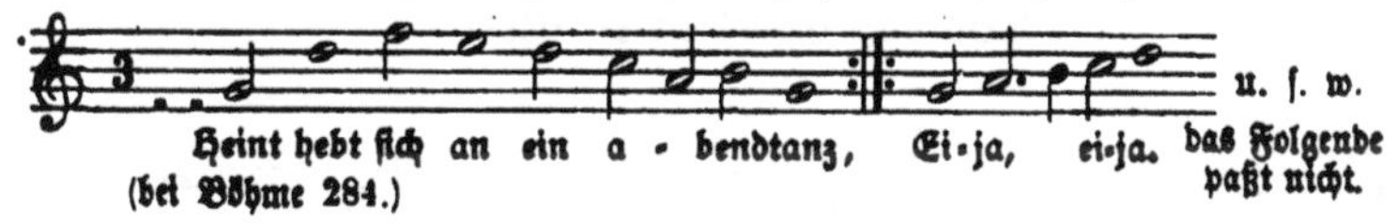
Heint hebt sich an ein a - bendtanz, Ei-ja, ei-ja.
u. s. w.
das Folgende paßt nicht.
(bei Böhme 284.)

No. 37.

Ein Kindt von Gott vns geben ist.

Ein anders von der Geburt Christi auff die Melodey, Nobis est natus hodie oder wie volget.

(K. I, 71; W. V, 1229.)

Leisentrit 1567 ff.; Dillinger Gsb. 1576.

Ein Kindt von Gott vns ge - ben ist der Hei-landt Je - sus Christ,
des e - wi-gen Got - tes Son, der zu vn - serm heil
ko - men ist, von des Hi - mels thron.

No. 38.

Lob sey Gott in ewigkeit.

Ein ander recht Christlich Lied, durch einen wargleubigen, auffrichtigen vnd bestendigen Catholischen man Componirt.

(K. I, 74; W. V, 1196.)

Leisentrit 1567 ff.

Lob sey Gott in e - wig-keit, der vns gne - dig hat er - zeigt,

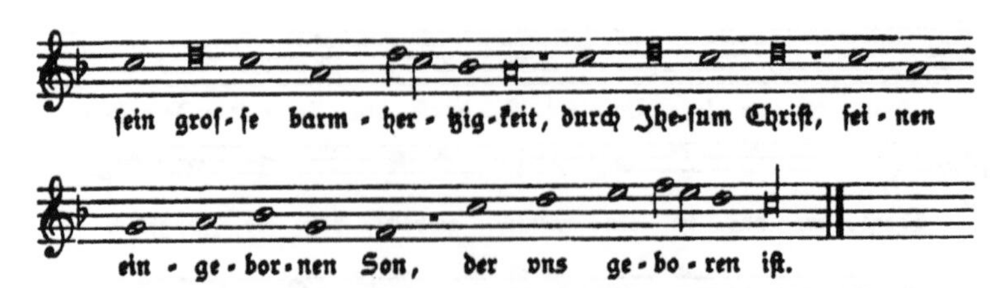
sein gros-se barm-her-tzig-keit, durch Ihe-sum Christ, sei-nen
ein-ge-bor-nen Son, der vns ge-bo-ren ist.

Der Text ist von Hecyrus, der ihn seinem Freunde Leisentrit überlassen, bevor er seine Lieder im Jahre 1581 selbst herausgab.

No. 39.

Lob sey Gott in ewigkeit.

Hecyrus 1581.

Lob sey Gott in e-wig-keit, der vns gne-dig hat er-zeigt,
sein gros-se barm-her-tzig-keit durch Je-sum Christ, sei-nen
ein-ge-bor-nen Son, der vns ge-bo-ren ist.

No. 40.

Die Zeit ist sehr heilig.

Ein andechtig Lied von Christi Geburt.

(K. I, 75; W. V, 1230.)

Leisentrit 1567 ff.

Die zeit ist sehr hei-lig vnd gantz freu-den-reich, dann des e-wi-gn
Got-tes Son von Hi-mel-reich, ist von ei-ner Jungfraw auff-er-
ko-ren vns menschen zu trost vnd heil ge-bo-ren.

No. 41.

Das ist der tag, den Gott gemacht hat.

Das Haec est dies quam fecit Dominus etc. Deutsch.

(K. I, 77; W. V, 1197.)

Leisentrit 1567 ff. Dilinger Gsb. 1576. Cöln (Quentel) 1599. Constanz 1600. Paderborn 1616, 1617. M.-Speier 1631. Münster 1677.

Das ist der tag, den Gott ge-macht hat, aus barm-her-tzig-keit vnd
Heut hat an-ge-se-hen Gott der HERR, sei-nes volcks trüb-sal vnd
ge-nad,
be-schwer,
Vnd hat vns auff er-den ge-sandt, vn-sern
1
er-lö-ser vnd Hei-landt.

1) Paderborn 1616 g statt e. M.-Speier hat die Note e nicht.

Der Text ist von Hecyrus, dessen Lied die folgende Melodie trägt.

No. 42.

Das ist der tag den Gott gemacht hat.

Haec dies quam fecit Dominus.

Hecyrus 1581.

Das ist der tag den Gott gmacht hat, auß barm-her-tzig-keit
Heut hat an-gse-hen Gott der Herr, sei-nes volcks trüb-sal
vnd ge-nad,
vnd be-schwer,
Vnd hat vns auff er-den ge-sandt, vn-sern
Er-lö-ser vnd Hey-land.

Das Lied ist eine Uebersetzung der alten Antiphon am Tage Mariä Verkündigung: »Haec est dies quam fecit dominus, hodie Dominus afflictionem populi sui respexit u. s. w«. Das große Brüdergesangbuch („Kirchengeseng, darinnen die Heubtartickel u. s. w.") 1566 bringt (Bl. 6) eine Uebersetzung in Prosa mit den Noten der alten Choralmelodie.

No. 43.

Der tag der ist so freudenreych.

Dies est laetitiae

Auff den heyligen Christag, Newe jahrstag, vnd auch vff das Fest Epiphanie.

(K. I, 91; B. II, 692.)

I. Vehe 1537. Leisentrit 1567 ff. Obsequiale 1570. Dilinger Gsb. 1576. Ritus eccl. Dilingen 1580. München 1586. Haym von Themar 1590. Cöln (Quentel) 1599. Constanz 1600. Kolers Ruefbuechl 1601 (Handschrift). Reyß 1625. Mainz 1628, 1661, 1665. Bamberg 1628, 1670, 1991. Mainz-Speier 1631. Corner 1631. 1649 ff. Prag 1655. David. Harmonie 1659. Rheinfels. Gsb. 1666. Erfurt 1666. Nordstern 1671. Straßburg 1697.

Der tag der ist so freu - den - reych, al - len
Denn Got-tes sohn von hym - mel - reich, ü - ber
cre - a - tu - ren,
die na-tu - ren,
Von ei-ner Jungfrawen ist ge-born Ma-ri - a
du bist auß - er - korn, da du mut - ter we-rest, was ge - schach
so wun - der - lich Got - tes sohn võ hym - mel - reich, Der ist
mensch ge - bo - ren.

Varianten:

Bei Koler 1601, Corner 1631 u. a. fehlen die in ( ) stehenden Noten.

1) Leisentrit 1567 ff., Obsequiale 1570, Dilingen 1576. Haym von Themar 1590, Cöln 1590 u. a. Koler 1601: f f statt g e f.

* Koler 1601 noch die Note b.

2) Haym von Themar. Cöln 1599 u. a. Koler 1601.

3) Obsequiale 1570. Münchener Gesb. 1586. Koler 1601 u. a.: c statt b.

4) Leisentrit 1567 ff. Obsequiale 1570 u. a. Haym von Themar 1590. Cöln 1599. Koler 1601 u. a.

Dies est laetitiae.

(W. II, 698.)

II. Andernach 1608. Cöln (Brechel) 1619. Osnabrück 1628. Seraph. Lustgart. 1635. Münster 1677.

Der Tag der ist so frew - denreich Al - len Cre - a - tu - ren,
Di - es est lae - ti - ti - ae In or - tu re - ga - li,
Got - tes Sohn von Him - mel - reich, v - ber die Na - tu - ren,
Nam pro - ces - sit ho - di - e de ven - tre vir - gi - na - li
Von ei - ner Jungfraw ist ge - born, Ma - ri - a du bist auß - er - korn,
Pu - er ad - mi - ra - bi - lis, to - tus de - lec - ta - bi - lis,
Das du Mut - ter we - rest, Was ge - schach so wun - der - lich,
In hu - ma - ni - ta - te, Qui in - aes - ti - ma - bi - lis
Got - tes Sohn von Him - mel - reich, der ist Mensch ge - bo - ren.
Est et in - ef - fa - bi - lis In hu - ma - ni - ta - te.
Der ist Mensch ge - bo - ren.
Als Je - sus ge - born war, zu He - ro - dis zey - tenn,
er - schin ein stern hell und klar, reychsin - ni - gen leu - ten,
den wey - sen
im Mor - genland, an dem sie merckten zu hant, das ein kind er - schie -

* Cöln 1619. Osnabrück u. a.

Das Andernacher Gesangbuch hat nur die Noten des lateinischen Textes.

Als Jesus geborn war.

Dies est laetitiae.

(K. I, 140; W. III, 277.)

III. Gsb. der böhm. Brüder (1531) 1539.

nen, ein Kü-nig ge-bo-ren wer, wel-chen das Jü-di-ſche heer,
ſchül-dig wer zu die-nen.

Das Lied ſteht ſchon in der erſten Ausgabe des Brüdergeſangbuches vom Jahre 1531. Leiſentrit hat daſſelbe in die 3. Auflage ſeines Geſangbuches 1584 aufgenommen.

EJn Kindelein ſo lôbelich.

IV. Zwölff Chriſtliche Lobgeſenge v. Spangenberg. Wittenberg 1545.

EJn Kin-de-lein ſo lô - be-lich, iſt vns ge-bo-ren
heu-te, von ei-ner jung-fraw ſeu - ber - lich, zu troſt vns
ar-men leu-ten, wer vns dz kind-lein nicht ge-born ſo wern wir all-
zu-mal ver-lorn, dz heil iſt vn-ſer al-ler, ey du ſüſ-ſer Jhe-
ſu Chriſt, das du menſch ge-bo-ren biſt, be-hüt vns fur der Hel-le.

Dies est laetitiae.

im Thon, Ein Kindelein ſo lôbelich, oder in folgender Melodey.

V. Mainzer Cantuale 1605. Hildesheim 1625. Mainz 1627.

Di-es est lae-ti-ti-ae in or-tu re-ga-li, nam
pro-ces-sit ho-di-e de ven-tre vir-gi-na-li pu-er
ad-mi-ra-bi-lis, to-tus de-lec-ta-bi-lis in hu-ma-

ni - ta - te, qui in - ae - sti - ma - bi - lis, est et in - ef - fa-
bi - lis in di - ui - ni - ta - te.

Dieselbe Melodie mit einigen unbedeutenden Varianten ist im Mainzer Cantual nochmals abgedruckt zu dem Liede »Eia mea anima, Bethlehem eamus« mit der Ueberschrift „im Thon Ein Kindelein so lôbelich, Oder wie folget". Nachstehend gebe ich eine ältere handschriftliche Melodie.

VI.

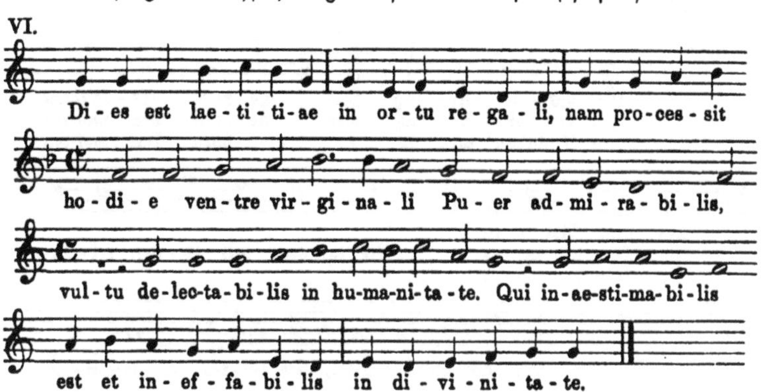
Di - es est lae - ti - ti - ae in or - tu re - ga - li, nam pro - ces - sit
ho - di - e ven - tre vir - gi - na - li Pu - er ad - mi - ra - bi - lis,
vul - tu de - lec - ta - bi - lis in hu - ma - ni - ta - te. Qui in - ae - sti - ma - bi - lis
est et in - ef - fa - bi - lis in di - vi - ni - ta - te.

Von E. Bohn aus einer Handschrift der trierschen Stadtbibliothek (15. Jahrhundert) mitgetheilt in der Cäcilia. Trier 1878, Seite 4.

ES ist ein tag der frôligkeit.

Ein sehr alt Catholisch Christliedlein, wird vnter das Dies est laetitiae gesungen.

(K. I, 92; W. V, 1458.)

VII. Mainzer Cantuale 1605.

ES ist ein tag der frô - lig - keit, vns ist ein
Kind - lein ge - bo - ren, dz bringt vns heil vnd se - lig - keit, Gott
hats vns auß - er - koh - ren. Es ist deß le - ben - di - gen
Got - tes Son, der kompt zu vns vons Him - mels - thron, all - hie

auff die - ser Er - den, vnd wird ein klei-nes Kin - de - lein
ge - born, ist al - ler En - gel ein HER - RE.

Die Edle König hoch geborn.

(K. I, 91; W. II, 696.)

VIII. Cöln (Brachel) 1619.

Die Ed - le Kö - nig hoch ge - born, Er - kandten
Wie das ein Kö - nig wer ge - born, Das wol-ten
Ein Kindtlein wer ge - - born, Das wol-ten
bey dem Ster - ne,
sie se - hen ger - ne. Sie na - men mit jh - nen rei - chen
sie se - hen ger - ne.
Solt, Myr-ren, Weyrauch, vnd das Golt, Sie eyl - ten all - ge-mei - ne,
Fie - len nie - der auff jh - re Knie, Der Herr empfieng das
Opffer jhr, Mit sei - ner Mut - ter rei - ne.

Das »Dies est laetitiae in ortu regali« ist ein alter lateinischer Weihnachtsgesang, den Mone I, 47 aus einer Handschrift des 15. Jahrhunderts der Stadtbibliothek in Trier No. 724 mittheilt. Hier hat das Lied 9 Strophen:

1) Dies est laetitiae.
2) Mater haec est filia.
3) Orto dei filio.
4) Angelus pastoribus
5) Ut vitrum non laeditur.
6) In obscuro nascitur.
7) Orbis dum describitur.
8) Christum natum dominum.
9) Christe qui nos propriis.

Die Aufeinanderfolge der Strophen ist in den Gesangbüchern eine sehr verschiedene. Bei Leisentrit 1567 haben wir die Reihenfolge: 1, 3, 2, 6, 4, 5, 7, 8, 9. Im Münchener Gesangbuch 1586 und im Mainzer Cantual 1605: 1, 7, 3, 2, 4, 6, 5, 8, 9. In späteren Gesangbüchern kommen bisweilen nur 4 Strophen vor.

Fast gleichzeitig finden wir entsprechende deutsche Lieder:

I.

1. Strophe: Der tag der ist so frewdenreich.
2. Strophe: Ein kindelein so vil lobickleich.
3. Strophe: Dy hirten auff dem velde dar.
4. Strophe: Als die sün durchget daz glaß.
5. Strophe: Drey edel künig hochgeporn.

Münchener cod. lat. 2992 aus dem 15. Jahrhundert (bei W. II, 689.)

II.

Strophen 1, 2, 4, und eine Uebersetzung der Strophe Orto Dei filio, virgine de pura:

„Das gotes sun ist vns geporn
von der maid so trewe",

welche in den andern Handschriften nicht vorkommt. Münchener cod. lat. 5935 aus dem Jahre 1435 (daselbst 693).

III.

Strophen 1, 2, 4, 5, 3 aus der I. Handschrift und zwei neue Strophen:

„Recht als das opffer wart getan" und
„Joseph nam daß kindelein."

Münchener cod. germ. 444 vom Jahre 1422 (bei Wackern. II, 695.) Grazer Universitäts-Bibl. Mspt. 38/56 aus dem 15. Jahrhundert. (Hoffmann K. L., S. 297).

IV.

Die Strophen 1, 2, 3, 4 der I. Handschrift in einer Papierhandschrift (1228) zu Kloster-Neuburg aus dem 16. Jahrhundert. (Wackern. II, 690.) Die Reihenfolge 1, 2, 4, 3 findet sich in der Koler'schen Handschrift vom Jahre 1601.

In den ältesten Gesangbüchern variiren die deutschen Strophen ebenso wie die lateinischen.

Bei Vehe 1537 finden wir die Strophen: 1, 2, 4, 3, 5 der unter I angeführten Handschrift. Wizel in seinem Psaltes eccl. 1550 bringt die Strophen 1, 2, 4 u. 3. Haym von Themar 1590 die Strophen: 1, 2, 4, 3, 5 der I. Handschrift mit einer Erweiterung von 8 Strophen auf die in die Weihnachtszeit fallenden Feste.

Das Regensburger Obsequiale 1570 und die Ritus eccl. Aug. Episcop. Dilingae 1580 haben nur die Strophen 1, 2, 4 und 3 der I. Handschrift.

Im Cölner Gsb. (bei P. v. Brachel) 1619 stehen aus No. I: Str. 1, 2, 4, sodann „In dein Stall ward heut geborn" (Orto Dei filio) und Str. 3.

In dem protestantischen Erfurter Gesangbuche 1531 ff., in dem Schumann'schen 1539, dem Bapst'schen 1545, der katholischen Dav. Harmonia 1659 u. a. stehen die Strophen 1, 2, 4 und 3 der I. Handschrift.

Es kommen auch in den frühesten protest. Gesangbüchern deutsche Bearbeitungen des lateinischen Liedes vor, die sich auf 8 Strophen des lateinischen Originals erstrecken. Wackernagel theilt solche mit aus einem Dreiliederdruck des Jahres 1525 (III, 574), sodann aus „Alte und Newe Geistl. Lieder und Lobgesenge“ 1544 (III, 575; vgl. auch Fischers Lexikon, S. 114).

Aus diesem mehrstrophigen Liede wurde schon vor der Reformation die zweite Strophe: „Ein Kindelein so lobelich“ ausgesondert und als eigenes Lied behandelt, wahrscheinlich deshalb, weil sie besonders beliebt geworden war.

Luther und seine Zeitgenossen erwähnen immer nur das Lied „Ein Kindelein so lobelich“, nie aber „Der Tag der ist so freudenreich“. (Hoffmann a. a. O., S. 301).

In dem protestantischen Gesangbuch von M. Johann Spangenberg „Zwölff Christliche Lobgesenge“ Wittenberg 1545 begegnen wir diesem einstrophigen Liede mit der Bemerkung: „Dis ist auch der alten Lobgeseng eins, so die Christen auff Weihnachten von der Geburt Christi singen.“

Dieses einstrophige Lied wurde auf protest. Seite erweitert; schon im Zwickauer Enchiridion 1528 und im Rostocker Gesangbuch 1531 stehen drei neugedichtete Strophen.

In katholischen Gesangbüchern kommt die genannte Strophe als selbständiges Lied fast gar nicht vor. Nur die Mainzer Cantuales 1605, 1627 und das nach diesen bearbeitete Hildesheimer Cantual 1625 haben das Lied mit noch einer Zusatzstrophe: „Were vns diß Kindlein nicht geborn, als vns die Propheten sungen, so weren wir allzumal verlorn, es ist vns wol gelungen. Eua bracht vns den bittern todt, Maria bracht vns das Himmelische Brot, die edle Koniginne, deß sollen wir alle werden fro, vnd singen mit der Engel schar, Gloria in excelsis Deo.“

Die mitgetheilten Melodien zu den Liedern »Dies est laetitiae«, „Der Tag der ist so freudenreich“, „Die edle König hochgeborn“ bilden im Grunde genommen nur eine Melodie mit verschiedenen Varianten. Dieselbe ist bereits im 15. Jahrhundert nachweisbar (Trier Stadtbibl. Handschrift No. 724 und Berlin Kgl. Bibl. Ms. germ. 8. 190 Bl. 4 a. u. 78 b).

Eine ganz bedeutende Variante bringt das Mainzer Cantual vom Jahre 1605 zu dem lateinischen Liede »Dies est laetitiae« und dem entsprechenden deutschen „Es ist ein tag der froligkeit“[1]. Weil die gegebene Melodie von der gewöhnlichen bedeutend abweicht, so bemerkt der Herausgeber in der Ueberschrift: „Im Thon Ein Kindelein so lobelich, oder in folgender Melodey.“ Bei dem letzteren Liede ist eine Melodie nicht abgedruckt; es soll „in seinem gewohnlichen Thon“ gesungen werden.

In den späteren Ausgaben des Mainzer Cantuals (Hildesheim 1625, Mainz 1627) ist die Uebersetzung „Es ist ein tag der froligkeit“ wieder durch das alte Lied „Der Tag der ist so frewdenreich“ mit der zweiten Strophe „Ein Kindelein so lobelich“ ersetzt worden. Darüber steht die abweichende Melodie der ersten Ausgabe, während das Lied „Ein Kindelein so lobelich“ (in 2 Str.) doch beibehalten worden ist und „in seinem gewohnlichen Thon“ gesungen werden soll.

---

1) Der bekannte Text: „Der Tag der ist so freudenreich“ fehlt hier.

Wenn Vehe in seinem Gesangbüchlein 1537 Wizels Lied „Die Prophe-ceien sind erfüllet“ mit der Bemerkung „im Thon ein Kindelein so lobelich“ anführt, während er selbst das Lied „Der Tag der ist so freu-denreich“ mit der Melodie aufgenommen hat, so glaube ich, daß er damit nur die Melodie des Liedes „Der Tag der ist so freudenreich“, dessen zweite Strophe „Ein Kindelein so lobelich“ besonders populär geworden war, angeben wollte.

Schließlich bemerke ich noch, daß das Lied „Die edle König hoch-geborn“ (4 Strophen), welches zuerst im Cölner Gesangbuch 1599 vor-kommt, nur eine Erweiterung des Liedes „Der Tag der ist so freuden-reich“ repräsentirt.

Die erste Strophe kommt schon als 5. des genannten Liedes in der unter I angeführten Handschrift vor. Strophe 2 „Vnd do das Opffer ward vollbracht“ in der Handschrift III; Strophe 3 „Joseph nam das Kindelein“ daselbst. Die 4. Strophe beginnt „Nun singen wir das lobgesang“.

No. 44.

Dieser tag viel freuden hat.

Dies est laetitiae.

(K. I, 106.)

I. Andernach 1608. Cöln (Quentel) 1619. Cöln (Brachel) 1619, 1634. M.-Speier 1631. Seraph. Lustgarten 1635. Cölner Psalter 1638. Münster 1677.

1
Die - ser tag viel freu-den hat, dan vns ist ge - boren Gott,
Di - es est lae - ti - ti - ae, nam pro - ces - sit hodi - e
Kö - nig Christ von ei - ner Magdt, O Ma - ria zart, Zweiglein
Chri-stus rex de Vir - gi - ne, Si - ne vi - ro, Vir - gu -
2
von der Blu - men wun-der - li - cher art.
la de flo - re, Mo - do mi - ro.

1) Cöln (Brachel) es statt f. M.-Speier 1631 e statt f.
2) Münster noch die Note fis.

Noch ein ander Dies est laetitiae.

II. Mainzer Cantuale 1605. Paderborn 1609 ff.

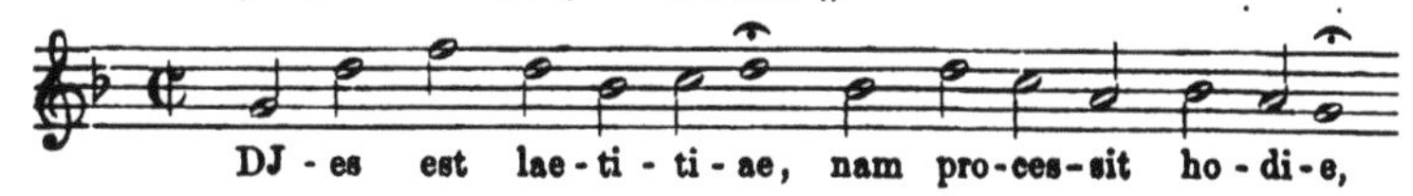
DJ - es est lae - ti - ti - ae, nam pro - ces - sit ho - di - e,

Chri - stus rex de vir - gi - ne si - ne vi - ro vir - gu - la
de flo - re, mo - do mi - ro.

1) Paderborn b b statt a a.

Der lateinische Text dieses zweiten »Dies est laetitiae« hat im Andernacher und Mainz-Speierischen Gesangbuche 1631 sechs Strophen:

1) Dies est laetitiae.
2) Natus est Emanuel.
3) Castitatis lilium.
4) Res miranda creditur.
5) Mater virgo nescia.
6) Stet pro nobis dulciter.

Im Münster'schen Gesangbuche fehlt die Strophe 5.

Ein dreistrophiges Lied aus dem 15. Jahrhundert in einer Handschrift der Stadtbibliothek in Trier (No. 724) hat nur die ersten beiden Strophen, und als dritte:

»Ergo nostra concio
benedicat domino« etc. Mone I, 49.

Nachstehend geben wir einen zweistimmigen Satz aus einer Handschrift der Trierer Bibliothek. Die zweite Melodie ist diejenige, welche auch in unsern Gesangbüchern vorkommt.

Handschrift der Stadtbibliothek in Trier aus dem 15. Jahrhundert.

I. Mel.
Di - es est lae-ti - ti - ae, nam pro-ces-sit ho-di - e
II. Mel.
I. Mel.
Christus rex de vir - gi-ne si - ne vi - ro vir-gu-la
II. Mel.
I. Mel.
de flo - re, de vir-gu-la flos mo - do mi - ro.
II. Mel.

Mitgetheilt von E. Bohn in der „Cäcilia", Trier 1878, S. 3 und in den Monatsheften für Musikgeschichte 1877, S. 28.

No. 45.

Preiß sey Gott jm höchsten throne.

(Quem pastores laudauere.)

Ein Schön Lied vor die Knaben in der Kirchen zu singen auff vier Chor.

(K. I, 68; W. IV, 36.)

I. Leisentrit 1567 ff. Dilingen 1589. Andernach 1608. Cöln (Brachel) 1619 ff. Quentel 1619. Neyß 1625. M.-Speier 1631.

Primus Chorus.

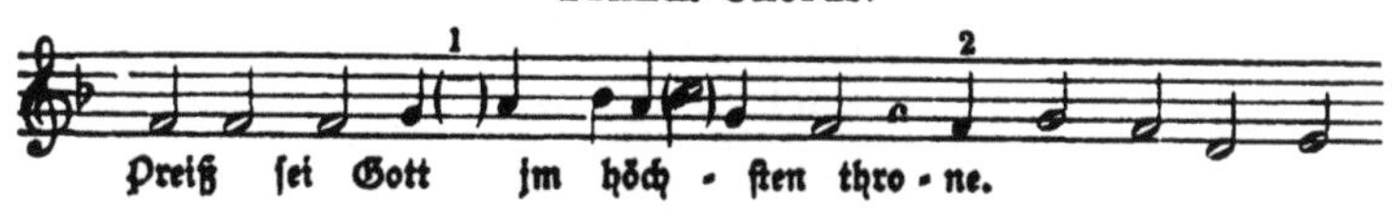
1
2
Preiß sei Gott jm höch - sten thro - ne.

Secundus Chorus.

3
4
Vnd auch sei - nem lie - ben So - ne.

Tertius Chorus.

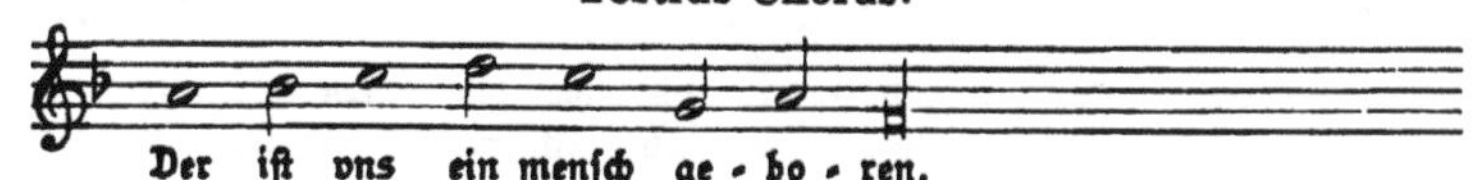
Der ist vns ein mensch ge - bo - ren,

Quartus Chorus.

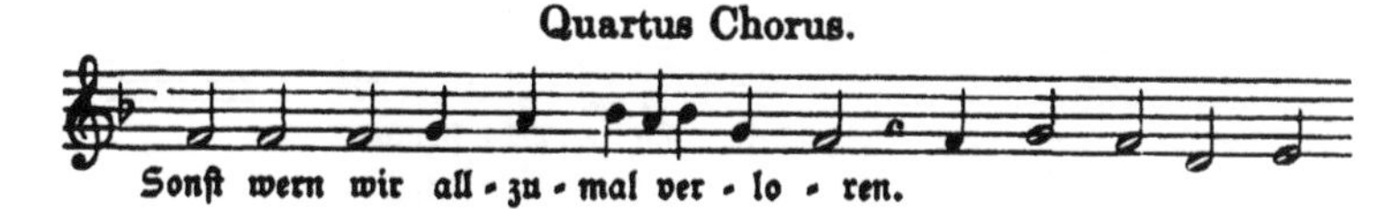
Sonst wern wir all - zu - mal ver - lo - ren.

1) g statt b a: Cöln (Brachel).
2) f statt g im Dil. Gsb. 1589, Cölner 1619 u. s. w.
3) f e statt f: Cöln (Brachel).
4) d statt c Cöln (Quentel) 1619; M.-Speier 1631 u. a.

Das Andernacher Gesangbuch 1608 hat an erster Stelle eine Uebersetzung des deutschen Liedes:

»Laus sit patri ampla sublimi,
Et patris vnice proli,
In carne jam recens natae,
Ne perderemur aeterne.«

Die in ( ) stehenden Noten fehlen im Cölner (Quentel) Gesangbuch 1619 u. a.

Ein anders.

II. Beuttner (1602) 1660.

PReiß sey Gott in höch - sten Thro - ne, Vnd auch sein al - ler-

lieb - sten Soh - ne, Der vns zu gut ist Mensch ge - bo - ren, Sonst
we - ren wir al - le sampt ver-lorn.

Geborn ist vns ein König der ehre.

Ein sehr alt Christgesang Lateinisch vnd Deutsch.

(K. I, 101; W. II, 1106.)

III. Mainzer Cantual 1605. Paderborn 1609 ff. Hildesheim 1625. Mainz 1627.

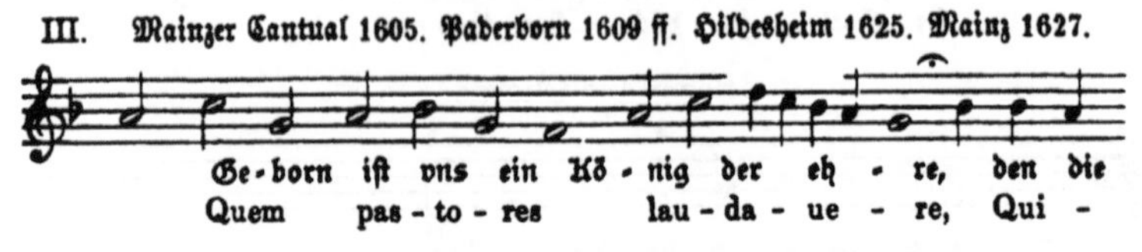
Ge - born ist vns ein Kö - nig der eh - re, den die
Quem pas - to - res lau - da - ue - re, Qui -

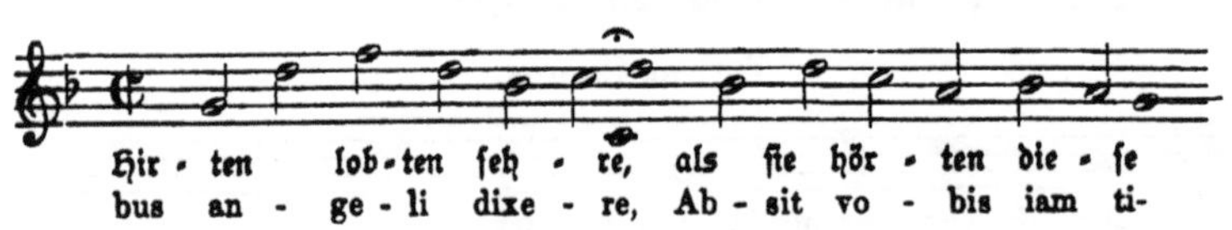
Hir - ten lob - ten seh - re, als sie hör - ten die - se
bus an - ge - li dixe - re, Ab - sit vo - bis iam ti-

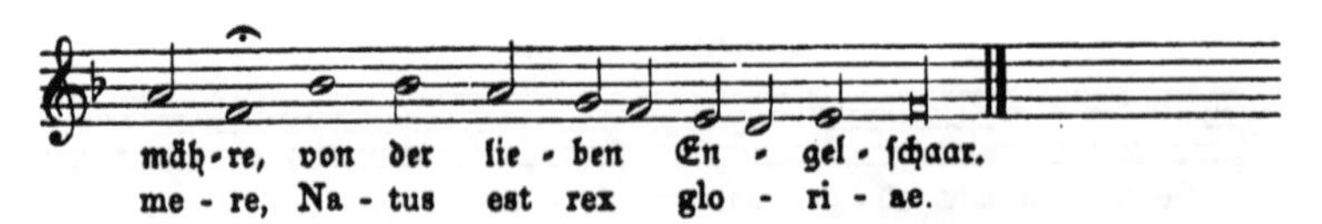
mäh - re, von der lie - ben En - gel - schaar.
me - re, Na - tus est rex glo - ri - ae.

Das »Quem pastores« ist nach den Ueberschriften in den Gesangbüchern ein altchristlicher Weihnachtsgesang, den die Hymnologen in das 14. Jahrhundert setzen. (W. I, 356, 357; Dan. I, 330, IV, 258.) Der lat. Text bei Leisentrit hat 5 Strophen, während das Mainzer Cantual nur 4 zählt.

Wizel bringt in seinem Psaltes eccl. 1550 unter der Ueberschrift „Jubelgesenge der heiligen Weihenachten, Wie sie von vnsern Christlichen Vorfaren frölich gesungen" eine deutsche Uebersetzung des vierstrophigen Textes: „Den die Hirten lobeten sehr". Eine ältere Uebertragung „Geborn ist vns ein König der ehre, den die Hirten lobeten sehre" steht im Mainzer Cantual 1605. Der Text bei Leisentrit u. a. „Preiß sey Gott im höchsten Throne" ist aus Val. Trillers Singebuch (1555) 1559, welches auch die älteste Quelle für die Melodie bildet. Ueber die Verbindung dieses Liedes mit andern Weihnachtsliedern siehe die Bemerkung zur folgenden Nummer.

No. 46.

Heut iſt der Engel gloriſchein.

Nunc angelorum gloria.

I. Leiſentrit 1567ff. Andernach 1608.

Heut iſt der En - gel glo - ri ſchein den Men-ſchen all
Nunc an-ge-lo - rum glo - ri - a ho - mi - ni - bus
in die-ſer welt er-ſchie-nen. Je-ſus wirdt v - ber-win-der
re - splen-du - it in mun-do, Quam ce - le - bris vic-to - ri-
ſein im jam-mer-thal er - frewt die Hertz der ſei-nen; Ein frö-li-che
a, re - co - li - tur in cor-de le - ta-bun-do, No-ui par-tus
new ge-burt, Wer hat ſol - ches mehr ge-hört. Ein Jungfraw thet
gau-di - um uir-go ma - ter pro-du - xit et Sol ue - rus
ge-be - ren Chriſt den Herren, Mit Ma-ri - a frew-et euch vnd
in tene - bris il - lu - xit, Hu - ic sit me-mo-ri - a, Hu-
ſingt dem lie - ben Je - ſu - lein.
ic sit me - mo - ri - a.

Die Melodie mit dem lateiniſchen Texte iſt aus Leiſentrits Geſangbuch. Im Andernacher Geſangbuche 1608 ſteht der obige deutſche Text mit der Melodie ebenfalls im 3 theiligen Tacte. Hier finden ſich auch die ♯ ♯.

Noch ein ſehr alt Lateiniſch Chriſtgeſang.

II. Mainzer Cantuale 1605. Paderborn 1609. Corner 1631.

Nunc an - ge - lo - rum glo - ri - a ho - mi - ni-bus re-
Et ce - le - bris vic - to - ri - a re - co - li - tur in
splen-du - it in mun - do.
cor - de lae-ta-bun - do.
No-ui par-tus gau-di-um vir-go

ma - ter pro - du - xit et sol ve - rus in te - ne-bris il - lu - xit.
Cuius fe - sti ho - di - e re - co - li tur me - mo - ri - a.

Das »Nunc angelorum gloria« stammt ebenfalls wie das vorige Lied aus dem 14. Jahrhundert (W. I, 343; D. I, 328).

In den kath. Gesangbüchern von Leisentrit u. s. w. stehen 4 neunzeilige Strophen. In den protestantischen z. B. von Val. Bapst 1545 4 sechszeilige (W. I, 344).

Eine deutsche Uebersetzung bringt auf katholischer Seite nur das Andernacher Gesangbuch 1608. In protest. Gesangbüchern finden sich folgende Bearbeitungen:

1) „Es ist der Engel herrligkeit“ in B. Trillers Singebuch (1555) 1559.
2) „Heut sein die lieben Engelein“ in Nic. Hermans Sonntagsevangelien, Wittenberg 1561.
3) „Singt frölich vnd seid wolgemut
Denn Gottes Son ist vns zu trost geboren“
in „Kirchengeseng darinnen die Heubtartickel“ u. s. w. 1566 (Brüdergesangbuch.)

Ueber die Art und Weise, wie dieses und das vorige Lied gesungen werden sollen, berichtet das Mainzer Cantual 1605 Folgendes:

„Beyde vorgesetzte Gesäng werden auff dreyerley weise gesungen.

Erstlich ein jeder vor sich allein, wie sie obstehen.

Zum andern, vier Knaben singen an vnterschiedlichen orten in der Kirchen, Der erst, Quem pastores laudauere, Der ander, Quibus angeli dixere, Der dritt, Absit vobis iam timere, Der vierd, Natus est rex gloriae. Also singen sie auch die andern Verß, vnd mag der Chorus einen Teutschen Verß darzwischen singen.

Zum dritten singt man beyde Gesäng in einander, folgender weiß. 1. Die vier Knaben singen das Quem pastores, wie gesagt. 2. Darnach singen alsbald zween Tenoristen die ersten beyden Clausulen, Nunc angelorum etc. 3. Hierauff heben zween andere Tenoristen die folgende Clausulam an, Noui partus gaudium etc. 4. Letzlich singt der gantze chorus, Cuius festi hodie recolitur memoria. Gleicher massen werden die andern Verß auch abgetheilet vnd gesungen. Vnd also habens vor zeiten die lieben Alten in der Heiligen Christnacht pflegen zu singen, daß sie deß Englischen lobgesangs vnd der Hirten frewd sich hie bey erinnerten, vnnd nach jhrem exempel Gott dem Allmechtigen, vor die heilsame Geburt Christi inniglich lobten.“

No. 47.

Magnum nomen Domini.

I. Cöln (Quentel) 1599 ff. Mainz 1605, 1627. Andernach 1608. Würzburg 1628, 1630 ff. M.-Speier 1631. Corner 1631. Molsheim (1629) 1659. Erfurt 1666.
Magnum no-men Do-mi-ni E-ma - nu-el, quod an-
nun-ci-a-tum est per Ga-bri-el, ho-di-e ap-pa-ru-it,
ap-pa-ru-it in Is-ra-el, per Ma-ri-am vir-gi-nem in
Beth-le-hem, E-ia, E-ia, vir-go De-um ge-nu-it, sic-ut
di-ui-na vo-lu-it cle - men-ti-a, gau-de-te, gau-de-te,
Christus na-tus ho-di-e, gau-de-te, gau-de-te, ex Ma-ri-
Corner 1631.
a Vir-gi-ne.
Mainz 1605 ff. mit den Varianten des folgenden deutschen Liedes.
1) M.-Speier c statt a a.
5) „ „ g „ d.
4) c statt a Würzburg.
2) a fehlt. Erfurt.
3) c d e e Andernach; c e c e Erfurt.
6) b g statt a a Würzburg.
* Andernach 1608.
Vir-go De-um ge-nu-it sic-ut di-ui-na vo-lu-it cle-men-ti-a.
Groß vnd Herr ist Gottes Nam Emanuel.
(K. I, 96; W. III, 1104.)
II. Mainzer Cantuale 1605. Hildesheim 1625. Münster 1677.
GRoß vnd Herr ist Got-tes Nam E-ma-nu-el, Der Ma-ri-en
ver-kün-digt ist durch Ga-bri-el. Er ist er-schie-nen am heu-

ti - gen tag, am heu - ti - gen tag, in Is - ra - el, von Ma - ri - a
ist heil er - sprossen in al - le Welt, E - ya, e - ya, Got - tes
Son vom Him - mel - reich, ist vns Menschen worden gleich auff Er - den,
ge - bo - ren ein Kin - de - lein, von Ma - ri - a der Jungfraw rein.

Münster: 1) b. 2) d e e. 3) u. 4) a b statt b a.

Groß vnd herrlich ist Gottes Nahm.

III. Cöln (Brachel) 1619, 1625, 1634.

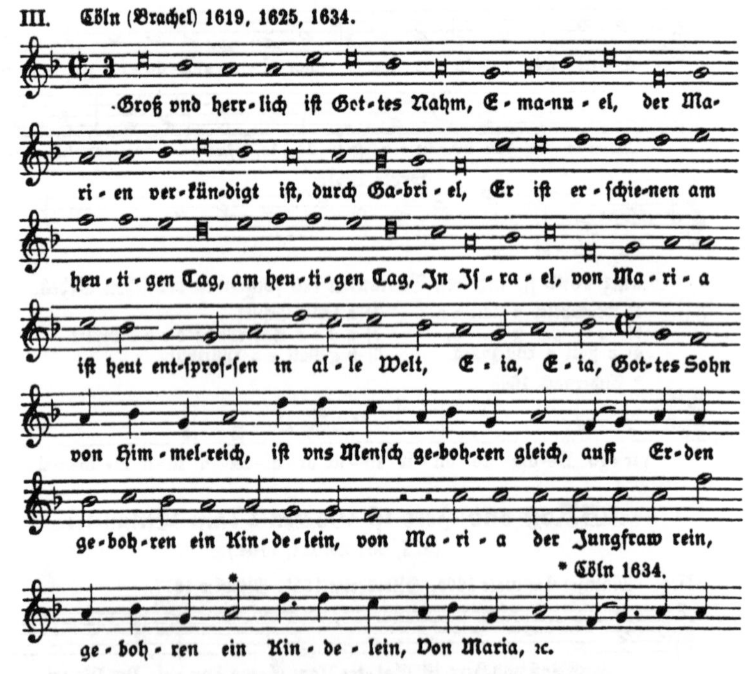
Groß vnd herr - lich ist Got - tes Nahm, E - ma - nu - el, der Ma -
ri - en ver - kün - digt ist, durch Ga - bri - el, Er ist er - schie - nen am
heu - ti - gen Tag, am heu - ti - gen Tag, In Is - ra - el, von Ma - ri - a
ist heut ent - spros - sen in al - le Welt, E - ia, E - ia, Got - tes Sohn
von Him - mel - reich, ist vns Mensch ge - boh - ren gleich, auff Er - den
ge - boh - ren ein Kin - de - lein, von Ma - ri - a der Jungfraw rein,
* Cöln 1634.
ge - boh - ren ein Kin - de - lein, Von Maria, 2c.

Hoffmann (Geschichte des Kirchenliedes 1861, S. 422) bringt das »Magnum nomen Domini« in Verbindung mit dem »Resonet in laudibus« aus einem Cod. germ. 444 der Münchener Bibliothek v. J. 1422. Ebenso sind in einer Fassung bei Leisentrit diese beiden Lieder mit einander verflochten.

Nach einer Leipziger Handschrift No. 1305 aus dem Ende des 14. oder Anfang des 15. Jahrh. wurde das Magnum nomen Domini mit dem »Resonet in laudibus« und einer Strophe »Angelus pastoribus« (aus dem Dies est laetitiae) abwechselnd mit dem Liede „Joseph, liber neve myn“ gesungen. (W. II, 605).

Eine deutsche Uebersetzung findet sich gleichzeitig:

1) „Do Gabriel der engel klar
von himelreich gesendet wart,
Do er die mait alleine vant,
got sei mit dir! sprach er ze hant, Maria“

bei Hoffmann aus der oben citirten Münchener Handschrift (W. II, 610).

2) „Groß vnd herrlich ist Gottes nam“.

zuerst in dem protest. Gesangbuche „Alte vnd Newe Geistliche Lieder vnd Lobgesenge, von der Geburt Christe vnsers Herrn, für die Junge Christen. Johan Spangenberg 1544“, sodann im Mainzer Cantual 1605, im Cölner Gesangbuch 1619, Würzburger 1628, bei Corner 1631 u. a.

Das Andernacher Gesangbuch 1608 hat nach der lateinischen Strophe mit den Noten das folgende Mischlied:

3) „Maria geboren hat Emanuel,
Den zuuor verkündigt hat Sanct Gabriel,
Hodie apparuit, apparuit in Israel,
Der das Kindlein wiegen wil der wieg es wol,
Eia, Eia. Wie schones Kind hat Maria,
Das wil so wol gewieget sein Clementia.
Gaudete, gaudete ex Maria virgine,
Gaudete, gaudete vnd wiegt das liebe Kindlein wol.“

Das Lied wurde also namentlich bei den Weihnachtsaufführungen in den Kirchen gesungen; vgl. die Bemerkungen zum folgenden Liede.

No. 48.

Singen wir mit fröligkeit,

Resonet in laudibus.

Ein schön Gesang auff Weyhenachten zu singen.

(K. I, 94.)

I. Dilinger Gsb. 1589. Obsequiale 1570. Mainz 1605. Hildesheim 1625. Mainz 1627. Erfurt 1666.

1
2
Re-so-net in lau-di-bus, cum iu-cun-dis plau-si-bus, Sy-on
Sin-gen wir mit frö-lig-keit, lo-ben Gott in e-wig-keit, vns ist
3
cum fi-de-li-bus ap-pa-ru-it quem ge-nu-it Ma-ri-a,
geborn ein Kin-de-lein, von ei-ner Junckfraw zart vnd reyn Ma-ri-a,
4
5
Ma-ri-a sunt im-ple-ta quae prae-di-xit Ga-bri-el,
Ma-ri-a sist voll-bracht wie Ga-bri-el hat weiß-ge-sagt,

E-ia, E-ia, Vir-go De-um ge-nu-it quem di-ui-na
E-ia, E-ia, sist ge-born ein wah-rer Gott, dhat er-füllt seins
6 7 8
vo-lu-it cle-men-ti-a. Ho-di-e ap-pa-ru-it, ap-pa-
Vatters gbot mit gü-tig-keit, auff disn tag er-schi-nen ist, er-schi-
9
ru-it in Is-ra-el, quod an-nun-ci-a-tum est per Ga-bri-el.
nen ist der Chri-sten-heit, Got-tes Sohn den lo-ben wir in e-wig-keit.

Dieser deutsche Text steht nur im Dilinger Gesb. 1589 u. Cöln 1599 ff.

Varianten: 1, 2, 3: f statt a. Obsequiale Mainz 1605. 4) nur im Dil. Gsb. 5) g f e f Obsequiale. 6) a g statt c b, Mainzer Gsb. u. a. 7) g f statt g Obsequiale. 8) e statt a Obsequiale, Mainzer Gsb. 2c. 9) wie No. 7.

Es muß erklingen vberall.

Das Resonet in laudibus Teutsch.

(K. I, 93; W. II, 1107.)

II. Cöln (Brachel) 1619, 1625, 1634. Osnabrück 1628. Cöln (Quentel) 1599. Constanz 1600. Würzburg 1628 ff. Neyß 1625. Mainz 1628. M.-Speier 1631. Corner 1631, dessen Nachtigall 1649. Molsheim (1629) 1659. Mainz 1661, 1665. Nordstern 1671. Brauns Echo 1675. Münster 1677.

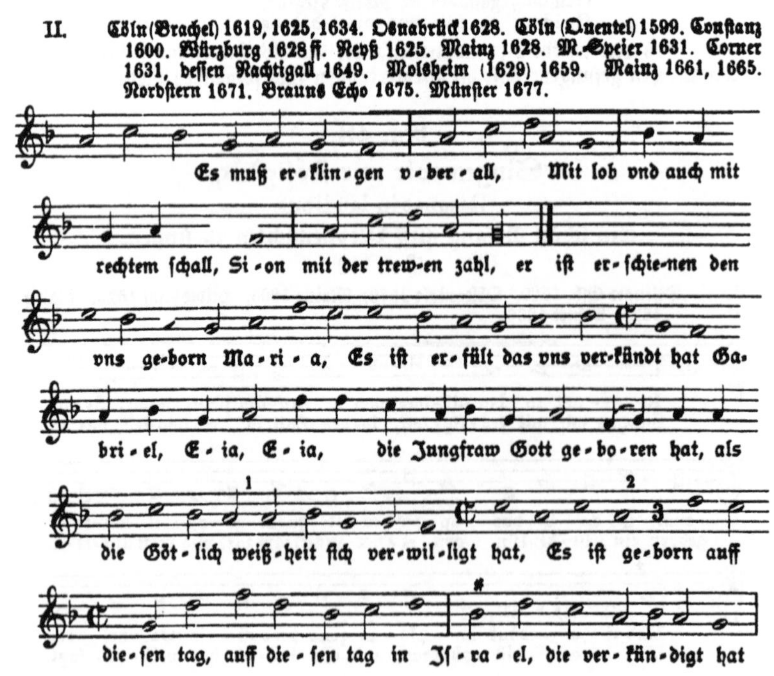
Es muß er-klin-gen v-ber-all, Mit lob vnd auch mit
rechtem schall, Si-on mit der trew-en zahl, er ist er-schie-nen den
vns ge-born Ma-ri-a, Es ist er-fült das vns ver-kündt hat Ga-
bri-el, E-ia, E-ia, die Jungfraw Gott ge-bo-ren hat, als
1 2
die Göt-lich weiß-heit sich ver-wil-ligt hat, Es ist ge-born auff
die-sen tag, auff die-sen tag in Is-ra-el, die ver-kün-digt hat

1) Cöln 1599 ff. M.-Speier 1631.

3
der En-gel Ga-bri-el.
Weiß-heit sich ver-wil-liget hat.

2) c c e statt d e e daselbst.
2) d e c Würzburg.
3) a statt b daselbst.

Mainz 1661, Nordstern 1671:

„Singt und klingt nun überall
Mit erhöhtem Frewdenschall."

Joseph lieber Joseph mein.

Wird allein oder mit folgender Clausul vnter das Resonet gesungen.

(K. I, 125; W. II, 608.)

III. Mainzer Cantuale 1605. Andernach 1608. Erfurt 1666.

1
Jo-seph lie-ber Jo-seph mein, hilff mir wiegen mein Kin-de-lein,
Gott der will dein löh-ner sein im Him-mel-reich, der Jung-fraw Son
Ma-ri-a. Er ist er-schie-nen am heu-ti-gen tag, am heu-
ti-gen tag, in Is-ra-el, der Ma-ri-en ver-kün-digt ist durch
2
Ga-bri-el. E-ya, e-ya, Je-sum Christ hat vns ge-born
3
Ma-ri-a. Er ist er-schie-nen am heu-ti-gen tag, am heu-ti-gen
tag in Is-ra-el, von Ma-ri-a ist heil er-spros-sen in al-le Welt.

Das Andernacher Gesangbuch hat nur die Noten des ersten Absatzes mit dem lateinischen Texte Resonet etc. und dem deutschen Liede:

„Zu Bethlem ward Gott geborn
Zu eim König außerkorn,
Da war wenig nach und bey
Dan Engel Gottes sungen frey Maria." etc.

Erfurt: 1) c statt d. 2) fehlt. 3) g g statt a.

Lobent vnd danckent dem Kindelein.

(K. I, 79.)

IV. Cöln (Quentel) 1619. Cöln (Brachel) 1619, 1625, 1634. M.-Speier 1631.

Lo-bent vnd danckent dem Kin-de-lein, wöl-len wir sin-gen
vnd frö-lich sein, wie-gen vnd tra-gen im hert-zen fein, se - lig
gna-den-rei-che Ma-ri-a.

Das »Resonet in laudibus« (W. I, 350—354, D. I, 327 ff.) kommt bereits im 14. Jahrhundert zugleich mit dem Liede „Joseph lieber neve mein" vor, wie ich in der Bemerkung zum vorigen Liede andeutete. Im Münchener cod. lat. 2992 aus dem 15. Jahrhundert findet sich ein vierstrophiges »Resonet« mit einer deutschen Uebersetzung (W. II, 892).

1) Resonet in laudibus.	1) Wir loben all daz kindelein.
2) Pueri concurrite.	2) Ir kinder, volget alle nach
3) Juda cum cantoribus.	3) Dy hirten waren also fro.
4) Et nos unanimiter.	4) Eintrechtiglichen loben wir.

Hinter jeder Strophe »Apparuit quem genuit Maria«.

Sowohl in den katholischen wie in den protestantischen Gesangbüchern des 16. Jahrhunderts variirt die Zahl der Strophen.

I.

Bei Leisentrit steht das Resonet Blatt 47 als Fortsetzung des Magnum nomen Domini, welches die erste Strophe bildet. Dann folgen:

1) Resonet in laudibus.
2) Christus natus.
3) Qui regnat in aethere.
4) Sion lauda.
5) Natus est Emanuel.
6) Christo regi psallite.
7) Dies est laetitiae, gaudeamus hodie.
8) Erga nostra concio.
9) Pueri concinite.

II.

Blatt 45 daselbst: Strophen 1, 2, 5, 9 und 4 von I.

III.

Tegernsee 1577: 1, 2, 5, 9, 3, 3a: Gaudeat Jerusalem, sodann 8 und 4 von No. I.

IV.

Im Obsequiale 1570 steht nur eine Strophe.

V.

Cöln 1599: No. 1, 5, 9 und 4 von I.

VI.

Corner 1631: 1, 5, 9, 3, (3a Gaudeat Jerusalem) dann 8 und 4 von I.

Von den Uebersetzungen nennen wir folgende:

1) Die oben citirte handschriftliche.

2) „Zion sampt den gleubigen sol von Lobe erschallen" Wizel 1550.

3) „Es muß erklingen vberall" zuerst im Innsbrucker Gesangbuch 1588, sodann im Cölner 1599 u. a.

4) „Singen wir mit frölигkeit" im Dilinger Gesangbuch 1589.

5) „Singt und klingt nun überall, Mit erhöchtem Freudenschall." Mainz 1661, Nordstern 1671.

6) „Lobent vnd danckend dem Kindelein" Cöln (Quentel) 1619, (Brachel) 1619 u. s. w.

Im Andernacher Gesangbuch 1608 steht zu der obigen Melodie das Lied: „Zu Bethlehem ward Gott geborn". Sodann haben wir noch das Lied „Joseph lieber Joseph mein", welches, wie wir gesehen, in engster Beziehung zum Resonet steht, aber keine Uebersetzung desselben bildet, zu besprechen.

Dieses alte Lied war mit dem »Resonet in laudibus« bei den Weihnachtsaufführungen in der Kirche üblich:

„Erstlich wird am heiligen Christage an etlichen örten exhibiert, beide in der heiligen Nacht vnd des Abends zum Vesperlobe, dardurch angezeigt wird die selige Geburt vnsers Seligmachers Christi, als mit der representation des stedlins Bethlehem, der Engel, der Hirten, der drey Königen, &c. da auch die Knäblin im gesange Resonet, in offentlicher samlung auff vnd nidder springen, vnd mit den henden zusamen schlagen, die grosse Freude anzuzeigen, welche alles Volck von dieser Geburt hat vnd haben sol." (Wizel, Psaltes eccl. Bl. 163.)

Unter den Liedern des Mönchs von Salzburg steht auch das 7strophige „Joseph lieber neve mein" und in einer Bemerkung dazu (Hoffmann S. 418):

„Zu den weihnachten der fröleich Hymnus: A solis ortus cardine, und so man das kindel wigt über das Resonet in laudibus hebt unser frau an ze singen in einer person: Joseph, lieber neve mein. So antwort in der andern person Joseph: Geren, liebe mueme mein. Darnach singet der kor die andern vers in einer diener weis, darnach den kor."

Eine andere Art und Weise, das Lied zu singen, siehe bei Wackernagel II, No. 605. (Vgl. auch S. 301 oben.)

Auf protestantischer Seite erfuhr das Lied eine Umdichtung von J. Mathesius: „O Jhesu, liebes Herrlein mein". (W. III, 1333).

Die dramatischen Spiele am h. Weihnachtsfeste hatten sich mit ihren Liedern in katholischen und auch protestantischen Kirchen noch lange erhalten. Beweis dafür ist u. a. ein Cabinetsbefehl von König Friedrich Wilhelm I. von Preußen v. 23. December 1739, wonach die Kircheninspectoren bei persönlicher Verantwortung nicht mehr dulden sollten, daß am Christabend vor Weihnachten Kirche gehalten, das Quem pastores gesungen, oder auch Masken vom Engel Gabriel und Knecht Ruprecht vorgestellt oder andere dergleichen Ahlfanzerei getrieben werde. (Fischer, Lexikon II, 182.)

No. 49.

Seydt frölich vnnd Jubilieret.

Omnis mundus iucundetur.

(K. I, 117; W. III, 1369.)

I. Cöln (Quentel) 1599. Constanz 1600. Mainz 1605. Andernach 1608. Cöln (Brachel) 1619, 1634. Würzburg 1628, 1630 ff. Mainz 1628. M.-Speier 1631. Corner 1631. Seraph. Lustgart. 1635. Corners Nachtigall 1649 ff. Molsheim (1629) 1659. Mainz 1661, 1665. Erfurt 1666. Bamberg 1670. Nordstern 1671. Brauns Echo 1675. Münster 1677.

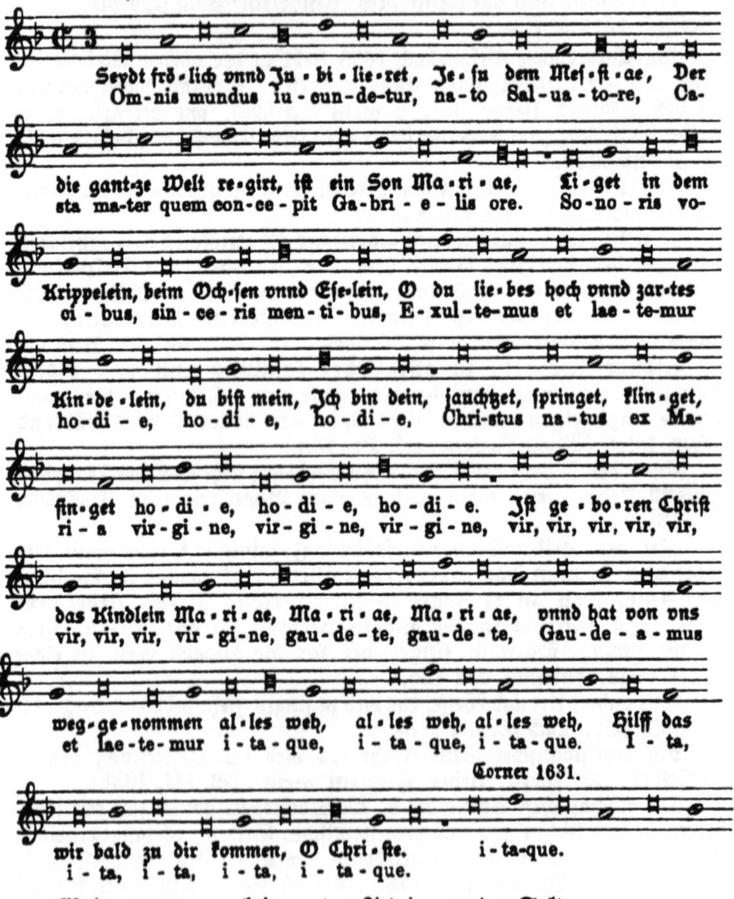
Seydt frö - lich vnnd Ju - bi - lie - ret, Je - su dem Mes - si - ae, Der
Om - nis mundus iu - cun - de - tur, na - to Sal - ua - to - re, Ca-
die gant - ze Welt re - girt, ist ein Son Ma - ri - ae, Li - get in dem
sta ma - ter quem con - ce - pit Ga - bri - e - lis ore. So - no - ris vo-
Krippelein, beim Och - sen vnnd Esel - lein, O du lie - bes hoch vnnd zar - tes
ci - bus, sin - ce - ris men - ti - bus, E - xul - te - mus et lae - te - mur
Kin - de - lein, du bist mein, Ich bin dein, jauchtzet, springet, klin - get,
ho - di - e, ho - di - e, ho - di - e, Chri - stus na - tus ex Ma-
sin - get ho - di - e, ho - di - e, ho - di - e. Ist ge - bo - ren Christ
ri - a vir - gi - ne, vir - gi - ne, vir - gi - ne, vir, vir, vir, vir, vir,
das Kindlein Ma - ri - ae, Ma - ri - ae, Ma - ri - ae, vnnd hat von vns
vir, vir, vir, vir - gi - ne, gau - de - te, gau - de - te, Gau - de - a - mus
weg - ge - nommen al - les weh, al - les weh, al - les weh, Hilff das
et lae - te - mur i - ta - que, i - ta - que, i - ta - que. I - ta,
Corner 1631.
wir bald zu dir kommen, O Chri - ste. i - ta - que.
i - ta, i - ta, i - ta, i - ta - que.

Mainz 1605 u. a. bringen das Lied im geraden Takt.

Alle Welt springe vnd lobsinge.

(K. I, 116; W. V, 1478.)

II. Mainzer Cantuale 1605. Paderborn 1609.
Al - le Welt sprin - ge vnd lob - sin - ge, Christ dem new - ge -
bor - nen, der vmb vn - sert wil - len stieg vom Him - mel, zu ver -
söh - nen Gottes zor - ne, darumb singt mit hel - ler stimm,
vnd er - hebt ewr Hertz vnd sinn, last vns sin - gen, vnd frö - lich
sprin - gen, heut zu tag, heut zu tag, heut zu tag, ist ge -
bohren von Ma - ri - a der Jungfraw rein, von Ma - ri - a der
Jungfraw rein, von Ma - ri - a, Ma - ri - a Ma - ri - a der
Jung - fraw rein, Je - sus Christ, Gott von art, last vns springen
vnd frö - lich sin - gen v - ber - all, mit freuden vnd schall, in die - sem
saal, er wolle vns ge - ben nach die - sem le - ben das Him - mel - reich.

Im Original steht als Schlußnote irrthümlich g.

Die Hymnologen setzen auch dieses Lied in das 14. Jahrhundert (W. I, 358; Daniel I, S. 329; Koch I, S. 141).

Eine deutsche Uebersetzung aus einer Handschrift des 15. Jahrhunderts (Breslau, Universitäts-Bibl. I, 8°, 113) mit dem Original »Omnis mundus« theilt Hoffmann K. L. No. 180 mit. (Cöln 1599 als 2. Strophe.)

1) „Alle werlet freuet sich gein disem neuen jare“ u. s. w.

2) „Alle welt sey frölich, weil der Heiland geboren ist.“ Wizel Psaltes eccl. 1550, Bl. 60 als 2te Strophe von „Nun ists zeit“ »Exultandi tempus est« (K. I, 82b).

3) „Seydt frölich vnd jubilieret Jesu dem Messie“ steht in Nicol. Hermans Sonntagsevangelien 1561, Bl. 18 in einer Strophe, sodann erweitert im Cölner Gesangbuch 1599, Constanzer 1600 u. a. m.

4) „Alle Welt springe vnd lobsinge“ zuerst im Mainzer Cantual 1605, sodann in den Paderborner Gesangbüchern 1609 ff. u. a.

No. 50.

In dulci iubilo.

Vff den heyligen Christag.

(K. I, 108; W. II, 645.)

I. Vehe 1537. Leisentrit 1567 ff. Obsequiale 1570. München 1586. Dilingen 1589. Haym von Themar 1590. Cöln (Quentel) 1599. Constanz 1600. Cöln (Brachel) 1619. Neyß 1625. Mainz 1628. Würzburg 1628 ff. Bamberg 1628. Prag 1655. Molsheim 1659. Dav. Harmonia 1659. Mainz 1661, 1665. Rheinfels. Gsb. 1666. Erfurt 1666. Nordstern 1671. Münster 1677. Straßburg 1697.

In dul-ci iu-bi-lo, Nu sin-get vnd seyt fro
vn-sers her-tzens won-ne leyt in pre-se-pi-o, Vnd leuchtet
als die son-ne mat-ris in pre-mio, Alpha es et o,o,
Al-pha es et o.
in-bi-lo.

1) Leisentrit 1567 und die meisten übrigen Gesangbücher.

2) 3) Prag 1655 b statt g. 4) Prag 1655 g statt e.

Mit einem süssen Schall.

(W. V, 1406.)

II. Andernach 1608. Cöln (Brachel) 1623, 1625, 1634.

In dul-ci ju-bi-lo, nun sin-get vnd seit fro,
Mit ei-nem süs-sen schall, Nun frö-lich sin-get all,
All vn-sers her-tzen woh-ne ligt in prae-se-pi-o
All vn-sers Her-tzen woh-ne Ligt in der Krip im Stall

vnd leuch-tet als die Sonne in ma - tris gre - mi - o,
Vnd leuch - tet als die Son-ne im Jungfräw - li - chen Saal;
er - go me - ri - to, er - go me - ri - to.
Re - giert v - ber - all, Re - giert v - ber - all.
* Cöln (Brachel) 1623, 1625, 1634.
prae-se - pi - o
gre-mi - o
Kind Alpha es et O, Mach vns von Hertzen froh.

In dulci iubilo.

Osnabrück 1628. Cöln (Brachel) 1625, 1634.
In dul - ci iu - bi - lo, Nun sin - get vnd seyd froh,
vn - sers Her - tzen won - ne ligt in prae-se-pi-o,
vnd leuchtet als die Son - ne ma - tris in gre - mi - o,
Al - pha es et O.

Diese Melodie bildet, mit der gewöhnlichen zusammengestellt, einen Discantus. Man vergleiche den folgenden zweistimmigen Satz. Die obere Stimme ist, abgesehen von einigen Varianten, die Melodie, welche Hölscher in seinem Buche »Niederdeutsche Geistliche Lieder und Sprüche«, Berlin 1854, aus der Handschrift der Kath. Tirs in Münster (1588) mittheilt.

Die untere Stimme findet sich in der Musikbeilage zu Hoffmanns »In dulci Jubilo«, Hannover 1861, aus einem Manuscript 8, 190 der Königl. Bibliothek in Berlin.

Handschrift der Trierschen Stadtbibliothek vom Jahre 1482,
mitgetheilt von E. Bohn in der Cäcilia 1878, S. 83 und in den Monatsheften
für Musikgeschichte 1877, S. 26.

I. Mel.
II. Mel.
In dul - ci ju - bi - lo syn - get in we - set vro,
all un - ses her - tzen wun - ne lieght in pre - se - pi - o
ich luch - tet als de sun - ne ma - tris in gre - mi - o.
Er - go me - ri - to, er - go me - ri - to, ich sul - len al - le
her - tzen swe - wen in gau - di - o.

„Ein Weihnachtslied in Mischversen, ein wahrer Liebling des Volkes, hat sich dieses Lied bis über die Reformation hinaus in katholischen sowohl als lutherischen Kirchen erhalten. Das ist ein echt christlicher Jubel für die fröhliche, selige Weihnachtszeit“.[1] „Aus diesem Liede spricht der volle wahre Jubel der Christfreude und aus seiner ihm, wie einem echten Volksliede

1) Lindemann, Literatur-Gesch. 1879, S. 293.

eigens angehörigen prachtvoll jauchzenden Melodie der helle, laute Freudengesang einer ganzen Gemeinde, eines ganzen Christenvolks, welches dem Frohlocken, das alle Herzen in gleicher Stärke durchzittert, durch weithin schallende Jubeltöne Luft machen muß".[1]

Das Lied wurde früher dem Petrus Dresdensis (Peter Faulfisch), der im Jahre 1440 in Prag als Lehrer gestorben sein soll, zugeschrieben. Hoffmann führt den Beweis, daß es bereits 100 Jahre früher bekannt war. Im „Leben des Suso" (Amandus) † 1365, einer Handschrift des 14. Jahrhunderts, wird erzählt, wie eines Tages zu Suso himmlische Jünglinge kamen, ihm in seinem Leiden eine Freude zu machen, sie zogen den Diener bei der Hand an den Tanz, und der eine Jüngling fing an, ein fröhliches Gesänglein von dem Kindlein Jesus, das spricht also: »In dulci iubilo« etc.[2]

Wackernagel bringt mehrere Texte aus ältern Handschriften.

I.

Str. 1) In dulci iubilo.
2) O ihesu paruule.
3) Ubi sunt gaudia.
4) Mater et filia.
5) Sit allir frowdenvol.
6) O summa trinitas.

Leipziger Pap.-Handschrift No. 1305 aus dem Ende des 14. oder Anfang des 15. Jahrhunderts (W. II, 640). Ein Bruchstück, die Str. 2 enthaltend, aus der Kopenhagener Handschrift v. J. 1370, »Manuscripta Thottiana« 8. no. 130, Bl. 44 (Jahrbuch des Vereins für niederdeutsche Sprachforschung. 1881).

II.

Strophen 1, 2, 3, 4, wie oben, 5 Plena gratia 6 u. 7 = 5 u. 6 von oben. Münchener cod. lat. 5023 aus dem 15. Jahrhundert (W. II, 641).

III.

Strophen 1, 2, 3 und 4 von No. I. Münchener cod. lat. 9292 aus dem 15. Jahrhundert (W. II, 642).

IV.

Strophen 1, 2, 4 und 3 von No. I. Breslauer Pap.-Handschrift I, 113 aus dem 15. Jahrhundert (W. II, 643).

V.

Wie No. III. Pap.-Handschrift zu Kloster Neuburg. No. 1228 aus dem Anfang des 16. Jahrhunderts.

Das Lied ging mit mehr oder weniger Strophen in die meisten katholischen und auch in viele protestantische Gesangbücher über. Vehe 1537 hat nur die drei ersten Strophen von No. I. Ebenso Wizel Psaltes eccl. 1550 und Leisentrit 1567 ff. Das Tegernseer Gesangbuch 1574, das Münchener 1586, Haym von Themar 1590, das Cölner Gesangbuch 1599 haben außerdem noch die alte Strophe:

---

1) Vilmar, Literatur-Gesch. 1862, S. 260.
2) Hoffmann, In dulci Jubilo 1861, S. 8.
M. Diepenbrock, H. Susos Leben u. Schriften. Regensburg 1829.

„Mater et filia
ist iunckfraw maria,
Wir woren gar vortorben
per nostra crimina
Nv hat sy vns irworben
celorum gaudia.
O quanta gracia.
O quanta gracia."

aus der Handschrift I.

oder

„Mater et filia
ist Junckfraw Maria.
Nun weru wir gar verloren
per nostra crimina,
So hast du vns erworben
coelorum gaudia.
Maria, hülff vns da.
Maria hülff vns da."

Tegernsee 1574.

Diese specifisch katholische Strophe fehlt in den frühesten protest. Gesangbüchern. Erfurt 1531 und im Klug'schen Gsb., Wittenberg 1535. Auch im Vehe'schen Gesangbüchlein und bei Leisentrit ist sie ausgelassen worden, so daß man wohl annehmen kann, Vehe habe dieses alte, kath. Lied aus protestantischer Quelle herübergenommen. Im Val. Bapst'schen Gesangbuch 1545 tritt an die Stelle der genannten Strophe eine andere:

„O patris charitas
O Nati lenitas
Wir wehren all verloren
Per nostra crimina,
So hat er vns erworben
Coelorum gaudia."

Diese ging auch später in die kath. Gesangbücher über: Corner 1631, Davidische Harmonie 1659 u. s. w.

Die Ueberarbeitung „Mit ejnem süssen Schall" steht zuerst im Dilinger Gesangbuch 1589, sodann im Cölner (Quentel) 1599, im Würzburger 1628 u. a. m. Die Melodie ist eine sehr volksthümliche und hat im Laufe der Zeit mancherlei Umgestaltungen erfahren.

No. 51.

Puer natus in Bethlehem.

Ein Kind geborn zu Bethlehem.

Von keinem Liede mögen so viele Varianten, Ueberarbeitungen und deutsche Uebersetzungen existiren als von diesem Weihnachtsliede. Die eine oder andere Form war bereits im 14. Jahrhundert bekannt, da Wackernagel aus einer Handschrift des 15. Jahrhunderts auf der Stadtbibliothek in Straßburg (cod. B. 121. 4°.) eine Uebersetzung von Heinrich v. Loufenberg (1439) mittheilt. Ich gebe zunächst eine Zusammenstellung der ältesten Formen des lateinischen Liedes.

I.

Münchener Cod. lat. 2992 aus dem 15. Jahrhundert:

Str. 1) Puer natus.
2) Hic jacet.
3) Cognovit bos.
4) Reges de Saba.
5) Intrantes domum.
6) Ergo nostra concio.

Hinter der ersten Zeile immer »laetus nunc in gaudio«, hinter der zweiten »in cordis jubilo« (W. I, 309).

II.

Cod. lat. 5023 daselbst aus dem 15. Jahrhundert; hinter der ersten Zeile »hoc in anno«, hinter der zweiten »concinite cum jubilo Jhesu marie filio« (W. I, 309).

III.

Bei Leisentrit 1567, im Münchener Gesangbuch 1586, im Dilinger 1589 folgende Strophen:

Str. 1) Puer natus in Bethlehem.
2) Hic jacet.
3) Cognovit bos.
4) Reges de Saba.
5) De matre natus.
6) Sine serpentis.
7) In carne.
8) Ut redderet.
9) In hoc natali.
10) Laudetur sancta.

Diese Strophen finden sich auch in dem Val. Bapst'schen (protestantischen) Gesangbuche 1545 mit der Ueberschrift: „Ein alt geistlich Lied von der geburt vnsers Herrn vnd Heilands Jesu Christi."

IV.

Das Obsequiale 1570. Haym von Themar 1590: Strophen 1, 2, 3, 4, 9 u. 10 von der Fassung in No. III.

V.

Cöln 1599, Paderborn 1609:

Strophen 1, 2, 3, 4, (4a Intrantes domum) 5, 6, 7, 8, 9, (9a Gloria tibi Domine) 10 von No. III.

VI.

Corner 1631:

Strophen 1, 2, 3, (3a Exultet parva Bethlehem, 3b Nam puer natus hodie), 4, (4a Intrantes domum) 5, 6, 7, 8, 9, (9a Gloria tibi Domine) 10 von No. III, also 14 Strophen.

VII.

Paderborner Gesangbuch 1609.

1) Puer natus.
2) Assumpsit carnem.
3) Per Gabrielem.
4) Tanquam Sponsus.
5) Uni trino sempiterno.
6) Unde semper angelicas.

Die 4te Strophe rührt von einer protest. Ueberarbeitung des Hermann Bonn her im Magdeburger Gesangbuch dorch H. Walther 1543. Hier hat das Lied folgende Strophen der Fassung VII: 1, 2, 3, 4, (4a Et jacet in praesepio, 4b Et angelus pastoribus, 4c, Reges de longe, 4d, Intrantes domum) und Str. 5 mit der Ueberschrift „gecorrigert durch Magistrum Hermannum Bonnum". Corner hat das obige 6strophige Lied um noch 3 Strophen vermehrt.

Ich muß mich darauf beschränken, hier auf die ältesten Formen des Liedes hingewiesen zu haben; in Bezug auf die weiteren Nachbildungen verweise ich den Leser auf die Werke von Wackernagel und Daniel. Die betreffenden ersten Strophen findet man unter den Melodien angeführt.

Die älteste deutsche Uebersetzung ist wahrscheinlich die des Heinrich von Loufenberg aus dem Jahre 1439:

I.

Ein Kind ist gborn zu bethleem
des fröwet sich ihernsalem,

in 10 Strophen; 9 derselben entsprechen den lateinischen Strophen: 1) Puer natus, 2) Per Gabrielem, 3) Assumpsit carnem, 4) Cognovit bos, 5) Hic iacet, 6) Reges de Saba, 7) Intrantes domum, 8) Uni trino, 9) Laudetur sancta trinitas (W. II, 759).

II.

Münchener Cod. lat. 5023 aus dem 15. Jahrhundert, abwechselnd mit den lateinischen unter I.

1) Ein Kind geborn zu Bethlehem.
2) Hie leit es in dem krippelein.
3) Das öchslein vnd das Eselein.
4) Drey kunige von saba.
5) Sie gingen in das hewselein. (W. II, 904.)

III.

Ebenso im Münchener Cod. lat. 2992 aus dem 15. Jahrhundert, hinter jeder ersten Zeile:

„frölich mit den freuden fro",

hinter jeder zweiten:

»in cordis iubilo«. (W. II, 904).

IV.

Papier-Handschrift zu Kloster Neuburg Nr. 1228. 8. Anfang des 16. Jahrhunderts: Strophen 1, 2, 3, 4, 5 vom vorigen; 6. „Sy fiellen nyder; 7. Zu diser weinechtlichen Zeit" (W. II, 905).

V.

In Leisentrits Gesangbuch 1567 stehen folgende deutsche Strophen: 1 bis 5 von No. II; 6. „In dieser löbelichen Zeit"; 7. „Gelobet sey der heilig Christ".

VI.

Das Obsequiale 1570 bringt zu allen 6 lateinischen Strophen eine deutsche Uebersetzung und zwar: 1, 2, 3, 4 von No. II; 5 = 7 von No. IV; 6. „Wir loben die heilig Dreyfaltigkeit".

VII.

Im Münchener Gesangbuch 1586 stehen zu den 10 lateinischen Strophen nur 6 deutsche und zwar Str. 1 bis 6 von No. VI.

VIII.

Str. 1—4 von II.
5. Sein Mutter ist die reyne Magd.
6. Die Schlang jhn nit vergifften kundt.
7. Er ist vnns gar gleich nach dem Fleisch.
8. Damit er vns jm machet gleich.
9. = 7 von IV.
10. Für solche gnadenreiche Zeit.

Im Dilinger Gesangbuch 1589 entsprechend den lateinischen Strophen. Vorher schon im Val. Bapst'schen Gesangbuche 1545 ohne die Uebersetzung der Strophe 9.

IX.

Str. 1 — 5 von II.
Str. 6, 7, 8, 9, 10 = 5, 6. 7, 8, 9 von VIII.
Str. 11 = 7 von V.
Str. 12 = 6 von VI.

Cölner Gesangbuch 1599 entsprechend den lateinischen Strophen. Davidische Harmonia 1659. Rheinfelsisches Gesangbuch 1666.

X.

Die Koler'sche Handschrift 1601 hat die Strophen:
1 — 5 von II.
6 = 7 von IV.
7 = 6 von VI.

Haym von Themar 1590 bringt die den lateinischen Strophen entsprechenden deutschen, wie unter No. VI. Das lateinische Lied im Paderborenr Gesangbuch 1609 und das vermehrte bei Corner 1631 haben keine deutschen Uebersetzungen zur Seite.

In Bezug auf die Melodien verweise ich auf die folgenden Ausführungen.

Ein kind geborn zu Bethlehem.

Das Puer natus deutsch.

(K. I, 83; W. V, 1226.)

I. Leisentrit 1567 ff. Dilingen 1576, 1589. Cöln (Quentel) 1599. Würzburg 1628 ff. M.-Speier 1631. Molsheim (1629) 1659.

Ein kind ge- born zu Beth- le- hem, zu Bethlehem,
Pu - er na - tus in Beth-le-hem, al - le - lu - ia,
des frew- et sich Je- ru-sa- lem, Al- le- Al- le - lu- ia.
Vn - de gau-det Hierusalem, Al - le - - lu-ia.

Der lateinische Text mit den darüberstehenden Noten steht im Dilinger Gesangbuch 1589.

Cöln (Quentel) 1599, Würzburg 1628. u. a.

das frew - et sich Je - ru - sa - lem, Al - le - lu - ia, al - le - lu - ia.

Die obige Melodie bei Leisentrit fand ich in früher erschienenen protestantischen Gesangbüchern, im Klug'schen Wittenberg 1543, im Val. Bapst-schen Leipzig 1545 mit der Ueberschrift „Ein alt Geistlich lied" u. s. w. Jedenfalls bezieht sich diese Bezeichnung sowohl auf den Text, wie auch auf die Melodie. Wie sie mit der folgenden einen sog. „Discantus" bildet, ersieht man aus der Composition im Triller'schen Gesangbuche (1555) 1559 und in der Psalmodie des Lucas Lossius 1553.

Ahn der H. Drey König tag.

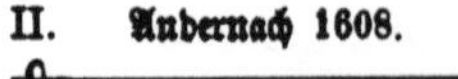
II. Andernach 1608.

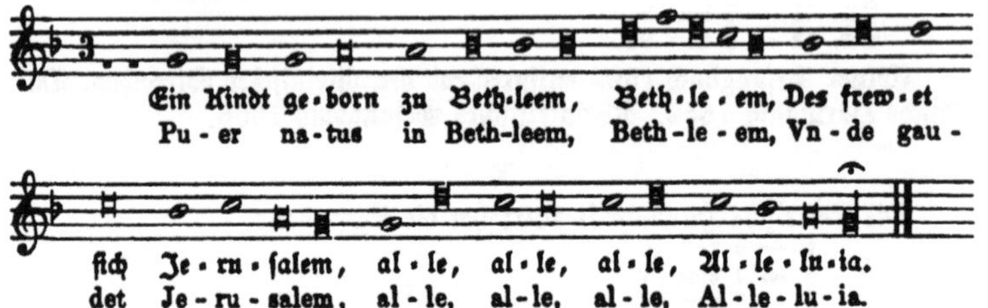
Ein Kindt ge - born zu Beth - leem, Beth - le - em, Des frew - et
Pu - er na - tus in Beth - leem, Beth - le - em, Vn - de gau -
sich Je - ru - salem, al - le, al - le, al - le, Al - le - lu - ia.
det Je - ru - salem, al - le, al - le, al - le, Al - le - lu - ia.

No. 52.

Ein Kind geborn zu Bethlehem.

(K. I, 83; W. V, 1393.)

Obsequiale. Ingolstadt 1570. Ritus eccl. Dilingen 1580. Münchener Gesb. 1586. Haym von Themar 1590. Cöln (Quentel) 1599. Constanz 1600. Mainz 1605. Paderborn 1616. Cöln (Brachel) 1619. Hildesheim 1625. Neyß 1625. Mainz 1627, 1628. Würzburg 1628, 1630 ff. Bamberg 1628, 1670. M.-Speier 1631. Corner 1631. Dessen Nachtigall 1649 ff. Neyß 1663. Prag 1655. Molsheim (1629) 1659. Mainz 1661, 1665. David. Harmonia 1659. Rheinfels. Gesangbuch 1666. Erfurt 1666. Nordstern 1671. Münster 1677. Straßburg 1697.

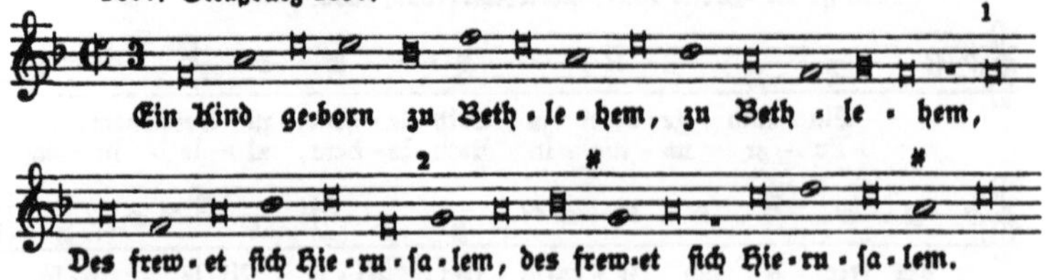
1
Ein Kind ge - born zu Beth - le - hem, zu Beth - le - hem,
2
Des frew - et sich Hie - ru - sa - lem, des frew - et sich Hie - ru - sa - lem.

1) Das Münchener Gesangbuch hat hier nach die Noten b b, weil die ganze Zeile wiederholt wird.
2) Daselbst und in den meisten Gesangbüchern f statt g.

(W. IV, 37.)
Triller (1555) 1559.
Ein kind ge-born zu Beth-le-em zu Beth-le-
zu Beth-
hem ____, des frew-et sich Jhe-ru-sa-lem, Al-le-
le-hem,
lu-ia.

In Lucas Lossius Psalmodia, Nürnberg 1553, steht die obere Melodie als Discant mit dem lateinischen Text »Puer natus«. Darunter die Tenorstimme, wie hier oben, mit dem deutschen Text „Ein Kind geborn zu Bethlehem“. Sodann die Bemerkung: Pueri praecinunt Choro: Puer natus in Bethlehem; Chorus totus repetit germanice utraque voce: „Ein Kind geborn zu Bethlehem“.

No. 53.

Ein Kind geborn zu Bethlehem.

Ein Alter Catholischer Gesang.

I. Kolers Ruefbuechl 1601[1].

Ein Kind ge-born zu Bet-le-hem, zu Bet-le-hem, deß
frew-et sich Je-ru-sa-lem, deß frew-et sich Je-ru-sa-lem.

1) Aus der Bibliothek des Cl. Brentano, jetzt im Besitze der Erben Nathusius.

Ein ander Alt Weynachten Gesang.

II. Osnabrück 1628. Cöln (Brachel) 1625, 1634.

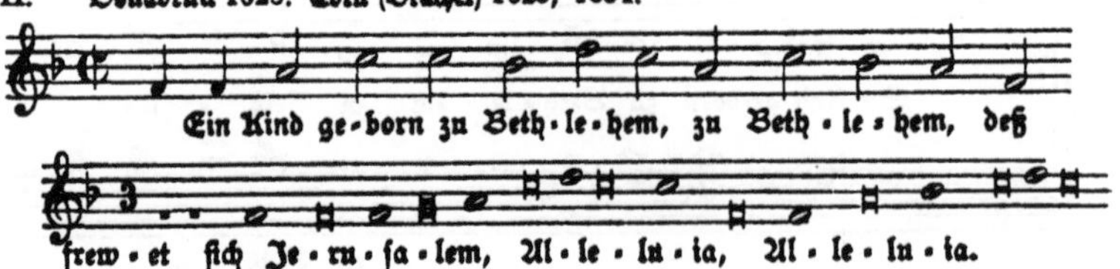
Ein Kind ge-born zu Beth-le-hem, zu Beth-le-hem, deß
frew-et sich Je-ru-sa-lem, Al-le-lu-ia, Al-le-lu-ia.

Diese Melodien bestehen aus dem ersten Satz von No. 52 und dem zweiten Satz von No. 51.

No. 54.

Mensch Gottes Sohn geboren ist.

I. Cöln (Brachel) 1623, 1634. Cöln (Quentel) 1625. M.-Speier 1631.

Mensch Got-tes Sohn ge-bo-ren ist, qui reg-na-bat sur-sum,
Vnd liegt im Stall, im Stanck vnd Mist, qui reg-na-bat sursum, sur-sum.
Pa-ti-tur de-or-sum, vt nos tra-hat sur-sum, Pa-ti-tur
de-or-sum, vt nos tra-hat sur-sum.

Eine ähnliche Melodie steht in Paderborner Gesangbüchern 1609 ff. zu einem lateinischen Liede.

II. Paderborn 1609 ff.

Pu-er na-tus in Beth-le-hem, qui reg-na-bat sur-sum,
Vn-de gau-det Je-ru-sa-lem, sur-sum qui reg-na-bat sur-sum,
pa-ti-tur de-or-sum, ut nos tra-hat sur-sum.

Ein altes »Puer natus« in 6 Strophen; neu ist der Refrain: »Qui regnabat sursum« etc.

No. 55.

Ein Kind geborn zu Bethlehem.

Puer natus in Bethlehem.

Paderborn 1616, 1617. Cöln (Brachel) 1623. Würzburg 1628, 1630 ff. Mainz 1628. Seraph. Lustgart. 1635. Molsheim (1629) 1659.

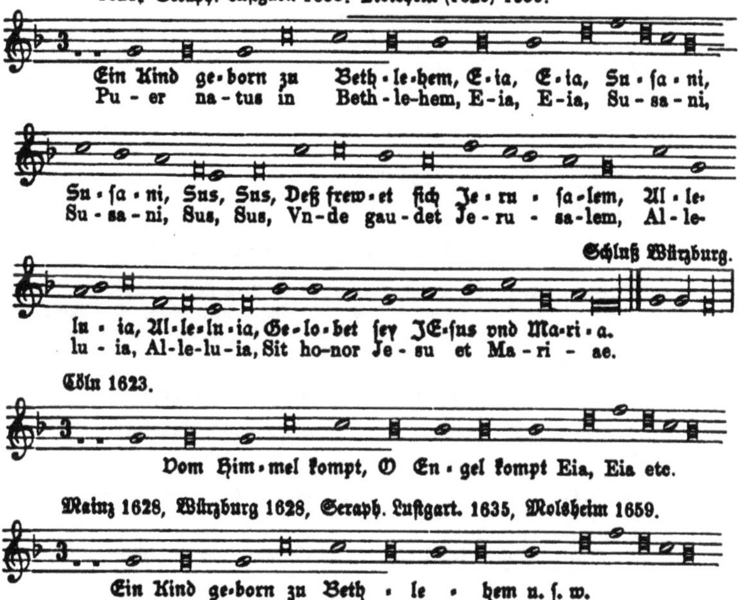
Ein Kind ge-born zu Beth-le-hem, E-ia, E-ia, Su-sa-ni,
Pu-er na-tus in Beth-le-hem, E-ia, E-ia, Su-sa-ni,
Su-sa-ni, Sus, Sus, Deß frew-et sich Je-ru-sa-lem, Al-le-
Su-sa-ni, Sus, Sus, Vn-de gau-det Je-ru-sa-lem, Al-le-
Schluß Würzburg.
lu-ia, Al-le-lu-ia, Ge-lo-bet sey JE-sus vnd Ma-ri-a.
lu-ia, Al-le-lu-ia, Sit ho-nor Je-su et Ma-ri-ae.
Cöln 1623.
Vom Him-mel kompt, O En-gel kompt Eia, Eia etc.
Mainz 1628, Würzburg 1628, Seraph. Lustgart. 1635, Molsheim 1659.
Ein Kind ge-born zu Beth-le-hem u. s. w.

No. 56.

Ein Kind geborn zu Bethlehem in diesem Jahr.

Puer natus in Bethlehem in hoc anno.

Ein anders, vnd auff diese melodey kanstu auch vorgehende Gesetzlin des ersten Puer natus singen.

(K. I, 88; W. II, 909.)

Cöln (Quentel) 1599. Constanz 1600. Mainz 1605. Andernach 1608. Paderborn 1609 ff. Cöln (Brachel) 1619, 1623, 1634. Hildesheim 1625. Mainz 1627, 1628. Würzburg 1628, 1630 ff. Osnabrück 1628. M.-Speier 1631. Corner 1631, dessen Nachtigall 1649. Prag 1655. Seraph. Lustgart. 1635. Molsheim (1629) 1659. Mainz 1661, 1665. Erfurt 1666. Nordstern 1671. Münster 1677.

1 2 3
Pu-er na-tus in Beth-le-hem, in hoc an-no, vn-de
Ein Kind ge-born zu Beth-le-hem, in die-sem Jahr, Des frew-

gau-det Je-ru sa-lem, hoc in an-no gra-tu le-mur, ge-ne-
et sich Je-ru-sa-lem, in die-sem Jahr, Sag ich für-war, Ist vns
tri-cem ve-ne-re-mur cor-dis iu-bi-lo, Chri-stum na-tum a-
ge-born ein Kindlein zwar, in die-sem newen Jar, die Mut-ter Got-tes
das Kin-de-lein an-
do-re-mus no-uo can-ti-co.
lo-bet all, no-uo can-ti-co.
be-tet all,

Die schwarzen Noten zeigen den veränderten Rhythmus an.

Varianten: 1) g statt a Paderborn 1616 ff. 2) a statt g M.-Speier. 3) ebenso. 4) es statt c Mainz 1605, Corner u. s. w. 5) g statt b Cöln 1623. 6) d statt b daselbst. Wo doppelte Noten stehen, gehören die oberen den Würzburger Gesangbüchern 1628 ff., dem Mainzer 1628, Seraph. Lustgart 1635 u. a.

Das Andernacher Gesangbuch hat abweichende Texte:

„Das süsse liebe Jesulein,
In diesem Jahr.
Geboren bey dem Eselein.
In diesem Jahr sag ich fürwar,
Vns ist geborn ein Kindlein zwar
in dem newen Jahr,
Die Mutter Gottes lobet all,
in dem newen Jahr."

»Puer natus amabilis:
in hoc anno,
in asinorum stabulis.
Hoc in anno gratulemur,
genetricem veneremur
cordis iubilo.
Christum natum adoremus
nouo cantico.«

Cöln 1623, Würzburg 1628:
„Merckt wohl, O merckt jhr Christenleut, in hoc anno."

Lob Jesum der zu dieser zeit.

II. Seraph. Lustgart. 1635.

Lob Je-sum der zu die-ser zeit, zu vn-serm streit, Ge-stie-
gen auß des Vat-ters schoß, vmb hie zu lei-den, Nach kur-tzen zei-ten,
den bit-tern todt, Last vns mit frö-li-chem ge-müth, Doch nun
an-fan-gen, mit lieb vmb-fan-gen, das Kind-lein gut.

No. 57.

Ein Kind geborn zu Bethlehem.

Puer natus in Bethlehem.

(W. II, 907.)

Paderborn 1609 ff. (L. Lossius Psalmodia 1553.)

Ein Kind ge-born zu Beth-le-hem, frö-lich mit den
Pu-er na-tus in Beth-le-hem, lae-tus nunc in
freu - di-gen froh, deß frew-et sich Je-ru-sa-lem mit frö-
gau - di-o, vn-de gau-det Hi-e-ru-sa-lem in
li - chē Her-tzen al-so.
cor - dis ju-bi-lo.
* Paderborn 1616 ff.
al-so

No. 58.

Puer natus in Bethlehem.

Paderborn 1616, 1617.

Pu-er na-tus in Beth-le-hem, Psal-li-te De-o no-
stro, vn - de gaudet Je-ru-sa - lem, Je-sus et Ma-ri-a.

No. 59.

Ein Kindt geborn zu Betlehem.

Puer natus in Betlehem.

Ein anders mit einer andern Melodey.

(K. I, 85; W. II, 907.)

Cöln (Quentel) 1599. Constanz 1600. Mainz 1605. Andernach 1608. Paderborn 1609 ff. Cöln (Brachel) 1619, 1634. Hildesheim 1625. Mainz 1627, 1628. Würzburg 1628, 1630 ff. Osnabrück 1628. M.-Speier 1631. Corner 1631, dessen Nachtigall 1649 ff. Prag 1655. Molsheim (1629) 1659. Bamberg 1670. Münster 1677.

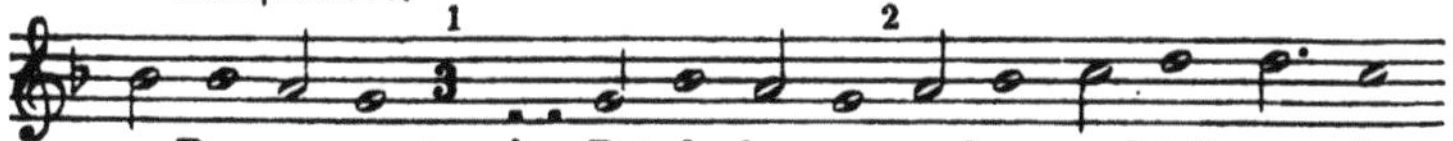
1
2
Pu-er na-tus in Bet-le-hem, vn-de gau-det Je-ru-salem,
Ein Kindt ge-born zu Bet-le-hem, des frew-et sich Je-ru-sa-lem,

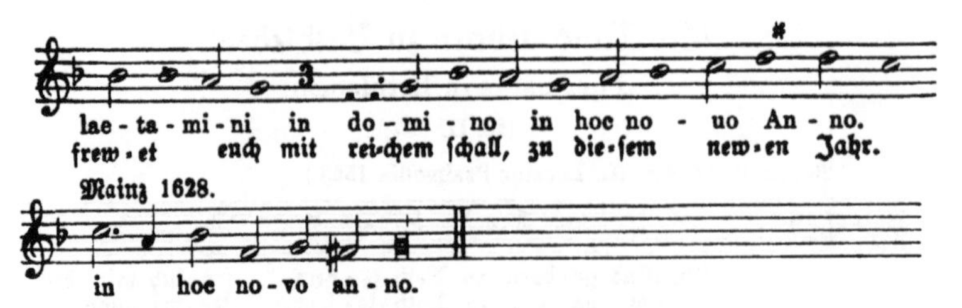
lae - ta - mi - ni in do - mi - no in hoc no - uo An - no.
frew - et euch mit rei - chem schall, zu die - sem new - en Jahr.
Mainz 1628.
in hoc no - vo an - no.

1) Das Constanzer Gsb. 1600, Mz. Cantual 1605 u. a. haben f.
2) Mainz 1605 / Hildesheim 1625 / Würzburg 1628 ff. } f statt a.

Das Andernacher Gesangbuch hat einen anderen deutschen und lateinischen Text:

„Ein Kindt geborn von einer Magt,
Zu Bethleem in Kripp gelagt:
Erfrewet euch mit reichem schall
Zu diesem Jahr."

»Puer natus de virgine,
Sine virili semine,
laetamini in Domino
in hoc Anno.«

Cöln 1623, 1634. Bamberg 1670.

„Das ist das wahre gülden Jahr,
In dem Maria Gott gebahr" etc.

No. 60.

Ein Kindt geborn zu Betlehem.

Puer natus in Betlehem.

Ein anders mit einer andern Melodey.

(W. II, 907.)

I. Cöln (Quentel) 1599. Constanz 1600. M.-Speier 1631. Andernach 1608.

1
Pu - er na - tus in Bet - le - hem, vn - de gau - det
Ein Kindt ge - born zu Bet - le - hem, des frew - et sich
2 3
Je - ru - sa - lem, A - mor, A - mor, A - mor, a - mor, a - mor
Je - ru - sa - lem, O lieb, O lieb, O lieb, O lieb, O lieb
quam dul - cis es a - mor.
wie süß bist du O lieb.

Varianten. Andernach 1608: 1) f statt d. 2) a b a statt g g g. 3) c statt g.

Das Andernacher Gesangbuch hat folgende Texte:

»Amor Jesu continuus«
„Die liebe Jesu stetigkeit." (W. V, 1462.)

Das 5strophige lateinsche Lied »Amor Jesu« ist ein Auszug aus dem größeren Gedichte »Jesu dulcis memoria« vom h. Bernhard von Clairvaux.

(Vgl. Wackernagel, K. L. I, 183 u. 184.) Diesem scheint auch die obige Melodie eigentlich anzugehören. In der Handschrift der Stadtbibliothek in Trier vom Jahre 1482 lautet dieselbe:

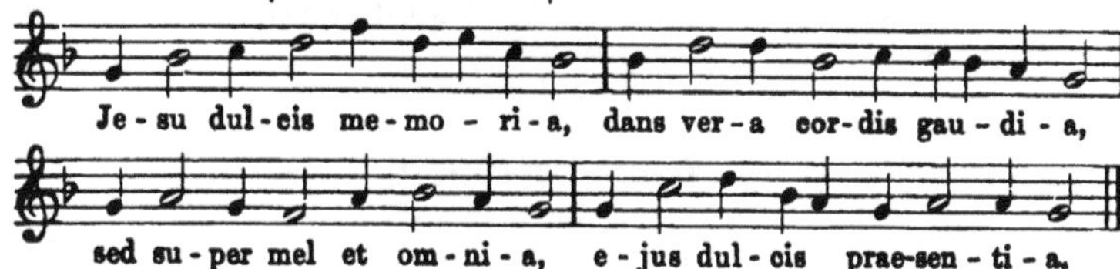
Je - su dul - cis me - mo - ri - a, dans ver - a cor - dis gau - di - a,
sed su - per mel et om - ni - a, e - jus dul - cis prae - sen - ti - a.

Vgl. No. 123 die II. Melodie, welche ich hier ein Quart höher transponirt habe.

Ein Kind geborn zu Bethlehem.

Puer natus in Bethlehem.

(K. I, 87; W. II, 908.)

II. Paderborn 1609 ff. Cöln (Quentel) 1619 ff. Cöln (Brachel) 1619, 1623, 1634. Hildesheim 1625. Mainz 1627, 1628. Würzburg 1628 ff. Bamberg 1628. M.-Speier 1631. Corner 1631. Seraph. Lustgart. 1635. Prag 1655. Corners Nachtigall 1649 ff. Molsheim (1629) 1659. Mainz 1661, 1664. Rheinfels. Gesangbuch 1666. Nordstern 1671. Brauns Echo 1675. Münster 1677. Straßburg 1697. Fulda 1695.

1
Ein Kind ge - born zu Beth - le - hem, deß frew - et sich
Pu - er na - tus in Beth - le - hem, vn - de gau - det
* 2 3
Je - ru - sa - lem, O lieb, O lieb, O lieb, O lieb, O lieb,
Je - ru - sa - lem, A - mor, A - mor, A - mor, A - mor, A - mor,

wie süß bist du o Lieb.
quam dul - cis est a - mor.

* Cöln (Quentel): c statt a.

Paderborn 1609 ff. / Corner 1631 ff. } steht dasselbe Lied noch einmal mit folgenden Varianten:

1) f statt d. 2) a b a g a b a g. 3) c statt b.

Cöln 1619 (beide), 1623, 1634; Hildesheim 1625, Mainz 1627, 1628 ff, Bamberg 1628 ff. M.-Speier 1631, Corner 1631, Ser. Lustgart. 1635, Prag 1655. Molsheim 1659. Rheinfels. Gsb. 1666, Nordstern 1671. Brauns Echo 1675, Münster 1677, Straßburg 1697, Fulda 1695.

O Gott mein lieb, O Gott mein lieb, wie komp - stu so freund -
lich, O Gott du mein Lieb.

Die in ( ) stehenden Noten haben das Cölner Gsb. 1623 u. a. nicht.

Das Würzburger, Bamberger und Straßburger Gesangbuch bringen den Text: „Ein grosse Freud verkünd ich euch“ (K. I, 121; W. V, 1519).

Das Cölner 1623, Rheinfelsische Gsb. 1666, Nordstern 1671 haben folgenden Text: „Schaw Christ (Mensch) wie Christus hat veracht“.

Fulda 1695: »O Jesu melitissime«
„O Jesu süssest Kindelein.“

EJn grosse Frewd verkündig ich euch.

(K. I, 121; W. V, 1519.)

III. Vogler 1625. Corner 1631. Prag 1655. Molsheim (1629) 1659. Erfurt 1666.
EJn gros-se Frewd verkünd(ig) ich euch, Vnd al-len Völckern auff
Erdenreich, O Christ wach auff, stehe auff vnd lauff, zum Kindl, zum Krippl,
zum Müt-ter-lein lauff,
3) Corner 1631 u. a.
Müt-ter-lein lauff.
1) Corner 1631 u. a. cis unten statt fis.
* Daselbst: f statt e.
2) Prag.
zum Kind-lein zum Kripp-lein zum Müt-ter-lein lauff.

No. 61.

Ein Kind geborn zu Bethlehem.

Puer natus in Bethlehem.

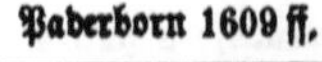
Paderborn 1609 ff.

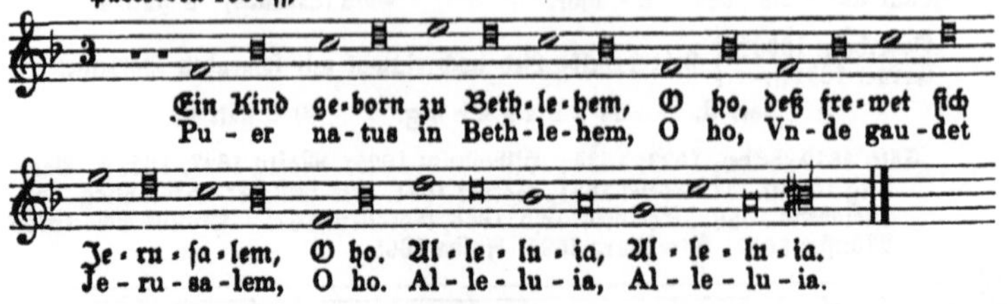
Ein Kind ge-born zu Beth-le-hem, O ho, deß fre-wet sich
Pu-er na-tus in Beth-le-hem, O ho, Vn-de gau-det
Je-ru-sa-lem, O ho. Al-le-lu-ia, Al-le-lu-ia.
Je-ru-sa-lem, O ho. Al-le-lu-ia, Al-le-lu-ia.

No. 62.

Ein Kind geborn zu Bethlehem.

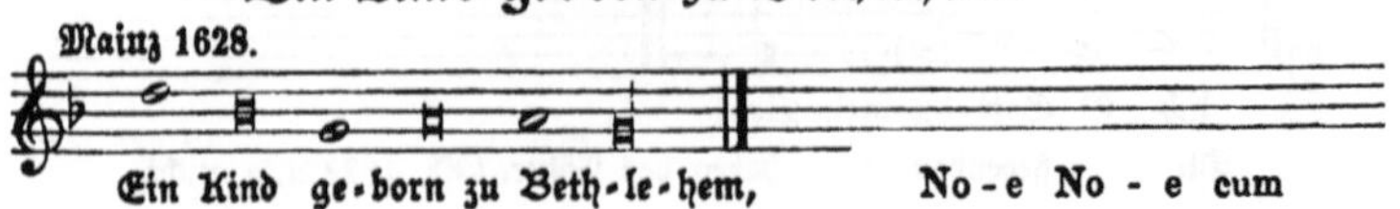
Mainz 1628.
Ein Kind ge-born zu Beth-le-hem,
No-e No-e cum

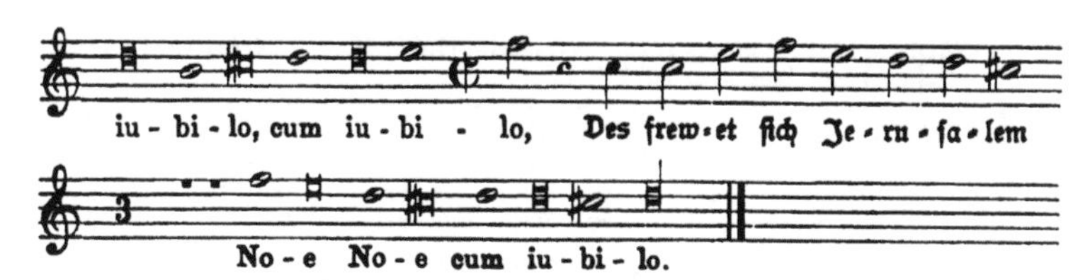
iu - bi - lo, cum iu - bi - lo, Des frew-et sich Je - ru - sa - lem
3
No - e No - e cum iu - bi - lo.

No. 63.

O Lieb wie groß.

Cöln (Brachel) 1623. Paderborn 1609 ff. Würzburg 1628, 1630 ff. Corner 1631. Seraph. Lustgart. 1635. Molsheim (1629) 1659.

1
O Lieb wie groß! Wie groß O Lieb wie groß, a-mor,
All Gut gibt vns, Gibt vns die Lieb in Schoß, o Lieb,
2
a-mor, a-mor, a-mor, a-mor, a-mor, a-mor, a-mor, a-mor,
o Lieb, o Lieb, o Lieb, o Lieb, o Lieb, o Lieb, o Lieb, o Lieb,
Würzburg 1693.
o quan - tus est a - mor.
wie groß, wie groß o Lieb.

1) und 2) Paderborn d statt f.

Das Paderborner Gesangbuch hat nur einen lateinischen Text: »Puer natus in Bethlehem, unde gaudet Jerusalem« u. s. w.

No. 64.

Ein Kind geborn zu Bethlehem.

I. Paderborn 1609 ff. Würzburg 1628.

Ein Kind ge-born zu Beth - le-hem, lae-te-tur con-ci - o,
1
Deß frew-et sich Je-ru - sa-lem, lae-te-tur cho - rus
ho-di - e, lae - te - tur pu - e - ro-rum cho-rus ho - di - e.
Can-ti - co-rum can-ti-cis lae-ti - ae.

1) Paderborn 1616 ff. a statt g.

II. Würzburg 1630. Mainz 1628. Molsheim (1629) 1659. Mainz 1661, 1665. Erfurt 1666. Nordstern 1671.

Pu - er na - tus in Beth - le - hem, lae - te - tur con-
Ein Kind ge-bohrn zu Beth - le - hem, lae - te - tur con-
ci - o, vn - de gau - det Je - ru - sa - lem, lae - te - tur cho-rus
ci - o, deß frew - et sich Je - ru - sa - lem, lae - te - tur cho-rus
ho - di - e, lae - te - tur pu - e - ro-rum cho-rus ho - di - e
ho - di - e, lae - te - tur pu - e - ro-rum cho-rus ho - di - e
can - ti - co-rum can - ti - cis lae - ti - ti - ae.
can - ti - co-rum can - ti - cis lae - ti - ti - ae.

Mainz 1628, 1661 ff. Nordstern.

„Ihr Kinder von Jerusalem
Laetetur concio,
Kompt frölich, ab nach Bethlehem.“ u. s. w.

No. 65.

Ein Kind geborn zu Bethlehem.

Cöln (Quentel) 1619 ff. Cöln (Brachel) 1619, 1623, 1634. M.-Speier 1631. Münster 1677.

Ein Kind ge - born zu Beth - le - hem, Laetetur con - cio,
Des frewet sich Je - ru - sa - lem e-te-tur cho-rus ho - di - e
lae - te - tur pue - ro-rum cho - rus ho - die can - ti - corum
can - ti - cis lae - ti - ti - ae, can - ti - corum canticis, etc.
1) Cöln (Brachel) 1619, 1623, 1634 u. a.
2) Cöln 1619, 1623 ff.
Ein Kind ge - born zu Bethle - hem
Lae-te-tur con-ci - o.

3, 4, 5 Daselbst c statt e g und d.

Cöln 1623, 1625, 1634.
„Ihr Kinder von Jerusalem,
Laetetur concio“ u. s. w.

Diese Melodie bildet zu der vorigen die zweite Stimme (Begleitung in der Quart).

No. 66.

Ein Kind geborn zu Bethlehem.

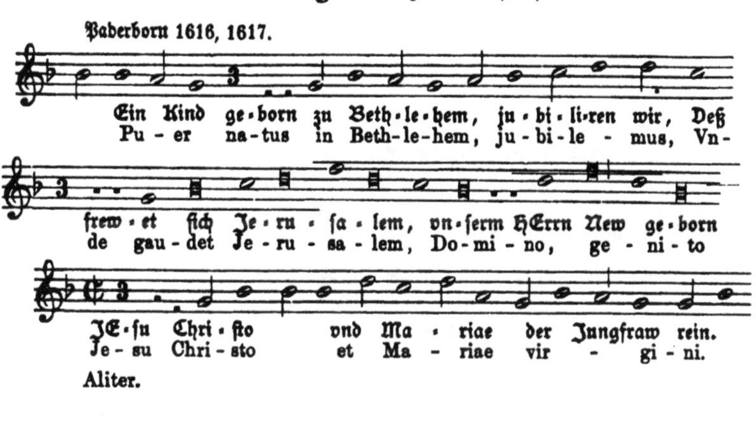
Paderborn 1616, 1617.
Ein Kind ge-born zu Beth-le-hem, ju-bi-li-ren wir, Deß
Pu-er na-tus in Beth-le-hem, ju-bi-le-mus, Vn-
frew-et sich Je-ru-sa-lem, vn-serm HErrn New ge-born
de gau-det Je-ru-sa-lem, Do-mi-no, ge-ni-to
JE-su Chri-sto vnd Ma-riae der Jungfraw rein.
Je-su Chri-sto et Ma-riae vir-gi-ni.
Aliter.

Vnd Ma-ri-ae der Jungfrawn.
Et Ma-ri-ae vir-gi-ni.

No. 67.

Es ist ein Kindelein geborn.

Ein Andächtig alt Christlich gesang zu dem Kindlein wiegen.

(W. V, 1410.)

Haym von Themar 1590.
Es ist ein Kin-de-lein ge-born, das hat ver-sü-net
Got-tes zorn, Got-tes Zorn von Hi-mel-reich,
ge-bo-ren ist er se-lig vnd reich. Ma-ri-a.

Einen ähnlichen Text aus dem Anfang des 16. Jahrhunderts bringt Wackernagel (II, 1183) aus einer Papier-Handschrift zu Kloster Neuburg No. 1228. 8. Blatt 58. Auch in einem alten Erfurter Zweiliederdruck findet sich der Text. (Germania 1881, S. 101.)

No. 68.

Es ist ein Kindlein vns geborn.

Ein Christlied im Latein genant, Nobis est natus hodie*.

(K. I, 70; W. V, 1228.)

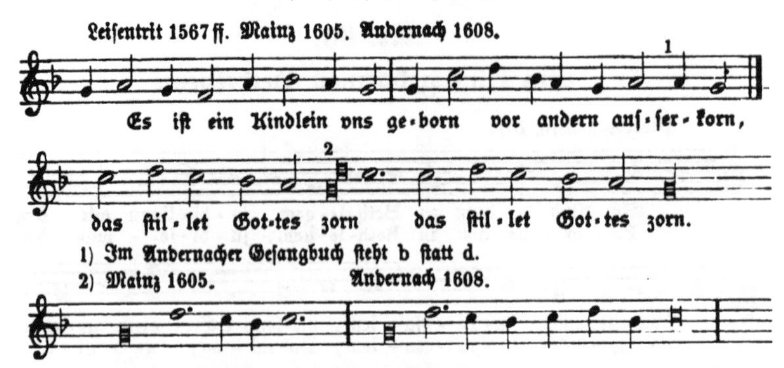
Leisentrit 1567 ff. Mainz 1605. Andernach 1608.
1
Es ist ein Kindlein vns ge-born vor andern auſ-ser-korn,
2
das stil-let Got-tes zorn das stil-let Got-tes zorn.
1) Im Andernacher Gesangbuch steht b statt d.
2) Mainz 1605. Andernach 1608.

Im Mainzer Gsb. lautet der deutsche Text:

„Von einer Jungfraw außerkorn,
ist vns jtzund geborn,
der Ehrenkönig fron, fron,
der Ehrenkönig fron.“ (K. I, 72; W. II, 1108.)

Die Ueberschrift im Leisentrit'schen Gesangbuche 1584 ist merkwürdig. Der Ausdruck „sehr alt“ soll sich wohl auf den lateinischen Text und die Melodie beziehen, das „Christlich Deutsch“ dagegen auf die Uebersetzung Trillers; denn in seinem Gesangbuche (1555) 1559 findet sich der Leisentrit'sche Text mit der Melodie. Wir haben den Triller'schen dreistimmigen Satz hier beigefügt, weil unsere obige Melodie mit der des folgenden Liedes darin enthalten ist.

No. 69.

Es ist ein kindlein vns geborn.

Natus est nobis hodie.

Ein anders gesang von der Geburt des Herrn.

I. Cöln (Quentel) 1599. Mainz 1605. Paderborn 1609 ff. Cöln (Brachel) 1619, 1634. Hildesheim 1625. Neyß 1625. Mainz 1627, 1628. Würzburg 1628, 1630 ff. Bamberg 1628. M.-Speier 1631. Corner 1631, dessen Nachtigall 1649. Cölner Psalter 1638. Molsheim (1629) 1659. Mainz 1661, 1665. Erfurt 1666. Brauns Echo 1675.

1
Na-tus est no-bis ho-di-e de pu-ra vir-gi-ne
Es ist ein kind-lein vns geborn, vor andern auß-er-korn,

---

*) Die Ueberschrift von 1584 lautet: „Ein sehr altes doch Christlich Deutsch Lied“ u. s. w.

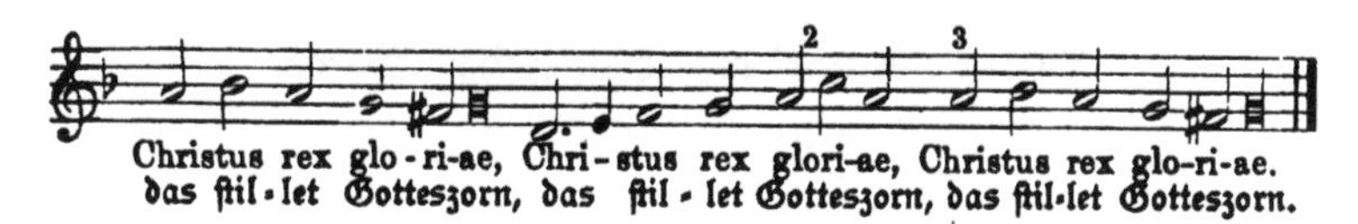
2 3
Christus rex glo - ri-ae, Chri - stus rex glori-ae, Christus rex glo-ri-ae.
das stil - let Gotteszorn, das stil - let Gotteszorn, das stil-let Gotteszorn.

Das Mainzer Cantual hat nur den lateinischen Text.

Hildesheim 1625.

„Von einer Jungfraw außerkorn".

Cöln (Quentel und Brachel) 1619, M.-Speier 1631 u. a.

„Vns ist geborn ein Kindelein,
Von allen Sünden rein." (K. I, 80.)

Varianten. 1) u. 2) Cöln, Würzburg, Bamberg u. a. 3) Cöln 1619 ff. g statt a.

virgine.
gloriae.

Wie diese Melodie mit der vorigen zu einem mehrstimmigen Satze gehören, beweist die folgende Zusammenstellung in Trillers Gesangbuch (1555) 1559.

Auff die Melody, Nobis est natus hodie.

(W. IV, 40.)

Triller (1555) 1559.
Es ist ein kind - lein vns ge - born, für an - dern
auf - ser - korn, das stil - let Got - tes zorn
, das stil - let Got - tes zorn.

VOm Himmel ein Englischer Bott.

Das Ander Tractätlein.

II. Cöln (Brachel) 1623.

VOm Him - mel ein Eng - li - scher Bott, Schnell durch die
Wol-cken dringt. Schnell durch die Wol - cken dringt, Er kompt

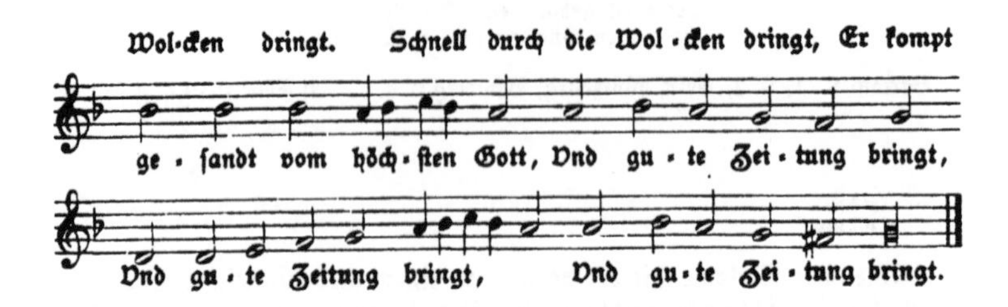
ge - sandt vom höch - sten Gott, Vnd gu - te Zei - tung bringt,
Vnd gu - te Zeitung bringt, Vnd gu - te Zei - tung bringt.

EJn kind ist vns geboren heut.

(W. III, 270.)

III. Gsb. der böhmischen Brüder (1531) 1539.

EJn kind ist vns ge - bo - ren heut, o nempts an lie - ben leut,
ein Son ist ge - ge - ben, der ist vn - ser wa - rer
Gott vnd e - wigs le - ben.

Der Text ist von M. Weiße.

No. 70.

Ein newes Kindelein, ist uns heut gebohren.

Erfurt 1666. Heilige Seelenlust 1657.

Ein new-es Kind-de-lein, ist uns heut ge - boh - ren, hat
uns wie-der-bracht den Schein, wel-chen wir ver - loh-ren, Sin - get

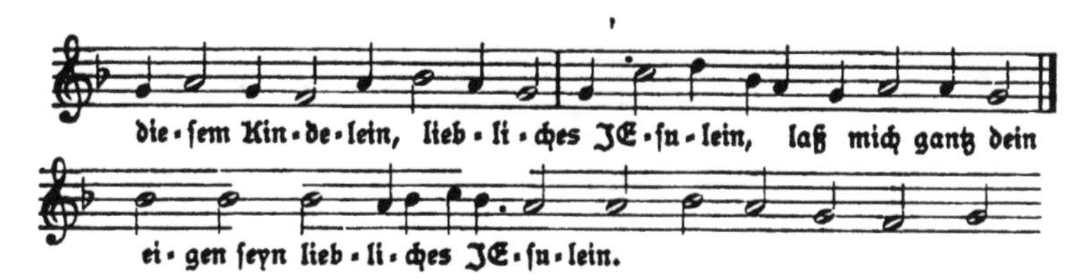
die-sem Kin-de-lein, lieb-li-ches JE-su-lein, laß mich gantz dein
ei-gen seyn lieb-li-ches JE-su-lein.

Text und Melodie aus: Heilige Seelenlust Oder Geistliche Hirten-Lieder von Johann Angelo Silesio. Breßlaw 1657. I. Buch No. 24.

No. 71.

Es hat geborn ein Kindelein.

Andernach 1608.

Es hat ge-born ein Kin-de-lein, Ein heil-ge keu-sche
Vt na-tus est in Beth-le-em In-fans, o-uat Je-
Jungfraw fein, vns aln zu trost vnd zu frommen, Gott hat Mensch-heit
ru-sa-lem, So-la-men v-num se-cu-li, Vt nun-ci-a-
an sich genomen, Sanct Ga-bri-el der waß der bot, Ma-ri-a
runt An-ge-li, Quem vir-go ma-ter e-di-dit, Ser-ui-le
ge-biert Mensch vnd Gott.
cor-pus in du-it.

No. 72.

GEborn ist vns ein Kindelein.

Ein ander alt Catholisch Christgesang, vorzeiten in Thüringen gebreuchlich.

(K. I, 78; W. II, 1109.)

I. Mainzer Cantuale 1605. Andernach 1608. Paderborn 1609. Hildesheim 1625. Mainz 1627. Erfurt 1666.

GE-born ist vns ein Kin - - de-lein, von ei-ner
Jung - fraw rei-ne, Gott Vat-ter, Sohn, Gott Heil-ger

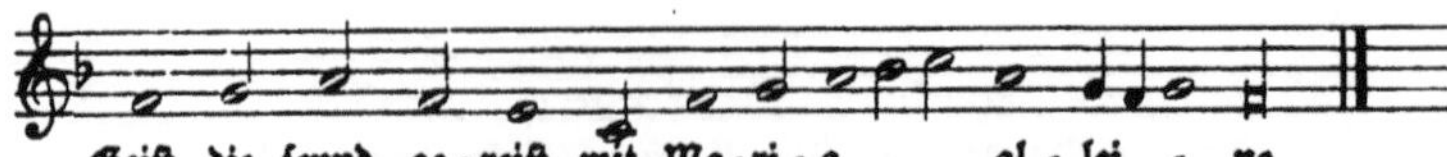
Geist, die seynd ge - reist, mit Ma - ri - a al - lei - ne.

Das Andernacher Gesangbuch hat diese Melodie folgenden Texten applicirt:

„Zu dieser vnser Bilgerfahrt
Wolstu vns Herr begleiten,
Gott Vatter Sohn vnd heilger Geist
Beystand vns leist,
Thu vns den Weg bereiten."

»Pium, Deus hunc ordinem
Dirige supplicantum,
Simul Trias sanctissima
Nos adiuua,
Iterque praesta tuum.«

Ein ander schön Geistlichs Gesang, von der geburt.

II. Cöln (Quentel) 1619 ff. Cöln (Brachel) 1619, 1634. M.-Speier 1631.

Ge - bo - ren ist vns ein Kin - de - lein, Von ei - ner Jungfraw
1
rei - ne, Gott Vat - ter Sohn vnd hei - li - ger Geist, die seind ge - reist
2
mit Ma - ri - a al - lei - ne. Gott Vat - ter rc.
Cöln Brachel 1619 ff. 1) a statt f. 2:
Al - lei - ne.

No. 73.

Vns ist gebohrn ein Kindelein klein.

(K. I, 81; W. II, 1110.)

Cöln (Brachel) 1619, 1623, 1634. Cöln (Quentel) 1619, 1625. Würzburg 1628, 1630 ff. M.-Speier 1631. Corner 1631. Seraph. Lustgart. 1635. Molsheim (1629) 1659. Erfurt 1666.

#1
Vns ist ge - bohrn ein Kin - de - lein klein, Jst kla - rer als
2 #
die Son - ne, Das sol der Welt ein Hey - landt sein, Dar - zu der
#3
En - geln won - ne.
1) M.-Speier: b statt c. 3) Daselbst d statt e.
2) Corner 1631.
das soll der Welt ein Hey - land seyn.

Cöln 1623, 1634.

„Sobald das Kind geboren war,
Viel Engel seiner pflegten.“ etc.

Cöln 1625. M.-Speier 1631. Cöln 1634.

„Eh Gottes Sohn geboren werd,“
Die Engel jhr Hend langen.“ u. s. w.

No. 74.

Nun wöllen wir singen jederzeit.

Haec est dies laetificans.

Paderborn 1616, 1617.
Nun wöllen wir sin - gen je - der - zeit, Ein Kind ist heut ge-
Haec est di - es lae - ti - fi - cans, est pu - er na - tus
bo - ren GOTT, Dann al - le Men - schen seind be - freit, vmb vnser
ho - di - e, Nos et a mor - te li - be - rans, pro cunc-
Sünd vnd Mis - se - that, heut du bist, heut du bist, ein Kö - nig
to - rum cri - mi - ne, ho - di - e, ho - di - e, Chri-stus rex
geborn Herr Je - su Christ.
na - tus glo - ri - ae.

Das 8strophige Lied paßt nur seinem lateinischen Texte nach zur obigen Melodie, dieser scheint also der ursprüngliche zu sein.

No. 75.

Maria rein, du hast allein.

Maria flos, orbis honos.

(W. V, 1463.)

Andernach 1608.
Ma - ri - a rein, du hast al - lein, vom heil-gen Geist em-pfan-gen,
Ma - ri - a flos, or - bis ho - nos, De - um su - per - no ro - re,
Neun Mo - nat schwan-ger gan - gen, Mit hertz - li - chem ver-
In - u - si - ta - to mo - re, Sal - uo tu - lit pu-
do - re, pu - do - re.
lan - gen, ver - lan - gen.

In betreff des lateinischen Textes vergleiche man die Beschreibung des Andernacher Gesangbuches in der Einleitung.

Nr. 76.

Zur geburt des Herren Christ.

In natali Domini.

I. Andernach 1608. Cöln (Quentel) 1619 ff.

1
Zur ge - burt des Her - ren Christ, Frewt sich was im
In na - ta - li Do - mi - ni, Gau - dent om - nes
2
Him - mel ist, Vnd sin - gen mit hel - lem thon, Lob sey Gott
An - ge - li, Et can - tant cum ju - bi - lo, Glo - ri - a
im höch - sten thron, Dan vns heut ge - bo - ren hat, Chri - stum
v - ni De - o, Vir - go De - um ge - nu - it; Vir - go
3
den wahr - haff - ten Gott, Ma - ri - a die rei - ne Magt.
Chri - stum pe - per - it, Vir - go sem - per in - tac - ta.
1)
In na - ta - li Do - mi - ni.
2)
et cantant cum iu - bi - lo.
1
2
In na - ta - li Do - mi - ni gau - dent om - nes an - ge - li, et
3
can - tant cum ju - bi - lo, glo - ri - a v - ni De - o, vir - go
De - um ge - nu - it, vir - go Chri - stum pe - pe - rit, vir - go

Varianten im Cölner Gesangbuch 1619.

3) noch die Note g.

In natali Domini.

II. Paderborn 1609 ff. Hildesheim 1625. Mainz 1627. Würzburg 1628, 1630 ff. Corner 1631. Molsheim (1629) 1659. Mainz 1661, 1665. Erfurt 1666. Bamberg 1670.

3) Würzburg:
sem - per in - tac - ta.
glo - ri - a v - ni De - o

1) Corner c statt a. 2) Paderborn 1616ff und die meisten übrigen Gsb. d statt c.

* Die unteren Noten stehen anstatt der oberen in den Würzburger Gesangbüchern, dem Molsheimer, Mainzer Gsb. 1661 ff.

Als Gott Mensch geboren war.

(K. I, 110; W. V, 1495.)

III. Cöln (Brachel) 1619, 1623, 1634. Cöln (Quentel) 1619ff. Vogler 1625. Mainz 1628. Corner 1631. M.-Speier 1631. Ser. Lustgart. 1635. Dav. Harmonie 1659. Rheinfelß Gsb. 1666. Münster 1677.

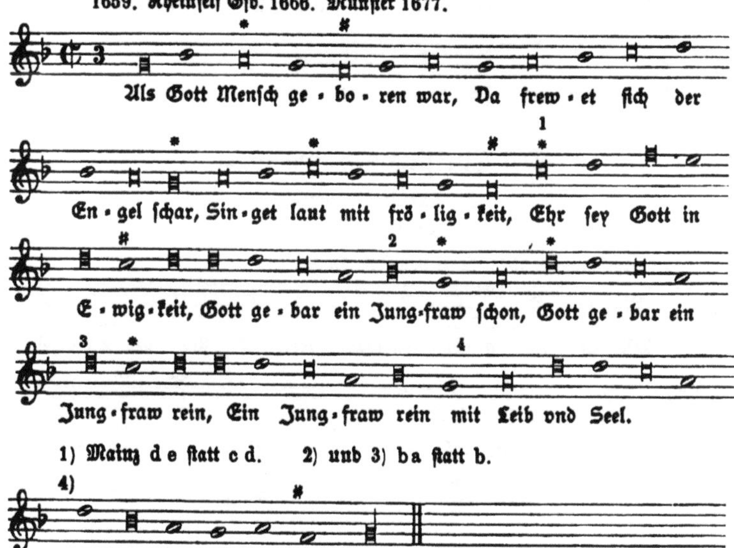
Als Gott Mensch ge - bo - ren war, Da frew - et sich der
En - gel schar, Sin - get laut mit frö - lig - keit, Ehr sey Gott in
E - wig - keit, Gott ge - bar ein Jung - fraw schon, Gott ge - bar ein
Jung - fraw rein, Ein Jung - fraw rein mit Leib vnd Seel.

1) Mainz d e statt c d. 2) und 3) b a statt b.

4)

In den Gesangbüchern kommen zu dieser Melodie folgende Texte vor:

Cöln 1619ff. (bei Brachel u. Quentel). M.-Speier 1631.

„Als Maria die Jungfraw schon, Nun solt geberen Gottes Sohn."

mit Wiederholung derjenigen Noten, über welchen ein * steht, und den unter 2, 3 und 4 angegebenen Varianten. (K. I, 135; W. V, 1448.) Vgl. No. 135.

Vogler 1625, Corner 1631, Ser. Lustgart. 1635.

„Jesus das zarte Kindelein
Wolte dem Gsätz gehorsam seyn." (K. I, 132.)

David. Harmonie und Rheinfelsisches Gsb.

„Singen wir auß Hertzengrund,
loben Gott mit vnserm Mund." (W. IV, 785; K. I, 38.)

ALs Jeremias ward gesandt.

Die Menschwerdung den Heyden offenbaret.

IV. Cöln (Brachel) 1623, 1634.

ALs Je - re - mi - as ward ge-sandt, Ge-fan-gen in E - gyp-
ten-landt, Er pro-phe - cey - et v - ber - all, Das Kind, die Jungfraw,
Krip vnd stall, Kundt macht er auch vnnd of - fen - bar, Die
Wie Gott ein Kind würd kom-men dar,
Gö - tzen pla - gen, Zu bo - den schla - gen.

DA Christus geboren war.

In natali Domini.

(W. III, 424.)

V. Brüdergesangbuch 1544. (Text von Joh. Horn.)

DA Chri - stus ge - bo - ren war, frew - et sich der En - gel
schar, Sin - gend mit frö - li - chem mut, Preyß sey got dem
höch - sten gut, denn der ver - heyß - ne Hey - land, ist der
gan - tzen Welt ge - sandt, O mensch mach dich jm be - kannt.

Das Lied »In natali Domini« gehört zu den alten lateinischen Weihnachtsgesängen des 14. Jahrhunderts, und ging im 16. Jahrhundert sowohl in die kathol. wie protest. Gesangbücher über. Wackernagel I, 319—323 bringt 5 verschiedene Fassungen in siebenzeiligen Strophen. Ein Münchener Cod. lat. 5023 aus dem 15. Jahrhundert hat nur 3 Strophen, Leisentrit hat deren 5, Corner 9. Im 15. Jahrhundert kommt auch schon eine Uebersetzung ins Deutsche vor:

„Nhu tzu dieser feier clar
frewen sich die engell gar“ u. s. w. 3 Strophen.

aus einer Papier-Handschrift der Breslauer Universitäts-Bibl. I, 8. 113 aus dem 15. Jahrhundert (W. II, 893; Hoffmann, No. 171).

Die Melodie war eine sehr beliebte. Sie findet sich in den katholischen Gesangbüchern zu den verschiedensten Texten.

In protest. Gesangbüchern kommt sie zu folgenden Liedern vor:

„Dem neugebornen Kindelein
Singen alle Engelein"

Leipziger Gesangbuch 1586, (bei Hoffmann 172; W. V, 113.)

„Da Christus geboren war,
Freuten sich der Engel Schaar"

Enchiridion Geistliker Leder. Wittemberch 1571. Kirchen Gesenge (durch J. Keuchenthal) Wittenberg 1573 (W. IV, 1178 u. 1179). Hoffmann (K. L., No. 173) rechnet diese Uebersetzungen zu den älteren Liedern.

Wäre dieses der Fall, dann würde auch das über dem genannten ersten Texte als Ton angeführte Lied „Singen wir aus Hertzengrund", welches die Melodie »In natali« trägt, ebenfalls alt sein. Die älteste bis jetzt bekannte Quelle für dieses letztere Lied ist das Eichornsche Gesangbuch Frankfurt a. d. Oder 1568. Man schrieb auf protest. Seite das Lied bald dem Er. Alberus, bald dem B. Ringwald, bald dem N. Selneccer zu. (Fischer Lexikon, S. 255.) Corner bezeichnet es mit incerti authoris. Vgl. No. 251 im II. Bande.

Die Melodie kommt nach Erks Angabe schon in einer Handschrift der Berliner Bibl. (Ms. germ. 8 No. 190) aus der Mitte des 15. Jahrhunderts vor. (Vierst. Choralbuch Berlin 1863, No. 236.)

Bohn hat in der Cäcilia 1878, S. 4 aus einer Trierer Handschrift des 15. Jahrhunderts zwei Melodien unseres Liedes, die einen Biscantus bilden, veröffentlicht. Keine derselben hat mit der obigen Singweise Aehnlichkeit.

No. 77.

Der Spiegel der Dreyfältigkeit.

En trinitatis speculum.

Ein anders Altes Weyhenachtgesang.

(K. I, 114; W. V, 1157.)

I. Cöln (Quentel) 1599 ff. Constanz 1600. Mainz 1605. Andernach 1608. Cöln (Brachel) 1619, 1634. Vogler 1625. Hildesheim 1625. Mainz 1627, 1628. Würzburg 1628, 1630 ff. M.-Speier 1631. Corner 1631, dessen Nachtigall 1649. Molsheim (1629) 1659. Mainz 1661, 1665. Erfurt 1666. Münster 1677. Straßburg 1697.

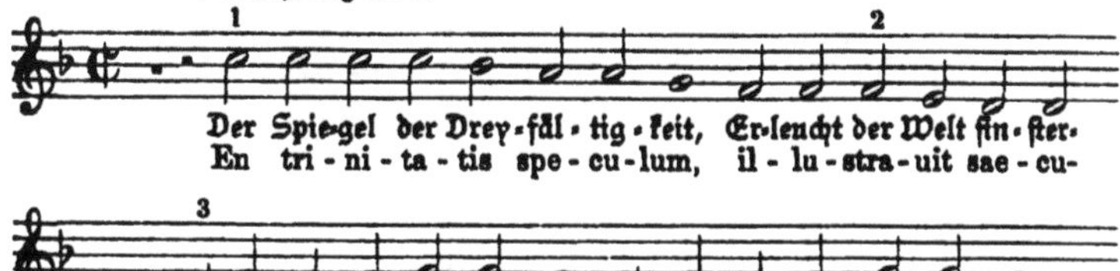
1
2
Der Spie-gel der Drey-fäl-tig-keit, Er-leucht der Welt fin-ster-
En tri-ni-ta-tis spe-cu-lum, il-lu-stra-uit sae-cu-
3
heit, E-ia lie-be Chri-sten-heit, Mit lob vnd gsang sey be-reit,
lum, e-ia cor-di-a-li-ter, iu-bi-le-mus pa-ri-ter,

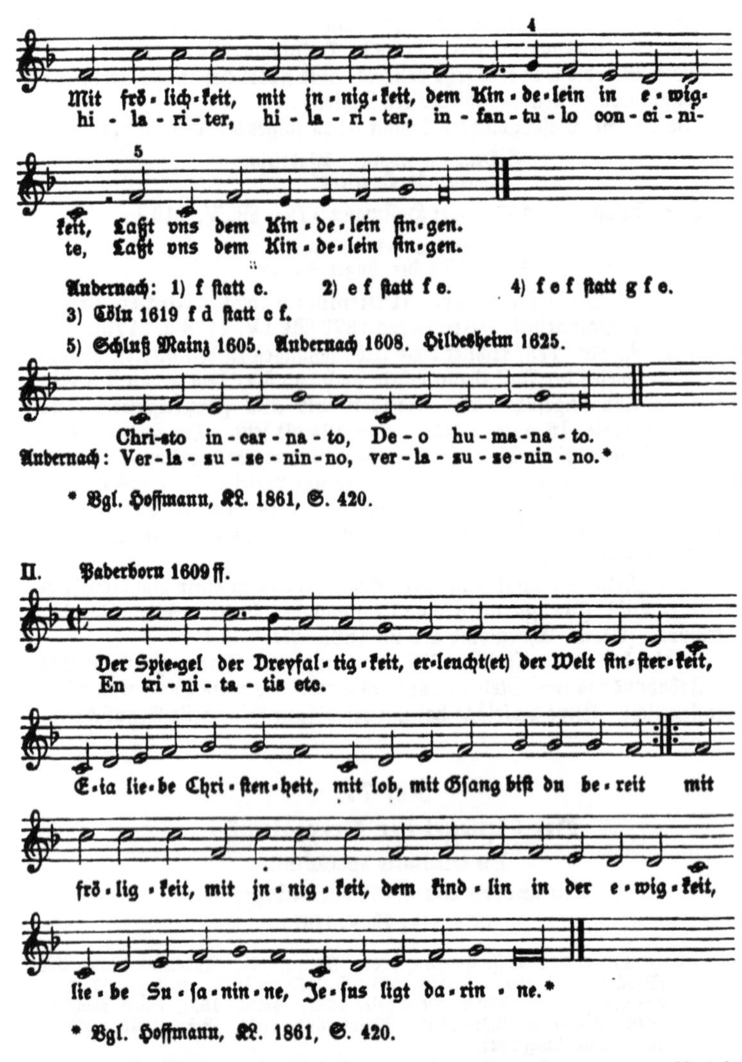
4
Mit frö - lich - keit, mit in - nig - keit, dem Kin - de - lein in e - wig-
hi - la - ri - ter, hi - la - ri - ter, in - fan - tu - lo con - ci - ni-
5
keit, Laßt vns dem Kin - de - lein sin - gen.
te, Laßt vns dem Kin - de - lein sin - gen.
Andernach: 1) f statt c. 2) e f statt f e. 4) f e f statt g f e.
3) Cöln 1619 f d statt e f.
5) Schluß Mainz 1605. Andernach 1608. Hildesheim 1625.
Chri - sto in - car - na - to, De - o hu - ma - na - to.
Andernach: Ver - la - su - se - nin - no, ver - la - su - se - nin - no.*
* Vgl. Hoffmann, KL. 1861, S. 420.
II. Paderborn 1609 ff.
Der Spie - gel der Dreyfal - tig - keit, er - leucht(et) der Welt fin - ster - keit,
En tri - ni - ta - tis etc.
E - ia lie - be Chri - sten - heit, mit lob, mit Gsang bist du be - reit mit
frö - lig - keit, mit jn - nig - keit, dem kind - lin in der e - wig - keit,
lie - be Su - sa - nin - ne, Je - sus ligt da - rin - ne.*
* Vgl. Hoffmann, KL. 1861, S. 420.

Leisentrit bringt den lateinischen Text in 3 Strophen unter der Rubrik „etzliche Lateinisch Gesenge, Welche die frommen Altgleubigen ..... zusingen gar Christlich verordent". Die erste Strophe des deutschen Liedes mit dem Schluß: „Sussa liebe Nenna" steht bereits in Wizels Psaltes eccl. 1550. Die älteste Quelle für die Melodie ist das in Cöln bei Quentel erschienene Gesangbuch 1599.

Im Cölner Psalter 1638 beginnt das Lied mit den Worten: „Der Spiegel der Gerechtigkeit".

No. 78.

Es ist ein Ros entsprungen.

Ein anders Andechtigs Gesang.

(K. I, 118, II, 717; W. II, 1153/54.)

I. Cöln (Quentel) 1599. Constanz 1600. Mainz 1605. Andernach 1608. Paderborn 1609 ff. Cöln (Brachel) 1619, 1634. Hildesheim 1625. Neyß 1625. Mainz 1627. Würzburg 1628, 1630 ff. Bamberg 1628, 1670, 1691. M.-Speier 1631. Corner 1631. Seraph. Lustgart. 1635. Corners Nachtigall 1649 ff. Prag 1655. Erfurt 1666. Brauns Echo 1675. Münster 1677.

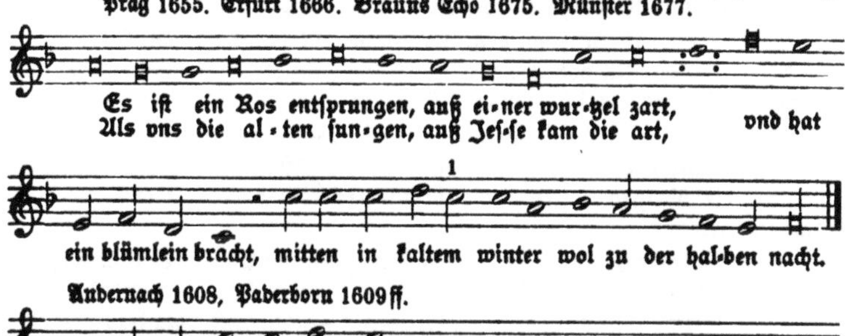

Es ist ein Ros entsprungen, auß ei-ner wur-tzel zart,
Als vns die al-ten sun-gen, auß Jes-se kam die art,
vnd hat
1
ein blümlein bracht, mitten in kaltem winter wol zu der hal-ben nacht.

Andernach 1608, Paderborn 1609 ff.

Es ist ein Ros ent-sprun-gen

1) Cöln 1619 b statt c.

Im Andernacher Gesangbuche steht an erster Stelle eine lateinische Uebersetzung des deutschen Liedes:

»De stirpe Dauid nata
Fulgens nitet rosa,
A vatibus notata
Maria formosa,
Flos vnde prodiit,
Rigente seclo nimbis
De nocte canduit.«

In den Würzburger Gesangbüchern steht die Melodie um einen Ton erhöht, ohne Vorzeichnung.

II. Würzburg 1628, 1630 ff. Molsheim (1629) 1659. Bamberg 1670. Mainz 1628.

(#)
Es ist ein Ros ent-sprungen, auß ei-ner Wur - - tzel
Als vns die Al-ten sun-gen, auß Jes-se kam die
zart,
Art,
Vnd hat ein Blümlein bracht, mit-ten im kal-ten Win-ter,
(#)
wol zu der hal - - ben Nacht.

Bamberg 1670 hat dazu das Lied: „Gleichwie ein Hirsch thut lauffen.“ (Zuerst in einem Münchener Fünfliederdruck 1648; vgl. die Bibliographie.)

Dieses so zart gehaltene, wunderschöne Weihnachtslied war namentlich am Rhein ein vielgesungenes. Die älteste Quelle für Text und Melodie ist das Cölnische Gesangbuch vom Jahre 1599. Im Mainzer Cantual 1605 wird es „Das alt Catholisch Trierisch Christliedlein“ genannt. Michael Prätorius, der die Melodie in seinen Musae Sioniae, Wolfenbüttel 1609, in einen bis jetzt noch nicht übertroffenen vierstimmigen Satz kleidete, bezeichnet im Register das Lied als „Catholisch“.

Das Lied hat in dem gen. Cölnischen Gesangbuch 23 Strophen. Die ersten 15 handeln von der Verkündigung Mariae. In den folgenden 5 wird die Geburt, Beschneidung des Herrn und die Anbetung der h. drei Könige geschildert. Die 3 Schlußstrophen tragen Gebetscharakter.

Das Constanzer Gesangbuch hat nur die ersten 15 Strophen aufgenommen, die übrigen 8 stehen als besonderes Lied dort: „Merck zu der Gnaden Zeiten“.

Das Mainzer Cantual hat die 23 Strophen des Cölner Gesangbuches. Das Andernacher Gesangbuch 1608 bringt 6 Strophen, von welchen die zweite und dritte neu sind. Das Paderborner Gesangbuch vom Jahre 1609 und 1617 zählt nur 8 Strophen, die Ausgabe von 1616 dagegen 23. Näheres hierüber, wie auch über die Lesart „Reis“ statt „Ros“, bei Wackernagel, K. L. II, S. 926 ff.

Ich gebe nachstehend noch einige andere Lieder von ähnlichem Textinhalte.

No. 79.

VOn Jesse kompt ein Wurtzel zart.

Von vereinigung Göttlicher vnd Menschlicher Natur.

(W. V, 1496.)

Cöln (Brachel) 1623, 1634.
VOn Jes-se kompt ein Wur-tzel zart, Da-rauß ein
Zweig von wun-der Art, Der Zweig ein schö-nes
Röß-le bringt, Das wun-der-lich vom Zweig ent-springt.

Dieses 6strophige deutsche Lied hat mit dem folgenden lateinischen Liede, welches ebenfalls 6 Strophen zählt, dem Inhalte nach wenig Aehnlichkeit, auch die Melodie ist eine andere.

No. 79a.

Ein ander altes Lateinisches Weyhnachtgesang.

Paderborn 1609. Corner 1631.

Jes-sae-a stirps, ef-flo-ru-it, e-lec-ta fru-ctum
prae-bu-it, fe-cun-da par-tum e - - - di-dit et semper
il-li-ba-ta vir-go ma-net, et semper il-li-ba-ta virgo manet.

No. 80.

Als ich hingieng spatzieren.

Seraph. Lustgart. 1635.

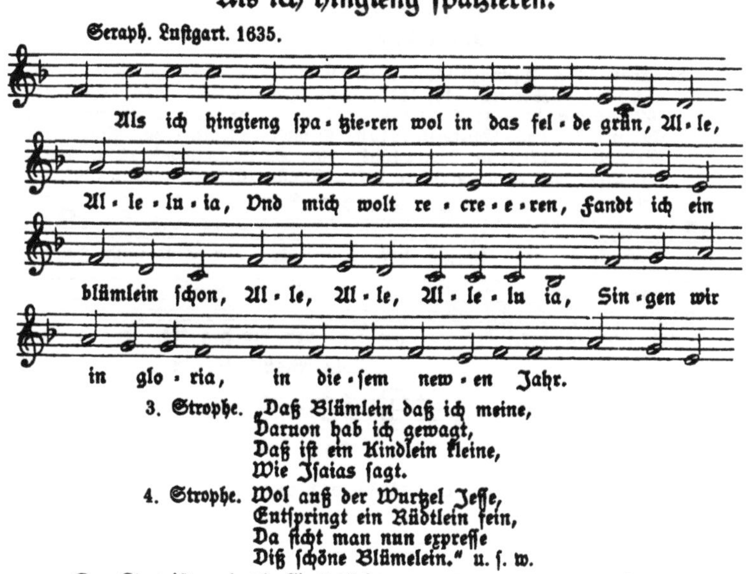
Als ich hingieng spa-tzie-ren wol in das fel-de grün, Al-le,
Al-le-lu-ia, Vnd mich wolt re-cre-e-ren, fandt ich ein
blümlein schon, Al-le, Al-le, Al-le-lu ia, Sin-gen wir
in glo-ria, in die-sem new-en Jahr.

3. Strophe. „Daß Blümlein daß ich meine,
Darnon hab ich gewagt,
Daß ist ein Kindlein kleine,
Wie Isaias sagt.

4. Strophe. Wol auß der Wurtzel Jesse,
Entspringt ein Rödtlein fein,
Da sicht man nun expresse
Diß schöne Blümelein.“ u. s. w.

Der Text ist, wie die Ausdrücke „recreeren“ und „expresse“ andeuten, einem niederdeutschen Gedichte entnommen.

No. 81.

Was ist vor newe Frewd.

Seraph. Lustgart. 1635.

Was ist vor new-e Frewd, Das man so frö-lich singt,

Ent-sprungen zu die-ser zeit, Sagt mir jhr klei-nen kindt.

Die Kinder zu dem Fremdling.

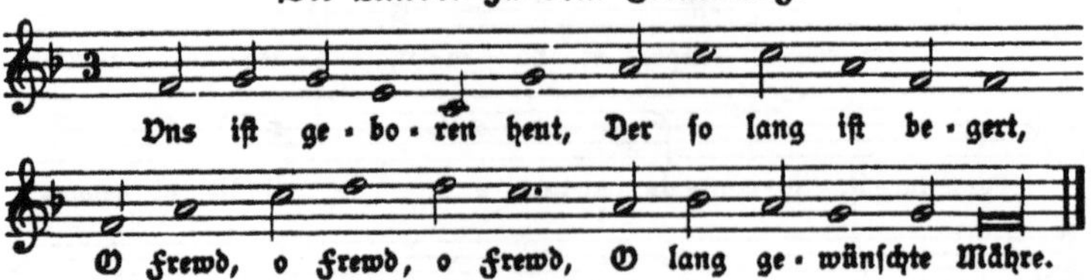
Vns ist ge-bo-ren heut, Der so lang ist be-gert,
O Frewd, o Frewd, o Frewd, O lang ge-wünschte Mähre.

No. 82.

Es kam ein Engel hell vnd klar.

Ein schön Liedt von Christi geburt, auff die Melodey, Ihr Christen jetzundt frölich seidt oder wie volget.

(K. I, 120; W. III, 45.)

Leisentrit 1567 ff. Dilingen 1589. Cöln (Quentel) 1599. Constanz 1600. Andernach 1608. Paderborn 1616, 1617. Cöln (Brachel) 1623, 1634. Würzburg 1628, 1630 ff. Neyß 1625. Bamberg 1628 ff. Mainz 1628. M.-Speier 1631. Corner 1631, dessen Nachtigall 1649 ff. Seraph. Lustgart. 1635. Prag 1655. Molsheim (1629) 1659. Mainz 1661, 1665. Davib. Harmonia 1659. Rheinfels. Gesangbuch 1666. Nordstern 1671. Münster 1677. Straßburg 1697.

Es kam ein En-gel hell vnd klar, von Gott auffs Feldt
zun Hirt-ten dar, der war gar sehr von her-tzen fro, vnd sprach
Cöln (Brachel) 1634 u. a.
1
frö-lich zu jn al-so. Es kam u. s. w.

1) M.-Speier a c statt c. Cöln 1623 u. a. a statt c.

1) Paderborn 1616 ff.

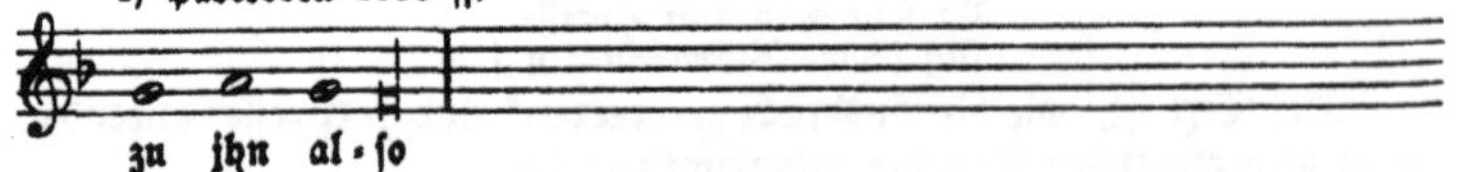
zu jhn al-so

Das Andernacher Gesangbuch hat dazu noch einen lateinischen Text:

»Illustris alto Nuncius.
Apparuit pastoribus,
Quos mox ouanter talibus
Affatur ille vocibus.«

Cöln 1623. 1634.

„Wie Gott werd kommen auff die Erd."

Prag 1655, Davidische Harmonie 1659; Rheinfels. Gesb. 1666.

„Vom Himmel hoch da komm ich her." (W. III, 39.) Luthers Lied.

No. 83.

Es kam ein Engel hell vnd klar.

Ein Innigklicher wolgestelter Gesang, von der frewdenreichen Geburt Jesu Christij.

Haym von Themar 1590.

Es kam ein En-gel hell vnd klar, Von Gott auffs Feldt
zun Hir-ten dar, Der war gar sehr von her-tzen froh,
Vnd sprach frö-lich zu jh-nen al-so. Ma-ri-a.

No. 84.

Es kam ein Engel hell vnd klar.

Auff die noten, Aus frembden landen kom ich her.

Trillers Singebuch (1555) 1559.

Es kam ein En-gel hell vnd klar, von Got auffs feldt
zun hir-ten dar, der war gar seer von her-tzen fro
vnd sprach frö-lich zu jn al-so.

Der lateinische Text im Andernacher Gesangbuch ist wohl eine Uebersetzung des deutschen geistlichen Liedes. Ein anderer von Meister (S. 219) angeführter lat. Text »Coelis ab altis prodeo (von Ph. de Vitry 1361!)« ist ebenfalls weiter nichts als eine Uebertragung des deutschen. Er findet sich in einem Büchlein, welches nur Uebersetzungen deutscher Kirchenlieder enthält: Libri tres Odarum |Ecclesiasticarum De Sacris cantionibus, In ecclesiis Germanicis Augustanam Confessionem amplectentibus, ad similes numeros, modos et concentus musicos, carmine conversis, quo etiam exterae Nationes cognoscere et intelligere possint, quae sit dictarum Ecclesiarum Psalmodia, ornati imaginibus affabre sculptis. Autore M. Wolfgango Ammonio Franco, Ecclesiae civium in urbe Imperiali Dinckelspuhel repurgatae ministro. Anno 1578. Bl. 81 b.

Die erste Strophe lautet:

»Coelis ab altis prodeo
Et res novas annuncio,
Tot res bonas huc adfero,
Cantare quas vobis volo.« noch 14 Strophen.

Für den Leisentrit'schen Text mit 18 Strophen „Es kam ein Engel hell vnd klar" ist bis jetzt das Val. Triller'sche Singebuch (1555) 1559 die älteste nachweisbare Quelle. Er ging in fast alle kath. Gesangbücher über. Auch Haym von Themar hat das Lied in seine „Schöne Christenliche Catholisch Weihnächt oder Kindtleßwiegen Gesäng" aufgenommen.

Die zweite Strophe unseres Liedes lautet:

„Von Himel hoch da kom ich her,
vnd bring euch viel der guten meer,
der gutten meer bring ich so viel
dauon ich singen vnd sagen wil."

So beginnt auch ein 15strophiges Lied in den alten protest. Gesangbüchern, zuerst im Klug'schen Wittenberg 1535, dann auch im Val. Bapst'schen 1545 u. a. Hier lautet die Ueberschrift: „Ein Kinderlied, auff die Weihenachten vom kindlein Jhesu. Aus dem II. Cap. des Euangelii S. Lucas gezogen etc. D. Mart. Luther." Dieses Lied, ist abgesehen von der obengenannten Strophe, ein ganz anderes als dasjenige, welches im Triller'schen Gesangbuche und bei Leisentrit steht. Wohl finden sich einige Anklänge.

Strophe 8.

Luther: „Bis willekom du edler Geist."
Triller: „Bis willkomen du kindlein zart."

Strophe 11.

Luther: „Der sammet und die seiden dein,
Das ist grob hew vnd windelein".
Triller: „Der sammat und die seide dein,
sind gar geringe windelein.

Was nun die Melodien angeht, so kennen wir drei verschiedene. Die im Triller'schen Gesangbuch ist nach der Ueberschrift dort dem weltlichen Liede „Aus frembden Landen kom ich her" entnommen.

Leisentrit hat diejenige Melodie, welche zuerst im Mich. Lotther'schen Gesangbuche Magdeburg 1540 und im Klug'schen Wittenberg 1543, im Val. Bapst'schen 1545 zu dem Liede Luthers steht.

Ganz verschieden von beiden ist die Melodie bei Haym von Themar.

Die Weise „Aus frembden Landen kom ich her", welche nicht nur im Triller'schen, sondern auch im Klug'schen Gesangbuche 1535 dem Luther'schen Liede zugetheilt war, scheint mir die ältere zu sein. Sie wurde bereits im Magdeburger protest. Gesangbuche 1540 ersetzt durch die andere bekannte Singweise. Der Anfang derselben hat Aehnlichkeit mit der Melodie „Als ich bei meinen Schafen wacht".

Das wären in kurzen Worten die Resultate meiner Forschungen. Ich bin nun der Ansicht, daß sowohl Triller als Luther nach einer älteren Textvorlage gearbeitet haben. Es verschlägt dabei nichts, daß in dem V. Bapst'schen Gesangbuche, welches unter Luthers Redaction erschien, sein Name über dem Liede steht. Das ist ja auch der Fall bei solchen Liedern, welche von ihm nur bearbeitet und erweitert worden sind. (Vgl. „Gelobet seist du Jesu Christ".) Die Anklänge, welche in den beiden Liedern sich vorfinden, lassen auf eine gemeinsame ältere Vorlage schließen. Triller hat keineswegs das Lied von Luther bearbeitet, denn er perhorrescirte dessen Lieder. Das ältere Lied begann höchstwahrscheinlich mit der dem Triller'schen und Luther'schen Liede gemeinschaftlichen Strophe „Vom Himmel hoch da komm ich her", mit welcher der bei den Weihnachtsspielen auftretende Engel sich einführte.[1]

Als später das Lied von den dramatischen Aufführungen getrennt wurde, gab man zur Erklärung des Ganzen die erste Strophe: „Es kam ein Engel hell vnd klar" hinzu.

Nach meiner Ansicht könnten folgende Strophen des Triller'schen Liedes aus einem alten Weihnachtsspiele herrühren:

I. Gesang des Engels.

1) Von Himel hoch da kom ich her.
2) Der Herre Gott im höchsten Thron.
3) Zu Bethlehem in Davids stat.
4) Das new geborne kindelein.

Spätere Einschiebsel:

5) Darnach kam bald ein grosse schar.
6) Sie sprachen Gott sey preis vnd danck.
7) Die Hirten giengen allgemein.

II. Gesang der Hirten vor der Krippe.

8) Bis wilkomen du kindlein zart.
9) Hastu denn sonst kein Herberg hie.
10) Der sammat vnd die seide dein.
11) Der Wirdt solt haben keine rast.
12) O liebes Kindlein blos vnd arm.

Spätere Einschiebsel.

13) Das Volck hat sich verwundert seer.
14) Das edle kindlein, tewr vnd werdt.

III. Schlußgesang aller bei der Aufführung betheiligten Personen.

15) Wir wollen frölich singen gleich.
16) Gelobet sey der höchste Gott.

Einschiebsel zwischen Str. 15. u. 16.

17) Mach wir dem kind ein wigelein.

Wer die Einrichtung der alten Krippenspiele kennt, wird meine Ansicht für nicht unwahrscheinlich halten. Es gibt allerdings auch andere Weihnachtsspiele, in welchen die ersten 4 Strophen des Liedes: „Es kam ein Engel hell vnd klar" hinter dem Vorhange gesungen wurden, um das Eintreten des Engels einzuleiten. Dieser wiederholt dann selbst die Strophen 2 und 3 von oben. (Weihnachtsspiel aus dem Bayrischen Hochwald in dem Buche: „Volksschauspiele von Hartman und Abele," Leipzig. Breitkopf und Härtel 1880, S. 487.)

St. Oswalder-Weihnachtsspiel. Pailler, Weihnachtslieder und Krippenspiele. Innsbruck 1881/83. II. Bd., Seite 244.)

---

1) In einem Hirtenspiel im Innkreis singt der Engel:

„Lieber Hirt, ich bin ein Engel
Aus dem hohen Himmelssaal". Pailler S. 155.

In einem andern:

„Erschreckt euch nicht ihr Hirten, vielmehr euch erfreut!
Ich komme vom Himmel herunter zu euch." S. 163.

Oder:

„Seid fröhlich ihr Hirten und habt guten Muth,
Ich komme vom Himmel zu euer Schäfers Huth." Das. 401.

No. 85.

Vns kompt ein Schiff gefahren.

En navis institoris.

(W. II, 460.)

Andernach 1608.

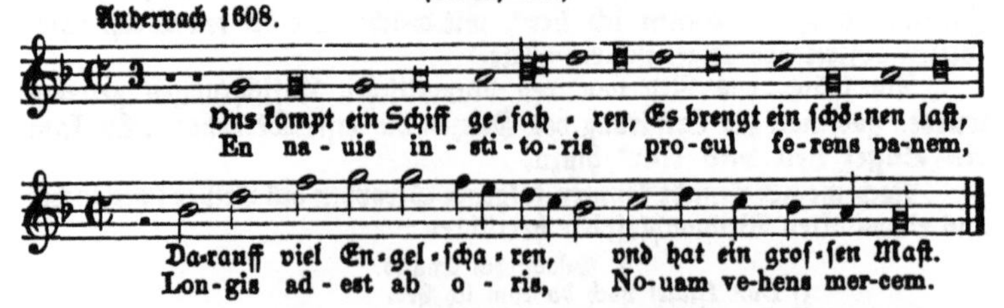
Vns kompt ein Schiff ge-fah - ren, Es brengt ein schö-nen last,
En na - uis in - sti - to - ris pro - cul fe - rens pa - nem,
Da-rauff viel En - gel - scha - ren, vnd hat ein gros - sen Mast.
Lon - gis ad - est ab o - ris, No - uam ve - hens mer - cem.

Wackernagel schreibt das 8strophige Lied dem bekannten Mystiker Joh. Tauler (1290—1361) zu. Er führt noch zwei ähnliche Lieder an, die mit den Worten „Es kompt ein Schiff geladen" anfangen (II, 458, 459. Vgl. Hoffmann, K. L. No. 34 und 35.) Die lateinische Uebersetzung nennt Hoffmann eine sehr schlechte. Die Melodie ist recht volksthümlich und möglicherweise alt.

No. 86.

Lob Preiß vnd Ehr sey Gott gesagt.

(K. I, 136.)

Neyß 1625. Corner (1625) 1631.

Lob Preiß vnd Ehr sey Gott ge - sagt, daß er von ei - ner rei - nen
Magd, den Tag im Jahr ge - bo - ren ward, O ed - ler Tag, mit lob
dich niemandt er - fül - len mag, mit lob dich niemand er - fül - len mag.

No. 87.

Hochgelobter Herr Jesu Christ.

Fünff Geistliche Lieder, Ingolstadt 1635.

Hoch - ge - lob - ter Herr Je - su Christ, Der du an heut ge - bo - ren
bist, All - hie in die - sem Jammer - thal, Zu Beth - le - hem dort in dem Stall.

Vgl. die Bibliographie zum Jahre 1635. No. 302.

No. 88.

O Wunder groß, auß Vatters Schoß.

Ein Englisch Gesang von der Geburt Christi.

(K. I, 143; W. V, 1520)

Corner (1625) 1631, dessen Nachtigall 1649 ff. Straßburg 1697.

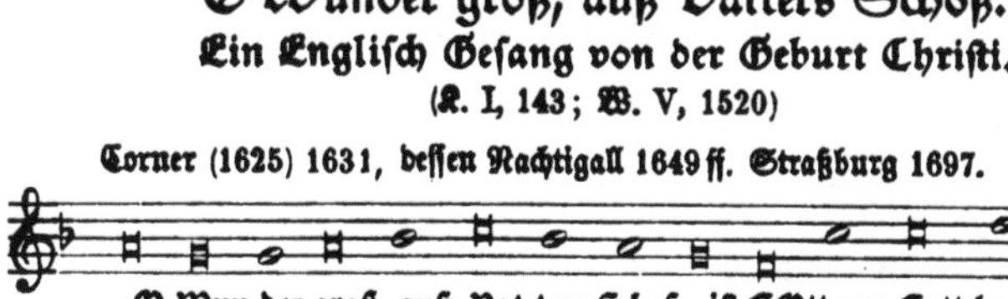
O Wun-der groß, auß Vat-ters Schoß, ist GOtt von Gott her - kom -
Auß lau-ter Lieb, die jhn her-trieb, hat vn - ser Fleisch an - gnom-

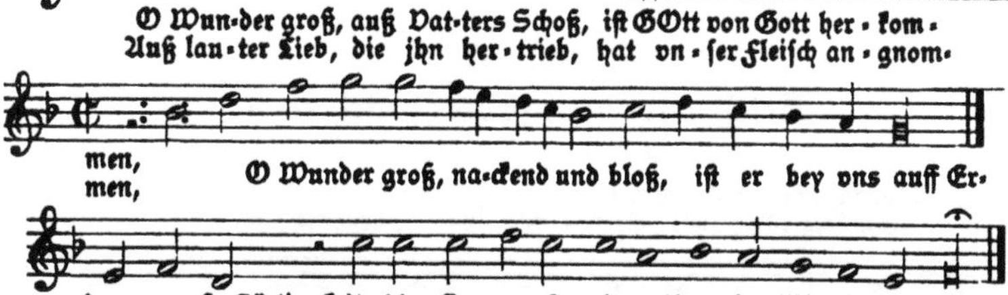
men,
men,
O Wunder groß, na-ckend und bloß, ist er bey vns auff Erden, auß Gü-tig-keit, die Er vns be-reit, wil vn-ser Mitt-ler wer-den.

Der Text kommt zuerst im Constanzer Gesangbuch 1613 vor. Die Melodie gehört dem protestantischen Kirchenliede „O Herre Gott, dein göttlich Wort" an. Dieses steht zuerst im Joseph Klug'schen Gesangbuche Wittenberg 1535. Ich gebe es zur Vergleichung aus dem Val. Bapst'schen Gesangbuche 1545.

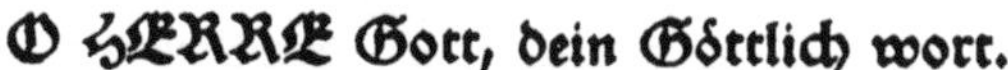

O HERRE Gott, dein Göttlich wort.

O HER-RE Gott, dein Gött-lich wort, ist lang ver-dun-ckelt
Bis durch dein gnad vns ist ge - sagt, was Pau-lus hat ge-

blie-ben,
schrie-ben,
Vnd an-de-re, A-po-stel mehr, Aus deim Gött-li-chen mun-

de, das dan-cken dir, mit vleis das wir, er-le-bet han die stun - de.

Vgl. dazu das Lied No. 290 im II. Bande: „Nun lob mein Seel den Herren".

No. 89.

O Wunder groß.

Constanz 1613. Würzburg 1628, 1630 ff. Bamberg 1628 ff. Mainz 1628. Molsheim (1629) 1659. Mainz 1661, 1665. Erfurt 1666. Brauns Echo 1675. Münster 1677.

1
O Wunder groß, auß Vatters Schoß, ist Gott von Gott her-kom-men,

auß lau-ter Lieb, die jhn h'rab trieb, hat vn-ser Fleisch an-gnommen.
O Wun-der groß

1) Würzburg d statt b.

Mainz 1628, Bamberg 1628 ff u. a.

No. 90.

Reich vnd Arm solln frölich seyn.

(K. I, 146; W. V, 1521.)

Constanz 1613. Würzburg 1628, 1630 ff. Corner 1631. Molsheim (1629) 1659. Bamberg 1670, 1691. Brauns Echo 1675. Straßburg 1697.

Reich vnd Arm sol-len frö-lich sein an die-sem heil-gen Tag, Dar-zu es hei-lig ist,
Vns ist ge-bohrn ein Kin-de-lein, das al-le Ding ver-mag, Sein Nam ist Je-su Christ,
Vmb vn-ser al-ler Mis-se-that vom Him-mel kom-men ist.
Corner.
* Corner b.

In den Würzburger Gesangbüchern u. a. steht die Melodie in g moll (g ♯f f g g a) mit folgenden Varianten:

1) b statt d.

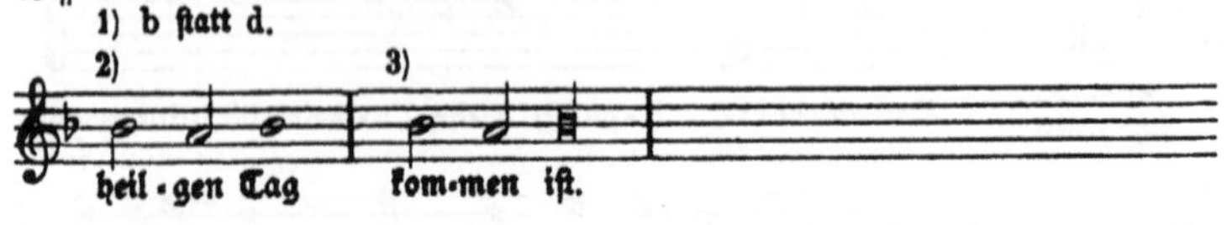
2)
3)
heil-gen Tag
kom-men ist.

In dem Corner'schen Gesangbüchern 1649 ff. steht die Melodie nochmals abgedruckt zu dem Liede:

„Gegrüßt seystu Franzisce, du Engelischer Mann,"

welches zuerst in einem Einzeldrucke, Augsburg (1641) vorkommt.

No. 91.

Reich und Arm solln frölich seyn.

Ein ander Weyhnacht Gesang, verbessert, vnd mit acht Gesetzlein gemehrt.

Fünff Geistliche Lieder, Ingolstadt 1635.

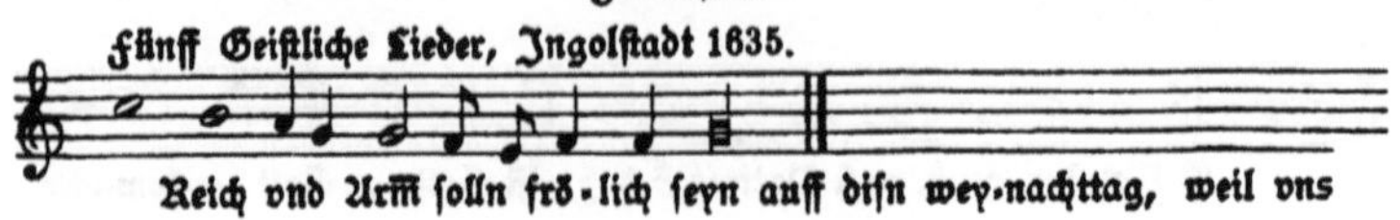
Reich vnd Arm solln frö-lich seyn auff disn wey-nachttag, weil vns

ge-born ein Kindlein dz al - le ding ver-mag, sein Nam heist Je - su
Christ, der vol - ler Gna-den ist, vmb vn - ser ar-men Sün-der heyl,
von Him - mel kom - men ist.

Vgl. die Bibliographie zum Jahre 1635.

No. 92.

Wie selig vnd Gott gefällig.

Beata immaculata.

Cölner Psalter 1638. Cöln (Brachel) 1623. Seraph. Lustgart. 1635. Nordstern 1671. Münster 1677.

Wie se - lig vnd Gott ge - fäl - lig bi - stu O Jungfraw rein,
Be - a - ta im - ma - cu - la - ta, Vir - go pu - er - pe - ra,
Von sün - den vnd fau - len fun-den, Ist weit das her - tze dein.
Quam pu - ra sunt cre - a - tu - ra, Tam dig - na vis - ce - ra,
Dein Fleisch vnd Blut bekleiden thut, Den Gottes Sohn das höchste Gut.
Con - ci - pe - re, in-du - e - re, lu-cem pa - ter - nae glo - ri - ae.

Das 7strophige lateinische Lied mit der obigen Melodie findet sich in dem vlämischen Gesangbuche Het Prieel (1609) 1614. Außerdem kommen noch folgende Texte zu derselben vor:

1) „Dein keusches Jungfräwliches Leben,
Jungfraw St. Barbara." Vgl. II. Bd. No. 167.
Cöln (Brachel) 1623. Seraph. Lustgart. 1655.

2) „Hochselig voll Gnad und heilig
die reine Mutter war."
Münster 1677.

No. 93.

JOseph Davids Sohn gebohren.

Nordstern 1671. Münster 1677.

JO - seph Da - vids Sohn ge - boh - ren, Bräu-ti - gamb der

Jungfraw rein, JESVS hat dich außer-koh-ren Vnd ge-
stelt zum Vat-ter sein, Trewer Jo-seph mir auch bie-te
Dei-ne vät-ter-li-che Hand, Vnd mit dei-ner Für-bitt hü-te
Mich dein Kind für sünd und schand.

Ein lateinischer Text mit dieser Melodie findet sich in Sirenes Symphoniacae 1678:

Magne Joseph fili David,
date custos virginum.« (Daniel IV, 328 aus Coeleste Palmetum 1760.)

No. 94.

Vns ist ein Kindlein heut geborn.

Ein anders Weyhnachtlied.

(K. I, 104; W. V, 13.)

Paderborn 1609 ff. Cöln (Quentel) 1619 ff. Cöln (Brachel) 1619, 1623, 1634. Vogler 1625. Hildesheim 1625. Mainz 1627, 1628. Würzburg 1628 ff. Osnabrück 1628. M.-Speier 1631. Corner 1631, 1649. Ger. Lustgart. 1635. Prag 1655. Psalteriolum 1642. Molsheim 1659. Dav. Harmonie 1659. Nordstern 1671. Münster 1677. Straßburg 1697.

Vns ist ein Kindlein heut ge-born, von ei-ner Jungfraw(en)
Par-vu-lus no-bis nas-ci-tur, De Vir-gi-ne pro-
außer-korn, deß frew-en sich die En-ge-lein, sol-ten wir Menschn
gredi-tur, ob quem lae-tan-tur An-ge-li, Gra-tu-la-mur
nit frö-lich seyn, Gott dem Herrn sey Lob be-reit, von nun an
nos ser-vu-li, Tri-ni-ta-ti glo-ri-a in sem-pi-
biß in E-wig-keit.
ter-na se-cu-la.

1) Paderborn 1616 u. a. d.

Cöln 1623, Ger. Lustgart. 1635, Cöln 1634:
„Als Gottes Sohn vom Himmel kam
Vnd seine Menschheit an sich nam."

Vogler 1625, Mainz 1628, Dav. Harmonie 1659 u. a.
„Gleich als der Hirsch zur Wasserquell." (K. I, 54.)

Andernacher Gesangbuch 1608:
„Gott Vatter in dem höchsten thron
Hat vns gesandt sein lieben Sohn"
mit folgenden Melodievarianten: 2) b b b d c b a g f.

Der lateinische Text stammt jedenfalls wie auch das »Puer nobis nascitur« aus dem 15. Jahrhundert (W. I, 400). Wackernagel bringt diesen in 4 Strophen mit der obigen deutschen Uebersetzung aus der Psalmodia per Lucam Lossium. Wittebergae 1579. Hier steht noch ein Refrain hinter jeder Strophe »Trinitati gloria in sempiterna saecula« „Lob und danck sey Gott bereit für solche gnad in ewigkeit".

Das Lied ging auch in viele protest. Gesangbücher über. (Fischer Lexikon II, 286.) Da die Sammlung des Lossius fast nur ältere lateinische und einige deutsche Lieder bringt, so ist es wahrscheinlich, daß auch der deutsche Text des vorliegenden Liedes ein älterer ist.

No. 95.

Vns ist geborn ein Kindelein.

Puer nobis nascitur. Lateinisch vnd Deutsch.

(K. I, 105; W. III, 1109.)

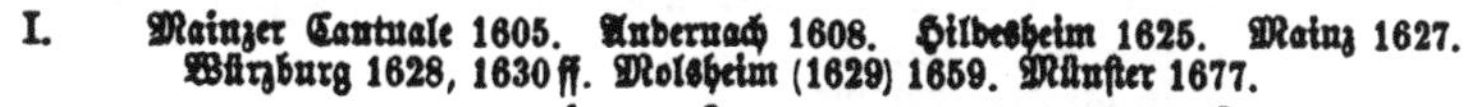

I. Mainzer Cantuale 1605. Andernach 1608. Hildesheim 1625. Mainz 1627. Würzburg 1628, 1630 ff. Molsheim (1629) 1659. Münster 1677.

1
2
3
Vns ist geborn ein Kinde-lein, von ei-ner Jungfraw reine,
Pv - er no-bis nas - ci-tur, rec-tor an - ge- lo - rum,

4
5
Ma-ri - a ist die Mutter sein, Sein Vatter Gott al - lei - ne.
In hoc mundo pas - ci-tur Do-minus Do - mí - no - rum.

1) Würzburg u. Molsheim } g f g f statt a g a f. Andernach 1608: 2) a fehlt. 3) d fehlt. 4) c fehlt.

5) Andernach 1608. Würzburg, Molsheim u. a.

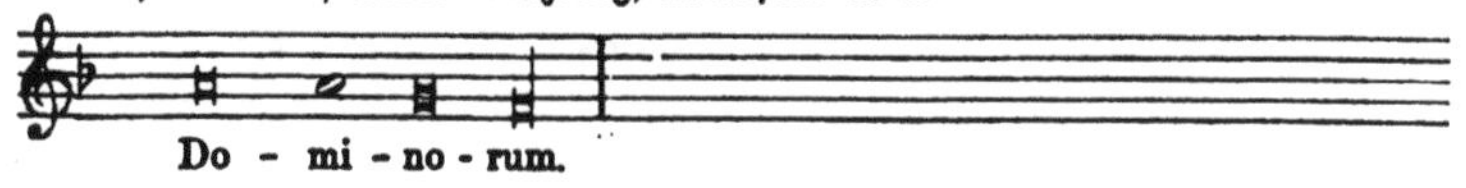
Do - mi - no - rum.

II. Cöln (Quentel) 1599. Paderborn 1609 ff. Corner 1631. Cölner Psalter 1638.

Pu-er no-bis nas - citur, rectur Angelo - rum;

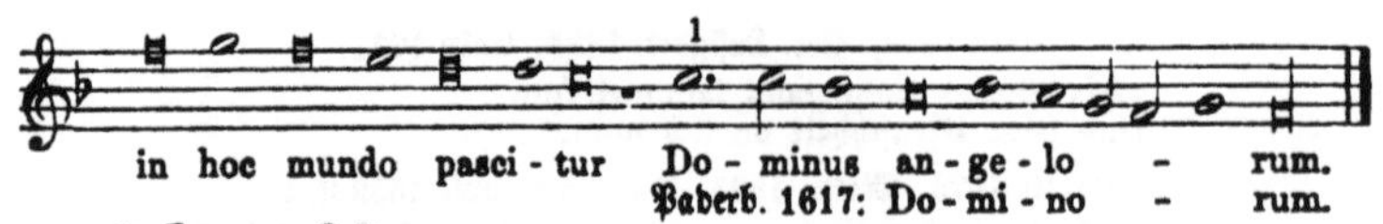
1
in hoc mundo pasci - tur Do - minus an - ge - lo - rum.
Paderb. 1617: Do - mi - no - rum.

1) Corner a statt c.

Der Cölner Psalter 1638 hat die obige Melodie mit wenigen Varianten zu dem Liede:

„Vns ist geborn ein Kindlein klein,
Ist klarer als die Sonne."

(Text zuerst im Cölner Gesb. 1617 im Anhange. K. I, 81; W. II, 1110.)

Handschrift der Stadtbibliothek in Trier aus dem 15. Jahrhundert.

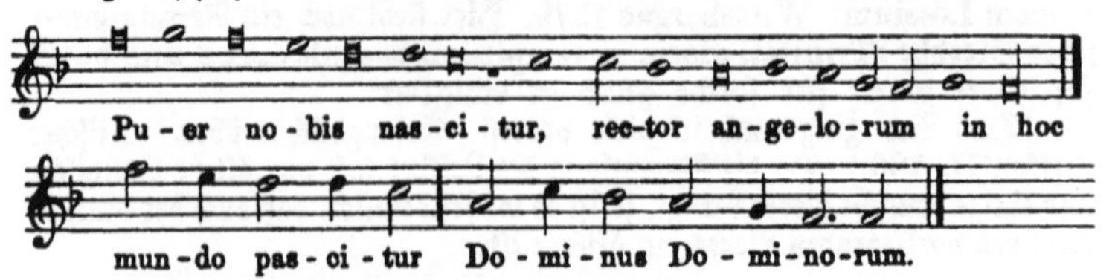
Pu - er no - bis nas - ci - tur, rec - tor an - ge - lo - rum in hoc
mun - do pas - ci - tur Do - mi - nus Do - mi - no - rum.

Das Lied steht im Original eine Quart tiefer. Mittheilung Bohns in den Monatsheften für Musikgeschichte IX, S. 26 und in der »Caecilia«. Trier 1877, S. 92.

Hier bildet unsere Melodie die zweite Stimme zu einer anderen, welche aber nicht in unsere deutschen Gesangbücher übergegangen ist.

Mone (I, 48) bringt das lateinische Lied in 5 Strophen aus der genannten Handschrift der Stadtbibliothek in Trier. Die Textanfänge lauten:

1. Puer nobis nascitur.
2. In praesepe ponitur.
3. Hinc Herodes timuit.
4. Qui natus est ex Maria.
5. O et A et A et O.

Die ersten 4 Strophen finden sich mit Varianten auch in Leisentrits Gesangbuch 1567. Im Cölner Gesangbuch 1599 stehen außer diesen noch folgende:

5. Angeli laetati sunt.
6. Nos de tali gaudio.
7. Laus et iubilatio.

Mit Ausnahme der Strophe 5 (Angeli) findet sich diese letztere Fassung auch im Mainzer Cantual 1605 zugleich mit einer deutschen Uebersetzung der ersten 5 Strophen. Diese gehört zu den ältern Liedern, denn Joh. Spangenberg gibt dieselbe in seinem Buche „Alte vnd Newe Geistliche Lieder vnd Lobgesenge von der Geburt Christi etc." 1544 mit der Ueberschrift „Ein alt Geistlich freudenlied von der Geburt Christi für das Benedicamus zu singen". (4 Strophen.)

Das fünfstrophige deutsche Lied im Andernacher Gesangbuch beginnt:

„Vns ist geborn ein Kindelein
Von dem Himlischen Fürsten."

Lieder auf das Fest der unschuldigen Kinder.

(No. 96—98.)

No. 96.

Gott grüß euch Martrer Blümelein.

In Choral Melody oder wie folgt.

(W. V, 1464.)

Andernach 1608.
Gott grüß euch Martrer Blü - me - lein, Die ihr so
Sal - ue - te flo - res Mar - ty - rum, Quos lu - cis
jun - ge Kind-lein klein, Er - lan - get habt die mar-
ip - so li - mi - ne Chri-sti in - se - cu - tor sus -
tyr Kron, Weil Christ ge - bo - ren Got - tes Sohn.
tu - lit. Ceu tur - bo nas - cen - tes ro - - sas.

Der lateinische Hymnus wird dem Aurelius Prudentius zugeschrieben. Er ist dem größeren Gedichte desselben (Cathemerinon No. 12) »Quicunque Christum quaeritis« (W. I, 43) entnommen. Im Andernacher Gesangbuch stehen nur 3 Strophen: 2. Str. »Vos prima Christi victima«. 3. Str. »Sit Trinitati gloria«.

Die Melodie repräsentirt nicht die kirchliche Singweise, sie ist höchstwahrscheinlich einem Volksliede entnommen.

Nachstehend gebe ich noch einige andere Melodien zu unserem Liede.

No. 97.

Gott grüß euch Märterer Blümelein.

Ein schön Gesang von den Unschuldigen Kindlein zu singen.

(K. I, 137.)

Cöln (Quentel) 1619, 1625. M.-Speier 1631.

Gott grüß euch Märterer Blü - me - lein, Die ihr so
jun-ge Kin - de - lein, Er - lan-get habt die Mar - tyr Kron,
Weil Christ ge - bo - ren Got - tes Sohn.

No. 98.

Gott grüß euch Martyrer Blümelein.

I. Cöln (Brachel) 1619„ 1634. Seraph. Lustgart. 1635.

Gott grüß euch Mar - ty - rer Blü - me - lein,
Die Ihr so jun - ge Kin - de - lein, Er - lan - get
habt die Mar - tyr Kron, weil Christ ge - bo -
ren Got - tes Sohn.

Im Mainzer Gesangbuch 1628 und im Cölner Psalter 1638 findet sich eine Melodie, welche bis zu dem Worte „Kindelein" mit der obigen übereinstimmt. Es ist die Weise von No. 99 im II. Bande „O ihr Schutzengel alle." Man vergleiche auch das folgende Neujahrslied No. 99. Einige Aehnlichkeit mit dem folgenden Brautliede in Beuttners Gesangbuch ist ebenfalls leicht zu erkennen.

Kombt her jhr Singr.

(W. III, 1447.)

Beuttner (1602) 1660.
Kombt her jhr Singr vnd trett her-für, für ei-nes
from-men Bräu-ti-gam Thür, Mit sei-ner Braut, ist jhm
ver-trawt, In züch-ten vnd in eh-ren, Gott wöl sie
seg-nen vnd mehrn.

Ein ähnliches Brautlied, welches den Nic. Hermann zum Verfasser hat, bringt Wackernagel (III, 1446) aus dem Druck: „Zwey schöne Newe Lieder, wie man eine Braut Geystlich ansingen sol. Gedruckt zu Nürmberg durch Val. Neuber 1556." Die Melodie ist aber eine andere.

Neujahrslieder.

(No. 99—106.)

No. 99.

Mit diesem neven Jaire.

Anni novi canticum.

I. Handschrift der Stadtbibliothek in Trier aus dem 15. Jahrhundert.

I. Mel.
II. Mel.
Mit die - sem ne - ven Jai - re, so wirt uns
of - fen - bai - re, we dat eyn maghet fruchtbai - re
de we - relt hait ver - blijt. R. Ge - lo - vet mois syn dat
kyn - de - lyn ge - e - ret mois syn dat meg - de - lijn

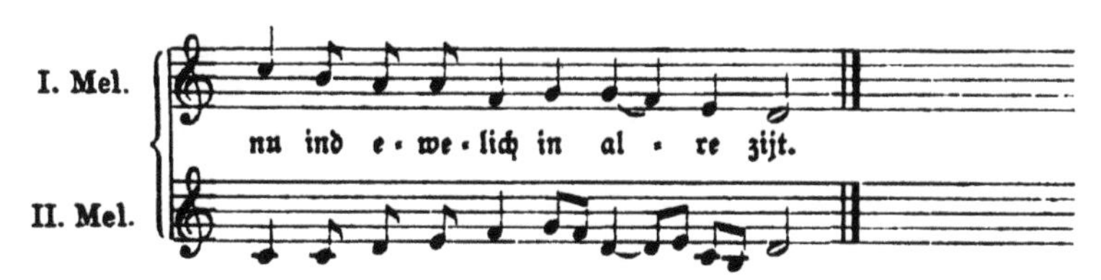
I. Mel.
nu ind e - we - lich in al - re zijt.
II. Mel.

Mitgetheilt von E. Bohn in der Cäcilia, Trier 1877, S. 28 und in den Monatsheften für Musikgeschichte 1877, S. 91.

Die an erster Stelle abgedruckte Melodie scheint dem Liede „Mit diesem newen Jahre" ursprünglich anzugehören. In den vlämischen Gesangbüchern Het Prieel der Gheestelicker Melodiee (1609) 1614 und im Het Paradys 1638 findet man sie mit Figurationen ausgestattet zu demselben Texte:

„Met desen nieuwen iare
Soo wort ons openbare." u. s. w.

In mehr oder weniger veränderter Form ging sie auf das Lied über:

„Als Maria die Jungfraw schon." No. 135.

Man vergleiche auch das vorige Lied No. 98.

Ein schon New Jahrs Liedt.

II. Cöln (Brachel) 1619, 1634.
Mit die - sem Ne - wen Jah - re, So ist vns of - fen -
ba - re, Wie das ein Jungfraw fruchtba - re, Die Welt hat sehr er - frewt,
Ge - lobt muß sein das Kin - de - lein, Ge - ehrt muß sein die Jungfraw fein,
1
Nun e - wig - lich vnd a - le zeit, Ge - lobt muß sein das Kin - de - lein.
1) Cöln 1634 c statt g.
III. Würzburg 1628, 1630. Molsheim (1629) 1659. Erfurt 1666.
Mit die - sem Ne - wen Jah - re, wird vns all of - fen -
bah - re, wie das ein Jungfraw fruchtbah - re, die gan - tze Welt hat

er - fre- wet. Ge - lo - bet muß seyn das süs- se Kin - de- lein, ge- eh - ret
muß seyn, die Jungfraw rein, nun e - wig vnd zu al - ler Zeit.

No. 100.

Es fiel ein himmelsthawe.

Est virgo coeli rore.

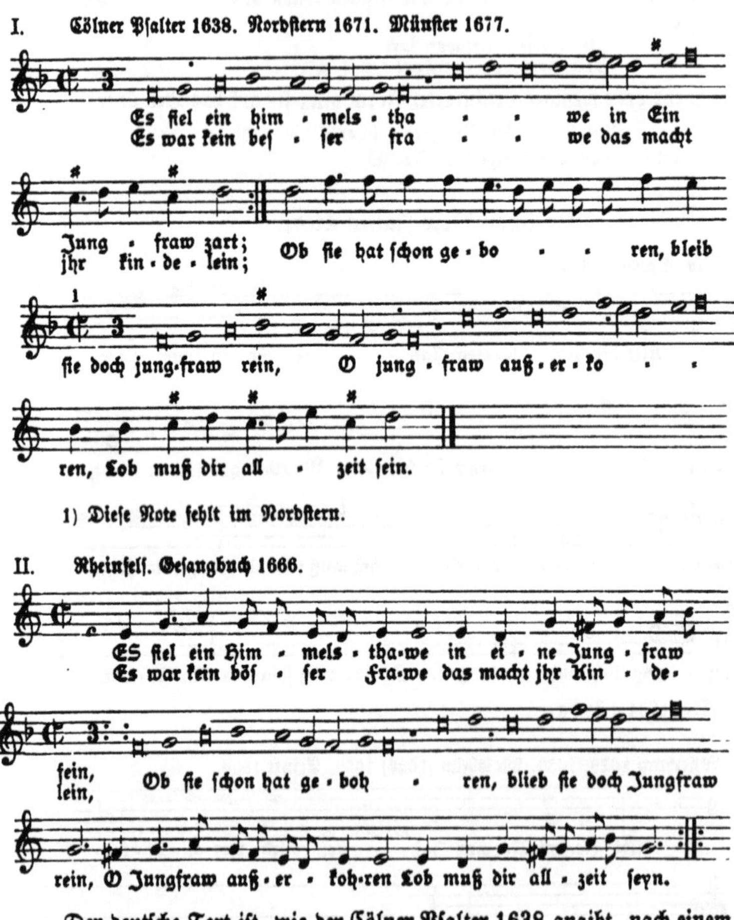
I. Cölner Psalter 1638. Nordstern 1671. Münster 1677.
Es fiel ein him - mels - tha - - we in Ein
Es war kein bes - ser fra - - we das macht
Jung - fraw zart;
jhr kin - de - lein;
Ob sie hat schon ge - bo - - ren, bleib
1
sie doch jung-fraw rein, O jung - fraw auß - er - ko - -
ren, Lob muß dir all - zeit sein.
1) Diese Note fehlt im Nordstern.
II. Rheinfels. Gesangbuch 1666.
ES fiel ein Him - mels - tha-we in ei - ne Jung - fraw
Es war kein bös - ser Fra-we das macht jhr Kin - de-
fein,
lein,
Ob sie schon hat ge - boh - ren, blieb sie doch Jungfraw
rein, O Jungfraw auß - er - koh-ren Lob muß dir all - zeit seyn.

Der deutsche Text ist, wie der Cölner Psalter 1638 angibt, nach einem lateinischen Liede bearbeitet:

»Est virgo coeli rore
Repleta desuper,
Cui par in decore
Non datur mulier.
Hanc veneremur ore
Et sanctis moribus
Et sauciis amore
Divino cordibus.«
Noch 7 Strophen (Daniel II, 337.)

Eine niederdeutsche Uebersetzung theilt Hölscher in seinem Buche „Niederdeutsche Geistl. Lieder und Sprüche, Berlin 1854" aus der Handschrift der Katharina Tirs (1588) mit:

»Idt vel eyn hemelsdou
in eyd kleyn megdekyn« etc.

Die vlämischen Gesangbücher Het Prieel (1609) 1614 und Het Paradys (1621) 1638 haben ebenfalls das Lied:

„Het viel eens hemels dauwe
in een kleyn maechdeken."

Die Melodie ist nicht wie man vielleicht vermuthen könnte dem alten Tageliede:

„Het viel een hemels douwe
vor mijns liefs vensterkijn."
(Böhme, Altdeutsches Liederbuch 113.)

mit welchem unser Lied nur den Versbau gemeinsam hat, entnommen, sondern wir haben hier die Melodie des alten Geusenliedes:

„Wilhelmus von Nassouwe
ben ick van duitschen bloet" etc.

vor uns.

In dem Gesangbuch Het Paradys Der Geestelijcke en Kerckelijcke Lofsangen, Antwerpen (1621) 1638 wird in der Tafel der Liedekens gaende op wereldtsche voysen die Melodie des folgenden Liedes mit „Wilhelmus van Nassouwen" bezeichnet.

O eeuwigh Godt.

III.

O een-wigh Godt All-mach-tigh, Tot u soo
Wilt ons eens zijn ghe-dach-tigh, Maeckt Is-ra-
roe-pen wy,
el eens bly:
Wilt haest Me-si-as sen-den,
Die ons ver-los-sen sal
Van al-le ons el-len-den,
Ghe-schiet door A-dams val.

Diß new Jahr ist fr

In hoc anni circ

Andernach 1608.

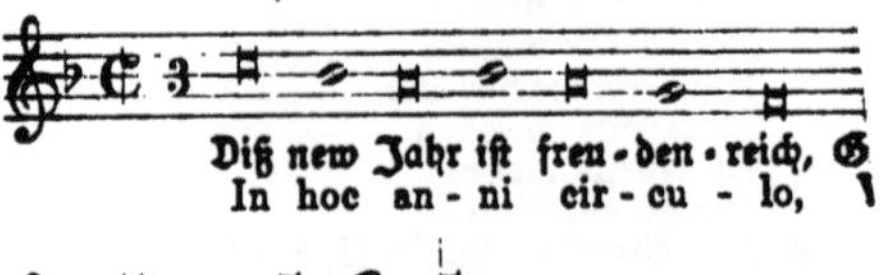
Diß new Jahr ist freu-den-reich,
In hoc an-ni cir-cu-lo,

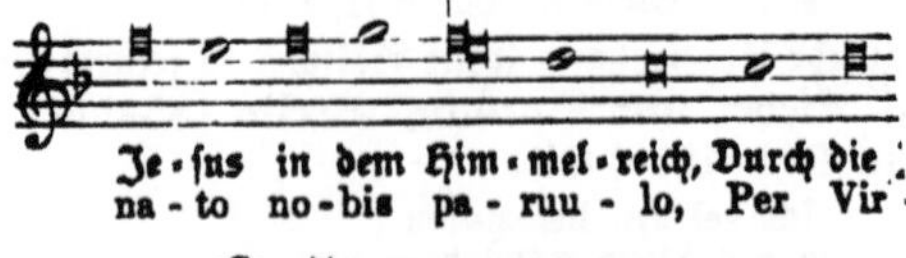
Je-sus in dem Him-mel-reich, Durch die
na-to no-bis pa-ruu-lo, Per Vir

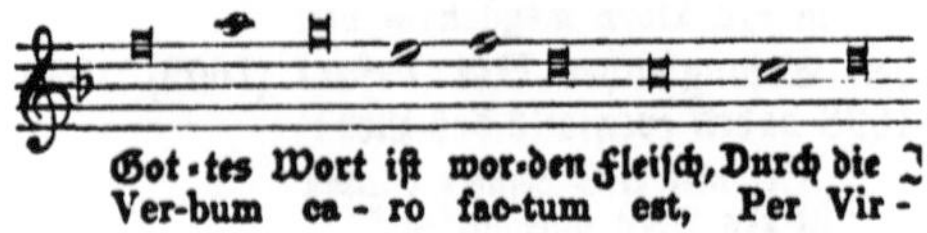
Got-tes Wort ist wor-den Fleisch, Durch die
Ver-bum ca-ro fac-tum est, Per Vir-

Handschrift der Stadtbibliothek in T

I.
Ver-bum ca-ro fac-tum est ex Vi
II.
I.
in hoc an-ni cir-cu-lo
vi-

Mittheilung von E. Bohn in der Cäcilia. Trier 1877, S. 91 und in den Monatsheften für Musikgeschichte IX, S. 26.

Da die zweite Stimme eine begleitende ist, so wird wohl die erste die zu unserm Liede übliche alte Melodie enthalten.

Der Hymnus: »In hoc anni circulo« aus dem 14. Jahrhundert beginnt in den Handschriften gewöhnlich mit dem Rundreim »Verbum caro factum est ex virgine Maria«, sodann folgt: »In hoc anni circulo«. Mone (I, S. 65) theilt ein 12stroph. Lied mit aus einer Handschrift der Stadtbibliothek in Trier aus dem 15. Jahrhundert. In einer andern Fassung bei Mone (II. Bd., S. 80) hat das Lied 29 Strophen. Der Leisentrit'sche Text hat 14 Strophen (vgl. W. I, No. 264—266; Dan. I, 332 ff.)

Uebersetzungen.

I.

„Mit diesen nuwen jare."

Eine niederrheinische verkürzte Bearbeitung aus der genannten Handschrift der Stadtbibliothek in Trier. (bei Mone II, S. 83.)

II.

„In des jares zirlikait." (zirclikait) W. II, 542.

Aus einer Handschrift des Germ. Museums in Nürnberg vom Jahre 1421, No. 3110; bei Hoffmann (K. L. 169) aus einer Münchener Handschrift vom Jahre 1421.

III.

„Zu disem neuen jare zart."

Aus einer Breslauer Handschrift I, 8. 113 des 15. Jahrhunderts. (Daselbst No. 170; W. II, 894.)

No. 102.

Christe geborn in reinigkeit.

Ein Lied am Newen Jarstage von der beschneidung Christi, auff die weis, Ihr Christen jetzundt frölich seidt oder, Es kam ein Engel hell und klar, oder aber wie volget.

(K. I, 130.)

Leisentrit 1567 ff.

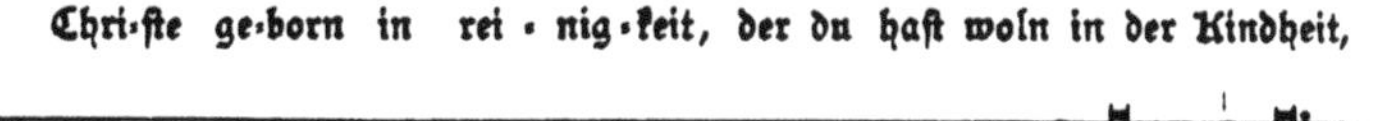

Chri-ste ge-born in rei-nig-keit, der du hast woln in der Kindheit,

am achten tag sein be-schnitten, nach des Jü-di-schen Gsetz sitten.

Nu wol Gott das vn - ser ge-
her - tzen gang, zu wün - sch
vnd es mit gnad ma - che wa

Der Text dieses Liedes findet sich in l
Joh. Zwick herausgegebenen „Nüw gsangbi
by Cristoffel Froschouer. Im Jar 15
lobet seystu Jesu Christ", ferner im Bon
Im Andernacher Gesangbuch 1608 steht:

»Christe Redemptor omn
conserva tuos famulos.«
deutsch:
„Christ vnser Herr Erlös
Bewar dein diener jeder

Diesen lateinischen Hymnus auf das Fest
No. 635, Daniel I, 256) setzt Wackernagel
hundert. In dieser Zeit ist er, wie Mone na
lich vorhanden. (Handschr. zu St. Peter in S
Die obige Melodie gehört nicht dem late
hält sie für eine wendisch-polnische National
S. 637).

No. 104.

Gott ist auff erden k

Ein Schönes altes Liedt auff das newe
tagen, gerichtet

Das Andernacher Gesangbuch hat zu dieser Melodie folgende Texte:

»Jesu redemptor orbis
Quondam prophetice,
Praesagijsque veris
Signate mystice.«

„O süsser Herr Jesu Christ,
Von dir geschrieben ist,
Viel wunderlicher geschicht,
Wie Esaias spricht." (K. I, 129.)

Der lateinische Text ist wahrscheinlich eine Uebersetzung des deutschen. Die obige Melodie ist, wie die Ueberschrift besagt, nicht die alte Weise.

No. 105.

Das alte Jahr vergangen ist.

Am Newen Jahrs Tag.

(W. V, 166.)

Rheinfelsisches Gesangbuch 1666. Davidische Harmonia 1659.

Das al - te Jahr ver - gangen ist, Wir dancken dir HErr
Je - su Christ, das du vns in so grosser Gfahr, gar gnädig -
lich be - hüt diß Jahr, gar gnädig - lich be - hüt diß Jahr.

Protestantisches Kirchenlied, welches gewöhnlich dem Joh. Steuerlein zugeschrieben wird. In der ältesten Form hat das Lied nur die obige eine Strophe. Wackernagel (V, 165) bringt diese aus „Kirchen-Geseng vnd Geistliche Lieder Dreßden 1589." In späteren Gesangbüchern z. B. in dem Eislebener 1598 finden sich die gewöhnlichen 6 Strophen (W. V, 166), während andere z. B. das Hofer Gesangbuch 1603 nur 2 Strophen enthalten. In all diesen Drucken erscheint das Lied anonym. Die Autorschaft Joh. Steuerleins, der als gekrönter Dichter und Componist einen bedeutenden Ruf genoß, († 1613 als Stadtschultheiß zu Meiningen) hat J. Avenarius zuerst aufgestellt. Er schreibt in seinem Epistolischen Kirchenschmuck Arnstadt 1722, er besitze den ersten Druck des Liedes, der im Jahre 1583 zu Erfurt mit angehängter gewöhnlicher Melodie und dem Bildnisse Steuerleins in Holzschnitt nebst einer Vorrede von Cyriakus Schneegaß erschienen sei. (Wetzel, Hymnopoeographia III, S. 262.) Andere schreiben auch dem Joh. Tapp die Autorschaft der Strophen 4—6 zu. Die dritte Strophe des Liedes lautet:

„Entzeuch vns nicht dein heilsams wort,
welchs ist der seelen heyl vnd trost.
Fürs Babsts lehr vnd Abgötterey
behüt vns Herr vnd steh vns bey."

nannte Strophe ist später dahin abgeänd

„Für falscher Lehr, Abgötterei

Die Melodie ist jedenfalls auch vo
vieler lateinischer und deutscher Lieder gilt.
Lexikon Bd. IX, S. 429.)

Die Davidische Harmonie und das
nur 4 Strophen.

2) Hilff, daß wir von der Sünd
3) Christlich zu leben seeliglich.
4) Zu dancken und zu preisen di

Das sind die Strophen 1, 4, 5 und 6
Melodie ist hier dieselbe, welche im Vopeliu
1646, steht. Sie ist nach Koch die alte W
Einzeldruck 1588 stehen soll.

(Näheres in Kochs Kirchenlied, alte Au
Fischers Lexikon I, S. 88 ff.)

No. 106.

HElfft mir Gotts Gü

(W. IV, 7.)

Rheinfels. Gesangbuch 1666.

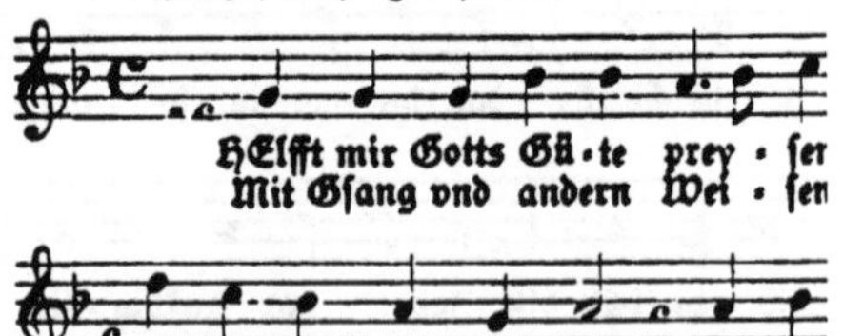
HElfft mir Gotts Gü - te prey - sen
Mit Gsang vnd andern Wei - sen
fürnemblich zu der Zeit

Namen seiner Tochter „Helena" verfertigt haben, deren Namen in den Anfangsbuchstaben der Strophen liegt.

Die Davidische Harmonie 1659 und das Rheinfelsische Gesangbuch 1666 haben nur 5 Strophen. Die dritte des obengenannten Druckes „Lehrampt, Schul, Kirch erhalten" ist hier fortgeblieben.

Die Melodie, welche in der Davidischen Harmonie steht, ist wegen der schlechten musikalischen Redaction dieses Gesangbuches vollständig korrumpirt und deßhalb hier nicht mitzutheilen.

Die Singweise in protest. Gesangbüchern ist die des Volksliedes „Ich ging einmal spacieren ein weglein das war klein," welche ich im II. Bde. zu dem Liede No. 285 „Von Gott will ich nicht lassen" mitgetheilt habe. Die aus dem Rheinfelsischen Gesangbuch abgedruckte Weise habe ich in protest. Gesangbüchern nicht vorgefunden.

Lieder von den heilige[n]

(No. 107—115

No. 107.

Eya Herre g

Ain tagweis von den heylign dreyn K

(W. II, 526.)

Ey - a Her - re got, was mag das g
sa - lem ein wachter sangk „Ich siech re
aus few-ers röt gar an ane - f
enc - zun - det sey, der frid der wo
All - so redt mein syn vnd mei

Diese Tagweise ...

No. 107a.

Ich lag in einer Nacht und schlieff.

Augusta regum corpora.

(K. II, 718; W. II, 917.)

I. Andernach 1608.

Ich lag in ei-ner nacht vnd schlieff, mich daucht mir Kö-nig
Au-gu-sta regum cor-po-ra, de-uo-ta pos-cunt
Ca-spar rief, Ich solt klär-lich be-schreiben, Von Drey Kö-nig
car-mi-na, De-o ma-nen-te summo, Quae re-gi-o
ein wa-res lied. Sie sein zu Cöln am Reine.
Co-lo-ni-a Foe-lix fo-uet se-pulchro.

Das deutsche Lied ist ein älteres. Es kommt vielfach in Einzeldrucken des 16. Jahrhunderts vor. Vgl. in der Bibliographie 1560 und 1566. Auch die Straubinger Ansinglieder 1590 enthalten den Text. Das lateinische Gedicht ist eine Uebersetzung des deutschen.

(W. II, 916.)

II. Paderborn 1616, 1617. Erfurt 1666.

Ich lag in ei-ner Nacht vnd schlieff, mich träumt wie mir
Kö-nig Da-vid rieff, wie ich solt tichtn vnd rey-men, von
Heil(i)gen drey Kö-nigen ein newes Lied, sie liegen zu Cölln am Rheine.

Am Weynacht abend in der still.

Ein ander Lobgesang von dem Newgebornen Christkindlein, von einer Geistlichen Personen gestallt.

(K. I, 107.)

III. Cöln (Quentel) 1619 ff. Würzburg 1628, 1630 ff. Bamberg 1628, 1670. M.-Speier 1631. Corner 1631. Dessen Nachtigall 1649 ff. Molsheim (1629) 1659. Prag 1655. Straßburg 1697.

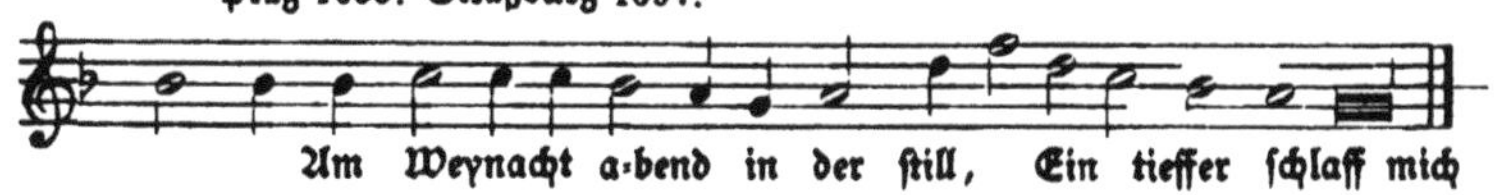
Am Weynacht a-bend in der still, Ein tieffer schlaff mich

Der Text kommt schon in einem Liede
Die Melodie ist eine alte und volksth
Variante vom Lindenschmidston (Altdeutsc
merkt, daß sie im Gesangbuch der Böhm.
komme:

„In einer grossen tunckelheit,
gieng ein stern auff grosser klarh

Dieses Lied steht im Anhange zu de
den Titel führt:

„Geistliche Lieder, dern etliche von
eintrechtiglich gebraucht, vnd etliche zu
gericht sind."

In Corners Nachtigall 1649 steht die
auf die h. Martha:

„Last vns ein Jungfraw hochgeborn

und im Prager Gesangbuch 1655 zu dem Tex

„O Hertz, O du betrübtes Hertz,
wie groß, wie groß dein weh vnd sc

Vgl. zum Lindenschmidston das Lied No

No. 108.

ES führt drei König (

(K. I, 134; W. V, 14

Cöln (Brachel) 1623, 1634. Cöln (Quentel) 1
Speier 1631. Corner 1631. Seraph. Lust
(1629) 1659. Erfurt 1666.

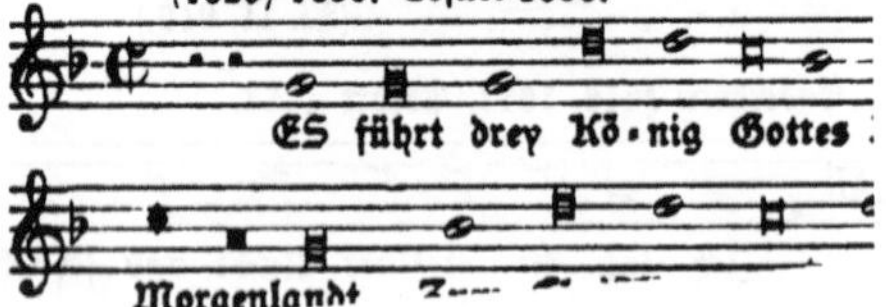
ES führt drey Kö-nig Gottes

No. 109.

Wollet jhr hören ſingen ein wunder⸗liedt.

Nouum ordimur hymnum.

(W. II, 1447.)

I. Andernach 1608.

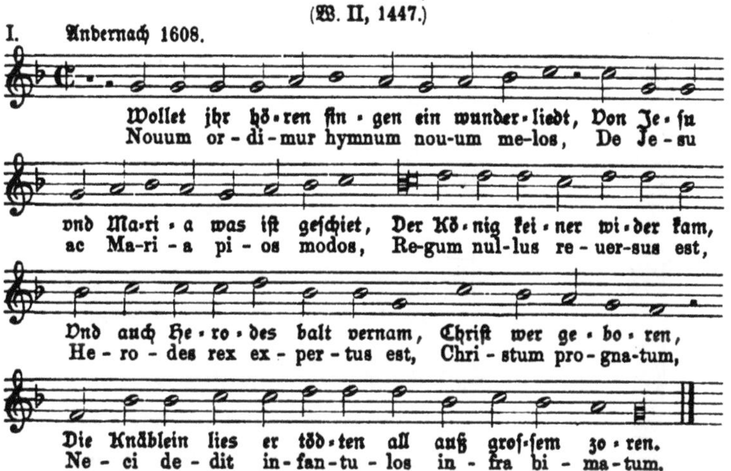
Wollet jhr hö⸗ren ſin⸗gen ein wunder⸗liedt, Von Je⸗ſu
Nouum or-di-mur hymnum nou-um me-los, De Je-su
vnd Ma⸗ri⸗a was iſt geſchiet, Der Kö⸗nig kei⸗ner wi⸗der kam,
ac Ma-ri-a pi-os modos, Re-gum nul-lus re-uer-sus est,
Vnd auch He⸗ro⸗des balt vernam, Chriſt wer ge⸗bo⸗ren,
He-ro-des rex ex-per-tus est, Chri-stum pro-gna-tum,
Die Knäblein lies er töd⸗ten all auß groſ⸗ſem zo⸗ren.
Ne-ci de-dit in-fan-tu-los in-fra bi-ma-tum.

Wackernagel ſetzt das deutſche Lied in das 15. reſp. 16. Jahrhundert. Der lateiniſche Text iſt wohl eine Ueberſetzung des deutſchen. Die Melodie iſt ebenfalls alt und volksthümlich. Ich finde ſie in „Weinholds Weihnachtſpielen und Liedern“ zu einem Hirtenliede:

Es iſt iezt ſo ain kalte nacht.

II.

Es iſt iezt ſo ain kal⸗te nacht mich freurt gar ſer;
wie wol ich das iezt gar nit acht, noch wirts mir ſchwer,
daß ich mueß hüe⸗ten mei⸗ner herd. Mein knecht ſein nit ains
vie⸗rers wert, habs wol ver⸗numen. So möcht ich a⸗ber wiſſen
gern und wo ſie wern hin kumen.

Aus „Benedict Edelpöcks Comedie von der freudenreichen Geburt Jeſu Chriſti“. Handſchrift der K. K. Hofbibliothek in Wien Cod. phil. 10, 180. XVI. Jahrhundert. (bei Weinhold, Weihnacht⸗Spiele und Lieder. Graz. 1870, S. 222 und Muſikbeilage.)

Ein Kind • lein ist vns ge • bo
das bracht dem Hero • des zorn,
Kö • nig auß Mor • gen • land ka • m
fragten wo ist ge • bo • ren der Kö
Wir sa • hen in O • ri • enten
kom • men an • zu • bet • ten, daß

Varianten. M.-Speier: 1) c d e f e d c zu den
2) g f statt a a. 3) f statt g b.

Der 6strophige Text findet sich auch b
Dieser scheint also das Lied für ein älteres
Der Gheestelicker Melodiie etc. T'Hantw
obige Melodie zu einem vlämischen Texte von

„Een kindeken is ons gheboren in Bath
Des hadde ...

(W. V, 1476.)

II. Paderborn 1609. Corner 1631. Würzburg 1628 ff. Molsheim (1629) 1659.

Ein Kindlein ist vns ge - bo - ren zu Bethle - hem,
Deß frew - et sich auff Er - den Je - ru - sa - lem,
Die En - ge - lein die bringen den Hir - ten die botschafft auff dem feldt,
Wie daß diß Kin - de - lein sey das Heyl der gan - tzen Welt,
darumb die Hir - ten eyl - ten gen Bethle - hem.
1
2
3

Würzburg 1628 u. a. 1) f statt b. 2) f statt e. 3) a statt f.

Im Paderborner Gesangbuch 1609 und bei Corner 1631 folgt der Text „**Ein Kindlein ist vns geboren zu Bethlehem, das bracht dem Herodes zoren vnd grossen Grimm**" in der dritten Strophe. Von da ab beginnen auch die übrigen 5 Strophen alle mit diesen Zeilen.

No. 110a.

Ein Kindt ist vns geboren zu Bethleem.

Est Jesus nobis natus.

Andernach 1608.

Ein Kindt ist vns ge - bo - ren zu Beth - le - em, Die
Ein Kö - nig auß - er - ko - ren der Him - me - len, Wie
Jungfraw nam groß wun - der wie das sie schwanger sey,
das wort fleisch sey wor - den, Gott vnd auch Mensch dar - bey,
Ge - wick - let in gar schlech - te klein tü - che - lein.
Ge - legt auffs Hew in Krip - pe bey's E - se - lein.

Der beigegebene lateinische Text, wohl eine Uebertragung des deutschen, heißt so: **Est Jesus nobis natus in Bethleem, Qui est Rex Angelorum spes hominum, Stupet se Maria foecundam Virginem, Verbum carnem factum et Deum hominem, Vilibus indutum panniculis In foeno collocauit cum jumentis.** (noch 2 Strophen).

Das Lied ist in andere Gesangbücher nicht übergegangen. Der Text findet sich bei Hoffmann K. L., No. 313.

Tres Ma - gi de gen - ti - bus, Je-su
Drey Kö - nig auß frembden landt, Je - s

fle - xis ge - ni - bus Cum vir - gi - ni
kni - endt Gott er - kent, Mit der Jungfra

Der lateinische Text findet sich bereits
1567 unter den ältern Weihnachtsgesängen.
(W. I, 405.)

„Die Weise ist einfach und echt volksmä
beim Absingen von Kinderspielreimen hören
ein Ansinglied am Dreikönigstage". (Böhm
640.)

No. 112.

Als die Weisen verwarn

Ein recht Christliches Liedt von den
und Martyrern Gottes, vmb Weina
zu singen.

(W. V, 1380.)

Leisentrit 1584.

Als die Wei-sen verwarnt von Gott,

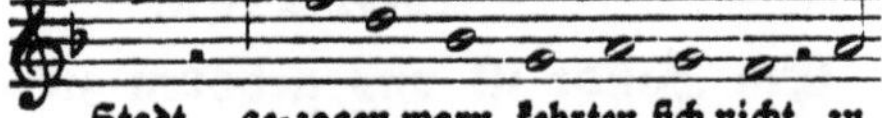
Stadt, ge-zogen warn, kehrten sich nicht, zu

Die Melodie steht in Nic. Hermans Sc
1561. Blatt 10 mit dem Bemerken: „Au
alle Euangelia singen die 4 Vers habe

bist, Von ei - ner keu - schen Jungfraw zart, vnd dich durch ein Stern
gof - fen-bart, den Wei-sen in dem Mor - genland, das sie
dich ein Gott habn er - kandt.

1) Leisentrit 1584 e statt d.

Der Text des Liedes ist von Hecyrus, der seinem Freunde Leisentrit viele Lieder überließ, welche er später (1581) selbst drucken ließ.

No. 114.

ALs Jesus Christ geboren war.

(K. I, 140; W. III, 277.)

Cöln (Brachel) 1619, 1625, 1634. M.-Speier 1631.

ALs Je-sus Christ ge - bo - ren war, Zu He - ro - des
Er-schien ein Stern, schön hell vnd klar, Hoch-ge-lehr-ten
zeit - ten,
Leu - then,
Den Wai-sen in dem Mor-gen-landt, An
dem sie mer-cke-ten zu hand, Das ein Kind er - schie-nen, Wie ein
Kö-nig ge - bo-ren wer, Welchem das gantz Jü - disch Heer, Schul-
dig wer zu die - nen.

Wir haben hier eine neuere Melodie zu dem unter No. 43 bereits angeführten Liede.

Als Je-sus nun ge-bah-ren ward,
2
Art, Noch bey He-ro-dis zei-ten;
land die Wei-se sinnreich von verstand, Mit jh

Varianten in den Würzburger Evangelienbüchern: 1) c statt d. 2) c b a statt b a a.

Lieder vom Namen Jesus.

(No. 116—130 b.)

No. 116.

Jhesus ist gar ein süsser nam.

Ein anders am newen Jarstag von dem süssen Namen Jesu.

(K. I, 150; W. II. 1003.)

Leisentrit 1584. Andernach 1608.
Jhe-sus ist gar ein süs-ser nam, den ruf-fen wir ar-me
sün-der an, dardurch wir huld er-lan-gen, ge-nad Herr, ge-nad,
* Andernach.
ge-nad all vn-ser sünd vnd mis-se-that. Den ruf-fen wir arme

Das Andernacher Gesangbuch hat dazu den lateinischen Text:

»Jesu fauo suauius
Et melle nomen dulcius,
Oramus omnes actibus,
Quo purget a nocentibus.
O dulce Jesu nomen,
Absterge criminum luem.«

Das Lied ist vorreformatorisch. Wackernagel (II, 1000) bringt einen Text aus dem Münchener Cod. lat. 11225 fol. vom Jahre 1478.

I.

Dieser hat folgende Strophenanfänge:

1) Jhesus ist ain süesser nam.
2) Jhesu, wer dich suechen wil.
3) Jhesu sal ich ze füessen.
4) Jhesus ist mein höchster trost.
5) Jhesu gab vnd rosenfarbs pluet.
6) Jhesu, lieber herre.
7) Lob vnd er in ewigkayt.

II.

Eine Papierhandschrift zu Kloster Neuburg No. 1228. 8. aus dem Anfange des 16. Jahrhunderts:

Dieselben Strophen mit einigen Textvarianten (W. II, 1001.)

III.

Das Obsequiale Ingolstadt 1570 und Ritus eccl. Dilingen 1580, Kolers Ruefbuechl 1601, dann Beuttner 1602 haben noch eine 8. Strophe.

„Alleluia singen wir." (W. II, 1002)

IV.

Im Tegernseer Gesangbuch 1577 und bei Leisentrit 1584 fehlt die Strophe 4 von der Fassung III.

V.

Die in Cöln (bei Brachel) 1619, 1525, 1634 erschienenen Gesangbücher haben außer den genannten 8 Strophen noch eine 4a:

„O Jesu vnser aller Heyl."

Ein ganz anderes Lied ist dasjenige, welches zuerst im Mainzer Cantual 1605 steht. Nur die erste Strophe stimmt mit dem alten Liede überein, die übrigen 8 sind neu hinzugedichtet.

Die Melodie bei Leisentrit 1584 und im Andernacher Gesangbuch findet sich in späteren Gesangbüchern nicht wieder. Dagegen tritt eine andere Melodie auf, die sehr beliebt gewesen zu sein scheint und aus diesem Grunde nicht blos dem obigen Liede, sondern einer ganzen Anzahl anderer Texte zugeeignet wurde. Sie steht bei Beuttner zu dem Liede „Vnd Christ der ist erstanden." In den Monatsheften für Musikgeschichte VI. Jahrg., S. 73 und Beilage, S. 1 hat R. Eitner aus einem Musikmanuscript der Königl. Bibl. in Berlin (Z., 8037, 4. aus dem 15. Jahrh.) in einem dreistimmigen Satz „Christ der ist enstanden" die folgende Melodie nachgewiesen. Sie gehört also wohl ursprünglich diesem Osterliede an.

No. 117.

Jesus ist ein süsser nam.

(K. I, 149; W. II, 1004.)

I. Obsequiale 1570. Ritus eccl. Dilingen 1580. Mainzer Cantual 1605. Paderborn 1609 ff. Hildesheim 1625. Mainz 1627. Würzburg 1628 ff. Bamberg 1628 ff. Molsheim (1629) 1659. Erfurt 1666.

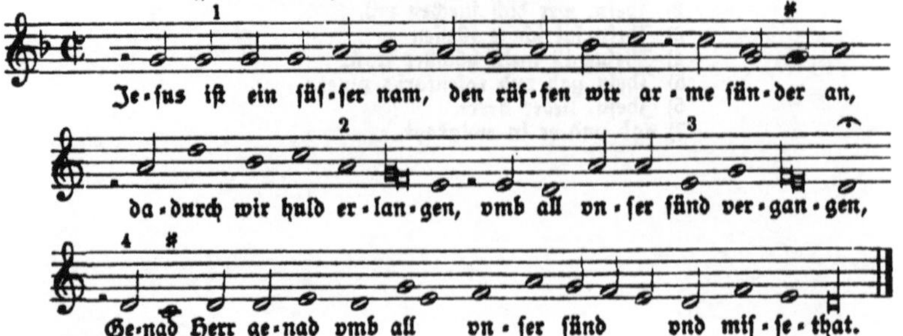
1
Je-sus ist ein süs-ser nam, den rüf-fen wir ar-me sün-der an,
2
3
da-durch wir huld er-lan-gen, vmb all vn-ser sünd ver-gan-gen,
4
Ge-nad Herr ge-nad vmb all vn-ser sünd vnd mis-se-that.

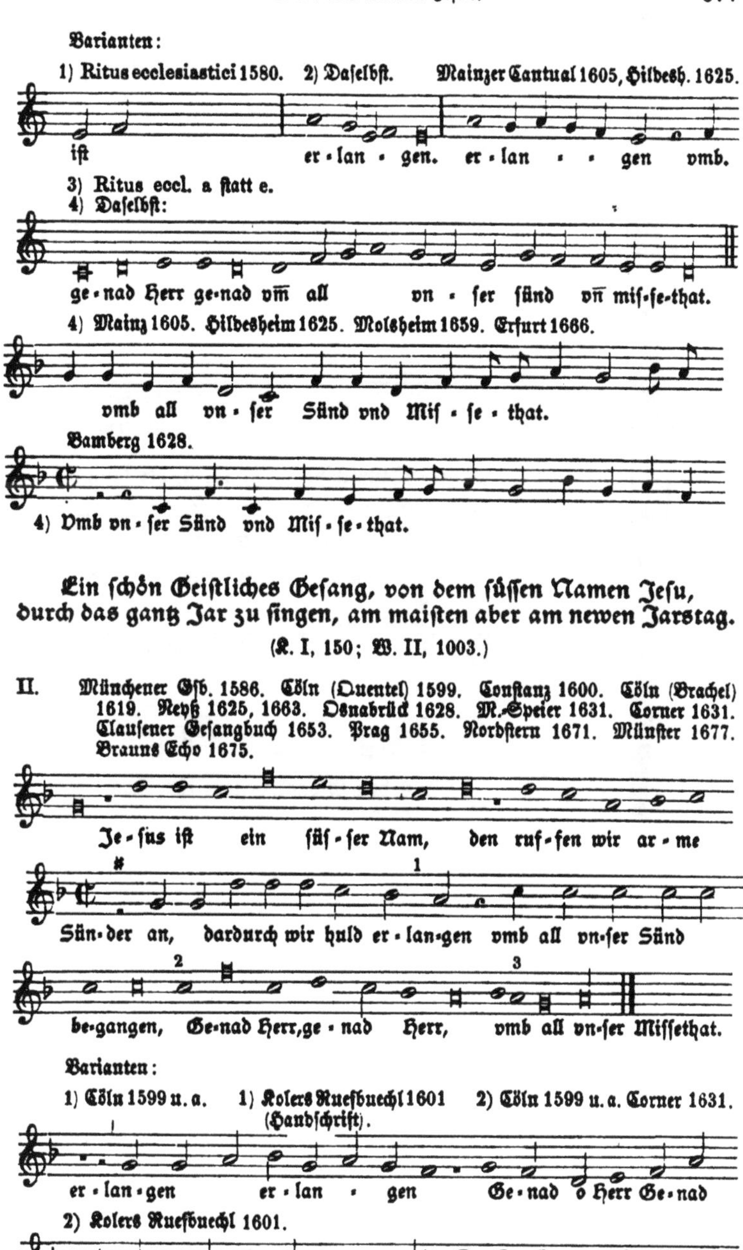
Varianten:
1) Ritus ecclesiastici 1580. 2) Daselbst. Mainzer Cantual 1605, Hildesh. 1625.
ist er - lan - gen. er - lan - - gen vmb.
3) Ritus eccl. a statt e.
4) Daselbst:
ge - nad Herr ge - nad vm̄ all vn - ser sünd vn̄ mis-se-that.
4) Mainz 1605. Hildesheim 1625. Molsheim 1659. Erfurt 1666.
vmb all vn - ser Sünd vnd Mis - se - that.
Bamberg 1628.
4) Vmb vn - ser Sünd vnd Mis - se - that.
Ein schön Geistliches Gesang, von dem süssen Namen Jesu, durch das gantz Jar zu singen, am maisten aber am newen Jarstag.
(K. I, 150; W. II, 1003.)
II. Münchener Gsb. 1586. Cöln (Quentel) 1599. Constanz 1600. Cöln (Brachel) 1619. Neyß 1625, 1663. Osnabrück 1628. M.-Speier 1631. Corner 1631. Clausener Gesangbuch 1653. Prag 1655. Nordstern 1671. Münster 1677. Brauns Echo 1675.
Je - sus ist ein süs - ser Nam, den ruf - fen wir ar - me
Sün-der an, dardurch wir huld er - lan-gen vmb all vn-ser Sünd
be-gangen, Ge-nad Herr, ge - nad Herr, vmb all vn-ser Missethat.
Varianten:
1) Cöln 1599 u. a. 1) Kolers Ruefbuechl 1601 (Handschrift). 2) Cöln 1599 u. a. Corner 1631.
er - lan - gen er - lan - gen Ge - nad o Herr Ge - nad
2) Kolers Ruefbuechl 1601.
Ge-nad Herr ge - nad______, Vmb all vn-ser sünd vnd mis-se-that.

„O Mensch Gottes Geschöpff v
»Homo Dei Creatura

VNd Christ der i

Ein anders Oster

III. Beuttner (1602) 1660.
VNnd Christ der ist er - standen,
Deß solln wir al - le froh seyn, Vnd Ch
Ki - ri - e e - - lei - son.
Musik-Manuscript Z., 8037. 4. der königl.
Christ der ist en - stan - den
Aus den Monatsheften für Musik

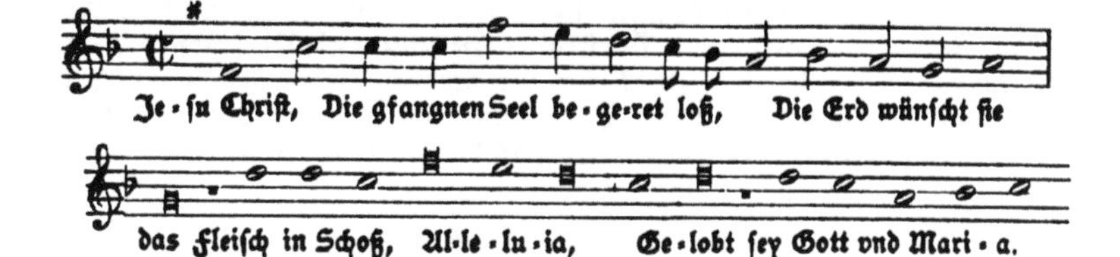
Je - su Christ, Die gfangnen Seel be - ge-ret loß, Die Erd wünscht sie
das Fleisch in Schoß, Al-le - lu - ia, Ge - lobt sey Gott vnd Mari - a.

Das deutsche Lied ist nach dem lateinischen »Ad perennis vitae fontem« (Mone I, No. 300), welches dem h. Augustinus zugeschrieben wird, gedichtet. Der deutsche Text findet sich bereits im Münchener Gesangbuche 1586 „Im Thon Jesus ist ein süsser nam".

Nach einer Ueberschrift in Vetters Paradeißvogel 1613 ist der lateinische Text „von Petro Damiano, Cardinalen zu Ostia († 1072) auß des H. Augustini Sprüchen" gezogen. Eine zweite Melodie steht im II. Bande unter No. 351.

O Seel! in aller Angst vnd Noth.

Von den H. 5 Wunden Christi.

(K. I, 318.)

V. Cöln (Brachel) 1623, 1634. Mainz 1628. Corner 1631. Seraph. Lustgart. 1635. Cölner Psalter 1638.

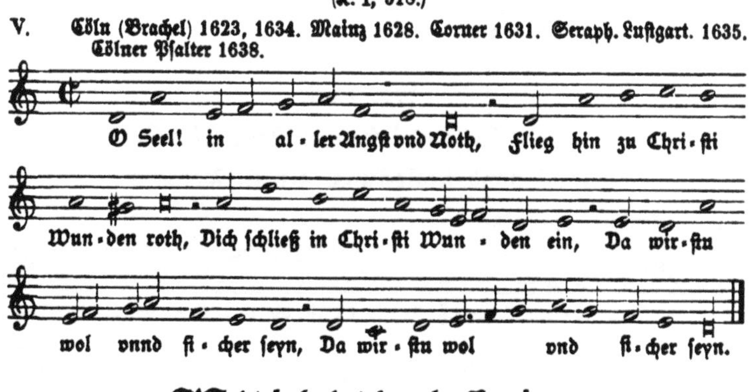
O Seel! in al - ler Angst vnd Noth, Flieg hin zu Chri - sti
Wun - den roth, Dich schließ in Chri - sti Wun - den ein, Da wir - stu
wol vnnd si - cher seyn, Da wir - stu wol vnd si - cher seyn.

IN dich hab ich gehoffet Herr.

(W. III, 170.)

VI. Rheinfelsisches Gesangbuch 1666. Davidische Harmonia 1659.

IN dich hab ich ge - hof - fet Herr, hilff daß ich nicht zu schan-
den werd, noch e - wig - lich zu spot - te, ich bit - te dich,
er - hal - te mich, in dei - ner Trew Herr GOt - te.

Protestantisches Kirchenlied in 7 Strophen von Adam Reusner zuerst in „Form vnd ordnung Geystlicher Gesang vnd Psalmen. Augsburg 1533". Im Joh. Zwick'schen Gesangbuch, Zürich 1540, unter des Dichters Namen. Ueber die Verbreitung des Liedes in protest. Gesangbüchern findet man Auskunft in Fischers Lexikon I, S. 409.

No. 117a.

Wie süß ist die Gedächtnis dein.

(K. I, 152.)

Reyß 1625.

Wie süß ist die Ge-dächt-nis dein, O Herr Je-su dem Her-tzen
mein, v-ber Ho-nig vnd al-les ist, wo du mein Je-su
sel - ber bist.

No. 118.

Dein süsse gdächtnuß Jesu Christ.

Jubil vnnd Frolockung, deß H. Bernardi.

I. Constanz 1600, 1613.

Dein sü-se gdächt-nuß Je-su Christ, die rech-te Frewd der Her-tzen
ist, das Hö-nig vnd als v-ber-trifft weidt dein sü-se Ge-gen-
wer-tig-keit, dein sü-se Ge-gen-wer - - - - tig-keit.

II. In einem Einzeldruck „Ein sonders Andächtiger Hymnus von der Menschwerdung u. s. w. Gedruckt zu Newburg an der Thonaw durch Lorentz Danhauser 1619" steht diese Melodie mit einigen Varianten bei dem folgenden Texte:

Ec-ce tan-dem Sem-pi-ter-nus, Sem-pi-ter-ni fi-li-us.
Sie-he nun mehr deß e-wi-gen: All-zeit e-wi-ger Soh-ne,

Ec-ce Pa-tris in-cre-a-tus In-cre-a-ti fi-li-us. Ec-
Si-he deß ein er-schaf-fe-nen, Nie-mals er-schaff-ner Soh-ne: Si-
ce sum-mi ge-ni-to-ris, Sum-mus u-ni - - ge-ni-tus.
he des höchsten Vat-tern: Höchst-ein-ge-bor - - ner Sohne.

Der 18strophige Text des lateinischen Liedes findet sich auch in Het Prieel der Gheestelicker Melodiie. Antwerpen (1609) 1614.

No. 119.

O süsser Herr Jesu Christ.

(K. I, 139.)

Cöln (Quentel) 1619, 1625. Cöln (Brachel) 1619, 1634. M.-Speier 1631.

O süs-ser Herr Je-su Christ, Von dir ge-schrie-ben ist, Viel wun-
der-li-cher gschicht, Wie E-sa-i-as spricht.

Vgl. S. 363.

No. 120.

O süsser Jesu.

Pie Jesu.

I. Liebliche Kinder-Cythar 1632.

O süs-ser Je-su Er-lö-ser der Welt, Dein Nahm ist wie ein
Pi-e Je-su re-demptor ho-mi-num, no-men tu-um ef-
auß-ge-gos-sen Oel, Vor dem so thun sich bie-gen al-ler Knie,
fu-sum o-le-um, in quo ge-nu cur-ua-tur om-ni-um
Die vn-den sein, vnd auch auff Er-den hie, Vnd im Him-mel vnd im
in-fer-no-rum at-que ter-res-tri-um, et coe-lo-rum et coe-
Him-mel, Vnd im Him-mel. O schaw
lo-rum, et coe-lo-rum. O quam
die süs-se Namen da Je-sus :|: Je-sus :|: Je-sus vnd Ma-ri-a.
dul-ci-a no-mi-na Je-sus, Je-sus, Je-sus et Ma-ri-a.

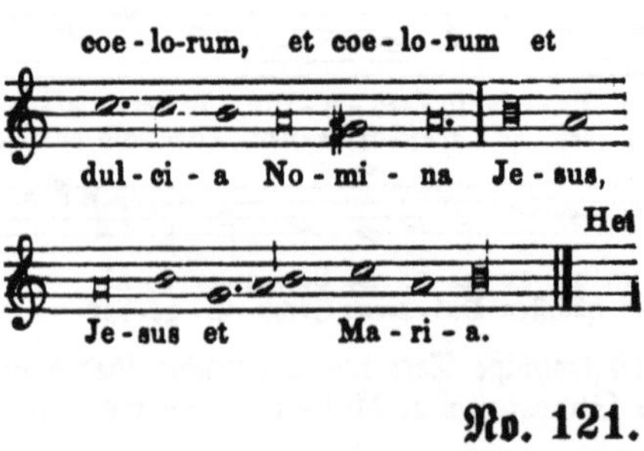
coe - lo-rum, et coe - lo - rum et
dul - ci - a No - mi - na Je - sus,
Hei
Je - sus et Ma - ri - a.

Nr. 121.

Süsser Jesu, süsser

Dulcis Jesu, dulce

Ein vberauß schönes Weyn

M.-Speier 1631. Cölner Psalter 1638. Nord

Süs - ser Je - su, süs - ser Nahm,
Dul - cis Je - su, dul - ce no-men,
Süs - se Mut - ter, süs - ser Vat - ter,
Dul - ce coelum, dul - ce so - lum,

Der lateinische Text mit der Melodie findet sich auch in dem vlämischen Gesangbuche: Het Prieel der Gheestelicker Melodiie, Antwerpen (1609) 1614. 6 Str.

Psalter 1638: Die # # fehlen. 1] d fehlt. 2) b fehlt. 3) a statt g.

No. 122.

Süsser Jesus, Süsser Christus.

Das liebreiche Gesang: Dulcis Jesu, dulce nomen deutsch.

Corners Nachtigall 1649.

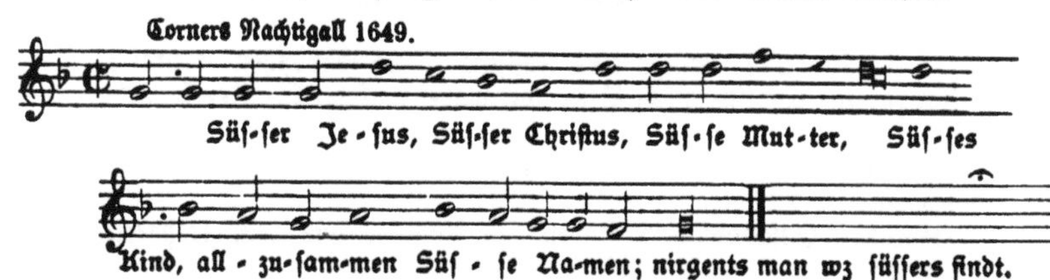
Süs-ser Je - sus, Süs-ser Christus, Süs - se Mut-ter, Süs - ses
Kind, all - zu-sam-men Süs - se Na-men; nirgents man wz süssers findt.

No. 123.

Jesu dulcis memoria.

Handschrift der Stadtbibliothek in Trier aus d. J. 1482.

I. Mel.
II. Mel.
Je-su dulcis memo - ri - a, dans ver-a cor-dis gau - di - a,
sed su - per mel et om - ni - a, e - jus dul - cis prae-sen - ti - a.
III. Mel.
Je - su dul - cis me-mo - ri - a, dans ver - a cor-
dis gau - di - a, sed su - per mel et om - ni - a, e - jus dul-
cis prae - sen - ti - a.

Mitgetheilt von E. Bohn in den Monatsheften für Musikgeschichte 1877, S. 27 und in der „Cäcilia" Trier 1877, S. 84.

Zur zweiten Melodie vergleiche man No. 60.

Der liebliche Hymnus »Jesu dulcis memoria« wird von den Hymnologen dem h. Bernhard von Clairvaux zugeschrieben. Wackernagel (I, 183) bringt den 47- resp. 50strophigen Text aus »Sancti Bernhardi abbatis primi Clarae-Vallensis Oper. vol. II. D. Joan. Mabillon, Parisiis 1719« und aus »G. Fabricii, Poetarum veterum Ecclesiasticorum Opera Christiana, Basileae 1564.«

Bei dem letzteren ist der Hymnus für die kirchlichen Tageszeiten Matutin, Prim, Terz, Sext, Non, Vesper und Complet in 7 Abschnitte eingetheilt.

Mone (I, No. 258) bringt eine Fassung in 25 Strophen ebenfalls in Abtheilungen für das liturgische Officium, wobei auch die Laudes berücksichtigt sind.

(Pergamenthandschrift zu Frankfurt a. M. aus dem 14. Jahrhundert; vgl. auch Daniel I, 226 ff.)

In deutschen Gesangbüchern finden sich Auszüge aus dem größeren Texte in verschiedener Strophenzahl.

Im Andernacher Gesangbuche stehen 9 Strophen. In den Paderborner Gesangbüchern 1609 ff., im Hildesheimer 1625 und Mainzer Cantual 1627: 24 Strophen. In Vetters Paradeißvogel 1613, im Cölner Gesb. (Brachel) 1619 und bei Corner 1631: 48 Strophen. In den Würzburger Gesangbüchern 1628 ff. 39 Str. Von deutschen vorreformatorischen Uebertragungen nenne ich folgende:

1) „Nie wart gesungen süzer gesanc,
nie wart süzer saiten clanc." 11 Strophen.

Münchener cod. germ. 717. 4. vom Jahre 1347. (W. II, 488; Hoffmann KL. 167.)

2) „An gesum gedenken ist suesekeit,
Die sele da non wrt gemeit." 2 Str.

Handschrift der Baseler Universitäts-Bibl. B. XI. 8. aus dem 14. Jahrhundert (W. II, 490.)

3) „Der süzz gedanch an ihesum christ
ein ware freud dez herczen ist." 44 Str.

Papierhandschrift aus dem 15. Jahrhundert 4. im Benedictinerkloster zu den Schotten in Wien. (W. II, 810.)

4) „Jesu, wan ich gedenke an dich
all min herze erfreuwet sich." 44 Str.

Papierhandschrift No. 47 des Marzellengymnasiums in Cöln vom Jahre 1460. (W. II, 811; Hoffmann KL. No. 168). Uebersetzungen in kath. Gesangbüchern habe ich unter den Melodien vermerkt.

In protestantischen Gesangbüchern finden sich ebenfalls Uebertragungen:

1) „O Jesu süß wer dein gedenckt
sein Hertz mit Frewd wird vberschwenckt."

18 Strophen, aus dem „Paradiß-Gärtlein ... Durch Johannem Arndt Magdeburg 1612". Diese 18 Strophen finden sich auch in dem 48strophigen Liede, welches der Jesuit Vetter in seinen „Paradeißvogel" 1613 aufgenommen hat. (Vgl. W. V, 703 u. 1522). Letzterer führt in der Vorrede (vgl. dieselbe) unser Lied unter denjenigen Texten an, welche „schon vorhin jedes in seiner Melodey vnd Thon mit beygesetzten Noten getruckt außgangen." In der früheren Auflage des Paradeißvogel, die

„Rittersporn“ hieß und im Jahre 1605 erschienen war, finde ich das Lied nicht; allerdings ist mein Exemplar auch defekt; da aber jedenfalls ein früherer Druck existirt, so ist das 18strophige Lied in Arndts Paradiß-Gärtlein 1612 wahrscheinlich ein Auszug aus dem bereits früher erschienenen 48stroph. Liede in Vetters „Paradeißvogel“.

Auf protest. Seite schwanken die Angaben über den Autor zwischen Martin Moller und Joh. Arndt. (Vgl. Fischer Lex. II, S. 184.)

2) „O Jesu süß wer dein gedenkt,
Sein Hertz mit Wollust wird getränkt.“

41 Strophen. H. Müllers Geistl. Seelen-Musik Rostock, 1659.

3) „Durch bloßes Gedächtniß dein Jesu genießen,“

von Chr. Knorr von Rosenroth. Neuer Helicon Nürnberg, 1684. (Andere Uebertragungen bei Fischer I, S. 371.)

No. 124.

JEsu wie süß wer dein gedenckt.

Der überauß schöne Jubilus deß heiligen Vatters Bernhardi verdeutscht.

(K. I, 151; B. V, 1522.)

Corner (1625) 1631. Dessen Nachtigall 1649 ff. Prag 1655. David. Harmonia 1659. Rheinfels. Gesangbuch 1666. Straßburg 1697.

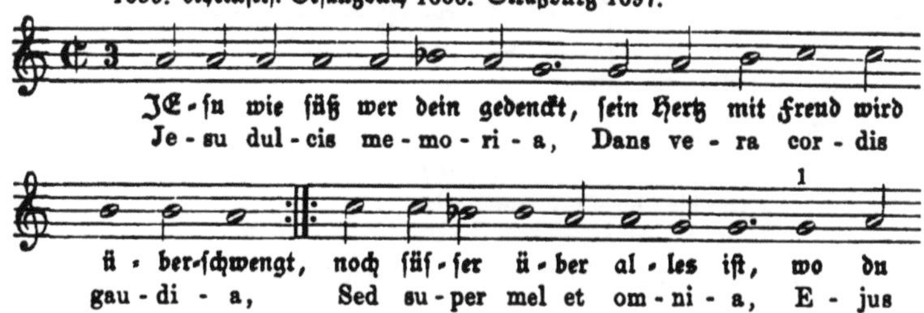
JE - su wie süß wer dein gedenckt, sein Hertz mit Freud wird
Je - su dul - cis me - mo - ri - a, Dans ve - ra cor - dis
1
ü - ber-schwengt, noch süs - ser ü - ber al - les ist, wo du
gau - di - a, Sed su - per mel et om - ni - a, E - jus

1) Straßburg. Schluß:
O JE - su sel - ber bist.
dul - cis praesen - ti - a.

Die Davidische Harmonia 1659 und das Rheinfels. Gsb. 1666 haben zu dieser Melodie den Text:

„O Jesu, du mein Süssigkeit,
Du Trost der Seel, die zu dir schreyt.“ u. s. w.

Straßburg 1697:

„O Gott in meinem höchsten Leid“
(Uebersetzung des Psalms Miserere.)

No. 125.

Jesu wie süß wer dein gedenckt.

Deß H. Bernahrdi Frolockung, vnd Frewdenspil seines Hertzens mit dem Heyland JESU Christo.

(K. I, 151; W. V, 1522.)

I. Cöln (Brachel) 1619, 1634. Vogler 1625. Würzburg 1628, 1630 ff. Osnabrück 1628. Bamberg 1628 ff. Mainz 1628. Corner 1631. Seraph. Lustgart 1635. Molsheim (1629) 1659. Prag 1655. Mainz 1661, 1665. Rheinfels. Gesangbuch 1666. Nordstern 1671. Brauns Echo 1675. Münster 1677. Straßburg 1697.

Je - su wie süß wer dein ge - denckt, Sein Hertz mit frewd
JE - su dul - cis me - mo - ri - a, Dans ve - ra cor -
wirdt v - ber - schwembt, Noch süsser v - ber al - les ist,
dis gau - di - a, Sed super mel et om - ni - a,
Wo du O Je - su sel - ber bist.
E - ius dul - cis praeson - ti - a.

1) Bamberg b statt a g.

Vogler 1625.

„Jesu die süsse Gedächtnuß dein,
bringt wahre Frewd dem Hertzen mein". u. s. w.

Die # # stehen in den Würzburger Gesangbüchern u. s. w., wo auch die [ ] Note f fehlt.

Mainz 1628. Corner 1631.

„Jesu dein Blut verehre ich."

Mainz 1661, 1665.

„So offt mein Seel an Jesum denckt,
Wird sie in lauter Freud versenckt".

Jesus süß dein gedächtnuß ist.

II. Andernach 1608. Paderborn 1609 ff. Cöln (Quentel) 1619. Hildesheim 1625. Mainz 1627. M.-Speier 1631. Corner 1631.

Je - sus süß dein ge - dächtnuß ist, Du ware Hertzen - freude
Je - su dul - cis me-mo - ri - a, Dans vera cordis gaudi -
bist, Auch v - ber Hö - nig vnd als was ist, Dein Göttlich gnad
a, Sed su - per mel et om - ni - a Ei - us dul - cis

viel süs - ser ist.
prae - sen - ti - a.
cor-dis gau-di - a.
cor - dis gau - di - a.

1) Paderborner Gesangbuch 1609. 1) Paderborn 1616 ff.

2) Paderborn 1609 ff. c statt d.

Im Cölner Gesangbuch u. a. steht unter dieser Melodie der folgende Text:

„So offt ich mir bild Jesum ein,
Wird frewdenvoll das Hertze mein,
Vnd vber alle Süssigkeit,
Ist Jesu gegenwertigkeit."
(zuerst im Paderborner Gesangbuch 1616.)

No. 126.

O Jesu du Hertzliebster mein.

O Jesu mi dulcissime.

Clausener Gesangbuch 1653.

O Je-su du Hertzliebster mein, Nach dir mein Seel seufftzet allein,
O Je-su mi dul-cis - si - me, Spes sus - pi - ran - tis a - nimae,
Mit heissen Zähren such ich dich, Mein Hertz nach dir schreyt inniglich.
Te quaerunt pi-ae lachri - mae, Te cla - mor men-tis in - ti-mae.

Strophe 28 aus dem größeren Hymnus »Jesu dulcis memoria«. (W. I, S. 118.)

No. 127.

Jesu meines Hertzen Freud.

Erfurt 1666.

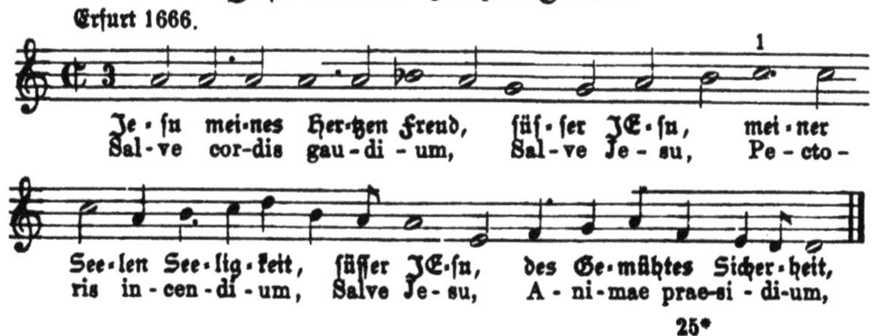
1
Je - su mei-nes Her-tzen Freud, süs - ser JE - su, mei - ner
Sal - ve cor-dis gau - di - um, Sal - ve Je - su, Pe - cto -
See - len See - lig - keit, süsser JE - su, des Ge - mühtes Sicher - heit,
ris in - cen - di - um, Salve Je - su, A - ni - mae prae-si - di-um,

Aehnliche Uebersetzungen dieses 5 str
späteren protestantischen Gesangbüchern vo
Gebetbuch „Tägliche Morgen= und A
„Jesu meines Hertzens Freud, Sei gegrü
Nürnberger Gesangbuch 1676. Hier findet
der Variante im dritten Takte. (Vgl. Fisch

No. 128.

JESV der Jungen li

Acrostichis des Nahme

Nordstern 1671. Münster 1677.

JE - SV der Jun - gen lie
Her - tzen Frewd und Wohn! An
An Schönheit mehr dan Abso - lon, An
O JE-SV al - - ler

Münster: 1) g statt a. 2) a statt g.

No. 129.

Wie lieblich bist

Zum Liebreichen

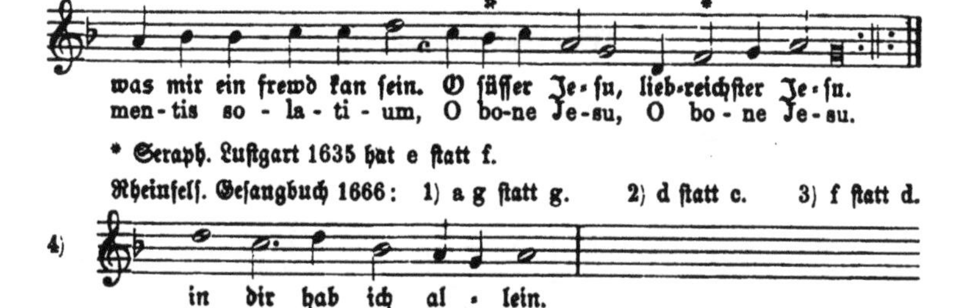
was mir ein frewd kan sein. O süsser Je-su, lieb-reichster Je-su.
men-tis so - la - ti - um, O bo-ne Je-su, O bo - ne Je-su.
4)
in dir hab ich al - lein.

* Seraph. Lustgart 1635 hat e statt f.

Rheinfels. Gesangbuch 1666: 1) a g statt g. 2) d statt c. 3) f statt d.

In dem vlämischen Gesangbuche: Het Prieel Der Gheestelicker Melodiie, Antwerpen (1609) 1614 steht die obige Melodie zweimal. Das erste Mal S. 257 zu dem französischen Liede »L'estrene d'icy bas, Est Chose basse«. Das andere Mal S. 267 zu dem obigen lateinischen Texte. Die Melodie zu dem Liede „Sanct Ann die edle Frau" (II. Bd., No. 153) ist ein Auszug aus der vorstehenden.

No. 130.

Jetzt und zu aller frist.

Münster 1677.

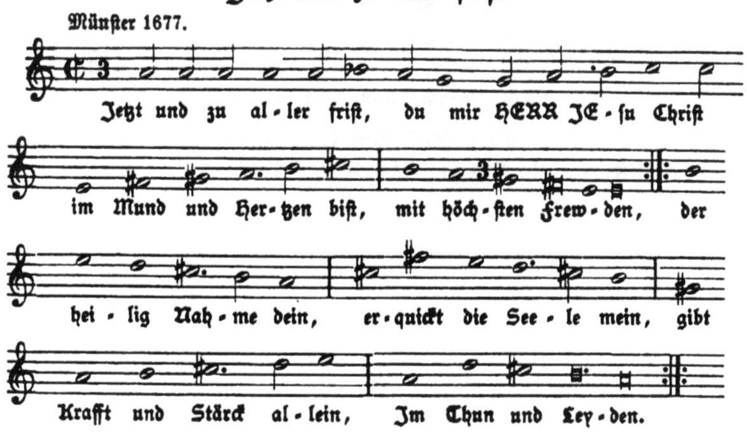
Jetzt und zu al - ler frist, du mir HERR JE - su Christ
im Mund und Her - tzen bist, mit höch - sten Frew - den, der
hei - lig Nah - me dein, er - quickt die See - le mein, gibt
Krafft und Stärck al - lein, Im Thun und Ley - den.

No. 130a.

O JESU Liebster JESU.

Vollkommene Lieb zu JESU.

Nordstern 1671. Münster 1677.

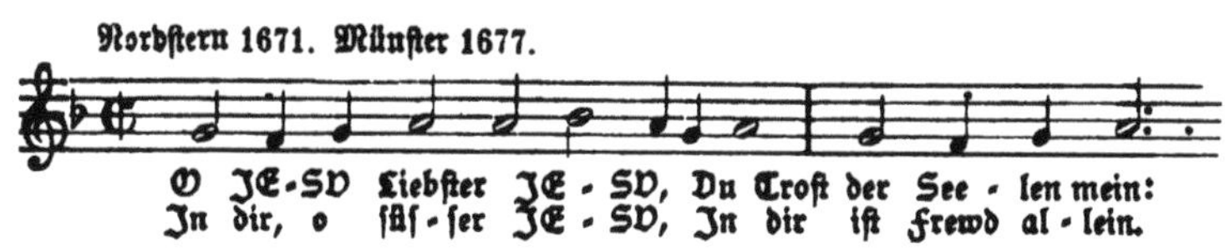
O JE-SU Liebster JE - SU, Du Trost der See - len mein:
In dir, o süs - ser JE - SU, In dir ist Frewd al - lein.

1
Dich ein - tzig ich er - weh - le Zum aller - liebsten mein: Dir
2
gäntz-lich mich be - feh - le, Du solt mein Herr-scher seyn.

Münster: 1) g e e statt f e d. 2) f statt e.

No. 130 b.

Ach wann kompt die Zeit heran.

Bamberg 1691. Angelus Silesius 1668. Brauns Echo 1675.

Ach wann kompt die Zeit her-an, daß ich wer-de schau-en an,
mei - nen lieb-sten Je-sum Christ, der mein Lieb und Le - ben ist.

Das Lied steht in den Geistlichen Hirtenliedern Breßlaw, 1668 mit der Ueberschrift „Auff eine bekandte Melodey".

Lieder auf das Fest Mariae Lichtmeß.

(No. 131—133.)

No. 131.

Da Maria im Kindelbet.

Ein anders auff das Euangelium Luce am 2. Gerichtet im Thon, Christe geborn in reinigkeit, oder wie volget.

(K. II, 413; W. III, 1371.)

Leisentrit 1567 ff.

Da Ma - ri - a im Kin - del - bet, Jr sechs wo - chen ge -
hal - ten het, Wolt sie Gotts Wort ge - hor - sam sein,
Stalt dem Her - ren jhr Sön - lein ein.

Der deutsche Text ist von N. Herman. Er steht in dessen Sonntags-evangelien Wittenberg 1561, Bl. 134. Leisentrit bringt in der dritten Auflage seines Gesangbuches diese Melodie zweimal. Um eine Quart tiefer steht sie hier bei dem Liede »Fit porta Christi pervia«, zu deutsch:

> „Christi port wird jtzt durchgengig,
> erfült mit gnaden völliglich:
> der König geht dadurch,
> doch bleibt sie verschlossen in ewigkeit."

Dieser letztere Text ist von Rudgerus Edingius (Das ander Theil der Kirchisch Messen vnd Vespergesenge. Cölln 1572, S. 55.)

Eine frühere deutsche Uebersetzung im Ortulus anime Straßburg, 1501 beginnt:

> „Die port cristi ist vff gethon
> die da aller gnaden vol ist." (W. II, 1078.)

Die obige Melodie ist dem lateinischen Hymnus »Fit porta Christi pervia« entnommen. Unter dieser Ueberschrift bringt Triller dieselbe in seinem Singebuch (1555) 1559 zu dem Liede „O Gott Vater im Himelreich, der du allmechtig bist vnd reich." (W. IV, 117.) Das lateinische Lied, welches Wackernagel in das fünfte Jahrhundert setzt, hat 3 Strophen: 1) Fit porta. 2) Genus superni numinis. 3) Honor matris et gaudium. Da die drei Strophen mit den Buchstaben F, G, H, beginnen, so glaubt Wackernagel, dieser kleine Hymnus sei einem längeren Gedichte und zwar einem Abcdarium entnommen, welches nicht als solches gedichtet, sondern aus Bestandtheilen älterer Hymnen zusammengesetzt sei. Die erste Strophe dieses Abcdariums möchte »A solis ortus cardine« sein. (W. I, S. 47. Daniel IV, 59.)

No. 132.

Da Maria im Kindelbetth.

Corner (1625) 1631.

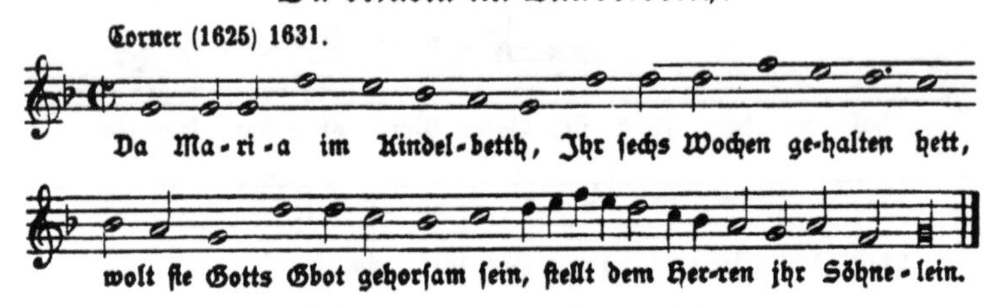
Da Ma-ri-a im Kindel-betth, Jhr sechs Wochen ge-halten hett,
wolt sie Gotts Gbot gehorsam sein, stellt dem Her-ren jhr Söhne-lein.

No. 133.

Als Maria nach dem gesatz.

Vff das Fest Purificationis Marie, auch zu andern zeytten.

(K. II, 412; W. V, 1175.)

Vehe 1537. Leisentrit 1567 ff. Dilinger Gsb. 1576. Cöln (Quentel) 1599. Constanz 1600. Paderborn 1617. M.-Speier 1631.

Als Ma-ri-a nach dem ge-satz Je-sum Christum
Da pflegt Sym-eon seins ge-bets Be-wegt würd er
in Tem-pel bracht,
auch auß an-dacht,
Das er ym geyst ins Gots-hauß kam,
Vnd Je-sum — vff sei-ne arm nahm,
Lo-bet Gott
Treulich redt
mit laut-ter stym.
er also mit ihm.

* Cöln 1599 ff.: d statt f.

Der Text dieses Liedes ist wahrscheinlich von Caspar Querhamer.

Krippen- und Wiegenlieder.

(No. 134—173.)

No. 134.

Kompt her jr Kinder singet fein.

Adeste nunc puelluli.

(K. I, 148; W. II, 614.)

Andernach 1608. Paderborn 1609 ff. Cöln (Quentel) 1619. Cöln (Brachel) 1619, 1634. Würzburg 1628, 1630 ff. Mainz 1628. Corner 1631. Molsheim (1629) 1659.

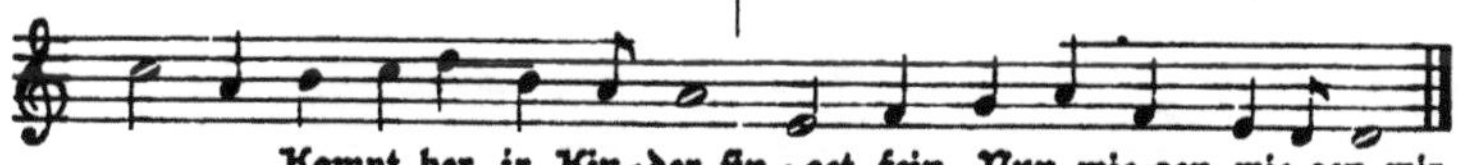

Kompt her jr Kin-der sin-get fein, Nun wie-gen wie-gen wir,
Ad - es - te nunc pu - el - lu - li, De - cen - te ju - bi - lo,

1
Dem al - ler - liebsten Je - su - lein, Nun sin - get all mit schall,
Cu - nis De - i te - nel-lu - li, So - no-que blan-du - lo,

2 3

Dem Kin-de-lein dem lie - ben Je - su - lein, Dem hei-li - gen Christ,
Can - ta - te dul - ci dul - ci Je - su - lo, Chris-to Ma-ri - ae,

Paderborn 1616 ff.
Ma-ri - e, Ma-rie Sohn. Ma-ri - ae Sohn.
Ma-ri-ae, fi - li - o.

1) Das ♯ steht im Paderborner (1609) und Cölner Gesangbuch 1619 nicht.

2) Würzburg 1630. 3) Cöln 1619 (Quentel), Würzburg 1628 u. a. Cöln (Brachel) 1619: d statt b.

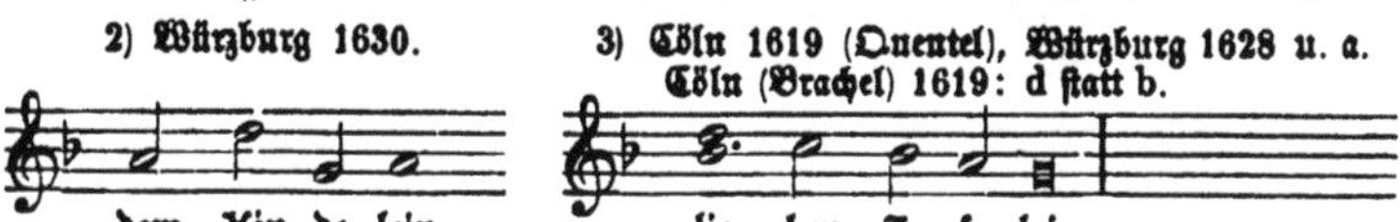

dem Kin-de-lein.
lie - ben Je - su - lein.

Dieses alte „Kindelwiegenlied“ setzt Wackernagel in das 14. Jahrhundert. Der lateinische Text ist wahrscheinlich eine Uebersetzung des deutschen.

No. 135.

Als Maria die Jungfraw schon.

Virgo editura filium.

(K. I, 135; W. II, 1448.)

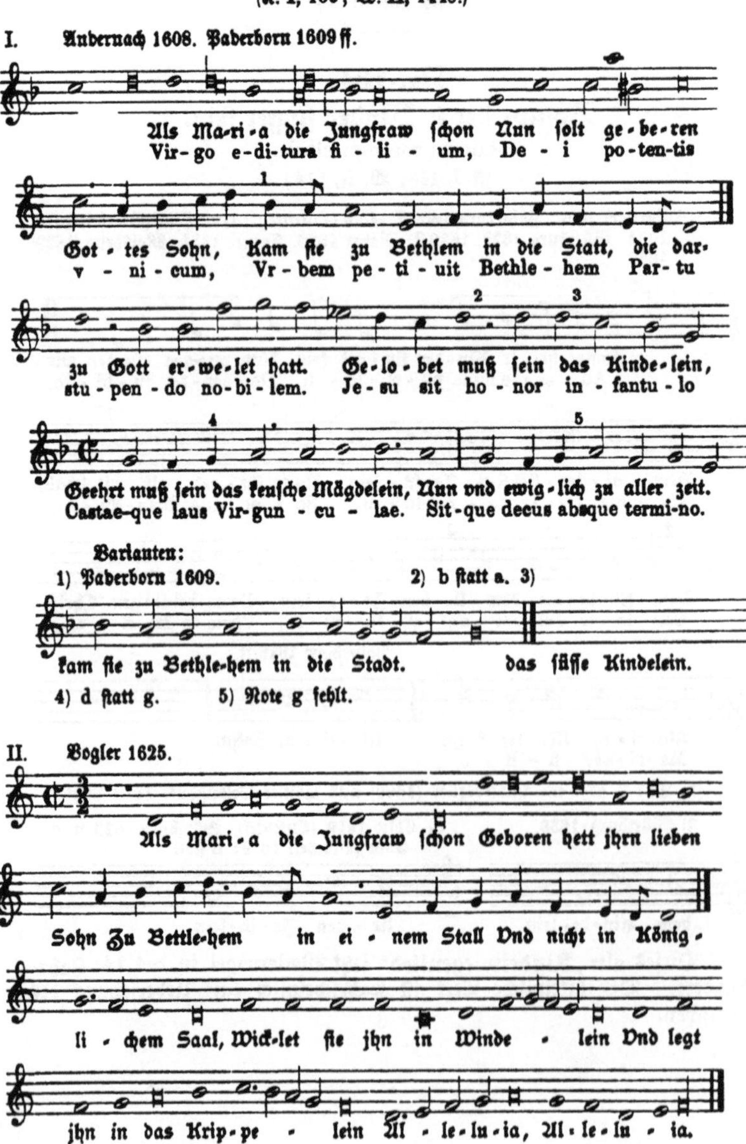
I. Andernach 1608. Paderborn 1609 ff.
Als Ma-ri-a die Jungfraw schon Nun solt ge-be-ren
Vir-go e-di-tura fi - li - um, De - i po-ten-tis
Got - tes Sohn, Kam sie zu Bethlem in die Statt, die dar-
v - ni - cum, Vr - bem pe - ti - uit Bethle - hem Par-tu
zu Gott er-we-let hatt. Ge-lo - bet muß sein das Kinde-lein,
stu - pen - do no-bi - lem. Je - su sit ho - nor in - fantu - lo
Geehrt muß sein das keusche Mägdelein, Nun vnd ewig-lich zu aller zeit.
Castae-que laus Vir-gun - cu - lae. Sit-que decus absque termi-no.
Varianten:
1) Paderborn 1609.
2) b statt a. 3)
kam sie zu Bethle-hem in die Stadt.
das süsse Kindelein.
4) d statt g.
5) Note g fehlt.
II. Vogler 1625.
Als Mari - a die Jungfraw schon Geboren hett jhrn lieben
Sohn Zu Bettle-hem in ei - nem Stall Vnd nicht in König -
li - chem Saal, Wick-let sie jhn in Winde - lein Vnd legt
jhn in das Krip-pe - lein Al - le-lu-ia, Al-le-lu - ia.

Zur Melodie vergleiche man das Lied No. 99 „Mit diesem newen Jahre". Der lateinische Text im Andernacher Gesangbuch ist wahrscheinlich eine Uebersetzung des deutschen.

Eine andere Singweise zu diesem Texte findet man unter No. 76 »In natali Domini«.

No. 136.

Den geboren hat ein Magdt.

Quem nunc virgo peperit.

(W. V, 1461.)

Andernach 1608.

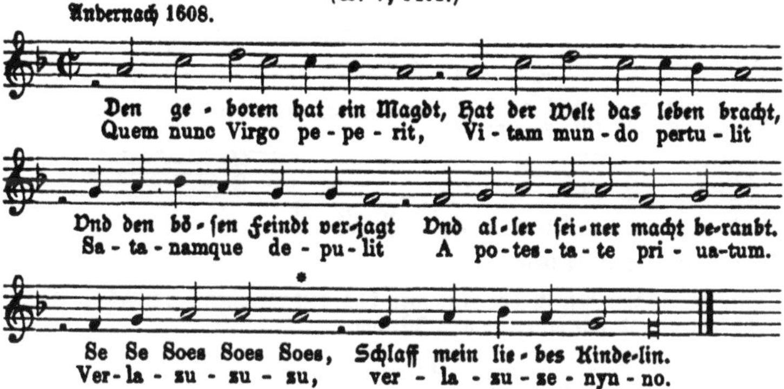
Den ge - boren hat ein Magdt, Hat der Welt das leben bracht,
Quem nunc Virgo pe - pe - rit, Vi - tam mun - do pertu - lit
Vnd den bö - sen Feindt ver-jagt Vnd al - ler sei - ner macht be-raubt.
Sa - ta - namque de - pu - lit A po - tes - ta - te pri - ua-tum.
Se Se Soes Soes Soes, Schlaff mein lie - bes Kinde-lin.
Ver - la - su - su - su, ver - la - su - se - nyn - no.

Den lateinischen Text dieses alten „Kindelwiegenliedes" nimmt Wackernagl (I, 359) in 6 Strophen aus dem Magdeburger Gesangbuch 1542. Das Andernacher Gesangbuch hat nur die 1., 3., 4. und 6. Strophe des genannten Textes.

In dem Buche „Niederdeutsche Geistliche Lieder und Sprüche" Berlin 1854 (S. VII und Beilage) bringt Hölscher den 4strophigen lat. Text des Andernacher Gesangbuches nebst der obigen Melodie aus der Handschrift der Katharina Tirs v. J. 1588 mit der Variante * c statt a. Wackernagel setzt das Lied in das 14. Jahrhundert.

No. 137.

Die pford Christi nun offen staht.

Fit porta Christi peruia.

I. Andernach 1608. Paderborn 1609. M.-Speier 1631.

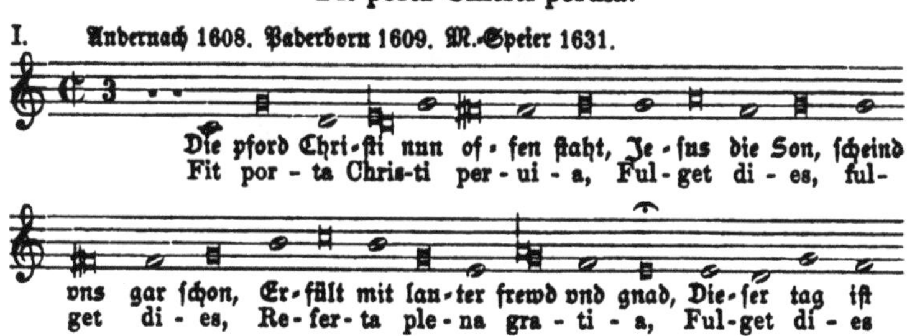
Die pford Chri - sti nun of - fen staht, Je - sus die Son, scheind
Fit por - ta Chris-ti per - ui - a, Ful - get di - es, ful -
vns gar schon, Er - fült mit lau - ter frewd vnd gnad, Die - ser tag ist
get di - es, Re - fer - ta ple - na gra - ti - a, Ful-get di - es

frö-lich, Die-se freu-den-rei-che zeit helt die gan-tze Chri-sten-heit.
i-sta, Di-ei so-len-ni - a ce-le-brat Ec-cle-si-a.

II. Das Paderborner Gesangbuch 1609 und das Speierische 1631 haben nur den lateinischen Text mit folgenden Melodie-Varianten:

Fit por - ta Chri - sti per - ui - a, ful - get di - es,
Tran - sit - que Rex et per - ma - net, ful - get di - es,
re - fer - ta ple - na gra - ti - a,
clau - sa vt fuit per se - cu - la,
ful - get di - es i - sta, Di - ei
so - lem - ni - a ce - le - brat Ec - cle - si - a.

1) g fehlt: Paderborn 1609.

Hier finden wir den in der Nummer 131 besprochenen Hymnus in erweiterter Form und mit einer andern Melodie.

I.

Das Andernacher Gesangbuch hat 5 Strophen.

1) Fit porta Christi pervia.
2) Transitque rex et permanet.
3) Honor matris et gaudium.
4) Per atra matris pocula.
5) Gloria tibi Domine.

Nach jeder der ersten Zeilen der Refrain »Fulget dies«, nach der zweiten »Fulget dies ista. Diei solennia celebrat ecclesia«. Paderborn 1609: Str. 1, 3, 5 von oben und 3 von der folgenden Fassung II.

II.

Das Mainz-Speierische Gesangbuch 1631 und Corner 1631 haben folgende Strophen:

1 und 2 wie oben; 3) Genus superni luminis; 4) Sponsus Redemptor; 5, 6, 7 = 3, 4, 5 von oben; 8) Patri sacroque flamini. Das Constanzer Gesangbuch 1613 und das Mainz-Speierische Gesangbuch 1631 bringen das Lied noch in einer andern Fassung mit einer besonderen Melodie, die in späteren Gesangbüchern zu dem Liede „Dich grüssen wir, o Jesulein" steht. (Vgl. No. 138.)

Hier lautet die erste unter den Noten stehende Strophe:

»Diei solennia« u. s. w.

Die folgenden:

2) Fit porta.
3) Genus superni luminis.
4) Honor matris.
5) Praesta pater omnipotens.
6) Qui tecum in perpetuum.

Darauf folgt im Speierischen Gesangbuche 1631 das deutsche Lied „Dich grüssen wir o Jesulein“ mit der Ueberschrift: „Ein anders newes Christ-Liedlein zu Teutsch auff selbige Melodey“. Corner 1631 bringt das lateinische Lied „im Thon Gegrüst seistu o Jesulein“.

Es scheint also, daß diesem Texte die Melodie No. 138 ursprünglich angehörte.

No. 138.

Dich grüssen wir o Jesulein.

(K. I, 147.)

Constanz 1613. Cöln (Brachel) 1623, 1634. Vogler 1625. Würzburg 1628, 1630 ff. Bamberg 1628 ff. Mainz 1628. M.-Speier 1631. Corner 1631. Seraph. Lustgart 1635. Corners Nachtigall 1649 ff. Prag 1655. Molsheim (1629) 1659. Mainz 1661, 1665. Rheinfels. Gesangbuch 1666. Erfurt 1666. Nordstern 1671. Brauns Echo 1675. Münster 1677. Straßburg 1697.

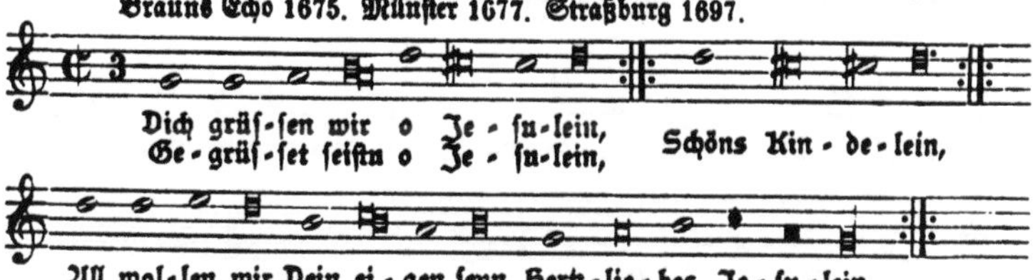
Dich grüs-sen wir o Je - su-lein,
Ge - grüs-set seistu o Je - su-lein,
Schöns Kin - de - lein,
All wol-len wir Dein ei - gen seyn, Hertz - lie - bes Je - su - lein.

In den Gesangbüchern kommt die Melodie zu folgenden Texten vor:

1) Diei solennia, fulget dies.« Constantz 1613. M.-Speier 1631.
2) „Dich grüssen wir o Jesulein“ zuerst Cöln (Brachel) 1623.
3) „Erstanden ist der heylig Christ, Alleluia, der aller Welt“ u. s. w. Voglers Katechismus 1625.

Die Ueberschrift lautet hier „Ein anders in der Melodey Gegrüsset seystu o Jesulein“.

4) „Jo Triumph Herr Jesu Christ“ (zuerst Cöln Brachel 1623.) im Seraph. Lustgarten 1635.
5) „Wir bitten dich, o Jesulein,
Liebs Kindelein“. Mainz 1628, Nordstern 1671.

No. 139.

Gegrüsset seystu Jesulein.

Ein newer schöner Kriple-Gesang.

Prag 1655.

Ge-grüs-set sey - stu Je - su - lein in die - sem Krip-pe - lein,
Ohn dich kan niemand frö - lich seyn O hertziges Trö-ster - lein,
Dir sin - gen al - le En - ge-lein, dann dir ge - bürt das Lob al-lein,
ó hö-nig-süs-ses Je - su - lein, O fei - nes Kin-de-lein.

No. 140.

Psallite vnigenito.

Ein andr schönes gesang.

Cöln (Quentel) 1599. Constanz 1600. Andernach 1608. M.-Speier 1631.

1
2
Psal-li-te v-ni-ge-ni-to Je-su De-i fi-li-o. Psal-li-te
re-demp-to-ri Do-mi-no pu-e-ru-lo ia-cen-ti in prae-
se-pi-o. Ein klei-nes kin-de-lein ligt in dem krip-pe-lein, al-le
lie-ben En-ge-lein die-nen dem kin-de-lein singt vnd klingt Je-su
Got-tes kind vnd Ma-ri-e sö-ne-lein, singt vnd klingt, singt dem newen kin-de-lein im krip-pe-lein, beim Ochslein vnd beim E-se-lein,
singt vnd klingt, singt vnd klingt, Je-su Got-tes Kind vnd Ma-ri-e
sö-ne-lein, singt vnd klingt, singt dem new-en kin-de-lein im krip-
pe-lein beim Ochs-lein vnd beim E-se-lein.

Cöln 1619, M.-Speier: 1) b statt a. 2) f statt e.

Im Andernacher Gesangbuch fehlen die in [ ] stehenden Noten. Auch hat dasselbe über dem lateinischen Liede die Ueberschrift: Chorus latinus und vor den Worten „Singt und klingt: Teutscher Chorus.

No. 141.

Psallite vnigenito.

Ein anders gar altes Weynachtlied.

(Corner.)

Paderborn 1609 ff. Cöln (Brachel) 1619, 1634. Hildesheim 1625. Mainz 1627. Corner 1631. dessen Nachtigall 1649 ff.

Psal - li - te v - ni - ge - ni - to Chri - sto De - i fi - li - o,

psal - li - te re-demp-to - ri Do-mi-no pu - e - ru-lo ja - cen - ti

in prae - se - pi - o, ein klei-nes Kin-de-lein, ligt in dem Krip-

1 2 3

pe-lein, al-le lie-be En-ge-lein die-nen dem Kin-de-lein,

singt vnd klingt Je-su Got-tes Kind vnd Ma-ri-ae Söh-ne-lein,

singt vnd klingt vn-serm lie-ben Je-su-lein, im Krip-pe-lein beym

Ochß-lein vnd beym E-se-lein.

1) Paderborn 1616: b statt a. Cöln 1619, Corner 1649: b b statt c a.
2) Paderborn 1616: d statt c.
3) In der Nachtigall Corners schließt hier das Lied.

Ein altes Kindelwiegenlied, dessen älteste Text-Quelle bis jetzt das Cölner Gesangbuch 1599 ist. Die obige Melodie bildet mit der vorigen, wie das bei den alten Liedern oft vorkommt, einen zweistimmigen Satz. Die folgende Melodie im Würzburger Gesangbuche 1628 u. s. w. vereinigt beide Fassungen.

No. 142.

Psallite vnigenito.

Würzburg 1628, 1630. Molsheim (1629) 1659. Mainz 1628, 1661, 1665.

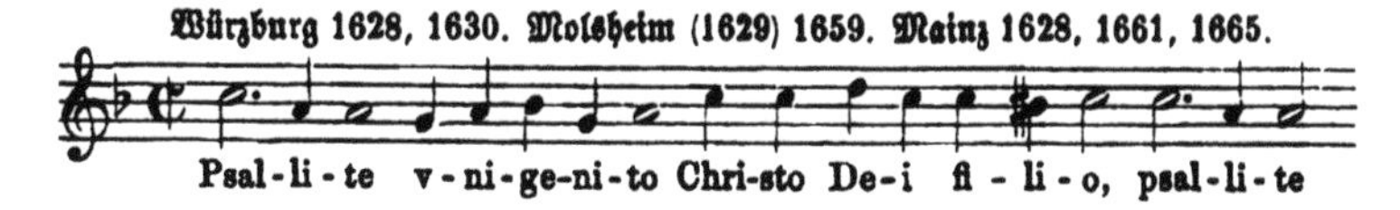
Psal-li-te v-ni-ge-ni-to Chri-sto De-i fi-li-o, psal-li-te

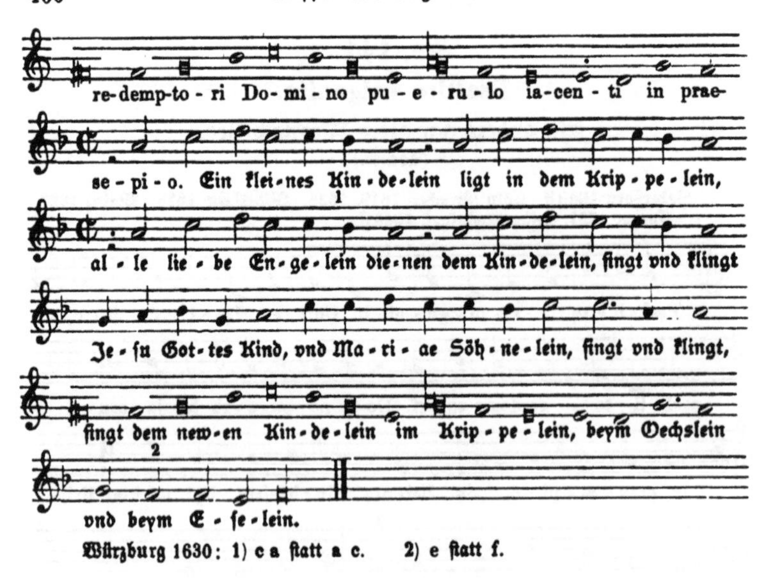
re-demp-to - ri Do - mi - no pu - e - ru - lo ia-cen - ti in prae-
se - pi - o. Ein klei-nes Kin - de-lein ligt in dem Krip - pe - lein,
al - le lie - be En - ge - lein die-nen dem Kin-de-lein, singt vnd klingt
Je - su Got-tes Kind, vnd Ma - ri - ae Söh - ne - lein, singt vnd klingt,
singt dem new-en Kin-de - lein im Krip - pe - lein, beym Oechslein
vnd beym E - se - lein.

Würzburg 1630: 1) c a statt a c. 2) e statt f.

No. 143.

Kompt her jr lieben Kindelein.

(K. I, 145.)

Constanz 1613.

Kompt her jr lie - ben Kind-lein, vnd sin - get mit den
En-ge n, ein klei-nes Kind, ein gros-ser Gott, ist heut ge - bo - ren
zus sün - ders not, O Je - su - lein süß, O Je - su - lein süß.

Der Text findet sich auch in Corners Gesangbuch 1631.

No. 144.

Laßt vns diß Kindlein wiegen.

(K. I, 144.)

Cöln (Quentel) 1619. Constanz 1613. Cöln (Brachel) 1619, 1623. Würzburg 1628, 1630 ff. Neyß 1625. Bamberg 1628 ff. Mainz 1628. M.-Speier 1631. Corner 1631. Cölner Psalter 1638. Corners Nachtigall 1649 ff. Prag 1655. Molsheim (1629) 1659. Mainz 1661, 1665. Rheinfels. Gesangbuch 1666. Erfurt 1666. Münster 1677. Straßburg 1697.

Laßt vns diß Kind - lein wie - gen, das hertz zum

Krip - lein bie - gen, Laßt vns im geist er - frew - en,
2
das Kind - lein be - ne - dey - en, O Je - su - lein süß,
3
O Je - su - lein süß.
Constanz 1613.
1) Cöln (Brachel) 1619.
wie - gen das
bie - gen
2) Cöln 1623 a (oben) statt c.
Cöln 1638
Rheinfels. Gsb. 1666
g statt c.
2) Würzburg 1628, Molsheim 1659 u. a.
O Je - su - lein süß, O Je - su - lein süß.
3) Cöln (Brachel) 1619, 1623; M.-Speier 1631.
O Je - su - lein süß.

Die älteste Quelle für unser Lied ist ein Druck mit 7 Liedern, der 1604 in München erschien. Vgl. die Bibliographie S. 76, No. 198.

No. 145.

Ein Kindlein in der wiegen.

Ein gar Alt frölich, auch Andächtig Weyhenächt Liedlein.

(W. II, 611.)

Haym von Themar 1590.

Ein Kind - lein in der wie - gen, ein klei - nes
Kin - de - lein, das gleyßt gleich wie ein spie - gel, nach
A - de - li - chem schein, das klei - ne Kin - de - lein.

Wackernagel setzt das Lied in das 14. Jahrhundert.

No. 146.

Ein Kindlein in der Wiegen.

Ein newes andächtiges Kindlwiegen.

Corners Nachtigall 1649 ff.

Ein Kind-lein in der Wie - gen, ein klei-nes
Kin - de-lein, daß gleiß - set wie ein Spie - gel, nach
A-de-li - chem schein, das klei - ne Kin-de-lein.

No. 147.

Als Jesus Christ geboren war.

Ein alt Andächtig Lied, bey dem Kindleins wiegen zu singen.

(W. II, 1113.)

Haym von Themar 1590.

Als Je-sus Christ ge-bo-ren war, Da ward es Kalt:
Er ward ge-wickelt in Winde-lein, wol in dem Stall,
Für ein E-sel vnd für ein rindt, da ward ge-legt Ma-ri-a kindt,
Je-sus der Her-re, Vnd wer dem dient auff di-ser Erdt,
dem loh-net Gott der Herre.

Wackernagel bringt außer dem Texte des Haym von Themar in 12 Strophen noch einen andern aus einer Papierhandschrift zu Kloster Neuburg (No. 1228. 8.) in 10 Strophen aus dem Anfange des 16. Jahrhunderts. Ich gebe nachstehend noch ein textverwandtes älteres Lied.

No. 147 a.

In einem krippfly lag ein kind.

(W. II, 706.)

H. v. Loufenberg 1430.

In ei - nem krippf-ly lag ein kind, do stund ein e - sel
vnd ein rind, Do by wz ouch die ma - get clar, Ma - ri - a,
die dz kint ge - bar. Ihe - sus der her - re min,
der wz dz kin - de - lin.

Text aus der Papierhandschrift der Stadtbibliothek in Straßburg cod. B. 121. 4. saec. XV. Melodie in der Einleitung zum Locheimer Liederbuch von W. Arnold. Jahrbücher für Musikalische Wissenschaft v. Chrysander. Leipzig 1867, S. 37.

No. 148.

Es schreibt Lucas der Euangelist.

Ein anders Gaystlichs Lied, Auch zum Kindlin wiegen.

(W. II, 1151.)

Haym von Themar 1590.

Es schreibt Lu - cas der Euan - ge - list, ge - gen di - sen
Weyhe - nächten, ge - born ist vns Herr Je - sus Christ, so gar
ohn al - len schmer - tzen, Er ist der wah - re Gottes Son,
redt ich auff mei - nem Ay - de.

No. 149.

Maria saß in jhrem Sal.

Ein gar lieblich vnnd andächtig Lied, bey dem Wiegelein Christi, mit andacht zu singen.

(W. II, 613.)

Haym von Themar 1590.

Ma-ri-a saß in jh-rem Sal, sy wieget jhren
lie-ben Son, Nun wieget, Nun wiegen wir Jesum den
al-ler höch-sten, wir wie-gen Je-sum.

Wackernagel setzt das Lied in das 14. Jahrhundert.

No. 150.

Gegrüst seyst Maria, Du Königin.

Ein alts Christenlich Catholisch Weyhenacht Gesang, zu Maria der Mutter Gottes vnd ewigen Junckfrawen.

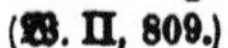
(W. II, 809.)

Haym von Themar 1590.

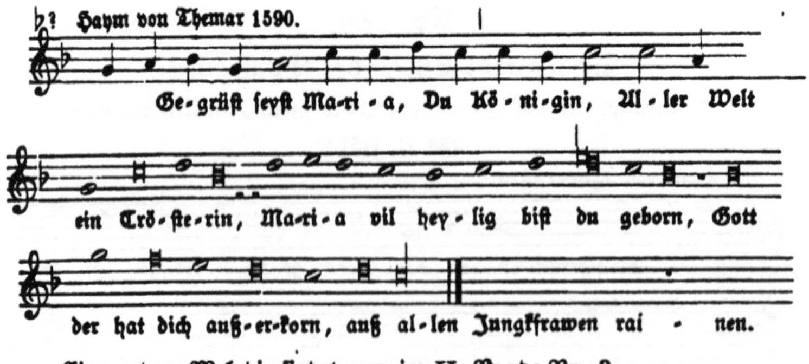
Ge-grüst seyst Ma-ri-a, Du Kö-ni-gin, Al-ler Welt
ein Trö-ste-rin, Ma-ri-a vil hey-lig bist du geborn, Gott
der hat dich auß-er-korn, auß al-len Jungkfrawen rai-nen.

Eine andere Melodie findet man im II. Bande No. 3.

No. 151.

JEsus war zmitternacht geborn.

Ein ander alt frölich Weyhenacht Lied.

(W. II, 612.)

Haym von Themar 1590.

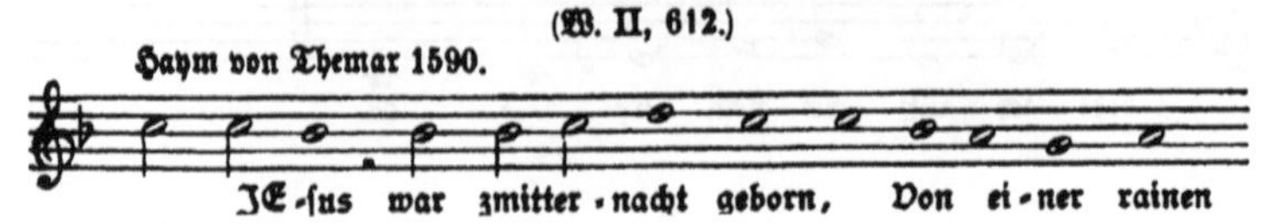
JE-sus war zmitter-nacht geborn, Von ei-ner rainen

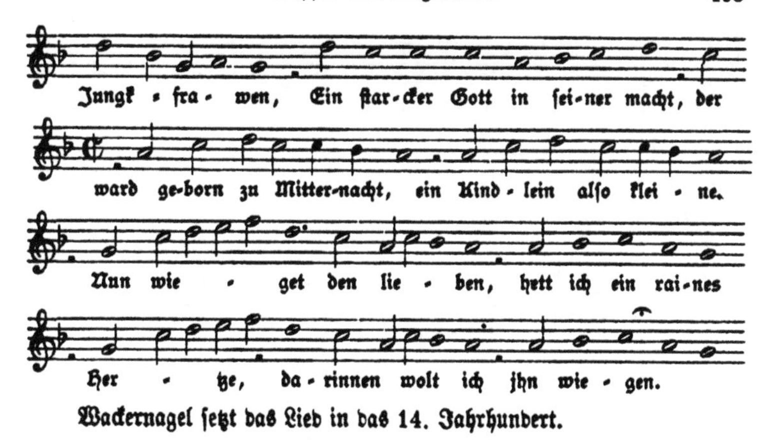
Jungk - fra - wen, Ein star-cker Gott in sei-ner macht, der
ward ge-born zu Mitter-nacht, ein Kind - lein also klei - ne.
Nun wie - get den lie - ben, hett ich ein rai-nes
Her - tze, da-rinnen wolt ich jhn wie - gen.

Wackernagel setzt das Lied in das 14. Jahrhundert.

No. 152.

Nun last vns singen dann es ist zeit.

(K. I, 73.)

I. Paderborn 1609 ff. Würzburg 1628, 1630 ff. Molsheim (1629) 1659.

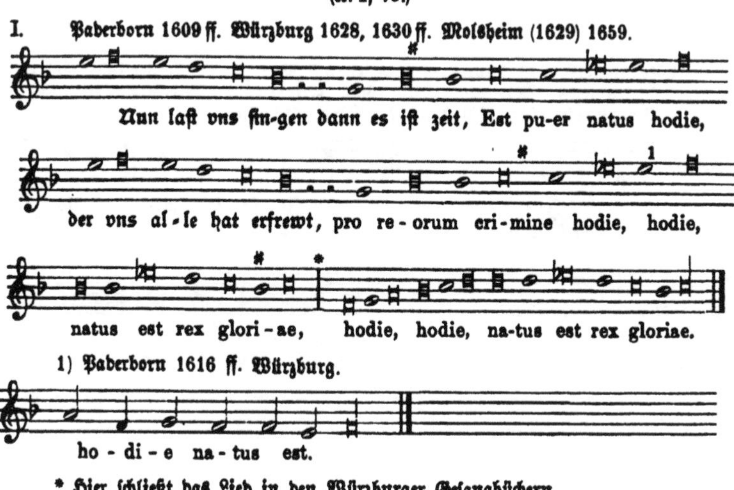
Nun last vns sin-gen dann es ist zeit, Est pu-er natus hodie,
der vns al-le hat erfrewt, pro re - orum cri-mine hodie, hodie,
natus est rex glori - ae, hodie, hodie, na-tus est rex gloriae.
1) Paderborn 1616 ff. Würzburg.
ho - di - e na - tus est.

* Hier schließt das Lied in den Würzburger Gesangbüchern.

Das 23 strophige Lied gehört zu den Krippengesängen. Den Vortrag denke ich mir so, daß ein Vorsänger die deutschen Zeilen sang, und das Volk den lateinischen Refrain, der sich bei jeder Strophe wiederholt.

II. Cöln (Brachel) 1619, 1623, 1634. Cöln (Quentel) 1619 ff. Mainz 1628. Corner 1631. M.-Speier 1631.

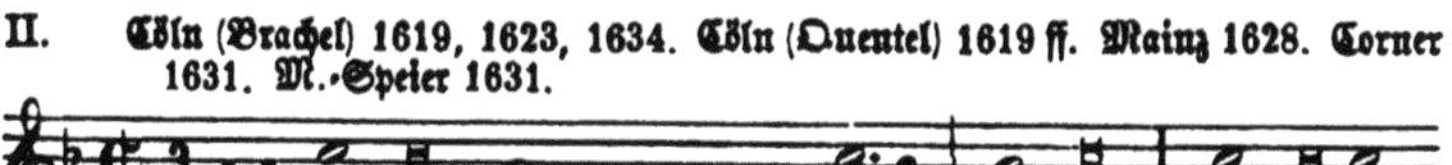
Nun last vns singen dann es ist zeit Est puer

na-tus ho-di-e, Der vns al-le hat er-frewt, Pro re-o-rum
1
cri - mi-ne Ho-di-e, ho-di-e, na-tus est rex
2
glo - ri-ae, Hodie etc.
1) Cöln 1623 u. a.
cri - mi - ne.
2) M.-Speier d statt b.

Cöln 1623.
Mainz 1628.
M.-Speier 1631. } „Nun singt vnd klingt, jetzt ist es zeit“ u. s. w.

No. 153.

O Jesulein zart.

(K. I, 128.)

Cöln (Brachel) 1623. Würzburg 1628, 1630 ff. Mainz 1628. Corner 1631. Cölner Psalter 1638. Molsheim (1629) 1659. Erfurt 1666. Bamberg 1670, 1691. Brauns Echo 1675. Münster 1677. Straßburg 1697.

O Je-su-lein zart, O Je-su-lein zart, Ach
Das Krip-lein ist hart, Wie lig-stu so hart, Schlaff
schlaff, ach thu die äu - äu-ge - lein zu. O
vnd gib vns die e - e-wi - ge ruh. Wie
Je-su-lein zart. O Je - su - lein zart, das Krip-lein
lig-stu so hart.
* Würzburg u. a.: Schluß. 1) Corner g; Münster c.
ist hart.

Die in [ ] stehenden Noten fehlen in den Würzburger Gesangbüchern, bei Corner u. a.

Münster 1677:

„Kom Kindt es muß seyn
Zur Wiegen hinein.“

No. 154.

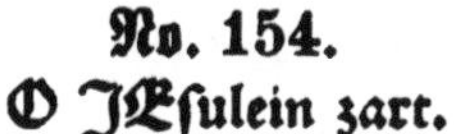

O JEsulein zart.

Mainz 1661, 1665.

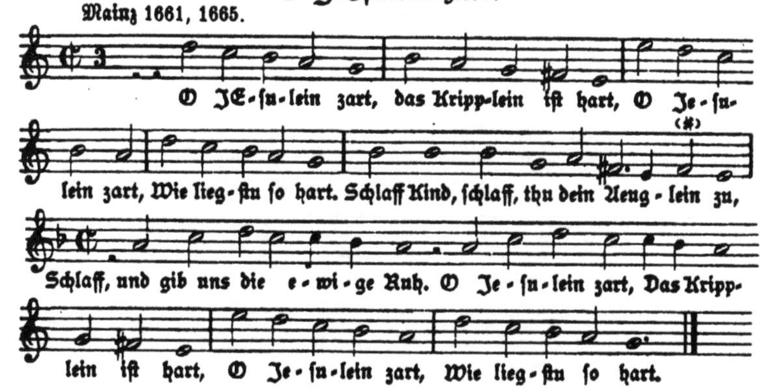
O JE-su-lein zart, das Kripp-lein ist hart, O Je-su-
(#)
lein zart, Wie lieg-stu so hart. Schlaff Kind, schlaff, thu dein Aeug-lein zu,
Schlaff, und gib uns die e-wi-ge Ruh. O Je-su-lein zart, Das Kripp-
lein ist hart, O Je-su-lein zart, Wie lieg-stu so hart.

No. 155.

Ecce noua gaudia.

Diese newe Frölichkeit.

I. Paderborn 1616, 1617. Cöln (Brachel) 1623, 1634. Hildesheim 1625. Mainz 1627, 1628. Würzburg 1629, 1630 ff. Molsheim (1629) 1659. Corner 1631. Ger. Lustgart 1635. Mainz 1661, 1665. Rheinfelß. Gesangbuch 1666. Erfurt 1666. Bamberg 1670, 1691. Nordstern 1671. Brauns Echo 1675. Münster 1677. Straßburg 1697.

Ec-ce no-ua gau-di-a an-ni re-du-xit or-bi-ta,
Fa-cit haec so-len-ni-a na-ti-ui-tas Do-mi-ni-ca,
Die-se ne-we Frö-lig-keit bringt vns her-für jetzt die-se Zeit,
qua-prop-ter cunc-ti mor-ta-les, hi-la-ri-ter, hi-la-ri-ter,
Drumb al-le singt dem Ne-wen Kindt. Mit Frö-lig-keit, mit Frö-lig-keit,
hi-la-ri-ter, hi-la-ri-ter con-ju-bi-le-mus.
mit Frö-lig-keit, mit Frö-lig-keit von hertzen ju-bi-lirt.

Der lateinische Text (Dan. II, 343) steht in den Paderborner Gesangbüchern, im Hildesheimer Cantual und in den Würzburger Gesangbüchern. Von deutschen Texten kommen folgende vor:

1) „Diese newe Fröligkeit“
Hildesheim 1625. Mainz 1627.

2) „Der Menschen Heyl ein kleines Kind“
Cöln (Quentel) 1625, Würzburg 1628 ff. M.-Speier 1631. u. a.

3) „Das Heyl der Welt ein kleines Kind“
Cöln (Brachel) 1623, Mainz 1628.

4) „Ach Jesu gib mir Reichthum gnug.“
Mainz 1628. Corner 1631. (K. I, 129.)

Der Menschen Heyl ein kleines Kind.

II. Cöln (Quentel) 1625. M.-Speier 1631.

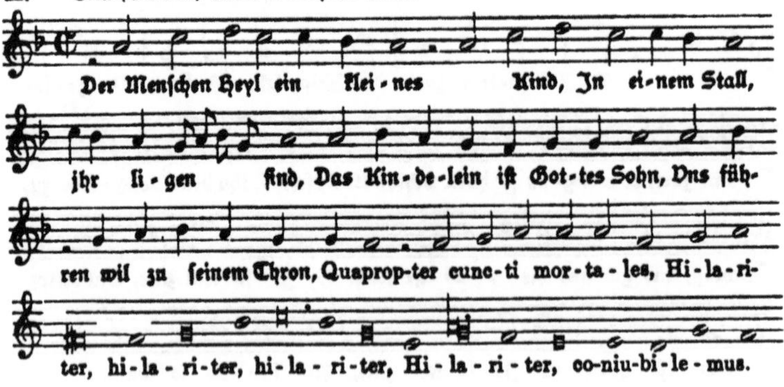
Der Menschen Heyl ein klei - nes Kind, In ei-nem Stall,
jhr li - gen sind, Das Kin - de - lein ist Got-tes Sohn, Vns führen wil zu seinem Thron, Quaprop-ter cunc-ti mor-ta - les, Hi - la - ri-
ter, hi - la - ri-ter, hi - la - ri-ter, Hi - la - ri - ter, co-niu-bi - le - mus.

No. 156.

Joseph, Joseph, Joseph, wie heist dein Kindelein.

(K. I, 133.)

Vogler 1625. Würzburg 1628, 1630 ff. Mainz 1628. Corner 1631. Cölner Psalter 1638. Molsheim (1629) 1659.

Jo-seph, Jo-seph, Jo-seph, wie heist dein Kin - de - lein, Jo-seph,
1
ge - wi-ckelt in die Win - de-lein? mein her - tzig lieb-stes Kin - de-
lein, mein hold - se - li - ges Trö-ster-lein, Mein e - del gül-des
Mein schä - tze-lein mein Her - tze - lein,
1
Kin - de-lein, heist Je - sus, Je - sus ist sein Name Heylwer - dig
er vom Him - mel ka - me.

1) Würzburg 1628, Cölner Psalter fis (f) statt a.

2) Würzburg, Cöln 1638, Molsheim } a statt f.

Der Cölner Psalter 1638 hat die ♯♯ nicht.

No. 157.

JOseph mein.

Ein Andächtigs Weynacht Gespräch zwischen Joseph vnnd Marien.

(K. I, 124.)

Corners Nachtigall 1649 ff.

JO-seph mein, würb mir vmb ein klein-nes Oer-te-lein, es wird
sich nit lang mehr fer-ren, ein Kind werd Ich ge-be-ren:
O Jo-seph mein, O Jo-seph mein.

Der Text steht bereits in Corners Gesangbuch 1631.

No. 158.

O Kind! O wahrer Gottes Sohn.

(B. V, 1499.)

Cöln (Brachel) 1623, 1634. Cöln (Quentel) 1625. Würzburg 1628, 1630 ff. Bamberg 1628 ff. Mainz 1628. M.-Speier 1631. Cölner Psalter 1638. Molsheim (1629) 1659. Mainz 1661, 1665. Erfurt 1666. Straßburg 1697.

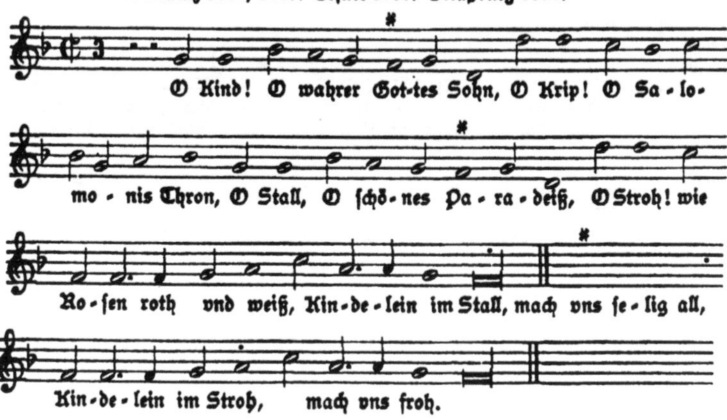
O Kind! O wahrer Got-tes Sohn, O Krip! O Sa-lo-
mo-nis Thron, O Stall, O schö-nes Pa-ra-deiß, O Stroh! wie
Ro-sen roth vnd weiß, Kin-de-lein im Stall, mach vns se-lig all,
Kin-de-lein im Stroh, mach vns froh.

Cöln 1625. Würzburg. M.-Speier, Molsheim, Straßburg:

„O Jesulein, O Gottes Sohn,
Ein Kripp vol Stroh, das ist dein Thron?“ u. s. w.

No. 159.

O Kind O libes Hertzelein.

Anmuthige Begierden zu dem zarten Jesus Kindlein.

Prag 1655. Heilige Seelenlust 1657.
O Kind O li - bes Her - tze - lein, du nimmst mirs Her - tze
mein, O Je - su - lein zar - te, du mein Ro - sen - gar - te, dir wil - lich
vnd ger - ne, thu ich mich er - ge - ben: Nimm hin nimms Her - tze mein.
ach nimm das Her - tze mein.

In der „Heiligen Seelen-Lust" des Angelus Silesius Breßlaw, 1657 steht diese Melodie (I. Buch, No. 18) zu einem ähnlichen Liede: „O allerliebstes Knäbelein" mit der Ueberschrift: „Auß dem lateinischen und auff seine Melodey".

No. 160.

Dein grosse Lieb O Jesulein.

Ein anmütiger newer Gesang zu dem zarten Jesulein.

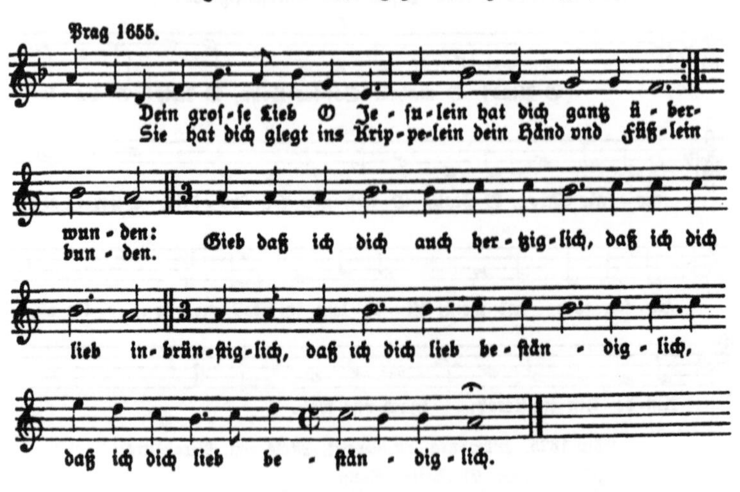
Prag 1655.
Dein gros - se Lieb O Je - su - lein hat dich gantz ü - ber-
Sie hat dich glegt ins Krip - pe - lein dein Händ vnd Füß - lein
wun - den:
bun - den.
Gieb daß ich dich auch her - tzig - lich, daß ich dich
lieb in - brün - stig - lich, daß ich dich lieb be - stän - dig - lich,
daß ich dich lieb be - stän - dig - lich.

No. 161.

Ein schön kleines Kindelein.

Ein ander schöner Weinacht Gesang.

Prag 1655.

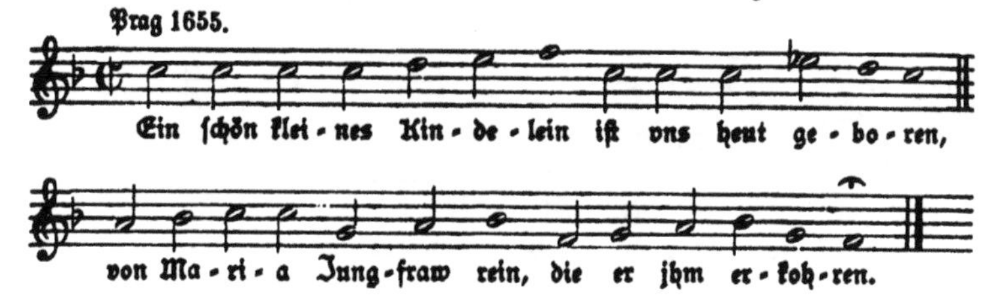
Ein schön klei - nes Kin - de - lein ist vns heut ge - bo - ren,
von Ma - ri - a Jung - fraw rein, die er jhm er - koh - ren.

No. 162.

ALs ich bei meinen Schaffen wacht.

Cöln (Brachel) 1623. Cöln (Quentel) 1625. M.-Speier 1631. Cölner Psalter 1638. Molsheim (1629) 1659. Erfurt 1666. Nordstern 1671. Münster 1677. Straßburg 1697.

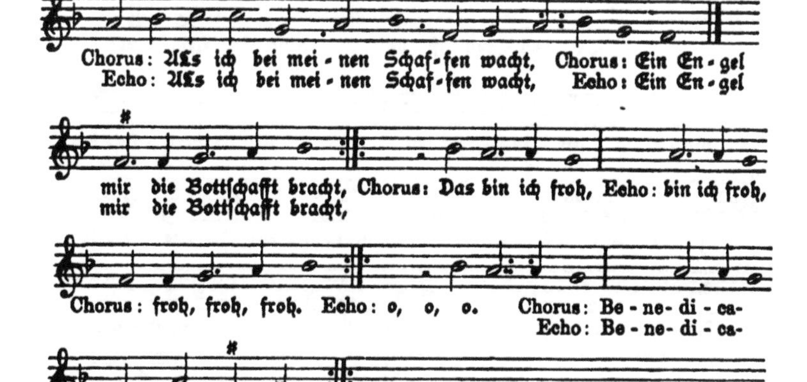
Chorus: ALs ich bei mei - nen Schaf - fen wacht, Chorus: Ein En - gel
Echo: ALs ich bei mei - nen Schaf - fen wacht, Echo: Ein En - gel
mir die Bottschafft bracht, Chorus: Das bin ich froh, Echo: bin ich froh,
mir die Bottschafft bracht,
Chorus: froh, froh, froh. Echo: o, o, o. Chorus: Be - ne - di - ca -
Echo: Be - ne - di - ca -
mus Do - mi - no.
mus Do - mi - no.

Die ♯ ♯ stehen zuerst im Molsheimer Gesangbuch.

Die älteste Quelle für Text und Melodie ist das Cölner Gesangbuch vom Jahre 1623. Böhme setzt das Lied in den Anfang des 17. Jahrhunderts, weil um diese Zeit die liebliche Spielerei mit dem Echo in der Literatur ihren Anfang genommen habe (Altdeutsches Liederbuch, S. 632).

Die erste Zeile der Melodie hat Aehnlichkeit mit dem Liede: „Es kam ein Engel hell und klar".

Ein ähnlicher Refrain findet sich in dem folgenden Liede aus dem vlämischen Gesangbuche »Het Prieel der Gheestelicker Melodiie. Antwerpen (1609) 1614.«

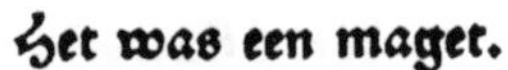
Het was een maget.

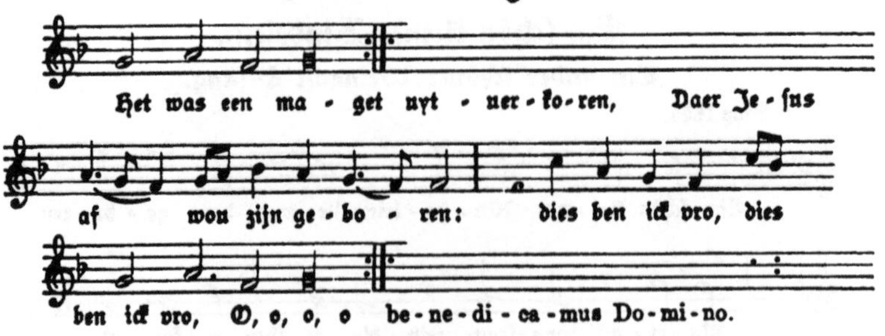
Het was een ma - get uyt - uer - ko - ren, Daer Je - sus
af won zijn ge - bo - ren: dies ben ick vro, dies
ben ick vro, O, o, o, o be - ne - di - ca - mus Do - mi - no.

No. 163.

Gebohren ist vns ein Kindlein klein.

(K. I, 127.)

I. Würzburg 1628, 1630. Mainz 1628. Cölner Psalter 1638. Molsheim (1629) 1659. Mainz 1661, 1665. Erfurt 1666. Nordstern 1671. Münster 1677. Straßburg 1697.

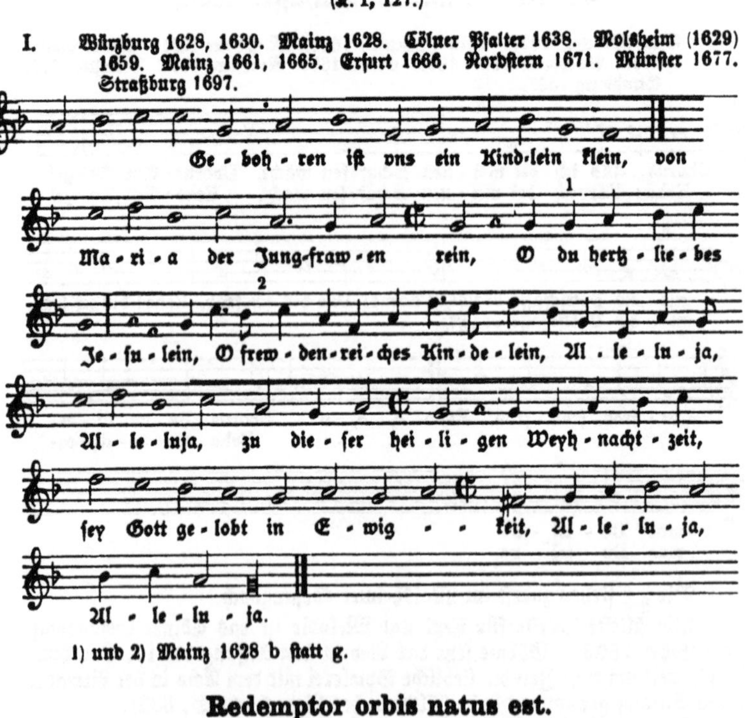
Ge - boh - ren ist vns ein Kind - lein klein, von
Ma - ri - a der Jung - fraw - en rein, O du hertz - lie - bes
Je - su - lein, O frew - den - rei - ches Kin - de - lein, Al - le - lu - ja,
Al - le - luja, zu die - ser hei - li - gen Weyh - nacht - zeit,
sey Gott ge - lobt in E - wig - - keit, Al - le - lu - ja,
Al - le - lu - ja.

1) und 2) Mainz 1628 b statt g.

Redemptor orbis natus est.

II. Paderborn 1609. Corner 1631, dessen Nachtigall 1649.

2
vir - go ma - ter est, O per be - a - tum nun-ci - um,
Al - le - lu - ia, Al - le - lu - - ia. Haec quam De - us
3 4
fe - cit di - es, qua nos mi - sel - los vi - si - tat,
Al - le - lu - ia, Al - le - lu - - - ia, Jun - git - que nos
cae - les - ti - bus, O - per be - a - tum nun - ci - um,
o dul - ce cunctis gau - di - um Al - le, Al - le - lu - ia.

Corner 1) c fehlt. 2) und 3) b fehlt. 4) b a ſtatt a g.

No. 164.

Kompt all herzu ihr Engelein.

Mainz 1628. Corner 1625 (1631). Seraph. Luſtgart. 1635. Cöln (Brachel) 1623, 1634. Cölner Pſalter 1638. Rheinfelſ. Geſangbuch 1666.

Kompt all her - zu jhr En - ge - lein, kompt all her - ein,
vnd helfft vns wie-gen das Kin-de-lein im Krip-pe-lein, Nun ſingt
vnd klingt, dem ſüſ-ſen Je - ſu-lein, ſingt dem klei-nen Kin - de - lein.

No. 165.

Dieſer tag voll frewden iſt.

(Echo.)

Cölner Pſalter 1638. Rheinfelſ. Geſangbuch 1666. Psalteriolum 1642.

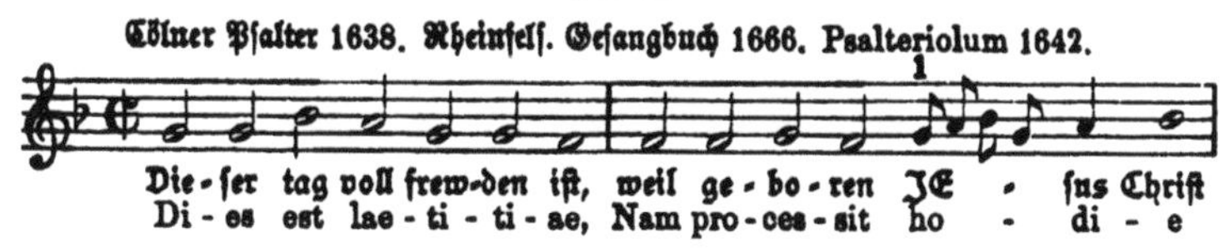
1
Die - ſer tag voll frew-den iſt, weil ge - bo - ren JE - ſus Chriſt
Di - es est lae - ti - ti - ae, Nam pro-ces - sit ho - di - e

Von Ma-ri - a Jung-fraw rein. Jauchzet al - le. Sin-get al-le,
Chris-tus rex de vir - gi - ne, Si-ne vi-ro Vir-gu-la de
1) Rheinf. Gesb. 1666.
lo - bet Gott mit schal-le.
flo-re mo-do mi-ro.
Je-sus Christ.

Der 6strophige lateinische Text steht im Psalteriolum 1642 und in dem vlämischen Gesangbuche: Het Prieel (1609) 1614. In diesem letzteren ist die Melodie durch lange Figurationen entstellt.

Die Stellen „Jauchzet alle“ resp. Sine viro und „Singet alle, lobet Gott mit schalle“ resp. »Virgula de flore modo miro« werden wiederholt oder wie es im Cölner Psalter heißt, mit „Echo“ gesungen.

No. 166.

Schlaff mein Kindlein.

Dormi fili.

I. Cölner Psalter 1638. Nordstern 1671. Münster 1677.

Schlaff mein Kind-lein, schlaff mein söhn-lein, Singt die Mut - ter
Jungfraw rein. Schlaff mein hertz-lein, Schweig mein Schätzlein, singt der
Vat-ter e - ben fein: Sin - get vnd klin - get ihr Kin - de - lein klein
Sin - get vnd klin - get: Ihr En - ge - lein rein
Dem süs-sen, süs-sen Je - su - lein.
mit tau-sent tau-sent her - tze - lin.

Nordstern: 1) a statt c. 2) c c d e cis cis. 3) a a h cis d e e d. 4) a. 5) cis d d cis d.

Varianten 2—5 auch im Münsterschen Gesangbuche.

Das Lied ist die Uebersetzung eines lateinischen Kindelwiegenliedes:

»Dormi fili, dormi mater
cantat unigenito« u. s. w. (Daniel IV, 318; Hoffmann K. L. 255.)

Eine ähnliche Melodie kommt in späteren Gesangbüchern zu anderen

Liebe Sonn mit deinen stralen.

Eja Phoebe nunc serena.

II. Molsheim 1659. Würzburger Evangelien 1653, 1656. Mainzer Psalter 1658. Keusche Meerfräwlein 1664. Erfurt 1666. Sirenes Partheniae 1677. Mainz 1661, 1665. Fulda 1695. Straßburg 1697.

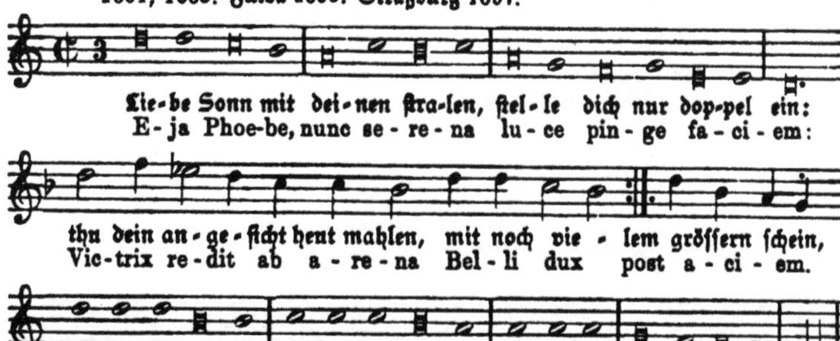
Lie-be Sonn mit dei-nen stra-len, stel-le dich nur dop-pel ein:
E-ja Phoe-be, nunc se-re-na lu-ce pin-ge fa-ci-em:
thu dein an-ge-sicht heut mahlen, mit noch vie-lem grössern schein,
Vic-trix re-dit ab a-re-na Bel-li dux post a-ci-em.

der höl-len gei-ster ist Ju-dit mei-ster, die Ju-dit ist Ma-ri-a rein.
Sty-gi-as Ju-dith pha-lan-ges fu-dit Ma-ri-a, Ter-ror ho-sti-um.

Die Melodie steht zuerst in den Würzburger Evangelien 1653. I, 17 zu dem Texte: „**Als der Herr vom Berg wollt gehen.**“ Im Mainzer Psalter 1658 findet sie sich dreimal zu den Psalmen:

1) „Selig ist der Mann zu schätzen.“
113) „Als nun Israel aus Egypten.“
146) „Gebt dem Herren Lob und Preise.“

In den übrigen Gesangbüchern steht das obige Marienlied. Der lateinische Text ist der ältere. Er findet sich in 7 Strophen in den Sirenes Partheniae, welche 1677 in Würzburg in zweiter Auflage erschienen.

No. 167.

Schlaf mein kindelein.

Dormi Fili, dormi nate zu Teutsch.

Straßburg 1697.

Schlaf mein kin-de-lein schlaff mein söh-ne-lein singt die
schlaf mein her-tze-lein schweig mein schä-tze-lein singt der
Mut-ter Jung-frau rein,
Vat-ter e-ben fein.
Sin-get und klin-get dem Kin-de-lein
Sin-get und klin-get ihr En-ge-lein
klein, dem Ho-nig süs-sen JE-su-lein.
rein, mit tau-send süs-sen Stim-me-lein.

No. 168.

Erfreue dich Himmel.

Straßburg 1697.

Er - freu - e dich Him - mel er - freu - e dich Er - den, er-
Erd, Was - ser Lufft, Feu - er, und himm - li - sche Flammen, ihr
freu - e sich al - les was frö - lich kan wer - den,
Men - schen und En - gel stimmt al - le zu - sam - men,
Auf Er - den hier-
un - der im Him - mel dort o - ben, das Kind - lein im Krip - pe - lein
wol - len wir lo - ben.

No. 169.

Zu Bethlehem geboren.

Hertzopffer.

Cölner Psalter 1638. Mainz 1661, 1665. Nordstern 1671. Münster 1677. Straßburg 1697. Eißfeldisches Gesangbuch 1690.

Zu Beth - le - hem ge - bo - ren ist uns ein Kin - de - lein, Daß
hab ich auß - er - ko - ren, Sein ey - gen will ich sein E - ya,
E - ya, sein ei - gen will ich sein.

Die Sirenes Symphoniacae Cöln 1678 bringen zu dieser Melodie einen lateinischen Text: »In Bethlehem transeamus amoris gressibus.« (Daniel II, 338.)

No. 170.

Mein Hertz will ich dir schencken.

Clausener Gesangbuch 1653. Münster 1677. Straßburg 1697.

1
2
3
Mein Hertz will ich dir schencken Hertz Lie-bes Je-su-lein,
In dei-ner Lieb ver-sen-cken, O Her-tzigs Kin-de-lein,
4
Nimb hin mein Hertz gib mir das dein, Laß bey-de Her-tzen ein Hertz
5
6
sein, O du Hertz-lie-bes Je-su-lein, Her-tzi-ges Kin-de-lein.

Das Clausener Gesangbuch hat diese Melodie noch einmal zu dem Liede:

„Gott grüß dich Kayserinne
Des Himmels vnd der Welt."

1) Münster, Straßburg } a statt e.

2) Münster c͡d statt c.

3) Das. u. Straßburg c statt d.

4) Straßburg d statt e.

5) h c͡d statt d: Münster.

6) fehlt Münster; Straßburg e.

No. 171.

KOmpt zum Kindlein.

Nordstern 1671. Münster 1677. H. Seelenlust 1657. Sirenes Symph. 1678.

KOmpt zum Kind-lein, das in Wind-lein, Ligt, und weint gar
bit-ter-lich: Das mit sei-nem bit-tern wei-nen Sei-ner Mutter Hertz zer-bricht.

In der Heiligen Seelenlust des Angelus Silesius Breslau 1657 steht diese Melodie bei dem Liede:

„Bis gegrüsset und geküsset
allerliebstes Jesulein" (I. Buch, No. 20.)

Die Ueberschrift lautet hier „Auff eines Lateinischen Melodey."
Dieses lateinische Lied ist wohl das folgende:

»Coelo rores fluunt flores
Et terras inebriant« u. s. w.

In den Siren. Symphon. Colon. 1678 hat dieses lateinische Gedicht die obige Melodie.

No. 172.

BJß gegrüſt mein gnaden Thron.

Brauns Echo 1675.

BJß ge-grüſt mein gna-den Thron, hoch-ge-bor-ner Got-tes
Sohn, biß ge-grüſt du neu-ge-bor-ner, mei-ner See-len
(♯)
auß-er-kohr-ner.

No. 173.

Wo iſt das Kind ſo heut gebohrn.

Eißfeldiſches Geſangbuch 1690.

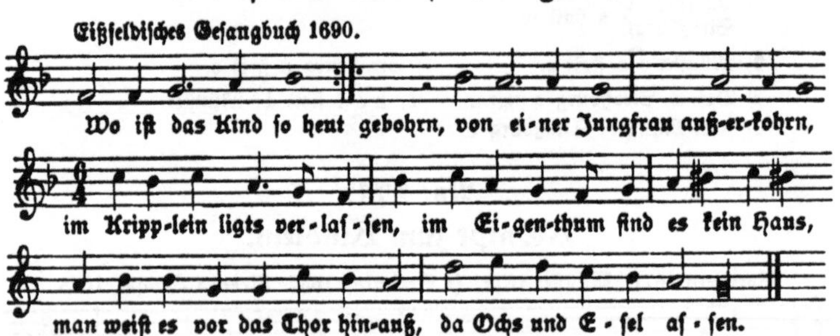
Wo iſt das Kind ſo heut gebohrn, von ei-ner Jungfrau auß-er-kohrn,
im Kripp-lein ligts ver-laſ-ſen, im Ei-gen-thum find es kein Haus,
man weiſt es vor das Thor hin-auß, da Ochs und E-ſel aſ-ſen.

Fasten- und Passionslieder.

(No. 174—241.)

No. 174.

Der Fasten grosse wirdigkeit.

Clarum decus jeiunij.

Gesang im Kirchenthon, oder wie folgt.

Andernach 1608.

Der Fa - sten gros-se wir-dig-keit, Wirdt vns ge-zeigt vom
Cla - rum de - cus je - iu - ni - j, Mon - stra - tur or - bi
Him - mel weit. Dan Chri - stus vn - ser Herr vnd Gott,
coe - li - tus, Quod Chri - stus auc - tor om - ni - um,
Das fa - sten selbst ge - hal - ten hat.
ci - bis di - ca - uit ab - sti - nens.

Der lateinische 5strophige Hymnus hat den h. Gregor den Großen zum Verfasser (M. I, 71; W. I, 96; D. I, 178). Die obige Melodie ist nicht die Choralmelodie.

Eine Uebertragung ins Deutsche aus dem 12. Jahrhundert bringt Kehrein:

„Berhtel gezierde der vasten
wirt gezeiget werlt himelischen."
(Kirchen- und religiöse Lieder 1853, S. 52.)

No. 175.

Jesu, der du geordnet hast.

Jesu quadragenariae.

Gesang im Kirchenthon, oder wie folgt.

Andernach 1608.

Je-su, der du ge - ordnet hast, Die viertzig tag der hei-ligen Fast,
Je-su, qua-dra-ge-na-ri-ae, Di-ca-tor ab-sti-nen - ti-ae,

Marius zuzuschreiben. Die obige Melodie ist u
Eine Uebersetzung aus dem 12. Jahrhunde

„ * Vierczectagelicher
geheiligaer enthabnusse."

(Kehrein, Kirchen- und religiöse Lieder :

Rutgerus Edingius übersetzt:

„Jesu der du eingeweiht hast
das Heilig viertzigtagig Fast.

(Teutsche Evangelische Messen Cöln 1

No. 176.

O süsser Vatter Herre

(W. II, 1009.)

I. Obsequiale. Ingolstadt 1570. Dilinger Gsb. 1576

O süs-ser Vat-ter Herre Got,
er-ken - nen die ze-hen
mit wor-ten vnd mit wer-cken all-zeit
lieb, auß gan-tzer begierd so werden

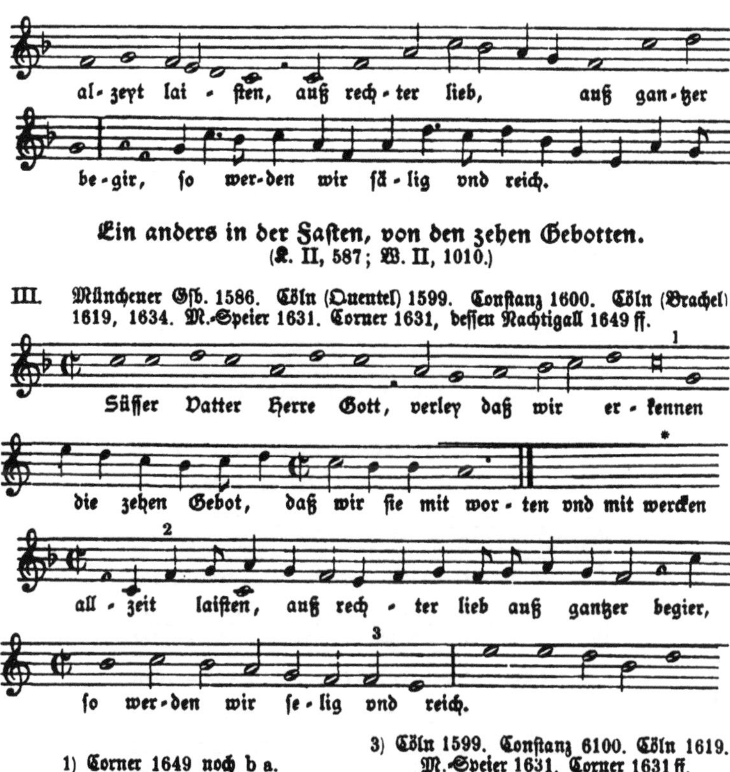
al- zeyt lai - sten, auß rech - ter lieb, auß gan - tzer
be - gir, so wer- den wir sä - lig vnd reich.

Ein anders in der Fasten, von den zehen Gebotten.
(K. II, 587; B. II, 1010.)

III. Münchener Gsb. 1586. Cöln (Quentel) 1599. Constanz 1600. Cöln (Brachel) 1619, 1634. M.-Speier 1631. Corner 1631, dessen Nachtigall 1649 ff.

Süsser Vatter Herre Gott, verley daß wir er - kennen
die zehen Gebot, daß wir sie mit wor - ten vnd mit wercken
all - zeit laisten, auß rech - ter lieb auß gantzer begier,
so wer- den wir se - lig vnd reich.

1) Corner 1649 noch b a.
2) Corner 1649 c fehlt.

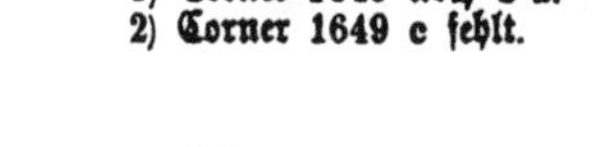

3) Cöln 1599. Constanz 6100. Cöln 1619. M.-Speier 1631. Corner 1631 ff.

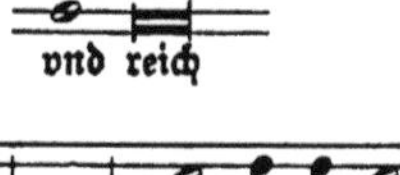
vnd reich

*) Cöln 1619, 1625, 1634.

wercken al - le-zeit lai - sten, auß rechter Lieb, auß gantzer begier.

Ein Christlicher Gesang von den heiligen 10 gebotten in der Fasten vor der Mittag Predig, nach iedes Orths Gewonhaitt zue singen.

IV. Kolers Ruefbuechl 1601.[1]

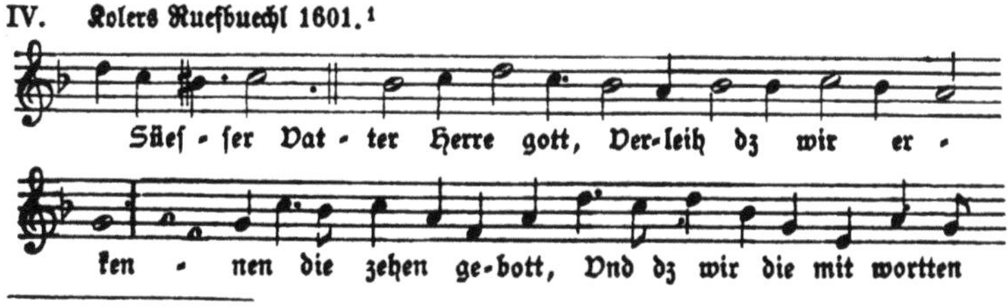
Süeß - ser Vat - ter Herre gott, Der- leih dz wir er -
ken - nen die zehen ge- bott, Vnd dz wir die mit wortten

1) Handschrift aus der Bibliothek Brentanos jetzt im Besitze der Erben Nathusius.

V. Beuttner (1602) 1660.

O Süsser Vatter HEr-re Gott,
ken-nen die zehen Gebott, Vnd daß w
mit Wercken all-zeit lai-sten Auß recht
Begier, So wer-den wir see-lig v

Münchener Cod. germ. 716 fo
(W. II, 1005.)

O sueffer va-ter her-re got, verleich das
cze-hen ge-pot, vnd dye mit wort vnd wercken
in rech-ter lieb zů dei-ner gůt, so wer

Triller bringt die Melodie in seinem Singebuch (1559) zweimal. Bei dem Liede „Nu dancket Got aus hertzen grundt" steht sie mit der Ueberschrift „Auff die Noten O süsser Vatter", Bl. B III. Sodann steht sie noch einmal zu einer Nachdichtung des alten Liedes, Bl. X III.

No. 177.

O HErre Gott das seynd dein Gebott.

Ein anders in der Fasten.

(W. II, 1129.)

I. Beuttner (1602) 1660. Corner (1625) 1631.

O HEr-re Gott das seynd dein Gebott, Wir sol-len glaubn
1
an ei-nen Gott, nicht eytlen, schweren bey seim Nam, Die heilign
Täg feyren recht vnd schön, Ky-ri-e e-lei-son.

1) Corner h c h statt d d a.

Das Lied hat bei Beuttner 5 Strophen. Die drei ersten stehen in M. Cyriacus Spangenbergs Christlichs Gesangbüchlein, Eisleben 1568 mit der Ueberschrift: „Die Zehen Gebot, wie sie in Beyern vor 60 Jharen vnd langer Deutsch gesungen worden".

Die obige Melodie ist die alte Weise. Sie findet sich auch dem zu Liede: „Dis sind die heilgen zehen gebot" (vgl. im II. Bd. No. 207) und bei Beuttner zum zweiten Male zu dem folgenden Rufe: „Sanct N. lieber Herre mein".

Corner 1631 hat dazu das Lied:

„Da Gott der Herr zur Marter trat." (K. I, 200; W. II, 1190.)

Sanct N. lieber Herre mein.

II. Beuttner (1602) 1660.

Sanct N. lie-ber Her-re mein, du wölst vnsr trewr
noth-helf-fer sein, Du bist ein Bi-schoff auß-er-korn,
vnd zu eim heilign Beich-tiger worn.

Leisentrit 1567 ff.

1
All - mech - ti - ger gü - ti - ger Gott
Hauß - va - ter, du hast vns in
zmor - gens gschickt zu ar -

1) e fehlt bei Leisentrit 1584.

No. 179.

Wir dancken dir gütigs

Hecyrus 1581.

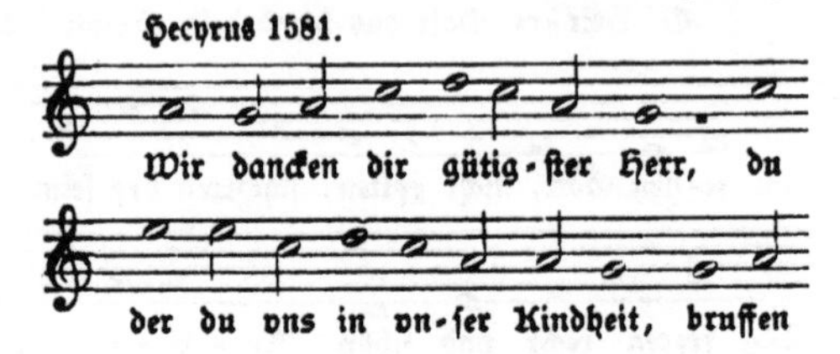

Wir dancken dir gütig - ster Herr, du
der du vns in vn - ser Kindheit, bruffen

No. 180.

Gott spricht, wer in mein r

Ein schön news Christlich Gesang in der
sich selbst verleugnen und ...

No. 181.

O Gütiger Schöpffer vnd Herr.

Der Hymnus Audi benigne conditor, Kan auff die vorgehenden[1] oder in der Kirchen Melodey wie volget gesungen werden.

(K. I, 155; W. V, 1201.)

I. Leisentrit 1567 ff.
O Gü - ti - ger Schöpffer vnd Herr, vn - ser weinen vnnd
bit er - hör, das wir in die - ser Fasten - zeit, zu dir
thun mit sehr grossem leidt.
1) Das Lied Allmechtiger gütiger Gott.
Erhör vnser seufftzlich begir.
II. Kethner Hymni 1555.
Er - hör vn - ser seufftz - lich be - gir, So wir Jetz - und
mel - den vor dir, In rechtem glaubn zu Di - ser Zeit,
O Her - re Gott in e - wig - keit.

III. Dilinger Gsb. 1589.
O Gü - ti - ger Schöpffer vnd Herr, vn - ser wey - nen vnd
bitt er - hör: Daß wir in di - ser Fa - sten - zeit, zu dir thun
mit sehr gros - sem leyd.

mit gros-sem rech - ten layd.

V. Corner (1625) 1631.

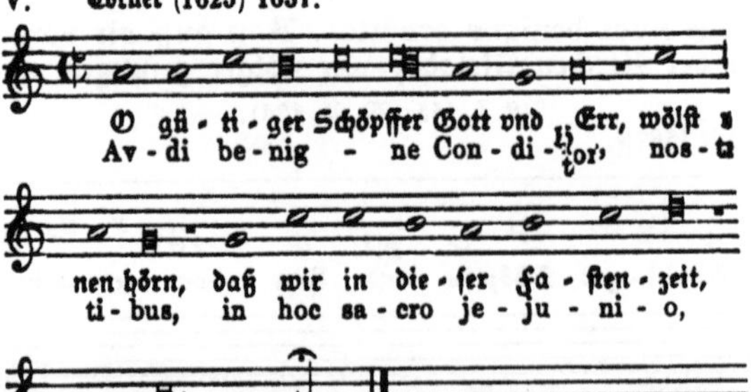
O gü - ti - ger Schöpffer Gott vnd HErr, wölst v
Av - di be - nig - ne Con - di - tor, nos - tr
nen hörn, daß wir in die - ser Fa - sten - zeit,
ti - bus, in hoc sa - cro je - ju - ni - o,

mit gros - sem Leyd,
ge - na - ri - o,

Der 5strophige lateinische Hymnus »Audi benig
dem h. Gregor dem Großen zugeschrieben. (M. I, 74;

Von den Uebersetzungen ins Deutsche sind folgend

1) „Hoere gotlich schepfaer
vnser dige mit weinen,"

aus dem 12. Jahrhundert. (Kehrein, Kirchen- u. rel
S. 53.)

Aus dem Hymnarius von Sigmundslust 1524:

2) „Güetiger pschaffer, vnns erhör
vnnd vnnser gpet mit waynen seer,
Jn der heylgen vasten fron
vnd gib vns gnad vons hymels thr

No. 182.

O Schöpffer mildt, vnd gütig sehr.

Audi benigne conditor.

Gesang im Kirchenthon, oder wie folgt.

Andernach 1608.

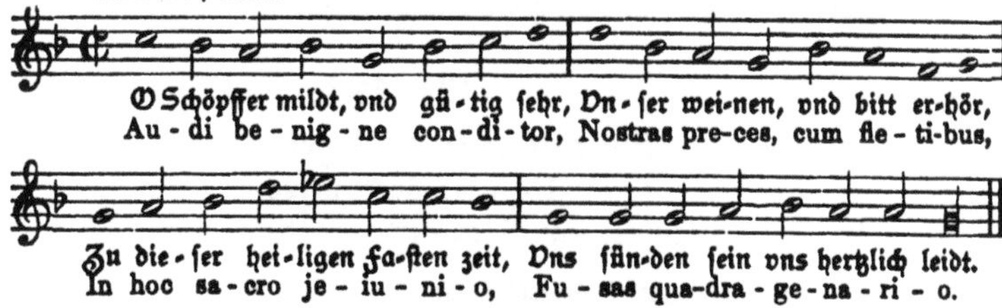
O Schöpffer mildt, vnd gü-tig sehr, Vn-ser wei-nen, vnd bitt er-hör,
Au-di be-nig-ne con-di-tor, Nostras pre-ces, cum fle-ti-bus,
Zu die-ser hei-ligen Fa-sten zeit, Vns sün-den sein vns hertzlich leidt.
In hoc sa-cro je-iu-ni-o, Fu-sas qua-dra-ge-na-ri-o.

No. 183.

Es ist nun vorhanden die zeit.

Ein ander Deutscher Hymnus, meistes theils auff den Hymnum, Ex more docti mystico gerichtet, In der Kirchischen oder negst vorgehender* Melodey.

(K. I, 156; W. V, 1200.)

Leisentrit 1567 ff. Dilingen 1576.

Es ist nun vor-han-den die zeit, die von vns in buß-fer-
tig-keit, soll zu-ge-bracht wern rech-ter weiß, Gott dem Herrn
zu lob ehr vnd preiß.

*) O Gütiger Schöpffer vnd Herr.

Der Text ist von Chr. Hecyrus, der denselben seinem Freunde Leisentrit überlassen, bevor er selbst (1581) seine Lieder drucken ließ.

Der lateinische Hymnus »Ex more docti mystico« wird von Daniel (I, 96) und Wackernagel (I, 73) dem h. Gregor dem Großen zugeschrieben, während Mone (I, 94) denselben als ambrosianisch bezeichnet. In einem Antiphonar der Stiftsbibliothek in Aachen (14. Jahrh.) steht die Melodie in folgender Fassung.

Ex more docti mistico.

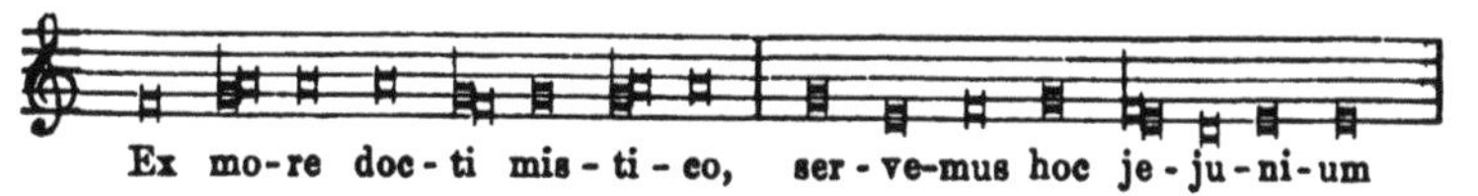
Ex mo-re doc-ti mis-ti-co, ser-ve-mus hoc je-ju-ni-um

setzung:

„Wir sein gelernt auß geistlich wo
dy Vasten halten werd so frou.“ (

Es gab schon im 12. Jahrhundert eine b

„Von site gelert bezaichen
wir behalten dise vasten.“

Kehrein, Kirchen- und religiöse Lieder. 1853,

No. 184.

Als wir recht wol gele

Ex more docti myst

In seinem Kirchenthon, ode

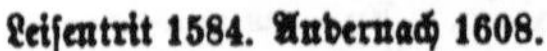
Leisentrit 1584. Andernach 1608.

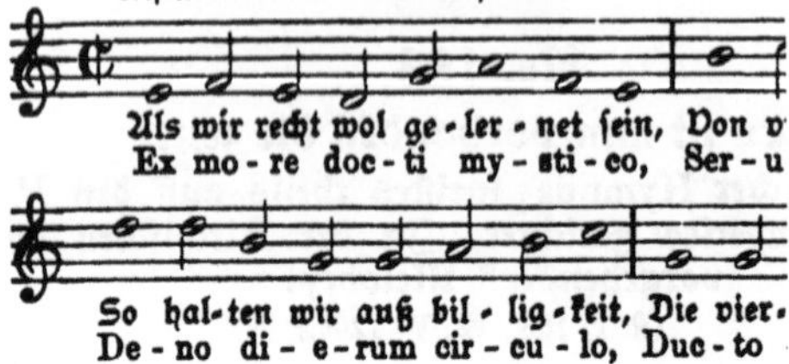

Als wir recht wol ge - ler - net sein, Von v
Ex mo - re doc - ti my - sti - co, Ser - u
So hal - ten wir auß bil - lig - keit, Die vier-
De - no di - e - rum cir - cu - lo, Duc - to

Leisentrit 1584 hat zu dieser Melodie eine
Sonntagsevangelien. Wittenberg 1561. Bl.

„Als Johannes zu Christo san

No. 185.

In armut Christus ist

Ein gar schön andechtig Lied von dem

den, ge-wun-den in die tü-che-lein, ge-le-get in ein krip-
pe-lein sonst war kein raum vorhanden, am ach-ten tag be-schnit-ten
ist, sein nam ward ge-nent Je-sus Christ, sein lei-den ist an-gan-gen.

Der ganze Text in Leisentrits Gesangbuch 1567 ist schon enthalten in dem dort voraufgehenden Liede aus Vehe „Sobald der Mensch erschaffen war". Die Melodie hat einige Aehnlichkeit mit dem folgenden protestantischen Liede.

CApitan HErr Gott Vater mein.

Marggraff Casimirus Lied.

(W. III, 154.)

Geistliche Lieder. Leipzig. Val. Schumann 1539.

CA-pi-tan HErr Gott Va-ter mein, dein gnad er-schein,
Denn itzt auff erd gros yrthumb sein, sih gne-dig drein,

mir weil ich hie im le-ben bin,
das mich re-gir dein gnad vnd sinn.
Ent-deck mir HErr

den rech-ten grund, die stund, ist hie der grö-sten not,

ver-halt mir nicht dein Got-lich wort, die pfort des le-bens

durch den tod, bis-tu al-lein mein HErr vnd Gott.

No. 186.

O Jesu Christ, dein nam der ist.

Ein Geistlich Lied vom Leiden vnnd Sterben Christi.

(K. I, 162; W. II, 1116.)

Leisentrit 1567 ff. Dillinger Gsb. 1576.

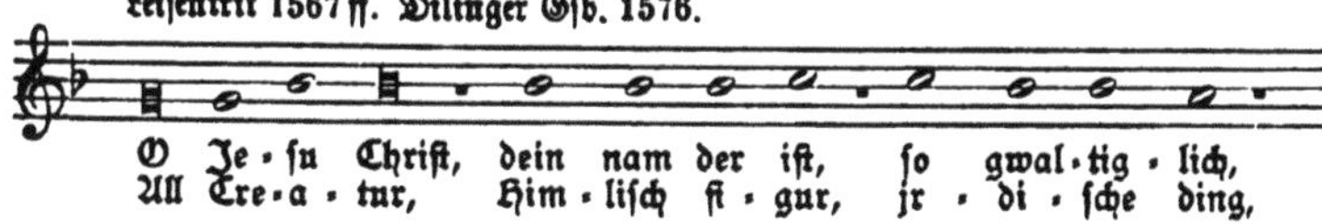
O Je-su Christ, dein nam der ist, so gwal-tig-lich,
All Cre-a-tur, Him-lisch fi-gur, jr-di-sche ding,

Den na-men dein, vnd To - - des - pe

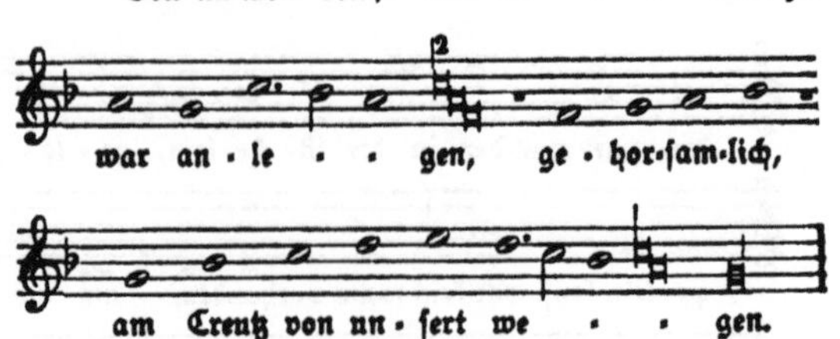
war an - le - - gen, ge - hor-sam-lich,
am Creutz von un - sert we - - gen.

In dem großen Gesangbuch der böhmischen Brüd
sich unsere obige Melodie zu dem Psalmliede:

„Aus dem abgrund, der hellen schlund.

von Centurio Sirutschko (W. IV, 625) mit folgenden

1)
2)
auch bei Leisent

Der Text des obigen Liedes erschien um 1520 i
Nürnberg durch Jobst Gutknecht, um 1526 in König̣
in Landshut (Weller Annalen II, 199; Wackernagel
sodann in einem besonderen Druck Nürnberg durch
zugleich mit Luthers Lied „Herr Gott dich loben wir
das Lied in den Joh. Eichorn'schen Gesangbüchern vom
und später in vielen andern. (W. II, S. 898; Fischer

Wackernagel erwähnt auch einer sehr fehlerhaften,
Aufzeichnung des Liedes unter der Ueberschrift „O
Teutsch" in einer Berliner Papierhandschrift 659
schrieben.

Ob das Lied aus dem Lateinischen übersetzt ist, wie

O Jesu christ, dein leiden ist.

(Arnt von Aichs Liederbuch.)

Gedruckt yn der löblicher, Keyserlicher vnd des heyligen rychs frey Stat Cöln durch Arnt von Aich. ohne Jahr. (1518 handschriftlich.[1]

(W. II, 1115.)

Tenor.
O Je-su christ, dein lei-den ist gar groß vnd schwer
Zu met-tin zeit, gab sich der streit, du wardst ver-kaufft
mit al-ler ser, vmb mensch-lich gschlecht er-gan - - - - gen,
der ju-den-schafft, ge-pei-nigt vn ge-fan - - - - gen,
mit gros-sem haß handt sie on maß dich hin vnd her
ge-zo-gen, in sol-cher not, dein jun-ger trot, seind von
dir all ge-flo - - - hen.

No. 187.

Jhesus Christus vnser Seligkeit.

Ein ander andechtig Lied vom Leiden vnd Todt Christi.

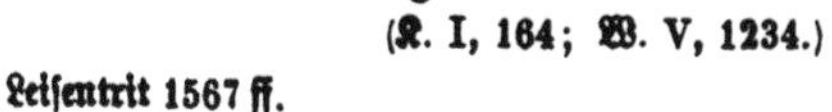
(K. I, 164; W. V, 1234.)

Leisentrit 1567 ff.
Jhe-sus Chri-stus vn-ser Se-lig-keit, Gott vn-ser Her-re die
mar-ter leid, vor vns auch ja-mer vnd gros-se noth, am Creutz
ver-goß er sein blut so roth.

Die Melodie weicht nur wenig ab von dem Liede Hussens »Jesus Christus nostra salus« „Jesus Christus vnser Heylandt". Vgl. No. 380.

1) Königl. Bibliothek in Berlin. Herr Dr. Kopfermann, Custos der Musik-Abtheilung, war so freundlich mir die Copie dieses Liedes zu besorgen.

1628. Mainz 1628. Bamberg 1628 ff. M.-Speier 16
(Brachel) 1634. Cölner Psalter 1638. Davidische Har
Gesb. 1666. Münster 1677.

Gott des Va - ters weiß-heit schon, war - heit weg
Pa - tris sa - pi - en - ti - a ve - ri tas
Chri-stus sein ge - lieb - ter Sohn, in todt für v
De - us ho - mo cap - tus est, ho - ra n
zur Met - ten - zeit ge - fan - gen ward, vor - kauff
A su - is dis - ci - pu - lis, ci
ra - ten, an jm kein schult ge - spü - ret wart
lic - tus, Ju - dae - is est tra - di - tus,
die zwelff bo - ten.
tus af - flic - tus.

1) Osnabrück e statt c.

Leisentrit hat in der dritten Ausgabe seines Gesan
Melodie noch einmal abgedruckt zu dem Liede vom jüng
cabit judices, judex generalis« zu deutsch „Der obri

Christus der vns seelig macht.
Ein anders: Die 7. Tag Stundt, oder Zeit.

(W. III, 289.)

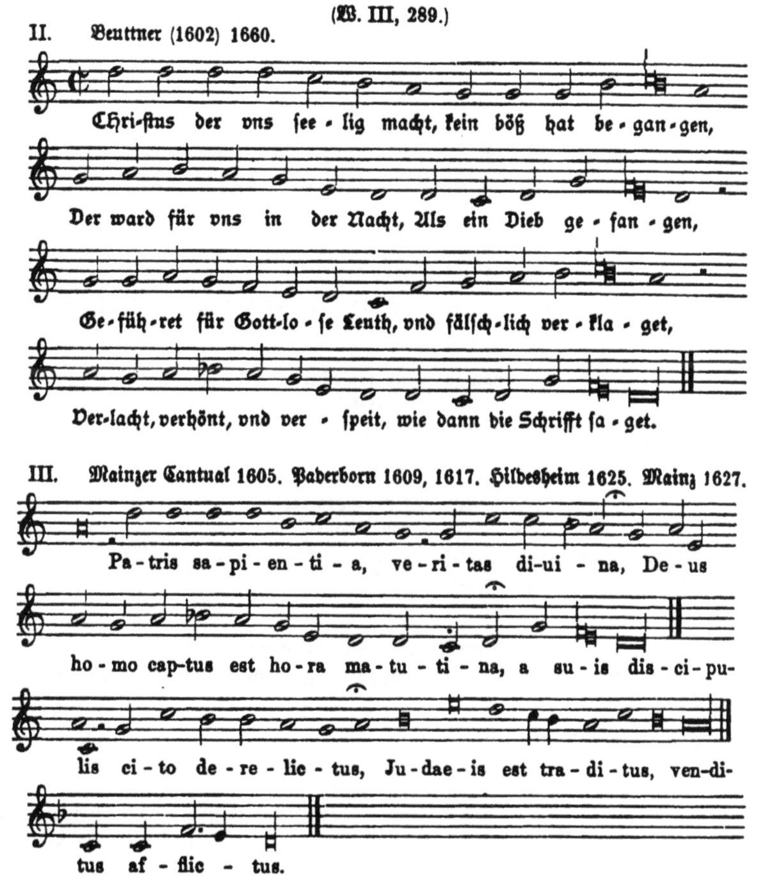
II. Beuttner (1602) 1660.
Chri-stus der vns see - lig macht, kein böß hat be - gan - gen,
Der ward für vns in der Nacht, Als ein Dieb ge - fan - gen,
Ge-füh-ret für Gott-lo - se Leuth, vnd fälsch-lich ver - kla - get,
Ver-lacht, verhönt, vnd ver - speit, wie dann die Schrifft sa - get.
III. Mainzer Cantual 1605. Paderborn 1609, 1617. Hildesheim 1625. Mainz 1627.
Pa - tris sa - pi - en - ti - a, ve - ri - tas di-ui - na, De - us
ho - mo cap-tus est ho - ra ma - tu - ti - na, a su - is dis - ci - pu-
lis ci - to de - re - lic - tus, Ju - dae - is est tra - di - tus, ven-di-
tus af - flic - tus.

Das lateinische Lied in 8 Strophen ist vielfach handschriftlich aus dem 14. Jahrhundert vorhanden, (Daniel I, 337; Mone I, 82; Wackernagel I, 267) allerdings mit den verschiedensten Lesarten. Die Angaben über den Autor widersprechen sich schon in den Handschriften. Bald wird Papst Johann XXII, bald Benedikt XII, bald der Bischof Egidius genannt. Für die große Beliebtheit des Liedes zeugen die zahlreichen Uebersetzungen. Mone nennt eine französische aus dem 15. Jahrhundert und eine altniederländische. Von den vorreformatorischen deutschen Uebertragungen sind bis jetzt folgende bekannt geworden:

I.

„Die weyßheyt vnd götlich warheyt
got vater von himelreiche,"

aus dem 15. Jahrhundert. Münchener Bibl. Mus. pract. 156, 12 offenes Blatt in hoch 4. (1504). Vgl. S. 55, No. 37. Ferner ist das Lied handschriftlich vorhanden im „Antidotarius anime 1491“. Zwickauer Stadtbibl.; in einer Wiener Handschrift 3027. (W. II, 1033; Kehrein, Kirchen- u. religiöse Lieder 1853, S. 200.)

II.

„Do Christus mit den jungern sin
was in den garten gegangen.“

Foliohandschrift No. 47 vom Jahre 1460 auf der Bibliothek des Marzellengymnasiums in Cöln (Hoffmann K. L., No. 187; W. II, 929.)

III.

„O Weishait gottes vaters zart
christus gottes sune.“

Aus dem Münchener cod. germ. 808 (um 1505 geschrieben). W. II, 930.

IV.

„Got in seiner maiestat
Jesus unser Herre.“

Einzeldruck, Nürnberg Wachter. (W. II, 931.) Vgl. S. 64, No. 113.

V.

„Zur mettenzeit gefangen ward
Des vaters weisheit feine.“

Zweiliederdruck aus dem Anfange des 16. Jahrhunderts. (Hoffmann No. 189; W. II, 932.) Vgl. S. 54, No. 25.

VI.

„Gott des Vaters weißheit schon“

im Leisentrit'schen Gesangbuche. Dieses Lied ging in die meisten kath. Gesangbücher über.

Die deutsche Bearbeitung:

„Christus der vns selig macht
keyn böß hat begangen“

(W. III, 289), welche in den Leisentrit'schen Gesangbüchern, bei Hecyrus 1581, im Dilinger Gesangbuch 1589, bei Beuttner (1602) 1660, im Neyßer Gesangbuch 1625, bei Corner 1631, in der Davidischen Harmonie 1659 und im Rheinfelsischen Gesangbuch 1666 u. a. sich findet, ist von Michael Weiße. Sie steht im Brüdergesangbuch vom Jahre 1531.

Die Melodie, welche jedenfalls mit dem Texte gleichen Alters ist, kommt schon in den frühesten protestantischen Gesangbüchern zu folgenden Texten vor:

1) im Brüdergesangbuche 1531 zu dem genannten Liede:

„Christus der vns selig macht.“

2) im Brüdergesangbuche 1539 zu dem Liede:

„Christus warer Gottes son“ von M. Weiße.

später zu

„O hilf Christe Gottes Sohn“

Schlußstrophe des vorigen Liedes. Scheins Cantional 1627 u. a. m.

No. 189.

Gottes des Vaters weißheit schon.

Ein andechtiger gesang von dem Creutz vnd Leiden Christi, welcher neben vnd mit den andern so im Ersten theil gesazt, alhier nicht vnfüglich kan gebraucht werden folgender weiß.

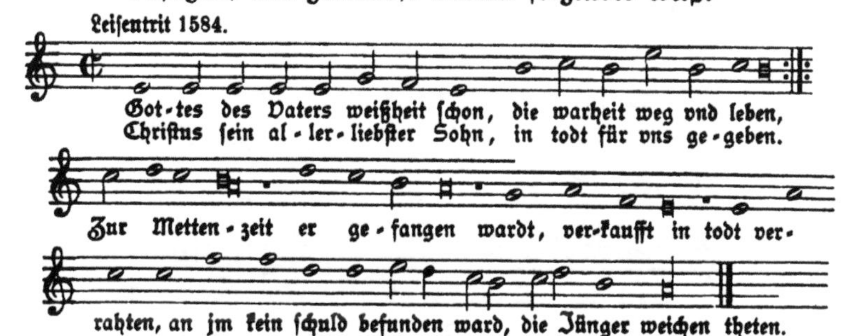
Leisentrit 1584.
Got-tes des Vaters weißheit schon, die warheit weg vnd leben,
Christus sein al-ler-liebster Sohn, in todt für vns ge-geben.
Zur Metten-zeit er ge-fangen wardt, ver-kaufft in todt ver-
rahten, an jm kein schuld befunden ward, die Jünger weichen theten.

No. 190.

Gros vnd heilig vber allen.

Ein gar recht Christlich andechtiger Gesang auff den Hymnum Crux fidelis, geordenet.

(K. I, 167; W. IV, 53.)

I. Leisentrit 1567 ff. Dilinger Gsb. 1589. Andernach 1608. Neyß 1625.
Gros vnd hei-lig vber al-len, ist Je-sus Mari-en Son,
der vns ar-men zu ge-fal-len, ver-lies dort sein herrlich thun,
wolt bey vns jm e-lend wallen, vns er-werben sei-nen Thron.

Text und Melodie stehen bereits im Val. Trillers Singebuch (1555) 1559. Die Melodie hat einige Varianten.

Dieselben Noten mit Auflösung der Ligaturen finden sich bei dem drittfolgenden Liede bei Leisentrit:

> „Jesus Christus, des barmhertzigen Gottes Son
> ist in die welt vom ewigen Thron,
> herabkommen zu versühnen Gottes grossen zorn,
> vnd vns zu suchen, die wir waren verlorn,
> hat in dem gegen vns verdampte menschen erzeigt,
> sein allergröste Lieb vnd barmhertzigkeit."

(K. I, 175; V, 1236.)

Der vollständige Text lautet hier:

„Tewres Creutz wo findt man deins gleich,
vntern beumen auff erdreich,
man deins gleich in keinen walten,
find an zweig blum vnd früchten,
Süß mus das holtz vnd negel sein,
dran sein süsse bürdt hengt fein."

(Aus Rutgerus Edingius Teutsche Euangelische Me
S. 269.)

Crux fidelis.

II. Aus einer Handschrift des 13. Jahrhunderts.[1]

Crux fi - de - lis in-ter omnes ar - bor v -
nul - la sil - ua ta - lem pro - fert fronde fl
dul - ce lignum dul - ces cla - uos dul - ce pon

Crux fidelis.

(W. III, 288.)

III. Gesangbuch der böhmischen Brüder 1539.

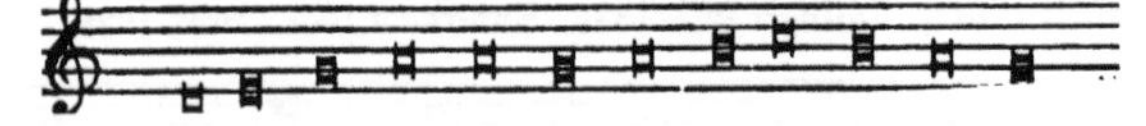

wie er vns hie als ein knecht hat gedient, vnd als ein freünd durch
sein tod mit got versündt.

Der Text von Michael Weiße steht schon im Brüdergesangbuch vom Jahre 1531.

Der Autor des Hymnus »Crux fidelis« ist Venantius Fortunatus. Mone (I, 101) und Wackernagel (I, 79) bringen den Text in 11 Strophen nach alten Handschriften des 8. bis 15. Jahrhunderts. (Vgl. auch Dan. I, 163.) Die zweite Strophe lautet »Pange lingua gloriosi praelium certaminis«[1]. Das »Crux fidelis«, eigentlich die achte Strophe des genannten Hymnus, tritt, in zwei Abschnitte getheilt (»Crux fidelis« etc. und »Dulce lignum« etc.) abwechselnd als Rundreim zu den einzelnen Strophen des »Pange lingua« auf. Aus diesem Grunde ist die Strophe hier an die Spitze des Hymnus gesetzt worden. Der Vortrag des Ganzen wird also in folgender Weise stattgefunden haben:

Einige Vorsänger trugen zunächst die Strophe »Crux fidelis« vor, der Chor wiederholte die ersten vier Zeilen bis zum »Dulce lignum«, darauf sangen die Vorsänger das »Pange lingua« und der Chor fügte das »Dulce lignum« am Schluß hinzu u. s. w.: die Vorsänger »De parentis protoplasti«, der Chor »Crux fidelis«, sodaß also der einen Strophe das Pange lingua des »Crux fidelis«, der andern das »Dulce lignum« als Rundreim angehängt wurde.

Von Uebersetzungen wären zu nennen:

1) „Heyligs kreucz, ein paum gar aine,
edel fuer all paum gemaine"

aus cod. germ. 715, 4. des 15. Jahrhunderts in der Münchener Staatsbibliothek. (W. II, 597.)

In einem Liede: Der werlde wollust du verlate:

2) „O du werdige kruce fron
eddeler bom is ne gehort."

am Ende einer um 1493 zu Rostock gedruckten Auslegung der zehn Gebote. Stadtbibliothek in Stralsund H, 152.

Eine Bemerkung auf der Rückseite des Blattes lautet: „Item hijr vindest du ok den gotliken lauesank to dude den me singet in deme guden vridaghe als me deme kruce offert, vnde heth in deme latine Crux fidelis vnde me mach dit dudesche mit der suluen wise singen, dar me dat latin mede singz Dat schal eenyslik gud cristen mynsche geerne lesen edder singen vnde gades bittere lydent dar meede innichlik betrachten." (W. II, 1015.) Vgl. S. 52, No. 9.

3) „Dw wirdigs khreütz vndter allen
ein edler stamb hochgeacht"

Hymnarius zu Sigmundslust 1524. (W. II, 1364.)

1) nicht zu verwechseln mit »Pange lingua gloriosi corporis mysterium.«

Secht heut wie der Messias.

Am H. Palmentag vnd durch die gantze Marterwoch. einrit gen Hierusalem, Darnach vom gantzen Leiden die weiß, Bey deiner Kirch erhalt vns Herr, Oder folget.

(K. I, 168; W. III, 286.)

Leisentrit 1584.

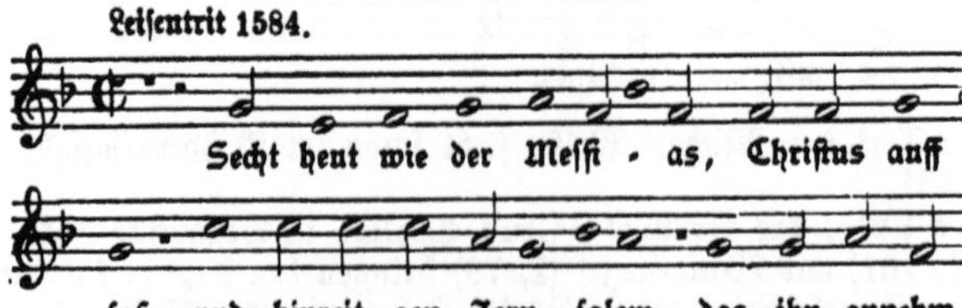
Secht heut wie der Messi - as, Christus auff
saß, vnd hinreit gen Jeru - salem, das jhn annehm

Im Brüder-Gesangbuch (1531) 1539 steht bereits di M. Weiße mit der Melodie des Hymnus »Vexilla regis«.

No. 192, 193.

Lob ehr sey Gott im höchsten thron.

Das Gloria laus Deutsch.[1]

(K. I, 169; W. V, 1203.)

I. Leisentrit 1567 ff. Hecyrus 1581.

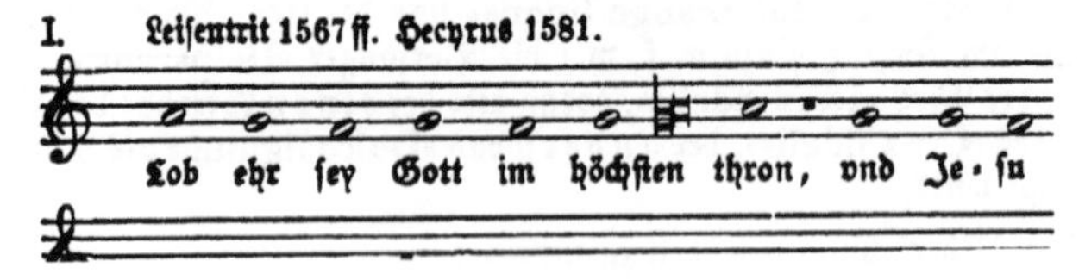
Lob ehr sey Gott im höchsten thron, vnd Je - su

Israel es tu Rex.

(K. I, 170.)

Leisentrit 1567 ff. Hecyrus 1581. Andernach 1608.

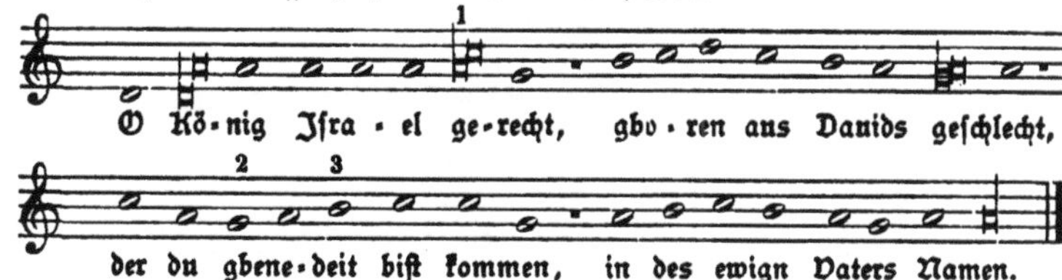
1
O Kö-nig Jsra - el ge-recht, gbo - ren aus Davids geschlecht,
2 3
der du gbene-deit bist kommen, in des ewign Vaters Namen.

1) Hecyrus g statt a. 2) Hecyrus f g statt g. 3) Hecyrus h fehlt.

Das Andernacher Gesangbuch hat zu diesen Noten den Text »Gloria laus etc.« mit der Uebersetzung:

„Lob ehr vnd preiß sey dir Herr Christ,
der du vnser Erlöser bist.“

II. Handschrift aus dem XIII. Jahrhundert.[1]

Glo - ri-a laus et ho - nor ti-bi sit rex Chri-ste re-demptor.
Cui pue - ri - le decus prompsit o-sanna pium. Gloria laus
Israh - el es tu rex da - ui - dis et in - clita proles no- mine
qui in do - mini rex be - ne - dicte ve - nis. Cui etc.

Es folgt »Cetus in excelsis« mit derselben Melodie, dann »Gloria laus«. »Plebs hebraea« (in der Melodie wie Israhel). Am Schluß wird Gloria, laus etc. wiederholt.

Gloria laus et honor.

III. Cöln (Quentel) 1599. Mainzer Cantual 1605. Paderborn 1609. Hildesheim 1625. Mainz 1627. Mainz-Speier 1631. Corner 1631.

Glo- ri - a laus et ho - nor ti-bi sit rex Chri-ste redemptor.
Cu-i pu - e - ri - le de-cus prom-sit O - san-na pi-um. Is-

1) Graduale auf der Bibliothek in Gaesdonck bei Goch (Rheinprovinz).

ex - cel-sis te lau-dat coe - li - tus omnis,
ho - mo cun-cta cre - a - ta si - mul. Gloria et

Es folgen noch die Strophen: »Plebs Hebraea«, »I
und »Hi placuere tibi«, dann:

Das Pueri Hebraeorum.

Cöln (Quentel) 1599. M.-Speier 1631. Corner 1631.

Pu - e - ri Hebrae - o - rum vesti - menta prost
vi - a et clama-bant di - centes: O - san - na fi - li
be-ne - dictus qui ve - nit in no - mi - ne Domini.
ri Hebrae - o - rum tollen - tes ramos o - li - ua-r
ue - runt Do - mi - no cla - man - tes et di - cen-

diesen Hymnus. Der Kaiser war von dem Gesange so gerührt und erbaut, daß er den Bischof in sein Bisthum zurückkehren ließ.

Die obige deutsche Uebersetzung ist von Hecyrus, der sie seinem Freunde Leisentrit überlassen, bevor er 1581 seine Lieder selbst drucken ließ.

Im Hymnarius von Sigmundsluft 1524 lautet dieselbe:

„Gloria, lob vnd grosse eer sey dir,
christ kunig erlöser." (W. II, 1363.)

In Val. Triller's Gesangbuch (1555) 1559 beginnt die Uebersetzung mit den Worten:

„Lob ehr vnnd danck sey dir du König Jesu Christe wahrer Gott." (W. IV. 52.)

No. 194.

Dein König Israel kompt daher.

Rex Israel.

Andernach 1608.

Dein Kö-nig Is-rael kompt da-her, Gar wil-lig vnd de-mü-tig sehr, Mit handt vnd mit Tro-me-ten thon, Mit Mundt vnd stim lobt Got-tes Sohn.

Rex I-sra-el tuus ti-bi Man-su-e-tus et vo-lens ad-est, Plau-sus ma-nu, can-tus tu-ba Et o-re lau-des per-so-na.

Der fünfstrophige lateinische Text ist von G. Fabricius. Er steht in dessen Werk »De historia et meditatione mortis Christi et de usitatis Ecclesiae Christianae festis ac temporibus Hymnorum libri II. Basileae 1552«. Bl. 46 mit der Ueberschrift »De regio in urbem Hyerosolymam Christi ingressu (W. I, 507). Die Melodie besteht aus einigen Sätzen des Gesanges »Pueri Hebraeorum«. Vgl. die vorige Nummer.

No. 195.

Des Königs Panir gehen hervor.

Ein andechtiger gesang allein in der Palm- oder Charwochen zu singen, Vexilla regis etc. [1]

(K. I, 184; W. III, 502.)

I. Leisentrit 1567. Cöln (Quentel) 1599. Constanz 1600. Mainzer Cantual 1605. Paderborn 1609, 1617. Hildesheim 1625. Neyß 1625. Mainz 1627. M.-Speier 1631.

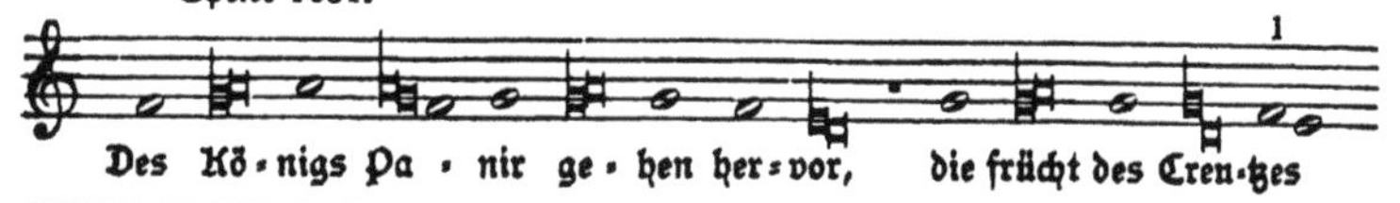
1
Des Kö-nigs Pa-nir ge-hen her-vor, die frücht des Creu-tzes

*) In der Ausgabe vom Jahre 1584 lautet die Ueberschrift weiter: „welchen etzliche dem Fortunato, etzliche aber Theodolpho Aurel: Epis: zuschreiben".

u. a.
1600 u. a.
Creu-tzes schwebt em-por.
car - nis con - di -

3) Cöln 1599, Constanz 1600, Note c fehlt.

Im Mainzer Cantual und in den Paderborne
der lateinische Text.

Felschlich vnd arg betrog

Ein ander Gesang, auff den Thon, Ve

(K. I, 157; W. IV, 54.)

II. Dilinger Gsb. 1589.

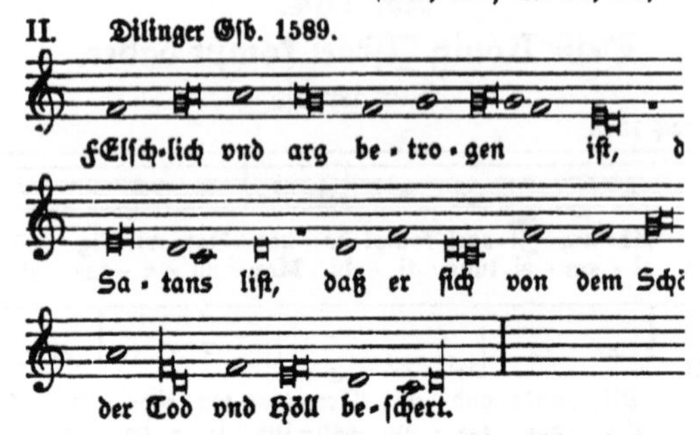
FElsch-lich vnd arg be - tro - gen ist,
Sa - tans list, daß er sich von dem Sch
der Tod vnd Höll be-schert.

Des Königs Fähnlein gehn

Das Lateinisch vnnd Teutsch Vexilla I

III. Osnabrück 1628.

gen ist in schnö-der weiß.
sus est pa - ti - bu - lo.

Im Original fehlt die ♭ Vorzeichnung.

Eine ähnliche Fassung der Melodie steht bereits in den Hymnen von Kethner 1555.

Der höchst König mit sein panir.

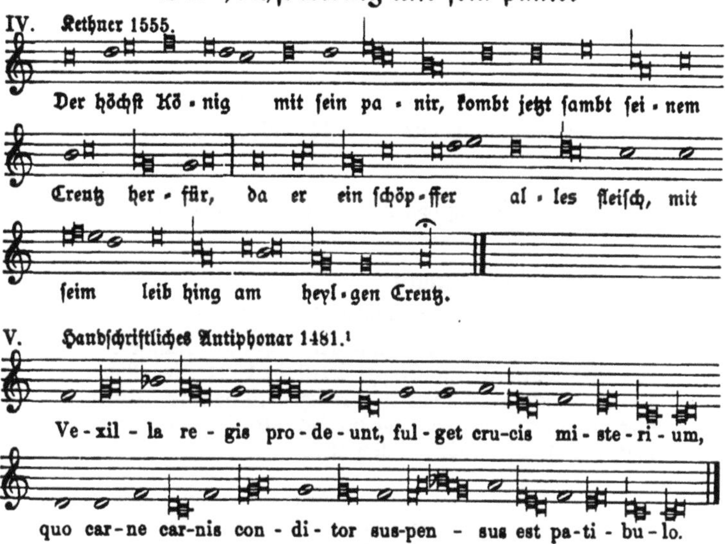
IV. Kethner 1555.
Der höchst Kö - nig mit sein pa - nir, kombt jetzt sambt sei - nem
Creutz her - für, da er ein schöp - ffer al - les fleisch, mit
seim leib hing am heyl - gen Creutz.
V. Handschriftliches Antiphonar 1481.[1]
Ve - xil - la re - gis pro - de - unt, ful - get cru-cis mi - ste - ri - um,
quo car - ne car-nis con - di - tor sus-pen - sus est pa - ti - bu - lo.

Vexilla regis prodeunt.

(W. III, 286.)

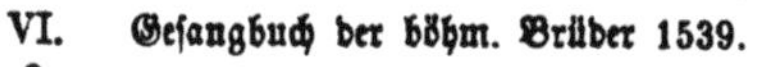
VI. Gesangbuch der böhm. Brüder 1539.

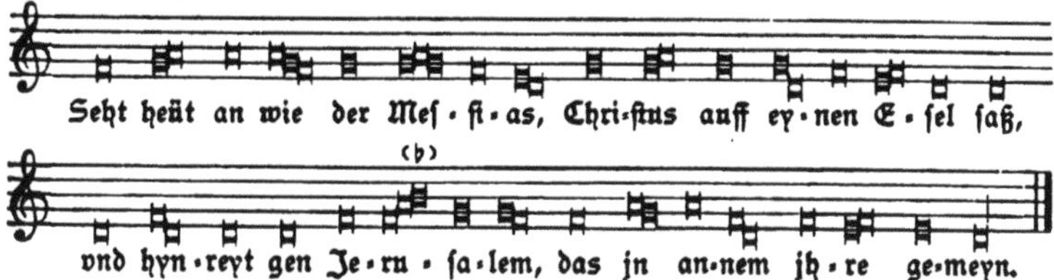
Seht heüt an wie der Mes - si - as, Chri-stus auff ey - nen E - sel saß,
(♭)
vnd hyn - reyt gen Je - ru - sa - lem, das jn an-nem jh - re ge-meyn.

Der Text ist von M. Weiße, er steht schon im Brüdergesangbuche vom Jahre 1531.

Der 8strophige Hymnus »Vexilla regis« wird gewöhnlich dem Venantius Fortunatus zugeschrieben. Auch der Bischof Theodulfus (vgl. das vorige Lied) und Sedulius werden genannt. (W. I, 80; D. I, 160.)

1) Stiftsbibliothek in Aachen.

Stuttgarter Handschrift cod. theol. 8. No. 19 aus dem 1
(W. II, 928.)

III.

„Des koniges vanen gan her vor
heil des cruzes lucht offenbar."

Papierhandschrift 1460 fol. in der Bibl. des Jesuiten-Gymn
(Hoffmann K. L. 217.)

III a.

„Die künglich paner gend herfür,
des Creütz opfer scheindt nach gepür."

Passio Christi von Mart. Myllio, 1517. (Vgl. die Bibliog

IV.

„Des Khünigs panier khummen heer,
dy haymligkhait des chreütz scheint mer."

Hymnarius von Sigmundslust 1524. (W. II, 1361.)

V.

Die Uebersetzung von Kethner 1555 (siehe oben).

VI.

Das Lied bei Leisentrit:

„Des Königs Panir gehn hervor"

steht bereits in dem auf Anregen Thomas Münzers
„Deutsch Euangelisch Messze Altstedt 1524", im Rosto
1531. Wackernagel bemerkt aber schon „Thomas Münz
mir bekannt, nirgend ausdrücklich als Verfasser bezei
Das Lied ist also wahrscheinlich älter.

VII.

„Des Königs scalin ghan herfür

Im Dilinger Gesangbuch 1589, im Cölnischen 1599 steht zu unserer obigen Melodie der Text:

„Felschlich vnd arg betrogen ist."

aus Val. Trillers Singebuch (1555) 1559.

Im Gesangbuch der böhmischen Brüder (1531) 1539 finden wir die Melodie bei dem Liede:

„Seht heüt an wie der Messias
Christus auff eynen Esel saß"

von Michael Weiße. (W. III, 286.)

No. 196.

Des Königs Phanier gehn herfür.

Vexilla regis prodeunt.

In seinem Kirchenthon oder wie folgt.

Andernach 1608.

Des Kö - nigs Pha - nier gehn her - für, Des Creutz ge - heim - nuß
Vex - il - la re - gis pro - de - unt, Ful - get cru - cis mys-
schwebt em - por, An dem der Schöp - ffer al - les Fleischs, Ge-han-
te - ri - um, Quo car - ne car - nis con - di - tor, Sus-pen-
gen ist in schnö - der weiß.
sus est pa - ti - bu - lo.

No. 197.

Do Jesus an dem Creutze hung.

Ein andechtig Lied von den sieben worten, die der Herr am Creutze sprach, im alden Thon.

(K. I, 176, 177; W. II, 1327 ff.)

I. Leisentrit 1567 ff. Dilinger Gsb. 1576. München 1586. Cöln (Quentel) 1599. Constanz 1600. Andernach 1608. Paderborn 1609, 1617. Vogler 1625. Neyß 1625. Würzburg 1628, 1630 ff. Mainz 1628. Corner 1631. Seraph. Lustgart 1635. Molsheim (1629) 1659. Mainz 1661, 1665. Prag 1655.

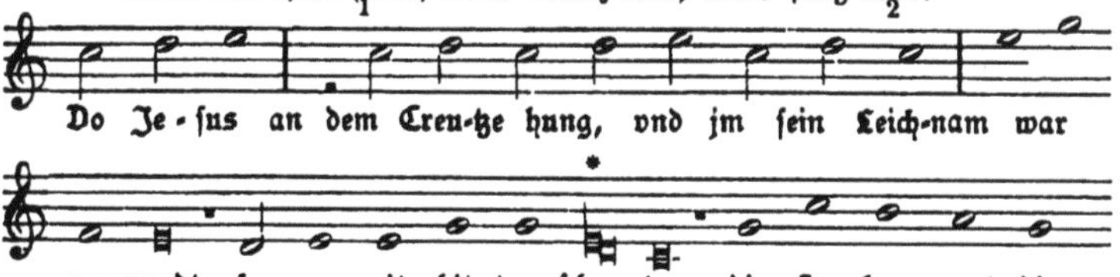
Do Je - sus an dem Creu-tze hung, vnd jm sein Leich-nam war
ver-wundt, so gar mit bit - tern schmertzen, die sie - ben wort die

„Da Jesus an dem Creutze stund."

Das Dilinger Gesangbuch 1576 hat zu dieser Melod

„Die ersten Menschen Gott der Herr"

aus Leisentrits Gesangbuch.

Im Andernacher Gesangbuch steht folgender lateinisch

»Crucis cruente stipite
Jesu rubente corpore,
Lingua gemens tremente,
Septena verba protulit,
Firma tenenda mente.«

Andere Uebersetzungen sind folgende:

1) »In crucis pendens stipite
Sacro perfusus sanguine
Jesu summo dolore,
Quae septem Verba protulit
Pari penses amore.«

Sirenes symphoniacae 1678.

2) »In crucis pendens stipite,
confossus toto corpore
Acerbo cum dolore,
Haec verba Dei Filius
Sacrato fundit ore.«

3) »In crucis pendens arbore,
toto cruentus corpore,
summo dolore,
quae verba Dei Filius
divino fudit pectore,
pari penses amore.«

In »Psalteriolum Cantionum Catholicarum Coloniae 1

Mir scheinen diese Texte Uebertragungen des ursprü
Liedes zu sein.

Da Jesus an dem Creuze stundt.

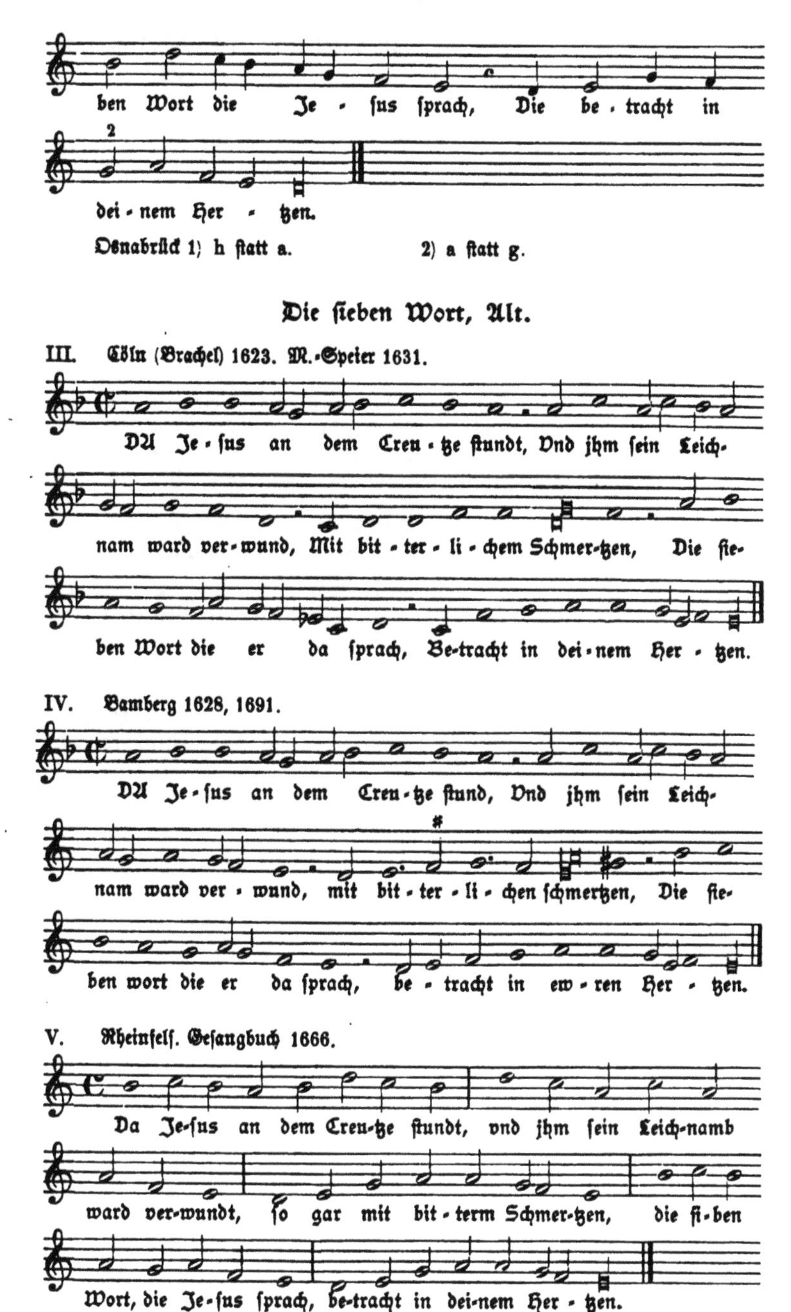
ben Wort die Je - sus sprach, Die be - tracht in
2
dei - nem Her - tzen.
Osnabrück 1) h statt a. 2) a statt g.
Die sieben Wort, Alt.
III. Cöln (Brachel) 1623. M.-Speier 1631.
DA Je - sus an dem Creu - tze stundt, Vnd jhm sein Leich-
nam ward ver - wund, Mit bit - ter - li - chem Schmer-tzen, Die sie-
ben Wort die er da sprach, Be-tracht in dei - nem Her - tzen.
IV. Bamberg 1628, 1691.
DA Je - sus an dem Creu - tze stund, Vnd jhm sein Leich-
nam ward ver - wund, mit bit - ter - li - chen schmertzen, Die sie-
ben wort die er da sprach, be - tracht in ew - ren Her - tzen.
V. Rheinfels. Gesangbuch 1666.
Da Je-sus an dem Creu-tze stundt, vnd jhm sein Leich-namb
ward ver-wundt, so gar mit bit - term Schmer-tzen, die si-ben
Wort, die Je-sus sprach, be-tracht in dei-nem Her - tzen.

Wort die er da sprach, be-tracht in dei-nem H

In dich hab ich gehoffet HERR

(W. III, 170.)

VII. Val. Bapst Gesb. 1545.

In dich hab ich ge - hof - fet HERR, hilff d
schan - den werd, noch e - wig - lich zu spo - te,
dich, er - hal - te mich, in dei - ner trew HER

Unter No. 117 theilten wir die erste Melodie diese Liedes mit. Eine dritte findet man unter No. 21 I im II. B frau zart von edler Art." Sie findet sich in Barth deutsche Lieder Frankfurt a. O. 1601, Bl. 120.

Da Jesus an dem Creutze stundt
Vnd im sein Leichnam ward verwun

Die erste Zeile schon bürgt uns für das hohe Alte denn sie besagt, daß dasselbe in einer Zeit entstanden sei, sich den Heiland am Kreuze stehend dachte. „Bei der ält fassung sind Hände und Füße mit 4 Nägeln oder gar nich beide Füße auf dem Fußbrett nebeneinander stehen, z. B. beinrelief des 9. Jahrhunderts (bei Jameson Hist. of our und auf dem Diptychon des Bischofs Ellenhardt von Kr

directe«, ferner »stans immotus in dolore« (Ad genua Str. 2). Der h. Bonaventura »Horae de passione Domini nostri Jesu Christi« sagt: »et stans in illa sitiit«. In dem Liede »Ave mundi conditor« aus dem 14. Jahrhundert heißt es in der 31. Strophe »stat in cruce« (W. II, 1091.) Wir werden demnach wohl nicht fehl gehen, wenn wir ein Lied mit den obigen Anfangszeilen in das 14. Jahrhundert setzen.

Aus dem 15. Jahrhundert besitzen wir unser Lied handschriftlich. Kehrein theilt aus einer Wiener Handschrift des 15. Jahrhunderts einen 9strophigen Text mit:

„Da iesus christ am krewtz stayndt
vnd jm sein leichnam ward verwundt“

(Kirchen- und religiöse Lieder. 1853, S. 198.)

Das Lied gleichen Anfanges von Johann Böschenstein, welches zuerst 1515 erschien, ist weiter nichts als eine Ueberarbeitung des handschriftlichen Textes, wobei namentlich in den Anfangszeilen der 9 Strophen die Reihenfolge der sieben Worte angegeben wird. In der Folge erschien das Lied noch häufiger in Einzeldrucken (vgl. in der Bibliographie die Jahre 1515, 1529, 1590, 1641.)

Lüft gibt in seiner Liturgik (II. Bd. 1847, S. 182 und im „Katholik“ Mainz, 1842) einen gewissen Petrus Bolandus als Autor der Melodie an und J. Chr. Olearius (Hymnodia passionalis. Arnstadt 1709), ferner Wetzel (Hymnopögraphie I [1719], S. 123), schreiben ihm auch einen lat. Text unseres Liedes zu. Wetzel berichtet darüber Folgendes:

»Bolandus (Petrus) ein alter Scribent, florirte ums Jahr Christi 1495, und hat nach Anzeige des Cornelii Schultingii in Bibliotheca Ecclesiastica Tom. I. P. II. p. 158 den Lateinischen Hymnum:

Stabat ad Lignum crucis etc.

verfertiget, woraus hernach der teutsche Paßions-Gesang:

Da JEsus an dem Creutze stund etc.

als eine Verbesserung entstanden, wie denn auch von Bolandi Hymnopoeia und Poesie Conr. Gesnerus in Bibliis ed. Tigur. 1583. fol. 667. zeuget, wenn er schreibt: Petri Bolandi Hymni quidam extant. Idem scripsit carmen Sapphicum pro Friderico Imp. III. et aliud in mortem Rudolphi Agricolae. Epigrammata innumera ex sententiis Senecae et Platonis. Sapphicum in D. Virginem. Heroicum in opus de triplici candore et alia complura.«

Wackernagel glaubt aber, das Lied »Stabat ad lignum crucis« sei das angeführte »Sapphicum in D. Virginem«, also ein Muttergotteslied und nicht die Grundlage des deutschen Passionsliedes (Bd. II, S. 1091).

Nach dem Böschenstein'schen Gedicht bearbeitete Wizel seinen Text in dem „Deutsch Betbuch“ 1537, in Odae Christianae 1541, im Psaltes Eccles. 1550.

Das Lied ging in der Fassung Böschensteins meistens in die protestantischen Gesangbücher über; zuerst in das Schumann'sche, Leipzig 1539 und in das Magdeburger 1540.

Die Bearbeitung von Wizel finden wir schon bei Vehe. Leisentrit hat beide aufgenommen.

Die obige Melodie scheint die dem Liede eigenthümliche zu sein, da Leisentrit zu derselben bemerkt „Im alden Thon“. Das Vehe'sche Gesang-

für unsere Melodie. In dem Einzeldrucke 1515 wird
Ton des Liedes „Es wohnet Lieb bei Liebe". Wie die
zu dem Texte von den sieben Worten abgeben soll, ist mi
mal ist dasselbe in 7 zeiligen Strophen gedichtet, wäh
Jesus an dem Creutze stundt" 5 zeilige Strophen h
erste Zeile des weltlichen Liedes 7 Silben, während unse
Zeile 8 Silben zählt.

No. 198.

Von des ewigen Vaters Thro

**Von dem Passion vnd Leiden vnsers HErren
in der Melodey, Allmechtiger gütiger Gott, od
O Gütiger Schöpffer vnd HErr, oder aber, Es ist
oder nach den volgenden Noten.**

(K. I, 172; W. V, 1235.)

Leisentrit 1567 ff. Dillinger Gsb. 1576. Andernach 1608.

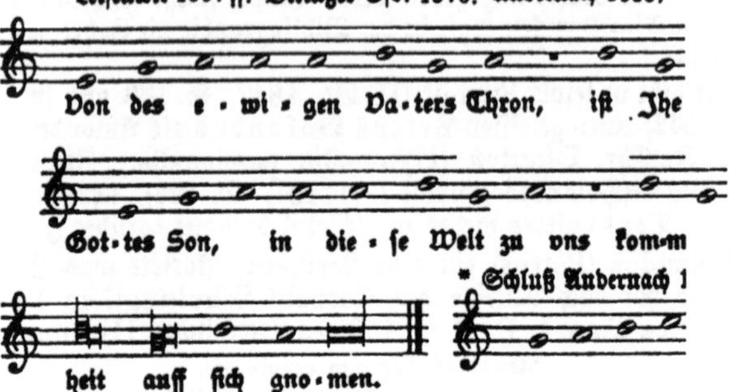
Von des e - wi - gen Va - ters Thron, ist Jhe
Got - tes Son, in die - se Welt zu vns kom-m
* Schluß Andernach 1
heit auff sich gno - men.

Das Andernacher Gesangbuch hat zu dieser Melodi

»Qui solis excellit jubar

„Der vbertrifft der

No. 199.

Gottes Son auff erd ist kommen.

Der Passion.

Hecyrus 1581.

Got-tes Son auff erd ist kom-men, hat vn-ser menschheit an-gnummen,
trew-lich ge-pre-digt Got-tes wort, in der el-len-den Pil-ger-fart,
hat die sün-der buß thun ge-lehrt, daß sie zu Gott wur-den be-kert.

No. 200.

I. Peters von Arberg große Tageweise „O starcker Gott al unser not.“ (Mitte des 14. Jahrhunderts.) Aus der Straßburger Handschrift mit Melodie entziffert von F. M. Böhme. Pfeiffers Germania 1880, 2. Heft.

1. O star-cker got al un-ser not be-veln ich, her, in
2. Die na-men dry die won uns by in al-len no-ten
dyn ge - - bot, laz uns den dag mit gna-den u - ber-
wo wir___ syn, des cru-czes kreyß sie vns vör al - le
schy-nen. 3. Daz swert da Sy-me-on von sprach, daz
py-nen. 4. Daz sie mir hiut in my-ner hant, zu
Ma-ri - en durch yr rei-nes her-cze stach, da sie an-sach
schierme wol vor heubt-haf-ti-ger sun-den bant, gar un-ge-schant
daz Christus stunt ver-se-ret.
sy myn lyp u-ber sich hyn-ke-ret.
5. O wer-de wön-schel-
ger-te des stammes von Yes-se, The-o-phi-lum er-ner-te dyn jung-

De Passione Domini.

II. Handschrift der Trierer Stadtbibliothek No. 724 aus dem

1) Nu sterk uns got in un - ser noit;
mich hu - den he - re in dyn ge - bot: Lais
ge - ne - de - li - chen schy - nen!

2) Der namen drie, de steen mir by
in allen noeden, so wair ich sy
dat cruyze christi stee wir vur allen pynen.

3) Dat swerd dar her symeon aff sprach,
dat marien durch yr reyne hertze stach,
do sy ansach dat christus stont beswerct.

4) Dat stee mir huden in mynre hant,
beschirme mich here nur heufftsunden band,
gar ungeschand wair sich myne lieff hynne keret

1) Ma - ri - a wun - schel - ger - te des stam - mes von
phi - lum er - ner - te mit

3) Der besen swanck,
Der gallen dranck
Der doit al mit mynscheit ranck
Do hie rieff in barmentlichen Doyne.

Mitgetheilt von E. Bohn in der „Cäcilia". Trier 1877, S. 83.

Aue rubens rosa uirgo.

(W. III, 273.)

III. Gsb. der böhm. Brüder (1531) 1539. Locheimer Liederbuch (1450).

Got sah zu sei-ner zeyt, auff die men-schen-kin-der,
Fandt sie ver-ma-le-deyt, vn got-lo-se sün-der,
dacht was
er auf-ser-wal-tē, vet-tern vn pro-phe-ten, vor lan-gest het ver-
schwo-ren, wen-det sei-nen zo-ren, von sein auf-ser-ko-ren. (M. Weiße.)

Varianten im Locheimer Liederbuch: 1) f f statt f. 2) b statt d. 3) f statt b. 4) g a statt a.

Im Locheimer Liederbuch (neu publicirt von Arnold in den Jahrbüchern für Musik. Wissenschaft von Chrysander, 1867) steht die obige Melodie mit den angegebenen Varianten zu dem Liebesliede:

„Mein frewd möcht sich wol meren."

Die ♭ Vorzeichnung fehlt in den Ausgaben der Brüdergesangbücher 1539, 1544 und 1560. In dem großen Brüdergesangbuche vom Jahre 1566 steht die Melodie eine Quint höher c e d c, also in der jonischen Tonart. Diese findet sich denn auch in den späteren protestantischen und katholischen Gesangbüchern.

Die Limburger Chronik berichtet zum Jahre 1356: „In disser Zeit sang man das Tagelied von der Heiligen Passion, und war neu, und machte es ein Ritter:

„O starker Gott, all unser Noth." u. s w.

dieser Ritter wird in der Kolmarer Handschrift des 15. Jahrhunderts (W. II, S. 330) näher bezeichnet. Hier lautet die Ueberschrift „Grave Peters groze tagewise."

„Die Verbreitung des Liedes über ganz Deutschland, von den Alpen bis zur Ostsee ist bezeugt" sagt K. Bartsch in seiner Abhandlung (Germania 1880, S. 240). Die bis jetzt bekannt gewordenen neun handschriftlichen Quellen von der Limburger Chronik bis zu einer Kieler Handschrift des 18. Jahrhunderts bringen den Text in alemannischer, mittelrheinischer, niederrheinischer und niederdeutscher Mundart. Den obigen Text der Trierer Handschrift des 15. Jahrhunderts hat Bartsch nicht gekannt.

Die Melodie liegt uns hier in einer früheren und späteren Fassung vor. Sie bewegt sich in der alten dorischen Tonart (I. Kirchenton), geht aber

In der älteren Fassung, welche F. M. Böhme
Handschrift (Mitte des 14. Jahrhunderts) publicirt h
1 und 2 den ersten und zweiten Stollen, die Strop
sang mit einer Melodie, welche in der Trierer Hand
Uebrigen finden sich bedeutende Varianten vor.

Die Frage, ob unserer Melodie eine weltliche „
liege, vermag ich nicht zu entscheiden. Dagegen glaub
des Liedes im Locheimer Liederbuch

„Mein frewd möcht sich wol meren,
wollt glück mein helfer sein“ u. s. w.

mit der Passionsweise verwandt ist (I. Melodie in der

Beginnt und schließt man diese letztere in der Te
sich die lydische Tonart ein, welche im Gesangbuch de
1531 ff. zu dem Liede „Gott sah zu seiner Zeit“ zu
Volksgesang paßte diese Tonart nicht. Deshalb suchte
eines ♭ (resp. Transposition in die Quint) die populä
gewinnen.

Diese bildet den Grundstock von mehreren protes
lischen Kirchenliedern.

Frühzeitig wurde sie schon dem Marienliede »Ave
zugeeignet, welches Hecyrus in seinem Gesangbuche 15
dem Liede „Last vns in einigkeit“. Wir kennen
Brüdergesangbuche (1531) 1539, wo sie dem Liede „
Zeit“ beigegeben ist. In Corners Gesangbuch (1625) 1
Predigtliede „Vater im höchsten Thron“ (Vgl. II.
dings mit Varianten.

Protestantischerseits fand sie Verwendung zu folg

1) „Herr Christ der eynig Gottes Sohn
von Elisabeth Creutziger im Erfurter Enchiridion 1524

No. 201.

HEttn wir ſo wahr Gotts hulde.

Ein alter andächtiger Ruff, von der Krönung Creutzigung vnd Begräbnuß Chriſti.

(K. I, 187.)

Corner (1625) 1631.

HEttn wir ſo wahr Gotts hul - de, als vns Chri-ſtus vermeynt, da

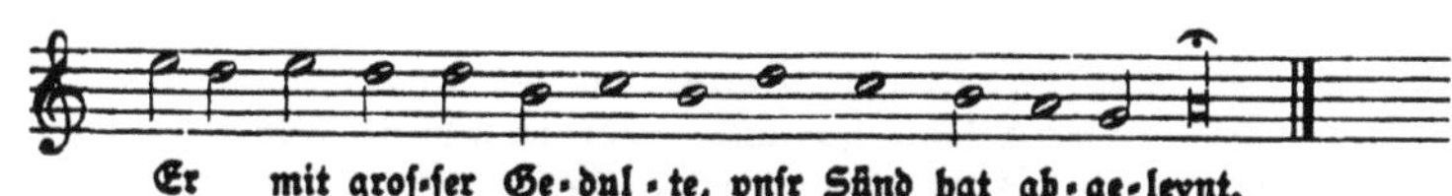
Er mit groſ-ſer Ge-dul - te, vnſr Sünd hat ab - ge-leynt.

Vgl. No. 85 im II. Bande, wo faſt dieſelbe Melodie zu dem Roſenkranzliede „In Gotts Nam wolln wir ſingen" ſteht.

No. 202.

O Lamb Gottes vnſchuldig.

Das vhralte Agnus Dei, Geſangsweiß.

(K. I, 188; W. III, 619.)

I. Corner (1625) 1631, deſſen Nachtigall 1649.

O Lamb Got - tes vn - ſchul - dig, am Stamm deß Creu-tzes ge-
All - zeit fun - den ge - dul - tig, wie - wol Du wa - reſt ver-

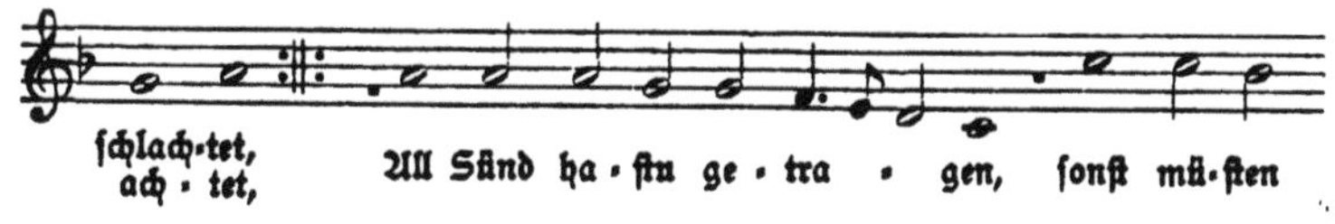
ſchlach-tet,
ach - tet,
All Sünd ha - ſtu ge - tra - gen, ſonſt mü-ſten

wir ver - za - gen, Er-bar-me dich vn - ſer O JE - ſu.

„Nota. Diß Gſang wirdt dreymahl widerholet, vnd zum drittenmahl alſo beſchloſſen: Gib vns deinen Friden O Jeſu."

II. Rheinfelſ. Geſangbuch 1666.

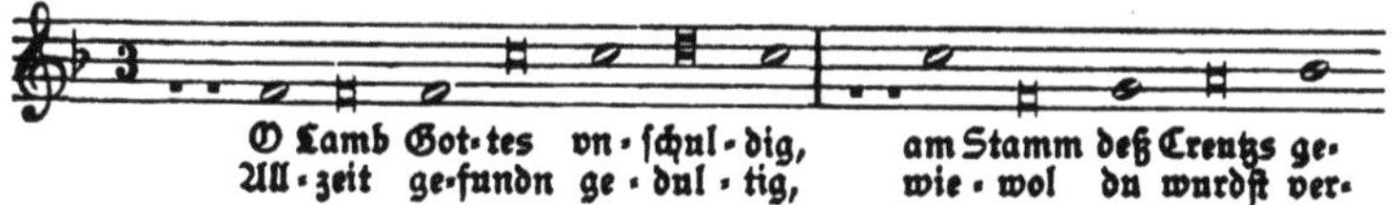
O Lamb Got-tes vn - ſchul - dig, am Stamm deß Creutzs ge-
All - zeit ge-fundn ge - dul - tig, wie - wol du wurdſt ver-

III. Münster 1677.
O Lamb GOt-tes un-schul-dig,
All-zeit ge-fun-den ge-dul-tig,
ge-schlach-tet,
ver-ach-tet
al-le Sünd hast du uns
sonst müsten wir al-le ver-za-gen, Erbarm dich
gib uns dein

Der Text ist eine Bearbeitung des uralten G
sagt) »Agnus Dei, qui tollis peccata mundi, mise
vor der h. Communion in der h. Messe dreimal vom
Zum dritten Male heißt es statt miserere nobis: D
Die Uebersetzung „O Lamm Gottes unschuldig"
niederdeutsch in dem Rostocker Gesangbuch 1531; hoch
Schumann'schen Gesangbuch 1539, im Magdeburger 1

Auffallend ist es, daß das Lied in keinem katholisch
16. Jahrhunderts steht. Ich finde dasselbe zuerst im P
buch 1616 ohne Melodie; sodann bei Corner 1631,
Harmonie 1659 und im Rheinfelsischen Gesangbuch 166
Autor des Textes wie der Melodie wird Nicol. Decius a
in seiner Anthologie II, 62 schreibt darüber: „Nikolau
Mönch im Braunschweigischen Kloster Steterburg, des
Folge wurde; darauf Schulkollege in Braunschweig;
Stettin, wo er durch Vergiftung gestorben sein soll.
konnten unter andern ein

handlung „Deudsche Messe vnd ordnung Gottisdienst, Wittenberg 1526“ das deutsche Agnus Dei vorschreibt, so ist damit nicht das obige Lied, sondern die Prosa-Uebersetzung „Christe du Lamm Gottes, der du trägest die Sünden der Welt“ u. s. w. gemeint. Dieser Gesang steht auch in den alten Kirchenordnungen, z. B. in der Agende: Gedruckt zu Leipzig durch Nicol. Wolrab 1540; ferner in den sächsischen Kirchenordnungen von 1555 und 1564; in der Zweibrücker Kirchenordnung von 1557 und in der Pommerschen von 1568. (Vgl. Erk's Choralbuch Berlin 1863, No. 38 und 39.)

Die Melodie findet sich zuerst in Spangenberg's „Kirchengesenge deutsch. Magdeburg 1545.“ In der Folge tauchen verschiedene Varianten auf; im nördlichen Deutschland notirte man das Lied im Dreitakt mit dem Anfang f f f c c d c und im südlichen f a c c c d c im geraden Takt. (Pfalzneuburger Kirchenordnung 1577 und Straßburger Gesangbuch 1560.)

Denselben Unterschied finden wir auch in katholischen Gesangbüchern.

Die Melodie wird ebenfalls dem Nicolaus Decius zugeschrieben. Da dieser dem oben angeführten Liede: „Allein Gott in der Höh sei Ehr“ die Weise eines alten österlichen »Gloria in excelsis Deo« applicirt hat (II. Bd. 291), so liegt die Vermuthung nahe, daß er auch zu unserem Liede eine alte Choralmelodie des »Agnus Dei« benutzt habe. In dem auf Grund alter Handschriften herausgegebenen Liber Gradualis, Tornaci. Desclée, Lefebure et Sociorum 1883 (von dem Benediktiner Pothier) finde ich S. 26* folgendes Agnus Dei:

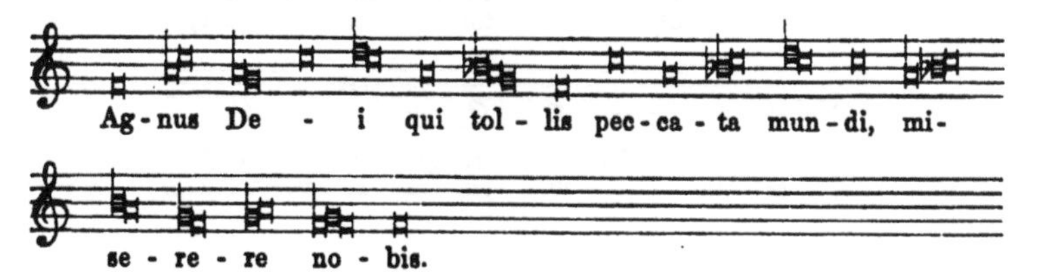
Ag-nus De - i qui tol-lis pec-ca-ta mun-di, mi-
se-re-re no-bis.

In Joh. Spangenbergs Cantiones ecclesiasticae latinae 1545, S. 23 findet sich folgende Fassung:

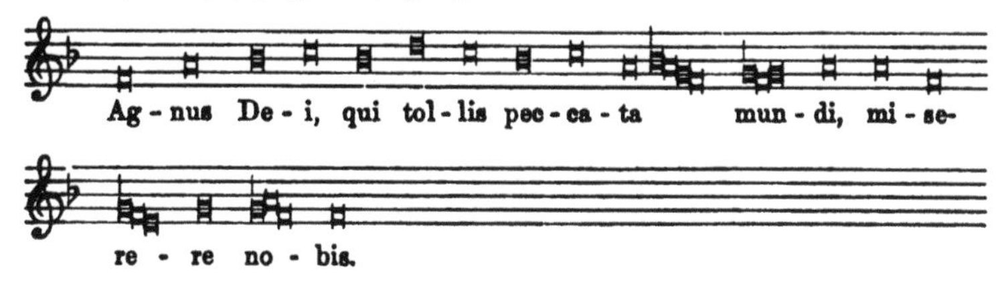
Ag-nus De-i, qui tol-lis pec-ca-ta mun-di, mi-se-
re-re no-bis.

Anklänge an die obige Melodie des deutschen Liedes sind nicht zu verkennen, namentlich in dem ersten Satze.

Herr Chri-ste Schöpf-fer al-er welt, de
le-ben helt, dich lo-ben wir mit jnnig
dein gros-ses her-tze-leidt.

Text und Melodie in Val. Trillers Singebuch
Melodie steht hier eine Quart höher mit ♭ Vorzeich
Variante * b statt g.

In der dritten Ausgabe von Leisentrits Gesangb
zweimal abgedruckt. Der zweite Text lautet: „Schöpffer
Christ" u. s. w. von Edingius.

Schöpffer aller Ding, König C

Rex Christe factor omnium.

(K. I, 192.)

II. Cöln (Quentel) 1599. M.-Speier 1631. Corner 1631, b

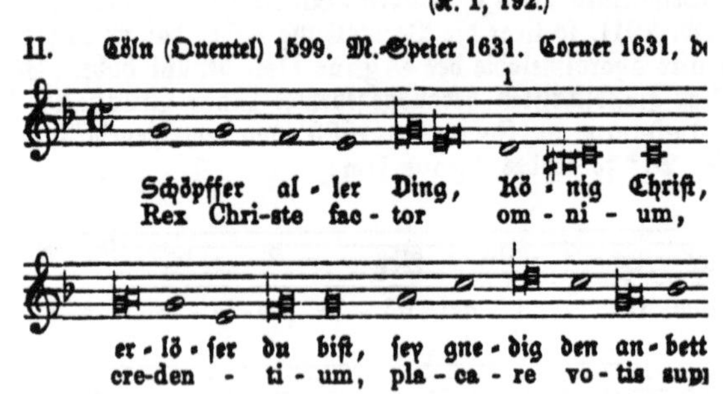

1
Schöpffer al-ler Ding, Kö-nig Christ,
Rex Chri-ste fac-tor om-ni-um,
er-lö-ser du bist, sey gne-dig den an-bett
cre-den-ti-um, pla-ca-re vo-tis supp

Rex Christe factor omnium.

Melodia Chori, cum Kyrie et Christe.

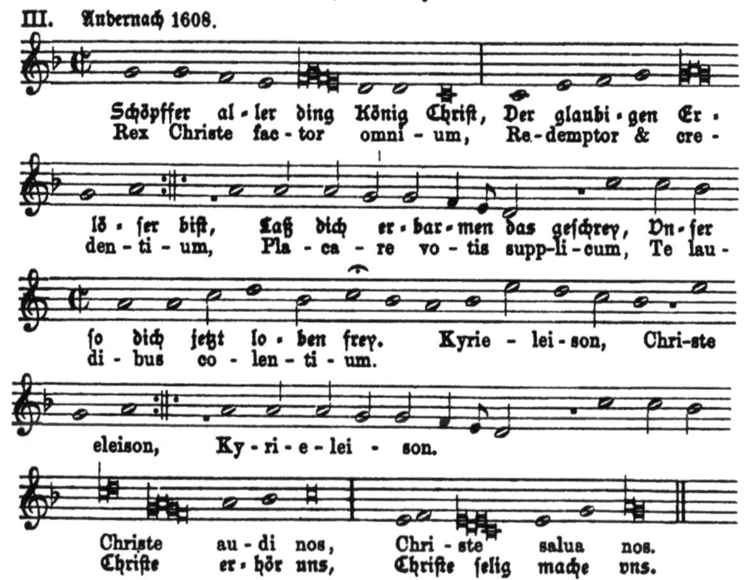
III. Andernach 1608.
Schöpffer al - ler ding König Christ, Der glaubi - gen Er -
Rex Christe fac - tor omni - um, Re - demptor & cre -
lö - ser bist, Laß dich er - bar - men das geschrey, Vn - ser
den - ti - um, Pla - ca - re vo - tis supp-li - cum, Te lau -
so dich jetzt lo - ben frey. Kyrie - lei - son, Chri-ste
di - bus co - len - ti - um.
eleison, Ky - ri - e - lei - son.
Christe au - di nos, Chri - ste salua nos.
Christe er - hör uns, Christe selig mache vns.

Rex Christe factor omnium.

(W. III, 283.)

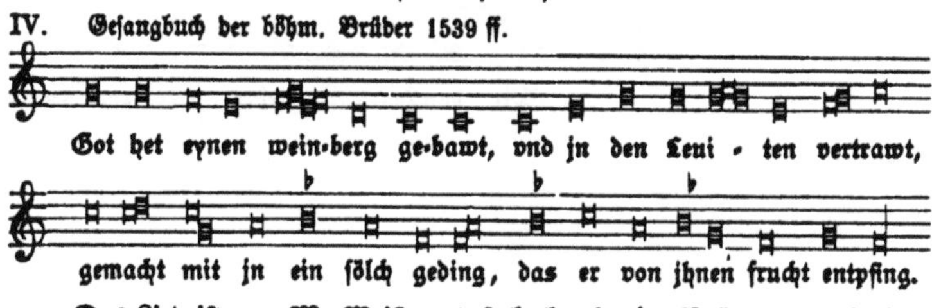
IV. Gesangbuch der böhm. Brüder 1539 ff.
Got het eynen wein-berg ge-bawt, vnd jn den Leui - ten vertrawt,
gemacht mit jn ein sölch geding, das er von jhnen frucht entpfing.

Das Lied ist von M. Weiße und steht bereits im Brüdergesangbuch v. J. 1531. Die ♭ ♭ stehen in den späteren Ausgaben 1544 ff.

Dieser Hymnus »Rex Christe factor omnium« in 6 Strophen hat den h. Gregor den Großen zum Verfasser (W. I, 102; Dan. I, 180). Er wurde, wie Ueberschriften in den alten Chorbüchern angeben, am h. Charfreitage in den sog. düsteren oder finsteren Metten gesungen.

Die älteste Uebertragung ins Deutsche stammt aus dem 12. Jahrhundert:

„Chunic christ schepfaer aller
erlöser vnd gelobvnder" etc.

(Kehrein, Kirchen- und religiöse Lieder 1853, S. 58.)

Aus dem 14. Jahrhundert ist das Lied:

„Kunig christe macher aller ding,
du hast erledigt mit guettem geling" (W. II, 595.)

„…ot het eynen weinberg gebawt“.

No. 204.

Herr Christe Schöpffer aller …

Cöln (Brachel) 1619, 1634. M.-Speier 1631.
Herr Christe Schöpffer al - ler Welt,
Le - ben helt, Dich loben wir mit Innig - keit,
* M.- Speier 1631.
grosses Hertzen - leydt. Vmb all dein gros -

No. 205.

Wir dancken dir lieber Herre

Ein geistlich Lied vnd danckſagung vor das L… welchs die Kirch in der Charwochen ſonſt pfle…

(K. I, 161; W. II, 623.)

I. Leiſentrit 1567 ff. Cöln (Quentel) 1599. Conſtanz 1600. … Andernach 1608. Paderborn 1609, 1617. Cöln (Brach… 1625. Neyß 1625. Mainz 1627. Bamberg 1628. Würz… 1631. Corners Nachtigall 1649 ff. Prag 1655. Molshei… Münſter 1677.

Wir dancken dir lieber Her - re, der bitt…

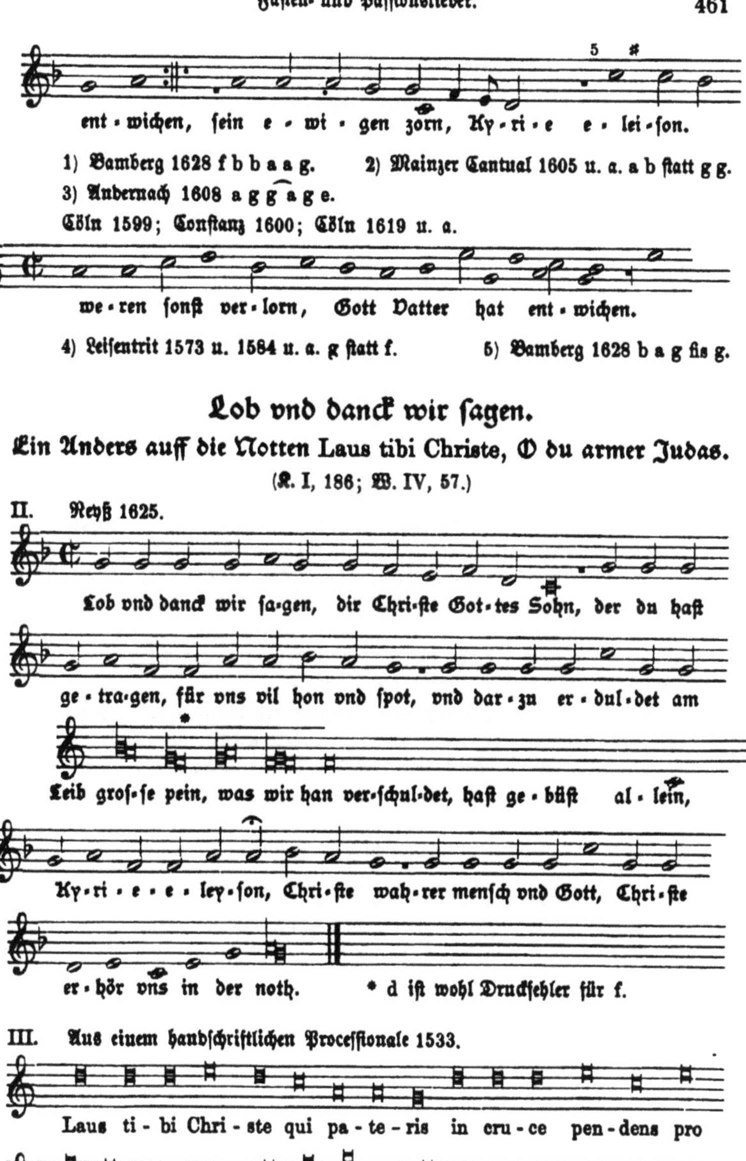
ent - wichen, sein e - wi - gen zorn, Ky - ri - e e - lei - son.
we - ren sonst ver - lorn, Gott Vatter hat ent - wichen.
Lob vnd danck wir sa-gen, dir Chri-ste Got - tes Sohn, der du hast
ge - tra-gen, für vns vil hon vnd spot, vnd dar - zu er - dul-det am
Leib gros-se pein, was wir han ver-schul-det, hast ge - büst al - lein,
Ky-ri - e - e - ley - son, Chri - ste wah - rer mensch vnd Gott, Chri - ste
er - hör vns in der noth.
Laus ti - bi Chri - ste qui pa - te - ris in cru - ce pen - dens pro
mi - se - ris, cum pa - tre qui reg - nat in ce - lis, nos re - os sal - uat
in ter - ris. Ki - ri - e - lei - son. Qui es cre - a - tor om - ni - um etc.

1) Bamberg 1628 f b b a a g. 2) Mainzer Cantual 1605 u. a. a b statt g g.
3) Andernach 1608 a g g͡ a g e.

Cöln 1599; Constanz 1600; Cöln 1619 u. a.

4) Leisentrit 1573 u. 1584 u. a. g statt f. 5) Bamberg 1628 b a g fis g.

Lob vnd danck wir sagen.

Ein Anders auff die Notten Laus tibi Christe, O du armer Judas.

(K. I, 186; W. IV, 57.)

II. Reyß 1625.

* d ist wohl Druckfehler für f.

III. Aus einem handschriftlichen Processionale 1533.

Laus tibi Christe.

Ein Dancklied vor das Leyden Christi.

IV. Corner (1625) 1631.

Laus ti - bi Chri-ste, qui pa - te - ris In cru - ce pen-dens
pro no - bis mi - se - ris, cum Pa - tre reg-nas in coe - lis,
Nos re - os sal - va in ter - ris, Ky - ri - e e - ley - son.

Der Gesang »Laus tibi Christe qui pateris« war ursprünglich einstrophig mit den Zusatz Kyrie eleison u. s. w. Wackernagel bringt diese Strophe aus den Hymni und Sequentiae von Herm. Bonn Lübeck, 1559 und aus Lucas Lossius Psalmodia 1561. (I, 345), wo die Ueberschrift lautet »Hoc canticum intercinitur hymno »Rex Christe factor omnium«, in die parasceves«.

In dieser Verbindung finde ich auch das Lied in einem Processionale aus dem Nonnenkloster Schonenberg vom Jahre 1533:

»Rex Christe factor omnium«, darnach die Responsorien Kyrie eleison, Christe eleison, Kyrie eleison, Christe audi nos, salua nos. Maria sis propicia, Maria dele vicia. Dann folgt: »Laus tibi Christe qui« u. s. w. Daran schließt sich die Strophe: »Qui es creator« aus »Rex Christe factor«.

Das Lied wurde also folgendermaßen gesungen:

1) Rex Christe, factor omnium etc. Laus tibi Christe.
2) Cuius benigna gratia etc. Laus tibi Christe,
3) Qui es creator siderum etc. Laus tibi Christe.
4) Ligatus es ut solveres etc. Laus tibi Christe.
5) Cruci redemptor figeris etc. Laus tibi Christe.
6) Mox in paternae gloriae etc. Laus tibi Christe.

Diese Art und Weise, das »Laus tibi Christe« als Kehrvers in das »Rex Christe factor« einzuschieben, erklärt uns auch den Ursprung der späteren deutschen Lieder, welche in ihren einzelnen Strophen mit diesem lat. Gesange, wenn auch nicht dem Wortlaute, so doch dem Sinne nach übereinstimmen.

I.

Rex Christe factor:

1) „Eya der grossen liebe“. = Cuius benigna gratia. Strophe 2.
2) „Sun vater in der ewikait“. = Qui es creator siderum. Strophe 3.
3) „Sy haben gar vngenossen“. = Ligatus es ut solveres. Strophe 4.
4) „Eya wie grosse vngenad“.
5) „Eya der pakchen slege“.
6) „Der arge pyschof Annas“.

7) „Pylatus hat gros vnrecht“.
8) „Eya der grossen menschhait.“ = Cruci redemptor figeris. Strophe 5.
9) „Des süll wir alle danckchen“. = Laus tibi Christe, qui pateris.
10) „Das raine wasser, das tewer pluet“.

11) „O du falscher Judas,
was hast du getan,
Das du vnsern herren
allso verraten hast.
Darumb so muest du leyden
hellische pein,
Lucifer geselle
muest du ymmer sein“.

Die Ueberschrift lautet:

„So man nach der (vinstermetten) vmb dy kirchen get vber daz laus tibi christe“.

Bei Spörl: „Zu dem Laus tibi Christe in der vinster metten“.

Aus dem Cod. germ. 715. 4. der Königl. Bibl. in München aus dem 15. Jahrhundert; in Spörl's Liederhandschrift (1392 — 1400.) (W. II, 615.) in Wien 2856 (bei Kehrein Kirchen- rc. Lieder 1853, S. 153).

II.

„O du armer Judas, was hastu gethon,
das du deinen herren also verrathen hast!
Darumb mustu leiden in der helle pein,
Lucifers geselle mustu ewig sein.
Kirie eleyson.“ 1 Strophe.

Aus „Fünff vnd sechzig teütscher Lieder“ Straßburg (um 1522). (W. II, 616.)

Wackernagel bringt noch unter 617 u. 618 zwei weitere Drucke dieser Strophe aus „121 newe Lieder“ Nürnberg 1534 und Joh. Ott's Liederbuch 1544.

Andere einstrophige Uebersetzungen mit der Ueberschrift:

»Laus tibi Christe qui pateris«

mögen hier folgen:

III.

„Lob vnd ere sei dir gesaget du himelischer got,
daß du vor vns gelitten host den schemelichen tot.
Bewar vns, lieber herre, vor der hellen not
vnd teil vns heute mite das himelische brot.
Kyrie eleison, Christe eleison.“

Nach einer Aufzeichnung aus dem 15. Jahrhundert hinter einem gedruckten Psalterium der Breslauer Bibliothek. (Hoffmann K. L. No. 175; W. II, 619.)

IV.

„Gelobet seistu, Christe, der du am Creutze hingst.“

Newe Deudsche Geistliche Gesenge. Wittenberg G. Rhau 1544. (W. II, 620).

V.

„Ehre sei dir, Christe, der du lidest not.“

Hymni durchs gantze jahr Deutsch. Durch C. M. von Nortshausen 1560. (W. II, 621).

2) „Christ, künig, schöpffer lobesan.“ = Rex Chris
3) „Eya der grossen liebe.“ = Cuius benigna grati
4) „Sun Gottes in d' ewigkeit.“ = Qui es creator
5) „Eya der grossen vnzucht.“ = Ligatus es ut sol
6) „Der arge bischof Annas.“
7) „O du armer Judas.“

Ein edel Kleinat der Seelen. Dilingen 1
u. s. w. (W. II, 623.)

VIII.

Dasselbe 1 Strophe mehr:

„Pilatus und sein Knechte,
Judas der falsche Mann.“

Cöln 1599. Constanz 1600. Würzburg 1628 ff.

VIII a.

Das Koler'sche Ruefbuechl vom Jahre 1601[1] ha
Zusammenstellung des deutschen und lateinischen Texte
lautet:

„Dises nachfolgende Gesang wirdt in den M
Karwochen, in der Procession oder Vmbgang d
ner auch bekanntten vnd altten Melodia gesun

1) Rex Christe factor omnium.
2) Laus tibi Christe, qui pateris mit dem Kyrie eley
3) Gelobett seistu Christe in deiner Martter groß u. s.
   ꝛc. am Schluß.
3) Cuius benigna gratia.
4) Omnipotentis Dei filius mit Kyrie eleison am Sch
5) Qui es creator syderum.
6) O du armer Judas u. s. w. mit Kyrie eleißon am
7) Ligatus es ut solueres.
8) Christ künig Schöpffer lobesan u. s. w. mit Kyrie e
9) Cruci redemptor figeris.
10) O du armer Kaufman Judas Jßcarioth,
    Wie hastu's vbersehen an dem getreuen Gott,
    Das du ihn hast gegeben, wol vmb das schnöde

IX.

Wie unter No. VIII. mit folgender 9. Strophe:

„Gelobet, seyst du Christe, inn deiner Marter groß,
gehangen an dem Creutze, gantz nacket vnd auch bloß".

Corner 1631. Vgl. No. 3 von VIIIa.

X.

„Lob vnd danck wir sagen dir Christe Gotes son" 6 Strophen:

1) „Lob vnd danck wir sagen dir Christe Gotes son".
2) „Weil du grosse schmertzen für vns gelieden hast".
3) „Moses hat geboten dem gantzen Israel".
4) „Dauid vnd die Veter solchs haben auch gemelt".
5) „Esaias schreibt solchs auch aus Gottes mund".
6) „Dancket nu von hertzen, dem trewen milden Gott".

Val. Triller's Singebuch (1555) 1559; bei Leisentrit 1567 ff. und im Neyßer Gesb. 1625.

XI.

1) „Lob sollen wir singen,
dem viel werthen Christ".
2) „O Herr Gott grossen schmertzen". Aehnlich 2 No. X.
3) „Nun dancken wir von Hertzen". = 6 von No. X.
4) „ O Heilge Maria".

Cöln Quentel 1599. Constanz 1600. Mainzer Cantual 1605. Paderborn 1609. Corner 1631. (W. II, 626.)

XII.

1) „Lob sollen wir singen dir, viel heilger Christ". ähnlich 1 von No. XI.
2) „Christ, König, Schöpffer, der rein Jungfrawn Kindt". = 2 von No. VII.
3) „Ach du armer Juda, was hast nun gethan". = 7 von No. VII.

Andernacher Gesangbuch 1608. (W. II, 627).

XIII.

1) „Preiß vnd danck wir sagen,
Herr für dein marter groß".
2) „O Herr Jesu Christe, des allerhöchsten Sohn".
3) „Lob vnd ehr wir sagen, dir Christe Gottes Sohn". = 1 von No. X.

Cöln 1599. Mainzer Cantual 1605. Paderborn 1609. Hildesheim 1625. Neyß 1625. Corner 1631.

XIV.

1) „Lob sollen wir singen, dir viel heiliger Christ". ähnlich 1 von No. XI.
2) = 4. Strophe von VII.
3) = 3. „ „ VII.
4) = 2. „ „ VII.
5) = 5. „ „ VII.
6) = 6. „ „ VII.
7) = 2. „ „ VI.
8) = 1. „ „ X.
9) = 2. „ „ XIII.
10) = 2. „ „ X.
11) = Zusatzstrophe von IX.
12) „Danck hab du lieber Herre". = I von VI.
13) = 4. Strophe von XI.

Bamberger Gesangbuch 1628. Hier sind also viele ältere Fassungen zu einem Liede vereinigt.

»O Juda, qui dereliquisti consiliun
siliatus es: triginta argenteis vendidisti
osculum ferebas, quod in pectore non h
Darnach hat man den deutschen Text
und ihn als Schlußstrophe den obigen Lieder
selben Melodie gesungen, wie das »Laus til
der Ueberschrift zu seinem Liede unter No. X
Christe oder O du armer Judas". Die G
getheilten Responsorium ist eine andere.
Der „arme Judas" wurde aber auch a
gesungen und mußte im Mittelalter den Ton
historischen und politischen Liedern. Im Jah
milian durch das Aufspielen der Melodie die
rath am Kaiser höhnen. (v. Liliencron Hist.
Nachtrag, S. 25.)
Hermann Bonn dichtete, die Judasstro
Text „Och wy arme sünders" (Magdeburg
der dann hochdeutsch „O wir arme Sünder"
lodie in die protestantischen Gesangbücher übe
teren protest. Gesangbüchern findet man bei B
In derselben Weise wie das einstrophige
»Laus tibi Christe«, welches ursprünglich in d
um« eingeschaltet worden war, als selbständige
Im Cölner Gesangbuch 1599, Mainzer
Gesangbuch 1609 u. a. hat es folgende 2 St

A. 1) »Laus tibi Christe, qui pateris«.
2) »O Maria, Dei genitrix«.

B. Im Andernacher 1608 finden wir fo
1) »Laus tibi Christe qui pateris«.
2) »Omnipotentis Dei filius«.
3) »O tu miser Juda quid fecisti«.

C. Corner 1631 bringt 4 Strophen mi
1) »Laus tibi Christe, qui pateris«.

Den 2 lateinischen Strophen unter A entsprechen die Strophen 1 und 4 von No. XI. Den 3 lateinischen unter B im Andernacher Gesangbuch die 3 deutschen unter No. XII, wobei zu bemerken ist, daß die neuen Strophen »Omnipotentis« und »O tu miser Juda« aus dem deutschen Text übersetzt sind, denn die deutsche Strophe „Christ, König, Schöpfer“ entspricht eigentlich dem »Rex Christe factor omnium«. Zudem habe ich in der Beschreibung des Gesangbuches schon darauf hingewiesen, daß der Herausgeber zu allen deutschen Texten, denen er nicht ältere lateinische Texte zur Seite stellen konnte, lateinische Uebersetzungen verfaßte.

Bei Corner entsprechen die Strophen 1, 2 und 4 von C den deutschen 1, 2, 4 von No. XI.

Das Lied No. X von Triller ist unter Benutzung des ältern Liedes neu verfaßt worden. In Leisentrits Gesangbuch steht dasselbe neben der alten Fassung.

Die Melodie zu allen lateinischen und deutschen Texten hat mit Rücksicht auf die weite Verbreitung nur wenige Varianten aufzuweisen. Sie war ursprünglich dem »Laus tibi Christe« eigenthümlich und ist von diesem auf die deutschen Lieder übertragen worden.

Nachstehend gebe ich einige Uebertragungen von Lamentationen, welche gleichfalls unter dem Hymnus »Rex Christe factor« gesungen wurden.

No. 205a.

Sequuntur querimonie et lamentationes post Benedictus in serotinis matutinis precibusque sub hymno Rex Christe etc. deplorande.

Papierhandschrift No. 18. 4. aus dem Anfange des 16. Jahrhunderts auf der Rathsschulbibliothek in Zwickau.

I. O filii ecclesie etc.
1. O lie- ben kind der chri- sten-heit helfft mir kla- gen mein gro- ßes
her- cze- leid, auff- klie- ben sein sich die stein, die gre- ber thun sich
auff all- ge- mein von des to- des bit- trig- keit, den die Ju- den
han an Je- sum Christ ge- leitt, helfft mir kla- gen sein gros- ßes
her- cze- leidt.
II. Homo tristis esto etc.
2. O Mensch nu leid schmer-czen vnd be- wei- ne in dei- nem her-czen

mit in-nigk-li-cher cla-ge die bit-ter mar-ter schwehre die
dein Gott ge-li-den hatt von vn-schuld ge-dul-digk-li-chen vnd
wil-ligk-li-chen von den schneden vn-ge-treu-en fal-schen Ju-den.

Dieselben Melodien kehren wieder zu folgenden Strophen.

3. O dolor ineffabilis.
   So ist es zwar ein Jamerkeitt. I.
4. Ecce qui redemit.
   Sich mensch der dich erlöste. II.
5. O quam dolor virginis.
   Ach grosses weines man do pfflag. I.
6. En factorem mundi.
   Aller werld den schöpffer. II.
7. O homo per te agitur.
   O mensche von dir kompt die nott. I.
8. Fortis et invictus deus.
   Nun zcu dißen stunden. II.
9. O Juda doctor sceleris.
   O Juda wie vngetreu du pist. I.
10. Nunc est transfixus.
    Auch ist er word zcurbrochen. II.
11. O fratres Jude lugete.
    Jr Judas bruder claget. I.
12. Heu innocens perit.
    Nun todtet man den gerechten. II.
13. Prolem patris.
    Gottes sohn der weiße. II.
14. Judas Christi prefectus.
    Judas Christi vorweßer. II.

No. 206.

Weil Gott trew vnd Warhafftig ist.

Ein Christlicher Gesang von der Christen friede mit Gott, vnd thetiger gerechtigkeit auff Erden.

(K. I, 189; W. V, 1238.)

Leisentrit 1567 ff. Dillinger Gsb. 1576.

Weil Gott trew vnd War-haff-tig ist, in all sei-ner zu-
Als Got-tes Son zeugt Je-sus Christ, ge-sandt nach völl der
sa-ge,
ta-ge,
Der vns mit jm vor-sü-net hat, durch sein ge-
1

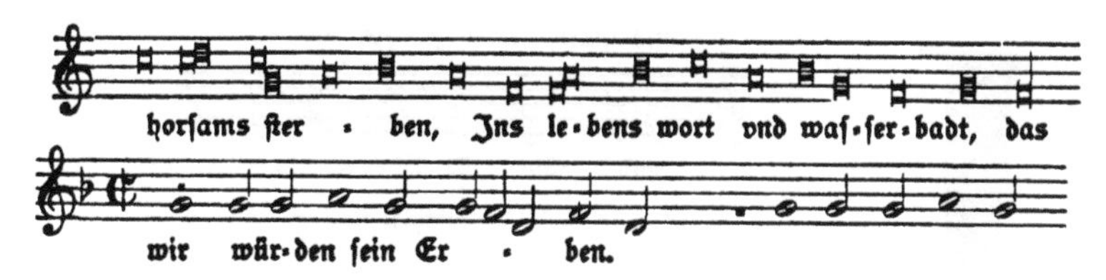
horsams ster - ben, Ins le-bens wort vnd was-ser-badt, das
wir wür-den sein Er - ben.

1) Leisentrit 1584 b statt d.

Das Dilinger Gesangbuch hat zu dieser Melodie das Lied aus Leisentrit:

„Die allerhöchst Barmhertzigkait" (K. I, 254; W. V, 1295.)

No. 207.

Es floß ein Rosn von Himmel herab.

Ein ander Gesang von dem leiden Christi.

(K. I, 354; W. II, 1185.)

I. Münchener Gsb. 1586. Cöln (Quentel) 1599, 1619. Andernach 1608. M.-Speier 1631. Corner 1631, dessen Nachtigall 1649 ff.

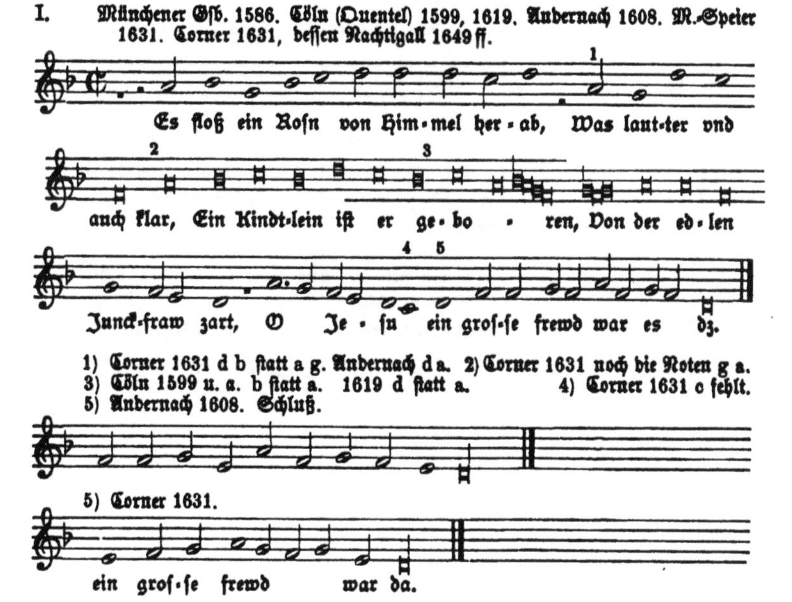
Es floß ein Rosn von Him-mel her-ab, Was laut-ter vnd
auch klar, Ein Kindt-lein ist er ge-bo - ren, Von der ed-len
Junck-fraw zart, O Je - su ein grof-se frewd war es dz.
ein grof-se frewd war da.

1) Corner 1631 d b statt a g. Andernach d a. 2) Corner 1631 noch die Noten g a. 3) Cöln 1599 u. a. b statt a. 1619 d statt a. 4) Corner 1631 c fehlt. 5) Andernach 1608. Schluß.

5) Corner 1631.

Das Cölner Gesangbuch 1599 hat zu dieser Melodie den Text aus dem Münchener Gesangbuche 1586:

„O du heylige Dreyfältigkeit,
ein ewiger Gott vnd Herr" u. s. w. (K. I, 351; W. II, 1186.)

Cöln (Quentel) 1619; M.-Speier 1631 und Corner 1631 haben beide Texte mit den Melodien.

Das Andernacher Gesangbuch 1608 hat das Lied:

„In vnsern nöhten bitten wir" etc.
»Pium rogamus supplices« etc.

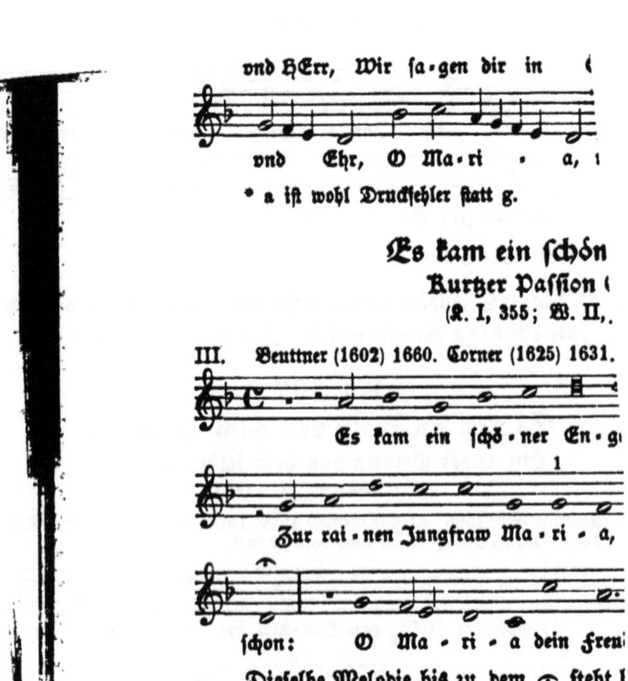
vnd HErr, Wir sa-gen dir in
vnd Ehr, O Ma-ri - a,
* a ist wohl Druckfehler statt g.
Es kam ein schön
Kurtzer Passion
(K. I, 355; W. II,
III. Beuttner (1602) 1660. Corner (1625) 1631.
Es kam ein schö-ner En-g
1
Zur rai-nen Jungfraw Ma-ri-a,
schon: O Ma-ri-a dein Freu

Dieselbe Melodie bis zu dem 𝄐 steht
Texte „Sey hochgelobt vnd benedeyt di
folgenden Varianten:

1) a wohl Druckfehler!
2) c b statt b. Auch Corner (1625) 1631 h

Unsern obigen Liedern liegt nur e i n e
mit verschiedenen Varianten den folgenden
wurde.

1) „Es ...

Sodann steht die Melodie auch bei dem Dreifaltigkeitsliede:

4) „Sey (hoch)gelobt und gebenedeyt die heilige Dreyfaltigkeit."

Der Text findet sich schon im Gesangbuche Leisentrits 1567. Dieser hat denselben von seinem Freunde Hechrus bekommen, der das Lied 1581 mit seinen übrigen Liedern drucken ließ.

No. 208.

O JEsu du bist milt vnd bist gut.

(W. II, 1103.)

Beuttner (1602) 1660.

O JE - su du bist milt vnd bist gut,
Wir bittn dich Herr durch dein rosnfarbes Blut,
Wol durch
dei - ne heil - gen fünff Wun - den, Auff daß wir Chri - sten
all - - zu - gleich, In eim rech - ten glau - ben werdn
er - fun - den.

Lieder mit ähnlichem Anfange kommen schon im Mittelalter vor. In einem Spiel von der Himmelfahrt Mariä aus der Mitte des 14. Jahrhunderts geschrieben 1391 heißt es Vers 500:

„Singet alle unde weset wol gemut:
„Crist du bist milde unde gut."

In der Zerbster Procession vom Jahre 1507 sprechen die klugen und thörichten Jungfrauen:

„Billich gebürt uns in zu loben:
Singet mit andechtiger stimme
zu gote erhoben,
Incipiatis: Christ, du bist mild und gut."

(So Hoffmann in seiner Geschichte des deutschen Kirchenliedes 1861, S. 77 u. 199.)

Da Beuttner manche alte Lieder aus dem Volksmunde aufgezeichnet hat, so können wir vermuthen, daß mit den genannten Citaten das obige Lied gemeint sei. Die Melodie hat Aehnlichkeit mit der Weise „Jesus ist ein süßer Nam." No. 117.

No. 209.

O geber höchstes Himmels lohn.

Summi largitor praemij.

In seiner Coral Melodey oder wie folgt.

(W. V, 1468.)

Andernach 1608.

O ge - ber höch - stes Him - mels lohn, der Welt ei - ni - ge
Sum - mi lar - gi - tor prae - mi - j, Spes qui es v - ni-
hoff-nung schon, Hör ahn die bitt der die - ner dein, So dich
ca mun - di, Pre - ces in - ten - de ser - uo - rum, Ad te
an - ru - ffen all - ge - mein.
de - uo - te cla - man - tum.

Eine andere Uebersetzung und Melodie bringt Kethner.

No. 210.

Herr aller gnad vnd gütigkeit.

Summi largitor praemii.

Kethner 1555.

Herr al - ler gnad vnd gü - tig - keit, In den die welt
hofft weit vnd preit, Nim auff der ar - men Bitt vnd klag,
die zu dir seuf - tzen al - le tag.

Hymnus vom h. Gregor dem Großen in 5 Strophen (M. I, 75; W. I, 98; D. I, 182). Die Melodie bei Kethner ist die Choralweise.

Stabat mater.

No. 211—214.

Unter den Schöpfungen der kirchlichen Poesie und Musik ist wohl nach dem »Dies irae« das »Stabat mater« am meisten bekannt und berühmt geworden. Wie beim »Dies irae«, so schwanken auch hier die Angaben über den Verfasser. Mone hält den Papst Innocenz III. für den Autor (Lat. Hymnen des Mittelalters II, S. 149). Wadding, der verdienstvolle Annalist des Franziskanerordens, hat nachzuweisen gesucht, daß der Franziskanerbruder „Jakobus de Benedictis" der Dichter dieser Sequenz sei.[1] Letztere Ansicht verdient, wenn sie auch nicht jeden Zweifel ausschließt, doch den meisten Glauben, weil sie die höchste Wahrscheinlichkeit für sich hat. Der genannte Gelehrte hat uns auch eine ausführliche Lebensbeschreibung des Bruders Jakobus überliefert, der wir die folgenden biographischen Skizzen entnehmen.

Frater Jakobus de Benedictis wurde zu Todi höchst wahrscheinlich im ersten Viertel des XIII. Jahrhunderts geboren. Seine Eltern gehörten dem altadeligen Geschlechte der Benedetti an. Nach vollendeten Studien bekleidete er zuerst eine Advokatur in seiner Vaterstadt. Der Tod seiner Gemahlin, die bei einer Festlichkeit durch den Einsturz einer Tribüne verunglückte, machte auf ihn einen solchen Eindruck, daß er seine glänzende Stellung aufgab und sein ganzes Vermögen unter die Armen vertheilte, um in demüthiger Selbsterniedrigung sein Leben Christo zu weihen. Im Jahre 1278 verschaffte ihm sein Gedicht von der Verachtung der Welt »Cur mundus militat sub vana gloria« (vgl. II. Bd. No. 348) die längst ersehnte Aufnahme in den Franziskanerorden, dem er von da bis zu seinem Tode als Laienbruder angehörte. Seine polemischen Lieder gegen den Papst Bonifaz VIII. brachten ihn ins Gefängniß, aus welchem er erst nach dem Tode dieses Papstes 1303 wieder befreit wurde. Er starb im Franziskaner-Kloster zu Collazone im Jahre 1306. Die irdischen Ueberreste wurden zu Todi beigesetzt. Ein im Jahre 1596 in der Kirche des h. Fortunatus zu Todi vom Bischofe dieser Stadt ihm errichtetes Denkmal trägt die Inschrift: »Ossa b. Jacoponi de Benedictis Tudertini fratris ordinum minorum, qui stultus propter Christum nova mundum arte delusit et coelum rapuit.«[2]

Unter seinen vielen Dichtungen in italienischer und lateinischer Sprache ist besonders das »Stabat mater« bemerkenswerth. Ein wunderbarer Hauch der Poesie schwebt über dieser Dichtung, welche bis in das tiefste Herz dringt, weil sie auch der Tiefe des Herzens entsprossen ist. Ein Uebersetzer in Wielands „Deutschem Merkur" sagt hierüber: „Der fromme Mönch hat dieses Lied in der Einfalt seiner Seele, aber aus Drang des wahrsten Gefühls, in innigster Theilnahme, Wehmuth und Bußfertigkeit, mit einem Herzen, das von Glaube und Liebe überwallte, gesungen; die stammelnden Seufzer des büßenden Mönches, der in frommer Entzückung das Kreuz Christi wirklich zu umfassen glaubt, die Schmerzen der göttlichen Mutter wirklich sieht und theilt, haben eine besondere Wahrheit und Wärme und etwas Sublimes in sich. Man fühlt ganz eigentlich, daß der Mann es an einem Charfreitag in seiner kleinen düstern Zelle, vor einem großen Crucifix knied, ejakulirt hat, und sieht in der neunten Strophe »Fac me plagis vulnerari«, wie er wirklich in der heiligen Trunkenheit der Liebe und des flammenden Eifers, auch mit dem Gekreuzigten und seiner Mutter zu leiden, die Geißel ergreift und gleichsam nicht satt werden kann sich blutrünstig zu machen." Schon

1) Annales Minorum. Romae 1723. tom. V, p. 407—414. »Scripsit Rhythmum ad B. V. Mariam sub cruce in Christi passione stantem, qui incipit Stabat mater dolorosa; circumfertur in libello Officii Beatissimae Virginis« tom. VI, p. 77—84.

2) Eine ausführliche Biographie habe ich im Cäcilienkalender Regensburg, 1883 publicirt.

Der lateinische Text hat von jeher auf die Di
Anziehungskraft ausgeübt und sie veranlaßt, ihre
an der Uebertragung in die Muttersprache zu erprol
sowenig wie beim »Dies irae« irgend eine Ueber
Innigkeit und Kraft. Die wundervollen und gehei
des Urtextes nachzuahmen, hat seine Schwierigkeiten,
Meister sich daran gewagt haben.

Von den vorreformatorischen Uebersetzungen n

1) „Maria stuend in swinden smercze
pey dem kreucz vnd waint von her
da ir werder sun an hienng." 21

Aus dem Münchener cod. germ. 725. 4. (14. Jah
Es ist kein Zeugniß vorhanden, daß der Mönch
dieses Gedichtes sei, sagt Wackernagel (II, 602).

2) „Bei dem kreuz in jamers dol
stunt die muter smerczen vol,
da ir werder sun dahieng." 20 Strop

Papierhandschrift cent. VII, 24 in 8. (15. Jahrh.)
(W. II, 603.)

3) „Die muter stund vol leid vñ schmert
bey dem creütz mit schwerem hertzen
do jr liebes kind ane hieng." 21 Str

Salus anime, Nüremberg 1503. (W. II, 604.

Die späteren Uebersetzungen in deutschen Ges
in ihrer ersten Strophe unten abgedruckt. Was nun
Dichtung angeht, so gibt es deren mehrere. Ob ein
selbst herrührt, läßt sich nicht nachweisen. Die Me
sie in der h. Messe gesungen wird, besteht nach der ne
aus 5 verschiedenen Melodiesätzen (Chorälen):

Strophe 1, 6, 11, 16, 20 nach dem ersten A
„ 2, 7, 12, 17 „ „ zweiten

No. 211.

Christi Mutter stundt mit schmertzen.

Stabat mater.

Gesang im Kirchenthon, oder wie folgt.

(K. I, 196.)

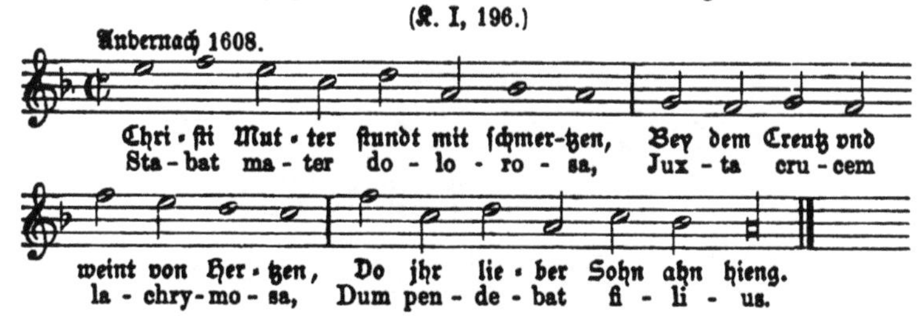
Andernach 1608.
Chri - sti Mut - ter stundt mit schmer-tzen, Bey dem Creutz vnd
Sta - bat ma - ter do - lo - ro - sa, Jux - ta cru - cem
weint von Her - tzen, Do jhr lie - ber Sohn ahn hieng.
la - chry - mo - sa, Dum pen - de - bat fi - li - us.

No. 212.

Christi Mutter stund vor schmertzen.

Das Stabat Mater teutsch inn bekandter oder folgender Melodey.

(K. I, 196.)

Reyß 1625. Corner (1625) 1631, dessen Nachtigall 1649 ff.
Chri - sti Mut - ter stund vor schmer-tzen, bey dem Creutz mit
schwe - ren Her - tzen, da jhr lie - bes Kind an - hieng.
Corner 1649.
da Jhr lie - bes Kind an-hieng.

No. 213.

STabat Mater dolorosa.

Bamberg 1628 ff.
STa - bat Ma - ter do - lo - ro - sa, iux - ta cru - cem
Chri - sti Mut-ter stund voll schmertzen, Bei dem Creutz mit
la - chry - mo - sa, dum pen - de - bat fi - li - us,
schwe-ren Her - tzen, da jhr lie - ber Sohn dran hieng,
ij.

Chri-sti Mut-ter stund mit schmer-tzen B
mit schmer-tzen Da ihr lie-ber Sohn an

Münster 1677:

„Die Mutter stundt für Leydt und schmer

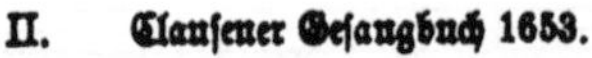

II. Clausener Gesangbuch 1653.

1. Chri-sti Mut-ter stund mit schmertzen,
2. Vol-ler Pei-ne vol-ler Qua-le,
Weynt von Her-tzen, Da ihr lie-ber Sohn
trüb-te See-le,
Sie ein scharp-ffes schwerdt

III. Mainz 1661, 1665.

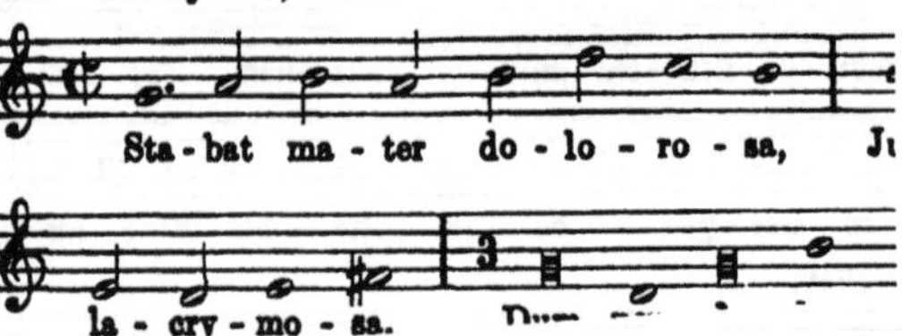
Sta-bat ma-ter do-lo-ro-sa,
la-cry-mo-sa.

No. 214a.

O Jr Christen dancksaget got.

Stabat mater dolorosa.

(W. III, 293.)

Gesangbuch der böhm. Brüder 1539, 1544 u. s. w.

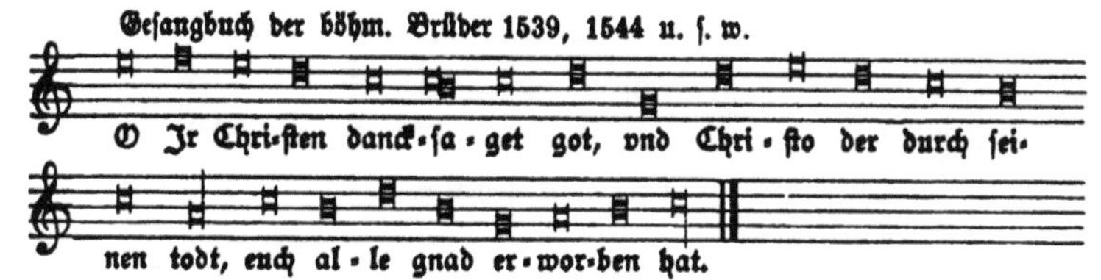
O Jr Chri-sten danck-sa-get got, vnd Chri-sto der durch sei-
nen todt, euch al-le gnad er-wor-ben hat.

Der Text von M. Weiße steht bereits im Brüdergesangbuche vom Jahre 1531.

No. 215.

Mit was Trauren und Bedauren.

O quam maestus cordis aestus.

I. Mainz 1661, 1665. Keusche Meerfräwlein 1664. Bamberg 1670, 1691. Münster 1677. Sirenes Partheniae 1677. Fulda 1695. Straßburg 1697.

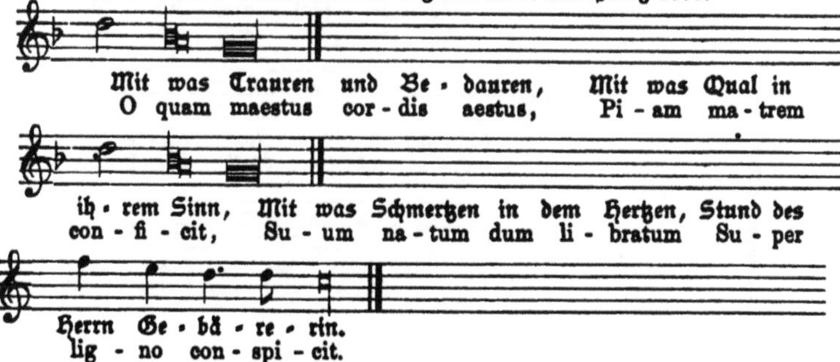
Mit was Trauren und Be-dauren, Mit was Qual in
O quam maestus cor-dis aestus, Pi-am ma-trem
ih-rem Sinn, Mit was Schmertzen in dem Hertzen, Stund des
con-fi-cit, Su-um na-tum dum li-bratum Su-per
Herrn Ge-bä-re-rin.
lig-no con-spi-cit.

Im Münster'schen Gesangbuche steht die Melodie um eine Terz, im Straßburger um eine Quart tiefer.

Der lateinische Text ist der ältere, denn in dem Buche „Keusche Meerfräwlein", welches das obige deutsche Lied enthält, wird auf dem Titelblatt gesagt, daß die Lieder „auß Latein ins Teutsch" übersetzt seien.

II. Brauns Echo 1675.

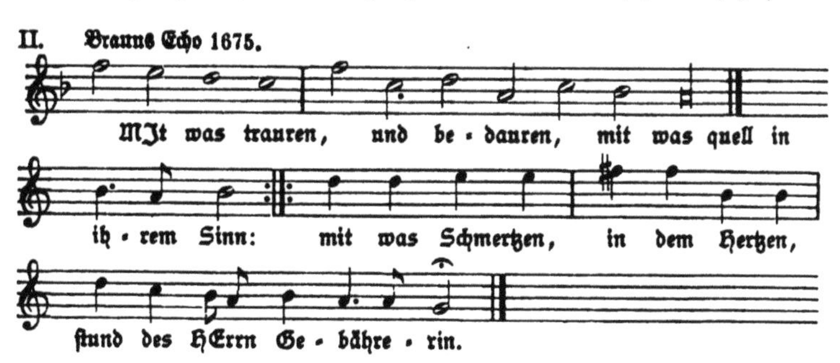
MJt was trauren, und be-dauren, mit was quell in
ih-rem Sinn: mit was Schmertzen, in dem Hertzen,
stund des HErrn Ge-bähre-rin.

Es weine - ten die En - gel el
2
traw - re - ten bit - ter-lich, Si
al - so sehr, Das nie ge - sehen nc
Corner: 1) g statt e. 2) g g st
No. 217.
O wie jämmerl
Juden Tyranne
Cölner Psalter 1638. Psalteriolum 1642.
O wie jäm - mer - lich an
Mit was schand vnd spott ha -
1
dul - det Christus sich vol - ler pein
vnd es höchsten Gott hei - li - ges
er die welt het ver - führt ver -
dem so wer, Sol

Diese Melodie steht im »Paradys Der Geestelijcke en Kerckelijcke Lof-Sangen« Antwerpen (1621) 1638 zu dem Weihnachtsliede:

„Godes waerden Soon, Js gedaelt van bowen" u. s. w.

mit der Ueberschrift

»Op de wijse: Blijschap van my vliet.«

Dieses letztere ist ein weltliches vlämisches Lied der damaligen Zeit.

Die ♯♯ stehen im »Paradys« 1638. Varianten daselbst 1) b c a g g. 2) c fehlt. 3) a g fehlt. 4) h h statt c b. 5) d. 6) c. 7) g.

No. 218.

Da Jesus in dem Garten gieng.

Orante Jesu supplice.

(W. II, 1192.)

I. Andernach 1608.

Da Je - sus in dem Garten gieng, Vnd sich sein
O - ran - te Je - su suppli - ce, Vr - gen - te
bit - ter leidt an - fieng, Da traw - ret al - les was da was,
mor-tis tem - po - re, Tunc con - do - le - bant om - ni - a,
Da traw - ret laub vnd grü - ne graß.
Sol, as - tra, ter - rae gra - mi - na.

Da Jesus in den Garten gieng.

(K. I, 183; W. II, 1192.)

II. Cöln (Quentel) 1619. Cöln (Brachel) 1619, 1634. M.-Speier 1631. Corner 1631, dessen Nachtigall 1649. Reyß 1663.

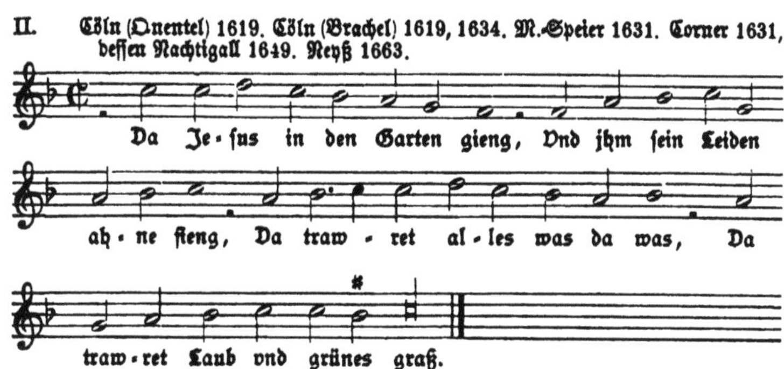
Da Je - sus in den Garten gieng, Vnd jhm sein Leiden
ah - ne fieng, Da traw - ret al - les was da was, Da
traw - ret Laub vnd grünes graß.

lei - den jetzt an - fieng, Da trawret al -

Es traw - ret laub vnd grü - nes Graß.

Die älteste Quelle für das Lied sind die Ansinglied Dort hat es 9 Strophen. Eine ganz andere Fassung das Andernacher Gesangbüchlein 1608 mit einer vom Be Uebersetzung des deutschen Liedes.

In dieser Form ging der deutsche Text in die zu 1617, 1619 und bei Brachel 1619 u. s. w. erschienenen wie in das Mainz-Speierische 1631 und in Corners Das Bamberger Gesangbuch hat 11 Strophen. Strop Andernacher, 4—10 sind gleich 2—8 im Straubinger Die Schlußstrophe ist neu. In dieser Fassung findet sic dem Innsbrucker Druck bei Joh. Gächen (vgl. No. 346 d Beuttner hat ein ähnliches Lied als Ruf bearbeitet in No. 427 im II. Bde.)

Das Lied ist jedenfalls viel älter, als die Quellen. Die ganze Fassung im Straubinger Rufbüchlein gibt ihm Charakter eines Volksliedes. Hoffmann in seiner Geschic des 1861, S. 502 sagt, es werde noch jetzt in vielen G und führt für diese Behauptung eine reiche Literatur an.

No. 219.

Christ spricht zur Menschenseel ver

(K. II, 640; W. V, 1475.)

I. Paderborn 1609, 1617. Würzburg 1649. Corner 1631. S Corners Nachtigall 1649 ff. Clausener Gesangbuch 1653.

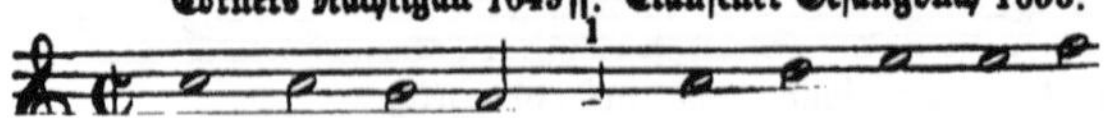

II. Cöln (Quentel) 1619, 1625. Cöln (Brachel) 1619, 1623, 1634. Würzburg 1628, 1630, 1693. Mainz 1628. M.-Speier 1631. Molsheim (1629) 1659. Mainz 1661, 1665. Erfurt 1666. Bamberg 1670, 1691. Nordstern 1671. Münster 1677. Straßburg 1697.

1
2
Christ spricht zur menschen-seel vertrawt, Heb auff dein Creutz mein

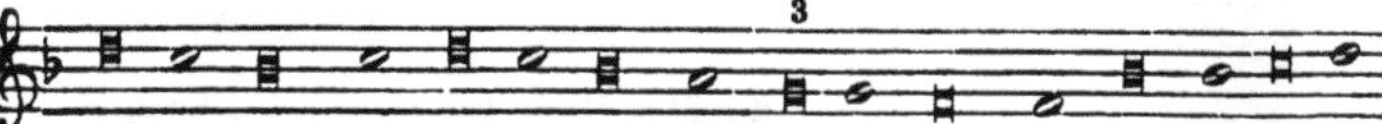
3
lieb-ste Braut, Folg mir ein gang durchs bit-ter kraut, Dann ichs ge-tra-gen

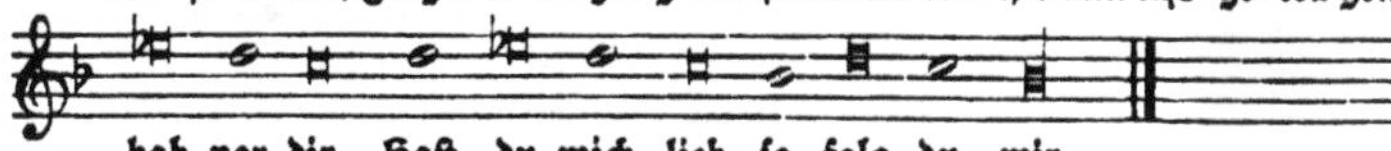
hab vor dir, Hast du mich lieb so folg du mir.

1) M.-Speier d statt b.

2) Cöln (Brachel) 1619 ff. (Quentel) 1625. Würzburg 1628 u. a.

3) Cöln (Brachel) 1619. Würzburg u. a.

heb auff
bit-ter kraut, dann ichs ge-tra-gen hab.

Cöln 1623, 1634. Mainz 1661 ff. Erfurt 1666. (Quart tiefer.)

Christ spricht, „O Seel, O Tochter mein,
Heb auff dein Creutz, schick dich darein" u. s. w. (W. V, 1500.)

Die Melodie hat einige Aehnlichkeit mit der unter No. 88 mitgetheilten „O Herre Gott dein göttlich Wort".

In den ältesten Handschriften steht das Lied niederdeutsch in vierzeiligen Strophen:

„Vnse here zecht:
Heff vp dyn cruce, myn leueste brut,
Volge my vnde ganck dy selues net,
Wente ik ghedregen hebbe vor dy:
heffstu my leef, so volghe my!"

Die zweite Strophe beginnt:

„De mensche zecht:
O ihesu my allerleueste here" u. s. w.

Im ganzen 18 Strophen.

Handschrift der k. Bibliothek zu Kopenhagen. Mscr. Thottiana 8. No. 32 aus dem Jahre 1423.

(Jahrbuch des Vereins für niederdeutsche Sprachforschung 1881, S. 3.)

Aehnlich in einer Wolfenbütteler Handschrift a. d. Jahre 1473. (Pfeiffers Germania Bd. XV, S. 366.) Ohne die Ueberschriften „Vnse here u. s. w." in 16 Strophen in der Handschrift der Nonne Kath. Tirs v. J. 1588. (Hölscher, Niederdeutsche Geistliche Lieder und Sprüche 1854, S. 93.) Niederländisch in 17 Strophen bei Hoffmann von Fallersleben, Niederländische Geistl. Lieder des 15. Jahrhunderts 1854, S. 165 (ebenfalls ohne die Ueberschriften. Vgl. W. II, 847).

Das Andernacher Gesangbuch v. J. 1608 enthält das hochdeutsche Lied in 18 fünfzeiligen Strophen. Die Ueberschriften sind hier in das Lied hineingezogen worden.

enenen Gesangbücher sowie das Ma
Gesangbüchern finden sich zwei Melodi
sehr volksthümliche, auch die zweite ist e
sog. Lindenschmidlied, wie die Melodie be

No. 22(

Kompt her zu mir sprich

(K. II, 629; W. II

I. Constanz 1600. Paderborn 1617. Neyß 16

Kompt her zu mir spricht Got-tes Soh
ret nun, mit Sün-den hart be-l
wen vnd Mann, ich will euch ge-ben
ew - ren scha - den. * N

1) Paderborn c b statt b g. 2)

Christ sprach zus

lieb-ste Braut, Folg mir ein gang durch bit-ter Kraut, Dan ichs
ti-gi-a, As-prae vi-ae per ar-du-a: Du-cem
ge-tra-gen hab vor dir, Ha-stu mich lieb so gang nach mir.
mo-les-ti tra-mi-tis Sec-ta-re, me si di-li-gis.

KOmbt her zu mir spricht Gottes Sohn.

Vom Christlichen Leben vnd Wandel.

III. David. Harmonia 1659. Rheinfels. Gsb. 1666.
KOmbt her zu mir spricht Got-tes Sohn, all die jhr seyd be-schwe-
ret nun, mit Sün-den hart be-la-den, jhr Jun-gen, Al-ten,
Fraw vnd Mann, ich wil euch ge-ben, was ich hab, wil hei-len
Rheinfels. Gesangbuch.
ew-ren Scha-den.
will hey-len ew-ren Scha-den.

Kompt her zu mir spricht Gottes son.

Ein geistlich Lied.

(W. III, 167.)

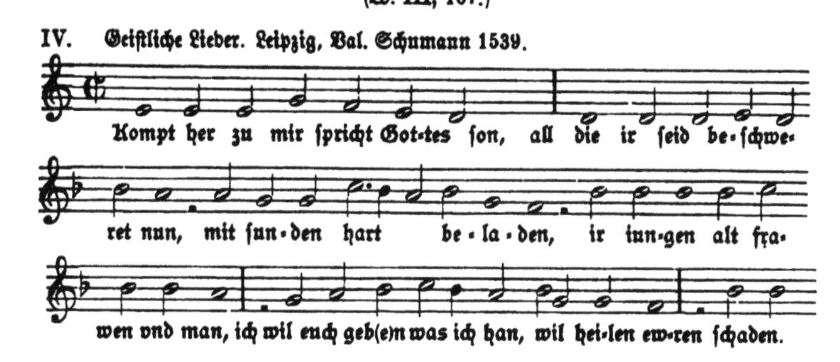
IV. Geistliche Lieder. Leipzig, Val. Schumann 1539.
Kompt her zu mir spricht Got-tes son, all die ir seid be-schwe-
ret nun, mit sun-den hart be-la-den, ir iun-gen alt fra-
wen vnd man, ich wil euch geb(e)n was ich han, wil hei-len ew-ren schaden.

hei - li - gen O - ster-lamb, Daß ha -
Wie Gott in sei - ner Ma - je - stat,

Das Lied „Kommt her zu mir s
katholischer Seite zuerst im Constanzer
sechszeiligen Strophen. Ebenso in den
u. 1617, im Neyßer 1625. Dagegen hat
1615: 16 Strophen. Corner 1631, die
das Rheinfelsische Gesangbuch 1666 habe
hier die Strophe:

„Dem Gelehrten hilfft doch nicht

Weit früher finden wir das Lied in p
einem Zweiliederdruck vom Jahre 1530:

„Ain schön newes Christlichs lyed. J
zu singen im Thon, Auf

stehen 16 Strophen, dieselben welche später
enthält, nur in anderer Reihenfolge. Von 1
Gesangbüchern auf, zuerst in Valten Schuma
Gesangbuch 1545 u. a. Die Ueberschrift la

„Ein (schön) geistlich Lied auß dem

Die andere Fassung, welche 10 Stroph
habe ich in protest. Gesangbüchern nicht g
lang, wie Wackernagel sagt, den Hans W
täufer in Zwickau) für den Verfasser unse
Lied mit einer anderen Dichtung dieses V
Christenleut" (II. Bd. No. 341, I) zusam
nagel schreibt aber in seinem größeren W
166) das Lied dem

Val. Schumann'schen Gesangbuch 1539, im Bapst'schen 1545 u. a. mit Varianten. In einem anderen Einzeldruck, Nürnberg durch Kunegund Hergotin um 1530, trägt das Lied die Ueberschrift „Im thon was wöln wir aber heben an, das best das wir gelernet han“. Dies ist der Anfang des fünfzeiligen Lindenschmidliedes, wie es bei Leisentrit dem ebenfalls fünfzeiligen Liede „Nun höret zu ihr Christenleut“ (Bd. II, 341. I) angehört. Diese Melodie ist auch dem sechszeiligen Liede „Kommt her zu mir spricht Gottes Sohn“ in der Weise zugeeignet worden, daß die Melodie der vierten Zeile

„ihr Jungen, Alten Fraw vnd Mann,“

bei der fünften Zeile

„ich wil euch geben was ich han“

wiederholt wurde.

Nach einer Handschrift der Königl. Bibliothek in Dresden (W. III, 1464) hat das Lied die Ueberschrift „zu singen in dem thon Sand Otilia die wart blint geborn“. Ein Lied ähnlichen Anfanges wird jetzt noch am Rhein gesungen (Simrock Volkslieder 1851, No. 73 und Kretzschmer Volkslieder II, No. 8.) Die mitgetheilte Melodie hat mit der obigen keine Aehnlichkeit. (Vgl. II. Bd. S. 311 und Böhme, Altdeutsches Liederbuch No. 636.)

No. 221.

O Mensch bewein dein Sünde groß.

(K. I, 359; W. III, 603.)

I. Würzburg 1628, 1630. Bamberg 1628 ff. Mainz 1628. Corner (1625) 1631. Molsheim (1629)1659. Mainz 1661, 1665. Dav. Harmonia 1659. Rheinfels. Gesangbuch 1666. Erfurt 1666. Brauns Echo 1675. Straßburg 1697.

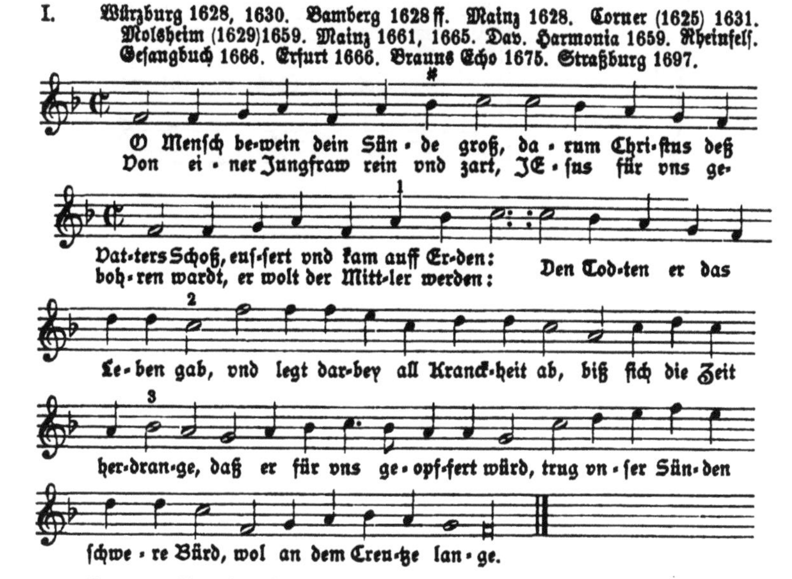
O Mensch be-wein dein Sün-de groß, da-rum Chri-stus deß
Von ei-ner Jungfraw rein vnd zart, JE-sus für vns ge-
Vat-ters Schoß, eus-sert vnd kam auff Er-den:
boh-ren wardt, er wolt der Mitt-ler werden:
Den Tod-ten er das
Le-ben gab, vnd legt dar-bey all Kranck-heit ab, biß sich die Zeit
her-dran-ge, daß er für vns ge-opf-fert würd, trug vn-ser Sün-den
schwe-re Bürd, wol an dem Creu-tze lan-ge.

In dem Einzeldrucke der Universitätsbibliothek in Freiburg (1525?) kommmen folgende Varianten vor:

1) f statt a; auch im Bamberger Gesangbuch 1628 u. a.
2) a statt c. 2) b c statt b.

ge - bo - ren ward, er wolt der
Todten er das Le - ben gab,
ab biß sich die Zeit her - lange, da
trug vnser Sünd ein schwere Bürd,

Diese Melodie steht in dem vierstimm
mit wenigen Varianten als Baßstimme zu d

III. Bamberg 1628.

O Mensch be - wein dein sün - d
seins vat - ters schoß, eu - sert vnd

bo - ren ward, er wolt der mit - ler wer - den, Den todten
er das le - ben gab, Vnd legt da - bey all Kranckheit ab,
Biß sich die zeit her dran - ge, Daß er für vns ge -
opf - fert ward, trug vn - ser sün - den schwe - re bürd,
wol an dem Creu - tze lan - ge.

Dieses Passionslied bringt Wackernagel (III, 603) aus einem Einzeldruck „Der passion, oder das leyden Jhesu Christi in gesangsweyß gestellet„. In der Melodey des 119. Psalms, Es sind doch selig

...) und vom Jahre 1583 an in ...
...scher II, S. 193). Auf katholischer Seit...
Voglers Katechismus 1625, in den Würzbur...
im Bamberger und Mainzer Gesangbuch 16...
selben Fassung wie in jenem ersten Einzeldruck,
23: „So last vns nun jm danckbar sein...

Wackernagel schreibt nach dem Vorgange ...
Hymnologen das Lied dem Sebald Heyden ...
Sebaldusschule in Nürnberg zu; auf welchen G...
findig machen können. Uebrigens bezweifelt S...
tar I, 1724, S. 179 die Autorschaft Heydens,
da Heyden erst 19 Jahre alt war, also gesungen w...
dyne Sünde groß" v. Jaenichii Notit. Bil...
Fischers Lexikon II, S. 193.)

Es finden sich auch, wie Wackernagel hervo...
Anklänge an das obige. Man vergleiche mit d...
Liedes die folgenden Texte: Strophe 23 aus de...
so wollen wir singen":

„O Mensch, bewein dein Sün...
halt dich in rechter maß,
Denck wie Christus hat glidt...
für vns Nacket vnd Bloß."

Schöne Christliche Creutz vnd Kirchen Gesä...
(W. II, 1184.)

Strophen 24 und 25 aus dem Liede „Es ist ain ...

24) „Darnach thet er vil zaichen z...
gar haimlich vnd gar offenwa...
Den blinden er das gesichte g...
die krumpen macht er gen vn...

25) „Die toden erkükht er aus den...
Den stumen er die rede gab,
Die mit dem tiefl waren beha...
Die löset er mit seiner krafft."

Papierhandschrift zu Kloster ...

Sie findet sich auch im französischen Psalter »Les Pseaumes mis en Rime françoise, par Clement Marot et Th. de Beze, par Thomam Courteau, Pour Antoine Vincent, 1566«.

zu Psalm 36 »Du malin de mechant«
und Psalm 68 »Oue Dieu se monstre«.

Ob dieselbe auch in früheren Ausgaben vorkommt, vermag ich nicht zu sagen. Zu den französischen Originalmelodien gehört sie jedoch nicht. In den Monatsheften für Musikgeschichte (VI. Jahrg. Beil., S. 20) sind diese mitgetheilt. Die obige findet sich nicht darunter, ist also jedenfalls von Straßburg aus nach Frankreich herübergekommen.

Im Mainzer Psalter 1658 steht diese Singweise bei dem Psalm 58: „Herr, deine Gnad an mir erweiß."

No. 222.

O Seel in aller Angst vnd Noth.

(K. I, 318.)

Clausener Gesangbuch 1653.

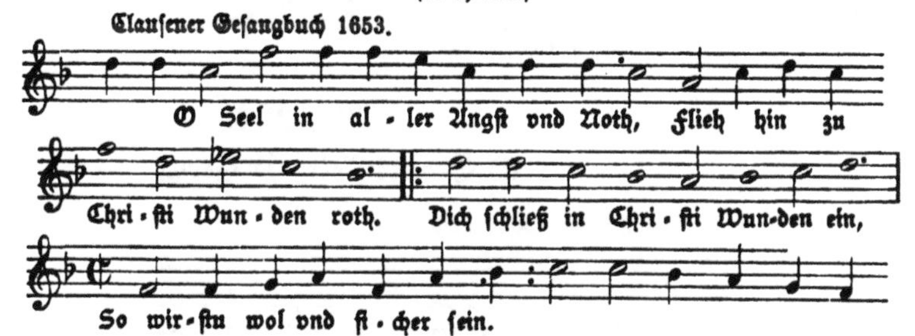
O Seel in al - ler Angst vnd Noth, Flieh hin zu
Chri - sti Wun - den roth. Dich schließ in Chri - sti Wun-den ein,
So wir - stu wol vnd si - cher sein.

Der Text steht zuerst im Cölner Gsb. (Brachel) 1623. Vgl. S. 379. Die Melodie bildet eine Variante zum „Bruder Veitston". Vgl. die Lieder:

„Der Himmel jetzt frolocken soll"
und
„Mein Hertz auf dich thut bawen," im II. Bde., No. 109 u. 366.

No. 222a.

Dein rechte Hand.

Salutationes devotae 1697.

Dein rech - te Hand o höch - stes Gut, von wel - cher fleußt
Aus Her - zens-grund ver - eh - ren wir und für diß Blut
das hei - lig Blut.
wir dan - ken dir.
O hei - lig Hand! o wer - ther Safft!
gib uns - ren See - len ne - we Krafft.

(K. I, 336; W. V, 1527

Würzburg 1630. 1628. Mainz 1628. Corner
1635. Corners Nachtigall 1649. Clausener Ge
1659. Mainz 1661, 1665. Rheinfels. Gesang
berg 1670, 1691. Nordstern 1671. Brauns E

1
O Traw-rig-keit, O Her-tzen-leyd,
2
zu kla-gen, Got-tes Vat-ters ei-nigs
1) Corner 1531.
3
ge-tra-gen.
O Traw-rig-kei

1) Mainz u. Würzburg 1628, Rheinfels. Gsb. c sta
2) Mainz u. Würzburg 1628, Corner d statt e.
3) Corner 1631 a statt h.

No. 224.

O Traurigkeit, O Herze

Eißfeldisches Gesangbuch 1690.

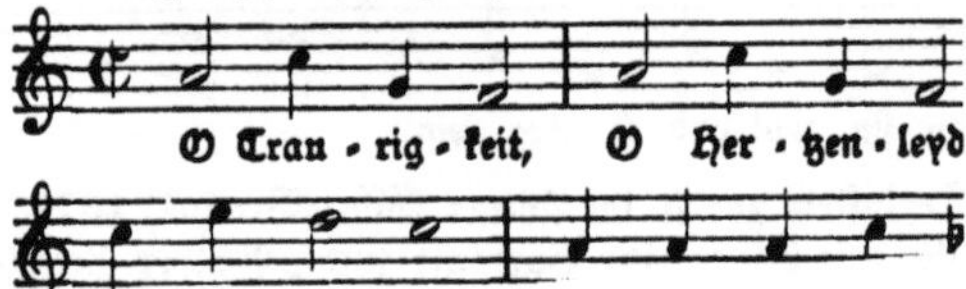
O Trau-rig-keit, O Her-tzen-leyd

kath. Gesangbücher übergegangen. Im Jahre 1641 erschien in „Joh. Rist's Himlischen Liedern", Lüneburg, ein achtstrophiges Lied, welches die erste Strophe und Melodie mit dem katholischen gemeinsam hat, im übrigen aber neu gedichtet ist. Rist bemerkt selbst hierzu: „Es ist mir der erste Vers dieses Grabliedes, benebenst seiner andächtigen Melodie, ohngefähr zu Handen kommen. Wenn mir denn selbige insonderheit wohlgefallen, als habe ich, dieweil ich der andern Verse gar nicht theilhaftig werden können, die übrigen sieben, wie sie allhier stehen hinzugesetzt." (Cunz, Geschichte des Kirchenliedes 1855, S. 553.) In der katholischen Geistlichen Nachtigall Erfurt 1666 ist das ältere Lied bis auf 15 Strophen in origineller Weise erweitert worden.

Dem lateinischen Liede in den Sirenes Symphoniacae 1678:

»Popule mi, quid merui
In quo te contristavi
Nonne quibus debui
Bonis te ornavi.« (Dan. II, 346.)

einer Umschreibung der sog. Improperien aus späterer Zeit, hat man die Melodie des deutschen Liedes zugeeignet.

No. 225.

O Creutz! O wahrer Gottes Thron.

Von dem wahren H. Creutz.

(K. I, 366.)

Cöln (Brachel) 1623, 1634.

O Creutz! O wah - rer Got - tes Thron, Ge - hey - li - get
von Got - tes Sohn, O Gna - den Thron, der al - ler
Welt, Den Gna - - den Schatz vor Au - gen stelt.

* Cöln 1634 g statt b.

No. 226.

Das heilig Creutze vnsers Herrn.

Ein Lied vom heiligen Creutz.

(K. I, 365.)

Corner (1625) 1631.

Das hei - lig Creu - tze vn - sers Herrn, das last vns lo - ben

Wie manche Volksweisen in versch
mit einander haben, kann man aus de
Liebesliede ersehen.

Nieuwe verbeterte Lusthof. Amste

De Mey die ons de groen-
ver-bly - - en; Maer die int
heught to ghe-nen ty - - en.

No. 227.

Ach Jesu ach vnsch

Von den Schmertze

(K. I, 370.)

I. Cölner Psalter 1638. Cöln (Brachel) 1623.
stern 1671. Münster 1677. Straßburg 1

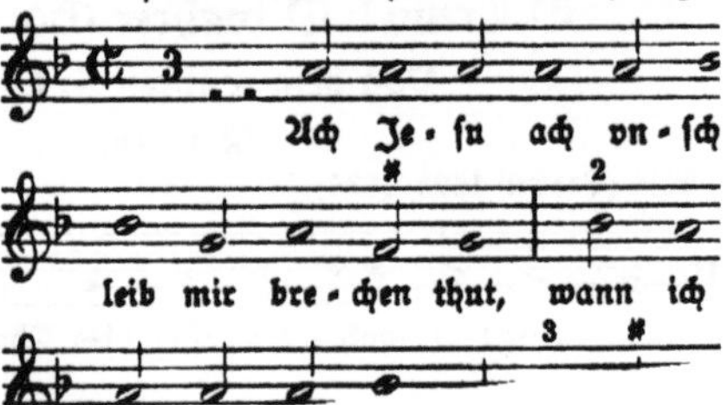

Ach Je-su ach vn-sch
leib mir bre-chen thut, wann ich

mit der Ueberschrift „Von meiner Seel im Segfewr." Hier sind auch die über den Noten verzeichneten ♯ ♯ vorhanden. Den Text „Ach Jesu ach" u. s. w. finde ich zuerst im Mainzer Gesangbuche vom Jahre 1628.

Hertzliches Mitleiden mit dem gecreutzigten Jesu.

II. Mainz 1628. Corner 1631. Seraph. Lustgart. 1635. Bamberg 1670, 1691.

Ach J - su ach vn - schul - digs Blut, Mein Hertz im
Leib mir bre - chen thut, Wenn ich ge - denck an al - le Noth,
an Creutz, an Pein, an dei - nen Todt.

Bamberg: „O süssester Herr Jesu Christ,
Kein Blutstropf in dir übrig ist." (K. I, 319.)
[zuerst im Cölner Gesangbuch (Brachel) 1623]

III. Clausener Gesangbuch 1653.

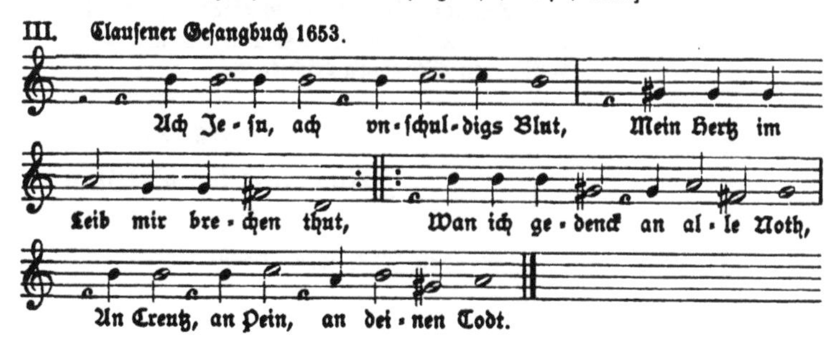
Ach Je - su, ach vn - schul - digs Blut, Mein Hertz im
Leib mir bre - chen thut, Wan ich ge - denck an al - le Noth,
An Creutz, an Pein, an dei - nen Todt.

No. 228.

Ich hört ein kläglichs weinen.

Clausener Gesangbuch 1653.

Ich hört ein kläg - lichs wei - nen, Spät in der stil-
Beym liech - ten mo - nats-schei - nen, Da kaum ein Mensch
ler Nacht, Das Seuff - tzen vnd das Kla - gen, Hört ich
mehr wacht. Es war groß forcht vnd Za - gen, Es schalt
je mehr vnd mehr.
von wei - tem her.

Lon - gi - nus hat mit sei - nem Spe
Lon - gi - nus mi - les lan - ce - a,
auff - ge - schlos - sen: Seel komm un - ve
est scru - ta - tus, Ec - ce pa - te
be - gehr. Diß ed - le Zim - mer
ni - ma. Qui - es - ce in hoc
ne sich - re Woh - nung da - rinn auff:
vam con - de in hoc tu - mu - lo:
sten Seit Wohnt al - le Lieb - lich - keit
la est, A - mo - ris au - la est.

In den Würzburger Evangelien steht die

„Es wurde durch den Geist geführ
„Herr Jesus zu den Jüngern spra

Der lateinische Text des obigen Liedes ist
der Melodie in den Sirenes Partheniae, welc
Auflage in Würzburg erschienen.

No. 230.

Jesus rufft dir O Sün

(K. II, 604; B. V, 154

Würzburg 1628, 1630. Mainz 1628 ...

dich doch er - bar-men, wein ach wein mein frommer Christ, denck daß
diß dein Hey - land ist, dein höch-ster Schatz auff er - den.
1

1) Corner u. a. e statt d.

In den Sirenes Symphoniacae 1678 steht zu dieser Melodie das folgende latein. Lied, wahrscheinlich eine Uebersetzung des deutschen Textes:

»Attolle paulum lumina
Peccator atque disce.« (Dan. II, 345.)

No. 231.

Gegrüst seistu O Heyl der welt.

Salue mundi salutare.

Cölner Psalter 1638.

Ge - grüst seystu O Heyl der welt, viel tausent grüß ich
dir vermeld: Ach daß ich dich vmbfangen solt: O Gott
mein zier zieh mich zu dir: mit dir am Kreutz ich hangen wolt.

No. 232.

Gegrüst seistu O Heyl der Welt.

Deß H. Bernardi Salve mundi salutare zu teutsch.

(K. I, 372.)

Mainz 1628. Corner (1625) 1631.

1
Gegrüst seystu, O Heyl der Welt, Viel tau - sent Grüß
ich dir ver - melt, Ach daß ich dich vmb - fangen solt, O Gott
mein Zier, zieh mich zu dir, Mit dir am Creutz ich han-gen wolt.

1) Corner d statt h.

Das Psalteriolum, Coloniae 1642 hat den lateinischen Text mit folgender Melodie:

Sa-lue mun-di sa-lu-ta-re, Sa-lue sa-lue Je-su
cha-re, cru-ci tu-ae me ap-ta-re vel-lem ve-re
tu scis qua-re, Da mi-hi tu-i co-pi-am.

Das lateinische Lied »Rhythmica oratio ad unum quodlibet membrorum Christi patientis et a cruce pendentis« ist vom h. Bernhard von Clairvaux. Es zerfällt in 7 einzelne Gedichte zu 5 Strophen:

I. Ad pedes: Salve mundi salutare.
II. Ad genua: Salve, salve rex sanctorum.
III. Ad manus: Salve, salve Jesu bone.
IV. Ad latus: Salve Jesu, summe bonus.
V. Ad pectus: Salve, salus mea, deus.
VI. Ad cor: Summi regis cor aveto.
VII. Ad faciem: Salve caput cruentatum.

(M. I. 123 ff.; W. I, 186 ff.)

Die obige deutsche Uebersetzung steht zuerst in Vetters Paradeißvogel 1613.

Eine ältere aus dem 14. Jahrhundert beginnt mit den Worten:

„Der welt heilant, nim min grüezen
ich grüez dich Jhesu Christ so süezen.“ (W. II, 454.)

Die mitgetheilten Melodien sind nicht alt.

No. 233.

O der grossen Angst und schmertzen.

Gespräch des Engels mit Christo: im Anfang seines Leidens. Luc. 22:43.

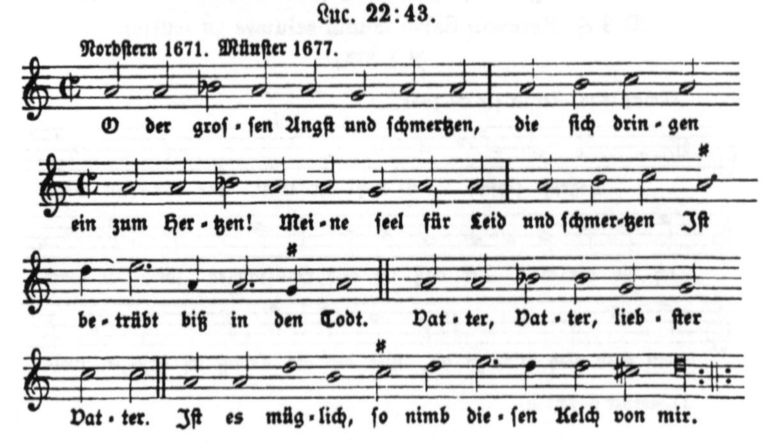
Nordstern 1671. Münster 1677.
O der gros-sen Angst und schmertzen, die sich drin-gen
ein zum Her-tzen! Mei-ne seel für Leid und schmer-tzen Ist
be-trübt biß in den Todt. Vat-ter, Vat-ter, lieb-ster
Vat-ter. Ist es müg-lich, so nimb die-sen Kelch von mir.

No. 234.

O Grosse Angst vnd Noth.

Rheinfels. Gesangbuch 1666.

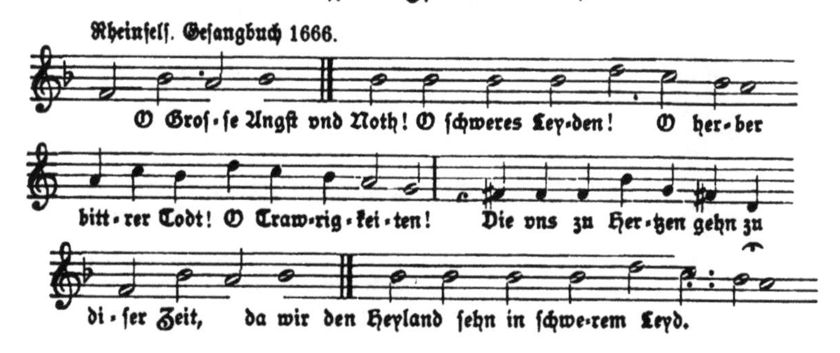
O Gros-se Angst vnd Noth! O schweres Ley-den! O her-ber
bitt-rer Todt! O Traw-rig-kei-ten! Die vns zu Her-tzen gehn zu
di-ser Zeit, da wir den Heyland sehn in schwe-rem Leyd.

No. 235.

Himmel vnd Erd schaw was die Welt.

Würzburg 1628, 1630. Mainz 1628. Seraph. Lustgart. 1635. Cölner Psalter 1638. Molsheim (1629) 1659. Mainz 1661, 1665. Rheinfels. Gesangbuch 1666. Erfurt 1666. Bamberg 1670, 1691. Nordstern 1671. Münster 1677. Straßburg 1697.

Him-mel vnd Erd schaw was die Welt, heut für ein grawsam Schawspiel
helt, Ty-ran-ney ist zu se-hen. O Je-su dei-nes Schmertzen,
O ei-sen-har-te Her-tzen, deß-glei-chen nie ge-sche-hen.

Das ♯ steht im Cölner Psalter 1638 und im Rheinfels. Gsb. nicht.

Die Sirenes Symphoniacae 1678 bringen die obige Melodie mit einem lateinischen Texte:

»O coeli obstupescite,
O terrae erubescite« u. s. w. (Dan. II, 347.)

No. 236.

Bey finster nacht.

Klaglied Christi im Garten.

Cölner Psalter 1638.

Bey fin-ster nacht zur er-sten wacht, Ein stimm sich gund zu

bedeutenden Varianten und in veränder
Lustgarten. Cöln 1635. Die erste Faß
in einer älteren Auflage des Psälterlei
manche Lieder lieferte, zu suchen sein.
als diejenige, welche im Seraphischen L
ebenso ist sie verschieden von der Melodie

No. 23

Kommt her, zum B

Huc ad montem

Gesang von den gecreutzigten JE
Leydens.

Mainz 1661, 1665. Keusche Meerfräwlein
Eißfeldisches Gesb. 1690. Fulda 1695.

Kommt her, zum Berg Cal-va -
Huc ad mon-tem Cal-va -
ne schwe-bet: All die ihr le
sum Du-cem, Tro-phae-um n
Chri-sto sterbt

Der lateinische Text ist der ältere. In dem Büchlein „Keusche Meerfräwlein“ welches das deutsche Lied bringt, wird auf dem Titelblatt gesagt, daß die Lieder aus dem Lateinischen übersetzt seien. Die Sammlung, welche die lateinischen Texte zu den Liedern in „Keusche Meerfräwlein“ enthält, heißt »Sirenes Partheniae«. Sie erschien im Jahre 1677 in Würzburg in vierter Auflage. (Vgl. die Bibliographie im II. Bande.)

No. 238.

SCHAW DEN MENSCHEN.

Ecce Homo. Joann. 19: 5.

Nordstern 1671. Münster 1677.

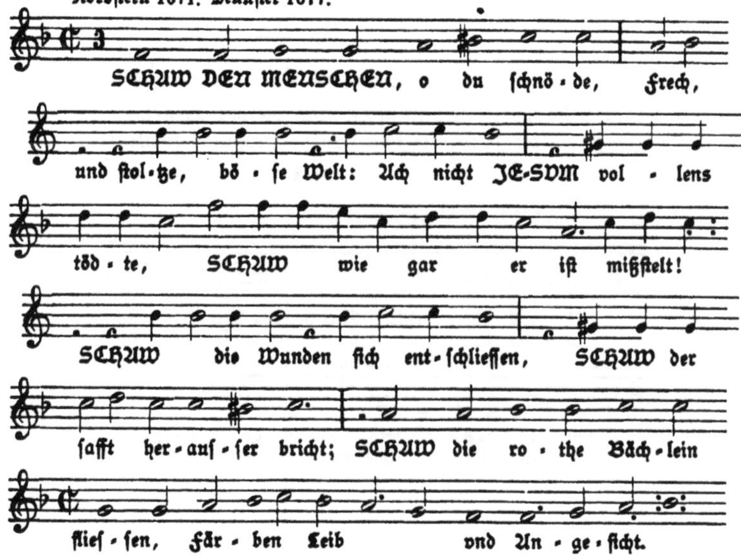
SCHAW DEN MENSCHEN, o du schnö - de, Frech,
und stol - tze, bö - se Welt: Ach nicht JESVM vol - lens
tödte, SCHAW wie gar er ist mißstelt!
SCHAW die Wunden sich ent - schliessen, SCHAW der
safft her - auß - ser bricht; SCHAW die ro - the Bäch - lein
flies - sen, Fär - ben Leib vnd An - ge - sicht.

Der Text ist von Spee. Er findet sich in der Trutznachtigall. Cöln 1649.

No. 239.

Ihr Felsen hart und Marmelstein.

Nordstern 1671.

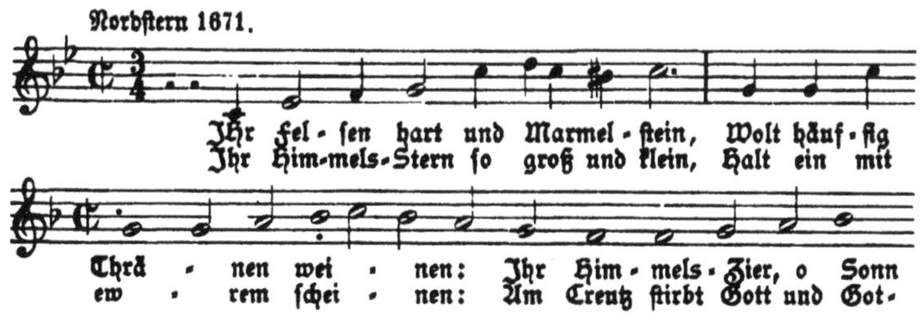
Ihr Fel - sen hart und Marmel - stein, Wolt häuf - fig
Ihr Him-mels-Stern so groß und klein, Halt ein mit
Thrä - nen wei - nen: Ihr Him - mels - Zier, o Sonn
ew - rem schei - nen: Am Creutz stirbt Gott und Got-

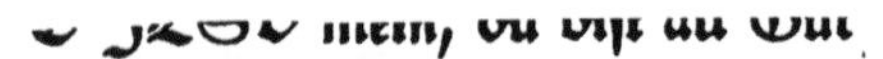

Nordstern 1671. Münster 1677.
O JE-SV mein, du bist all Gut
Wann sei-nen Rach Sperrt auff der höl-
heilge Wunden dein Mein Zu-flucht seyn.
deinen Wunden roth Förcht kei-ne Noth.
da über-winn: Laß doch die Wunden dein Mein JV

Nr. 241.

O Gütiger HErr Christe.

Am Osterabent wann man das Fewer Benedicir
ein gar alter Hymnus Prudentij: Inuentor rutili d

(K. I, 194.)

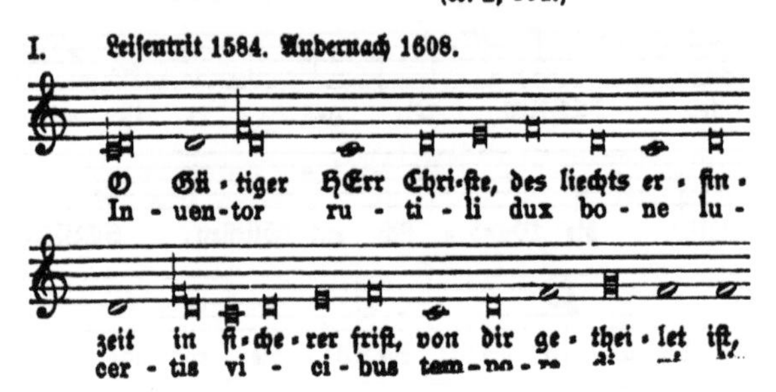
I. Leisentrit 1584. Andernach 1608.
O Gü-tiger HErr Chri-ste, des liechts er-fin-
In-uen-tor ru-ti-li dux bo-ne lu-
zeit in si-che-rer frist, von dir ge-thei-let ist,
cer-tis vi-ci-bus tem-po-re

FRewet euch alle gleich.

Inventor rutili.

(W. III, 430.)

II. Brüdergesangbuch 1560, 1544.

FRewet euch al - le gleich, lobt Got von hi - mel - reich, singt jm
ein new - es lied, denn ein e - wi - ger frid, ist durch Chri - stum
ge - macht, vnd die gunst wi - der-bracht, welch vor vi - len ja - ren,
A - dam het ver - lo - ren.

Der Text von J. Horn steht bereits mit der obigen Melodie im Brüdergesangbuche vom Jahre 1544. Da die Ligaturen in der späteren Ausgabe besser gegeben sind, so habe ich die Melodie nach dieser reproducirt.

Den 10strophigen lateinischen Text enthält das Andernacher Gesangbuch. Er ist ein Auszug aus einem 42strophigen Liede von Aurelius Prudentius. (W. I, 34 u. 35; Dan. I, 131.) Schubiger glaubt, das Lied habe ursprünglich zu außerkirchlichem Gebrauch gedient, weil ein dem IX. Jahrhundert angehörender Codex (455) in Bern zu dem 8strophigen Text die Ueberschrift trage: »Versus ad incensum lucernae«. (Musikal. Spicilegien. Berlin 1876, S. 100). Später ging das Lied in kirchlichen Gebrauch über und wurde am Charsamstag beim Anzünden der Osterkerze gesungen.

Eine Uebertragung im Hymnarius von Sigmundslust 1524 beginnt:

„Do gueter fürst vnnd des schymrenden liechts bschaffer." (W. II, 1365.)

Der obige Text in Leisentrits Gesangbuch ist von Rutgerus Edingius. Er findet sich in seinem Buche „Teutsche Euangelische Messen Cöln 1572" S. 274.

Die Melodie stimmt mit der (bei Schubiger a. a. O., S. 101) aus dem IX. Jahrhundert mitgetheilten, sowie mit einer andern handschriftlichen aus dem Jahre 1533 (in meinem Besitz) überein, sodaß ich auf die Reproduction verzichten kann. Dagegen hat die Weise im Gesangbuch der böhmischen Brüder 1544 u. 1560 bedeutende Varianten aufzuweisen.

Osterlieder.

(No. 242—294.)

No. 242.

Christ ist erstanden.

Dieser österliche Triumphgesang gehört zu den schönste
deutschen Kirchenliedern. Die Hymnologen setzen die Entstehı
in das 12. Jahrhundert, weil im 13. Jahrhundert schon von
Rede ist. Nach Hoffmann wird es in einer Beschreibung der
keiten in Wien in einer Handschrift des 13. Jahrhunderts Co
erwähnt. Eine gleichzeitige Handschrift des ludus paschal
Neuburg schreibt: Et populus universus iam certificatus
cantor sic imponit (?) „Christ der ist erstanden" (Pez. Thesa
tom. I. p. 53. Hoffmann Kirchenlied 1861, S. 64). Auch in
Jahrhunderten war das Lied bei den sog. Osterfeiern üblich (II.
Im Jahre 1419 wurde es am Hofe des Markgrafen Frie
Brandenburg von den Hofleuten vor dem Mittagsmahl gesun
42). In Nürnberg sang man dasselbe bei Vorzeigung der
1424—1524. Von den Deutschen in Verona wurde es 1
grüßung des Bischofs von Padua angestimmt. Hoffmann, dem
entnommen sind, führt noch eine Menge weiterer Belege an
S. 178 ff.). Als liturgischen Gesang finden wir das Lied i
mit der Sequenz »Victimae paschali« und vor und nach
(II. Bd. S. 12). Seine Verbreitung über ganz Deutschland
bezeugt, daß es sich fast in allen gedruckten lat

wiederholte die beiden letzten Zeilen. (Vgl. W. II, 39, 40 und 41 aus dem Münchener cod. lat. 5023 und cod. germ. 716, beide aus dem 15. Jahrhundert.) Siehe S. 506 und 507 die erste Strophe.

Eine andere Fassung aus dem 15. Jahrhundert lautet:

„Christus ist uperstanden
von des todes banden,
Des sollen wir alle fro sein,
got wil unser trost sein.
Kyrie eleis."

In mittelniederdeutscher Sprache stehen die Zeilen:

»Crist is vpstanden
van der martyr alle
Des scholle we alle vro sin.«

in der Kopenhagener Handschrift a. d. J. 1370. Mscr. Thottiana 8. No. 130, Bl. 240. (Jahrbuch des Vereins für niederdeutsche Sprachforschung 1881.)

Nach der ersten Strophe und zwischen das Alleluia mit der Wiederholung der beiden letzten Zeilen „des sollen wir alle" u. s. w. scheint sehr bald eine zweite Strophe „Wer er nit erstanden" sich eingebürgert zu haben. Diese Fassung finden wir in den älteren protestantischen (Erfurt 1531, Wittenberg 1535) sowohl wie katholischen Gesangbüchern (Vehe 1537, Leisentrit 1567). Ich gebe im Folgenden einen Ueberblick über die Erweiterung des Liedes, wobei ich auf Textvarianten keine Rücksicht nehme.

I.

Str. 1. „Christ ist erstanden von der Marter alle."
Str. 2. „Wer er nicht erstanden."
Str. 3. „Alleluia, Alleluia, Alleluia!"

Geistl. Lieder Erfurt 1531. Klug'sches Gesb. 1535. V. Bapst 1545. Ein edel Kleinat der Seelen 1562. Leisentrit 1567. Str. 1 und 2 bei Wizel Psaltes eccles. 1550. (W. II, 935—937; K. I, 217.)

II.

Str. 1, 2 wie 1, 2 von I.
Str. 2a „Es giengen drey Frawen."
Str. 3 = 3 von I.

Augsburger Gesangbuch 1557. (W. II, 940.)

III.

Str. 1, 2 = 1, 2 von I.
Str. 3. „Maria die viel zarte."
Str. 4. „Maria die viel reine."
Str. 5. „Du heiliges Chreutze."
Str. 6 = 2a von II.
Str. 7 = 3 von I.

bei der Ankunft des Bischofs von Padua in den 13 deutschen Gemeinden bei Verona im Jahre 1519 gesungen (W. II, 942.) Str. 3, 4 u. 5 auch in einer Breslauer Papierhandschrift I, 113, 8 aus dem 15. Jahrhundert (W. II, 941). Straubinger Gsb. 1615. In anderer Reihenfolge auch in der Dav. Harmonia 1659 und im Rheinf. Gesangbuch 1666.

III a.

Str. 1, 2 = 1, 2, von I.
Str. 3. „Christ hat genommen."
Str. 4. „Christ, Gott des vatters sohn." } mit Alleluia.
Str. 5. „Christ hat erlöset vns."

Vehe 1537. (W. II, 939, K. I, 216.)

IV.

Str. 1, 2, 3 = 1, 2, 2a von II.
Str. 4 = 4 von III.
Str. 5 = 3 von III.
Str. 6 = 5 von III.
Str. 7 = 3 von I.

Libellus Agendarum Salisburgi 1557. (W. II, 944.) Ritus Eccles. Augustens. Episcop. Dil. 1580.

V.

Str. 1, 2, 3 = 1, 2, 2a von II.
Str. 4 = 4 von III.
Str. 5 = 3 von III.
Str. 6 „Christus lag im Grabe."
Str. 7 „Christe, lieber Herre."
Str. 8 = 3 von I.

Leisentrit 1567. (W. II, 945; K. I, 219.)

VI.

Str. 1, 2, 3 = 1, 2, 3 von I.
Str. 4 = 2a von II.
Str. 5 = 4 von III.
Str. 6 = 3 von III.
Str. 7 = 5 von III.
Str. 8 Wiederholung von 3.

Obsequiale 1570. (W. II, 946.)

VII.

Str. 1, 2 = 1, 2 von I.
Str. 3. „Erstanden ist der heilig Christ der aller welt ein tröster ist."

Straßburger Gesangbuch 1537; Bonn 1564. (W. II, 947.)

VIII.

Wie das vorige.
Str. 4. „Er ist erstanden wol auß dem Grab."

Cöln 1599. (W. II, 949.)

VIII a.

Str. 1 = 1 von I.
Str. 2. „Kyrie eleißon, Christe eleißon, Kyie eleißon: Deß ßollen wir alle" u. s. w.
Str. 3 = 3 von I.
Str. 4 = 2a von II.

Volgender Verß würdt an ettlich Ortten allererst nach dem 1 verß geßungen.

Str. 5 = 2 von I.
Str. 6 = 3 von III.
Str. 7 = 4 von III.

Der nachfolgende Verß mag in gehalttener Processionen der Creutzwochen nit vnfüeglich geßungen werden.

Str. 8 = 5 von III.
Str. 9. „Des ßollen wir alle fro sein" u. s. w.

Kolers Ruefbuechl vom Jahre 1601 (Handschrift).

IX.

Str. 1, 2, 3 = 1, 2, 3 von I.
Str. 4 = 2a von II.
Str. 5 = 4 von III.
Str. 6 = 3 von III.
Str. 7 = 6 von V.
Str. 8. „Am Sabbath früh Maria drey."
Str. 9. „Wer weltzt vns von des Grabes thür."
Str. 10. „Sie giengen zu dem Grab hinein."
Str. 11. „Sie sehr erschracken von dem gsicht."
Str. 12. „Da sehet her zu diser frist."
Str. 13. „In Galileam heist sie gohn."
Str. 14. „Preis sey dir Herr Jesu Christ."
Str. 15 = 5 von III.
Str. 16 = 7 von V.
Str. 17. Wiederholung der 3. Strophe.

Münchener Gesangbuch 1586. Auch im Tegernseer Gesangbuch 1577, wo noch 10 Strophen mehr stehen. (W. V, 1306; K. I, 222.)

IX a.

Str. 1, 2 = 1, 2 von I.
Str. 3 = 2a von II.
Str. 4 = 9 von IX.
Str. 5 = 10 von IX.
Str. 6 = 11 von IX.
Str. 7 = 12 von IX.
Str. 8 = 13 von IX.
Str. 9 = 14 von IX.
Str. 10 = 5 von III.
Str. 11 = 7 von V.

Cöln 1599; Constanz 1600. (W. II, 950.)

X.

„Christ(us) ist (auff)erstanden von des Todes banden,
Des sollen wir alle." etc. 1 Strophe.

15. Jahrhundert. (W. II, 42.) Vgl. S. 503.

Joh. Busch, De reform. monast. Saxoniae. 1473, l. III c. 41.

XI.

Str. 1, 2 = 1 von X.
Str. 3, 4 = 2 von I.
Str. 5, 6 = 6 von V.
Str. 7. „Christ zerbrach die Helle."
Str. 8. „Da Jesus kam gegangen."
Str. 9. „Die seinen willen hatten gethan."
Str. 10. „Er nam sie bey den Händen weiß."
Str. 11. „Durch Evam das verlohren waß."
Str. 12, 13 = 7 von V.
Str. 14 = 5 von III.
Str. 15 = 14 von IX.

Mainzer Cantual 1605. (W. II, 951; K. I, 226.)

Da dieses statt der früheren 4zeiligen Strophen zwei 2zeilige hat, so ist bei den Hinweisen nur die bezeichnete Halbstrophe gemeint.

Andere Varianten des Liedes, welche in die Gesangbücher nicht übergingen, können wir hier nicht berücksichtigen. Man vergleiche bei Wackernagel im II. Bde. noch die Nrn. 40, 938, 941, 943, 948.

~~Ver~~breitung, welche das Lied in ganz D
auch die zahlreichen Varianten. Ich habe
15. Jahrhundert und die andere aus dem

Christ ist erst

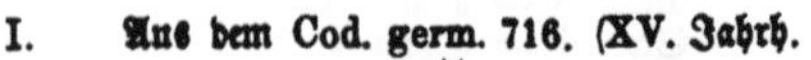
I. Aus dem Cod. germ. 716. (XV. Jahrh.

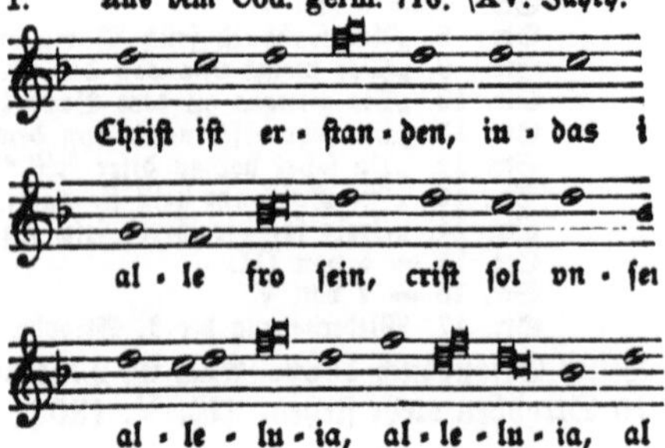
Christ ist er - stan - den, in - das
al - le fro sein, crist sol vn - se
al - le - lu - ia, al - le - lu - ia, al

1) Im Original ist nur beim ersten h ein
falls für alle folgende Noten h maßgebend sein.

II. Aus einem Liederbuche „Getruckt zu
Vn̄ volendt Am ersten tag des Me

Christ ist er - stan - den von der mar

al - le froh seyn Christ will un - ser

* Diskant.

Christ ist erstanden.

Vff den heyligen Ostertag.

(K. I, 216, 217, 220; W. II, 939, 945, 944.)

III. Behe 1537. Leisentrit 1567 ff. Ritus ecclesiastici Dilingae 1580. Obsequiale 1570. Dilinger Gesb. 1576, 1589. Reyß 1625. Corner 1631. David. Harmonia 1659. Rheinfels. Gesangbuch 1666.

Christ ist er - stan - den, von der mar - ter al - len, des sol - len
wir al - le fro sein, Christ soll vn - ser trost sein Ky - ri - o - leys.
Wer er nit er - stan - den, die welt die wer zer - gan - gen, seyd das
er er - stan - den ist, so lo - ben wir den Her - ren Je - sum
Christ, Ky - ri - o - leys. Al - le - lu - ia, Al - le - lu - ia, Al - le - lu - ia,
Des sol - len wir al - le fro sein Christ sol vn - ser trost sein, Kyri - oleys.
1) e g statt e f. Dilingen 1589.
2) Daselbst, Leisentrit 1567, Obsequiale 1570 rc.
Al - le - lu - ia.
Ky - rie leiy - son (Obsequiale).
3) Leisentrit 1567.
so frew - et sich al - les das da ist, Al - le - lu - ia. Al - le - lu - ia. rc.
4) Obsequiale u. a.
Christ
5) wie bei 2.
7) wie bei 2.
6) Obsequiale 1570.
Al - le - lu - ia, Al - le - lu - ia, Al - le - lu - ia.
2) Ritus ecclesiastici.
Ky - rie e - lei - son.

Wol von der mar - ter al -
len wir al - le fro sein, Christ soll vn - ser trost sein,
2. Wer er nit er - stan - den, so wer die Welt
gen, seit dz er er - stan - den ist, So lo -
den Her - ren Je - sum Christ, Ky - ri - e - ley
3. Al - le - lu - ia, Al - le - lu - ia Al - le - lu -
sol - len wir al - le fro sein, Christ soll vn - ser
Ky - ri - e - ley - son. 4. Es gien - gen drey

Das Cölner Gsb. 1599, das Constanzer 1600, M.-Speirer 1631 haben nur No. 1 und 3 der Melodien mit folgenden Varianten:

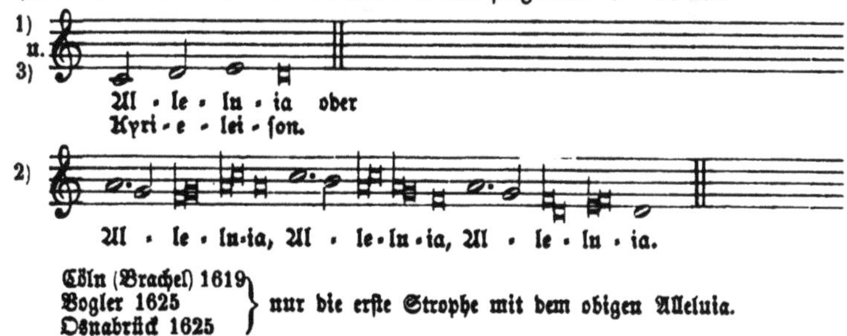
1) u. 3)
Al-le-lu-ia oder
Kyri-e-lei-son.
2)
Al-le-lu-ia, Al-le-lu-ia, Al-le-lu-ia.

Cöln (Brachel) 1619
Vogler 1625
Osnabrück 1625
} nur die erste Strophe mit dem obigen Alleluia.

V. Bamberg 1628. Erfurt 1666.

Christ ist er-stan-den, Von sei-ner mar-ter al-le, Deß
sol-len wir al-le froh sein, Chri-stus wil vn-ser Trost sein.
Ky-rie-e-ley-son. Al-le-lu-ia, Al-le-lu-ia,
Al-le-lu-ia. Deß sol-len wir al-le fro sein, Chri-stus
wil vn-ser trost sein. Ky-rie-e-lei-son.
1 2 3 4 5 6 7 8

Erfurt: 1) b statt g. 2) c c d c statt d d cis d. 3) b statt a c. 4) h fehlt. 5) f. 6) g f statt f. 7) b statt g. 8) wie 2.

Ein alter Lobgesang, in seiner gewöhnlichen Melodey.

VI. Würzburg 1628, 1630 ff. Molsheim (1629) 1659. Mainz 1628, 1661, 1665. Münster 1677. Straßburg 1697.

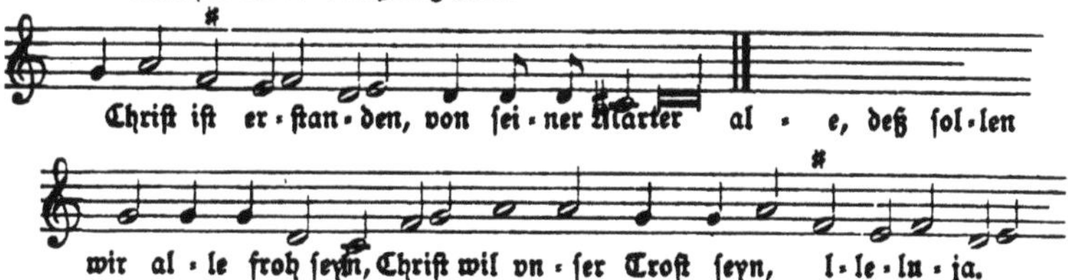
Christ ist er-stan-den, von sei-ner Marter al-e, deß sol-len
wir al-le froh seyn, Christ wil vn-ser Trost seyn, l-le-lu-ja.

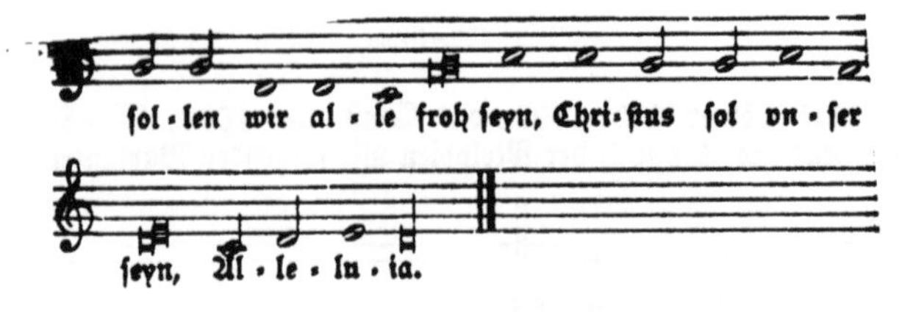
sol - len wir al - le froh seyn, Chri - stus sol un - ser
seyn, Al - le - lu - ia.

Posaun.

Cöln (Brachel) 1623.

Al - le - lu - ia, Al - le - lu - ia, Al - le - lu -
lu - ia, Al - le - lu - ia, Al - le - lu - ia, Al
Al - le - lu - ia, Al - le - lu - ia.

No. 243.

Am Sabath frü Marien drey.

Ein Osterlicher Gesang auffs Euangelium gerichtet.

(K. I, 223; W. III, 1355.)

I. Leisentrit 1567 ff. Dillinger Gesb. 1576. Cöln (Quentel) 1599. 1617. Corner 1631.

Cum luce prima Sabbathi.

II. Andernach 1608.

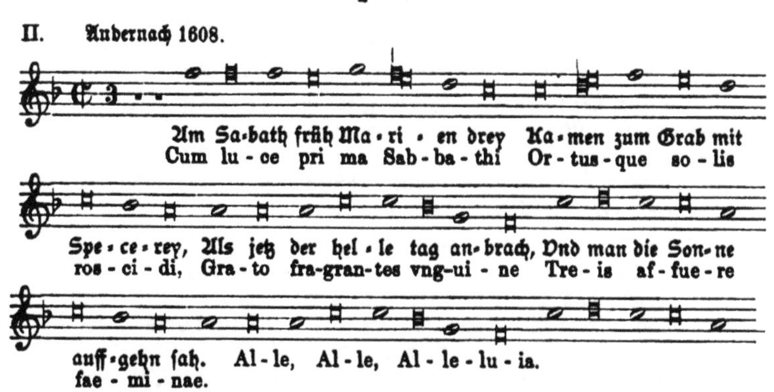
Am Sa-bath früh Ma - ri - en drey Ka - men zum Grab mit
Cum lu - ce pri ma Sab - ba - thi Or - tus - que so - lis
Spe - ce - rey, Als jetz der hel - le tag an - brach, Vnd man die Son - ne
ros - ci - di, Gra - to fra-gran-tes vng-ui - ne Tre - is af - fue - re
auff - gehn sah. Al - le, Al - le, Al - le - lu - ia.
fae - mi - nae.

Der lateinische Text ist nach meiner Ansicht eine Uebertragung aus dem Deutschen, denn auch in den folgenden Strophen finden sich keine Anklänge an ältere lateinische Lieder.

No. 243a.

Am Sabbath frü Marien drey.

Die Sontags Euangelia von Nic. Herman. Wittenberg 1561.

Bamberg 1628. Nordstern 1671. Erfurt 1666.

Am Sabbath frü Ma - ri - en drey ka-men zum grab mit Spe -
ce - rey, Als jtzt der hel - le tag an-brach, Vnd man die Son
auff - ge - hen sah, Al - le - lu - ia.

Dieselbe Melodie steht mit wenigen Varianten (vgl. II. Bd. No. 233) im Bamberger Gesangbuch zu dem obigen Texte; in der Geistlichen Nachtigall Erfurt 1666 zu dem Liede:

„Erstanden ist der heilige Christ,
der aller Welt ein Heyland ist,
das zeigen vns die Engel fein,
die den Frawen erschienen seyn. Alleluia."

Im Nordstern 1671 zum folgenden Text:

„Des morgens früh Marien drey,
Giengen zum Grab mit Specerey
Sie kamen zu dem Grabstein nah
Als man die Sonn auffgehen sah. Alleluia."

Das 7strophige Lied „**Am Sabbath früh Marien drey**“ finde ich zuerst in Nicol. Hermans Sonntagsevangelien, Wittenberg 1561, mit der angegebenen Melodie, welche einem älteren Liede anzugehören scheint. In der genannten Ausgabe steht sie Bl. 55 zu dem obigen Liede und Bl. 56 nochmals zu dem Texte „**Erschienen ist der herrliche tag**“.

Den Text hat Leisentrit 1567 u. s. w. in seine Gesangbücher herübergenommen; im Münchener Gesangbuch 1586 ist er in das Lied „**Christ ist erstanden**“ eingeflochten. Er findet sich sonst noch im Dilinger Gesangbuch 1576, im Cölner 1599, Andernacher 1608, Paderborner 1609, 1617, Bamberger 1628, bei Corner 1631 u. s. w.

Die Melodie aus den Sonntagsevangelien hat Leisentrit nicht aufgenommen. Sie findet sich aber im Bamberger Gesangbuch (1628) und Prager Gesangbuch 1655 zum selbigen Texte: in der Geistl. Nachtigall Erfurt 1666 zu dem Liede: „**Erstanden ist der heilig Christ**“; im Nordstern 1671 zu dem Texte: „**Des morgens früh Marien drei**“. In den Corner'schen Gesangbüchern trifft man sie bei dem Liede „**Jesu du süßer Heyland mein**“. (Vgl. II. Bd., No. 233.)

Was nun den Text in Nicol. Hermans Sonntagsevangelien angeht, so ist derselbe entweder älter oder doch wenigstens die Umdichtung eines älteren Liedes:

1) „Es giengen trew frewlach also fru,
sy giengen dem hayligen grabe zu,
Sy wolten den herren salben,
als maria magdalena het gethon.“
2) „Die frewlach retten all gemayn.“
3) „Do sy kamen zu dem grab.“
4) „Jr frewlach, jr solt erschrecken nit.“
5) „Jr frewlach, jr sond nit abe lan.“
6) „Maria magdalena wolt nit abe lan.“
7) „In aller weyss vnd bärde.“
8) „Sage du mir, gertner fein.“
9) „Bald er das wort wol vsser sprach.“
10) „Maria magdalena, berüre mich nit.“
11) „Behütte vnss das hayligew creytze.“
12) „Vnd hettn sy vnsern glauben.“
13) „Cryst fur gen himele.“

Handschrift Simprecht Krölls 1516. (W. II, 517; Hoffmann K. L. 1861, S. 84.)

Die ersten 5 Strophen haben denselben Inhalt wie das Lied von N. Herman. Man vergleiche ferner das Lied „**Erstanden ist der heilig Christ**“ (Fassung A, S. 518).

Wie bereits bemerkt, hat Leisentrit den Text aus den Sonntagsevangelien 1561 herübergenommen. Die Melodie, welche er bringt, ist eine andere, welche Aehnlichkeit hat mit der Melodie des folgenden Liedes „**Erstanden ist der heilig Christ**“ im Münchener Gesangbuch 1586 u. s. w. (Siehe No. 244.)

Ein dem Inhalte nach ähnliches Lied:

„Am Sontag eh die Sonn auffgieng,
vnd eh der helle Tag anfieng.“

finde ich zuerst in dem Gesangbuche Cöln (Brachel) 1623.

No. 243 b.

AM Sontag eh die Sonn auffgieng.

(W. V, 1501.)

Cöln (Brachel) 1623, 1634. Mainz 1628. M.-Speier 1631. Cölner Psalter 1638. Erfurt 1666. Münster 1677.

AM Son-tag eh die Sonn auffgieng, Vnd eh der hel - le Tag
an-fieng, Deß HErren Grab mit Spe - ce - rey Be - such-ten der Ma - ri-
en drey, Al - le - lu - ia, Al - le - lu - ia, Al - le - lu - ia.

No. 244.

Erstanden ist der heylig Christ.

(W. II, 961.)

I. Obsequiale Ingolstadt 1570. Dilinger Gesb. 1576. Ritus eccles. Dilingae 1580. Kolers Ruefbuechl 1601. Paderborn 1609. Bamberg 1628. Corners Nachtigall 1649. Prag 1655. Bamberg 1670, 1691.

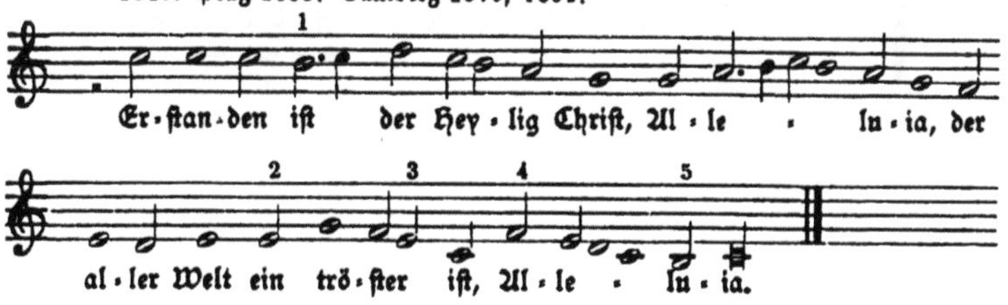
1
Er-stan-den ist der Hey - lig Christ, Al - le - lu - ia, der
2 3 4 5
al - ler Welt ein trö - ster ist, Al - le - lu - ia.

Das Dilinger Gesangbuch enthält die 14 Strophen des Liedes aus dem Obsequiale und noch 3 Schlußstrophen, die bei Leisentrit sich finden.

Im Paderborner Gesangbuch 1609 steht die Melodie eine Quart höher zu dem Texte:

„Geborn ist vns ein Kindelein, Alleluia,
Von Maria der Jungfraw rein Alleluia."

Varianten: 1) Dilingen 1580 h a h statt h c d. Paderborn c fehlt.
2) Dilingen 1580, Bamberg 1628 u. a: e a statt e. Paderborn 1609 f statt e.
3) Paderborn 1609, Bamberg 1628 u. a.: e d statt e.
4) Paderborn 1609: c d e f statt f. 5) Bamberg 1628: d statt h.

In dem handschriftlichen Ruefbuechl von Koler 1601 stehen die Varianten 2, 3 und 5.

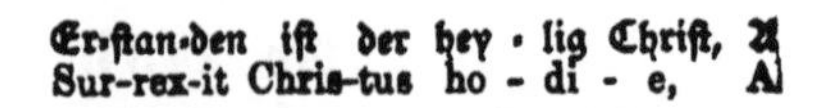
Er-stan-den ist der hey - lig Christ, A
Sur-rex-it Chris-tus ho - di - e, Al

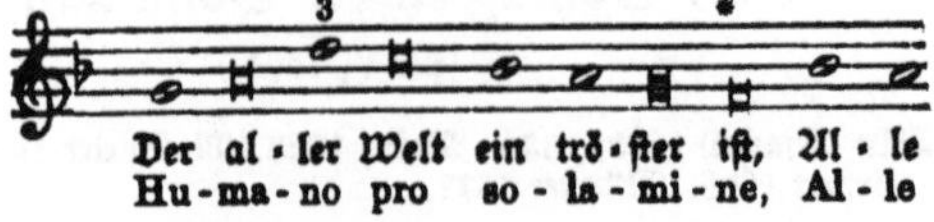
3
Der al - ler Welt ein trö - ster ist, Al - le
Hu-ma-no pro so - la - mi - ne, Al - le

1) Cöln (Brachel) 1619 u. a. b statt d. 3) C

2) Osnabrück. Cöln (Brachel) 1619, 1634. * Rh

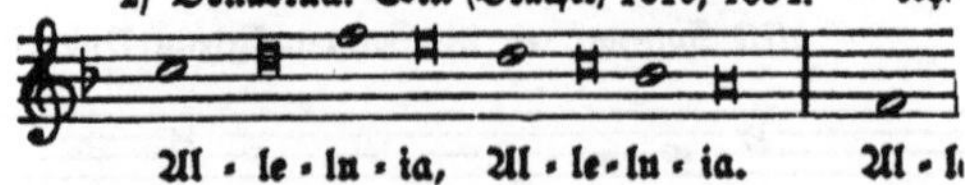
Al - le - lu - ia, Al - le - lu - ia. Al - l

Im Corner'schen Gesangbuche steht das Lie
Vorzeichnung.

Nordstern 1671.

„Erfüllt wird durch die Vrständ heut."

Vgl. No. 243, I.

ERstanden ist der heilig

III. Beuttner (1602) 1660.

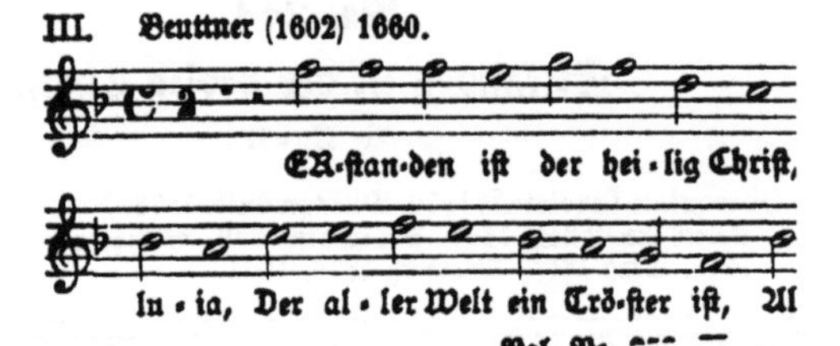
ER-stan-den ist der hei - lig Christ,
lu - ia, Der al - ler Welt ein Trö-ster ist, Al

lei - son, Wol von der Marter al - ler, Al - le: Al - le - lu - ia.

Der Text ist eine Zusammensetzung der Lieder „Christ ist erstanden" und „Erstanden ist der heilig Christ".

Erstanden ist der heilig Christ.

V. Würzburg 1628, 1630. Cölner Psalter 1638. Molsheim (1629) 1659. Münster 1677.

Er - stan - den ist der hey - lig Christ, Al - le - lu - ja, Al - le - lu - ja, der al - ler Welt ein Trö - ster ist, Al - le - lu - ja, Al - le - lu - ja.
Cöln 1638, Münster 1677 (e).
Al - le - lu - ja. Al - le - lu - ja.

Auff die noten, Surrexit Christus hodie.

(K. I, 214; W. IV, 64.)

VI. Triller (1555) 1559.

Discant.
Er - stan - den ist der Her - re Christ, Al - le - lu - ia der al - ler welt ein trö - ster ist Al - le - - lu - ia.
Tenor.
Er - stan - den ist der Her - re Christ Al - le - lu - ia der al - ler welt ein tröster ist Al - le - - lu - ia.
Bassus.
Er - stan - den ist der Her - re Christ Al - le - lu - ia der al - ler welt ein trö - ster ist Al - le - lu - ia.

..., für das ältere.

Auf Grundlage dieses lateinischen Textes entst...
mit seinen einzelnen Bestandtheilen:

1) „Erstanden ist der heilig Christ."
2) „Es giengen drei frevlach also fru"
oder
„Es giengen drei Frawen, sie wolten das Grab
oder
„Am Sabbath früh Marien drey."

Man vergleiche dazu die Strophen unter a »Mulieres ...

Die obige Melodie scheint mir die populärste ge...
Paderborner Gesangbuch 1609 bringt sie zu einem ...
Beuttner 1660 zu dem Liede: „Vnd Christ der ist erst...
dergesangbuch 1539 Bl. 52 steht sie ohne irgend welche...
Liede M. Weiße's: „Gelobt sey Gott im höchsten...
die Ausgabe von 1544 die Ueberschrift: »Surrexit Chri...
wohl der lateinische wie der deutsche Text ging in die prote...
bücher über. Im Christian Adolf'schen Gesangbuche Mag...
mit wenigen Varianten die früher schon handschriftlich...
phen des lateinischen Liedes:

Strophe 1, 2 wie unter a.
„ 3 = 5 von b.
„ 4 = 5 von a.
„ 5 »Uni trino sempiterno.«
„ 6 = 8 von b.

In Keuchenthals Kirchengesängen Wittenberg 157...
trit'sche deutsche Lied. In dieser Form fand dasselbe, ...
protest. Gesangbüchern keine weitere Verbreitung. Dag...
kürzere Bearbeitung des lateinischen Textes und eine ...
weiterte Form in vielen Gesangbüchern des 16. und ...
(Lexikon I, S. 175.)

b.

Strophe 1, 2, 3, 4 wie bei a.
„ 5. »Mulieres o tremulae.«
„ 6 = 5 von a.
„ 7 = 6 von a.

Handschrift I. 4/25 v. J. 1372 aus dem Kloster Engelberg in der Schweiz, mit einer weiteren Strophe
8. »Laudetur sancta trinitas.«

Breslauer Handschrift I, 8. 32 und I, 8. 113, geschrieben um 1478. (Hoffmann K. L., S. 353.)

Strophe 1, 2 wie bei a.
„ 3 = 5 von b.
„ 4 = 5 von a.
„ 5 = 6 von a.
„ 6 = 8 von b.

Leisentrit 1567 I. Theil; Tegernsee 1577; München 1586. (W. I, 277.)

d.

Strophe 1, 2, 3, 4 wie bei a.
„ 5 = 5 von b.
„ 6 = 5 von a.
„ 7. »Petro dehinc et ceteris.«
„ 8 = 6 von a.
„ 9 = 8 von b.

Leisentrit 1567 im II. Theil am Schluß mit dem Bemerken, daß dieses das „volkömliche" Gesang sei. Mainzer Cantual 1605; Paderborn 1609. (W. I, 278.)

e.

Strophe 1, 2, 3 wie bei a.
„ 4. »Quaerentes Christum Dominum.«
„ 5 = 4 von a.
„ 6. »Nolite expavescere.«
„ 7 = 7 von d.
„ 8. »Nam cernent in Galilaea.«
„ 9. »Jesu redemptor optime.«
„ 10. »Fac nos a morte surgere.«
„ 11 = 6 von a.

Dilinger Gesangbuch 1589.

f.

Strophe 1, 2, 3, 4, 5 wie bei e.
„ 6 = 5 von b.
„ 7 = 5 von a.
„ 8 = 7 von d.
„ 9 = 6 von a.
„ 10. »Gloria tibi Domine.«
„ 11 = 8 von b.

Cöln 1599; Constanz 1600; Andernach 1608; Paderborn 1617; Neyß 1625; M.-Speier 1631. (M. I, 143; W. I, 278; D. I, 341.)

g.

Strophe 1 = 1 von a.
„ 2 = 9 von e.
„ 3 = 10 von e.
„ 4 = 6 von a.

Cöln 1599; Constanz 1600; Andernach 1608; M.-Speier 1631. (W. I, 279.)

h.

Strophe 1, 2 wie bei a.
„ 3 = 5 von b.
„ 4 = 5 von a.
„ 5 = 6 von a.
„ 6 = 8 von b.

Voglers Katechismus 1625.

Strophe 1, 2, 3 wie bei a.
„ 4 = 4 von e.
„ 5 = 4 von a.
„ 6 = 5 von b.
„ 7 = 5 von a.
„ 8 = 7 von d.
„ 9 = 9 von e.
„ 10 = 10 von e.
„ 11 = 10 von f.
„ 12 = 6 von a.
„ 13 = 8 von b.

Bamberg 1628.

k.

Strophe 1 bis 6 wie bei f.
„ 7 = 6 von e.
„ 8 = 5 von a.
„ 9 = 8 von e.
„ 10 = 7 von d.
„ 11 = 9 von e.
„ 12 = 10 von e.
„ 13 = 6 von a.
„ 14 = 10 von f.
„ 15 = 8 von b.

Corner 1631.

Erstanden ist der heilig Christ.

A.

Strophe 1. „Entstanden ist der helige crist."
„ 2. „Der nū den todt erleden hot."
„ 3. „Dy frawen quomen zcu dem grabe."
„ 4. „Der engel yn dem weißen cleide."
„ 5. „Nū gehet, ir frawen wol bekant."
„ 6. „Den iüngern zagit zcu dyßer frist."
„ 7. „Tczu dyßer osterlicher zceit."
„ 8. „Der heyligen dreifaldikeyt ane sanck."

Breslauer Papierhandschrift I, 32. 8. von 1478. (W. II, 953.)

Aa.

Strophe 1. „Erstanden ist der helig Crist."
„ 2. „Er hat erlitten grosse not."
„ 3. „Es kamen drye frouwen gan."
„ 4. „Ein engel sachens, der was wis."
„ 5. „Ir frouwen, ir sönd balde gan."
„ 6. „Den jungren kundent uf diser frist."
„ 7. „An disem österlichem tag."

Uebersetzung aus dem 15. Jahrhundert über einem lat. Text in einer Handschrift I. 4/25 des Klosters Engelberg v. J. 1372 (Germania 1873, S. 52).

B.

Strophe 1 = 1 von A.
„ 2 = 2 von A.
„ 3. „Drey frawen namen specerey.“
„ 4. „Sie suchten den Herrn Jesum Christ.“
„ 5 = 4 von A.
„ 6. „Entsetzet euch jr frawen, nit.“
„ 7. „Das solt jhr sagen Peter bald.“
„ 8. „Denn in Gallilea zu mahl.“
„ 9. „O Jesu, lieber Herre Gott.“
„ 10. „Gib, das wir vom Tode entstehn.“
„ 11. Aehnlich 7 von A.

Leisentrit 1567. Münchener Gesangbuch 1586. Dilingen 1589. (W. II, 955; K. I, 211.) Str. 1, 9, 10, 11. Cöln 1599, Constanz 1600, Andern. 1608.

C.

Strophe 1 = 1 von A.
„ 2, 3 = 2 von I. S. 503.
„ 4, 5 = 2a von II. Daselbst.
„ 6. „Sie funden da zwen Engel schon.“
„ 7. „Erschröcket nit vnd seyt alle fro.“
„ 8. „Er ist erstanden auß dem Grab.“ (VIII. 4.) S. 504.
„ 9. „So tret herzu vnd secht die stat.“
„ 10. „Secht an das thuch, darinn er lag.“
„ 11. „Nun geht ins Galileisch Landt.“ (Aehnlich 5 von A.)
„ 12. „Vnd saget das Petro an.“ (Aehnlich 7 von B.)
„ 13. „Nun singet all zu diser frist.“ (Aehnlich 6 von A.)
„ 14. „Des sollen wir alle frölich sein.“ (2. Hälfte von I, 1.) S. 503.

Obsequiale Ingolstadt 1570; Ritus eccl. Dilingae 1580; Straubinger Gesangbuch 1615. Kolers Ruefbuechl 1601 (Hdschft). (W. II, 961.) Dazu 9—11 von B: Bamb. Gesb. 1628. Str. 1, 2, 3: Andernach 1608.

D.

Strophe 1 = 1 von A.
„ 2. „Er hat erliten grosse not.“
„ 3. „Jhr Frawen, jhr solt ewr wainen lohn.“
„ 4 = 6 von A.
„ 5. „Ein Engel bey dem Grab vmbgie.“
„ 6. Aehnlich 7 und 8 von A.

Tegernseer Gesangbuch 1574. (W. II, 952.)

E.

Strophe 1 = 1 von A.
„ 2 = 2 von A.
„ 3 = 3 von B.
„ 4 = 4 von B.
„ 5 = 4 von A.
„ 6 = 3 von D.
„ 7 = 6 von A.
„ 8. „Am Ostertag Petro erschein.“
„ 9 = 7 von A.
„ 10. „Preiß sey dir, Herre Jesu Christ.“
„ 11. „Globt sey die heilge dreyfeltigkeit.“

Cöln 1599; Constanz 1600. Neyß 1625, Würzb. 1628, M.-Speier 1631. (W. II, 954; K. I, 212.)

F.

Strophe 1 = 1 von A.
„ 2, 3 = 2 von I. S. 503.
„ 4. „Es giengen drey Marien zum grab.“
„ 5. „Sie wolten salben seinen Leib.“

Strophe 1 — 6 von E.
" 7. „Entsetzet euch ihr Frawen nit.
" 8 = 6 von A.
" 9 = 8 von B.
" 10 = 8 von E.
" 11, 12 = 9, 10 von B.
" 13 = 7 von A.
" 14, 15 = 10, 11 von E.

Corner 1631. Mit Ausnahme von Str. 7 u

No. 245.

Das alte Surrexit Christus

(K. I, 225; W. II, 956.)

I. Mainzer Cantual 1605. Paderborn 1609, 1617. Hild
Bamberg 1628. Erfurt 1666.

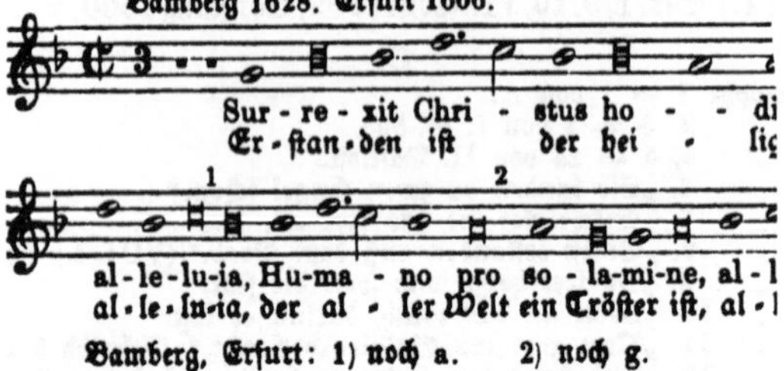
Sur - re - xit Chri - stus ho - - di
Er - stan - den ist der hei - lig
al - le - lu - ia, Hu - ma - no pro so - la - mi - ne, al - l
al - le - lu - ia, der al - ler Welt ein Tröster ist, al - l

Bamberg, Erfurt: 1) noch a. 2) noch g.

Wenn man den Discant in dem vorhin mitgethe
stimmigen Satze einen Ton höher transponirt, so
Melodie:

II.

Er - stan - den ist der Her - re Christ, Al

No. 245a.

Erstanden ist der heilig Christ.

Das Surrexit Christus hodie deutsch.

(K. I, 211; W. II, 955.)

Leisentrit 1567 ff.

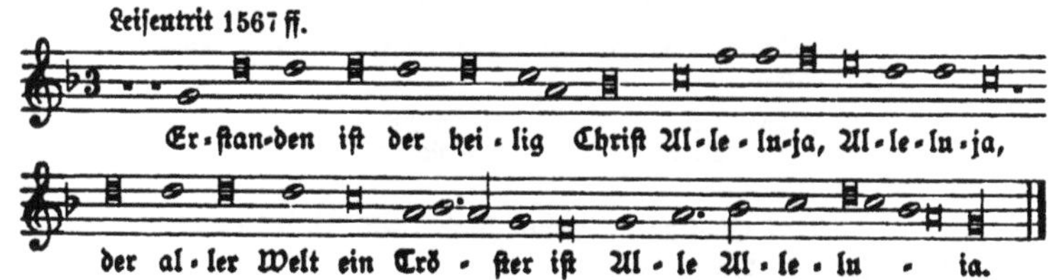
Er-stan-den ist der hei-lig Christ Al-le-lu-ja, Al-le-lu-ja,
der al-ler Welt ein Trö-ster ist Al-le Al-le-lu-ia.

Auf diese Melodie weist Leisentrit Bl. 144 (1567), wo das lateinische Lied in 6 Strophen abgedruckt ist, hin mit den Worten: „**Ein schöner alter Lateinischer Gesang von Christi Aufferstehung, in der bekanten vnd oben vorgedruckter Melodey.**“ Auch die obige Melodie gehörte also zu den bekannten Weisen des »Surrexit Christus hodie«.

No. 246.

Sey gegrüst du hoher festag.

Ein ansehnlicher sehr andechtiger Lobgesang, Lactantii Salue festa dies, so die Catholische Christliche Kirch vnsere sorgfeltige trewe Mutter angeordnet vnd in löblicher vbung hat von H. Ostertag an biß auff des HErren Himmelfart in den Processionibus Sontäglich zu singen vnd zugebrauchen in seinem alten Kirchen Thon wie folget.

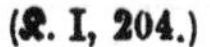
(K. I, 204.)

I. Leisentrit 1584.

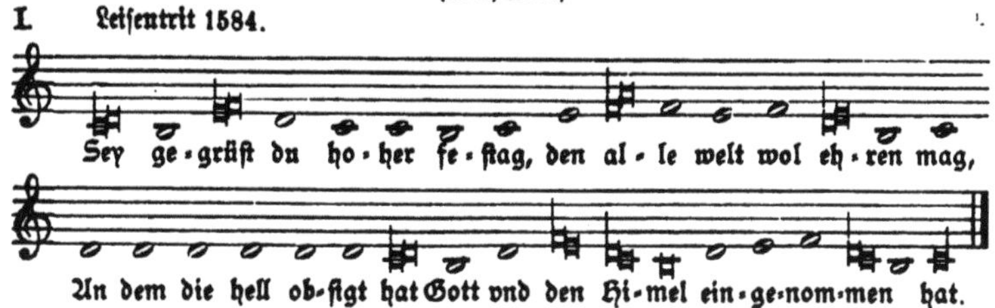
Sey ge-grüst du ho-her fe-stag, den al-le welt wol eh-ren mag,
An dem die hell ob-sigt hat Gott vnd den Hi-mel ein-ge-nom-men hat.

Diese deutsche Uebersetzung ist von Rutgerus Edingius. Teutsche Euangelische Messen. Cöln 1572, S. 299.

Das Salue festa dies.

II. Cöln (Quentel) 1599. Constanz 1600. M.-Speier 1631. Corner 1631.

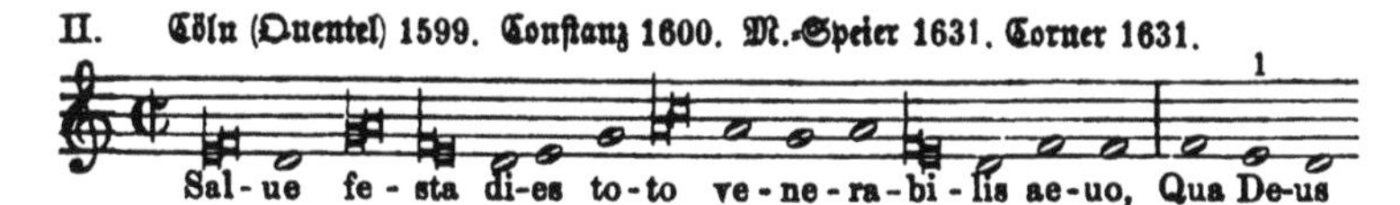
1
Sal-ue fe-sta di-es to-to ve-ne-ra-bi-lis ae-uo, Qua De-us

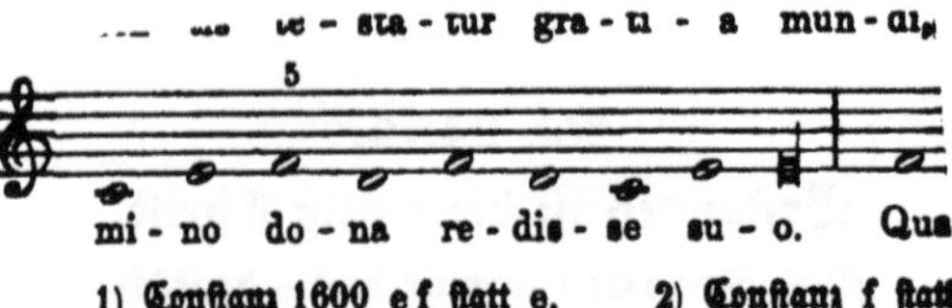
te - sta - tur gra - ti - a mun - di,
5
mi - no do - na re - dis - se su - o. Qua

1) Constanz 1600 e f statt e. 2) Constanz f statt

Diese Melodie stimmt überein mit der Fassung
dem Kloster Schonenberch vom Jahre 1533, ab
Varianten:

1) wie oben. 2) f e statt e.
4) f e statt f 5) e statt f.

Das Constanzer Gesangbuch 1600 giebt das »E
folgenden Varianten:

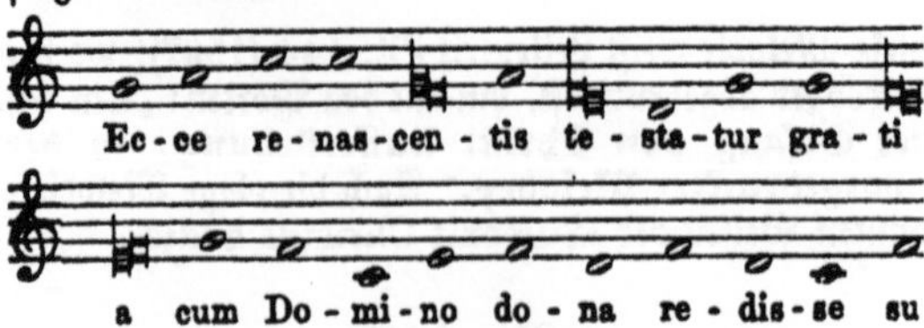
Ec - ce re - nas - cen - tis te - sta - tur gra - ti
a cum Do - mi - no do - na re - dis - se su

III. Mainzer Cantual 1605. Paderborn 1609, 1617. Hildesh
Erfurt 1666. Eißfeldisches Gesb. 1690.

1
Sal - ue fe - sta di - es to - to ve - ne
2

FRewet euch heut alle gleich.

(W. III, 311.)

IV. Gesb. der böhm. Brüder 1539, 1544 ff.

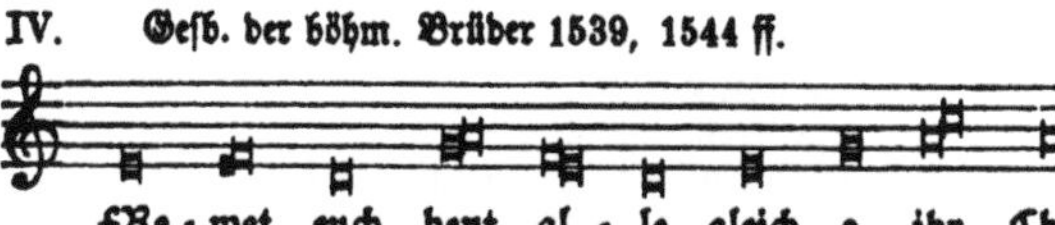

FRe-wet euch heut al-le gleich, o ihr Chri-sten tu-gent-

reich, vnnd danck-sa-get Gott, der sein Son vom tod, her-

lich er-wackt hat.

Das Lied, dessen Text von M. Weiße verfaßt ist, steht schon in der Ausgabe vom Jahre 1531.

Der Hymnus hat nicht, wie Leisentrit angibt, den Lactantius, sondern den Ven. Fortunatus zum Autor. „Die Unrichtigkeit der ersteren Angabe" sagt Rambach in seiner Anthologie (I, S. 98), „ist längst durch die Autorität einer uralten vatikanischen Handschrift des Fortunatus erwiesen. (Op. Lactantii ed. Oberthür T. I. praef.)"

Von den deutschen Gesangbüchern bringt zuerst das in Cöln bei Quentel 1599 erschienene das Lied in 5 Distichen. Diese bilden ein kleines Bruchstück aus dem 55 Distichen zählenden großen Gedichte des Fortunatus »Ad Felicem Episcopum de paschate resurrectionis Domini« mit dem Anfange:

»Tempora florigero rutilant distincta sereno«.
(W. I. 82 u. 83; Dan. I, 169.)

Aeltere Uebertragungen sind folgende:

„Grüest seist, heyliger tag,
aller ewikait wirdig lobsag"

aus dem 14. Jahrhundert. (W. II, 596.)

ferner:

„Grüest seyst heyliger tag, dy gantz zeyt des lebens erwyrdig."

Hymnarius von Sigmundslust 1524 (W, II, 1366.)

Der lateinische Hymnus mit der Melodie und anderen Uebertragungen, ging auch in die meisten protestantischen Gesangbücher über. (Vgl. Fischer II, 234.)

Im Gesangbuch der böhm. Brüder vom Jahre 1531 steht die Melodie zu dem Texte „Frewet euch heut" von M. Weiße. Ich bringe dieses Lied nach der 2. Ausgabe vom Jahre 1539. Triller (1555) 1559 hat die Melodie zu dem Texte „Alle welt frewet sich, so da gleubet festiglich" mit dem »Ecce renascentis« „Ey wie reich vnd trew ist des vatern son".

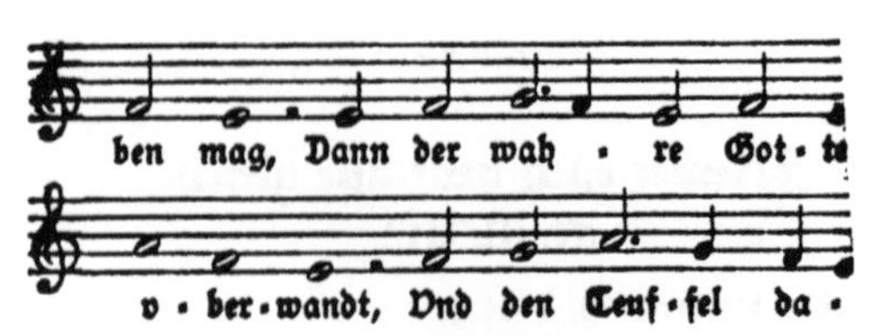
ben mag, Dann der wah - re Got - t
v - ber - wandt, Vnd den Teuf - fel da -

Darunter noch die Strophe:

„Allso heylig ist diser tag,
Das jhn niemandt mit lob erfüll
Dann nur der wahre Gottes So
Der die Hellen vberwandt,
Vnd den Teuffel darinnen verbar

Allso heilig ist der ta

Ein ander Lobgesang dreymahl, vnd so offt
zu singen.

(Ein alter Lobgesang neben dem Salve festa dies zu
(K. I, 205.)

II. Leisentrit 1567 ff. Dillinger Gesb. 1589. Cöln (Or
Reyß 1625. M.-Speier 1631.

All - so hei - lig ist der tag, das in m
fül - len mag, dann der wa - re Got - tes
1
2
v - ber - wand, vnd den lei - di - gen Te

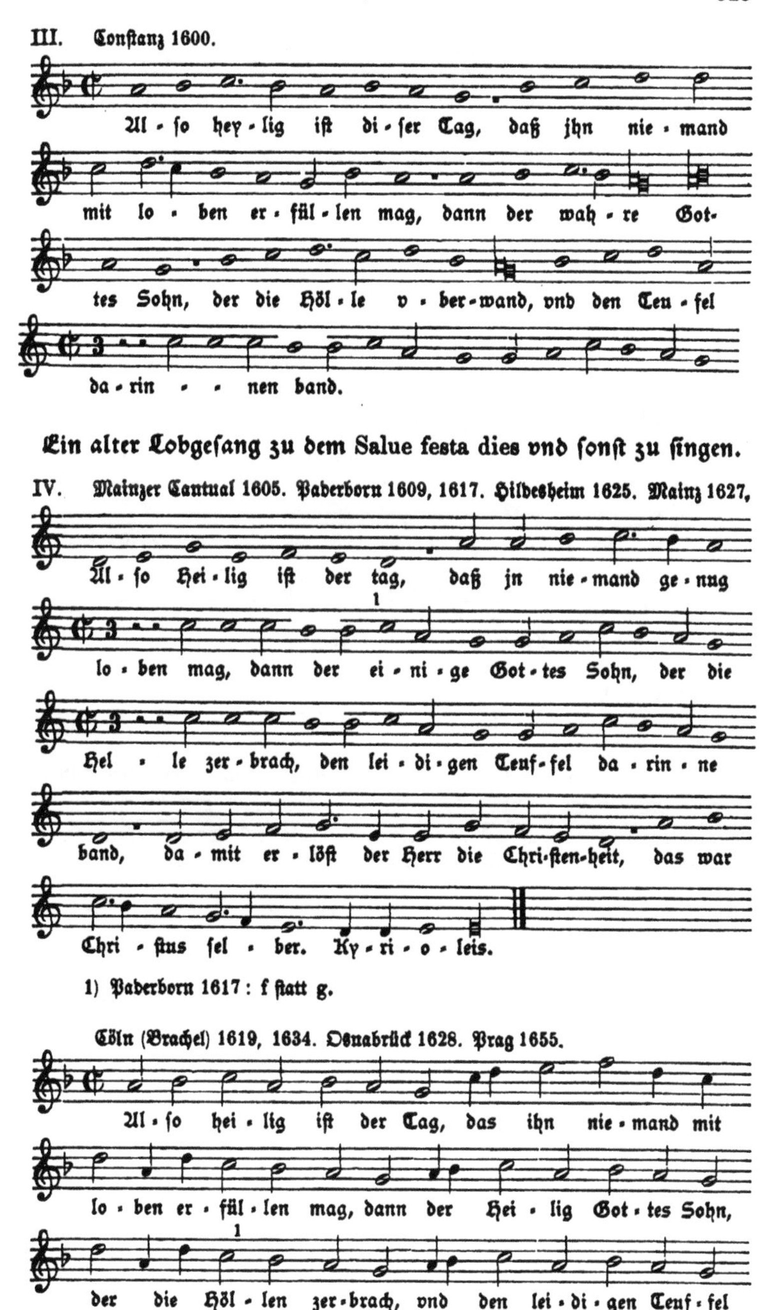
III. Constanz 1600.
Al - so hey - lig ist di - ser Tag, daß jhn nie - mand
mit lo - ben er - fül - len mag, dann der wah - re Got-
tes Sohn, der die Höl - le v - ber-wand, vnd den Teu - fel
da - rin - - nen band.
Ein alter Lobgesang zu dem Salue festa dies vnd sonst zu singen.
IV. Mainzer Cantual 1605. Paderborn 1609, 1617. Hildesheim 1625. Mainz 1627.
Al - so Hei - lig ist der tag, daß jn nie - mand ge - nug
lo - ben mag, dann der ei - ni - ge Got - tes Sohn, der die
Hel - le zer - brach, den lei - di - gen Teuf - fel da - rin - ne
band, da - mit er - löst der Herr die Chri-sten-heit, das war
Chri - stus sel - ber. Ky - ri - e - leis.
1) Paderborn 1617: f statt g.
Cöln (Brachel) 1619, 1634. Osnabrück 1628. Prag 1655.
Al - so hei - lig ist der Tag, das ihn nie - mand mit
lo - ben er - fül - len mag, dann der Hei - lig Got - tes Sohn,
der die Höl - len zer - brach, vnd den lei - di - gen Teuf - fel

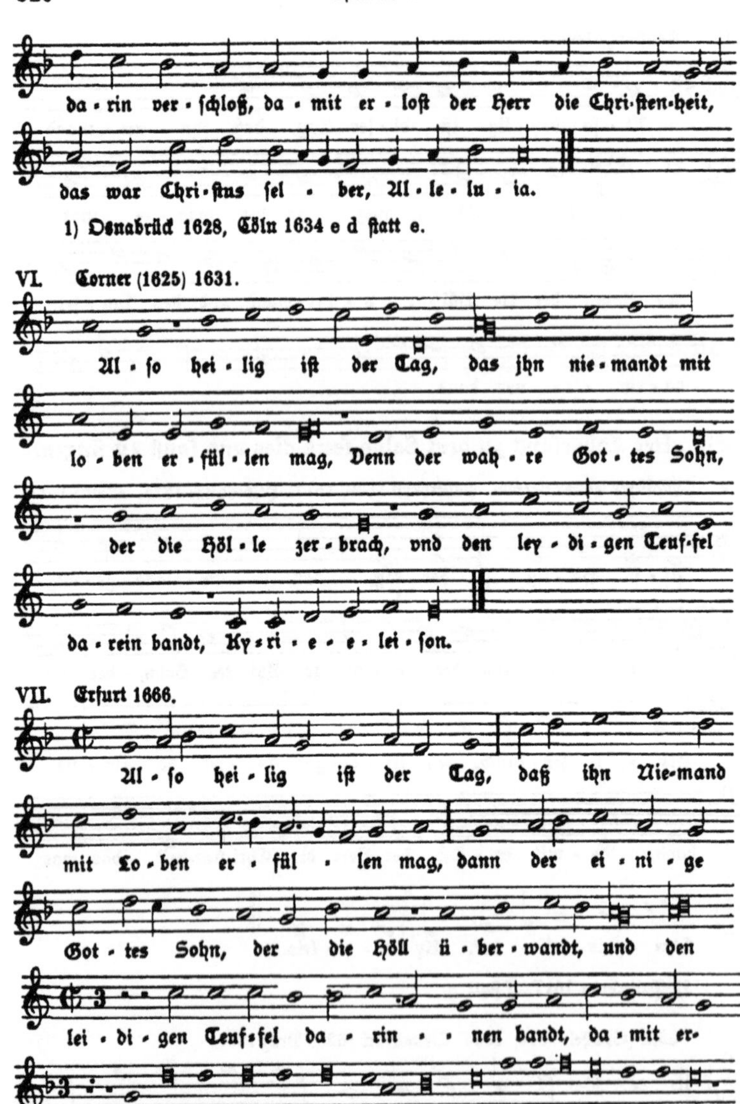
da - rin ver - schloß, da - mit er - löst der Herr die Chri-sten-heit,
das war Chri-stus sel - ber, Al - le - lu - ia.
1) Osnabrück 1628, Cöln 1634 e d statt e.
VI. Corner (1625) 1631.
Al - so hei - lig ist der Tag, das jhn nie - mandt mit
lo - ben er - fül - len mag, Denn der wah - re Got - tes Sohn,
der die Höl - le zer - brach, vnd den ley - di - gen Teuf-fel
da - rein bandt, Ky - ri - e - e - lei - son.
VII. Erfurt 1666.
Al - so hei - lig ist der Tag, daß ihn Nie-mand
mit Lo - ben er - fül - len mag, dann der ei - ni - ge
Got - tes Sohn, der die Höll ü - ber - wandt, und den
lei - di - gen Teuf-fel da - rin - - nen bandt, da - mit er-
löst der HERR die Chri - sten - heit, das war Christ selber, Ky - ri - o - leyß.

„Dis ist auch der alten Christlichen Leysen vnd Lobgesenge einer“ heißt es in dem protest. Gesangbüchlein „Zwölff Christliche Lobgesenge“ von Joh. Spangenberg. Wittenberg 1545. Das einstrophige

Lied, welches sich in fast allen katholischen und in vielen protestantischen Gesangbüchern findet, ist eine freie Uebertragung der ersten Strophe des »Salve festa dies«.

In mittelniederdeutscher Sprache findet sich die erste Strophe:

»Also heylich is desse dach
dat en nen man vulen louen mach« etc.

in einer Kopenhagener Handschrift aus dem Jahre 1370. Manuscripta Thottiana 8. no. 130, bl. 168. (Jahrbuch des Vereins für niederdeutsche Sprachforschung 1881, S. 2.)

Schubiger weist aus einem Cod. St. Gall. No. 448 aus dem 15. Jahrhundert nach, daß der obige Text am Schluß eines Osterspieles mit dem Liede „Christ ist erstanden" vom Volke gesungen worden sei. (Sängerschule St. Gallens 1858, S. 69.)

Die Ueberschriften in den Gesangbüchern besagen, daß das Lied zu oder neben dem »Salve festa dies« zu gebrauchen sei. Triller hat den Text um 2 Strophen erweitert (W. IV, 59.)* Die Melodie, welche in dem lateinischen Gesange wurzelt, hat in den Gesangbüchern viele Varianten aufzuweisen.

Im Gesangbuche der böhmischen Brüder 1539 finde ich sie zu dem Text: „Vater dir sey danck gesagt". In dem großen Brüdergesangbuche 1566 steht sie zu dem Liede: „O wie lieblich ist diese Osterzeit vnd so frölich".

* Diese beiden Strophen „Solchen tag hat Gott gemacht" und „Den tag sol man frölich sein" gingen auch in kath. Gsb. über (Cöln 1599, Corner 1631).

No. 248.

Jesus Christus vnser Herr vnd Heiland.

Hecyrus 1581.

Je - sus Chri - stus vn - ser Herr vnd Hei - land, der für vns
den bit - tern tod v - ber - wand, ist herr - lich võ tod
1
auff - er - stan - den als ein gwal - ti - ger Gott.

1) Brüdergesb. 1566 c b statt c.

No. 249.

Jesus Christus vnser Herr vnd Heiland.

Ein anders.

(K. I, 207; W. V, 1205.)

Leisentrit 1567 ff.

Je - sus Chri - stus vn - ser Herr vnd Hei - land, der für vns

zu dem grossen Brüdergesangbuche „D
artickel des Christlichen glaubens
etc. Anno Domini 1566". Der An
der, dere etliche von alters her
braucht, vnd etliche zu vnser zeit,
vnd Gottseligen Lerern new zuge
zeit". Ohne Ort und Jahr[1]. Hier
Ueberschrift:

„Jesus noster Deus ac Red

mit einer Melodie, welche mit einigen
dem Liede steht

„Ah wie gros ist Gottes güt

Dieselbe Melodie findet sich auch
Jahre 1581, sodaß ich glaube, Leisentri
dem Brüdergesangbuche herübergenomm
lodie.

Die Luther'schen Lieder mit dem
„Heyland, der den tod vberwand" (
genannten Zeilen mit den obigen Texten

No. 250

Jesus Christus v

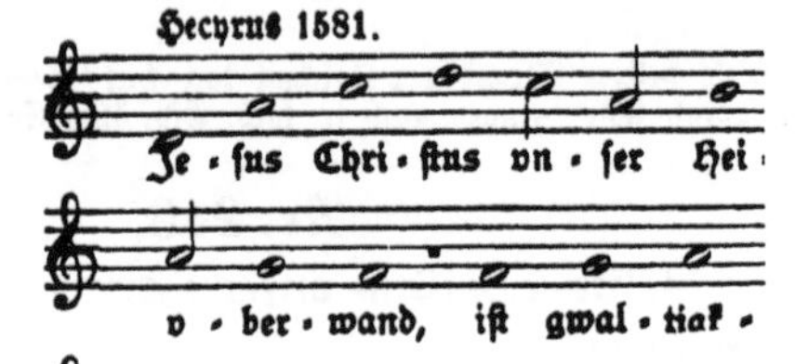
Hecyrus 1581.
Je - sus Chri - stus vn - ser Hei -
v - ber - wand, ist gwal - tig -

Eine ähnliche Melodie steht in Corners Nachtigall 1649 zu dem folgenden Liede:

Sur - re - xit Chri - stus ho - di - e, Al - le - lu - ja,
Er - stan - den ist der Hei - lig Christ, Al - le - lu - ja,
Al - le - lu - ja, Al - le - lu - ja: hu - ma - no
„ „ Der al - ler
pro so - la - mi - ne, Al - le - lu - ja, Al - le - lu-
Welt ein Trö - ster ist „ „
ja, Al - le - lu - ja.
„ „

No. 252.

Jesus Christus ist erstanden.

Ein Osterlich Lied von Christi Aufferstehung.

(K. I, 208; W. V, 1242.)

Leisentrit 1567 ff.

Je - sus Chri - stus ist er - stan - den, von des bit - tern
To - des ban - den, das frewt sich der En - gel schar vnd singt
im Him - mel vm - mer - dar, Al - le - lu - ia. Al - le - lu - ia.

1) 1567 steht irrthümlich als Schlußnote f.

No. 253.

Barmhertziger Herr Jesu Christ.

Ein ander Osterlicher Lobgesang.

(K. I, 209; W. V, 1243.)

Leisentrit 1567 ff.

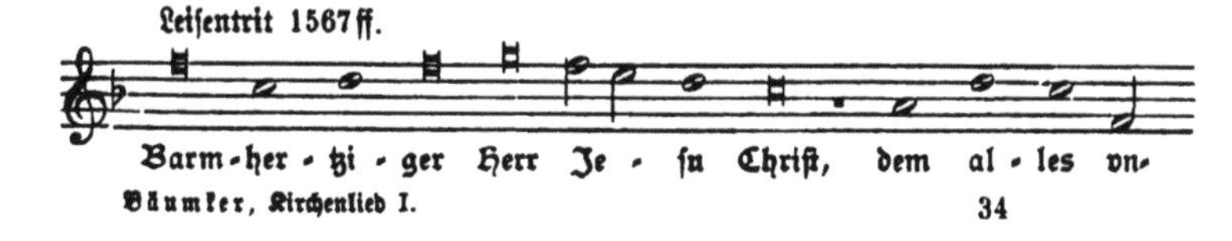
Barm - her - tzi - ger Herr Je - su Christ, dem al - les vn-

ter - worf - fen ist, der du vom Tod er - stan - den bist.

No. 254.

Barmhertziger Herr Jesu Christ.

Ein ander Melodey.

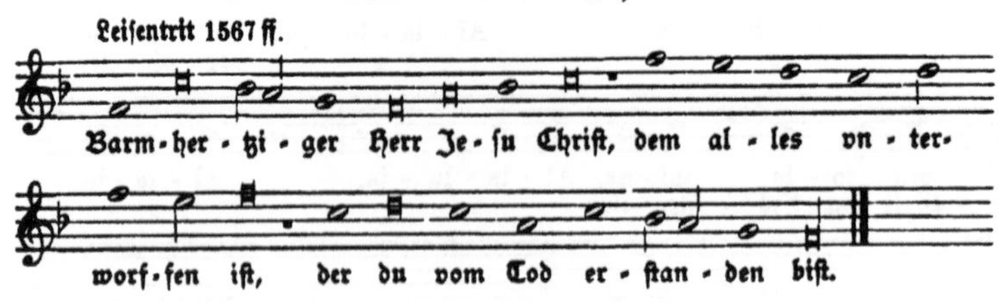
Leisentrit 1567 ff.
Barm - her - tzi - ger Herr Je - su Christ, dem al - les vn - ter-
worf - fen ist, der du vom Tod er - stan - den bist.

No. 255.

Singet frölich allegleich.

Ein anders von der Aufferstehung Christi.

(K. I, 210; W. IV, 63.)

Leisentrit 1567 ff.
Sin - get frö - lich al - le gleich, vnd dan - cket Gott im Himel - reich, sei - ner barm - her - tzig - keit, der Chri - stum sein
e - wig Wort, vns macht zur grech - tig - keit, der
zu - schlug der Hel - len pfort, vnd des Sa - thans
frey - - dig - keit.

Der Text ist aus Valentin Trillers „Christlich Singebuch" Breslaw (1555) 1559. Dieser hat eine andere Melodie »Cedit hyems eminus« ähnlich derjenigen, welche im Neyßer Gesangbuch zu dem Liede steht: „Weltlich Ehr vnd zeitlich gut".

No. 256.

Der heilig Christ erstanden ist.

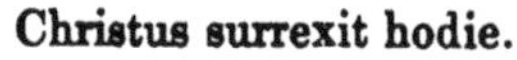
Christus surrexit hodie.

Andernach 1608.

Der hei - lig Christ er - stan - den ist, Der al - ler
Chris-tus sur - rex - it ho - di - e, Hu - ma - no
Welt ein Trö - ster ist. Den Todt er nun ge - lit - ten hat,
pro so - la - mi - ne Mor - tem qui pas - sus pri - di - e,
Vmb al - ler Men-schen Mis - se - that.
Mi - ser-ri - mo pro ho-mi - ne.

Vgl. No. 245 a.

No. 257.

Erstanden ist der heilig Christ.

Ein ander lieblicher Ostergesang.

(K. I, 225; W. II, 956.)

I. Cöln (Quentel) 1599. Mainzer Cantual 1605. Andernach 1608. Paderborn 1609. Hildesheim 1625. Mainz 1627, 1628. M.-Speier 1631.

Er - stan - den ist der hei - lig Christ, al - le - lu - ia, al -
le - lu - ia, der al - ler Welt ein Trö - ster ist,
al - le - - lu - ia, der al - ler Welt ein Trö - ster ist.

1) Mainzer und Hildesheimer Cantual d statt f.
2) Andernach d b a g statt d c b g.

Das Andernacher Gesangbuch enthält auch eine lateinische Uebersetzung dieses Textes:

»En nocte Christus tartari
Alleluia, Alleluia,
Redit modo mirabili,
Alleluia,
Solamen vnum seculi.«

al · le · lu · ia. Der al · ler Welt ein Trö
lu · ia, der al · ler Welt ein Trö ·
No. 258.
ERstanden ist der heil
Surrexit Christus hodie, Lateini
I. Dilinger Gesb. 1569. Cöln (Quentel) 1599.
Cöln (Quentel) 1619. Cöln (Brachel) 1619.
1630 ff. M.-Speier 1631. Corner 1631.
(1629) 1659. Erfurt 1666.
Sur - re - xit Chri-stus ho - di - e
ERstan-den ist der hei · lig Christ,
2
:|: Al - le - lu - ia. hu - ma - no
:|: Al · le · lu · ia. Der al · ler
1) Andernach.
ne, Al - le - lu - ia. Al-le · ·
ist, Al · le · lu · ia.
2) Cöln 1599; Constanz 1600; Vogler 1625:

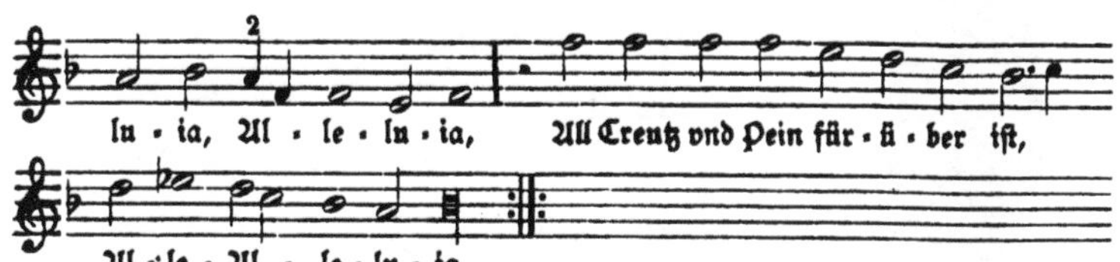
lu - ia, Al - le - lu - ia, All Creutz vnd Pein für - ü - ber ist,
Al - le - Al - le - lu - ia.

Mainz 1628: 1) a b statt b. 2) a g statt a.

No. 259.

Christus ist erstanden.

(K. I, 226.)

Mainzer Cantual 1605. Andernach 1608. Paderborn 1609, 1617. Hildesheim 1625. Mainz 1627, 1628. Cölner Psalter 1638. Erfurt 1666.

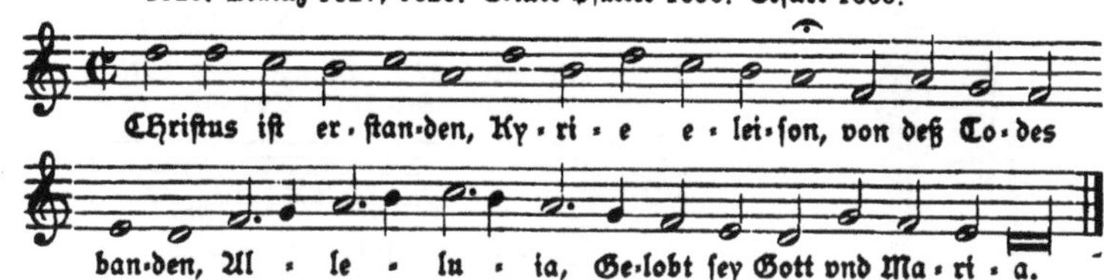
Christus ist er - stan-den, Ky - ri - e e - lei-son, von deß To-des
ban-den, Al - le - lu - ia, Ge-lobt sey Gott vnd Ma - ri - a.

Das Andernacher Gesangbuch hat zu dieser Melodie folgende Texte:

„Frewd euch jr Christen alle, Kyrie eleison.
Christus fuhr auff mit schalle, Alleluia.
Gelobt sey Gott vnd Maria."

und die lateinische Uebersetzung:

»Huc jubilus symphonus, Kyrie eleison,
Conscendit astra Christus, Alleluia.
Laus sit Deo cum Maria.«

Erfurt 1666.

„Christus fuhr gen Himmel, Kyrie eleison."

Meister, Kirchenlied I, S. 345 hat eine ähnliche Melodie in einem sechsstimmigen Tonsatze von Senfl 1544, den er im Anhange mittheilt, aufgefunden. Dieselbe gehört also zu den ältern Weisen.

No. 260.

Resurrexit Dominus.

Es ist erstanden Jesus Christ.

Ein ander alt Gesang.

(K. I, 227.)

I. Mainzer Cantual 1605. Paderborn 1609, 1617. Hildesheim 1625. Mainz 1627. Corner 1631. Erfurt 1666.

Re-sur-re - xit Do - mi-nus, qui pro no-bis om-
Es ist er - stan-den Je - sus Christ, der an dem Creutz ge - stor-

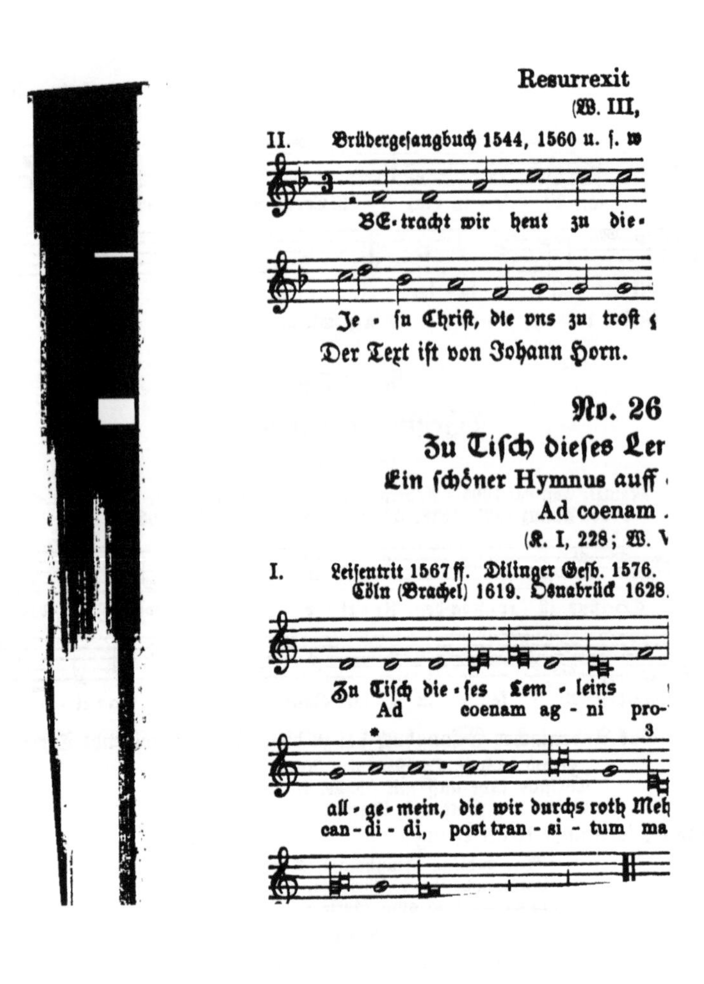
Resurrexit
(W. III,
II. Brüdergesangbuch 1544, 1560 u. s. w
BE-tracht wir heut zu die-
Je - su Christ, die vns zu trost
Der Text ist von Johann Horn.
No. 26
Zu Tisch dieses Ler
Ein schöner Hymnus auff
Ad coenam
(K. I, 228; W. V
I. Leisentrit 1567 ff. Dilinger Gesb. 1576.
Cöln (Brachel) 1619. Osnabrück 1628.
Zu Tisch die - ses Lem - leins
Ad coenam ag - ni pro-
all - ge - mein, die wir durchs roth Meh
can - di - di, post tran - si - tum ma

Ad coenam Agni.

(W. III, 503.)

II. Kethner Hymni 1555.

Last vns nun all für-sich-tig sein, das O-ster-lamb mit
rech-tē schein, vnd mit rei-nem her-tzen nies-se, das Chri-stus
jn vns werd süs-se.

Die Ligaturen ohne Strich stehen im Original nicht.

III. Mainzer Cantual 1605. Paderborn 1609. Hildesheim 1625. Mainz 1627.

Ad coe-nam ag-ni pro-ui-di, et sto-lis al-bis
can-di-di, post tran-si-tum ma-ris ru-bri, Chri-sto ca-
na-mus prin-ci-pi.

Den lateinischen Hymnus in 6 Strophen setzen Mone (I, 161) und Wackernagel (I, 116) in das VI. Jahrhundert. (Vgl. auch Daniel I, S. 88). Er war ein Lied der getauften Katechumenen und gehört nicht zum Ostersonntag, sondern zur Octav desselben, zum weißen Sonntag, worauf schon die »stolae albae« hindeuten.

Eine deutsche Bearbeitung aus dem 12. Jahrhundert beginnt:

„Ze dem merod lambes vorsichtige
vnd gewande wizen wize"

Kehrein, Kirchen- und religiöse Lieder 1853, S. 59.

Aus dem 15. Jahrhundert hat Hoffmann eine Uebertragung publicirt:

„Zv eßen des osterlemmelin
sullen wir wiß gekleidet sin"

aus der Foliohandschrift 1460 No. 47 der Bibliothek des Marzellengymnasiums in Cöln.

Geschichte des Kirchenliedes No. 145. W. II, 934.

Die Uebersetzung bei Leisentrit ist von Wizel. Sie steht in dessen „Deutsch Betbuch" 1537 und in »Odae Christianae« 1541, auch im Behe'schen Gesangbüchlein vom Jahre 1537.

Die Uebersetzung bei Kethner 1555 steht bereits in dem Buche „Deutsch Euangelisch Messze Alstedt 1524." Außerdem kommt sie im

Augsburger Gesangbuch vom Jahre 1529 vor. Im Salminger'schen 1537 wird Thomas Münzer als Verfasser bezeichnet. (W. III, 503.)

Eine spätere Bearbeitung des lateinischen Hymnus ist die Fassung:

»Ad regias agni dapes
Stolis amicti candidis.« (W. I, 628.)

No. 262.

Zu Tische dieses Lämbleins rein.

Der schöne Oster Hymnus, Ad coenam Agni providi, verdeutscht.

Corner (1625) 1631.

Zu Ti-sche die-ses Läm-leins rein, Laßt vns Lob-sin-gen all-
Ad coe-nam Ag-ni pro-vi-di, Et sto-lis al-bis can-
ge-mein, die wir durchs rot Meer gan-gen seyn, ge-ziert
di-di, Post tran-si-tum ma-ris ru-bri, Chris-to
mit weis-sen Kley-dern fein.
ca-na-mus Prin-ci-pi.

Die obige Melodie scheint vielen Hymnen in der österlichen Zeit applicirt worden zu sein. Die »Hymni de Tempore et de Sanctis, Solesmis 1885« (von dem bekannten Benedictiner Pothier) enthalten dieselbe zu den Texten »Te lucis ante terminum« und »Rex sempiterne Domine« (Tempore paschali).

No. 263.

Christo dem Osterlemlein.

Der Sequents Victimae Paschali deutsch in der Kirchen Melodey.

(K. I, 230; W. III, 1376.)

I. Leisentrit 1567 ff. Dillinger Gesb. 1576.

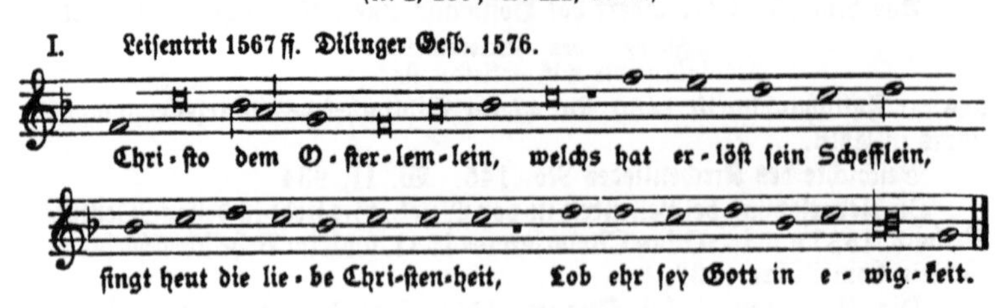
Chri-sto dem O-ster-lem-lein, welchs hat er-löst sein Schefflein,
singt heut die lie-be Chri-sten-heit, Lob ehr sey Gott in e-wig-keit.

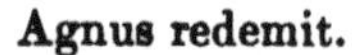

Agnus redemit.

Das Lem-lein Got-tes mit ſei-ner vn-ſchuld, vns hat er-wor-ben
Got-tes huld, vnd den ſün-der zu gna-den bracht, vnd zu eim
Hi-mels-er-ben ge-macht.

Mors et vita.

Todt vnd le-ben trat-ten in kampff, ein ſtar-cker Lew vnd ſchwaches
Lamb, der todt meint er hat ſchon ge-ſigt, weil Chriſt der HERR
im Gra-be ligt.

Dux uitae.

A-ber es wert nicht gar drey tag Chri-ſtus ſigt, der todt ni-der-
ligt, vnd ver-lor all ſein ſterck vnd macht, Chri-ſtus er-ſtund
aus eig-ner krafft.

Dic nobis Maria.

Ach ſag vns Ma-ri-a an ſchew, wer dir am weg be-geg-net
ſey, Es war mein hei-land Je-ſus Chriſt, war-hafftig er
er-ſtan-den iſt.

ge · hül · let hat.

Surrexit Cl

A · ber Chri · stus mein höch · ster
er · löst, Das Grab ist lehr sei
mir selb selbs er · schin.

Praecedet su

Er sprach Ma · ri · a geh schnell h
sag jhn, sie solln in Ga · li · l
leib · haff · tig sehn.

Credendum est

Tu nobis uictor.

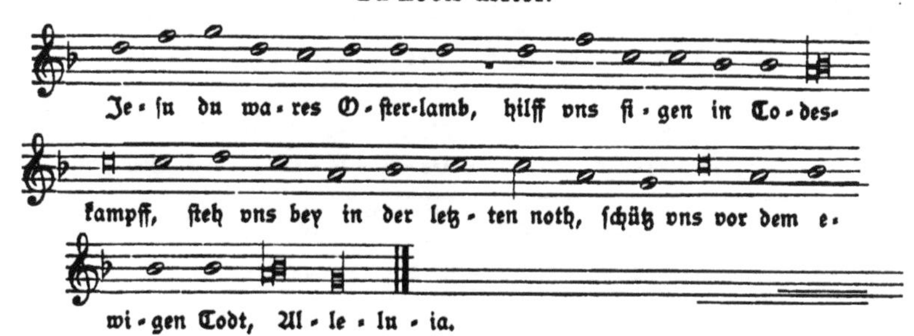
Je - su du wa - res O - ster-lamb, hilff vns si - gen in To - des-
kampff, steh vns bey in der letz - ten noth, schütz vns vor dem e-
wi - gen Todt, Al - le - lu - ia.

Victimae paschali laudes.

Das Victimae paschali laudes, vnter welches Das Christ ist erstanden, wie folgt kan gesungen werden.

II. Cöln (Quentel) 1599. Mainzer Cantual 1605. Paderborn 1609, 1617. Hildesheim 1625. Mainz 1627. M.-Speier 1631.

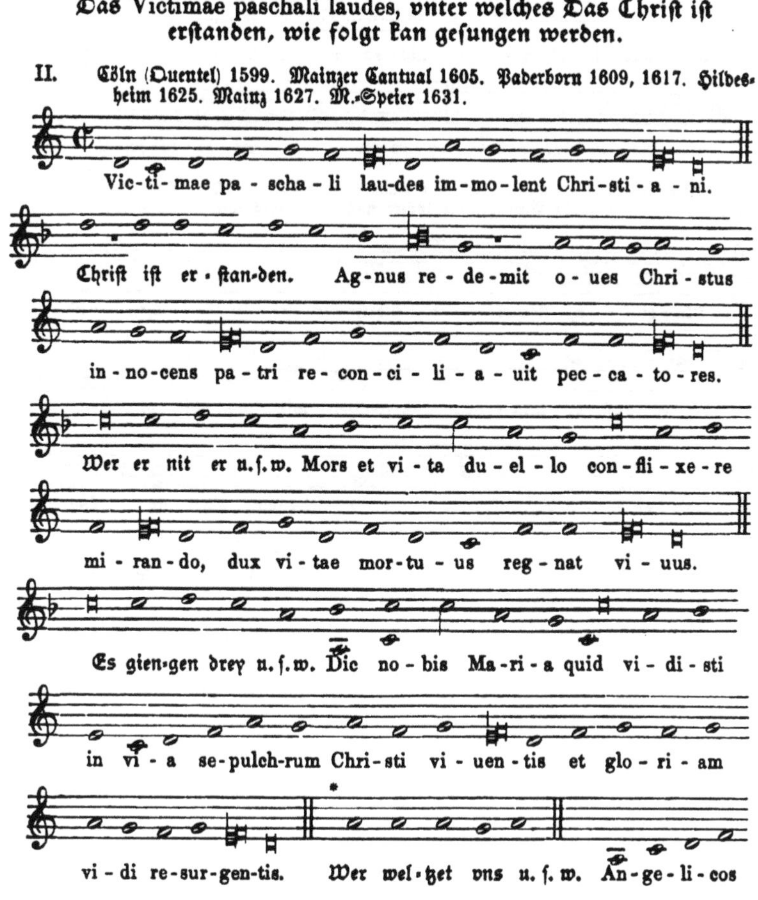
Vic-ti- mae pa - scha - li lau-des im-mo-lent Chri-sti - a - ni.
Christ ist er - stan-den. Ag-nus re - de-mit o - ues Chri - stus
in - no-cens pa - tri re - con - ci - li - a - uit pec - ca - to - res.
Wer er nit er u.s.w. Mors et vi - ta du - el - lo con-fli - xe - re
mi - ran - do, dux vi - tae mor-tu - us reg - nat vi - uus.
Es gien-gen drey u.s.w. Dic no - bis Ma-ri - a quid vi - di - sti
in vi - a se-pulch-rum Chri-sti vi - uen - tis et glo - ri - am
vi - di re-sur-gen-tis. Wer wel-tzet vns u.s.w. An-ge - li - cos

te - stes su - da - ri - um et ve - stes sur - re - xit Chri - stus spes
me - a, pre - ce - det su - os in Ga - li - le - am. Sie gien-gen.
Cre - den-dum est ma - gis so - li Ma - ri - ae ve - ra - ci quam
Ju - dae - o - rum tur - bae fal - la - ci. Er - stan-den u. s. w.
Sci - mus Chri-stum sur - re - xis - se a mor - tu - is ve - re tu
no - bis vic - tor Rex mi - se - re - re. Al - le - lu - ia, al- etc.

* Das Mainzer Cantual 1605, die Paderborner Gesangbücher 1609, 1617 haben an dieser Stelle folgende Einlage, die später noch mehrmals wiederholt wird:

Ma - ri - a, Ma-ri - a, Christ den sie su - chen vnd
der ist auff - er - stan - den, deß frew-en wir vns, biß vns Herr
Gott ge - ne - dig, Ky-ri - e e - lei - son. Chri - ste Hei-
li - ger Her - re Gott. Angelicos testes etc.

Schubiger hat in seiner Sängerschule St. Gallens, Einsiedeln 1858, aus einer Fragmenthandschrift 1 zu Einsiedeln (XI. Jahrhundert) die Sequenz facsimilirt mitgetheilt. In dieser Handschrift findet sich der Name „Wipo". Dieser ist also der Autor unseres unvergleichlich schönen Ostergesanges. Von Nation ein Burgunder, sagt Schubiger, seinem Leben und Wirken jedoch mehr Deutschland angehörend, lebte er als Priester und Hofkaplan unter den deutschen Kaisern Konrad II. und dessen Sohn Heinrich III. Er starb um das Jahr 1050.

Der obige Gesang ist nach dem Muster der Notker'schen Sequenzen abgefaßt. Der erste Satz hat eine selbständige Melodie, die nicht wiederholt wird, von den übrigen 6 Sätzen werden zwei unmittelbar aufeinanderfolgende nach derselben Melodie gesungen:

Agnus redemit.
Mors et vita. } nach der ersten Melodie,
Dic nobis Maria.
Angelicos testes } nach der zweiten Melodie,
Credendum est magis.
Scimus Christum. } nach der dritten Melodie,

sodaß die Sequenz im ganzen 4 Melodiesätze (Choräle) zählt. „Wipo erscheint als der erste, sagt Schubiger, der den Gesang ohne einen selbständigen Satz abschließt, eine Neuerung, welche auch bei den späteren Sequenzen fast immer vorkommt. Auch in der Behandlung des Textes ging Wipo einen Schritt weiter, indem er nicht bloß, wie dies in einigen älteren der Fall war, die Assonanzen, sondern in der Mitte und am Schluß jedes Satzes sich des förmlichen Reimes bediente. Es war die ganz gleiche Form, der auch Ekkehard IV. bei Uebertragung seines Gallusliedes gefolgt war."

Im Laufe der Zeit erlangte die Sequenz eine große Bedeutung für die kirchl. dramatischen Spiele und den deutschen Volksgesang. Die Wechselreden in dem zweiten Theile derselben haben ohne Zweifel zur Entwicklung der kirchlichen Osterspiele mit beigetragen. Schon im 12. Jahrhundert bediente man sich derselben als Wechselgesang zwischen Maria Magdalena und dem Chore zur liturgischen Feier der Auferstehung.[1]

G. Milchsack theilt uns in seinem vortrefflichen Buche: Die Oster- und Passionsspiele etc. Wolfenbüttel 1880, S. 59 zwei Darstellungen mit. Eine aus Sens nach einer Handschrift des XIII. Jahrhunderts will ich hier mittheilen:

Mariae revertentes ad chorum cantant:

»Resurrexit dominus hodie, resurrexit leo fortis, Christus, filius dei.«

Duo vicarii, induti cappis sericis, in medio chori cantant:

»Dic nobis, Maria, quid vidisti in via?«

Prima Maria, stans a parte sinistra, respondet:

»Sepulchrum Christi viventis et gloriam vidi resurgentis.«

Secunda Maria:

»Angelicos testes, sudarium et vestes.«

Tertia Maria:

»Surrexit Christus, spes mea, praecedet suos in Galilaeam.«

Duo vicarii respondent:

»Credendum est magis soli Mariae veraci, quam Judaeorum turbae fallaci.«

Totus Chorus respondet:

»Scimus, Christum surrexisse a mortuis vere: tu nobis, victor, rex, miserere!«

Deinde dicitur:

8 »Te deum.«

Ich habe früher schon darauf hingewiesen, daß das Lied „**Christ ist erstanden**" in seiner Melodie im »Victime paschali« wurzele, dem es auch als Zwischengesang mit anderen Liedern sich anschloß. Schubiger nennt nach einer Handschrift No. 546 von St. Gallen vom Jahre 1507 folgende Texte: Nach immolent Christiani: »Christus surrexit«; nach Peccatores:

---

1) Schubiger a. a. O., S. 94.

„Christ ist erstanden“; nach regnat vivus: »Si non resurrexisset«; nach Vidi resurgentis: „Wär er nit erstanden“; nach Gallilaea: „Er ist erstanden“; nach turbae fallaci: „Maria die reine“. Aehnlich die Angabe der Crailshaimer Schulordnung vom Jahre 1480. (II. Bd. S. 12.)

Ueber die Vortrefflichkeit dieser Sequenz herrscht nur eine Stimme. Luther nennt sie einen sehr schönen Gesang, den Vers »Mors et vita« führt er noch besonders in der Hauspostille an: „Es habe ihn gemacht wer da wolle, so muß er einen hohen und christlichen Verstand gehabt haben, daß er dies Bild so fein artlich abmahlet, wie der Tod das Leben angegriffen und der Teuffel auch mit auf das Leben zugestochen habe.“ (Hauspostille XIII, S. 1106; VI, S. 1979; VIII, 2176 bei Walch.)[1]

Der lateinische Text ging infolge dieser Empfehlung in nicht wenige protestantische Gesangbücher über.

Ein weiteres Zeugniß für die große Beliebtheit unserer Sequenz liegt darin, daß bei der Reform der liturgischen Bücher durch Pius V., als alle Sequenzen aus den Meßbüchern verbannt wurden, die obige unter die fünf auserlesenen gesetzt wurde, welche man beibehielt.

Eine Uebertragung ins Deutsche bringt Wackernagel aus dem 14. Jahrhundert:

„Sig vnd säld ist czu bedewten
vns hie den kristen lewten“ (II, No. 598.)

Die obige Uebersetzung bei Leisentrit steht bereits in Nicol. Hermans Sonntagsevangelien Wittenberg 1561, Bl. 61. Dort ist die Melodie angegeben: „Erschienen ist der herrliche tag“[2] oder „Christ ist erstanden“.

Ein zweites Lied bei Leisentrit:

„Wir Christen all jtzt frölich sein“

ist von dem protest. Prediger Veit Dietrich.

Das Lied:

„Thut dem Osterlämlein singen
Vnd jhm Danckopffer bringen.“

steht zuerst in den Würzburger Evangelien vom Jahre 1656 S. 272 mit der Sequenzenmelodie, sodann in den Mainzer Gesangbüchern 1661 und 1665 ff., im Münster'schen Gesangbuch 1677.

In der Ausgabe des Brüdergesangbuches vom Jahre 1539 finde ich die Uebertragung:

„Singen wir frölich allesampt
lobend unser Osterlam.“

mit der Melodie der Sequenz.

Der Text ist von M. Weiße, er steht schon in der Ausgabe vom Jahre 1531. (W. III, No. 308.)

Valentin Triller (1555) 1559 übersetzt:

„Nv lobet jr Christen alle Gott vnsern Herrn mit schalle“ u. s. w. (W. IV, 60.)

---

1) Rambach, D. Martin Luthers Verdienst um den Kirchengesang. Hamburg 1813, S. 31.

2) Dieselbe welche wir S. 511 zu dem Liede „Am Sabbath früh Marien drei“ von Herman brachten.

In Spangenberg's »Cantiones ecclesiasticae« 1545 steht im ersten Theile der lateinische Text mit den Noten und im zweiten eine Uebersetzung:

„Heut sollen all Christen loben
Das Osterlamb mit freuden"

ebenfalls mit der Melodie.

(Weitere Texte in protestantischen Gesangbüchern bei Fischer II, 304.)

No. 264.

Wir Christen all jtzt frölich sein.

Ein ander Geistlich Lied, von der Aufferstehung Christi auff das Victimae paschali gerichtet.

(K. I, 231; W. III, 610.)

Leisentrit 1567 ff.

Wir Chri - sten all jtzt frö - lich sein, vnd Gott
Der gopf - fert ist vor vn - ser sünd, vnd am
je bil - lich lo - - - ben,
Creutz hoch er - ho - - - ben,
Das O - ster-lamb, welchs
von vns nam, den Todt vnd Got - tes zo - ren.

Das Lied erschien mit der obigen Melodie in dem Einzeldruck: „Das frölich Ostergesang, Victime pascali laudes genandt, verteutscht durch Vittum Dietrich, Predicanten zu Nürnberg. 1543. Gedruckt zu Nürnberg durch Johann Günther." (Wackernagel, Bibliographie No. 461.) 4 Bl. 8. Exemplar auf der königl. Bibliothek in Berlin.

No. 265.

All welt soll billich frölich sein.

Ein ander Ostergesang.

(K. I, 232; W. II, 1210, V, 1402.)

Münchener Gesb. 1586. Cöln (Quentel) 1599. Constanz 1600. Beuttner (1602) 1660. Andernach 1608. Paderborn 1609, 1617. Reyß 1625. M.-Speier 1631. Corner 1631.

1
2
All welt soll bil - lich frö - lich sein, zu di - ser gna - den-
3
4
rei - chen zeit, Gott hat zer - störrt der Vor - hel - len pein, Da - rinn

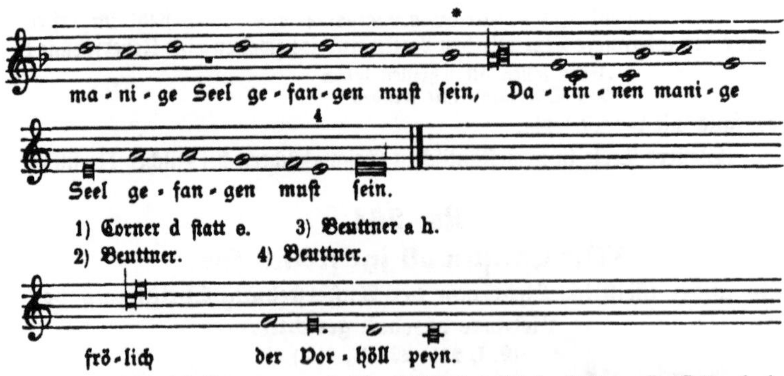
ma-ni-ge Seel ge-fan-gen must sein, Da-rin-nen mani-ge
Seel ge-fan-gen must sein.
frö-lich der Vor-höll peyn.

1) Corner d statt e. 3) Beuttner a h.
2) Beuttner. 4) Beuttner.

5) e fehlt bei Beuttner. * Hier schließt das Lied im Andernacher Gesangbuch.

Im Andernacher Gesangbuch findet sich folgende Uebersetzung des deutschen Textes:

»Exultet orbis gaudiis
Festis in his paschalibus
Victor rediuit inferis
Deus tonans in Nubibus.«

Das Lied hat im Münchener Gesangbuch 29 vierzeilige Strophen, im Andernacher 1608 nur drei.

No. 266.

All Welt soll billich frölich sein.

Cöln (Brachel) 1619.

All Welt soll bil-lich frö-lich sein, Zu die-ser gna-
den rei-chen zeit, Gott hat zer-stört der Vor-höll pein, Darin man-che Seel ge-fan-gen must sein, Gott hat zer-stört.

No. 267.

Frew dich du werde Christenheit.

Ein andächtiges Lobgesang auff Ostern.

(W. II, 965.)

I. Münchener Gesb. 1586. Cöln (Quentel) 1599. Constanz 1600. Kolers Ruefbuechl 1601. Cöln (Brachel) 1623, 1634. Neyß 1625. M.-Speier 1631. Corner 1631. Molsheim (1629) 1659. Dav. Harmonie 1659. Rheinfels. Gesangbuch 1666. Erfurt 1666. Würzburg 1628 ff. Münster 1677.

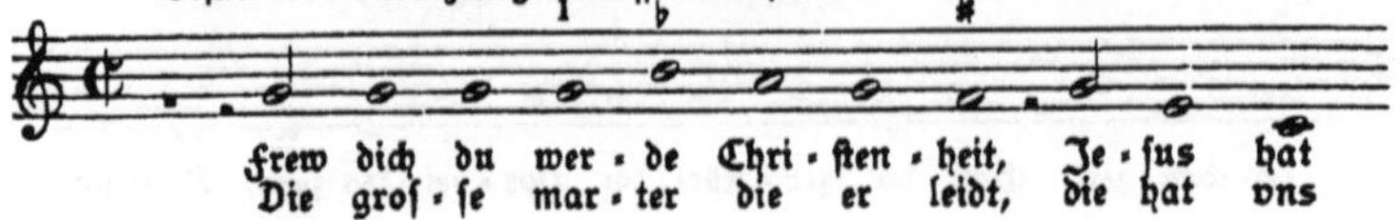
Frew dich du wer-de Chri-sten-heit, Je-sus hat
Die gros-se mar-ter die er leidt, die hat vns

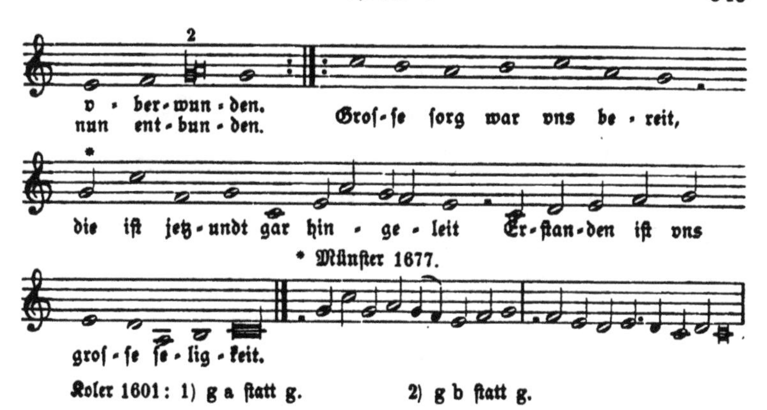
2
v - ber-wun-den.
nun ent-bun-den.
Gros-se sorg war vns be - reit,
die ist jetz-undt gar hin - ge - leit Er-stan-den ist vns
* Münster 1677.
gros-se se-lig-keit.

Koler 1601: 1) g a statt g. 2) g b statt g.

Das ♭ steht im Cölner Gesb. rc. und ist wohl im Münchener vergessen worden.

Das Mainz-Speierische Gesb. 1631, das Cölner 1623 und 1634, Erfurter 1666 haben die Melodie auch zu dem Texte:

„Das wahre Heyl vnd allen Trost
Vns Christus hat erworben." u. s. w.

mit folgenden Varianten:

* M.-Speier 1631 u. a.
Molsheim (1629) 1659.
Würzburg 1628 ff.
Die ist jetz - und gar hin - ge - leit. ist jetz - und gar
gut ge - leit, er - stan - den ist vns gros - se Se - lig - keit.
Corner 1631.
die ist jetz - und gar hin - ge - leit er-standn ist vns groß etc.

In der Davidischen Harmonia 1659, sowie im Rheinfels. Gesangbuch 1666 steht die Melodie zu folgenden Texten:

„Ewiger Gott, wir bitten dich,
gib Fried in vnsern Tagen" u. s. w. (Text schon im Behe'schen Gesb. 1537.)

und:

„Sey Lob vnd Ehr mit hohem Preyß,
vmb diser Gutthat willen" u. s. w. (zuerst in Corners Nachtigall 1649.)

II. Processionale aus dem Kloster Miltenberg. (Ende des 15. Jahrhunderts.)

Fraud uch al - le chri - sten - heidt, got hayd ub - ber - won - den,

dy groiſ - ſe mar - tel dy er leidt, dy hait unſs ent - bun - den
dy groiſ - ſe ſor - ge waſs be - reidt, dy iſt zu - mail
da - haen ge - leydt, ent - ſtan - den iſt unſs groiſs
ſe - le - keydt.

Das Lied iſt hier in das Regina coeli eingeſchoben. Gregoriusblatt von Böckeler 1884, No. 6.

Schöne außerleſene lieder, des hochberůmpten Heinrici Finckens etc. Nůrnberg 1536, No. 11.

III. Etlich Chriſtlich lider etc. Wittenberg 1524.

Frew dich, du wer - de Chri - ſten - heit, die Got
groſ - ſe mar - ter er do leyd, da - mit
hat v - ber - wun - den,
hat er vns ent - pun - den,
Groſ - ſe freud ward vns be-
reyt, da - mit vns al - le ſe - lig - keit er - ſtan - den iſt
1 *
al - le ſe - lig - keit, er - ſtan-den iſt al - le ſe - lig - keit.

* Schluß im Wittenb. Gſb. 1524 mit der Variante 1) a ſtatt f.

Laetare nunc ecclesia.

IV. Andernach 1608.

Frew dich du wer - de Chri - ſten - heit, Je - ſus hat
Lae - ta - re nunc Ec - cle - si - a, Chri - sti per-
v - ber - wun - den, Die groſ - ſe Mar - ter die er leidt, Vnd
en - nis spon - sa, Mi - ra - bi - li vic - to - ri - a, De

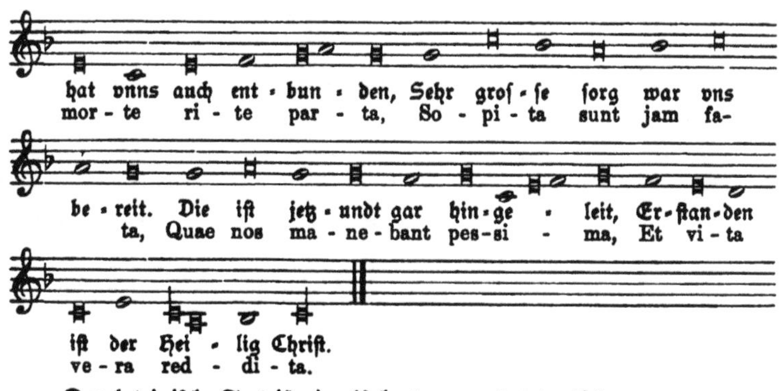
hat vnns auch ent - bun - den, Sehr groſ - ſe ſorg war vns
mor - te ri - te par - ta, So - pi - ta sunt jam fa-
be - reit. Die iſt jetz - undt gar hin - ge - leit, Er - ſtan - den
ta, Quae nos ma - ne - bant pes - si - ma, Et vi - ta
iſt der Hei - lig Chriſt.
ve - ra red - di - ta.

Der lateiniſche Text iſt eine Uebertragung des deutſchen.

Ein ſehr alt andechtiges Geſang, von der Aufferſtehung Chriſti, etwas verbeſſert.

(K. I, 234; W. II, 967.)

V. Mainzer Cantual 1605.

(♭)
Frew dich du wer - de Chri - ſten - heit, Je - ſus
Die groſ - ſe mar - ter die er leidt, dar - durch
hat v - ber - wun - den.
hat er vns ent - bun - den.
Die ſor - ge die vns war
be - reit, die iſt jetz - und gar hin - ge - leit, er-
ſtan - den iſt vns groſ - ſe Se - lig - keit.

Ein ander frölichs Ostergeſang.

(W. II, 966.)

VI. Beuttner (1602) 1660. Bamberg 1628. Erfurt 1666. Eißfeldiſches Geſangbuch 1690.

1
FRew dich du wer - the Chri - ſten - heit, daß Gott hat
Ein groſ - ſe Mar - te die Er lidt, damit hat er
2
v - ber - wun - den,
vns ent - bun - den.
Ein groſ - ſe Sorg ward vns be-

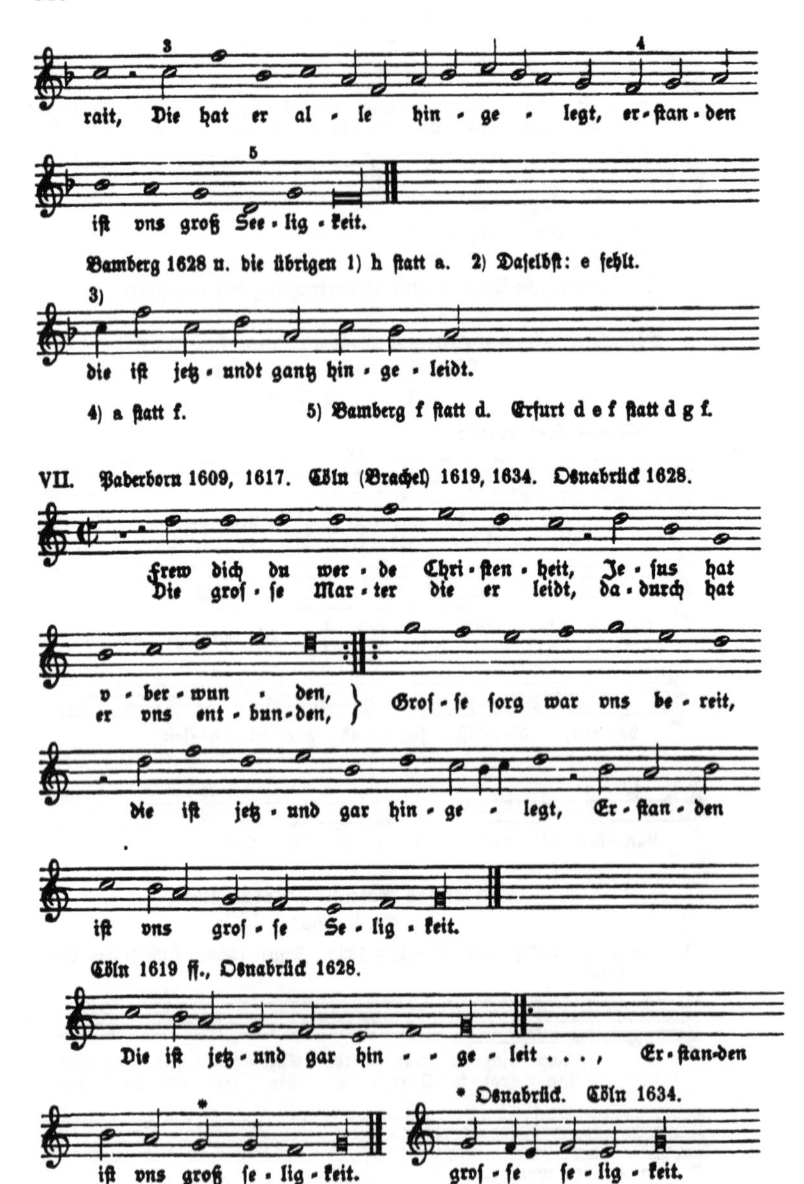
rait, Die hat er al - le hin - ge - legt, er - stan - den
ist vns groß See - lig - keit.
Bamberg 1628 u. die übrigen 1) h statt a. 2) Daselbst: e fehlt.
3)
die ist jetz - undt gantz hin - ge - leidt.
4) a statt f.
5) Bamberg f statt d. Erfurt d e f statt d g f.
VII. Paderborn 1609, 1617. Cöln (Brachel) 1619, 1634. Osnabrück 1628.
Frew dich du wer - de Chri - sten - heit, Je - sus hat
Die gros - se Mar - ter die er leidt, da - durch hat
v - ber - wun - den,
er vns ent - bun - den,
Gros - se sorg war vns be - reit,
die ist jetz - und gar hin - ge - legt, Er - stan - den
ist vns gros - se Se - lig - keit.
Cöln 1619 ff., Osnabrück 1628.
Die ist jetz - und gar hin - - ge - leit . . . , Er - stan - den
* Osnabrück. Cöln 1634.
ist vns groß se - lig - keit.
gros - se se - lig - keit.

Ein sehr altes Oesterliches Lobgesang.

VIII. Corners Nachtigall 1649. Mainz 1628, 1661, 1665. Nordstern 1671.

Frew dich du wer - the Chri - sten - heit, Je - sus hat
Die gros - se Mar - ter die Er leydt, die hat uns
v - ber - wun - den,
nun ent - bun - den,
Gros - se Sor - ge war vns be - reit,
die ist jetz - undt gar hin - ge - leit, er - stan - den vn -
ser See - lig - keit.

Im Mainzer Gsb. 1628 ist ♭ vorgezeichnet. Varianten: 1) Mainz 1628 cis. 2) Die # # nur in Corners Nachtigall. 3) Nordstern e Mainz es.

4) Mainz 1628 ff. (mit ♭). Nordstern 1671.

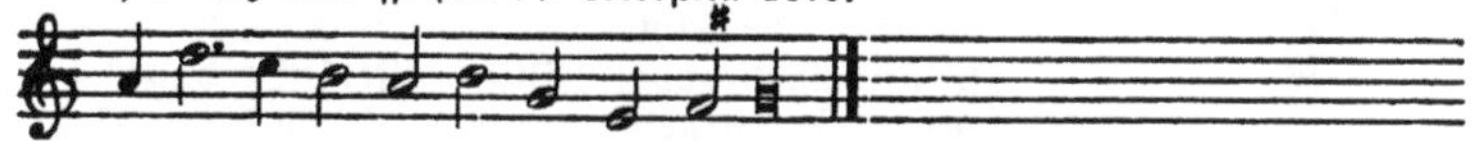

Das Lied ist, wie aus den Ueberschriften in den Gesangbüchern hervorgeht, alt. Wizel bemerkt dazu: „Item vnsere lieben Vorfaren haben auch auff Ostern deudsch also gesungen: Frewet euch alle Christenheit."

Walasser macht in seinem Kleinat der Seelen (1562) 1568 die Ueberschrift: „Auß inbrünstiger lieb vnd andacht seind zu diser zeyt vnsere vorfarn an etlichen orten von einer Kirchen zu der andern gangen, vnnd haben das nachuolgend gesang Gott zu lob mit frewden gesungen."

Wackernagel bringt den Text aus einer Papierhandschrift der Bibliothek in Breslau cod. I, 32. 8. vom Jahre 1478 mit folgenden 3 Strophen:

I.

1) „Frew dich alle cristenheit
got hot oberwunden."
2) „Entstanden ist vns der osterliche tag."
3) „Ey du süsser ihesus crist."

Auch in dem Büchlein: „Schöne außerlesene Lieder des hochberümpten Heinrici Finckens. Nürnberg 1536", No. 11. (W. II, 963.)

Diese drei Strophen finden sich in den meisten späteren Fassungen an erster Stelle.

II.

Strophe 1, 2, 3 wie bei I.
„ 4) „Maria Magdalena zu dem Grabe gieng."
„ 5) „Der Herr vnd Meister ist nicht hie."
„ 6) „Gott der vns geschaffen hat."
„ 7) „Ehre sey dem Vater vnd dem Son."

" 8) „Da vnser Herr gen Himn
" 9) „Süsser Vatter Herr Jesu C
" 10 = 6 von II.
" 11 = 7 von II.

Tegernseer Gesangbuch 1577. Münchener Gesa
1599. (W. II, 965.)

IV.

Strophe 1 bis 7 wie bei III.
" 8 = 7 von II.

Beuttners Gesangbuch (1602) 1660. (W.

V.

Strophe 1, 2, 3, 4 wie bei II.
" 5) „Als sie nun weinete bitterli
" 6) „Jesus der antwort süssiglich.
" 7 = 6 von II.
" 8 = 7 von II.

Mainzer Cantual 1605. Nach der Ueberschrift
bessert". (K. I, 234; W. II, 967.)

VI.

Wie bei III mit Ausnahme der Strophe 8
„Da vnser Herr gen Himmel fur."
Würzburg 1628 ff. Corner 1631.

Ein Processionale im Franziskanerkloster z
banddeckel die Jahreszahl 1597 trägt, aber aus
als Anfangsstrophe: „Disse oisterliche dage"
sodann die Strophen 1 von I, 4 und 5 von II
mit Melodie von Böckeler im Gregoriusblatt 18

Die Melodie ist, wenn wir vom Leisentrit'
in allen übrigen Gesangbüchern doch nur e i n e ,
Sie stand ursprünglich in der mixolydischen Tona
oder in der transponirten mixolydischen auf c (
zeichnung). Daher hat das Andernacher Gesan

In dem genannten Miltenberger Processionale ist das Lied in das »Regina coeli« eingeschaltet, sodaß nach jedem Satze dieser Antiphon eine Strophe unseres Liedes folgt.

Im protestantischen Kirchengesange fand die Melodie vielfach Verwerthung, hauptsächlich zu dem Liede des Paul Speratus „Es ist das Heil vns kommen her", im Achtliederbuche Wittenberg 1524 (vgl. No. III.) und in Joh. Walthers Gesangbüchlein 1524. Im Erfurter Enchiridion 1524 wird zu dem Liede „Nu frewt euch lieben Christengemein" bemerkt: „Folget eyn hubsch Euangelisch gesang vn melodey Frewt euch yhr frawen vnd yhr man, das Christ ist aufferstanden, so man auffs Osterfest zusyngen pflegt, die noten aber darzu synd vber dz Lied, Es yst dz heyl vns komen, angezeiget." (Wackernagel Bibliographie S. 58.) Es scheint dieses eine andere alte Fassung unseres obigen Liedes zu sein.

Ueber die weitere Verwendung der Melodie im protestantischen Kirchengesange vgl. Erk's Choralbuch Berlin 1863, No. 77 und Fischers Lexikon I, 181. Die folgende Singweise findet sich nur bei Leisentrit.

No. 267a.

Frew dich du werde Christenheit.

Ein andechtig Lied Welchs vnser liebe Vorfahren, wann und so offt, sie vmb diese zeit von einer Kirchen zur andern gangen, aus brünstiger liebe vnd andacht, Gott zu lobe mit frewden gesungen.

(K. I, 233; W. II, 964.)

Leisentrit 1567 ff.

Frew dich du wer - de Chri - sten - heit, Gott hat nun
Die gros - se mar - ter die er leit, die hat vns
v - ber - wun - den,
nun ent - bun - den,
Gros - se sorg war vns be - reit
welch ist nun all gar hin - ge - leit, er - stan - den ist
vns gros - se se - lig - keit.

No. 268.

In dieser zeyt loben wir all.

Vff den heyligen Ostertag.

(K. I, 235; W. V, 1172.)

I. Vehe 1537. Leisentrit 1567 ff. Dilinger Gesb. 1576. Cöln (Quentel) 1509. Andernach 1608. Paderborn 1609. M.-Speier 1631.

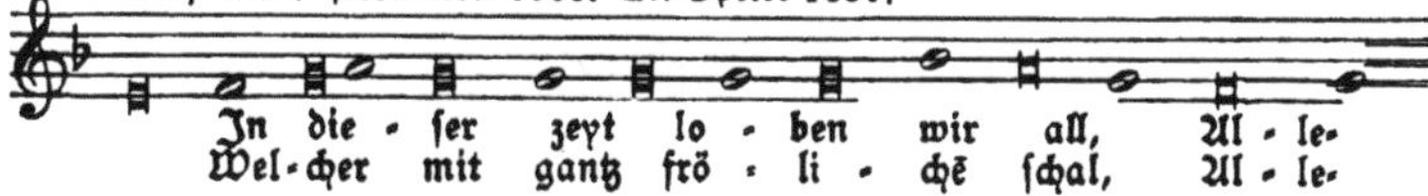
In die - ser zeyt lo - ben wir all, Al - le-
Wel - cher mit gantz frö - li - che schal, Al - le-

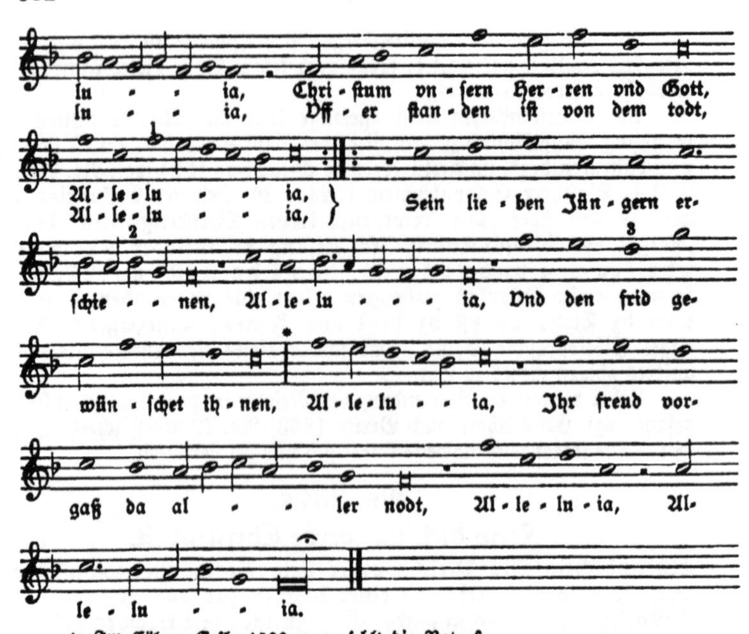
lu - - ia, Chri - stum vn - sern Her - ren vnd Gott,
lu - - ia, Vff - er stan - den ist von dem todt,
Al - le - lu - - - ia,
Al - le - lu - - - ia,
Sein lie - ben Jün - gern er-
schie - - nen, Al - le - lu - - - - ia, Vnd den frid ge-
wün - schet ih - nen, Al - le - lu - - ia, Ihr freud vor-
gaß da al - - ler nodt, Al - le - lu - ia, Alle - lu - - ia.

1) Im Cölner Gesb. 1599 u. a. fehlt die Note f.
2) b fehlt Andernach 1608. 3) f statt d daselbst.

Der Text ist wahrscheinlich von C. Querhamer verfaßt, während die Melodie von einem seiner Freunde herrührt. (Vgl. die Vorrede S. 187).

* Im Andernacher Gesangbuch 1608 steht die obige Melodie mit Weglassung der Allelujas bis zu dieser Stelle zu dem lat. Liede:

„O mater Christi fulgida,
Scatens fons omni gratia,
Lux pellens quaeque nubila
Maria venustissima«. noch 4 Str.

deutsch:

„O Mutter Christi rein und klar.“ u. s. w.

Das lateinische Lied bringt Mone aus zwei Handschriften des 15. Jahrhunderts (II, No. 410.)

II. Cöln (Brachel) 1619, 1634. Mainz 1628.

In die - ser zeit lo - ben wir all, Al - le - lu - - ia,
Wel - cher mit gantz frö - li - chem schall, Al - le - lu - - ia,
Chri - stum vn - sern Her - ren vnd Gott, Al - le - lu - - ia,
Auf - fer - stan - den ist von dem Todt, Al - le - lu - - ia,
Sein lie - ben Jün - ge - ren er - schienen, Al - le - lu - - ia,

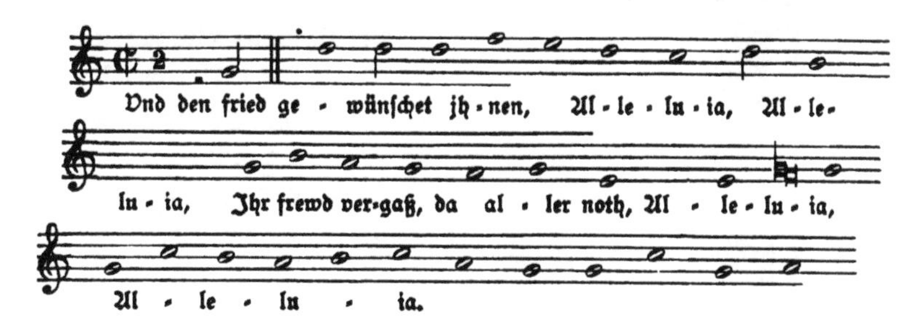
Vnd den fried ge - wünschet jh - nen, Al - le - lu - ia, Al - le-
lu - ia, Jhr frewd ver-gaß, da al - ler noth, Al - le - lu - ia,
Al - le - lu - ia.

No. 269.

Die Osterlich zeit bringt vns gantz hertzliche Freud.

Das Gaudia magna, haec dies letabunda.

(K. I, 236; W. V, 1204.)

Leisentrit 1567.

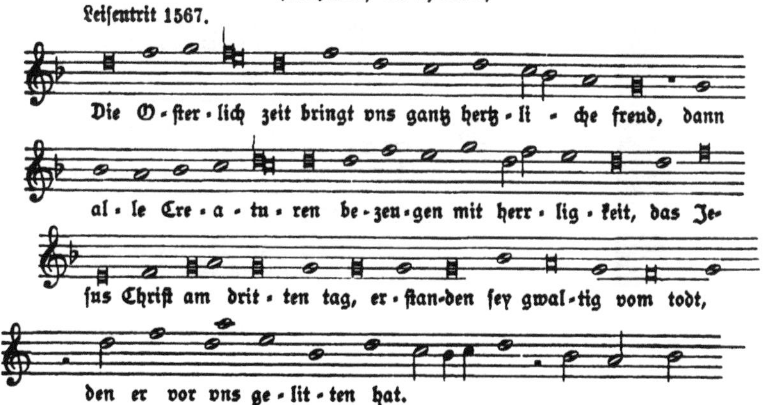
Die O - ster - lich zeit bringt vns gantz hertz - li - che freud, dann
al - le Cre - a - tu - ren be - zeu - gen mit herr - lig - keit, das Jesus Christ am drit - ten tag, er - stan-den sey gwal-tig vom todt,
den er vor vns ge - lit - ten hat.

Der Text ist von Hecyrus, der ihn seinem Freunde Leisentrit überlassen, bevor er seine Lieder selbst herausgab. Dies geschah im Jahre 1581 (vgl. Seite 146). Leisentrit nahm in die dritte Auflage seines Gesangbuches die Melodie, welche Hecyrus dem Liede gegeben, auf. Siehe das folgende Lied.

No. 270.

Die Osterlich zeit.

Gesangbuch von Hecyrus 1581. Leisentrit 1584.

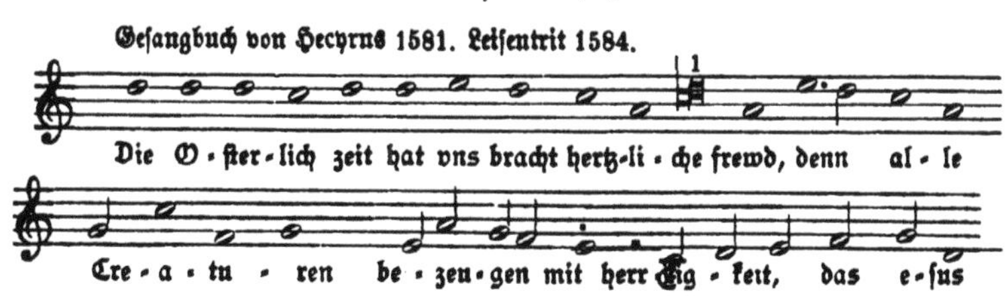
Die O - ster - lich zeit hat vns bracht hertz-li - che frewd, denn al - le
Cre - a - tu - ren be - zeu - gen mit herr - lig - keit, das e - sus

Der heilgen le

Der Hymnus Vita sanctc

(K. I, 237; W. III,

Leisentrit 1567 ff. Dilinger Gesb. 1576. And

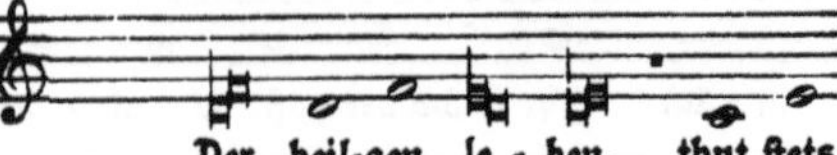

Der heil-gen le - ben, thut stets
Andernach: Vi - ta sanc-to - rum, de - cus

außr-wel-ten, hie auff die-ser Er-de
cunc - to-rum pa - ri - ter pi - o-ru

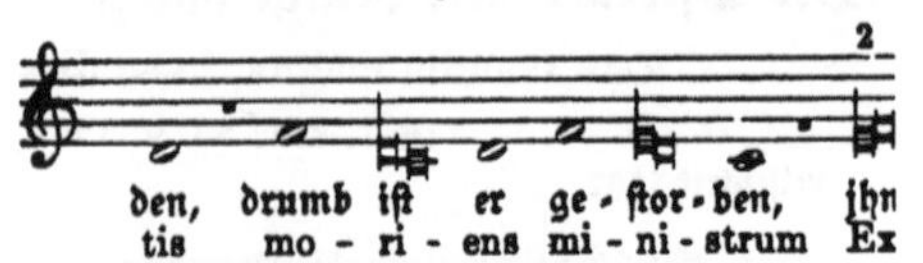

2
den, drumb ist er ge-stor-ben, ihn
tis mo - ri - ens mi - ni - strum Ex

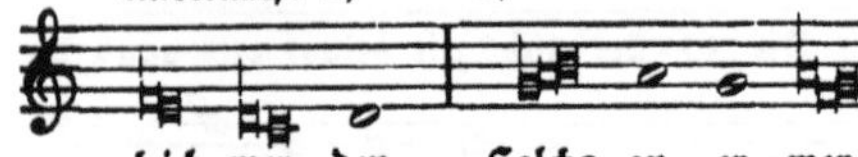

Andernach: 1) 2)
gleich wer-den. Solchs zu - er - wer -

Leisentrit 1584 hat zu diesen Noten den

„Christ der engel zier, vnd leben der h
Ja auch das leben aller Gottfürcht...

Eine deutsche Uebersetzung im Hymnarius von Sigmundslust 1524 beginnt:

„Christe, der heiling lebm vnd zier der Engln.“ (W. II, 1367.)

Den obigen deutschen Text bringt Wackernagel aus dem Büchlein: „Deutsch Euangelisch Messze Alstedt, 1524“ und bemerkt dazu: „Das Lied steht im Zwickauer Enchiridion 1528 und im Augsburger Gesangbuch 1529. In dem Salminger'schen vom Jahre 1537 wird es Thomas Münzer zugewiesen“. Auch in vielen andern protest. Gesangbüchern kommt dasselbe vor. (Fischer I, 106.)

Die Melodie ist älteren Ursprunges. Ich finde sie bei Schubiger (Sängerschule Exempla, S. 42) zu einem Liede auf den h. Othmar, ebenfalls im sapphischen Metrum gedichtet:

»Rector aeterne metuende saecli,
auctor et summae leonitatis ipse.«

Dieses hat den Notker Physikus (Mönch im Kloster St. Gallen † 981) zum Verfasser.

Der Hymnus »Vita sanctorum« scheint die Melodie von diesem älteren Liede entlehnt zu haben. Sie findet sich auch im Triller'schen Gesangbuche (1555) 1559 bei dem Liede:

„Christus der Herr Got des vatern höchster radt.“ (W. IV, 65.)

mit der Ueberschrift „auff die Noten vita Sanctorum“, sodann in der Psalmodia des Lucas Lossius 1553, in der Hymnodia des M. Prätorius 1611 und in der Sammlung des Seth Calvisius: »Harmoniae cantionum Ecclesiasticarum 1597« mit dem lateinischen Texte.

In protestantischen Gesangbüchern kommt also nur die obige Singweise vor. Was Meister I. Bd., S. 355 als eine andere Singweise mittheilt, ist bei Seth Calvisius, No. 22 die Altstimme eines vierstimmigen Satzes.

No. 272.

Da Christus der König der ehrn.

Cum rex gloriae.

(W. V, 1219.)

Hecyrus 1581.
Da Chri-stus der Kö-nig der ehrn, zur hel-len ab-stig sie
zer-stern, Da war mit ihm ein gros-se Schar der hei-li-gen
En-geln of-fen-bar.

Der 6strophige deutsche Text ist eine Uebersetzung des lateinischen Gesanges: »Cum rex gloriae Christus infernum debellaturus intraret«, welchen ich in dem handschriftlichen Processionale aus dem Kloster Schonenberch 1533 finde, mit der Ueberschrift: „vp paesch dach ende alle sondag toe pynxtern." Die Melodie ist hier eine ganz andere.

Die obige Singweise hat große Aehnlichkeit mit dem sog. tonus peregrinus, der zum Psalm »In exitu Israel de Aegypto« in der sonntäglichen Vesper gesungen wird. (Vgl. II. Bd., S. 118).

No. 273.

Es frewet sich billich jung vnd alt.

Ein anders schön Ostergesäng.

(K. I, 239; W. V, 1401.)

Cöln (Brachel) 1619, 1634. Mainz 1628. Cölner Psalter 1638.

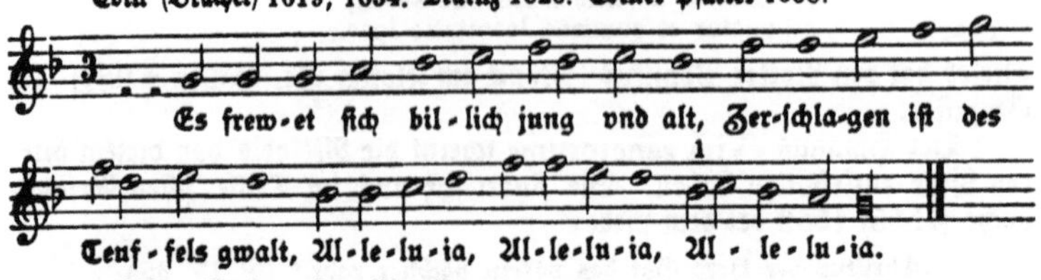
Es frew-et sich bil-lich jung vnd alt, Zer-schla-gen ist des
Teuf-fels gwalt, Al-le-lu-ia, Al-le-lu-ia, Al-le-lu-ia.

1) Cölner Psalter: b c d b c b a g.

Der Text steht zuerst im Münchener Gesangbuch 1586 mit der Melodie des Rufes: „Wir fallen nieder auff vnsere Knie." (II. Bd., No. 68.)

No. 274.

Es freiet sich billich Jung vnd Alt.

Ein Anders Altes Catholisches Ostergeßang in folgender Melodia zu singen.

Kolers Ruefsbuechl 1601.

Es frei-et sich bil-lich Jung vnd Alt, er-schla-gen ist
vns ein al-ter ge-walt, hat Gott zer-stö-ret mit sei-ner macht
hatts an dem Creutz her-wi-der-umb bracht das menschlich Gschlecht in
se-lig-keit, da-rumb sing wir mit rei-chem schal-len, wir
sin-gens doch Gott zu wol-ge-fal-len Al-le-lu-ia, Al-le-lu-ia,

Al - le - lu - ia, Al - le - lu - ia.

Das Lied besteht in dieser Handschrift (vgl. II. Bd., S. 50) aus 6 siebenzeiligen Strophen und hat die meiste Aehnlichkeit mit einem Texte in dem Buche „Schöne Christliche Creutz vnd Kirchen Gesänger. Straubing 1615". (W. II, 1119,) Eine Melodie ist hier nicht angegeben.

No. 275.

DJe gantze Welt HErr Jesu Christ.

Frewd der gantzen Welt.

(K. I, 248.)

I. Cöln (Brachel) 1623, 1634. Mainz 1628. Corner 1631. Seraph. Lustgart. 1635. Cölner Psalter 1638. Clausener Gesangbuch 1653. Prag 1655. Mainz 1661, 1665. Rheinfels. Gesangbuch 1666. Erfurt 1666. Nordstern 1671. Münster 1677. Straßburg 1697.

DJe gan-tze Welt HErr Je - su Christ, Hi - la - ri - ter,
hi - la - ri - ter. In dei - ner Ur-stend frö - lich ist, Hi - la - ri - ter,
Al - le - lu - ia, Al - le - lu - ia, Al - le - lu - ia,
hi - la - ri - ter.
Al - le - lu - ia.

* Cölner Psalter g statt f.

Das Clausener Gesangbuch hat zu dieser Melodie den Text:

„O du gestrenger Richter mein
wo bleib ich vor den Augen dein" u. s. w. (Text zuerst im Cölner Psalter 1638.)

Das Prager 1655:

„O Seel in aller angst vnd noth,
fleh hin zu Christi wunden roth." (Text zuerst im Cölner Gesb. 1623.)

In den Sirenes Symphoniacae Cöln 1678 steht zu dieser Weise das lateinische Lied:

»Surrexit Christus hodie, Alleluia, alleluia,
Qui natus es de virgine« etc.

Dein Blut die beste Artzney ist.

Ein anders vom Blut Christi, Im thon: Freu dich du Himmelkönigin, oder wie folgt.

(K. I, 326.)

II. Mainz 1628.

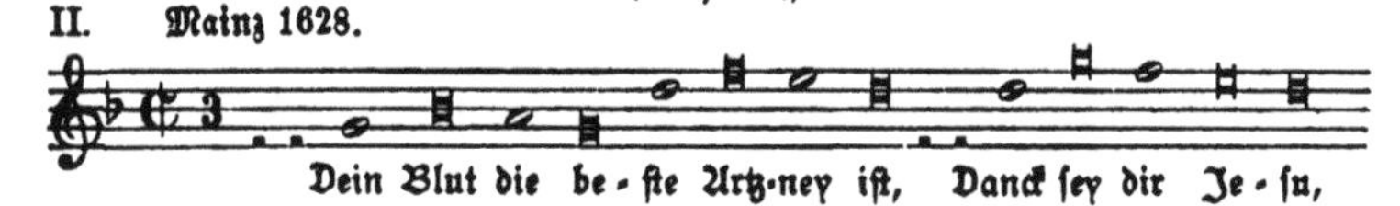
Dein Blut die be - ste Artz-ney ist, Danck sey dir Je - su,

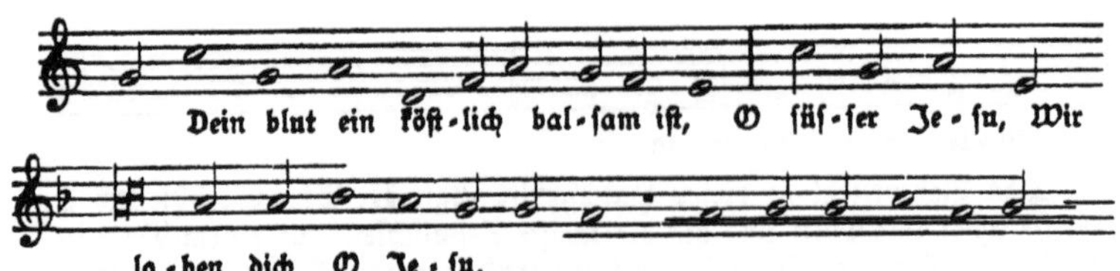
Dein blut ein köst-lich bal-sam ist, O süs-ser Je-su, Wir
lo-ben dich O Je-su.

No. 276.

Heut triumphiret Gottes Sohn.

(K. I, 238; W. V, 629.)

Neyß 1625. Corner (1625) 1631. Bamberg 1628 ff. Corners Nachtigall 1649 ff. Prag 1655. Brauns Echo 1675.

Heut tri-um-phi-ret Got-tes Sohn, der von dem Todt
er-stan-den ist schon, Al-le-lu-ia, Al-le-lu-ia, Mit
gros-ser krafft vnd Herr-lig-keit, dem dan-cken wir inn E-wig-
Brauns Echo.
keit, Al-le-lu-ia, Al-le-lu-ia.

Wackernagel bringt einen sechsstrophigen Text aus „Concentus ecclesiasticus Quatuor vocum. Autore Bartholomaeo Gesio. Frankfurt a. d. Oder 1607." Die katholischen Gesangbücher haben auch 6 Strophen theilweise in anderer Reihenfolge. Nur das Neyßer Gesangbuch 1625 und das Bamberger 1628 haben eine Strophe mehr:

„Hie ist nun nichts den Angst vnd Noth."

Dieselbe Verschiedenheit in der Zahl und Reihenfolge der Strophen ist auch in den protestantischen Gesangbüchern zu finden, worüber Wetzel in seinen Analecta Hymn. I, Stück 5 S. 40 sich beklagt. (Vgl. Fischer I, S. 295.)

Der Text, der übrigens in früheren protestantischen Gesangbüchern: in Vulpius' „Ein schön geistlich Gesangbuch, darinnen Kirchengesenge u. s. w. begriffen", Jena 1609, in den Musae Sionae des M. Prätorius 1609 und, wie Fischer angiebt, in dem Erfurter Gesangbuch 1624 vorkommt, wird von Wetzel u. a. dem Basilius Förtsch † 1619 als protest. Pfarrer in Gumperta bei Orlamünde zugeschrieben.

Die obige Melodie (um eine Quart tiefer) bringt Erk in seinem Choralbuche Berlin 1863 aus Barth. Gesius Geistl. Deutsche Lieder. Frankfurt a. d. Oder 1601 Bl. 40 b.

No. 277.

Jesu lieber Herr.

Alme Domine.

Andernach 1608. Mainzer Cantual 1605. Hildesheim 1625. Mainz 1627.
Je - su lie - ber Herr, Kö - nig Him - mels, vnd auch der Erdt.
Al - me Do - mi - ne, Rex cae - les - tis, De - us al - me,
Gib vns bey dir zu le - ben e - wig - lich, Dan dir
No - bis con - fer, prae-sta - que vi - ue - re, Quo - ni-
recht ge - bü - ret. All lob, ehr, dir zu - ge - hö - ret,
am te de - cet, Laus, et ho - nor, ô Do - mi - ne,
Du / Qui
Dom Todt er - stan - den bist,
De mor - te sur - ge - bas,
In Him - mel ge - fah - ren bist,
Coe - los as - cen - dis - ti,
Heil - gen Geist ge - sen - det hast,
Spi - ri - tum mi - sis - ti,
Ma - ri - am er - ha - ben hast,
Ma - ri - am be - as - ti.
O Christ.
Rex pi - e.
Laß vns mit dir auff - er - stehen,
Fac nos te - cum sur - ge - re,
Laß vns mit in Him - mel gehen,
Fac nos De - um scan - de - re,
Laß vns mit dir weiß - lich stehn,
Fac nos De - um sa - pe - re,
V - ber al - le Himm-lischs Chör,
Ma - trem tu - am Vir - gi - nem,
Al - le - lu - ia.

Im Mainzer und Hildesheimer Cantual steht nur der lateinische Text »Alle Domine« etc. mit dem Bemerken „Man singt wol an etlichen Orten vnter dz Alleluia (des Regina coeli laetare) folgenden text“.

Die Melodie ist dem letzten Alleluia des »Regina coeli laetare« entnommen, die man in jedem lateinischen Choralbuche finden kann.

No. 278.

O Jhesu vnser erlöser.

Der herrliche Hymnus S. Ambrosii so die Catholische warglaubige Christliche Kirch auff den Sontagen zwischen Ostern vnd Himmelfahrt Christi pflegt zu singen in Latein Jesu nostra redemptio, Lautet in deudscher sprach wie folget.

(K. I, 251.)

I. Leisentrit 1584.

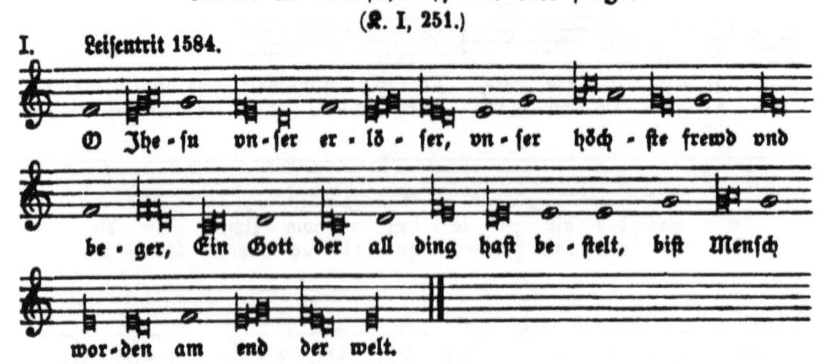
O Jhe - su vn - ser er - lö - ser, vn - ser höch - ste frewd vnd
be - ger, Ein Gott der all ding hast be - stelt, bist Mensch
wor - den am end der welt.

Jesu nostra redemptio.

II. Andernach 1608.

O Je - su vn - ser er - lö - ser, Vn - ser höch - ste freud
Je su nos - tra re - demp - ti - o, a - mor et de - si-
vnd be - gier, Ein Gott der all ding hast be - stelt, Bist Mensch
de - ri - um, De - us cre - a - tor om - ni - um, ho - mo
wor - den am end der welt.
in fi - ne tem - po - rum.

Die Hymnologen setzen den lateinischen fünfstrophigen Hymnus in das 5. Jahrhundert. (Vgl. M. I, 173; W. I, 65; D. I, 63.)

Eine spätere Ueberarbeitung ist der Hymnus »Salutis humanae sator« im römischen Bevier.

Die obige Melodie wird die dem Hymnus eigene sein. Man findet sie auch in Pothiers »Hymni de Tempore et de Sanctis« 1885, S. 49. Die zu Paris gedruckten Antiphonare von 1622—1701 bringen sie zu dem Hymnus »Te lucis ante terminum«. (Vgl. Fétis, Histoire générale de la Musique IV. Paris 1874, S. 299.)

Von deutschen Bearbeitungen sind mir folgende bekannt:

1) „vnser erloesvnge
minne vnd girde“

aus dem 12. Jahrhundert. Kehrein, Kirchen- und religiöse Lieder 1853, S. 67.

2) Die obige.
„O Jhesu vnser erlöser.“

Diese ist von Rutgerus Edingius. Teutsche Euangelische Messen. Cöln 1572, S. 343.

3) „Vnser erlösung lieb vnd freud,
biſt du Herr Jesu jeder zeit.“

Kethner Hymni 1555.

No. 279.

JSt daß der Leib HErr Jesu Christ.

En membra Christi vivida.

Cöln (Brachel) 1623. Würzburg 1628, 1630 ff. Mainz 1628. Ser. Lustgart. 1635. Cölner Psalter 1638. Clausener Gesangbuch 1653. Molsheim (1629) 1659. Mainz 1661, 1665. Rheinfels. Gesangbuch 1666. Erfurt 1666. Bamberg 1670, 1691. Nordstern 1671. Münster 1677. Straßburg 1697.

JSt daß der Leib HErr Je - su Christ, Der todt im Grab
ge - le - gen ist, Kom, kom, O kom, kom jung vnd alt, Kom
Al - le - lu - ia, Al - le - lu - ia, Al-
schaw die schö-ne Leibs Ge-stalt, Al - le - lu - ia, Al - le - lu - ia.
le - lu - ia, Al - le - lu - ia, Al - le - lu - ia, Al - le - lu - ia.

1) Würzburg u. a. f statt es. 2) daselbst d es statt es es.
3) „ d c statt b.

Das Clausener Gesangbuch hat dazu den lateinischen Text:

»En membra Christi vivida,
Ex morte nuper livida.
Homo novam victoriam
Christique cerne gloriam.
Alleluia, Alleluia.«

Der Text hat 6 Strophen und behandelt die Eigenschaften des verklärten Leibes Christi: Claritas, Impassibilitas, Subtilitas und Agilitas.

No. 280.

LAſt vns erfrewen herzlich sehr.

(K. I, 249.)

Cöln (Brachel) 1623, 1634. Würzburg 1628, 1630 ff. Mainz 1628. Corner 1631. Seraph. Lustgart 1635. Cölner Psalter 1638. Corners Nachtigall 1649. Molsheim (1629) 1659. Mainz 1661, 1665. Erfurt 1666. Bamberg 1670, 1691. Münster 1677. Straßburg 1697.

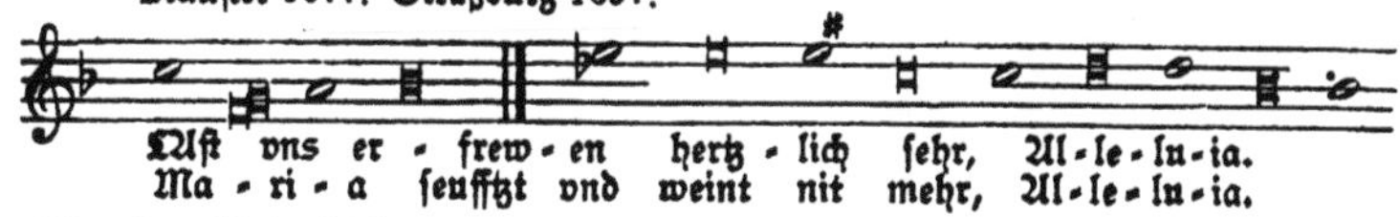
LAſt vns er - frew - en hertz - lich sehr, Al - le - lu - ia.
Ma - ri - a seufftzt vnd weint nit mehr, Al - le - lu - ia.

Ver - schwun - den al - le Ne - bel seyn, Al - le - lu - ia.
Jetzt scheint der lie - be Son - nen - schein, Al - le - lu - ia.
Al - le - lu - ia, Al - le - lu - ia, Al - le - lu - ia.

Im Original steht als Schlußnote irrthümlich e.
Cölner Psalter Schlußnote a.

No. 281.

DV Lentze gut deß Jahres thewres quarte.

(K. I, 250; W. II, 538.)

Corner (1625) 1631, dessen Nachtigall 1649 ff.

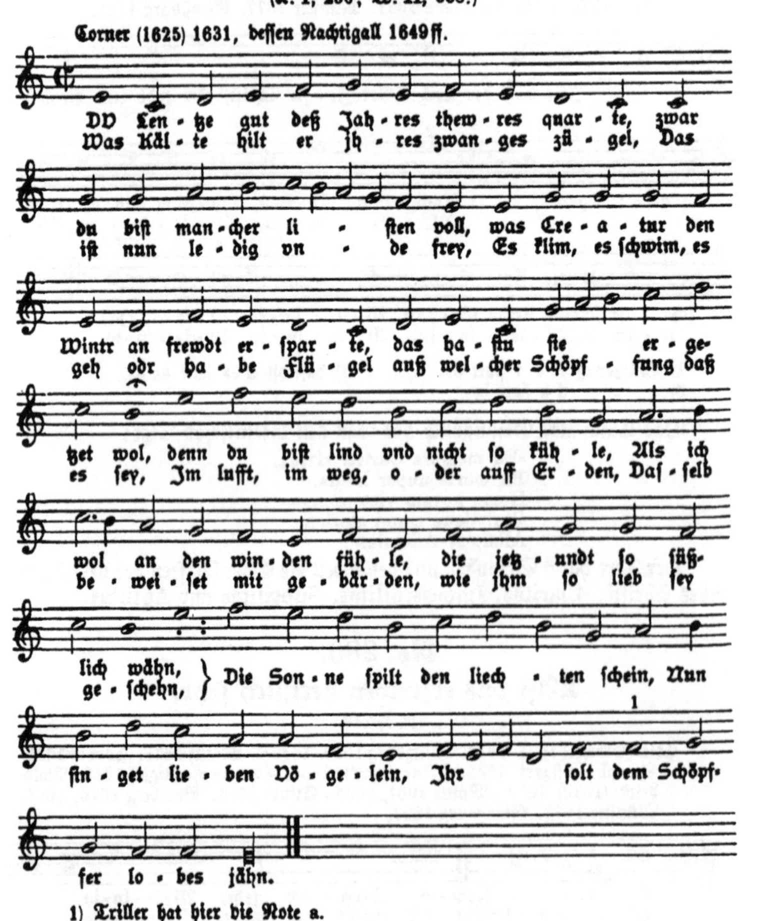
DV Len - tze gut deß Jah - res thew - res quar - te, zwar
Was Käl - te hilt er jh - res zwan - ges zü - gel, Das
du bist man - cher li - sten voll, was Cre - a - tur den
ist nun le - dig vn - de frey, Es klim, es schwim, es
Wintr an frewdt er - spar - te, das ha - stu sie er - ge-
geh odr ha - be Flü - gel auß wel - cher Schöpf - fung daß
tzet wol, denn du bist lind vnd nicht so küh - le, Als ich
es sey, Im lufft, im weg, o - der auff Er - den, Das - selb
wol an den win - den füh - le, die jetz - undt so süß-
be - wei - set mit ge - bär - den, wie jhm so lieb sey
lich wähn,
ge - schehn,
Die Son - ne spilt den liech - ten schein, Nun
1
fin - get lie - ben Vö - ge - lein, Ihr solt dem Schöpffer lo - bes jähn.

1) Triller hat hier die Note a.

Das Lied trägt folgende Ueberschrift: **Ein altes Ostergesang, der Lentz oder Früling genannt, welches Herr Conradt von Queinfort Pfarrer zu Steinkirchen am Queiß gemacht, so verschieden zu Löwenberg in Schlesien, Anno 1382 ligt daselbst in der Capell deß Closters S. Francisci begraben vnd hat jhme selbst diß Epitaphium gemacht:**

Christe tuum mimum salvum facias et opinum,
Condidit hic odas has voce lyraque melodas.

Wackernagel II, S. 390 citirt drei alte Handschriften, in denen er das Lied gefunden:

1) Papierhandschrift in 8. des 15. Jahrhunderts auf der Breslauer Universitäts-Bibliothek I 113, Blatt 74—76.

2) Papierhandschrift in 8. vom Jahre 1478 auf der Breslauer Universitäts-Bibliothek I, 32, Blatt 96—98.

3) Papierhandschrift in 4. aus dem Anfange des 15. Jahrhunderts auf der Leipziger Universitäts-Bibliothek No. 1305, Blatt 107—110b, mit Melodie.

Vgl. auch Hoffmann K. L. 1861, S. 78.

Valentin Triller bringt in seinem Singebuch (1555) 1559 eine Umarbeitung:

„Der lentz ist vns des jares erste quartir
Er ist auch mancher lusten vol" u. s. w. (W. IV, 67.)

Die Melodie stimmt mit der bei Corner, abgesehen von der Rhythmik, die bei Triller stellenweise eine andere ist, überein.

Das Lied gehört zu den wenigen Meistergesängen, die eine weitere Verbreitung gefunden haben. Jedenfalls hat die herrliche Melodie viel dazu beigetragen, diese Kunstdichtung populär zu machen. Ich wüßte dieselbe nicht besser zu charakterisiren als Arnold in seiner Einleitung zum Locheimer Liederbuch das gethan:[1] „Auch hier gewahren wir die deutsche Durtonart in schärfster Ausprägung, zugleich aber höchst sinnreich mit dem Phrygischen gepaart. Der Sänger wollte augenscheinlich in der Volkstonart den himmlischen Jubel über das Erwachen der Natur und in der Kirchenweise die geistige Freude über das Auferstehen des Heilandes gleichzeitig zum Ausdrucke bringen, und wie wunderbar ist ihm dies gelungen! Ueber alle Beschreibung schön sind namentlich die drei letzten Zeilen wiedergegeben. Bei den Worten: „Die sunne spielt in liechtem schin," erhebt sich die Stimme wie zur höchsten Verklärung, um bei den Worten: „ir sult dem schepfer lobes jen," in heiliger Andacht sich zu senken und auf einem tonlosen Worte gleichsam zu ersterben. Welches Volk der Erde vermöchte aus so früher Zeit etwas gleich Vollendetes und Kunstreiches aufzuweisen!"

Auch für die Geschichte des Kirchenliedes ist unser Lied bemerkenswerth. In der Strophe 5 heißt es:

„In frewden groß last jhr euch heute hören,
last klingen süssen hellen klang,
jhr läyen in Kirchen ihr Pfaffen in dem Chore
zum widergelt sey Ewer gesang.
Nun singet, Christus ist erstanden,
wol heute von deß todtes banden.

1) Jahrbücher f. musikalische Wissenschaft. Herausgegeben v. Friedrich Chrysander II. Bd. Leipzig 1867, S. 40.

der hey - lig Christ, Vom Todt zum
Al - le - lu - ia, Al - le

1) Würzburg 1630: d statt c. 2) Erfurt 1

Alleluja, Alleluja, 2

II. Erfurt 1666. Cöln (Brachel) 1623.
Al - le - lu - ja, al - le - lu - ja, al
tig du HERR JE - su Christ, er - sta
bist, zu E - maus dei - ner Jün - ger zw
dem Tisch ge - sehn.

Im Cölner Gesangbuch 1623 steht diese
den h. Ignatius:

„Ignatius, Ignatius, Ignatius,
O Edler Held! O Edles Blut“ u. s.

mit folgenden Varianten: 1) g. 2) c.

ber - wand, ist auff - er - stan - den, die Sünd hat er ge-
Rheinf. Gesb. 1) d statt c. 2):
2
fan - gen, Ky - ri - e - ley - son.
Ky - ri - e e - ley - son.

Osterlied in 3 vierzeiligen Strophen von M. Luther. Dasselbe steht zuerst im Erfurter Enchiridion 1524 mit der Ueberschrift: „**Ein Lobgesang auff das Osterfest**", ohne Angabe des Autors. Die Melodie ist hier eine andere. Die obige findet sich mit einigen Varianten zuerst im Klug'schen Gesangbuche: „**Geystliche Lieder auffs new gebessert. Wittenberg 1535**"; sodann im Val. Bapst'schen Gesangbuche 1545, welches unter Luthers Redaction erschien; hier lautet die Ueberschrift: „**Ein lobgesang auff das Osterfest. D. Mart. Luther**". Ueber die weitere Verbreitung in protestantischen Gesangbüchern vergleiche man Fischer's Lexikon I, 386.

No. 284.

Christ lag in Todtes Banden.

(W. III, 15.)

David. Harmonia 1659. Rheinfelsisches Gesangbuch 1666.

Christ lag in Tod - tes Ban - den, für vn - ser Sünd ge - ge - ben,
Er ist wi - der er - stan - den, vnd hat vns bracht das Le - ben,
daß wir sol - len frö - lich sein, Gott lo - ben vnd danck - bar sein,
vnd sin - gen Hal - le - lu - ja. Hal - le - lu - ja.

Das Lied ist ebenfalls eine Dichtung Luthers in 7 siebenzeiligen Strophen. Ich finde dieselbe zunächst im Erfurter Enchiridion 1524 mit einer Melodie, welche in der ersten Zeile mit der obigen übereinstimmt, dann aber vielfach abweicht. Die Ueberschrift lautet hier: „**Das lyed Christ ist erstanden gebessert**". Im Val. Bapst'schen Gesangbuche, welches, wie schon bemerkt, unter Luthers Redaction erschien, lautet die Ueberschrift: „**Christ ist erstanden Gebessert. D. Mart. Luther**". Hier findet sich die obige Melodie. Der Text sowohl wie die Melodie haben bedeutende Anklänge an das „**Christ ist erstanden**" resp. die Sequenz »Victimae paschali laudes« aufzuweisen.

Man vergleiche:

»Mors et vita duello conflixere mirando,|
Dux vitae mortuus regnat vivus.«

Strophe 4 im Erfurter Enchiridion:

„Es war ein wunderlich kryeg,
Da todt vnd leben rungenn.
Das leben behyelt denn sieg,
es hat den todt verschlungen.
Die schriefft hatt verkundet das,
wie ein todt den andern fraß,
ein spot aus dem todt ist worden."

Zur Vergleichung der Melodie verweise ich auf die Sequenz, Seite 539.

Inbetreff der weiteren Verbreitung im protest. Kirchengesange vergleiche man Fischer's Lexikon I, S. 75.

No. 285.

Freud ist in allen Landen.

Eichsfeldisches Gesangbuch 1690.

Freud ist in al - len Lan-den, O Ma - ri - a lieb - ste
Je - sus ist auff - er - stan-den, hier bin ich mein wun-den
Jung-frau,
an - schau,
Die Höll nun ü - ber-wun-den ist, der Todt und Teuf-fel

ge - bun-den ist, O Ma - ri - a lieb - ste Jungfrau.

No. 286.

Heut ist der Tag, O Welt hab acht.

Münster 1677. Nordstern 1671.

Heut ist der Tag, O Welt hab acht, Den GOtt der
Deß Le-bens Fürst HErr JE - sus Christ, Er - stan - den

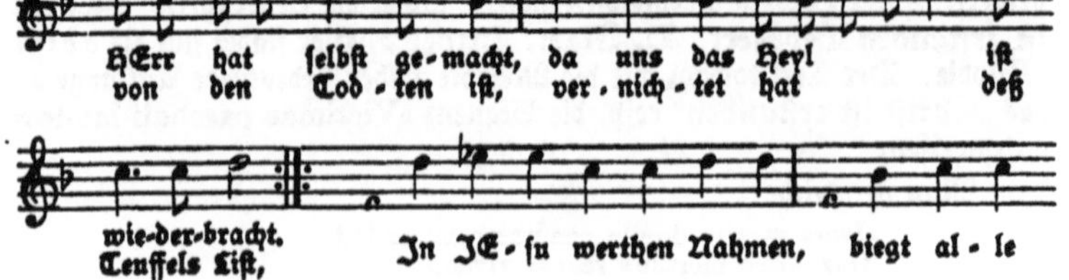
HErr hat selbst ge - macht, da uns das Heyl ist
von den Tod - ten ist, ver - nich - tet hat deß
wie-der-bracht.
Teuffels List,
In JE - su werthen Nahmen, biegt al - le

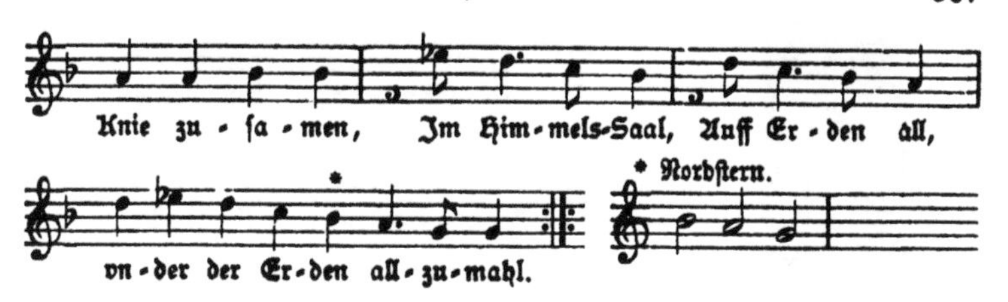
Knie zu - sa - men, Im Him - mels-Saal, Auff Er - den all,
vn - der der Er - den all - zu - mahl.
* Nordstern.

No. 287.
Christus ist aufferstanden.

Cöln (Brachel) 1623. Mainz 1628. Erfurt 1666.
Chri - stus ist auff - er - stan - den, Frewd ist in al - len Lan - den,
Laßt vns auch frö - lich sin - gen, Vnd Al - le - lu - ia klin - gen,
in Al-
Cym - ba - lis, in Cym - ba - lis be - ne - so - nan - ti - bus, in
le - lu - ia, Al - le - lu - ia, Al - le Al - le - lu - ia, Al-
Cym - ba - lis be - ne - so - nan - ti - bus.
le - lu - ia, Al - le Al - le - lu - ia.

No. 288.
Frolocket alle Engelein.

Seraph. Lustgart. 1635.
Fro - lo - cket al - le En - ge - lein, Fangt an zu Ju - bi - li - ren,
Vnd laßt wol in den Him - me - len, Das Al - le - lu - ia hö - ren,
Er - stan - den ist den Ma - ri - a, O Himmels Kö - ni - gin - ne, Ge - bo - ren
hat, Al - le - lu - ia, Fan - get an zu sin - gen. Vgl. No. 244, IV.

viel auff vnd ab, Mit weynen
Gar-ten fern vnd nah, Al-le-lu-ia,
Al-le-lu-ia, Al-le Al-le Al-le

Das Gesangbuch »Het Prieel Der
werpen 1614 hat zu dieser Melodie den
h. Nicolaus:

»Nicolai solemnia
Canit praesens famili
Ille puer amabilis
In omnibus laudabili
Gaude pater Nicolae.«

(Das »Gaude« wird fünfm

No. 290

Nicht ruhen Magd

Cölner Psalter 1638

Nicht ru-hen Mag-da - le-

No. 291.

Die Sonn annoch verdrossen.

Spiegel der Liebe.

In S. Maria Magdalena, da sie Christum zu früh im Grab gesucht. Joann. am 20.

Bamberg 1670.

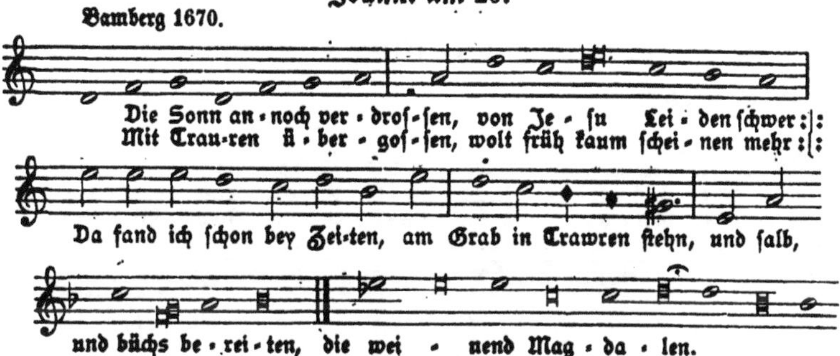
Die Sonn an-noch ver-dros-sen, von Je-su Lei-den schwer:
Mit Trau-ren ü-ber-gos-sen, wolt früh kaum schei-nen mehr:
Da fand ich schon bey Zei-ten, am Grab in Trawren stehn, und salb,
und büchs be-rei-ten, die wei-nend Mag-da-len.

No. 292.

Alleluja, alleluja, alleluja.

Aus dem Lateinischen: O filii et filiae.

Nordstern 1671.

Al-le-lu-ja, al-le-lu-ja, al-le-lu-ja;
O Söhn, und Töchter, Chris-ten-leut, Der Kö-nig Himmels
und ewr Frewd Er-stan-den ist von Tod-ten heut. Al-le-lu-ja.

No. 293.

Nun ist dem Feind zerstöret.

Heilige Seelenlust 1668. Brauns Echo 1675. Bamberg 1691.

Presto.
Nun ist dem Feind zer-stö-ret sei-ne Macht, der Tod ist
todt, und uns das Le-ben wie-der-bracht, Sin-get und klingt,

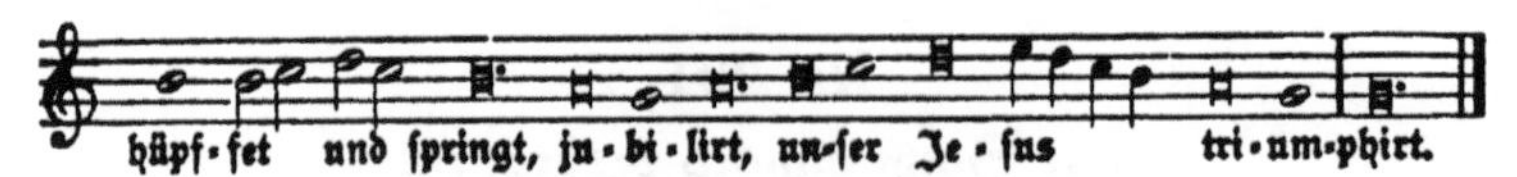
hüpf-fet und springt, ju-bi-lirt, un-ser Je-sus tri-um-phirt.

Das Lied ist aus der „Heiligen Seelen Lust“ von Angelus Silesius Breßlaw 1668.

No. 294.

Mit Geistlicher frewd Melodios.

I. Seraph. Lustgart. 1635.

Mit Geist-li-cher frewd Me-lo-di-os, Last vns jetz
Weil Got-tes Sohn Vic-to-ri-os, Nachs bit-tern
frö-lich sein, Mit sinn vnd muht auch ju-bi-
tod-tes pein, Er-stan-den gut mit tri-um-
lie-ren.
phie-ren. Heut gwint am O-ster-fest der Lew, Auß
Ju-da ein Sieg-träntz-lein new, Mit spiel vnd gläu-bi-gen
1
Zun-gen, Tri-umph, Al-le-lu-ia ge-sun-gen.

1) Im Original steht h, jedenfalls ein Druckfehler.

Das ist die Melodie des folgenden geistlichen Liedes, welches auf Seite 238 im Seraphischen Lustgarten steht mit Hinweisung auf die obige Melodie:

„Der lustig liebe kuhle Mey,
Die angeneme zeit,
Bringt vns jetzund
Lust vnd frewd im grunen,
die Vögelein machen ein geschrey
Vberall fern vnd weit,
Mit allerhand
Melodey vnd thonen,
Die Nachtigall schon singen thut
Bey tag vnd nacht mit frischem muht
Den preiß will sie nit geben,
Vnd sols ihr auch kosten das leben.“ (noch 8 Strophen.)

Dieses Lied steht bereits in der „Lieblichen Kinder Cythar“. Cöln (Brachel) 1632 mit einer korrumpirten Melodie und ist eine Uebertragung des vlämischen Volksliedes »Den lustelijken Mey« wie die Ueberschrift des folgenden Liedes beweist.

Met gheestelijcke vreught.

Op de wijse: Den lustelijcken Mey.

II. Het Paradys der Geestelijcke en Kerckelijcke Lof-Sangen. Antwerpen (1621) 1638.

Met ghee - ste - lij - cke vreught me - lo-
Want Chri - stus on - sen Heer vic - to-
di - eus, Laet ons nu vro - lijck we - sen, vro - lijck
ri - eus, Is van der doodt ver - re - sen, doodt ver-
we - - sen. Al in den Feest van Paes - schen
re - - sen. Dae - rom soo wordt met vreugh - den
cer - teyn.
ge - meyn.
Met spel en ghe - loo - vi - ghe ton
ghen, Al - lom Al - le - lu - ia ghe - son - gen, Al - le - lu - ia
ghe - son - ghen. Met spel etc.

Der leichteren Vergleichung halber habe ich die Melodie, welche im Original eine Quart höher steht (mit ♭-Vorzeichnung), transponirt.

No. 29

In Gottes name

**Ein Bitlied zusingen zur zeyt de
processi**

(K. I, 527; W.

I. Vehe 1537.

In Got-tes na-men fah-ren
ge-ren wir, Ver-leyh vns di

hey-li-ge try-fal-ti-ckeyt, K

In den Quodlibets von Schmeltzel 154
Lied des XV. und XVI. Jahrhundert.s
321) findet sich die obige Melodie mit W
tryfaltickeyt" und ohne ♭ Vorzeichnung.

II.

I. Aus H. Fincks „Schöne außerlesene Lieder etc." Nürnberg 1536. Tenor[1].

In Got-tes na-men fa-ren wir, sei-ner ge-na-den
be-ge-ren wir, das helff vns die got-tes krafft, vnd
das hey-li-ge grab, do Gott sel-ber in-ne lag. Ky-
rie-leys, christ-e-leys, ky-rie-leys, das helff vns der
hey-lig geist, vnd die war got-tes stym, dz wir frölich farn von hyn. Ky-ri-e-ley-son.

Das sind die heilgen Zehn Gebot.

Ein schön köstlich Lied, darinnen die Gebot Gottes begriffen sind.

(K. I, 584; W. II, 1134.)

Leisentrit 1567 ff. Dilinger Gesb. 1576. Neyß 1625. Corners Nachtigall 1649 ff. David. Harmonia 1659.

1
Das sind die heil-gen Zehn Ge-bot, die Gott der Herr
vns ge-ben hat, vff das wir wis-sen sei-ne knecht,
2
wie wir vor jm solln leben recht, Ky-rio-leis.
recht Ky-ri-e e-ley-son.

1) Corner 1649, David. Harmonia 1659.

Leisentrit 1584 hat 1) a statt g. 2) b statt a.

---

1) Herr Rob. Eitner war so freundlich mir diesen Auszug aus dem Original besorgen.

V. Bamberg 1628. Rheinfels. Gesangbuch 1666.

DJß seind die hei - li - gen ze - hen ge - bott,
Die Gott der HErr vns ge - ben hat, Auff daß wir
wis - sen sei - ne Knecht, Wie wir vor jm solln le - ben
recht. Ky - ri - e e - lei - son.
* Rheinfels. Gesb.
wie wir vor jhm solln le - ben recht, Ky - ri - e - leiß.

In Gottes Namen walfarthen wir.

Wann man will Kirch: oder Walfarth außgehn. Ein schöner Ruff.

(W. II, 683.)

VI. Beuttner (1602) 1660. Kolers Ruefbuechl 1601.

1 2
In Got - tes Na - men wal - far - then wir, Vnd sei - ner
3
gna - den be - ge - ren wir, Ver - ley vns Herr auß Gü - tig-
keit, Du hei - lig Drey - fal - tig - keit, Ki - ri - e - lei - son.

In dem handschriftlichen Ruefbuechl von Koler (vgl. II. Bd., S. 50) stehen folgende Varianten:

1) a statt h. 2) d d c statt c d d. 3) b statt h.

In Gottes Namen fahren wir.

Ein ander Bittlied, wann man mit der Procession ausgehet. In der Melodey, Diß seind die heiligen zehen Gebott etc. zu singen.

(K. I, 528; W. II, 681.)

VII. Dilinger Gsb. 1589. Cöln (Quentel) 1599. Mainzer Cantual 1605. Paderborn 1609, 1617. Hildesheim 1625. Neyß 1625. Mainz 1627. Würzburg 1628. Osnabrück 1628. M.-Speier 1631. Corner 1631. Cöln (Brachel) 1634. Münster 1677.

* 1
JN Got - tes Na - men fah - ren wir, sei - ner gna-

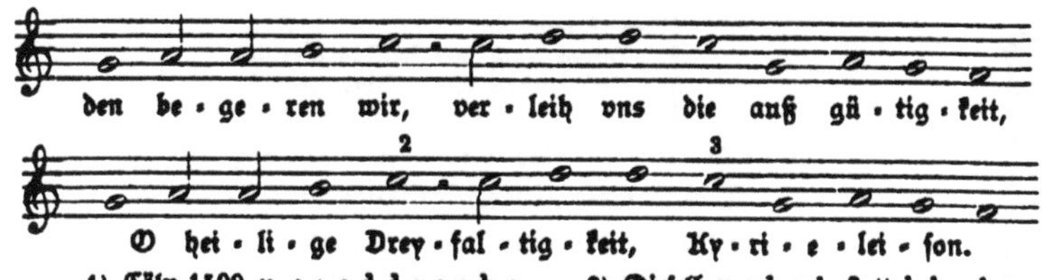
den be - ge - ren wir, ver - leih uns die auß gü - tig - keit,
2
3
O hei - li - ge Drey - fal - tig - keit, Ky - ri - e - lei - son.

1) Cöln 1599 u. a.: c d d c g a h c. 2) Dieselben c b g b statt h h g h.
3) Cöln 1599 u. a. Mainzer Cantual, Paderborn, Hildesheim u. a.:

#
Ky - ri - e e - lei - son. Ky - ri - e - leis.
* Münster a statt g.

Mit den Varianten des Cölner Gesangbuches 1599 steht die obige Melodie im Andernacher Gesangbuche 1608 zu dem Texte:

»Jesu Salvator saeculi.«
„Jesu seeligmacher der Welt.“ (vgl. im II. Bd. No. 115.)

Dieses uralte Wallfahrtslied läßt sich in den Anfangszeilen „In Gottes Namen fahren wir“ in gelegentlichen Citaten von Schriftstellern bis ins 13. Jahrhundert verfolgen. (Hoffmann K. L. 1861, S. 70 ff.)

Ursprünglich scheint dasselbe wie auch die Lieder „Gelobet seist du Jesu Christ“ und „Christ ist erstanden“ einstrophig gewesen zu sein.

Der erste vollständige Text aus dem Anfange des 15. Jahrhunderts lautet:

I.

1) „In gotes namen fara wir,
seyner genaden gara wir,
Nw helff vns die gotes krafft
vnd das heylig grab,
da got selber ynne lag,
Kyrieleys.“

2) „Sanctus petrus der ist gut,
der vns vil seiner genaden tut,
das gepeut im die gotes styme.
Fröleichen fara wir,
nu hilff vns, edle maria, zw dir.
frölichen vnnerczeit,
nun hilff vns, maria reyne meyt.“

Münchener cod. germ. 443 vom Jahre 1422, Blatt 13. (W. II, 678; Hoffmann K. L. 1861, No. 12.)

Wir geben im Folgenden einen Ueberblick über weitere Texte:

II.

1) „In Gottes namen faren wir,
seiner genaden begeren wir,
das helff vns die gottes krafft
vnd das heylige grab,
do Gott selber jnne lag.“

2) „Kyrieleys, christeleys, kyrieleys.
das helff vns der heylig geyst
vnd die war gottes stym,
dz wir frölich far von hyn.
Kyrieleyson.“

Schöne außerlesene lieder, des hoch berümpten Heinrici Finckens. Nürnberg 1536. Quer 8. No. 2. (W. II, 679; Hoffmann No. 97.)

1) = 1 von No. III.
2) „Darzu auch das heilige Creutz."
3) „Deßgleichen das heilige grab."
4) „Lob, ehr sey Gott am allermei

Leisentrit 1567 ff. Cöln 1599 ff. (W. II,

Das sind die älteren Fassungen des Li

Vehe hat ein ganz neues Lied in 12 S
mit den Worten: „In Gottes namen far
alle spätere Gesangbücher über: Leisentri
1605; Straubinger Gesangbuch 1615 u.
No. 99.)

Das Andernacher Gesangbuch bringt d

fang: „In Gottes Namen {Wallen / Fahren / Gehen} wir"

neuen Strophen, welche der 2., 3. und 4. von

Beuttner (1602) 1660 hat das Vehe'f
Anfangszeilen: „In Gottes Namen wa
Aenderungen in sein Gesangbuch aufgenomm

Bei Corner finden wir denselben Text m
Namen wallen wir" und einer 13. Stro
Ehr vnd Preyß".

Was nun die Melodie dieses Wallfahrts
schon in einem deutschen Liederbuche um 151
die Discantstimme auf der Königl. Biblio
(Wackernagel K. L. I, S. 745) sodann in
Liedern Fincks Nürnberg 1536" (schon un

In den Gesangbüchern steht sie zuerst i
Hier ist sie dem Luther'schen Liede von den 1
mit der Ueberschrift

Du solt nicht schwören bei seinem namen,
den Feiertag heilgen recht und schon,
Kyrieleison."

oder:

„O Herr, das sind die deinen Gebot
du solt glauben an einen Got" u. s w. (W. II, 1130 u. 1129.)

Dieses Lied hatte seine bekannte Melodie vgl. 177 in diesem und 207 im II. Bde.

Die Melodie des Erfurter Enchiridions 1524 mit g beginnend und ♭ Vorzeichnung findet sich im Vehe'schen Gesangbuche 1537 und früher schon in den um das Jahr 1500 abgefaßten Tonsätzen H. Fincks. Sie steht also hier in der transponirten dorischen Tonart.

In dem protest. Val. Bapst'schen Gesangbuche 1545 steht die Melodie zu dem Liede von den 10 Geboten mit g beginnend ohne ♭ Vorzeichnung, also in der mixolydischen Tonart. Diese Fassung finde ich sodann bei Leisentrit und in allen übrigen katholischen Gesangbüchern.

Daß die Melodie des Wallfahrtsgesanges diesem eigen gewesen, kann wohl keinem Zweifel unterliegen. Erst Luther wandte im Erfurter Enchiridion 1524 die Melodie desselben auf sein längeres Lied von den 10 Geboten an, und dieses wurde mit dieser Singweise populär. Katholischerseits hatte man zu dem älteren Liede von den 10 Geboten auch eine ältere Melodie, wie oben angedeutet wurde.

Es war aber auch noch eine neuere Melodie hinzugekommen, nämlich diejenige, welche Vehe seinem nach dem Muster des Luther'schen Textes neu gedichteten Liede von den 10 Geboten gegeben. (II. Bd., No. 206.) Diese letztere wurde nicht populär. Ich habe sie in keinem späteren Gesangbuche wiedergefunden. Man übertrug nun nach dem Vorgange Luthers die Melodie des Wallfahrtsgesanges zunächst auf das neuere Lied Vehe's von den 10 Geboten, dessen Text in die katholischen Gesangbücher übergegangen war. Dieses wurde ebenfalls so populär, daß man im Laufe der Zeit die Herkunft der Melodie vergaß und bei dem Wallfahrtsgesange auf das Lied von den 10 Geboten hinwies. Leisentrit sah sich sodann veranlaßt, dem Wallfahrtsliede eine neue Singweise zu appliciren, wie die folgende Nummer zeigt.

Auf protestantischer Seite erfuhr das Lied **„In Gottes namen fahren wir"** mancherlei Umdichtungen und ging so mit der alten Melodie in viele Gesangbücher des 16. und 17. Jahrhunderts über. Man findet die Texte in Wackernagels Kirchenlied Bd. III, No. 1436 ff. (Vgl. auch Fischers Lexikon I, S. 412.) Die zweite recht singbare Weise unseres Liedes, welche aber wenig Anklang gefunden zu haben scheint, gebe ich nachstehend.

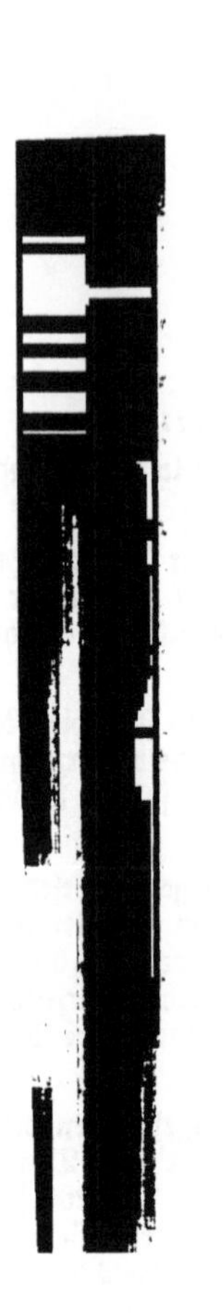

In Got-tes Na-men fah - ren wir,
wir, nun hilff vns al - len Got - tes
groſ-ſe macht, Ky - ri - e - lei - ſon.

1) Das Lied ſteht bei Leiſentrit 1567 als

Das Andernacher Geſangbuch enthält
dieſes Liedes:

»Te supplicamus Aus
Deus tuoque nomine
Vt nos tua cum grati
Salues Trias Sanctissi

No. 297

Gott der vatter w

**Ein Letaney zur zeyt der Bitfarten
der Creutzwo**

(K. I, 252; W. 1

I. Vehe 1537. Leiſentrit 1567 ff. Cöln (Qu
born 1617. Würzburg 1628, 1630 ff.
1631, deſſen Nachtigall 1649. Erfurt 1

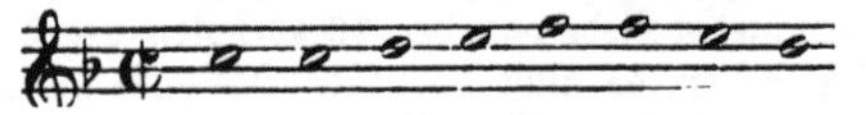

vns vor der hel - len glut Durch ein hertz-lichs ver-traw-en, wir
be - fel - hen vns dir gar in al - ler vn - ser nod - te, Das du
vns be - hüt - ten wolst vor dem e - wi - gen tod - te, Ky - rie-
eley - son, Chri - ste - eley - son, Ge - lo - bet seyst du e - wick - lich.

Gegrüst seist du heilig Opffer rein.

II. Cöln (Quentel) 1599. Andernach 1608. Würzburg 1628, 1630 ff. Mainz 1628. Molsheim (1629) 1659. M.-Speier 1631.

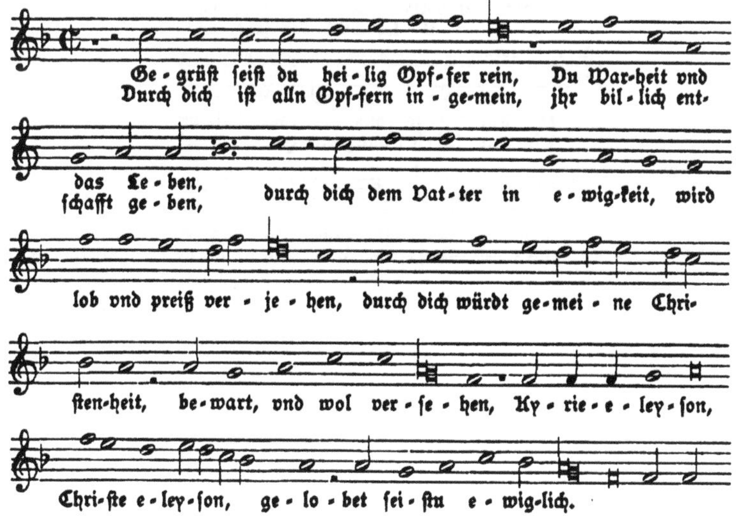
Ge - grüst seist du hei - lig Opf - fer rein, Du War-heit vnd
Durch dich ist alln Opf-fern in - ge-mein, jhr bil - lich ent-
das Le - ben,
schafft ge - ben,
durch dich dem Vat - ter in e - wig-keit, wird
lob vnd preiß ver - je - hen, durch dich würdt ge-mei - ne Chri-
sten-heit, be-wart, vnd wol ver - se - hen, Ky - rie - e - ley - son,
Chri-ste e - ley - son, ge - lo - bet sei - stu e - wig-lich.

O Herr Gott Vater won vns bey.

Ein Bitlied auff das fest der heiligen Dreyfaltigkeit.

(K. I, 300; W. IV, 74.)

III. Leisentrit 1567 ff.

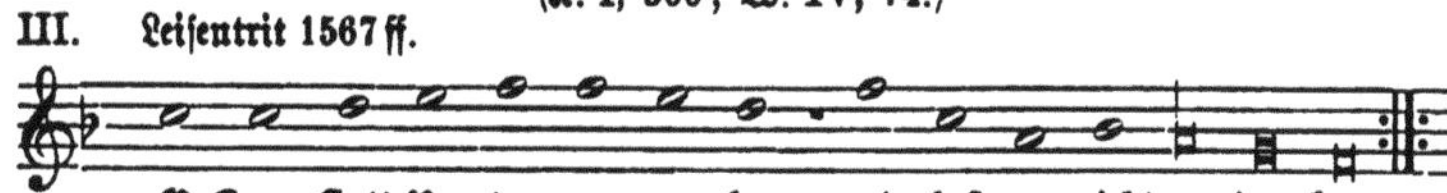
O Herr Gott Va - ter won vns bey, vnd laß vns nicht ver-der - ben,
Mach vns von al - len sün - den frey, das wir da - rin nicht ster-ben,

all-zeit mit danck vnd lob, von
du vns durch Christum heist, das hilff

Der Text ist aus Valentin Trillers „C
(1555) 1559 mit der Ueberschrift „auff die
won vns bey."

Gott der Vatter wol

(W. III, 24.)

IV. Prag 1655. Davidische Harmonia 1659. R
Echo 1675.

Gott der Vat-ter wohn vns bey, vnd
Mach vns al-ler Sün-den frey, vnd
Vor dem Teu-fel vns be-wahr, halt vn
Dir vns las-sen gantz vnd gar, mit al
dich so laß vns baw-en, auß
flie-hen Teuf-fels li-sten, mit

Vatter der barmhertzigkeyt.

(W. III, 350.)

V. Brüdergesangbuch 1539 ff.

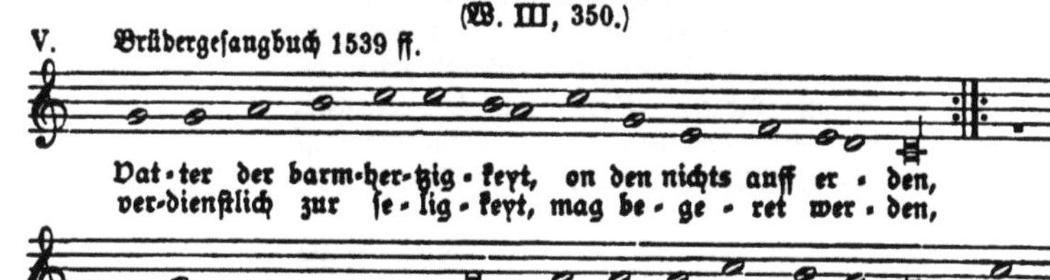
Vat-ter der barm-her-tzig-keyt, on den nichts auff er-den,
ver-dienstlich zur se-lig-keyt, mag be-ge-ret wer-den,
mach vn-sern geyst so be-hend, das er sich gantz zu dir wend, vnd

des was er recht be-gert, zur se-lig-keyt werd ge-wert.

Der Text ist von M. Weiße. Er findet sich bereits im Brüdergesangbuch vom Jahre 1531.

Die Entstehung dieses altdeutschen Litaneigesanges setzen die Hymnologen gewöhnlich in das 15. Jahrhundert. Ich glaube, daß er viel älter ist. Da anfangs des 15. Jahrhunderts Bruchstücke handschriftlich nachweisbar sind (siehe unten), so können wir annehmen, daß das ganze Lied in das 14. Jahrhundert zurückreicht.

Der Text ist eine deutsche Bearbeitung der römischen Litanei von allen Heiligen, wie sie u. a. an den Tagen vor Christi Himmelfahrt für die Bittgänge vorgeschrieben ist. Die Einrichtung ist bei dem deutschen Liede dieselbe wie bei der lateinischen Litanei: zuerst die Anrufung der drei göttlichen Personen, dann der Mutter Gottes, der h. Engel, Patriarchen, Propheten, Apostel u. s. w., am Schluß aller Heiligen. Jede Anrufung beginnt mit denselben Anfangsworten:

„N. N. won vns bey.“

In der Anrufung der Heiligen ist der Text gewöhnlich etwas verändert. Daher die verschiedenen Varianten:

„Maria Gottes Mutter, won vns bey“

bei Haym von Themar 1590. vgl. No. 405 im II. Bde.

„Sancta Maria ste vns bey“ u. s. w.
„Sancta Maria won vns bey“ u. s. w.

Handschrift des L. Kleber (1515—1520) mit Melodie. Cod. germ. kl. Fol. Bl. 72, auf der Kgl. Bibliothek in Berlin.

Crailshaimer Schulordnung 1480. (II. Bd., S. 357.)

„Sancta Maria bitt Gott für vns“ u. s. w.

Mainzer Cantual 1605. (II. Bd., No. 13.)

„Sanctus petrus won vns pey“

Münchener cod. germ. 444 vom Jahre 1422. (W. II, 684.)

„Du lieber Herr S. Niclas won vns bey“

in einer Vorrede von Nicol. Herman 1560. (Wackernagel, Bibl. S. 615.)

Die Melodie, welche in der jonischen Tonart steht (unser dur), ist eine recht volksthümliche. Der Anfang stimmt überein mit der Weise des Liedes „Mitten wir im Leben sind“. Die Vehe'sche Fassung findet sich

man vergleiche das Lied im Prager Gesan
Harmonia 1659 u. s. w., wo die Luther'sch
Valentin Triller bringt in seinem Singebuc
teten Text in 3 Strophen mit den ersten bei
Gesangbüchlein. Diesen Text hat Leisentrit
buch aufgenommen. Das Brüdergesangb
aus der Melodie zu dem Liede „Vatter der

No. 298.

O ewiger vatter biß g

Ein andere Litaney vff die vo

(K. II, 641; W. II, 1

Vehe 1537. Leisentrit 1567 ff. Mainzer
Hildesheim 1625. Mainz 1627. Corner 16
Harmonia 1659.

O e - wi - ger vat - ter biß gne-
barm - her - tzi - ckeyt all zeyt vnd gna-
sun - dern Christo gleych, dar - zu a
reychs hey - li - ger Gott, Durch die mar-

Das Lied ist ebenfalls alt, wie aus der Ueberschrift in Corners Nachtigall 1649 hervorgeht: „Ein ander alt Catholischer Rueff oder Bittlied, vmb Gnad vnd ein seeliges Ende, an Gott vnnd seine lieben Heiligen, welchen die gemaine Leuth in Oesterreich anstatt einer Litaney singen".

No. 299.

Ach lieber Herr ich bytte dich.

Ein geystlich Bittlied, Mag auch zur zeyt der Bitfarten gesungen werden, vnd auch zu andern zeytten nach der Predig.

(K. II, 627; W. V, 1189.)

Vehe 1537. Leisentrit 1567 ff.

Ach lie-ber Herr ich byt-te dich Durch dein gros-se barm-herzi-ckeyt,
Vff dey-ne we-ge leyt-te mich, Be-hüt vor al-ler gfer-li-ckeyt,
Den leyb vnd auch die se-le mein Laß dir Herr
Gott be-fol-hen sein Hie in zeyt vnd in e-wi-ckeyt.

Wackernagel setzt das Lied unter die Dichtungen Querhamers.

No. 300.

Media vita.

I. Aus einem Graduale des 13. Jahrhunderts.[1]

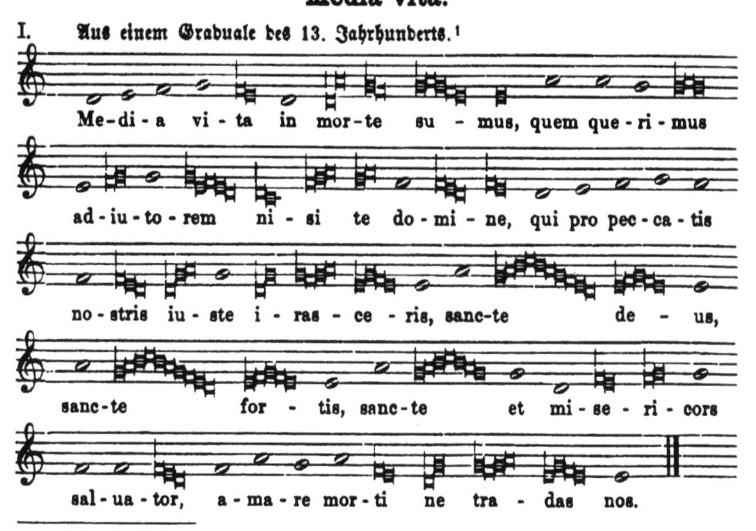
Me-di-a vi-ta in mor-te su-mus, quem que-ri-mus
ad-iu-to-rem ni-si te do-mi-ne, qui pro pec-ca-tis
no-stris iu-ste i-ras-ce-ris, sanc-te de-us,
sanc-te for-tis, sanc-te et mi-se-ri-cors
sal-ua-tor, a-ma-re mor-ti ne tra-das nos.

1) Bibliothek in Gaesdonck bei Goch (Rheinprovinz).

no - stris iu - ste i - ras -
De - us, Sanc-te for -
ri - cors Sal - ua - tor, a - ma - rae

Außerdem steht dieser Gesang mit V
des Cölner Gesangbuches; im Mainzer G
Gesangbüchern 1609, 1617; im Hildesh
1631 u. s. w.

Im M.-Speierischen Gesangbuche
Quint höher ohne Vorzeichnung.

No. 30(

En mitten in des

(W. II, 99

I. Münchener cod. germ. 6034. saec. XV.

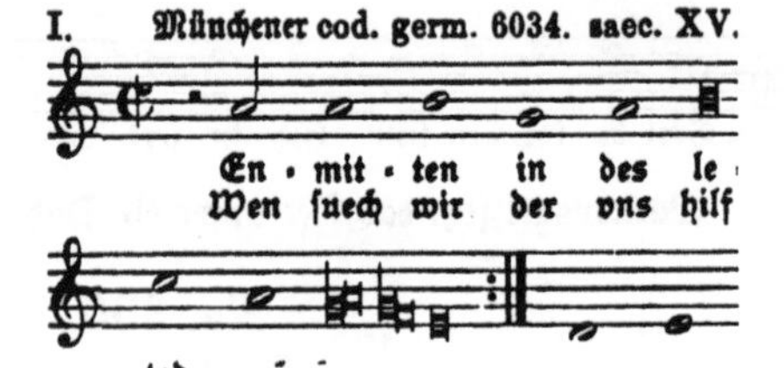
En · mit · ten in des le
Wen suech wir der vns hilf

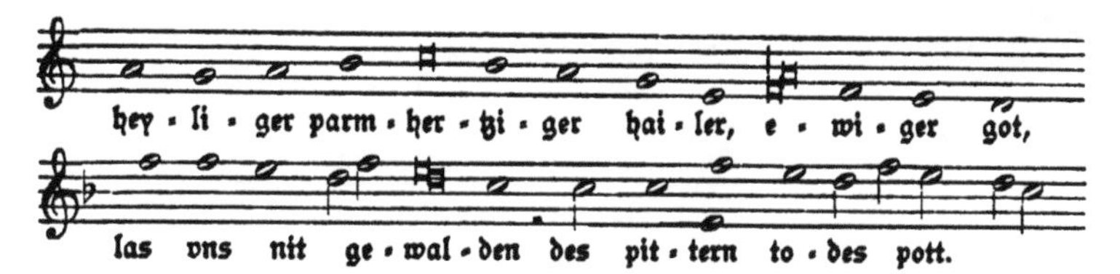
hey - li - ger parm - her - tzi - ger hai - ler, e - wi - ger got,
las vns nit ge - wal - den des pit - tern to - des pott.

Mitten wir ym leben synt.

Ein geistlich Klaglied zu singen vff die tag der Bitfarten, Mag auch zu zeitten nach der predig gesungen werden.

(K. I, 158; W. V, 1187.)

II. Vehe 1537. Leisentrit 1567 ff. Cöln (Quentel) 1599. Constanz 1600. Paderborn 1609, 1617. Neyß 1625, 1663. Würzburg 1628, 1630 ff. M.-Speier 1631. Corner 1631, dessen Nachtigall 1649 ff. David. Harmonia 1659. Rheinfels. Gesb. 1666. Münster 1677.

Mit - ten wir ym le - ben synt mit dem todt vmb-
Wen su - chen wir der hilffe thu, das wir gnad er-
1
fan - gen,
lan - gen,
Das bist du Herr al - ley - ne, Vns
2
rew - et vn - ser mis - se - that, die dich Herr er - zür - net
hatt, Hey - li - ger Her - re Gott, Hey - li - ger star - cker Gott, Hey-
3
li - ger barm - her - tzi - ger Heyl - landt, Du e - wi - ger Gott laß
4
vns nit ver - syn - cken in des byt - tern tod - tes nodt,
* Münster 1677.
Ky - rie - e - ley - son. Ky - ri - e - ley - son.

Münster: 1) a. 2) f͡e statt e f. 3) f g statt f.
4) h c statt c h Cöln 1599, Constanz 1600, Paderborn 1609 u. andere.

Das Paderborner Gesangbuch 1617 hat infolge falscher Schlüsselsetzung die Melodie eine Terz höher, sie beginnt also: h h c d e e d c u. s. w.

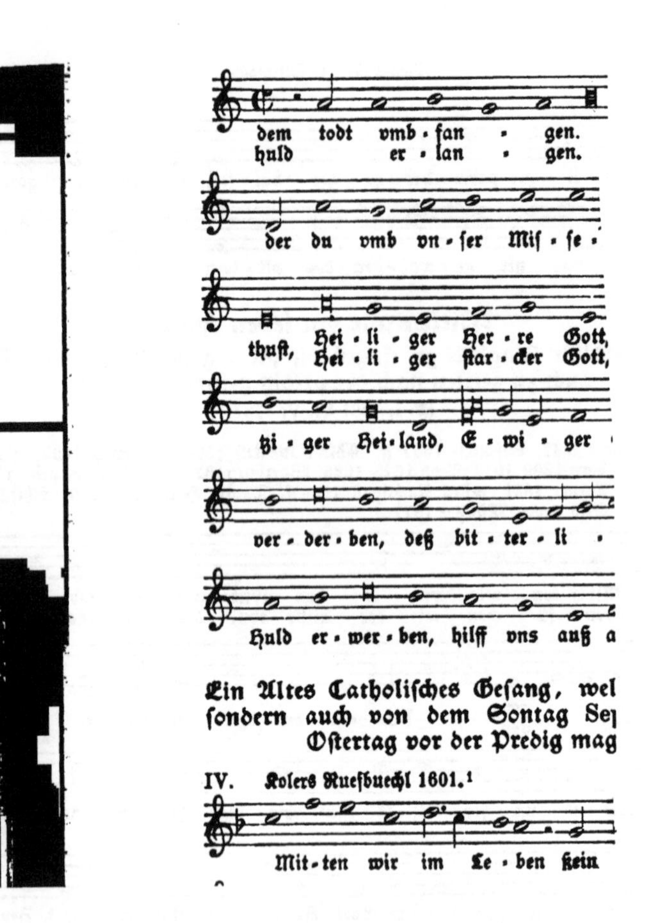
dem todt vmb - fan - gen.
huld er - lan - gen.
der du vmb vn - ser Mis - se -
thust, Hei - li - ger Her - re Gott,
Hei - li - ger star - cker Gott,
zi - ger Hei - land, E - wi - ger
ver - der - ben, deß bit - ter - li -
Huld er - wer - ben, hilff vns auß a
Ein Altes Catholisches Gesang, wel
sondern auch von dem Sontag Se
Ostertag vor der Predig mag
IV. Kolers Ruefsbuechl 1601.[1]
Mit - ten wir im Le - ben sein

ren - ett vn - ser mis - se - that, die dich Herr er - zür-
net hatt. Hei - li - ger Her - re Gott, Hei - li - ger
star - cker gott, Hei - li - ger barm - her - tzi - ger Hai - land
du E - wi - ger Gott. Laß vnß nit ver - za - gen inß

bit - tern Tod - - - tes Noth Laß vnß dein Huld { er- er-
wer - ben, lan - gen, } hilff vnß auß al - ler Noth, Herr er - bar-
me dich v - ber vnß. Chri - ste Er - barm dich v - ber
vnß. O Herr er - bar - me dich v - ber vnß.

IN mitten vnsers Lebens Zeit.

Von Liechtmeß: Oder Septuagesima, vnd in der Fasten singet man.

V. **Beuttner (1602) 1660.**

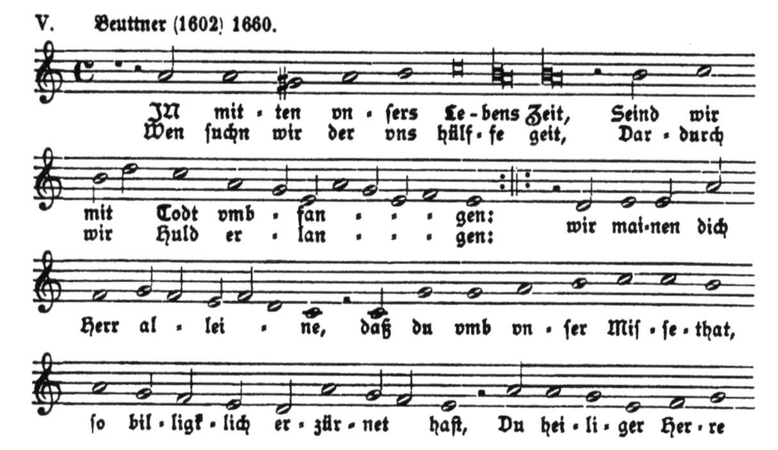
IN mit - ten vn - sers Le - bens Zeit, Seind wir
Wen suchn wir der vns hülf - fe geit, Dar - durch
mit Todt vmb - fan - - - gen:
wir Huld er - lan - - - gen: wir mai - nen dich
Herr al - lei - ne, daß du vmb vn - ser Mis - se - that,
so bil - ligk - lich er - zür - net hast, Du hei - li - ger Her - re

vns nicht er - ster - ben, deß bit
Be - hüt vns vor der Höl - le,
Todt, Auff daß dein hei - lig
An vns Sün - dern nicht
ri - e e - lei - son.
Mitten wir im le
(K. I, 159; W. D
VI. Obsequiale Ingolstadt 1570. Dilinger
Mit - ten wir im le - ben
Wen su - chen wir der hülffe
Tod vmb - fan - - gen:
gnad er - lan - - gen.

ver - su - - chen des bit - tern Tod - tes not, laß vns
2
dein Huld er - wer-ben, hilff vns auß al - - ler noth.
1) Leisentrit 1584.
Hei - li - ger star - cker Gott.
2) Leisentrit 1584 f statt e.

MJtten vnsers lebens zeyt.

(W. II, 994.)

VII. Ritus ecclesiastici Dilingen 1580.
MJt - ten vn - sers le - bens zeyt, seind wir mit dem tod
vm̄ - fan - gen, wen su - chen wir der vns hilff geyt, das
wir ge - nad er - lan - - gen, das bi - stu Herr al-
lei - ne, vns rew - et vn - ser mis - se - that, die dich Herr
er - zür - net hat, Hei - li - ger Her - re Gott, Hei - li - ger
star - cker Gott, Hei - li - ger barm - her - tzi - ger Hey - land, du
e - wi - ger Gott, Laß vns nit ver - der - ben in der
bit - tern to - des not, Ky - ri - e e - ley - son.

Wen su - chen wir der vns
dem Tod vmb-fan-gen, Das bi
tes gnad er - lan-gen,
gib vns vn - se - re miſ - ſe - th
er - zür - net han, Hei - li - ger
ſtar - cker Gott, Hei - li - ger barm
du e - wi - ger Gott, laß vns
wir ſol - len ſter - ben. Ky - ri - e
bet ſey Gott vnd Ma - ri - a.

MItten wir im

IX. Bamberg 1628, 1670.

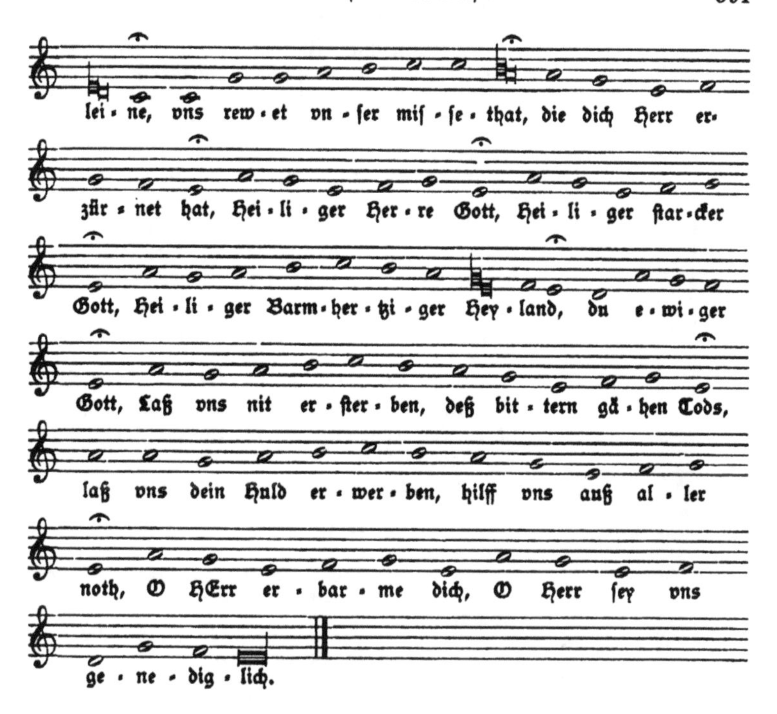
lei - ne, vns rew - et vn - ser mis - se - that, die dich Herr er-
zür - net hat, Hei - li - ger Her - re Gott, Hei - li - ger star - cker
Gott, Hei - li - ger Barm - her - tzi - ger Hey - land, du e - wi - ger
Gott, Laß vns nit er - ster - ben, deß bit - tern gä - hen Tods,
laß vns dein Huld er - wer - ben, hilff vns auß al - ler
noth, O HErr er - bar - me dich, O Herr sey vns
ge - ne - dig - lich.

MItten in dem Leben wir seynd.

Erfurt 1666.

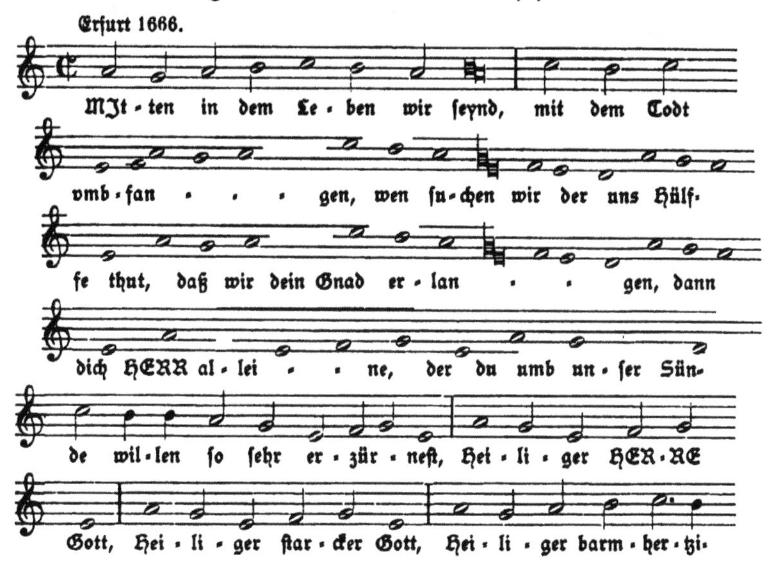
MIt - ten in dem Le - ben wir seynd, mit dem Todt
vmb - fan - - - gen, wen su - chen wir der vns Hülffe thut, daß wir dein Gnad er - lan - - gen, dann
dich HERR al - lei - - ne, der du umb un - ser Sünde wil - len so sehr er - zür - nest, Hei - li - ger HER - RE
Gott, Hei - li - ger star - cker Gott, Hei - li - ger barm - her - tzi-

e · wi · ger Gott.

* Im Original steht eine halbe Note statt der

Die lateinische Antiphon »Media vita« wi
Dichter und Sänger der St. Gallener Klosters
um 830 zu Heiligau [Helicgove], Canton Zür
geschrieben[1]. Auf welche Quellenangaben sich d
den wir später erfahren. Schubiger reproducirt
„Sängerschule St. Gallens“ (Einsiedeln 1858
Stiftsbibliothek daselbst. Dieser stammt aus
das Lied mit verschiedenen Interpolationen aus
Fassung findet sich in dem Codex 388 derselben B
hundert mit den Neumen und in anderer Anordn
S. 177 vom Jahre 1431 in der ursprüngliche
(Vgl. Verzeichniß der Handschriften der Stifts
Halle 1875, S. 165.)

Mone (I, 289) gibt noch folgende Handschri
aus dem 15. Jahrhundert mit Melodie; 2) Han
55 zu Karlsruhe aus dem 14. Jahrhundert und
15. Jahrhundert.

Er theilt auch die spätere Interpolation
(No. 290):

1) Media vita etc.

sodann:

Ach homo perpende fragilis. 6 Ze

2) Sancte fortis etc.

sodann:

Vae calamitatis in die. 6 Zeilen.

3) Sancte Deus etc.

sodann:

Heu nihil valet nobilitas. 6 Zeilen.

(In dem Cod. 546 zu St. Gallen und Handschri
S. 169 aus dem 15. Jahrhundert mit Melodie.

Was nun den Autor angeht ...

auf J. Metzler († 1639) zurück, der in seiner Chronik (Cod. 1408, p. 229—30) berichtet: Rursum vero tempore alio, cum per subjectam vallem loco summe periculoso et praecipiti (Martins dobel vulgo) pons altissimus pararetur, praesens ibi pater scs mente talem interiori conceptum agitabat: Media vita etc. (bis: tradas nos): Haec ille; quibus et b. Tutelo hos inde versus intexuit: primum ibi: irasceres ‚In te' etc. Sed et Anonymus quidam versiculos alios iisdem etiam locis inseruit scil. ibi: irasceris. ‚Ah Homo perpende' etc. — (bis: sancte et misericors). Sed haec ex vetustissimis membranis deprompta hactenus. — Diese alten Pergamente existiren in St. Gallen nicht mehr; Cod. 388 nennt weder Notker noch den Brückenbau. Metzler's Abdruck der »Media vita« bei Canis. V, p. 770 ist nach seiner Angabe »ex vetustissmo (oder: vetusto laut Cod. msc. 1462 p. 112) codice ubi cum modernis etiam notis est« entlehnt, also offenbar, wie auch die Lesart beweist, aus dem Cod. chartac. 546 oder der Wirstlin'schen Pergamentabschrift davon" u. s. w. „Wenn Metzler den Tutilo als Verfasser der Einschiebsel (In te — Ad te — Ne) bezeichnet, so kennen wir auch hier die Grundlage nicht; in Cod. 546 heißt es nur ganz allgemein: cum versibus posterioribus In te, Ad te, Ne ss. antiquorum monach. S. Gall. nostrorum.«

Wir haben dagegen sichere Beweise dafür, daß die Antiphon im 13. und 14. Jahrhundert allgemein bekannt war, „da schon 1234 der Bremer Clerus sie gegen die Stedinger sang (Albert Stadens. Chron. — Wolter Chron. Brem.)"

Das Provinzialconcil von Cöln vom Jahre 1310 verbot das Absingen des Liedes ohne Erlaubniß gegen irgendwelche Personen mit folgendem Beschluß: Prohibemus item, ne in aliqua Ecclesiarum nobis subjectarum, imprecationes fiant nec decantetur Media vita contra aliquas personas, nisi de nostra licentia speciali, cum nostra intersit discutere, quando sint talia facienda«. (Schannat, Concilia Germaniae IV, 124.)

Der Schluß dieser Antiphone: »Sancte Deus« erinnert an die Improperien in der Liturgie des Charfreitages. Nach dem »Popule meus, quid feci tibi!« singen zwei Chöre abwechselnd folgende Responsorien:

I. Agios o Theos.
II. Sanctus Deus.

I. Agios ischyros.
II. Sanctus fortis.

I. Agios athanatos eleison imas.
II. Sanctus immortalis, miserere nobis.

Die neumenreichen Weisen zu diesem uralten Gesange haben einige Aehnlichkeit mit der Melodie zum Sancte deus unseres Liedes, sodaß sie dem Componisten des Media vita wohl als Muster vorgeschwebt haben mögen.

Die Melodie, welche ich aus dem Gaesdoncker Codex mitgetheilt habe, ist dieselbe, welche Schubiger in seinem Buche „Die Sängerschule" Exempla, No. 39 aus dem Cod. 546 reproducirt hat, mit Abweichungen an einzelnen Stellen. „Notker's Trauerklänge," sagt dieser, »Media vita in morte sumus, ertönten von da an in St. Gallen nicht bloß bei jährlich sich wiederholenden Bittfahrten auf die nahegelegenen Höhen und Berge,

1) „Mittels leben wir sein in
unserm helffer: newr dich,
wegen gerechticklichen zůrnt.
heyliger untötlicher, heylige
laß uns eins pittern todes n

aus dem Münchener cod. germ. 444 vo

Eine andere in Reimen:

2) „En mitten in des lebens z
sey wir mit tod umbfangen
Wen suech wir, der uns hilf
von dem wir huld erlangen,
dan dich, herr, alayne?
der du umb unser missetat
rechtlichen zurnen thuest.
heyliger herre got,
heyliger starcker got,
heyliger parmhericzger haile
laß uns nit gewalden des pi

steht im Münchener cod. germ. 6034 au
Melodie.

Daraus bei Hoffmann K. L. 1861,
991. Meister, Kirchenlied 1862. Facsimi

Ein im Jahre 1480 geschriebener Tex

3) „Mittel unsers leben czeit
sey wir mit tod umbfangen.
Wir pitten der uns hilfe geit,
von dem wir trost erlangen,
pist du herr allayne,
dw umb unser missetat
rechtlich erczürnen tust,
heiliger herre got,

Das Baseler Plenarium von Jahre 1514 enthält folgenden Text:

4) „In mittel vnsers lebens zeyt
im tod seind wir vmbfangen:
Wen suchen wir, der vnß hilffe geyt,
von dem wir huld erlangen.
Dann dich, herr, alleine?
der du vmb vnser missetat
rechtlichen zürnen thust.
Heiliger herre gott,
Heiliger starcker gott,
Heiliger vnd barmhertziger heiler, ewiger got,
laß vnß nit gewalt thun des bittern tods not.“ (W. II, 992.)

Das wären die bis jetzt mir bekannt gewordenen vorreformatorischen Texte. Die phrygische Melodie des Liedes hat zwar einige Aehnlichkeit mit den Gängen des »Sancte Deus« u. s. w. aufzuweisen, ist aber im übrigen eine selbständige Schöpfung. In ähnlicher Weise, wie das „Christ ist erstanden“ im »Victimae paschali« wurzelt, hat das „En mitten in des lebens zeyt“ seinen Ursprung in dem lateinischen Gesange »Media vita« namentlich im zweiten Theil desselben »Sancte Deus« ꝛc. Das Lied hat in den Agenden und katholischen Gesangbüchern ungewöhnlich viele Varianten aufzuweisen, namentlich in der Melodie. Für die protestantischen Gesangbücher dagegen ist die Ueberarbeitung und Erweiterung des Textes bis zu 3 Strophen von Luther, wie ich sie zuerst im Erfurter Enchiridion 1524 finde, maßgebend geworden. In diesem letzteren Gesangbuche ist eine Melodie noch nicht beigegeben. Sie findet sich zuerst im Walther'schen Gesangbüchlein vom Jahre 1524, dann im Klug'schen 1543 und bei V. Bapst 1545. Dieselbe ist im ganzen wohl die alte vor der Reformation gebräuchliche, aber von Walther, dem musikalischen Berather Luthers, hat sie jedenfalls die vorliegende Redaction erhalten. Man findet sie in dem Gesangbuche von Vehe 1537, der die erste Strophe des von Luther redigirten Textes mit der Melodie in sein Gesangbuch aufgenommen und anstatt der zweiten und dritten Strophe Luthers zwei neue Strophen hinzugedichtet hat.

Man ziehe nur die vorreformatorische Melodie und die nachreformatorischen Weisen in Agenden und Gesangbüchern, die nicht auf Vehe fußen, zum Vergleich heran, um sich von der Richtigkeit meiner Behauptung zu überzeugen.

Das alte einstrophige Lied finden wir in folgenden Büchern: Libellus Agendarum Salisburgi 1557, Obsequiale 1570, Ritus eccl. Augustensis Episcop. Dilingen 1580, in der Koler'schen Handschrift 1601, Mainzer Cantual 1605, Bamberger Gesangbuch 1628, Geistl. Nachtigall Erfurt 1666 u. a. m.

Das dreistrophige Lied von Vehe ging ebenfalls in viele katholische Gesangbücher über: in die Leisentrit'schen 1567 ff., in das Münchener 1586, Cölner 1599, Constanzer 1600, Paderborner 1609, Neyßer 1625, Corner'sche 1631 u. s. w.

Das Luther'sche dreistrophige Lied haben die Davidische Harmonia 1659 und das Rheinfelsische Gesangbuch 1666 aufgenommen. Leisentrit hat in der dritten Auflage seines Gesangbuches erstens das Vehe'sche Lied mit Melodie, sodann das alte einstrophige Lied mit etwas veränderter Melodie, dann ein einstrophiges Lied ohne Melodie von Rutgerus Edingius „Teutsche Euangelische Messen“ Cöln 1572, S. 155.

No. 301.

Nim von vns HErr Gott.

Das Aufer a nobis Domine. Deutsch.

Chorus.

(K. II, 524.)

I. Leisentrit 1567 ff. Cöln (Quentel) 1599. M.-Speier 1631.
Nim von vns HErr Gott, vn-ser sünd vnd mis-se-that, auff
das wir mit rech-tem glau-ben, vnnd rei-nem her-tzen, in
dei-nem dienst er-fun-den wer-den.
Varianten. Cöln 1599:
1) 2) 3)
Her-re Gott dienst. wer-den, al-le-lu-ia.
Miserere etc. Deutsch.
Er-barm dich, er-barm dich, er-barm dich dei-nes Volcks, O
Chri-ste, das du er-löst hast, mit dei-nem tew-ren
wa-rem blu-te.
Varianten Cöln 1599:
1) er-barm dich dei-nes Volcks
2) Leisentritt 1584: a statt g.
3) Cöln 1599:
Blut, al-le-lu-ia.
Exaudi.
Er-hö-re, er-hö-re, er-hö-re vn-ser bit Gott Va-ter

2 3
Schöp - ffer aller ding, hilff vns vnd sey vns gne - dig.

Varianten Cöln 1599:

1) wie beim Vorigen unter 1. 2) Leisentrit 1584 a c oder g f statt a f.

3) Cöln 1599: gnädig al - le - lu - ia.

Chorus.

Erbarm dich u. s. w. wie oben.

Sodann folgender Text auf die vorhergehenden Noten:

„Erhöre, erhöre, erhöre vnser bitt,
O Christe der welt heiland,
Hilff vns vnd sey vns gnedig."

Chorus.

Erbarm dich u. s. w. wie oben.

Sodann:

„Erhöre, erhöre, erhöre vnser bitt
Heiliger Geist du ewiger Tröster,
erleucht vns vnd sey vns gnedig."

Darauf folgt:

Viuo ego deutsch. Chorus.

1
Als war ich le - be spricht der Her - re, wil ich nicht den
Tod des sün-ders, Son - dern das er sich be - keh - re vnd le - be.

1) Leisentrit 1584 f statt g.

In der dritten Ausgabe von Leisentrits Gesangbuch 1584 folgt jetzt eine Uebersetzung des: Quiescat ira tua.

Wend von vns Herr.

Leisentrit (1567, 1573) 1584.

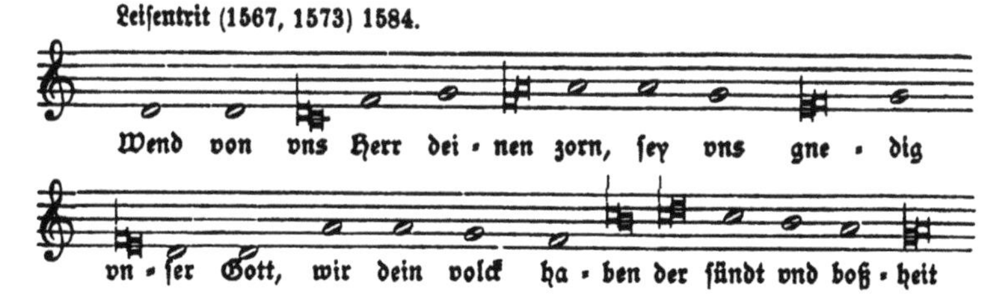
Wend von vns Herr dei - nen zorn, sey vns gne - dig
vn - ser Gott, wir dein volck ha - ben der sündt vnd boß - heit

hei - li - ger und e - wi - ger Gott, Las v

Im Cölner Gsb. 1599 schließt das Lied
Bemerken: „Also mögen auch die heiligen
pheten, Apostel, Euangelisten, Martyrer,
etc. angeruffen werden.“

II. Processionale 1533, aus dem Kloster Schonenb
Au-fer a no-bis do - mi - ne i - ni
vt me - re - a - mur pu - ris men - ti - bu
sanc - ta sanc - to - rum. Ex - au - di, e
do-mi - ne pre - ces nos-tras, sanc-ta m
pro no - bis. Mi - se - re - re, mi - se -

Aufer a nobis.

III. Cöln (Quentel) 1599. Paderborn 1609. M.-Speier 1631. Corner 1631.
Au - fer a no - bis Do - mi - ne cunctas i - ni - qui - ta - tes
1
nos - tras, vt me - re - a - mur pu - ris men - ti - bus in - tro - i - re
2
Versus
ad san - cta sanc-to - rum, al - le - lu - ia. Ex - au - di,
ex - au - di, ex - au - di Do - mi - ne prae - ces nos - tras, san - cta
3
Versus.
Ma - ri - a o - ra pro no-bis, al - le-lu - ia. Mi-se-re-re,
mi - se - re - re, mi - se - re - re po - pu - lo tu - o quem re-de-mi-sti
4
Chri - ste san - gui - ne tu - o, ne in ae - ter - num i - ras-
5
ca - ris no - bis al - le - lu - ia.

Varianten. Corner: 1) d͡e d e statt f e d g. 2) d͡e e statt d c g. 3) g͡f e e͡f g d͡f e e. 4) d d͡f statt f f. 5) d͡f e statt d c g.

Das »Aufer a nobis« ist ein alter Gesang, der ebenfalls bei Bittprocessionen gesungen zu werden pflegte. Ich finde denselben mit einer bedeutend einfacheren Melodie in dem Processionale aus dem Kloster Schonenberch vom Jahre 1533 unter der Ueberschrift „vp bedeldage eñ noetzaken." Der lateinische Text mit der Melodie steht auch in der Psalmodia des Lucas Lossius 1553. Eine deutsche Uebersetzung ähnlich der obigen mit der Melodie findet sich im Straßburger Gesangbuch 1566 und in vielen andern protestantischen Gesangbüchern. (Vgl. Fischer's Lexikon II, 99.)

1
Ge-lobt sey Gott der Vat-ter
Ge-lobt sey der se-lig-ma-cher
Ge-lobt sey auch d' Trö-ster, der le-
der ei-nig Got vñ herr-scher, die
Corner 1631 ff.
3
Ky-ri-e-ley-son. Drey-fal-tig-
Würzburg 1628 u. a. 1) a statt g. 2) c statt c

Die Ueberschrift lautet im Cölner Gesangb
„Ein schönes Catholisch Gesang, wan
Wagheußlein vnser lieben Frawen im St
andere dergleichen heilige örter geht, zu

Das Münchener Gesb. hat 33 Strophen
Strophen, das Andernacher

H. Kolers Ruefbuechl 1601.[1]
Ge-lobt sey gott der Vat-ter in sei-nem höch-sten Thron,
Ge-lobt sey der se-lig-ma-cher sein ain-ge-bor-ner son, Ge-lobt
sey auch der Trö-ster der le-bend-ma-chend gaist, Der ai-nig
gott vnd her-re, die höchst Dreyfal-tigk-heit Al-le-lu-ia.
1) Näheres über diese Handschrift, die früher Clemens Brentano angehörte, und jetzt im Besitz der Erben Nathusius sich befindet, im II. Bd., S. 50.
Frewt euch ihr lieben Seelen.
Noch ein ander sehr schön Gesang nach der Eleuation.
(K. I, 349; W. II, 1269.)
Mainzer Cantual 1605. Paderborn 1609, 1617. Hildesheim 1625. Mainz 1627. 1628. Bamberg 1628, 1670. Corner 1631. Erfurt 1666.
FRewt euch ihr lie-ben See-len, euch ist ein freud ge-schehn,
wir habn mit vn-sern au-gen den lie-ben Gott ge-sehn, in
ei-ner Ho-stien klei-ne, sein wah-res Fleisch vnd Blut, wer das
von her-tzen glaubet, ist sei-ner Seel gar gut, Ky-ri-e-lei-son.
1) Paderborn 1617 e statt f.
2) Bamberg 1628 ff. 3) Daselbst c statt b. 4) Daselbst:
klei-ne, sein wahres Fleisch vnd Blut. Ky-ri-e e-lei-son.

Frewt euch jhr liebe Seelen.

Mentes ouate piae.

IV. Andernach 1608.

Frewt euch jhr lie-be See-len, Euch ist ein frewdt ge-schehn,
Men-tes o-ua-te pi-ae Pi-o nunc gau-di-o,
Wir habn ohn al-les feh-len Den lie-ben Gott ge-sehn,
Vi-so si-ne er-ro-re De-i jam fi-li-o,
In ei-ner Ho-stien klei-ne Sein wa-res Fleisch vnd Blut, Glaubt
Sub Ho-sti-ae mi-nu-ta Car-nem cum san-gui-ne, Con-
es im Her-tzen rei-ne, So ists der See-len gut, Ky-ri-e-leison.
tec-tam hic sta-tu-ra In fi-de cre-di-te, Ky-ri-e-leison.

Der lateinische Text ist eine Uebersetzung des deutschen.

Gelobt sey Gott der Vatter.

Wunderzaichen Rueff, mag von Zell, oder andern Heyligen, wie die Kirch genennet ist, vmbgewechselt, oder verändert vnd gesungen werden.

V. Beuttner (1602) 1660.

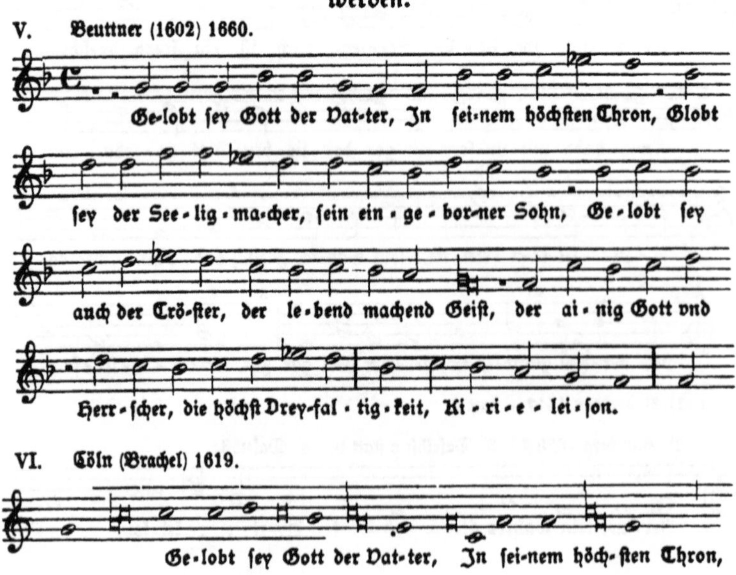
Ge-lobt sey Gott der Vat-ter, In sei-nem höchsten Thron, Globt
sey der See-lig-ma-cher, sein ein-ge-bor-ner Sohn, Ge-lobt sey
auch der Trö-ster, der le-bend machend Geist, der ai-nig Gott vnd
Herr-scher, die höchst Drey-fal-tig-keit, Ki-ri-e-lei-son.
VI. Cöln (Brachel) 1619.
Ge-lobt sey Gott der Vat-ter, In sei-nem höch-sten Thron,

Ge-lobt sey der Se-lig-ma-cher, sein ein-ge-bor-ner Sohn,
ge-lobt sey auch der Trö-ster der le-bend machend Gaist, Der ei-nig
Gott vnd Herr-scher, Die höchst Drey-fal-tig-keit, Ky-rie-e-ley-son.

Beschluß deß Catechismi.

VII. Cöln (Brachel) 1623. Vogler 1625. Münster 1677.

GE-lobt sey Gott der Vat-ter, In sei-nem höch-sten Thron, Vnd
auch der Se-lig-ma-cher, Sein ein-ge-bor-ner Sohn, Ge-lobt sey
auch der Trö-ster, Der le-bend-machend Geist, Der ei-nig Gott vnd
Herr-scher, Die Drey-heit al-ler-meist, Ky-ri-e e-ley-son.

Münster: 1) d d c d e f d. 2) e. 3) b c statt c g. 4) c d statt d es. 5) b c b a g c d. 6) b fehlt.

Die älteste Quelle für Text und Melodie dieses Wallfahrtsliedes ist das Münchener Gesangbuch vom Jahre 1586. Die Melodie ursprünglich dorisch, später äolisch auf g oder d gesetzt, hat viele Varianten aufzuweisen. Im Mainzer Cantual 1605 ist sie zuerst dem Sacramentsliede: „**Freut euch ihr lieben Seelen**“ zugeeignet worden. In den Würzburger Evangelien vom Jahre 1658 steht sie bei dem Reiseliede: „**Nun last vns frölich reisen, In nahmen Gott deß Herrn**“ und im Mainzer Psalter 1658 zum Psalm 80:

„Gott, vnsren Heyland preiset,
Vnd auch in jhm erfrewt.“

Auch manchen weltlichen Liedern wurde die Melodie unseres Wallfahrtsgesanges zugeeignet. (Vgl. Böhme, Altdeutsches Liederbuch, No. 573.)

No. 303.

Kompt last vns frolocken dem Herrn.

Das Venite Exultemus Domino u. s. w. Deutsch, im eingang vnd anfang der Creutz Procession oder sonst zu Bittfartszeit zusingen, auff der Kirchen oder anderer gemeiner Melodey wie hernach folget.

I. Leisentrit 1584.

Kompt last vns fro-lo-cken dem Herrn, Gott vn-sern Hei-landt

sin - gen gern: last vns mit lob von jhm sin - gen, Jhr
Psal-men frö-lich er - klin-gen.

Kompt last vns frolocken dem Herrn.

Eine andere gemeine Melodey vor den gemeinen Mann.

II. Leisentrit 1584.

Kompt last vns fro - lo - cken dem Herrn, Gott vn - sern Hei-landt sin-gen
gern, last vns mit lob vor jhm singen, Jr Psalmen frö - lich er-klin-gen.

Der Psalm (94) »Venite exultemus« wird bekanntlich heute noch zu Anfang der kirchlichen Tageszeiten gesungen und zwar in verschiedenen Melodien. Die unter I. gehört dem vierten (plagalen) Kirchenton an. In jedem Antiphonarium findet man die verschiedenen Töne zum »Venite«.

Die Uebertragung ins Deutsche ist von Rutgerus Edingius. Das ander Theil der Kirchisch Messen und Vespergesenge. Cöln 1572, S. 181. Leisentrit theilt auch noch ein anderes »Venite« aus dem Passionsofficium mit: „Den König den gecreutzten Herrn, last vns anbeten vnd verehrn", ebenfalls eine Uebertragung des lateinischen „Christum Regem crucifixum, venite adoremus" von Rutgerus Edingius (Der gantz Psalter Dauids nach der gemeinen alten Kirchischen Latinischen Edition. Cöln 1574, S. 487). Die Melodie steht hier im siebenten Kirchenton. Auf die Reproduction dieses langen Gesanges verzichte ich, weil man die Melodie in jedem Antiphonarium finden kann, und der Text kein eigentliches Lied ist.

No. 304.

Herr Jesu öffne vnsern Mund.

Ein gemein Gebet in der Creutzwochen, vnd zu ander zeit für zu singen.

Hecyrus 1581.

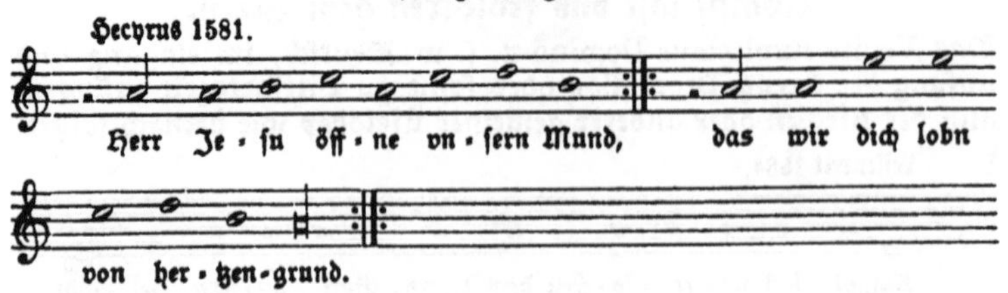
Herr Je - su öff - ne vn - sern Mund, das wir dich lobn
von her - tzen-grund.

No. 305.

Zu dir o Gott im höchsten Thron.

Das Vatter vnser.

Hecyrus 1581.

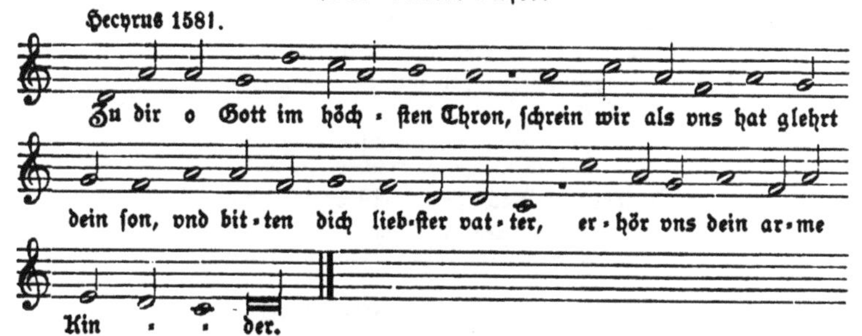
Zu dir o Gott im höch - sten Thron, schrein wir als vns hat glehrt
dein son, vnd bit - ten dich lieb - ster vat - ter, er - hör vns dein ar - me
Kin - - der.

No. 306.

FVr allen Dingen ehren wir Gott.

Die H. zehen Gebott alt.

(K. II, 543; W. V, 1459.)

Mainzer Cantual 1627, 1605. Hildesheim 1625.

FVr al - len din-gen eh - ren wir Gott, al - le:
al - le - lu - - - ia, O Mensch das ist das erst Ge - bott,
al - le: al - le - lu - ia.

No. 307.

Es sungen drey Engel.

Ein ander alt Gesang.

(K. I, 352; W. II, 1196.)

Mainzer Cantual 1605. Paderborn 1609. Hildesheim 1625. Mainz 1627. Corner 1631. Erfurt 1666.

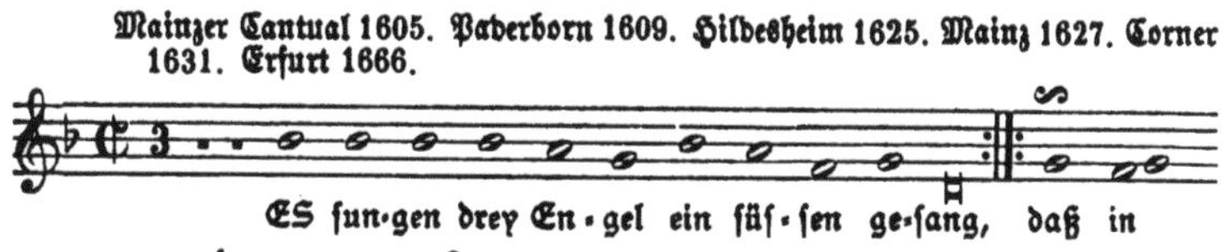
ES sun-gen drey En - gel ein süs - sen ge - sang, daß in

1
2
dem ho - hen Him - mel klang.

1) Corner c statt b. 2) Corner a statt f.

ich chlage dir alle mein lait." (W. I

Die 8. Strophe unseres obigen Liedes b

„An dem Creutz da er stund."

Auch diese Ausdrucksweise deutet auf ein hohe
Liede „Da Jesus an dem Creutze stund"
halb, daß wir dieses Lied mit der Melodie (p
das 13. Jahrhundert setzen können. (Vgl. H

Ein Text mit ähnlichem Anfang steht im

„Die Engel singen süssen sang,
das es im hohen Himmel klang."

In Corners Nachtigall 1649 beginnt die

„Es sungen die Engel ein kläglichs
Das in dem hohen Himmel erklang."

No. 308.

In Gottes Namen hebe

Ein vnterricht Gesang, wie man bey Ki

(K. II, 525; W. V, 145

Corner 1625 (1631), dessen Nachtigall 1649 ff.
In Got-tes Na-men he-ben wir an,
im höch - sten Thron, von Sün-den wolln
doch Gott wöll bey - stahn, auff die vn -

Der Text steht auch in Beuttners Gesangb
er die Ueberschrift

No. 309.

Als Jesus an dem Nachtmal saß.

Cum Christus Agni mystico.

I. Andernach 1608.

Als Je - sus an dem Nachtmal saß, Vnd auch das O - ster-
Cum Chri-stus Ag - ni mys - ti - co, Ac - cum - be - ret con-
läm - lein aß, Lief-fen die Ju - den schnell zu rath, Trach-ten
ui - ui - o, Ju-dae a - gens de - li - be - rat, Ip - sum
mit list nach sei - nem Todt.
do - lo quo per - de - ret.

Der lateinische Text ist wahrscheinlich eine Uebersetzung des deutschen (in 4 Strophen).

Mein Gemüt sehr dürr vnd durstig ist.

Paradeyß Rueff. Kan bey der Begräbnuß vnd Kirchfahrt gesungen werden.

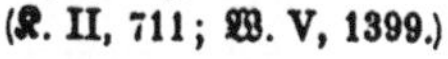
(K. II, 711; W. V, 1399.)

II. Beuttner (1602) 1660. Corner (1625) 1631.

Mein Gmüt sehr dürr vnd dur-stig ist, Zum Brunn deß Le-bens
JE - su Christ, die gfan-ge - ne Seel be - ge - ret loß, Die
Erd wünscht das fleisch in jh - re Schoß.

Man vergleiche hierzu No. 117 IV. in diesem und No. 351 im II. Bde.

JEsus der gieng den Berg hinan.

Ein Stück auß einer alten Passion.

(K. I, 201.)

III. Cöln (Brachel) 1623, 1634. Vogler 1625. Würzburg 1628, 1630 ff. Seraph. Lustgart 1635. Molsheim (1629) 1659. Bamberg 1628 ff. Corner 1631. Mainz 1628, 1661, 1665. Erfurt 1666.

JE-sus der gieng den Berg hin - an, Er rufft sein Him - li - schen

1) die Note f fehlt bei Vogler und C
burg 1628 u. a.

2) Vogler, Würzburg 1628. 3) A

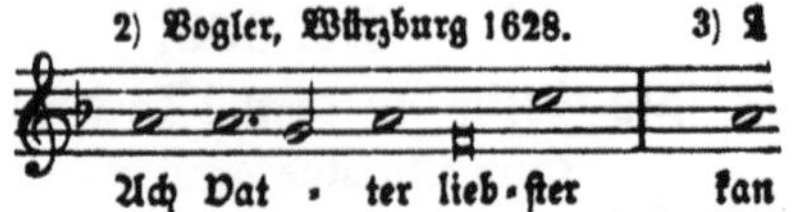
Ach Vat - ter lieb-ster kan

4) g statt f. Vogler und Corner. 5)

Die alte Passion, aus welcher dieses
den Worten:

> „Wolt jhr hören ein newes ged
> das bitter Leyden vnnd die gesch
> Von vnserm Herren Jesu Christ,
> der aller Welt ein schöpffer ist."

Einzelner Druck 4 Blätter 8.: Nürnberg durc
der Ueberschrift: „Ein schön Gesang vom
Jesu Christi. In seinem alten Th
newes gedicht." 38 Strophen. Das
Einzeldrucke veröffentlicht worden und ging
bücher über. Näheres findet man bei Wack

Die katholischen Gesangbücher bringen

1) Vogler 1625, Würzburg 1628, L
Text des Einzeldruckes mit bedeut
Strophe.

2) Corner 1631, S. 209 hat den
Gesangbüchern mit Weglassung
Annas gebunden ließ" (aus V
das Lied noch einmal mit Hinzufü

3) Cöln, Brachel 1623. Mainz 16

möglich ist. Liegt ihm ein altes Lied zu Grunde, so kann dies nur ein Ruf gewesen sein. Der älteste mit einer Jahreszahl versehene Druck, der Marburger von 1555, dem auch die Nürnberger Christlichen Hausgesenge (1570) folgen, ist der am wenigsten Vertrauen erweckende, nach meiner Ansicht schon ein überarbeiteter."

Daß unser Lied ein altes ist, geht zunächst aus einer Bemerkung im Cölner Gesangbuch 1623 hervor. Dort schreibt S. 133 der Herausgeber: „Daß ich aber nach dem ersten, zwey alte Gesänglein [1] also in jhren einfältigen, vngereyhmbten Reyhmen hab gelassen, ist die Vrsach, weil die Kinder vor Jahren diese Wort also gefaßt, vnnd quo semel est imbuta, etc. jetzt schwerlich ist auß krummen Höltzlein gerade Pfeil vnd Boltzen drechßlen, etc. Tu suauioribus, si habes, vtere numeris, etc." Den weitern Beweis führen wir unter Zuhülfenahme der Tonangaben. Die Melodie unseres obigen Liedes stimmt mit derjenigen, welche in den protestantischen Gesangbüchern dem Liede: „Wolt jhr hören ein new Gedicht" (2. Strophe „Vnd Jesus gieng den Berg hinan") beigegeben ist, überein [2]. Böhme theilt uns diese letztere mit aus dem Dresdener Gesangbuche 1593 (Liederbuch, No. 543 b). Man sollte nun vermuthen aus der Tonangabe in der Ueberschrift des Einzeldruckes, diese Melodie sei einem andern (vielleicht weltlichen) Liede gleichen Anfanges entnommen. Das ist aber nicht der Fall. Ich finde im Bonner protest. Gesangbuche vom Jahre 1579 das Lied des genannten Einzeldruckes mit der ersten Strophe:

„Wollt jr hören ein newes gedicht
Wie vns auch diß Gesang bericht"

ohne Melodie, aber mit der Ueberschrift „Die Passion in Gesangs weiß. Nach den vier Euangelisten, Jm Thon, „Wolt jr hören ein newes gedicht von vnserm Vatter Jesu Christ" etc. Die Melodie ist demnach, wie der Einzeldruck 1560 besagt, alt und gehört dem in der Ueberschrift des Bonner Gesangbuches genannten geistlichen Liede an. Hier lernen wir wenigstens die Anfangszeilen von der älteren Fassung der Passion kennen. Der Einzeldruck 1560 und das Lied im Bonner Gesangbuch 1579, im Dresdener 1593 u. s. w. sind Ueberarbeitungen dieses alten Liedes mit Beibehaltung der alten Melodie.

Wackernagels Vermuthung „es liege ein altes Lied zu Grunde", glaube ich hiermit zur Thatsache erhoben zu haben. In den katholischen Gesangbüchern ließ man die erste Strophe „Wolt jhr hören" weg und begann gleich mit der Darstellung des Leidens Christi „Jesus der gieng den Berg hinan".

Man vergleiche übrigens hierzu das Lied No. 218 „Da Jesus in den Garten gieng," welches ebenfalls die Passion zum Inhalte hat.

---

1) No. 309 III und 197.

2) Die abweichende Melodie, welche das Eislebener Gesangbuch 1598 zu dem Liede bringt und die Meister I, S. 409 mittheilt, ist, wie Böhme bemerkt, musikalisch werthlos.

1649 ff.

Nach-ti-gall dein Ed-ler Schall, ist ein
Daß es Som-mer ü-ber-all, Win-ter
vnd Thal dein süs-se Stimm, lieb-lich thut d
wie ich ver-nimb, ist nicht dei-nes glei-ch

1) Mainz 1628 u. a. das hohe a statt c.

Die älteste Quelle für den Text ist der P
Conrad Vetter, Ingolstadt 1613. Hier lautet die
deß H. Bonauenture. Sacht an im Latein.
Das Lied hat hier 90 Strophen; im C
Mainzer 1628 und bei Corner 1631 stehen 50 St
Gesangbuch 1617 enthält nur die Strophen 23–
„O du süsser Jesu Christ wie warstu
und eine fünfte neue Strophe.

Die Melodie fand ich bei dem zweistimmig
plaudant omnia« im Mainzer Cantual 1605 al
Stimme habe ich beigefügt damit der Leser sehen
17. Jahrhunderts das Volk zweistimmig gesungen
erklärlich, daß man 800 Jahre früher, zur Zeit
und Oktaven mehr sang? Vergleiche dazu mein
heften für Musikgeschichte 1885, No. 3.

plaudant om

cunc-ta so - nent gau - di - a lae - ti - ti - ae, Je-sus Chri-stus
no-bis na - tus ho - di - e.

1) Das Paderborner Gesangbuch 1609, welches nur die obere Stimme bringt, hat d d statt f f.

M.-Speier 1631.

Ju - re plau - dant om - ni - a, Coe - li - ca ter-
re - stri - a, Qui - a red - dit gau - di - a lae - ti - ti - ae,
Je - sus Chri - stus no - bis na - tus ho - di - e.

No. 311.

Ich waiß ein edlen Weingartner.

Weingarten: Oder Weinkorn Rueff.

(W. II, 829.)

I. Beuttner (1602) 1660.

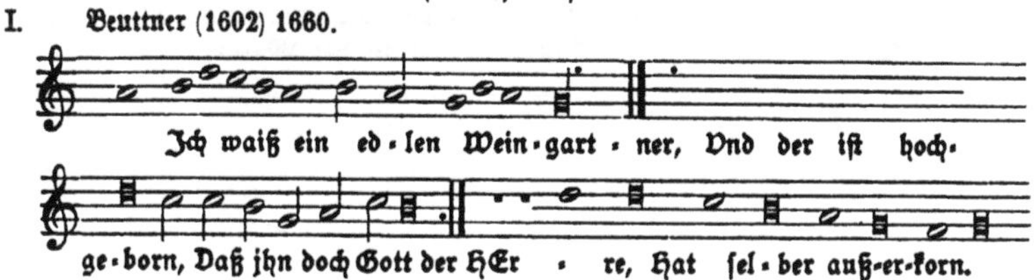
Ich waiß ein ed - len Wein - gart - ner, Vnd der ist hoch-
ge - born, Daß jhn doch Gott der HEr - re, Hat sel - ber auß-er-korn.

WOlts auff wir wollen ins lesen.

Ein anders das Geistliche Weinbeer genannt.

(K. II, 643; W. II, 830.)

II. Corner (1625) 1631.

WOlts auff wir wol - len ins le - sen, gut le - sen ist an
der zeit, auff daß wirs nit ver - sau - men, weil man ins le - sen geyt.

1
von ei - nem Wein - gar-ten, Wein -
sich ge - baw - et schon.
Mainz 1627: 1) f. 2) d.
Paderborn 1617.
A - ber wol-len wir sin-gen vnd sin -

Diese 3 Lieder gehören ihrem Textinhalte n
handeln das Leben und Leiden des Heilandes unt
gleichen, die dem Weinbau entnommen sind. Jed
vom Weinberge im Evangelium die nächste Veranla

Das Lied im Mainzer Cantual hat 10, das L
Corner'sche 27 zweizeilige Strophen. Die dritte
weiß ein edlen Weingärtner" ist die erste bei Be
namentlich die beiden letzten Lieder viele Strophen

Ein älterer handschriftlich überlieferter Text a
beginnt:

> „Ich weis mir einen garten, dorinn ist g
> dor inn wachst win so zarte, den wöllen

4 vierzeilige Strophen.

Bibliothek in Stuttgart theol. et philos.
823; Hoffmann K. L. 1861, No. 52.)

Wie die drei Texte, so werden auch wohl
gehören. Transponirt man die im Mainzer Ca
Ton höher, so wird man eine Aehnlichkeit nicht ve

Böhme glaubt in der Melodie des M...

No. 312.

Wer sich des Meyens wölle.

Der Geistliche Meyen. Alt.

(K. I, 356; W. II, 826.)

I. Mainzer Cantual 1605. Paderborn 1609, 1617. Hildesheim 1625. Mainz 1627. Würzburg 1628, 1630 ff. Bamberg 1628. Molsheim (1629) 1659. Erfurt 1666. Bamberg 1670.

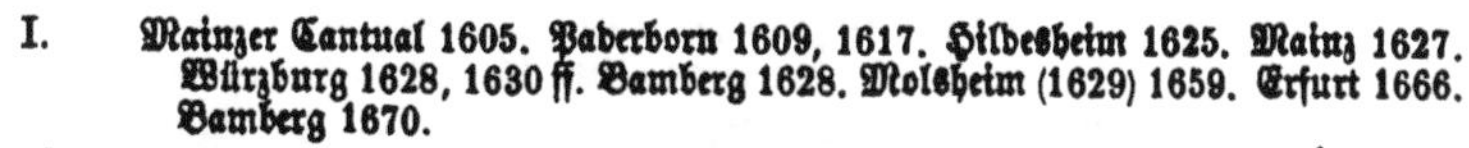

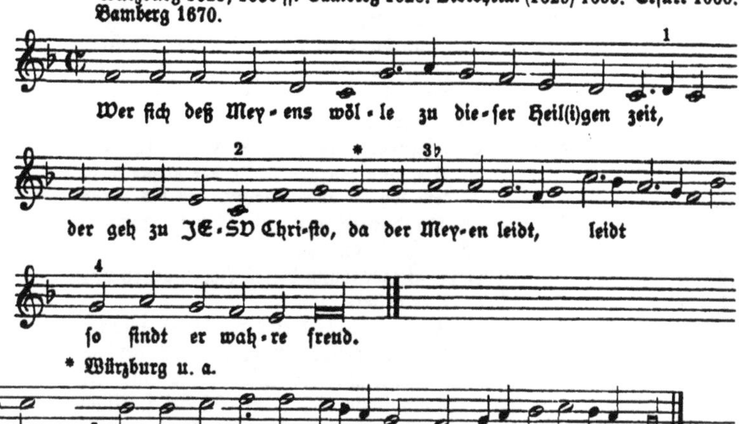
Wer sich deß Mey-ens wöl-le zu die-ser Heil(i)gen zeit,
der geh zu JE-SV Chri-sto, da der Mey-en leidt, leidt
so findt er wah-re freud.
* Würzburg u. a.
da der Mey-en leydt, leydt

Das ♭ im Mainzer Cantual (3) ist wohl irrthümlich dahin gerathen.

Im Gesangbuche von Val. Triller (1555) 1559 steht die obige Melodie zu einem Predigtliede; „Der Herr Gott sey gepreiset" mit folgenden Varianten:

1) d fehlt und das nächste c ist zum folgenden Satz gezogen.
2) e statt c. 3) a f g statt a a g f g. 4) b statt g.

GEgrüsset seyst du Maria.

Im Thon, wer sich deß Meyens etc.

(K. II, 401.)

II. Vogler 1625.

GE-grüs-set seyst du Ma-ri-a, Du bist voll Gnad vnd Zier,
der Kö-nig al-ler Kö-ni-gen, Ma-ri-a ist mit dir,
dir, Ma-ri-a fin-gen wir.

der geh zu JE-su Chri - sto, da die-ser May-

so find er wah - re Frewd.

Wackernagel setzt den Text des geistlichen
hundert. Es giebt auch ältere ähnliche Lieder.

1) „Ich weiß mir einen meyen in diser
den meyen, den ich meine, der ewige

aus einer Handschrift der Bibliothek in Stuttgar
aus dem 15. Jahrhundert. (W. II, 822; Hoffm

2) „Wer nu wölle meyen gen in diser liebe
dem zeig ich einen meyen der vns frewd

Nürnberger Stadtbibliothek Manuscript cent.
dem 15. Jahrhundert. (W. II, 824; Hoffmann

3) „Der nun maygen welle, der nieme christ
dem zög ich ainen mayen, den diu mynn

Stuttgarter Handschrift des 15. Jahrhunderts,
(W. II, 825; Hoffmann 49.)

Ueber die Verwendung dieses Liedes geben uns
Aufschluß. Der erstere sagt:

„Ohne Zweifel wurde dieses Volkslied gesunge
der Maienbaum aufgerichtet wurde. Noch heutzu
deutschen Dorfgemeinde die Maibäume mit der
schmückt.“ (Anthologie 1831, No. 92 bei Hoffma

Hölscher, Das deutsche Kirchenlied vor der Re
bemerkt:

„Einer besonderen Andacht und mystischen
Christi war der Monat Mai gewidmet; die Mysti
Sitte eingeführt haben. Noch heutiges Tages wir

Für die Melodie ist Triller's Gesangbuch (1555) 1559 die älteste Quelle. Sie steht dort als Discantstimme eines dreistimmigen Satzes ohne volksthümliche Dehnung bei dem Worte „zeit“, wie sie im Mainzer Cantual und in den übrigen Gesangbüchern sich noch findet. Die jonische Tonart ist hier in f-, c und b-dur vertreten.

Die Frage, ob es auch ein weltliches Maienlied mit der obigen Melodie gebe, welches geistlich umgedichtet worden sei, läßt Böhme unentschieden, da ihm ein solches nicht bekannt geworden sei. Jedenfalls sind also Text und Melodie alte geistliche Volksprodukte.

No. 313.

Ach Jesu lieber Herre.

Ein ander Alphabetisch Gesang vom Leyden Christi, in der Creutzwochen zu singen.

(K. I. 357.)

Cöln (Quentel) 1599. Cöln (Brachel) 1623, 1634. Vogler 1625. Würzburg 1628 ff. Bamberg 1628 ff. Mainz 1628. M.-Speier 1631. Corner 1631. Clausener Gesangbuch 1653. Molsheim (1629) 1659. Mainz 1661, 1665. Rheinfels. Gesangbuch 1666. Erfurt 1666. Nordstern 1671. Brauns Echo 1675. Straßburg 1697.

Ach Je - su lie - ber Her - re dir sey lob preiß vnd eh - re, für
Die dein Hertz hat be - wo - gen, vnd dich her - ab - ge - zo - gen, wol
dei - ne lie - be groß, der al - le Welt ge - noß,
auß des Him - els Saal, in die - sem Jamer - tha - le,
Es war vmb
vns zu thun al - lein, daß wir durch dei - nen todt vnd pein, von

al - len Sün - den wür - den rein.

1) Corner h h statt d d. 2) Cöln 1623 d c statt c d. 4) Daselbst h.
4) Würzburg 1628. Mainz 1628 u. a. 3) Würzburg d.

daß wir durch dei - nen Todt vnd Pein.

5) Würzburg f.
6) Corner f.

Die Gesangbücher: Cöln 1623, 1634, Erfurt 1666, haben folgenden Text:

„Ein Jungfraw außerkoren
Hat Gottes Sohn geboren“ etc.

Vogler 1625:

„Anfänglich nicht vergebens
Pflanzt Gott den Baum des Lebens“ u. s. w.

1
Ach Je - su lie - ber Her - re, dir sey
Die dein hertz hat be - wo - gen, vnd dich
dei - ne lie - be groß, der al - le welt
auß deß Himmels Saal, in die - sem Ja - n
3
vns zu thun al - lein, das wir durch dei - n
al - len Sün - den wür - den rein.

1) Das ♯ steht im Mainzer Cantual 1605, Cöln
2) Cöln (Brachel) 1619, 1634. Seraph. Lustgart 1

für dei - ne lie - be groß, die al - le Welt

Das Lied, für welches bis jetzt das Cölner
Quelle abgiebt, hat so viel Strophen als das
Jede folgende Strophe beginnt mit dem betreffen
betes. Im Andernacher Gesangbuch ist das Alph
Texte durchgeführt. Ich setze denselben hierher:

2) „Maria Mutter gute,
Nim mich in deine hute,
O Jungfraw helffe mir,
Preiß will ich sagen dir,
Queit mache mich der sünde,
Reiß mich darauß geschwinde,
Schaw mich an miltiglich,
Thu bitten Gott vor mich,
Vor allem vbel, schand vnd sünd,
Xstus behüte deine freund.
Ziehe sie auß jrthum deiner feind, Amen."

Der lateinische Text:

»Jesu Deus dilcte
Dirae premunt me curae,«

ist eine Uebersetzung des deutschen.

Im Cölner Gesangbuch 1599 lautet die Strophe unter O:

„O Gottes Lamb vnschuldig
Wie hastu so geduldig." 11 Zeilen.

No. 315.

JESVS Christus vnsere Seligkeit.

Ein alt Catholisch Processionsgesang.

(K. II, 544)

Mainzer Cantual 1605. Andernach 1608. Paderborn 1609. Hildesheim 1625. Mainz 1627.

JE - SVS Chris - tus vn - se - re se - lig - keit,
der vmb vn - sert wil - len die bit - te - re Mar-
1) Andernach.
ter leidt.

Der 9strophige Text ist alt, wie die Ueberschrift besagt. Aehnliche Lieder finden sich in protestantischen Drucken.

1) „Jesus Christus, vnser Seligkeit,
der die bitter marter für vns sünder leid."

7 Strophen. Historien der Figuren vnsers Heiligen Catechismi. Durch M. Joach. Liesten. Wittenberg 1586. (W. V, 119.)

2) Ein Lied mit demselben Anfang in 11 Strophen.
Überschrift: „Das gewönliche Fasten Liedt."

4 Bl. 8. Frankfurt a. d. O. 1595. (W. V, 120.)

Leisentrit 1567 bringt ein Lied in 11 Strophen (zu 4 Zeilen), in welchem die erste Strophe mit den beiden ersten Strophen im Mainzer Cantual beinahe übereinstimmt. Vgl. No. 187.

... folgendem lateinischen Texte:

»Dicata summo templa Nu
Petamus, huius atque San

No. 316.

O hochheiliges C

(W. II, 1198 u. 12

I. Constanz 1600. Andernach 1608. Neyß 1625.

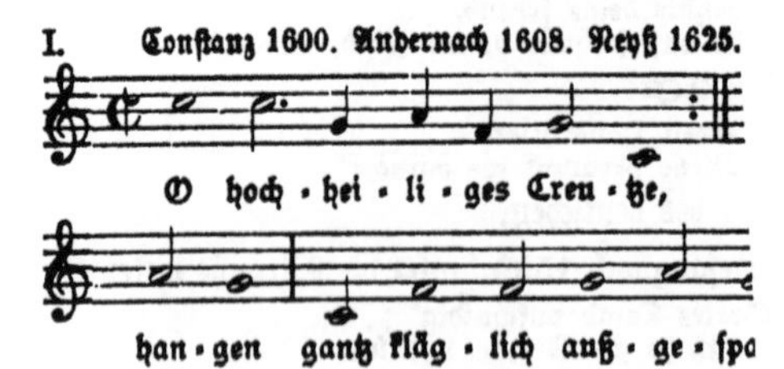
O hoch-hei-li-ges Creu-tze,
han-gen gantz kläg-lich auß-ge-spa

Das Andernacher Gesangbuch hat dazu no

»O digna Crux sublimis,
In qua Deus pependit.
Simul manus tetendit.«

Diese Melodie steht im vierstimmigen
Baßstimme zu dem folgenden Liede.

II. Bamberg 1628.

O hoch hei-li-ges Creu-tze,

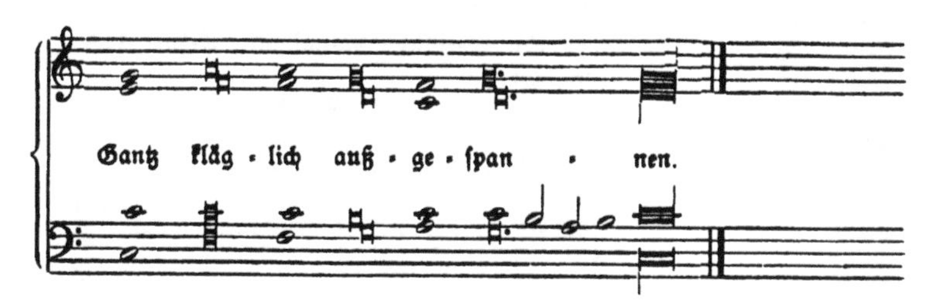
Gantz kläg - lich auß - ge - span - nen.

No. 317.

O hochheyliges Creutze.

Ein schöner Rueff von dem hochheyligen Creutz Christi.

(W. II, 1199.)

I. Straubinger Rueffbüchlein 1607.

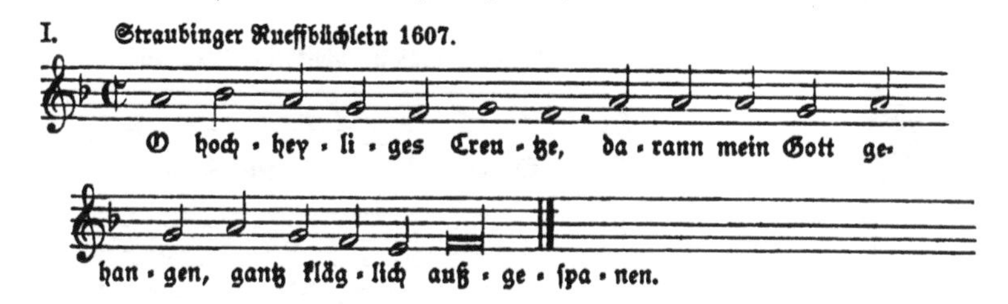
O hoch - hey - li - ges Creu - tze, da - rann mein Gott ge-
han - gen, gantz kläg - lich auß - ge - spa - nen.

O du holdheiligs Creutze.

II. Cölner Psalter 1638. Erfurt 1666. Münster 1677. Straßburg 1697.

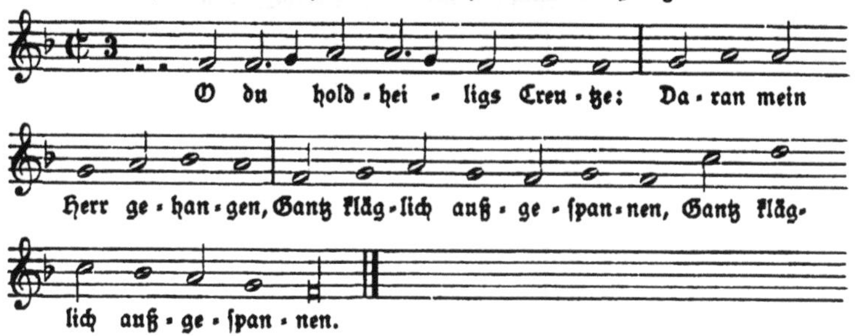
O du hold - hei - ligs Creu - tze: Da - ran mein
Herr ge - han - gen, Gantz kläg - lich auß - ge - span - nen, Gantz kläg-
lich auß - ge - span - nen.

Ein Lied vom H. Creutz.

III. Cöln (Quentel) 1619, 1625. Bamberg 1628. Mainz 1628. M.-Speier 1631. Seraph. Lustgart. 1635. Mainz 1661, 1665. Erfurt 1666. Bamberg 1670 ff.

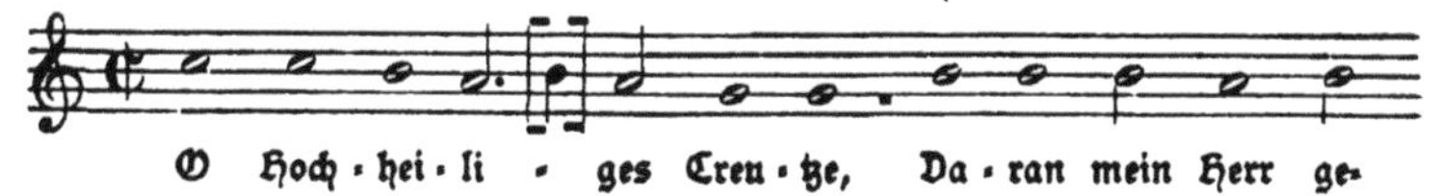
O Hoch - hei - li - ges Creu - tze, Da - ran mein Herr ge-

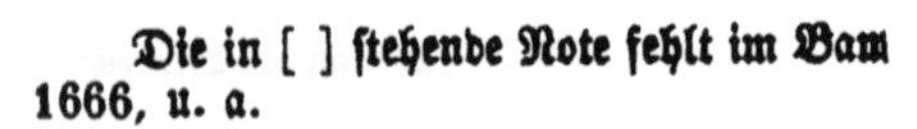

Die in [ ] stehende Note fehlt im Bam
1666, u. a.

Die Geistliche Nachtigall, Erfurt 166
den Text:

„Wie traurig ist meine S

IV. Cöln (Brachel) 1619, 1634.

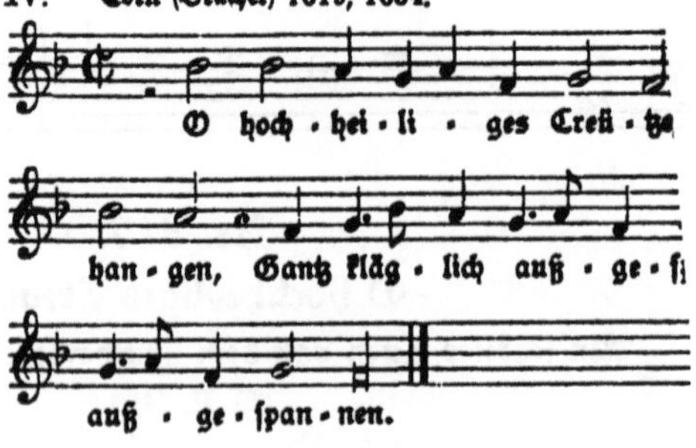

O hoch - hei - li - ges Creü - tze
han - gen, Gantz kläg - lich auß - ge - s
auß - ge - span - nen.

V. Würzburg 1628 ff. Molsheim (1629) 1659.

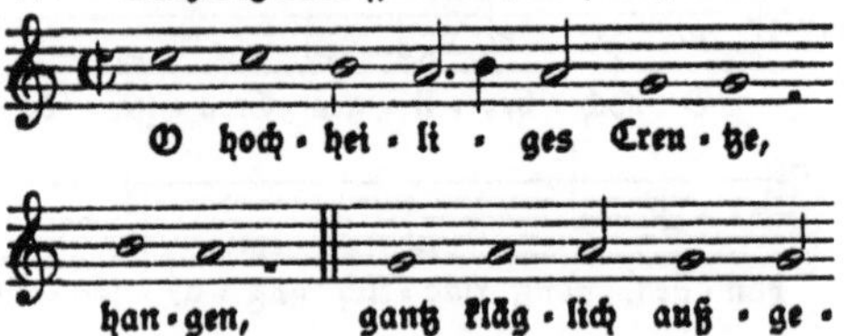

O hoch - hei - li - ges Creu - tze,
han - gen, gantz kläg - lich auß - ge -

Die älteste Quelle für unser Lied ist bis j
buch 1600. Hier hat dasselbe 7 Strophen. (
nacher 1608 hat 4 von diesen Strophen. (II, 12
büchlein bringt eine Erweiterung bis ...

No. 318.

Dich Creutz ich grüß.

Salue crux sancta.

Andernach 1608.

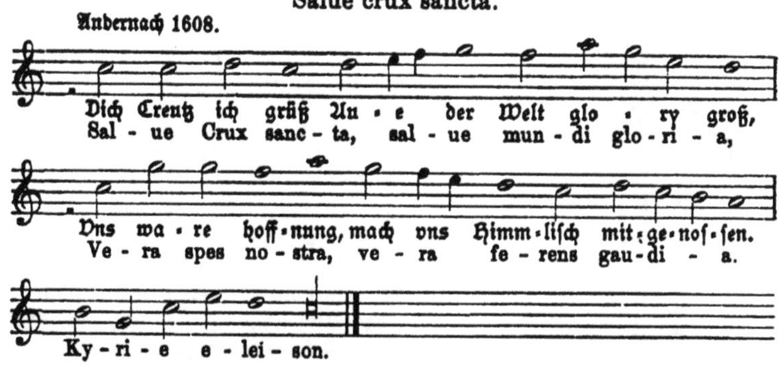
Dich Creutz ich grüß An - e der Welt glo - ry groß,
Sal - ue Crux sanc - ta, sal - ue mun - di glo - ri - a,
Vns wa - re hoff - nung, mach vns Himm - lisch mit - ge - nos - sen.
Ve - ra spes no - stra, ve - ra fe - rens gau - di - a.
Ky - ri - e e - lei - son.

Der lateinische Text ist Original. Er hat 10 zweizeilige Strophen. Mone bringt denselben in 5 vierzeiligen Strophen aus einer Karlsruher Handschrift vom Jahre 1493. Die Ueberschrift lautet hier: »Hymnus in exaltatione vel inventione s. Crucis«. (I, 111; Dan. I, 243. IV, 185.) Auf der Stiftsbibliothek in St. Gallen findet sich der Hymnus in 7 verschiedenen Handschriften, unter No. 379, 24 aus dem 13. bis 14. Jahrhundert.

Die Abfassung können wir in das elfte Jahrhundert setzen, da aus dem zwölften schon eine deutsche Bearbeitung bekannt ist:

„Wis gruz chruze heilig, wis gruz der werlt ere."

(Kehrein, Kirchen- und religiöse Lieder 1853, S. 90.)

Eine Uebertragung im Hymnarius von Siegmundslust 1524 beginnt mit den Worten:

„Sey grüest, O heyligs kreütz, ein glori aller welt,
vnser ware hoffnung, dye recht freyd außerquelt" u. s. w. (W. II, 1370.)

Die obige Melodie ist jedenfalls nicht die alte Choralmelodie.

No. 319.

O Creutz, O wahrer Gottes Thron.

Vom wahren Creutz Christi, seiner Figur vnd Zaichen; ein newes Gesang.

(K. I, 366.)

Corners Nachtigall 1649.

O Creutz, O wah - rer Got - tes Thron, ge - hei - li - get
von Got - tes Sohn: O Gna - den Thron der al - ler Welt den

Laſt vns ſtimmen

Laudes crucis

Andernach 1608.

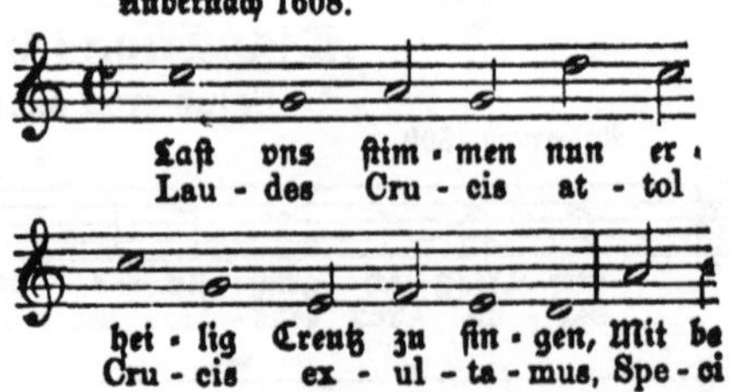
Laſt vns ſtim - men nun er
Lau - des Cru - cis at - tol
hei - lig Creutz zu ſin - gen, Mit be
Cru - cis ex - ul - ta - mus, Spe - ci

Die Sequenz »Laudes crucis attol
Victor (12. Jahrhundert) zum Verfaſſer.
der Stiftsbibliothek in St. Gallen, Perga
dem 14. Jahrhundert, auch noch aus ſpäterer
(Vgl. das Verzeichniß Halle 1875, S. 520
Die Melodie dieſer Sequenz wurde ſpä
h. Thomas von Aquin übertragen. Die
dieſes Geſanges (Vgl. No. 373). Den erſ
II. Bde., No. 36.

No. 321.

Jeſum vnd ſeine M

Cum Matre JESV

Geſang auff die Melody Maria gi

(W. II, 1181.)

Andernach 1608.

Der lateinische Text ist eine Uebersetzung des deutschen.

Das in der Ueberschrift angegebene Lied wird wohl dasselbe sein, welches von Haxthausen in den „Geistlichen Volksliedern“ 1850, S. 99 aus dem Eichsfelde mitgetheilt hat:

„Maria durch 'nen Dornenwald ging,
Kyrieleison.
Maria durch 'nen Dornenwald ging,
Der hat in sieben Jahren kein Laub getragen!
Jesus und Maria“ noch 7 Strophen.

Die mitgetheilte Melodie ist nicht die obige.

No. 322.

Wir bitten hoch in vnsrem leidt.

Tuam Deus clementiam.

(W. II, 1180.)

Andernach 1608.
Wir bit - ten hoch in vns - rem leidt, Al - le - lu - ia,
Tu - am De - us cle - men - ti - am, Al - le - lu - ia,
All le lu - ia, Dein Gött - li - che Barm - her - tzig - keit, Al - le-
Al - le - lu - ia, Pre - ca - mur at - que gra - ti - am, Al - le-
lu - ia, Al - le - lu - ia.
lu - ia, Al - le - lu - ia.

Der lateinische Text ist wahrscheinlich eine Uebersetzung des Deutschen.

No. 323.

Last vns Gott treulich ruffen an.

Deum precemur supplices.

Andernach 1608.
Last vns Gott treu - lich ruf - fen an, Die - weil
De - um pre - ce - mur sup - pli - ces, Cru - cis
wir bey dem Creu-tze gahn, Wir bit - ten durch das Lei-
fe - ren - dae com-pli - ces, Per pas - si - o - nis me-
den dein, O Christ wolst vns ge - ne - dig sein.
ri - ta, No - bis vt ad - sit gra - ti - a.

Der lateinische Text ist wahrscheinlich eine Uebersetzung des deutschen.

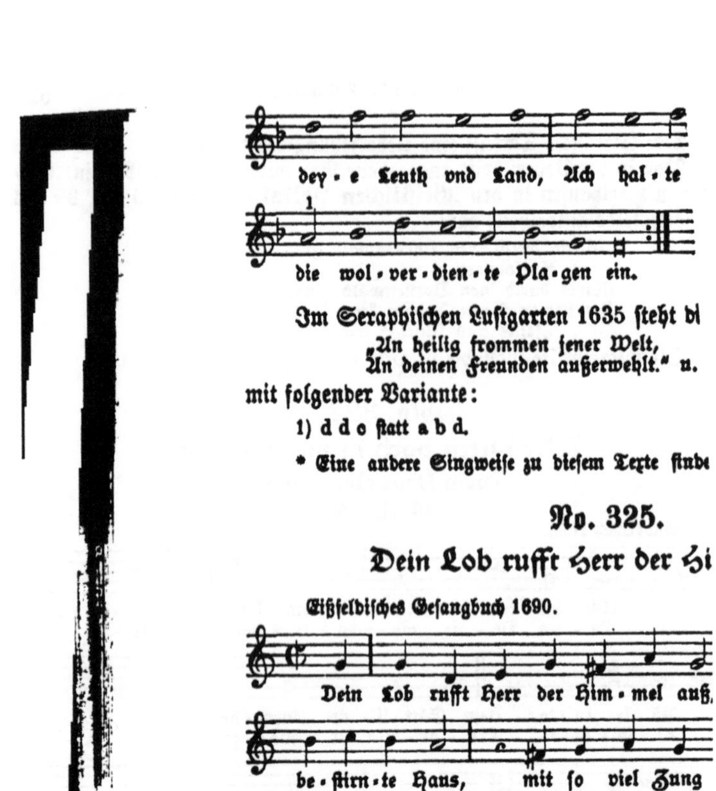
dey - e Leuth vnd Land, Ach hal - te
1
die wol - ver - dien - te Pla - gen ein.

Im Seraphischen Lustgarten 1635 steht di

„An heilig frommen jener Welt,
An deinen Freunden außerwehlt." u.

mit folgender Variante:

1) d d c statt a b d.

* Eine andere Singweise zu diesem Texte finde

No. 325.

Dein Lob rufft Herr der Hi

Eißfeldisches Gesangbuch 1690.

Dein Lob rufft Herr der Him - mel auß,
be - stirn - te Haus, mit so viel Zung
weis - se Tag, die schwar - tze Nacht,

Lieder von Christi Himmelfahrt.

(No. 326—336.)

No. 326.

Summi triumphum Regis.

Christ fuhr gen Himmel.

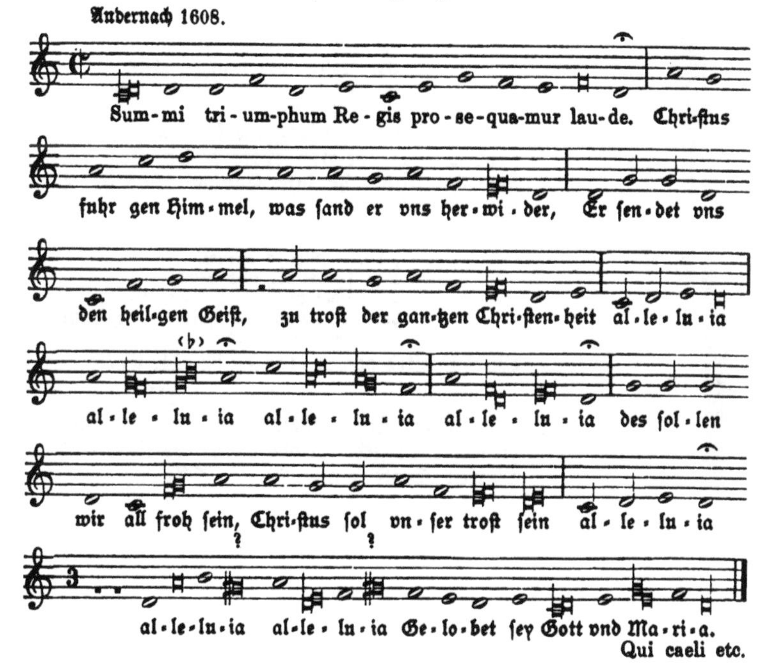

Andernach 1608.
Sum-mi tri-um-phum Re-gis pro-se-qua-mur lau-de. Chri-stus
fuhr gen Him-mel, was sand er vns her-wi-der, Er sen-det vns
den heil-gen Geist, zu trost der gan-tzen Chri-sten-heit al-le-lu-ia
al-le-lu-ia al-le-lu-ia al-le-lu-ia des sol-len
wir all froh sein, Chri-stus sol vn-ser trost sein al-le-lu-ia
al-le-lu-ia al-le-lu-ia Ge-lo-bet sey Gott vnd Ma-ri-a.
Qui caeli etc.

Die Sequenz »Summi triumphum Regis« auf das Fest Christi Himmelfahrt ist alt. Sie findet sich auf der Stiftsbibliothek in St. Gallen in einem Pergamentcodex 4. 340, S. 779 aus dem 10. Jahrhundert, sodann noch zehn mal aus späterer Zeit. (Verzeichniß, Halle 1875, S. 528.) Schubiger bringt uns Text und Melodie aus dem Einsiedler Codex No. 1 und nennt (nach Ekkehart IV, Rhythmi) als Autor den Notker Balbulus. (Die Sängerschule St. Gallens, 1858. Exempla No. 20. Dan. II, 15.)

nimmt als Anhang zu anderen Osterliedern
Fräulein also früh" Strophe 13 (vgl. S.
hängtem Kyrieleis die älteste Form dieses Hi
finden wir in der Crailshaimer Schulordnung

I.

Item circa sequenciam de ascensione
canitur vulgaris prosa:

„Crist fuer gen himel
was sendt er vns herwider
Das tet er den heiligen geist
zu trost der heilgen cristenhait kiriele

Birlinger's Alemannia, Zeitschrift für Sprach
des Elsasses und Oberrheins III, 3.

II.

„Christ fuhr gen himel,
da sand er vns ernider
Den tröster, den heiligen Geist
zu trost der armen Christenheit.
Kyrioleis."

Valentin Bapst's Gesangbuch 1545 unter der
geistliche Lieder von fromen Christen ge
gewesen sind." Mainzer Cantual 1605 ff.,
(W. II, 976.)

III.

„Christ fure zu Himel,
was sendet Er vns herwider?
Er sendet vns den heiligen Geist,
darmit erleucht der Herr die Christenh
Kyrie eleeson."

Wizel Psaltes eccles. 1550. (W. II, 977.)

IV.

In dem Buche Walasser's „Ein edel Klei
(1562) 1568 steht der obige Text des Andernach
Worten „Trost sein". (W. II, 978.)

5) „Hilff vnß o lieber Herre."
6) „O du heiliges Creutze."
7) „Deß sollen wir alle fro sein" etc. Kolers Ruefbuechl 1601.

VI.

1 = 2 von V.
2) „Christus fur durch die Wolcken."
3) „Christ fur gen Himmel."
4) „Alleluia, Alleluia, Alleluia."

Ritus eccl. Augustensis Episcopatus Dilingae 1580, bei Hoffmann K. L., No. 79 aus der späteren Quelle: Pastorale Ingolstadt, 1629. Str. 3, 3a: Und wär er nicht hingangen, 1, 2 u. 4 bei Beuttner 1660.

VII.

1) = 1 von II.
2) = 2 von V.
3) „Er befalch jhnen also eben."
4) „Hilff vns, O lieber Herre."
5) = 3 von V.

Zwölff Geistliche Kirchengesäng, Ingolstadt 1586, Cöln 1599 und die meisten übrigen Gesangbücher. (W. II, 980.)

Das Mainzer Cantual hat das Lied als Ruf bearbeitet und statt der vierzeiligen Strophen 18 zweizeilige mit dem Refrain „Kyrieeleison" hinter jeder ersten und „Alleluia, Gelobt sey Gott vnd Maria" hinter jeder zweiten Zeile. Ein anderer Ruf (11 Str.) bei Beuttner und Corner.

Das wären die ältesten Formen unseres Liedes, dessen erste Strophe in das 14. Jahrhundert fallen dürfte. Ueber den Gebrauch des Liedes bei kirchl. dramatischen Feierlichkeiten vgl. II. Bd., S. 11.

No. 327.

Gen Himmel auffgefahren ist.

Ein altes Lobgesang von Christi Himmelfahrt.

(K. I, 255; W. V, 661.)

Corner (1625) 1631. Neyß 1663. Prag 1655.

Gen Him-mel auff - ge-fah-ren ist, Al-le-lu-ja,
Coe-los as-cen - dit ho-di-e, Al-le-lu-ja,
Al-le-lu - ja, Der König der Eh-ren JE-sus Christ, Al-le-
Al-le-lu - ja, Je - sus Christus Rex glo-ri-ae, Al-le-
lu-ja, Al-le-lu - ja.
lu-ja, Al-le-lu - ja.

Nach der Ueberschrift ist das lateinische Lied alt. Wie alt, vermag ich nicht zu sagen. Auch Daniel (I, 343) gibt darüber keine Auskunft. Der

u. 412 und V, 662; auch bei Fischer I, S.

No. 328.

Last vns Jesum Christum v

Das Modulemur die hodie

(K. I, 256; W. V, 124

Leisentrit 1567 ff. Dilinger Gsb. 1576. Cöln (

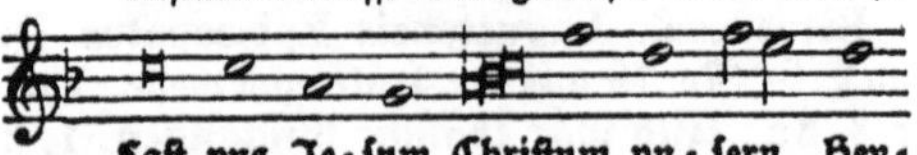
Last vns Je-sum Christum vn-sern Hey-

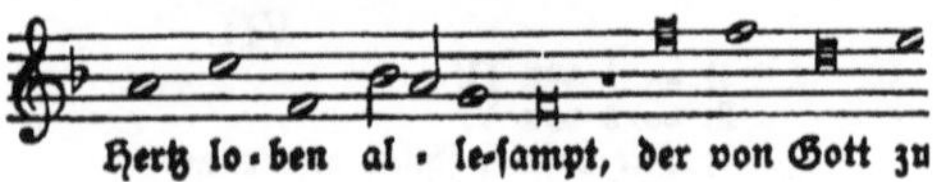
Hertz lo-ben al-le-sampt, der von Gott zu

No. 329.

Als Jesus Christus vns

Vff den tag der frölichen Auffart Christi,

(K. I, 257; W. V, 1178.

Vehe 1537. Leisentrit 1567 ff. Dilinger Gsb. 15

Als Je-sus Christus vn-ser Herr, Vor
Sein Jun-ger das er-frew-et sehr, Da

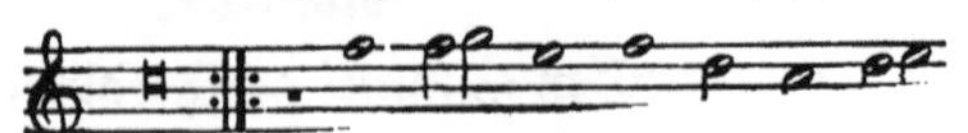

No. 330.

Als Jesus Christus vnser Herr.

Ein ander Gesang, von der Himmelfart Christi, auff die weis als der folgende Psalm, Inclina Domine (Ach Herr dein ohren neig zu mir) vnd wie hernach notirt.

Leisentrit 1567 ff. Dilingen 1576.

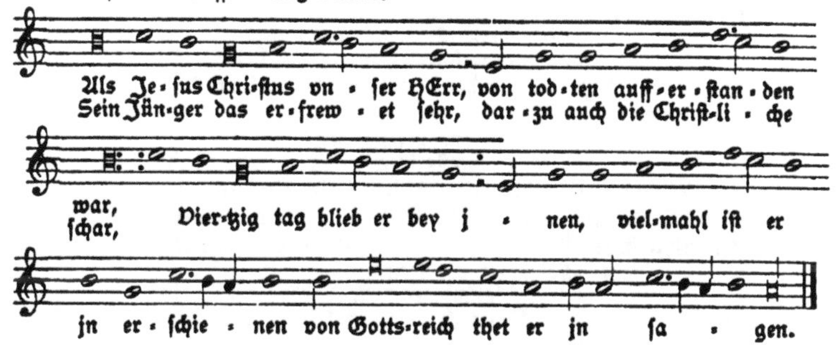
Als Je-sus Chri-stus vn - ser HErr, von tod-ten auff-er-stan-den war,
Sein Jün-ger das er-frew - et sehr, dar-zu auch die Christ-li - che schar,
Vier-tzig tag blieb er bey j - nen, viel-mahl ist er
jn er-schie - nen von Gotts-reich thet er jn sa - gen.

No. 331.

Fest vnd hoch auff dem Thron.

Der Hymnus Festum nunc celebre etc. Deutsch.

(K. I, 258; W. IV, 68.)

Leisentrit 1567 ff. Dilinger Gesb. 1576. Cöln (Quentel) 1599. Constanz 1600. Andernach 1608. Paderborn 1617. Cöln (Brachel) 1619. M.-Speier 1631. Corner 1631.

1
Fest vnd hoch auff dem Thron, si - tzet des men-schen Sohn, in
Fes-tum nunc ce - le - bre mag - na (que) gau - di - a, Com-
sei - ner herr - lig - keit, mit Gött - li - cher klar - heit, hat
pel - lunt a - ni - mos car - mi - na pro - me - re, Cum
sein Reich auff - ge - richt, wi - der den Bö - se - wicht, der
Chris - tus so - li - um scan - dit ad ar - du - um, coe-
2
vns so hart ge - bun - den hielt.
lo - rum pi - us ar - bi - ter.

1) Cölner Gesb. 1599, Constanzer 1600, Cölner 1619 g statt f.
2) Note f fehlt daselbst.

„Kom hoch feierliche czeit,
daran vns gros frewd leit." u. s. w. (W.

Der Hymnarius von Sigmundslust 1524 brin

„Der hochzeitliche tag, darzu die grossen freid
zwingen vns vnsre, new gsang on alles leyd" i

Die obige Uebersetzung bei Leisentrit steht a
Melodie in Val. Trillers Singebuch (1555) 1559.

Sodann finden sich bei Leisentrit noch weitere l
nach derselben Melodie zu singen sind:

1) „Mein hertz für frewd aufffpringt
vnd mich zu singen zwingt." (K. I, 259; W

von Nicolaus Herman in den Sonntagsevangelien, Wi
(ebenfalls mit der Melodie des obigen Hymnus).

2) „Das Fest vnd herrlich zeit
darzu die grosse frewd." (K. I, 260; W. V

Dieser Text steht später in „Teutsche Euangelisc
gerus Edingius. Cöln 1572, S. 340. Edingius hatte
Leisentrit überlassen, bevor er seine „Euangelische M

3) „Lobsinget mit frewden
alle rechtglaubigen." (K. I, 261; W. V, 114

von Wizel in dessen „Deutsch Betbuch" 1537 und Oda
auch bei Vehe 1537.

Das Andernacher Gesangbuch 1608, Cölner 1619,
1631 haben folgenden Text:

„Diß herlich hoch Fest heut,
darzu die grosse frewdt
Zwingt vnser gemüth,
zu loben Gottes güth,
Weil Christus Gottes Sohn
aufffteigt in seinen Thron,
Der König aller Königen."

In der dritten Ausgabe von Leisentrit's Gesangb
obige Melodie mit wenigen Aenderungen nochmals abg
von der h. Dorothea „Es was ein Gottesfürchtig
Jungfrawlein" von Nicolaus Herman (vgl. II. Bd.

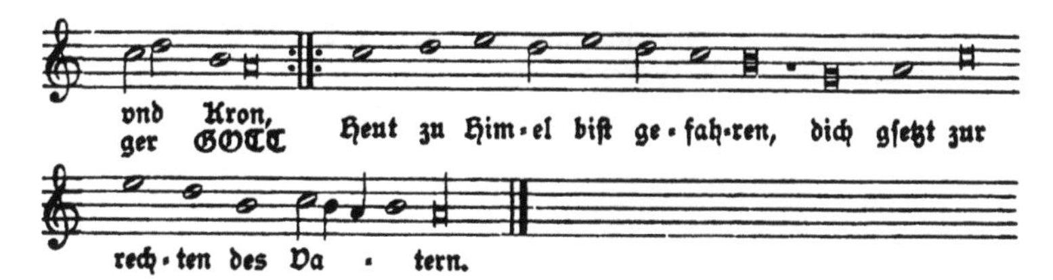
vnd Kron,
ger GOTT Heut zu Him-el bist ge-fah-ren, dich gsetzt zur
rech-ten des Va - tern.

No. 333.

O Herr Jesu Christ, Gottes Sohn.

Cöln (Brachel) 1619, 1634.

O Herr Je-su Christ, Got-tes Sohn, Al-ler Hei-li-gen ehr vnd
kron, Der du er-stan-den von dem Todt, Als ein gar ge-wal-ti-ger
Gott, Heut zu Him-mel bist ge-fah-ren, Dich gsetzt zur
rech-ten des Vat-tern.

No. 334.

Gelobet sey Gott ewiglich.

Vff den tag der frölichen Hymmelfart Christi.

(K. I, 264; W. V, 1180.)

I. Vehe 1537. Leisentrit 1567 ff. Dillinger Gesb. 1576. Cöln (Quentel) 1599. Paderborn 1617. M.-Speier 1631.

Ge-lo-bet sey Gott e-wig-lich Al-le-lu - - ia,
Ge-öf-fet ist das hym-mel-reich Al-le-lu - - ia,

Denn nu synt al-le ding volbracht, Al-le-lu - ia. Heut
Die pfordt hat Chri-stus vff-ge-macht, Al-le-lu - ia.

hat er vns be-reyt den weg, Al-le-lu - ia, Durch sei-ne

heyl - ge hym-mel-fart, Al-le-lu-ia, Sich selbs ge-ben zu

wart, Al - le - lu - ia.
hyn - fart, Al - le - lu - ia.

Der Text ist wahrscheinlich von Caspar Quer... die Melodie vgl. die Vorrede Vehe's S. 187.

1) Leisentrit 1584 hat anstatt f die obere Oktav der ... Paderborn 1617.

3) Al - le - lu - ia. 2) c b a f

II. Cöln (Brachel) 1619, 1634. Osnabrück 1628. Mainz 1628.

Ge - lo - bet sey Gott e - wig - lich, Al -
nun seind al - le ding vollbracht, Al - le - lu - ia,
das Him - mel - reich, Al - le - lu - ia, die pfordt hat
macht, Al - le - lu - ia, Heut hat er vns be - reit d
lu - ia, durch sein hei - li - ge Him - mel - f

No. 335.

Heut ist gefahren Gottes Sohn.

Von der Himmelfahrt Christi.

(K. I, 269.)

I. Osnabrück 1628. Cöln (Brachel) 1634.

Heut ist ge-fah-ren Got-tes Sohn, Al-le-lu-ia, Gehn him-mel
1
auff zum höch-sten thron, Al-le Al-le-lu-ia.

Cöln: 1) f e statt e c.

MAria Mutter Jesu Christ.

Ein anders, von Mariae Himmelfahrt.

II. Cöln (Brachel) 1623. Würzburger Gesb. 1628, 1630 ff. Mainz 1628. M.-Speier 1631. Seraph. Lustgart. 1635. Molsheim (1629) 1659. Mainz 1661, 1665. Erfurt 1666. Nordstern 1671.

MA-ri-a Mut-ter Je-su Christ, Al-le-lu-ia. Zum
Him-mel auf-ge-fah-ren ist. Al-le-lu-ia. Al-le-lu-ia.
Al-le-lu-ia. Al-le-lu-ia. Al-le-lu-ia.
Al-le-lu-ia. Al-le-lu-ia. Al-le-lu-ia.

Würzburg, Mainz, Nordstern u. a.:
„Heut ist gefahren Gottes Sohn" u. s. w.

No. 336.

Mit schallenden Stimmen.

Bamberg 1691.

Mit schal-len-den Stim-men, mit schla-gen-den Hän-den, er-
Der herr-schet, re-giert al-ler Or-then und En-den, hat

… das Him - mel-Erb wie - der, nur weil

Füs - sen be - trübt.
Is - ra - el gliebt.

Pfingstlieder.

(No. 337—354.)

No. 337.

Nu bitten wir den heyligen geyst.

Vff den heyligen Pfingstag vor der Predig.

(K. I, 271; W. III, 29.)

I. Vehe 1537. Leisentrit 1567 ff. David. Harmonia 1659. Rheinfels. Gesb. 1666.

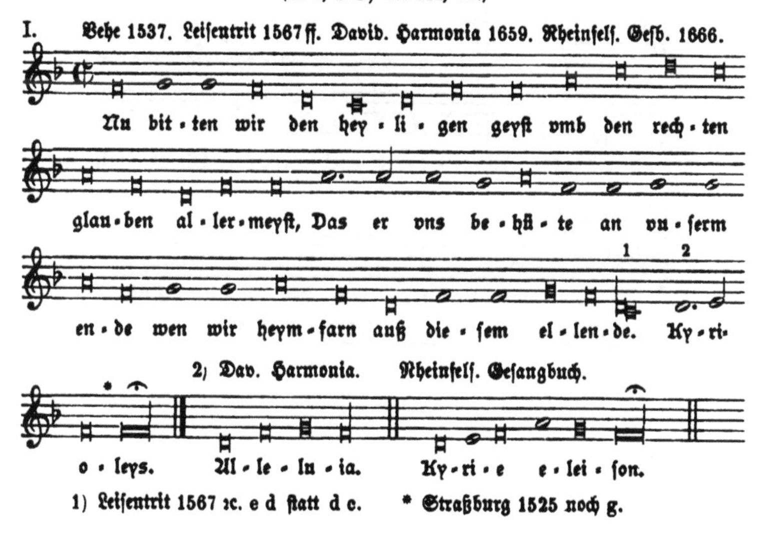
Nu bit - ten wir den hey - li - gen geyst vmb den rech - ten
glau - ben al - ler - meyst, Das er vns be - hü - te an vn - serm
en - de wen wir heym - farn auß die - sem el - len - de. Ky - ri -
2) Dav. Harmonia. Rheinfels. Gesangbuch.
o - leys. Al - le - lu - ia. Ky - ri - e e - lei - son.

1) Leisentrit 1567 rc. e d statt d c. * Straßburg 1525 noch g.

Ein schon sehr altes andechtiges Lobgesang vmb Gnad des heiligen Geists zu bitten.

II. Cöln (Quentel) 1599. Constanz 1600. Neyß 1625. Vogler 1625. Würzburg 1628, 1630 ff. M.-Speier 1631. Seraph. Lustgart. 1635. Molsheim (1629) 1659. Mainz 1628, 1661 ff. Erfurt 1666. Nordstern 1671. Straßburg 1697.

Nun bit - ten wir den hei - li - gen Geist, In dem rech -

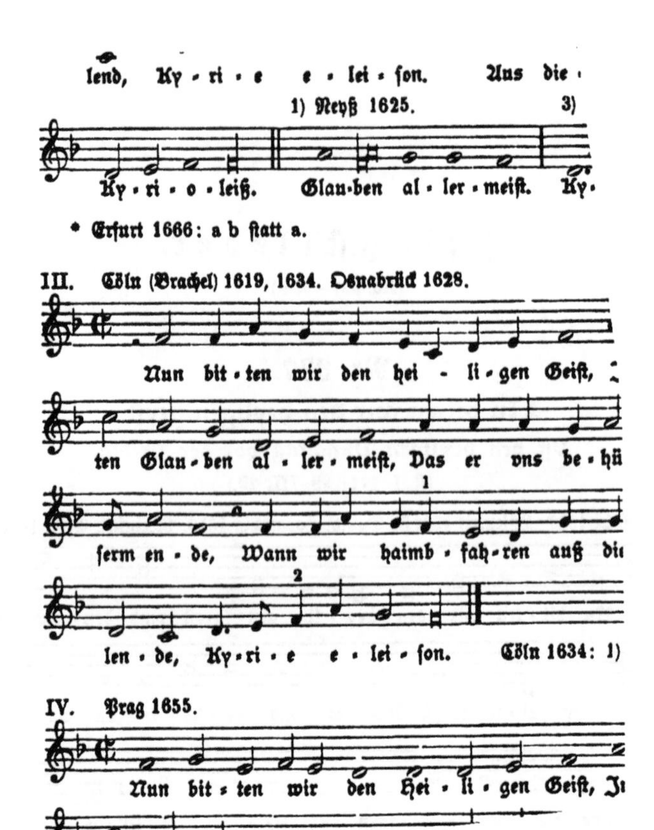
lend, Ky - ri - e e - lei - son. Aus die -
1) Neyß 1625.
3)
Ky - ri - e - leiß. Glau-ben al - ler - meist. Ky-
* Erfurt 1666: a b statt a.
III. Cöln (Brachel) 1619, 1634. Osnabrück 1628.
Nun bit - ten wir den hei - li - gen Geist,
ten Glau - ben al - ler - meist, Das er vns be - hü
1
ferm en - de, Wann wir haimb - fah - ren auß di
2
len - de, Ky - ri - e e - lei - son. Cöln 1634: 1)
IV. Prag 1655.
Nun bit - ten wir den Hei - li - gen Geist,

Der Gesang „**Nun bitten wir den heiligen Geist**“ gehört zu den ältesten deutschen Kirchenliedern. Er war ursprünglich einstrophig wie auch die Lieder „**Christ ist erstanden**“. „**Gelobet seist du Jesu Christ**“ und hat seine Melodiemotive der Sequenz »Veni sancte spiritus« entnommen. (Vgl. No. 346.) Die Tonart ist hypojonisch (transponirt).

Schon aus dem 13. Jahrhundert ist das Lied uns handschriftlich überliefert worden in den Predigten des Bruder Berthold von Regensburg.

I.

„Nu biten wie den heiligen geist
vmb den rehten glouben allermeist,
Daz er uns behüete an unserm ende,
so wir heim suln varn uz disem ellende.
Kyrieleis.“

„**Ez ist gar ein nůz sanc, ir sult ez iemer dester gerner singen unde sult ez alle mit ganzer andaht unde mit innigem herzen hin ze gote singen unde rufen. Ez was gar ein gut funt unde und ein nůzer funt, unde er was ein wiser man der daz selbe liet von erste vant.**“ (Hoffmann K. L. 1861, S. 66.)

Im Jahre 1340 wird das Lied in einem Spiele von der h. Dorothea erwähnt und auch in einem Spiele von der Himmelfahrt Mariä aus derselben Zeit. (Hoffmann, S. 76.)

Wizel in seinem Psaltes eccl. 1550 führt die obige Strophe an mit dem Bemerken „Hie singt die gantze Kirch:“

„Nu bitten wir den heiligen Geist“ u. s. w.

Das ursprünglich einstrophige Lied wurde von Luther um 3 Strophen erweitert. Dieses neue vierstrophige Lied findet sich zuerst in Joh. Walthers „**Geystliche gesangk-Buchleyn**“ Wittenberg 1524 (W. III, 28.) Sodann finde ich dasselbe im „**Teutsch Kirchenampt mit lobgesengen.**“ Straßburg 1525 an letzter Stelle. Im Val. Bapst'schen Gesangbuche 1545 steht dasselbe unter folgender Ueberschrift: „**Der lobgesang, Nu bitten wir den heiligen Geist. D. Mart. Luther.**“ Die Autorschaft Luther's kann sich nach dem Gesagten nur auf die 3 neuen Strophen beziehen.

Behe hat nach dem Vorgange Luther's der alten Strophe auch drei neue (von den Luther'schen verschiedene) Strophen hinzugefügt.

Wir haben also jetzt folgende Formen des Liedes.

I. Das alte einstrophige Lied.

II. Das Luther'sche Lied mit folgenden Strophen:

1) Nv bitten wir.
2) Du werdes licht gib vns deinen schein.
3) Du süsse lieb schenck vns deine gunst.
4) Du höchster tröster in aller not.

III. Das Behe'sche Lied mit folgenden Strophen:

1) Nv bitten wir.
2) Erleucht vns o du ewiges liecht.
3) O heyligste lieb vnd güttickeit.
4) O höchster tröster vnd warer Gott.

Alle drei Fassungen finden wir in den späteren kath. Gesangbüchern:

I.

Im Mainzer Cantual 1605, im Andernacher Gesangbuch 1608 (eingeflochten in das »Veni sancte spiritus reple tuorum« etc.), im Mainzer Gesangbuch 1628, 1661, 1665, Nordstern 1671.

2) = 2 von dem Luther'schen Liede.
3) O höchster Tröster in aller Noth, (in anderen und Wehe).
4) Wir betten an die dritte Person (neu).

Bei Corner 1631 stehen 4 Strophen von Vehe und a Strophe von Vogler.

III.

Das Vehe'sche Lied ging in die meisten kath. Gesan

Die Melodie unsers Liedes finden wir zuerst in d protestantischen Gesangbüchern. Es kann aber keinem Zwei diese die alte, dem Liede ursprünglich angehörende Weise

Die Melodie im Straßburger Kirchenampt 152 Vehe'schen 1537 überein. Nur am Schluß findet sich ein Im Val. Bapst'schen Gesangbuche 1545 fällt diese Varian der Zeit entstanden noch mancherlei Abweichungen in b büchern, welche ich fast alle oben mitgetheilt habe.

No. 338.

O heiliger Geist der du mit grossem g

Ein schön Liedt von dem heiligen Pfingst

(K. I, 274; W. V, 1206.)

Leisentrit 1567 ff. Dilinger Gesb. 1576. Andernach 1608.

O hei - li - ger Geist der du mit gros - sem gn
kreff - ti - ger wir - ckung in Few - ers gstalt, Vor
der vor - heis - sung Je - su Christ.

No. 339.

O heiliger Geist der du mit grossem gwalt.

Hecyrus 1581.

O hei - li - ger Geist, der du mit gros - sem gwalt, vnd
mit kreff - ti - ger wir - ckung in few - ers gstalt, von Himmel nach der ver - heis - sung Je - su Christ, auff die hei-
li - gen A - po - stel kom - men bist.

No. 340.

O du heiliger Geist, der du mit grosser Gwalt.

Cöln (Brachel) 1619, 1634. Cöln (Quentel) 1625. M.-Speier 1631.

O du hei - li - ger Geist, der du mit gros - ser Gwalt,
vnd mit kräff - ti - ger wür - ckung Fewrs gstalt, vom
Him - mel nach ver - hei - schung Je - su Christ, auff die
hei - li - gen A - po - stel kom - men bist, Ky-
ri - e - elei - son.

No. 341.

O Heiliger Geist.

Ein anders Gesang.

Beuttner (1602) 1660. Corner (1625) 1631, dessen Nachtigall 1649 ff.

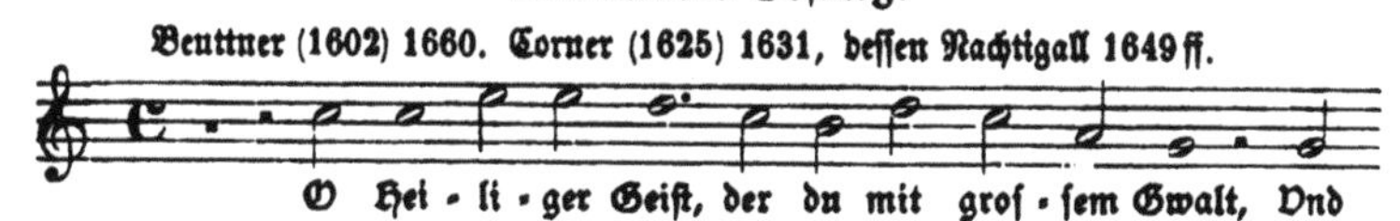
O Hei - li - ger Geist, der du mit gros - sem Gwalt, Vnd

heut her • ab kom • men bist.

1) Corner g statt e.

No. 342.

Kom heyliger geyst Herre Go

Vff den heylig Pfingstag nach der Pr

(K. I, 272.)

I. Behe 1537. Leisentrit 1567.

Kom hey • li • ger geyst Her • re Gott, er • füll
gna • den gutt, dei • ner glau • bi • gen he
sinn, dein brün•stig lieb er • zünd in jhn, O He
liech • tes glantz zu dem glau • ben ver • sam
volgk auß al • ler welt zun • gen, das se
lob ge • sun•gen, Al • le

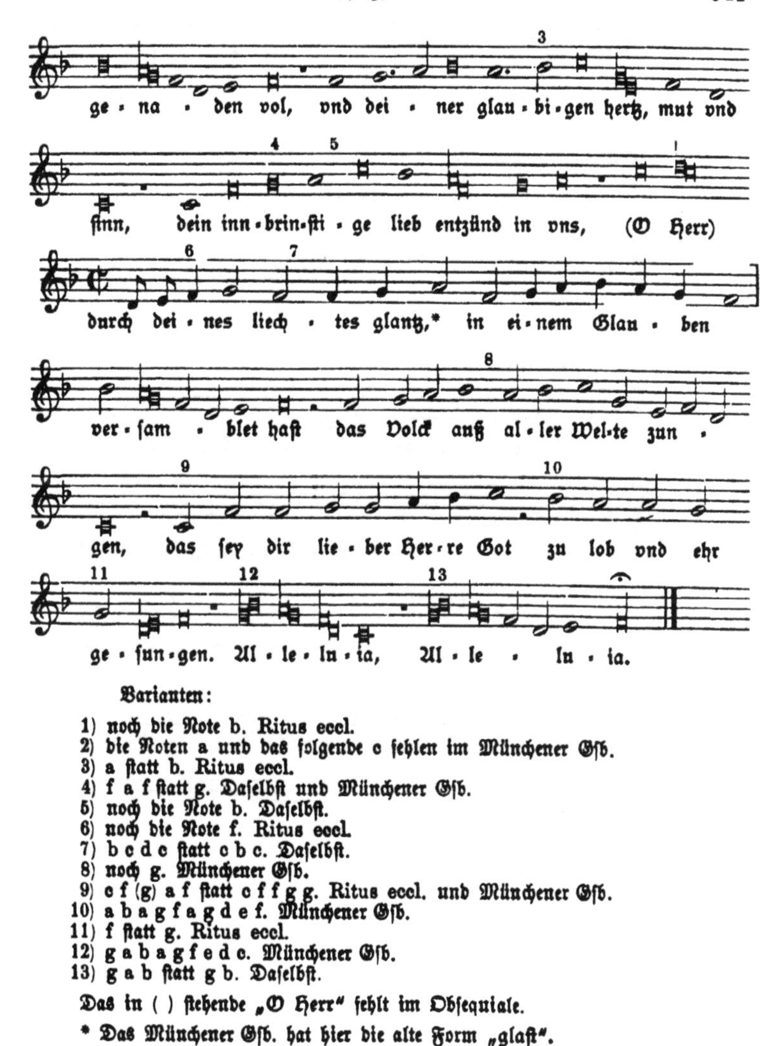
3
ge - na - den vol, vnd dei - ner glau - bi - gen hertz, mut vnd
4 5 1
ſinn, dein inn - brin - ſti - ge lieb entzünd in vns, (O Herr)
6 7
durch dei - nes liech - tes glantz,* in ei - nem Glau - ben
8
ver - ſam - blet haſt das Volck auß al - ler Wel - te zun -
9 10
gen, das ſey dir lie - ber Her - re Got zu lob vnd ehr
11 12 13
ge - ſun - gen. Al - le - lu - ia, Al - le - lu - ia.

Varianten:

1) noch die Note b. Ritus eccl.
2) die Noten a und das folgende c fehlen im Münchener Gſb.
3) a ſtatt b. Ritus eccl.
4) f a f ſtatt g. Daſelbſt und Münchener Gſb.
5) noch die Note b. Daſelbſt.
6) noch die Note f. Ritus eccl.
7) b c d c ſtatt c b c. Daſelbſt.
8) noch g. Münchener Gſb.
9) c f (g) a f ſtatt c f f g g. Ritus eccl. und Münchener Gſb.
10) a b a g f a g d e f. Münchener Gſb.
11) f ſtatt g. Ritus eccl.
12) g a b a g f e d c. Münchener Gſb.
13) g a b ſtatt g b. Daſelbſt.

Das in ( ) ſtehende „O Herr" fehlt im Obſequiale.

* Das Münchener Gſb. hat hier die alte Form „glaſt".

III. Cöln (Quentel) 1599. Conſtanz 1600. Paderborn 1617. Osnabrück 1628. M.-Speier 1631. Seraph. Luſtgart. 1635.

Kom hei - li - ger Geiſt Her - re Gott, Er - füll mit dei - ner
ge - na - den gut dei - ner ge - läu - bi - gen hertz, muht

-res glantz zu ei-nem Glauben
hast, das Volck auß al-ler Welt, ein zun-g
lie-ber Her-re Gott zu lob vnd zu ehr ge-sun-g
lu-ia, al-le-lu-ia.
IV. Reyß 1625. Corner (1625) 1631.
Kom hei-li-ger Geist, Her-re Gott, Er-füll
Gna-den gut, dei-ner glau-bi-gen Hertz, Mut vnd Si
sti-ge Lieb entzündt in jhn, der du durch dei
glantz, zu dem Glau-ben ver-samblet hast, das Volck au

V. Bamberg 1628.

KOmb hei - li - ger Geist, HEr - re Gott, Er - füll vns
dei - ner Ge - na - den voll, Dei - ner Ge-lau - bi - gen
Hertz, muth vnd sinn, Dein in - brün - sti - ge lieb en - tzünd in
jhn, O HErr durch dei - nes Liech - tes Glantz, In ei - nen
Glau - ben ver - sam - let hast, Das Volck aus al - ler Welt
Zun - gen, Das sey dir lie - ber Her - re Gott zu lob vnd ehr
ge - sun - gen, Al - le - lu - ia. Al - le - lu - ia.

Wackernagel hat in seinem II. Bd. vom Kirchenlied drei vorreformatorische Texte unseres obigen Liedes mitgetheilt: aus dem Münchener cod. germ. 6034, Bl. 90 und aus dem cod. germ. 716, Bl. 177, beide aus dem 15. Jahrhundert, sodann aus dem Baseler Plenarium vom Jahre 1514. (Vgl. auch Hoffmann, K. L. 1861, No. 90 u. 91.) Einen vierten Text publicirte Professor Dr. Crecelius in der Crailshaimer Schulordnung vom Jahre 1480. Dieser lautet mit der Vorbemerkung:

Tunc sequitur festum sancti spiritus, ubi in officio misse, vel cum placet, canitur brevior seqencia scilicet »Veni sancte spiritus« etc. super quo precinitur populo vel populus canit:

„Kum heiliger geist, herre got,
erfull vns mit deyner gnaden gepot,
der deynen gelewbigen herczen vnd syn,
dyn eynprünstige lieb enczund in jn,
Durch des deynen liechtes glast
in aynikait gesammelt hast
das volk aus aller welte czungen,
sey dir er vnd lob gesungen, allelnia, allelnia.“

Alle diese Texte repäsentiren eine freie deutsche Bearbeitung der aus dem 11. Jahrhundert stammenden Antiphon: »Veni sancte spiritus, reple tuorum corda fidelium et tui amoris in eis ignem accende, qui per diversitatem linguarum cunctarum gentes in unitate fidei congre-

„Veni sancte spiritus gebessert, durch D. M

Diese Besserung kann sich nicht auf Abänderung im Enchiridion z. B. des alten „glast" in „glantz" ꝛc. be nur die Erweiterung des Liedes durch zwei neue Strophe

Vehe dichtete nach dem Vorgange Luthers ebenfalls z zu der alten einzigen Strophe hinzu, sodaß wir, wie vorigen Liede der Fall war, vom Jahre 1537 an drei besitzen:

I.

Das alte einstrophige Lied, welches in folgenden spät findet:

Obsequiale, Ingolstadt 1570. Ritus ecclesiastici A Dilingen 1580. Haym von Themar, „Drey Gaystliche v gesang" 1584. Dilinger Gesb. 1589. Bamberger Gesb.

II.

Das Luther'sche Lied:

1. Strophe alt.
2. „ Du heyliges liecht edler hordt.
3. „ Du heylige brunst suesser trost.

In Brauns Echo 1675.

III.

Das Vehe'sche Lied.

1. Strophe alt.
2. „ O heyliges liecht won vns bey.
3. „ O höchster tröster vnd heyligste lieb.

Leisentrit 1567 ff. München 1586. Cöln 1599. Constanz born 1616 ff. Cöln (Brachel) 1619. Neyß 1625. Corner 1666 u. a.

Die Melodie des deutschen Liedes ist nicht von der genan Antiphon hergenommen, sondern von einer andern, die ich auffinden können. Sie tritt sowohl in den

Die reicher ausgestattete Melodie findet sich zuerst im Klug'schen Gesangbuche Wittenberg 1535, in Spangenbergs „Kirchengesenge, Deutsch etc. 1545, sodann im Vehe'schen Gesangbuche 1537 und bei Leisentrit 1567 ff. Diese Form scheint mir die ältere vorreformatorische zu sein, denn sie tritt in den frühesten katholischen Agenden und Gesangbüchern in den verschiedensten Lesarten auf, während die einfache Form des Erfurter Enchiridions und des Val. Bapst'schen Gesangbuches erst im Neyßer Gesangbuch 1625, bei Corner 1631 u. s. w. sich findet.

Mehrstimmige Bearbeitungen von protestantischer Seite (Erythräus 1608, Haßler 1608, Prätorius 1609, Aug. Moritz Landgraf von Hessen-Kassel 1612) sind in dem vierstimmigen Choralbuch von Jakob u. Richter, Berlin (ohne Jahr), zusammengestellt.

No. 343.

König der Heiligen Engel.

An dem heiligen Pfingstabendt ein herrlicher Lobgesang, so die Catholische Kirch im Latein Rex Sanctorum Angelorum, in vnd bey der Procession zu dem Tauffbrun thut jehrlich gebrauchen, Erstlich pfleget der gantze Chor anzufangen vnd stets zu intoniren mit den ersten zween Verß oder Ritmen, darauff antwortet Secundus Chorus mit dem nachfolgenden Verssen, durch die sünderliche darzu verordnete Schüler oder Knaben, wie folget.

(K. I, 273.)

Leisentrit 1584.

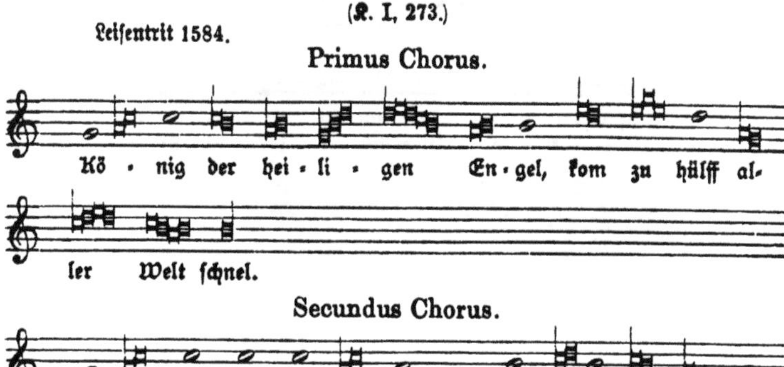
Primus Chorus.
Kö - nig der hei - li - gen En - gel, kom zu hülff al-
ler Welt schnel.

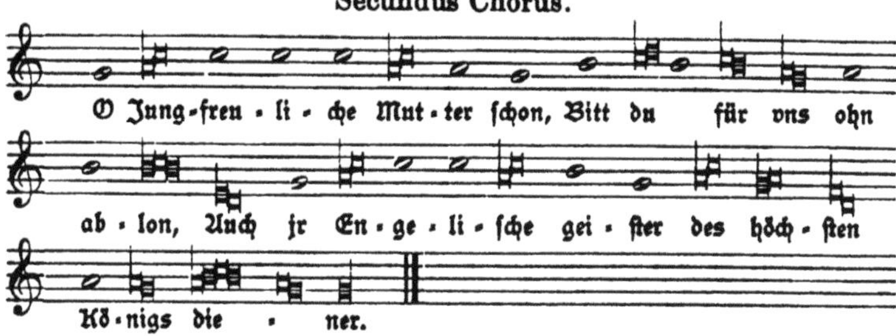
Secundus Chorus.
O Jung-freu - li - che Mut - ter schon, Bitt du für vns ohn
ab - lon, Auch jr En - ge - li - sche gei - ster des höch - sten
Kö-nigs die - ner.

Der lateinische Hymnus »Rex sanctorum Angelorum« (Dan. I, 260), den Mone (I, 138) aus verschiedenen Handschriften des 11. bis 15. Jahrhunderts mittheilt, wurde am Charsamstage bei der Taufe der Katechumenen gesungen.

ſonde häufig vor. Ich fand ihn in einer Meißei
quiale 1570 und in den Ritus eccl. August. Ep
als Gesang bei der Proceſſion zum Taufbrunnen
Die Ueberſetzung bei Leiſentrit ſtammt
(Teutſche Euangeliſche Meſſen, Cöln 1572, (
die ſtimmt im ganzen mit der von Schubiger mit
gerſchule St. Gallens, Exempla S. 5.)

No. 344.

Kom heiliger Geiſt waret

Der Hymnus Veni creator Spiritus, In de
wie volget.

(K. I, 276; W. V, 1248.)

I. Kethuer 1555. Leiſentrit 1567 ff. Dilingen 1576, 1
Conſtanz 1600. Andernach 1608. Paderborn 1609,
1623. Hildesheim 1625. Mainz 1627, 1628, 1661 f
1625, 1663. Osnabrück 1628. Bamberg 1628 ff. M.
Seraph. Luſtgart. 1635. David. Harmonie 1659. 9
Erfurt 1666. Münſter 1677.

1
Kom hei - li - ger Geiſt wa - rer Troſt, die
Ve - ni cre - a - tor spi - ri - tus, me
bſchaf - fen haſt, be - ſuch in al - ler angſt
vi - si - ta, im - ple su - per - na gra
2

des H. Hilarij. Beati[?] nobis gaudia. Auch am H. Pfingstag zu singen:

„O welch' eine selige grosse frewd
vns das vmblauffend jar bracht heut" u. s. w. (K. I, 275.)

Diese Uebersetzung des lat. Liedes Beata nobis gaudia (M. I, 183; W. I, 66; D. I, 6) ist von Rutgerus Edingius, „Teutsche Euangelische Messen, Cöln 1572", S. 362.

Kethner (Hymni 1555) bringt die Melodie dreimal zu folgenden Uebersetzungen lateinischer Hymnen:

1) Veni creator Spiritus.
„Komb Gott Schöpffer heiliger Geist,
Bsuch das hertze der menschen dein" u. s. w. (v. Luther.)

2) Nunc sancte nobis spiritus.
„Heyliger geist du tröster fron,
Einiger Gott mit Gottes Son" u. s. w.

3) Hic est dies verus Dei.
„Dis ist des Herren tag fürwar,
Der mit ein heylgen schein ist klar." u. s. w.

Im Cölner Gesangbuch 1623 steht folgender Text:

„Kom heyliger Geist schöpffer mein,
Besuch das Hertz der Kinder dein,
Mach alle Hertzen Gnaden vol,
Die deine Handt erschaffen wol." (W. V, 1502; K. I, 278.)

Im Mainzer Gesangbuch 1628 und Erfurter 1666:

„Kom heiliger Geist (u. s. w. wie vorhin)
Erfülle vns mit deiner gnad
die vns aus nichts erschaffen hat."

Die Davidische Harmonie 1659 und das Rheinfelsische Gesangbuch 1666 haben das Luther'sche Lied:

„Komm Gott Schöpffer heiliger Geist,
besuch das Hertz der Menschen dein." u. s. w. (K. I, 277; W. III, 20.)

Ein andes: Der Hymnus; Veni creator Spiritus, Teutsch.

II. Beuttner (1602) 1660.

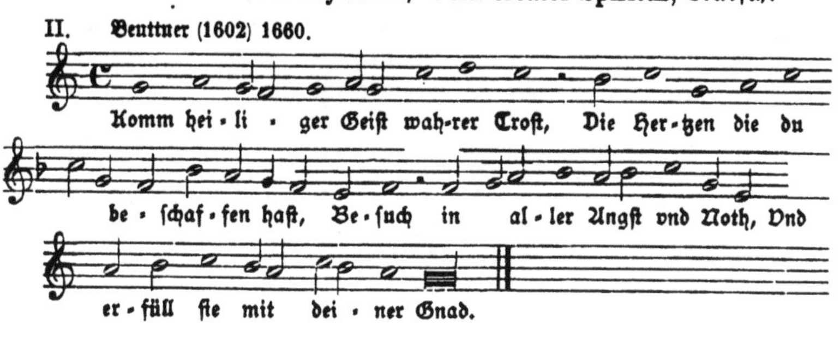
Komm hei - li - ger Geist wah-rer Trost, Die Her-tzen die du
be - schaf-fen hast, Be-such in al-ler Angst vnd Noth, Vnd
er - füll sie mit dei - ner Gnad.

III. Cöln (Brachel) 1619, 1625, 1634. Molsheim (1629) 1659. Nordstern 1671. Brauns Echo 1675.

Kom hei - li - ger Geist, wah-rer Trost, die Her - tzen die du

er - schaf - fen hast, Be - such in al - ler angst vnd Noth, vnd
er - füll mit dei - - ner Gnad.

Brauns Echo hat die Melodie im $\frac{4}{4}$ Takt.

Molsheim:

„Komb heilger Geist etc.
besuch das Hertz der Kinder dein,
erfülle vns mit deiner Gnad,
die vns auß nichts erschaffen hat.“

Der Hymnus »Veni Creator Spiritus« hat, wie Mone bewiesen, den h. Gregor den Großen zum Verfasser. Von Karl dem Großen, den man früher genannt hat, kann derselbe nicht herrühren, da die Handschriften, welche den Hymnus enthalten, vor diese Zeit fallen. (M. I, 184; vgl. auch Dan. I, 213 und W. I, 104.)

Auf die deutschen Bearbeitungen aus früherer Zeit will ich in aller Kürze hinweisen.

1) „Chome schepfaer geist
mote diner erwise“ u. s. w. aus dem 12. Jahrhundert.

(Kehrein, Kirchen- und religiöse Lieder 1853, S. 68.)

2) „Kom schepfaer, heiliger geist,
heimsuch der dinen mut, als du weist.“ u. s. w.

aus dem 12. Jahrhundert. Stuttgarter Pergamenthandschrift, No. 25. a. d. 13. Jahrhundert. (W. II, 46.)

3) „Kom, hailger gaist, mit diner gütt,
begaub vnd schaw vnsrin gemüt.“ u. s. w.

Papierhandschrift aus dem 15. Jahrhundert auf der Bibliothek zu Karlsruhe. Cod. St. Georgen, No. 74. (W. II, 985.)

4) „Kom schöpffer gott, heiliger geist,
gemut der dynen heymbeleist“ u. s. w.

von Ludwig Moser im Anhange zu dem Buche: „Der guldin Spiegel des Sunders, Basel 1497“. (W. II, 1073.)

5) „Khum, schöpffer, O heyliger Geyst,
dyn gemüet deiner haymsuechen seyst.“ u. s. w.

Hymnarius von Sigmundslust 1524. (W. II, 1372.) Vgl. auch Hoffmann, Kirchenlied 1861, No. 133, 139 u. 208.

Die Copie eines Liederbuches aus dem Anfange des 15. Jahrhunderts mit Liedern vom Mönch von Salzburg, Oswald von Wolkenstein u. a. (in meinem Besitz) enthält folgende Uebertragung:

6) „Kom schepfer heiliger geist,
suech dy gemüet der deinen,
erfül mit der öbristen gnad
die herczen die du beschaffen hast.“ u. s. w.

Luther übersetzt:

7) „Kom Gott schepffer heyliger geyst,
besuch das hertz der menschenn dein,
Mit gnaden sie füll wie du weist,
dz dein geschepff vorhin sein.“

Zuerst im Erfurter Enchiridion 1524; in Val. Bapst's Gesangbuch 1545 mit der Ueberschrift: „verdeutscht durch D. Mart. Luther".

Dieses Lied ging auch in kath. Gesangbücher über: Hymni von Kethner 1555, Leisentrit 1567 ff., Davidische Harmonie 1659, Rheinfelsisches Gesangbuch 1666.

Triller hat in seinem Singebuch (1555) 1559 folgende Uebertragung:

8) „Komb Got Schöpffer heiliger geist
Dieweil dü vnser Tröster heist." u. s. w. (K. I, 281; W. IV, 70.)

Diese ging in die Leisentrit'schen Gesangbücher über.

Weitere Uebertragungen in katholischen Gesangbüchern sind unter den Melodien notirt worden.

Die mixolydische Melodie, welche dem lat. Hymnus entnommen ist, tritt auch bei diesem Liede in doppelter Form auf. Die kath. Gesangbücher und Triller haben die alte reichfigurirte Choralmelodie beibehalten. In den protestantischen Gesangbüchern, für welche die Melodie im Bapst'schen Gesangbuche 1545 maßgebend wurde, ist die alte Weise bedeutend vereinfacht worden.

No. 345.

Kom heiliger Geist Herre Gott.

Ein anders im Thon, Kom heiliger Geist wahrer Trost, oder wie folget.

(K. I, 279; W. V, 1251.)

Leisentrit 1567 ff. Dilinger Gesb. 1576. Andernach 1608.

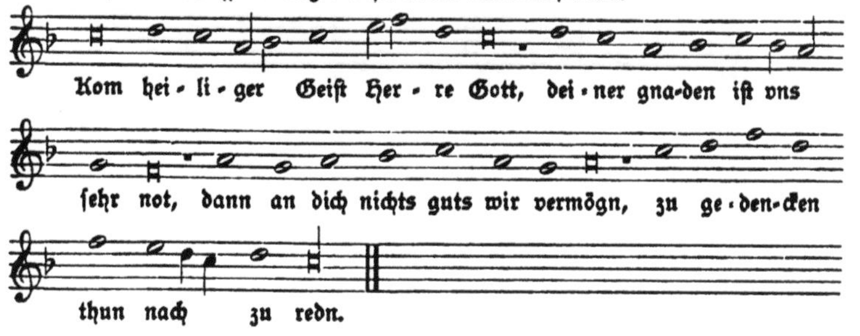
Kom hei - li - ger Geist Her - re Gott, dei - ner gna-den ist vns
sehr not, dann an dich nichts guts wir vermögn, zu ge - den-cken
thun nach zu redn.

Das Andernacher Gesangbuch enthält zu dieser Melodie den Hymnus:

»Jesu corona virginum«
„Jesu aller Jungfrawen Kron".

mit der Ueberschrift „In seiner Choral Melodey oder wie folgt".

Leisentrit hat den Text nach einem Liede von M. Weiße bearbeitet:

„Kom heiliger geist warer got
denn deine gnad ist vns ser not."

im Gesangbuch der böhmischen Brüder 1531.

Kom hey - li - ger geist send aus den hy - m
dei - nes liech - tes klar. Kom ein va - ter de
ein ge - ber der gab, kom ein liecht der her - cze
pe - ster trö - ster, du sües - ser geist der se - le, ai
küe - lung. In der ar - bait ain rue, in der hicz ei
in dem wai - nen ain trost. O du al - ler - se - li
er - füll die in - wen - di - kait der her - czen dei - ner
Wañ an dein mäch - ti - kait, ist nichz an de

dy hey-li - gen si - ben gab. Gib das ver-dienn der tu-gent
gib den auf-gangk des hai - les vnd gib vns dy e - wig frewd.
Kom heil-ger Geist war - rer Gott, gib dein liecht von Hi-
Kom du Va - ter der ar - men, kom auf - spen - der der
mel gut, vnd ver-las dein Ge - schöpff nicht.
ga - ben, kom der her-tzen wa - res Liecht.
Du al - ler - gü - tig - ster trost, der Se - len lieb - lich - ster
Du rech - te ruh in ar - beit, er - qui - ckung in hi - tzig-
gast, du wa - re süs - se lab - nus.
keit, du tröst in der be - trüb - nus.
O Liecht vnd se - lig - ster glantz, das in - nerst der her - tzen gantz,
On dei - ne Gött - li - che krafft, wird nichts guts von menschen gschafft,
er - füll dei - ner gleu - bi - gen.
on dich müs - sens ver - der - ben.
Wasch ab all vn - rei - nig - keit, vnd be - feucht all dür - rig - keit,
Beng vnd bieg all star - rig - keit, vnd er - werm all fro - stig - keit,
vnd heil was da ist ver - wundt.
füg das jr - rig zu deim bundt.

Kom heilger Geist warer Gott.

Der Sequentz Veni sancte Spiritus & emitte celitus. Deutsch.

(K. I, 282; W. V, 1249.)

II. Leisentrit 1567 ff.

I. II. III. IV.

1) Leisentrit 1573 u. 1584: e statt g.
2) Leisentrit 1584: b statt a.

In der dritten Ausgabe von Leisentri
Melodie nochmals abgedruckt zu einer wei
Sequenz:

„Kom heiliger Geist schöpffer mein
ein deines lichts klarste schein“ u. s.

Dieser Text ist von Rutgerus Edingius. (
Cöln 1572, S. 369.)

Ein ander Sequentz Veni

(K. I, 283; W. V, 1

III. Leisentrit 1567 ff.

Kom hei-li-ger Geist wa-rer Gott, be
send her-ab dei-nes lich-tes glantz, d
den gar vnd gantz.
Kom Va-ter der ar-men vnd vor-ach-

der See-len aus des Va-ters schos, du süs-se er-ge-tzung vnd fried
al-lein, Ach er-frew vn-ser ge-müt woll vnd fein.
Du bist die ruh wens vns saw-er wird, du bist der schat-ten wenn
vns die hi-tze rürt, du bist der kreff-tig trost, wen wir wei-nen
heiß, O vol-bring sölchs in vns durch dein we-ben leiß.
Du se-li-ges licht er-fül dei-ne gleu-bi-gen jn-ner-lich, geuß
vor aus was nicht dein ist lau-ter-lich.
On dich Got-tes geist ist nichts mit vns, hie ist nichts guts
scheins nach grunds.
Da-rumb heb an wasch vn-ser vn-fle-ti-ges rein, be-gens
vn-ser dür-res, heil wo wir wund sein.
Lenck was hals-star-rig ist, zu bö-sem radt, werm was kalt
ist, richt was jr-re gehet vom pfadt.

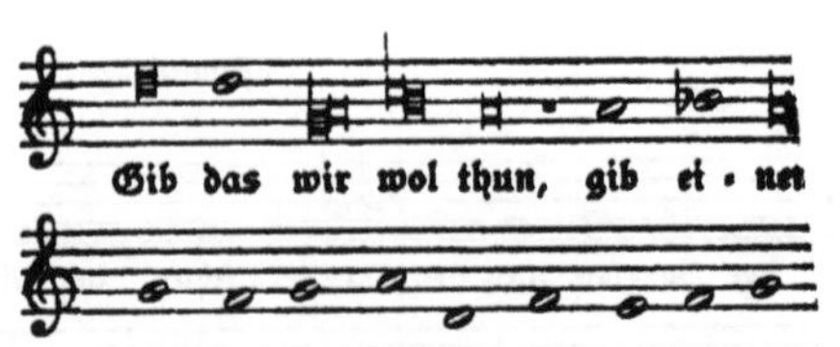

Gib das wir wol thun, gib ei - nen
nach die - sem le - ben die e - wi - ge

Die deutsche Uebersetzung ist von W
„Deutsch Betbuch“ 1537 und »Odae Chri

Der Gesang »Veni sancte Spiritus et
fünf Sequenzen, welche man nach der Reforn
ihrer Schönheit wegen beibehalten hat. M
Text nach Handschriften des 13., 14. und 15.
bibliothek zu St. Gallen findet er sich aber i
11. Jahrhundert. (Codex 376, S. 434; 3
382, S. 250. Katalog S. 529.)

In dem Codex 556, S. 342 »Vita san
Autor Papst Innocenz III. (1198—1216)
weiter kein Gewicht beizulegen, weil die Han
bringen, älter sind. Mehr Glauben verdient
in seinem Rationale divinorum officiorum
Robert von Frankreich als Verfasser nennt.
»De prosa seu sequentia« heißt es »Quidam
tus nomine composuit sequentiam illam
hymnum »Chorus novae Jerusalem«.

Der König Robert von Frankreich († 10
den Kirchengesang ganz außerordentlich, und
von ihm gedichteten und in Musik gesetzten
Responsorien, die zum Theil von Tritheim
noch vollständiger von den Verfassern der Lit
VII. S. 329) angeführt

Das lateinische Lied hat sich auch in protestantischen Gesangbüchern noch bis in das 18. Jahrhundert hinein erhalten. Daniel beklagt, daß sich unter den protestantischen Liederdichtern keiner gefunden, der die liebliche und zarte Sequenz durch eine würdige Uebertragung dem evangelischen Gottesdienst erhalten hätte. (Vgl. Fischer, Lexikon II, 295). Im Brüdergesangbuche vom Jahre 1544 findet sich die Sequenz mit dem deutschen Texte von Horn:

„Heyliger Geyst Herre Gott,
du höchster Trost inn der not.“ (W. III, 433.)

No. 347.

Kom heilger Geist Schöpffer mein.

Veni Sancte Spiritus.

Andernach 1608.
Kom heil - ger Geist Schöpf-fer mein, Vnd geuß vns von dro-ben
Ve - ni Sanc-te Spi - ri - tus, Et e - mit - te coe-li-
ein Dei - nes liech - tes klär - ste schein.
tus Lu - cis tu - ae ra - di - um.

Die Melodie ist nach dem 3. Choral der Sequenz gebildet, wobei der Schluß eine Quart höher transponirt wurde. Man vergleiche die Strophe „O du allerseligistes Liecht“ in dem handschriftlichen Liede. Text von R. Edingius (vgl. S. 652).

No. 348.

Kom O heiliger Geist.

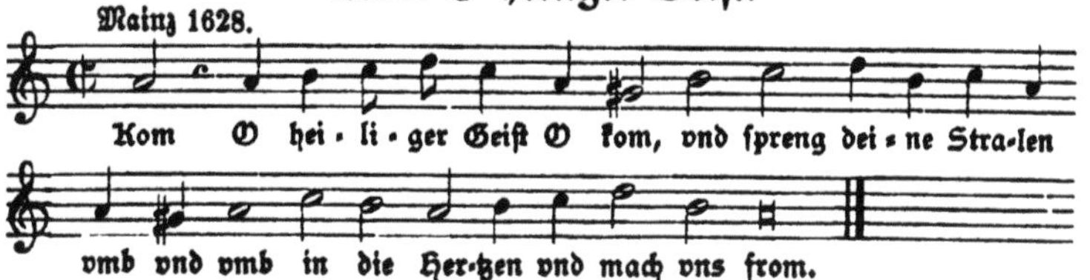
Mainz 1628.
Kom O hei - li - ger Geist O kom, vnd spreng dei - ne Stra-len
vmb vnd vmb in die Her-tzen vnd mach vns from.

No. 349.

Kom̄ heiliger Geist Schöpffer mein.

Beuttner (1602) 1660.
Kom̄ hei - li - ger Geist Schöpf-fer mein, Vnd gieß vns
von dro - ben ein, Dei - nes Liech - tes kla - re - sten Schein.

Die Melodie ist nach dem Anfang des 4. und nach dem 3. Choral der Sequenz gebildet, der Text hat den R. Edingius zum Autor.

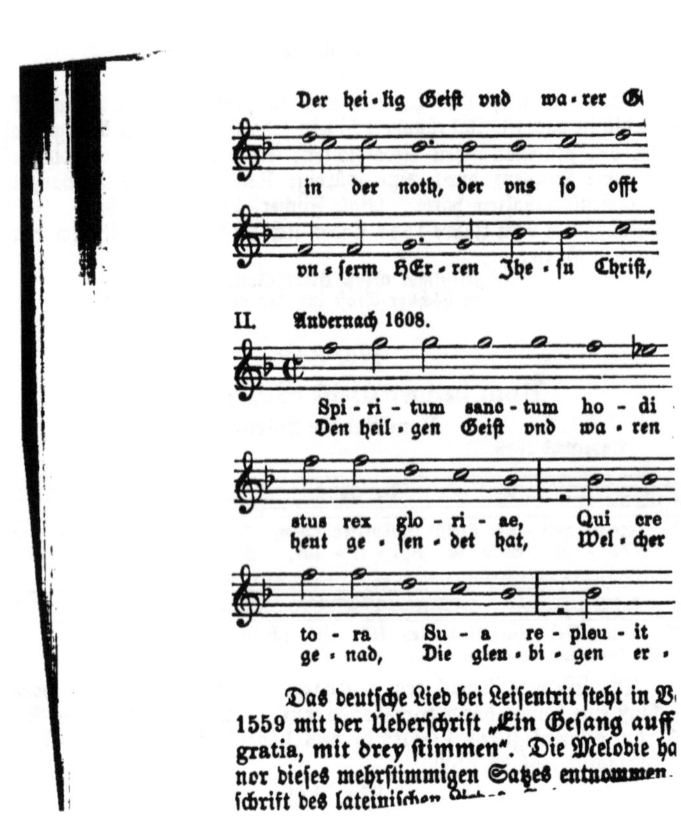
Der hei-lig Geist vnd wa-rer G
in der noth, der vns so offt
vn-serm HEr-ren Jhe-su Christ,
II. Andernach 1608.
Spi-ri-tum sanc-tum ho-di
Den heil-gen Geist vnd wa-ren
stus rex glo-ri-ae, Qui cre
hent ge-sen-det hat, Wel-cher
to-ra Su-a re-pleu-it
ge-nad, Die glen-bi-gen er-

Das deutsche Lied bei Leisentrit steht in V
1559 mit der Ueberschrift „Ein Gesang auff
gratia, mit drey stimmen". Die Melodie ha
nor dieses mehrstimmigen Satzes entnommen.
schrift des lateinischen

Ich gebe nachstehend den 3stimmigen Satz aus Trillers Singebuch. Während Leisentrit die Tenorstimme um eine Quart höher transponirt, bringt Corner die Discantstimme zu dem folgenden Liede No. 351.

Ein Gesang auff die noten, Spiritus Sancti gratia, mit drey stimmen.

Triller (1555) 1559.

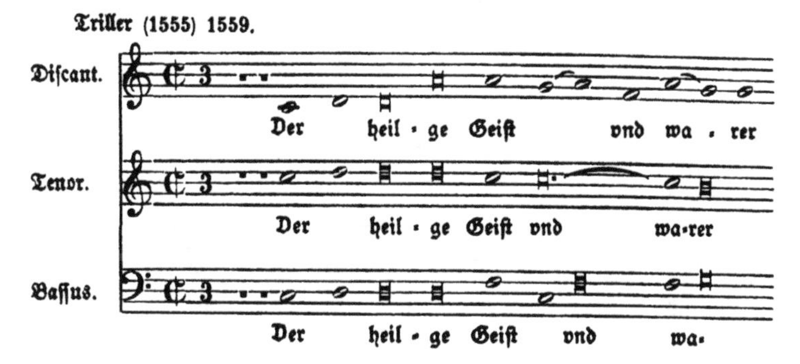
Discant.
Der heil - ge Geist vnd wa - rer
Tenor.
Der heil - ge Geist vnd wa-rer
Bassus.
Der heil - ge Geist vnd wa-

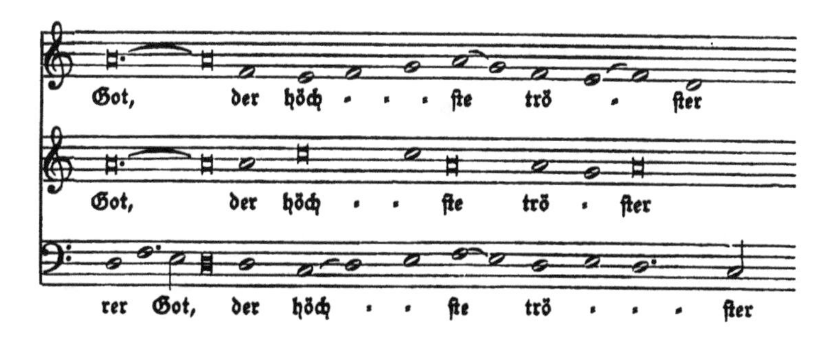
Got, der höch - - - ste trö - ster
Got, der höch - - ste trö - ster
rer Got, der höch - - ste trö - - - ster

in der not, der vns so offt ver-
1
in der not, der vns so offt ver-
in der not, der vns so offt ver-

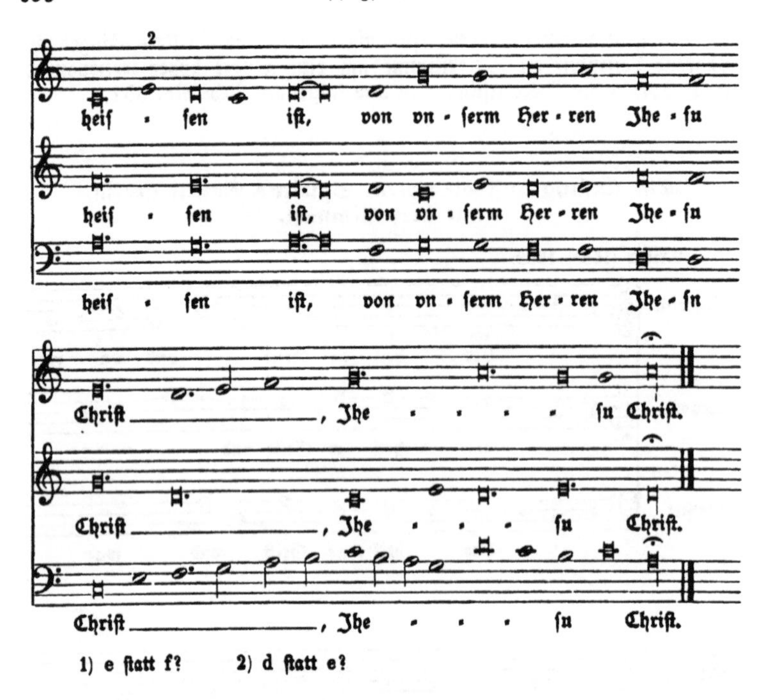
2
heis - sen ist, von un - serm Her - ren Jhe - su
heis - sen ist, von un - serm Her - ren Jhe - su
heis - sen ist, von un - serm Her - ren Jhe - su
Christ ______, Jhe - - - - - su Christ.
Christ ______, Jhe - - - - su Christ.
Christ ______, Jhe - - - - su Christ.
1) e statt f? 2) d statt e?

No. 351.

Deß Heilgen Geistes reiche Gnad.

(K. I, 288; W. V. 47.)

Corner (1625) 1631. Dessen Nachtigall 1649 ff.

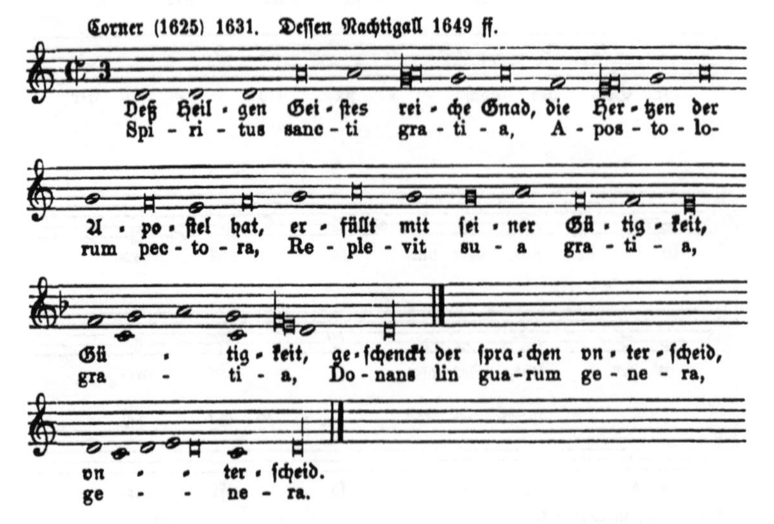
Deß Heil - gen Gei - stes rei - che Gnad, die Her - tzen der
Spi - ri - tus sanc - ti gra - ti - a, A - pos - to - lo-
A - po - stel hat, er - füllt mit sei - ner Gü - tig - keit,
rum pec - to - ra, Re - ple - vit su - a gra - ti - a,
Gü - tig - keit, ge - schenckt der spra - chen un - ter - scheid,
gra - ti - a, Do - nans lin gua - rum ge - ne - ra,
un - - ter - scheid.
ge - - ne - ra.

Corner 1649.

Geschenckt der spra - chen vn - der-scheyd, vn - - der-scheid.

Man vergleiche den Discant des vorigen Liedes bei Triller.

Einen fünfstrophigen Hymnus »Spiritus sancti gratia« theilt Wackernagel aus dem Münchener cod. lat. (5023 Bl. 48) des 15. Jahrhunderts mit. Hier haben die Strophen folgende Anfangszeilen.

I.

1. »Spiritus sancti gratia.«
2. »Misit per mundi climata.«
3. »Laudemus consolatorem.«
4. »Ergo nos cum tripudio.«
5. »Uni trino sempiterno«. (W. I, 414.)

II.

Bei Leisentrit 1567 hat das Lied folgende 7 Strophen:

1. = 1 von I.
2. = 2 von I.
3. Dicens eis accipite.
4. Dicens eis dum steteritis.
5. Dabitur enim in illa hora.
6. = 3 von I.
7. 4 von I. (W. I, 415).

III.

Bei Corner 1631 hat das Lied 6 Strophen; es fehlt hier die Strophe 5 von II, auch im Uebrigen hat der Text mancherlei Abweichungen.

IV.

Corners Nachtigall 1649.

1. = 1 von I mit Varianten.
2. Dixit Jesus: Accipite Spiritum (neu).
3. = 2 von I.
4. = 3 von II.
5. = 4 von II mit Varianten.
6. = 4 von I.

Eine deutsche Uebersetzung der Strohen 1, 2 und 4 von I findet sich in der genannten Münchener Handschrift. Bl. 49.

„Der heilig gaist mit seiner gnad
der heilign hertzen pesessen hat“. (W. II, 983).

Die Uebersetzung in Corners Gesangbuch vom Jahre 1631 hat große Aehnlichkeit mit einer niederdeutschen Fassung in dem protestantischen Gesangbuche „Geistlike Leder vnd Psalmen — Gryphswoldt 1587“.

Ich stelle die Strophenanfänge hier zusammen:

1. Des hilligen Geistes gnaden groth.
   Des heilgen Geistes reiche gnad.
2. Sende se in de Werlt wyth.
   Er sandt sie in aller Welt Krayß.
3. Sede tho en, nemet hen.
   Er sprach zu jhnen: Nemet hin.

—, fünfte und sechste Strophe sind gleich der dritt
des vorigen Liedes. In der Nachtigall 1649 laute
gar alte einfältige Andacht zum Heiligen Gei

Auch in protestantischen Gesangbüchern kommt d
Bearbeitungen vor (W. V, 47, 48 u. 772).

Da es hier bald mit den Buchstaben J. L. bal
so glauben einige daß J. Leon († als Pfarrer zu Wi
übersetzt habe (Wetzel, Hymnopögraphie II, S. 70).
dem A. Lobwasser zu (Fischer I, 118).

Die obige Melodie findet sich in Trillers Singebu
Discantstimme in einem dreistimmigen Satze zu dem
Geist vnd warer Got" und zwar mit der Variante, w
von Corner 1649 bringt.

No. 352.

Heilger Geist O HErre mein

Veni Sancte Spiritus et emitte.

im gleichem oder folgendem Tho

(K. I, 285).

Corner (1625) 1631. Dessen Nachtigall 1649.

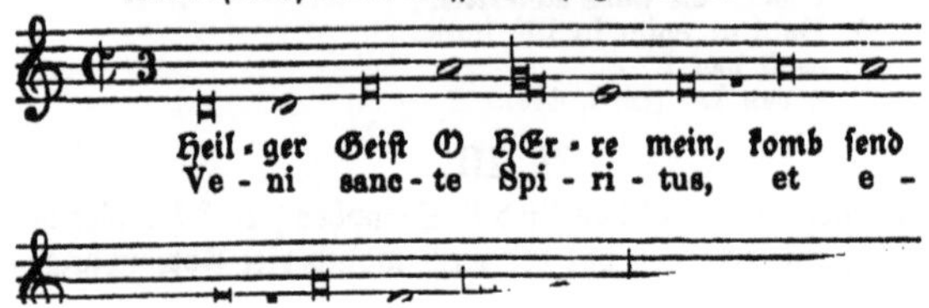
Heil - ger Geist O HEr - re mein, komb send
Ve - ni sanc - te Spi - ri - tus, et e -

No. 353.

Kom̄ heiliger Geist zu vns herab.

Der Sequens: Veni sancte Spiritus, et emitte coelitus, Teutsch.

(K. I, 286.)

Beuttner (1602) 1660.

Kom̄ hei - li - ger Geist zu vns her - ab, Send auß,
gib vns dein Him - me - li - sche Gab, gib vns dein Liecht
vnd Gött - lich Wort: das vns er - leucht an die - sem Ort,
Ki - ri - e - lei - son.

Im Original steht am Schlusse die Note f, jedenfalls ein Druckfehler.

Der Text steht mit einigen Varianten auch in Corners Gesangbuch 1631. Die Melodie ist derjenigen, welche wir unter No. 204 zu dem Liede „Herr Christe Schöpffer aller Welt" mittheilten, sehr ähnlich.

No. 354.

Komm O komm Heiliger Geist.

Münster 1677.

Komm O komm Hei - li - ger Geist, uns dein
Hülff und Bei - standt leist, all dein Schätz bring mit her - ab.

Lieder von der allerheiligsten Dreifaltigkeit.

(No. 355—370.)

No. 355.

Der Herr vnd Gott von ewigkeit.

Von der heiligen Dreyfaltigkeit auff die Noten O lux beata Trinitas.

(K. I, 296; W. IV, 73.)

I. Leisentrit 1567 ff. Dillinger Gesb. 1576. Cöln (Quentel) 1599. Constanz 1600. Andernach 1608. Paderborn 1609, 1617. Cöln (Brachel) 1619, 1623. Hildesheim 1625. Mainz 1627. Würzburg 1628 ff. Bamberg 1628. M.-Speier 1631. Corner 1631. Molsheim (1629) 1659. Dav. Harmonia 1659. Rheinfels. Gesb. 1666. Neyß 1663. Erfurt 1666. Münster 1677.

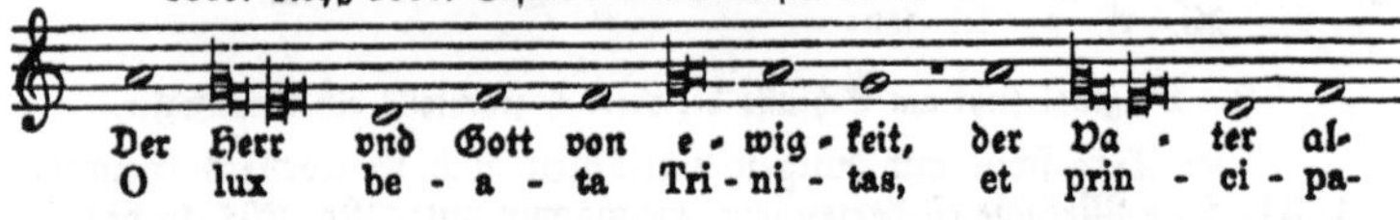
Der Herr vnd Gott von e - wig - keit, der Va - ter al-
O lux be - a - ta Tri - ni - tas, et prin - ci - pa-

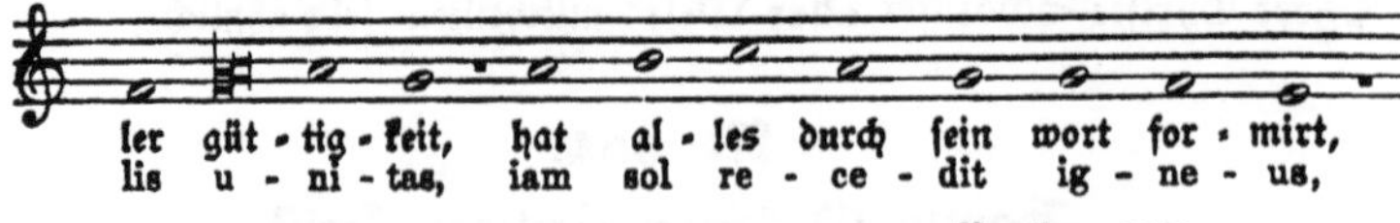
ler güt - tig - keit, hat al - les durch sein wort for - mirt,
lis u - ni - tas, iam sol re - ce - dit ig - ne - us,

Bamberg 1628.

den Him - mel vnd die Erd ge - ziert. Tri - ni - tas.
in - fun - de lu - men cor - di - bus. u - ni - tas.
* cor - di - bus.

Der dreistrophige lateinische Text, den das Cölner Gesangbuch 1599 zuerst bringt, wird von Hincmar dem h. Ambrosius zugeschrieben. Wackernagel setzt ihn der durchgeführten Reime wegen in das 5. Jahrh. (I, 60.)

Der obige deutsche Text bei Leisentrit ist keine Uebersetzung des lateinischen Hymnus, sondern ein von Triller gedichtetes Lied. Leisentrit hat es aus dessen Singebuch (1555) 1559 herübergenommen. Die Ueberschrift lautet „auff die noten O lux Beata trinitas, oder auff die so folget."

Die Melodie, welche jetzt bei Triller folgt, ist die der Nummer 409 in diesem Bande.

* Liber de non trina Deitate.

Von den vorreformatorischen Uebersetzungen des Hymnus
»O lux beata trinitas«
sind mir folgende bekannt:

1) „Lieht saeligiv trinalticheit.
vnd vurstlich einvaltichei t“.

(Kehrein, Kirchen und religiöse Lieder. 1853, S. 25.)

2) „O Liecht sälge Drynaltigkhayt
vnnd fürtreffliche Aynigkhayt“.

Hymnarius von Sigmundslust 1524. (W. II, 1386.)

3) Die mitgetheilte Prosa-Uebersetzung aus dem Anfang des 15. Jahrhunderts.

Die obige Melodie ist die Choralweise des alten Hymnus. Sie findet sich in den Gesangbüchern zu folgenden Texten abgedruckt:

a. „Steh bey vns heilige Dreyheit,
gleicher glantz einige Gottheit“ (K. I, 302).

Aus Rutgerus Edingius „Teutsche Euangelische Messen“ Cöln 1572, S. 379 in die dritte Ausgabe von Leisentrits Gesangbuch (1584) übergegangen.

b. „Herr Gott Vatter in ewigkait
der du durch dein Allmächtigkeit“. (K. I, 301; W. V, 1252)

im Dilinger Gesangbuch 1576. Der Text steht schon bei Leisentrit 1567.

c. „Sey gelobet vnd gebenedeyet
Die heilig Dreyfaltigkait“. (K. I, 290; W. V, 1207.)

im Dilinger Gesangbuch 1576. Der Text steht ebenfalls schon im Leisentrit'schen Gesangbuche 1567; sodann unter den Liedern des Hecyrus 1581 und im Cölner Gesangbuch 1599.

Der Verfasser ist Hecyrus, der das Lied seinem Freunde Leisentrit überließ, bevor er seine Lieder selbst drucken ließ.

d. „O liecht heilge dreyfältigkeit
vnd fürnemliche einigkeit“. (K. I, 294).

eine Uebersetzung des lateinischen Hymnus in Cölner Gesangbuch 1599, Andernacher 1608, Paderborner 1609 ff. u. a. Der Verfasser ist Rutgerus Edingius, in dessen „Teutsche Euangelische Messen“. Cöln 1572, S. 24 der Text zu finden ist.

e. „O Heyligste Dreyfaltigkeit
Gib deiner lieben Christenheit“. (K. I, 295).

im Cölner Gesangbuch 1623, Bamberger 1628 u. a.

f. „Der du bist drey in Einigkeit,
Ein wahrer Gott von Ewigkeit“. (W. III, 50).

Davidische Harmonia 1659. Rheinfelsisches Gesangbuch 1666.

Uebersetzung Luthers zuerst im Klug'schen Gesangbuch Wittenberg 1543, sodann im Val. Bapst'schen 1545. u. s. w.

O Liecht heilige Dreyfaltigkeit.

Der Hymnvs Teutsch O lux beata trinitas.

II. Cöln (Brachel) 1619, 1634. Osnabrück 1628.

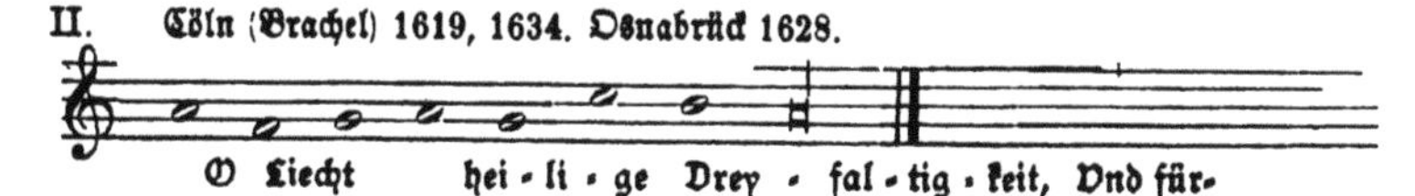
O Liecht hei - li - ge Drey - fal - tig - keit, Vnd für-

... ig sonn, daz vn - ser herz dein

Von der heyligen Dryfaltikait der ...

III. Copie eines geistlichen Liederbuches aus dem Anfange de...
O du se - li - ge dry - fal - ti
auch vô - dri - ste ai - ni - k...
weicht dy few - rein sunn, geus ein
der herc - zen.

No. 356.

Der HErr vnd GOtt von Ewig...

Corner (1625) 1631. Dessen Nachtigall 1649.*

Der HErr vnd GOtt von E - wig - keit,
al - ler Gü - tig - keit, hat al - les durch sein
den Him-mel vnd die Erd ...

gü - tig - keit, Hat al - les durch sein wort for-miert, Den him-
3
mel vnd die Erd ge - ziert. Al - le - lu - ia.
1) Osnabrück.
Der Herr vnd

2) Cöln 1634 c statt f. 3) Osnabrück f statt g.

No. 358.

Gelobt sey allzeit die Heilig Dreyfaltigkeit.

Die vralte Prosa oder sequentia von der heiligsten Dreyfaltigkeit, verdeutscht.

(K. I, 289.)

I. Corner (1625) 1631. Dessen Nachtigall 1649 ff.

Ge - lobt sey all - zeit die Hei - lig Drey - fal - tig - keit, Die Gott-heit,
Be - ne - dic - ta sem-per sanc-ta sit Tri - ni - tas, De - i - tas
Ey - nig - keit, die da ist inn gleich - för - mi - ger Klar-heit, Gott Vatter,
sci - li - cet, U - ni - tas co - ae - qua - lis glo - ri - ae, Pa-ter, Fi-
Gott Sohn, Gott hei - li - ger Geist, drey Na-men, drey Per-son, doch nicht
li - us, Sanc-tus Spi - ri - tus tri - a sunt no - mi - na, om - ni-
drey, son - der nur ein Gott - heit ist, der Vattr zeugt den Son, der Son
a e - a - dem sub-stan - ti - a, De - us Ge - ni - tor, De - us
wird ge - born, in bey - den ist GOtt der Hei - lig Geist, glei - cher
Ge - ni - tus, in u - tro-que sa - cer Spi - ri - tus, De - i-
Gott - heit auß - er-kohrn, Bildt dir nicht drey Göt-ter ein, GOtt ist
ta - te so - ci - â, Non tres ta - men Di - i sunt, De - us

…ig Geist ist HErr, In Per-son ist ein
ri - tu - que sanc - tus. Pro - pri - e - tas in
Na - tur a - ber ist die Ey - nig - keit. Gleich Ma -
tas, est et in es - sen - ti - a, Ma - je -
gleich Ehr die gantz Drey - fal - tig - keit em - pfaht.
de - cus, ho - nor ae - què per om - ni - a.
grufft sie er - helt, deß - glei - chen alls was er
a, con - ti - nens ar - va si - mul et u
der Welt. Die graw - sam Höll zit - tert für dem Go
di - ta. Quem tre - munt im - pi - a Tar - ta - ra
ler - un - derst Abgrundt eh - ren thut. Ein je - de St
quem et a - bys - sus in - fi - ma. Nunc om - nis
singt die - sem HEr - ren all - zeit Lob ge - nug.
fa - te - a - tur hunc lau - de de - bi - ta.

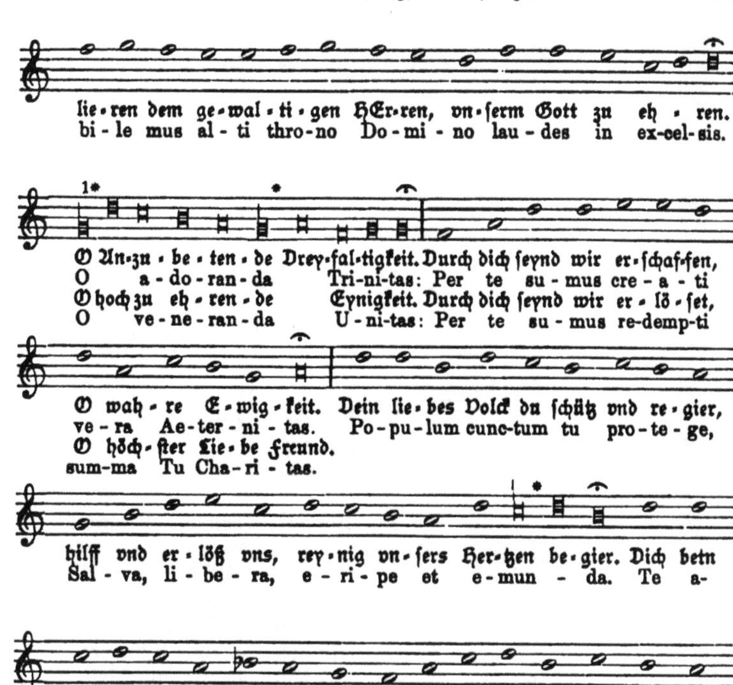
lie-ren dem ge-wal-ti-gen HErren, vn-serm Gott zu eh-ren.
bi-le mus al-ti thro-no Do-mi-no lau-des in ex-cel-sis.
1*
O Anzu-be-ten-de Drey-fal-tig-keit. Durch dich seynd wir er-schaf-fen,
O a-do-ran-da Tri-ni-tas: Per te su-mus cre-a-ti
O hoch zu eh-ren-de Eynigkeit. Durch dich seynd wir er-lö-set,
O ve-ne-ran-da U-ni-tas: Per te su-mus re-demp-ti
O wah-re E-wig-keit. Dein lie-bes Volck du schütz vnd re-gier,
ve-ra Ae-ter-ni-tas. Po-pu-lum cunc-tum tu pro-te-ge,
O höch-ster Lie-be Freund.
sum-ma Tu Cha-ri-tas.
hilff vnd er-lös vns, rey-nig vn-sers Her-tzen be-gier. Dich betn
Sal-va, li-be-ra, e-ri-pe et e-mun-da. Te a-
wir an Allmäch-ti-ger HErr, dir sin-gen wir Lob, Preiß vnd danck,
do-ra-mus om-ni-po-tens, Ti-bi ca-ni-mus, Ti-bi laus,

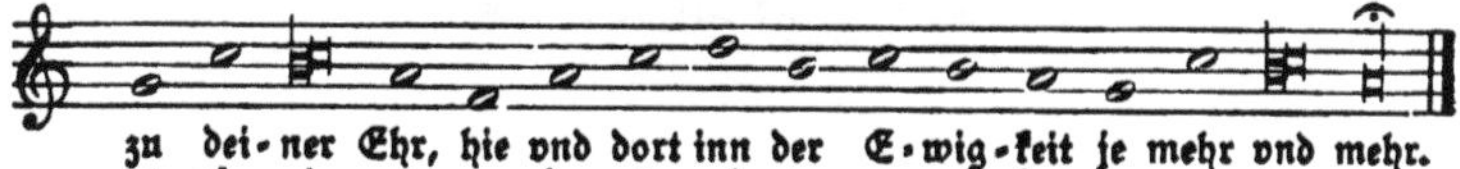
zu dei-ner Ehr, hie vnd dort inn der E-wig-keit je mehr vnd mehr.
et glo-ri-a per in-fi-ni-ta sae-cu-la sae-cu-lo-rum.

1) Vergleiche hierzu die folgende Fassung des Cölner Gesangbuches 1599.
* Für den lateinischen Text Ligaturen.

O anbettlich Dreyfältigkeit.

O Adoranda Trinitas.

Nachfolgendt Gesang ist auß dem Sequens Benedicta semper sancta sit Trinitas, genommen. Vnd kan vnter der auffhebung deß H. Sacraments in der Meß gesungen werden.

II. Cöln (Quentel) 1599. Paderborn 1617. M.-Speier 1631. Münster 1677.

O an-bett-lich Drey-fäl-tig-keit, O ehr-wür-di-ge ei-nig-
O a-do-ran-da Tri-ni-tas, O Ve-ne-ran-da V-ni-

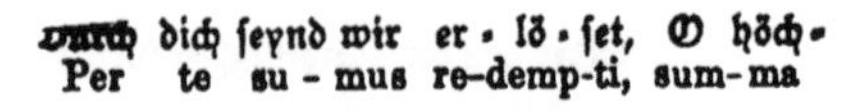

durch dich seynd wir er • lö • set, O höch•
Per te su - mus re-demp-ti, sum-ma

dein gan•tzes Volck be•schir•men, se • li • ge
lum cunctum tu pro - te - ge, sal - ua, li

rei • ni • gen, Dich an • be • ten wir, all•mec
e - mun-da, Te A - do - ra-mus, om - ni ·

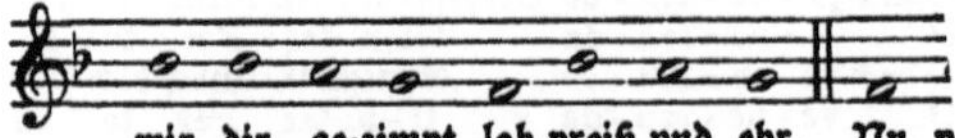

wir dir ge•zimpt lob preiß vnd ehr. Nu v
mus, ti - bi laus et glo - ri - a. Per i

vnd in e • wig • keit.
la se - cu - lo - rum.

Die Sequenz »Benedicta semper sit sanct
(I, 4) aus verschiedenen Handschriften des 11. bis
auch W. I, 174; Dan. 2, 49.) Auf der Stiftsbib
det sie sich in den Handschriften 339, 546; 340, 7
10. Jahrhundert und noch sechsmal aus späterer
Im Codex 379 daselbst, sowie in einer Münchene
fol. 41, aus dem 11. Jahrhundert, wird Notke
gegeben.

Schubiger gibt uns Text und Melodie nach
576, aus dem Jahre 1507 (Sängerschule St.
No. 24). Diese Melodie stimmt ...

Im Schumann'schen Gesangbuche, Leipzig 1539 und Spangenbergs „Kirchengesenge. Deutsch. 1545" findet sich die Uebersetzung: „Lob ehr vnd preis sey dir allzeit von vns bereit" (W. III 1121.)
(Weitere Bearbeitungen in Fischers Lexikon I, S. 63.)

No. 359.

Sey gelobt vnd gebenedeyt.

(K. I, 290; W. V, 1207.)

Cöln (Brachel) 1619. Osnabrück 1628.

Sey ge-lobt vnd ge-be-ne-deyt, Die hei-li-ge Drey-fal-
tig-keit, Vnd vn-zer-theil-te Ei-nig-keit, Glei-cher
macht, vnd her-lig-keit.

No. 360.

Herr Gott Vatter in ewigkeit.

Auff das fest der heiligen Dreyfältigkeit, vnd auch zu andern zeitten zu singen.

(K. I, 301; W. V, 1252.)

Psalter Ulenbergs 1582. Cöln (Quentel) 1599. Paderborn 1617. Neyß 1625 Münster 1677.

Herr Gott Vat-ter in e-wig-keit, der du durch dein all-mech-tig-
keit, hast vns er-schaf-fen weis-sig-lich, nerst vnd er-helst
als gne-dig-lich.

Der Text findet sich bereits bei Leisentrit 1567.

Die Melodie steht im Psalter Ulenbergs zum Psalm 87:

„Herr Got mein heil mein einig zier." (K. III, 213.)

Gott Va - ter im höch - sten Thron, w
Je - sum dein lie - ben Son, send vns den
lehr die war - heit, vnd dein willn vor-br
jr-thumb ge - freyt, alls böß v - ber - wi

Der Text ist von Hecyrus, der denselbe
überlassen, bevor er 1581 seine Lieder selbst he
des Hecyrus wird auf die Melodie »Ave virgo v
No. 32).

No. 362.

Wir loben dich Gott S

(W. V, 1512.)

Cöln (Brachel) 1623, 1634. Würzburg 1628 ff.
Erfurt 1666.

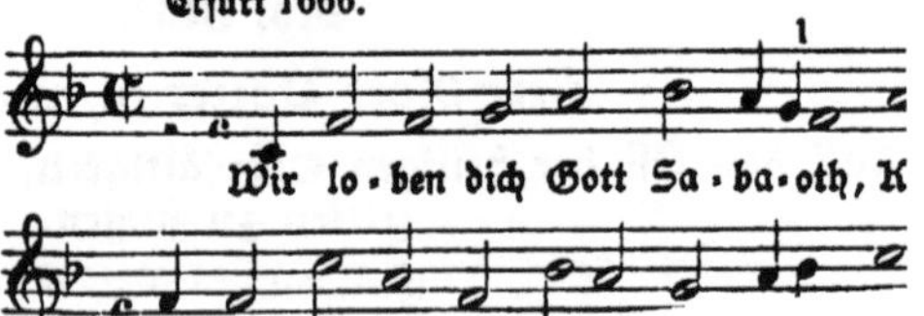
1
Wir lo - ben dich Gott Sa - ba - oth, K

No. 363.

O Gott wir loben dich.

Das schön Lobgesang, Te deum laudamus, Mag zur zeit der hochzeitlichen Festen, so man von einer Kirchen in die andere procession helt, gesungen werden.

(K. I, 291.)

I. Behe 1537. Leisentrit 1567.

O Gott wir lo - ben dich, wir be - ken - nen dich ei - nen
Her - ren, Dich e - wi - gen vat - ter prey - set der gan - tzen
er - den kreyß, Das - selb thun auch al - le En - gel, die hym - mel vnd
all ge - wal - ti - gen en - gel, Auch Che - ru - byn vnd Se - ra - phin
schrei - en mit vn - auff - hör - li - cher stym - me, Hey - - li - ger,
Hey - - li - ger, Hey - li - ger her - re Got Sa - ba - oth,
Hym - mel vnd erd synt er - ful - let mit der her - li - ckeyt
dei - nes prey - ses, Die löb - lich ver - sam - lung dei - ner zwölff
bot - ten, Lo - bet dich ei - nen wa - ren Got, Desgleich thut auch
al - le - zeyt, die her - li - che zal al - ler Pro - phe - ten, die
gan - tze schar der hey - li - gen mer - te - rer lo - bet dich Her - re
mit gros - sem schall, die gan - tze hey - li - ge Chri - sten - heyt, lo - bet dich

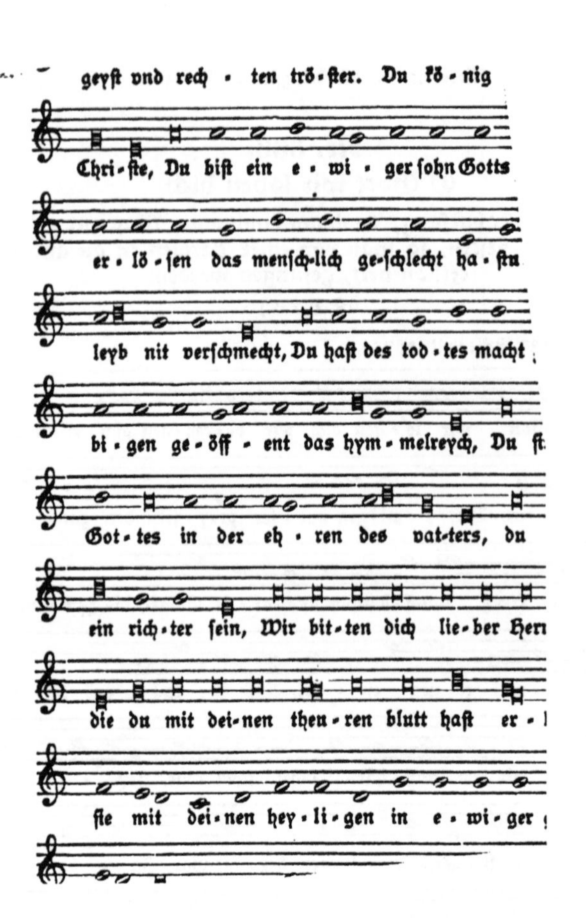
geyst vnd rech - ten trö - ster. Du kö - nig
Chri - ste, Du bist ein e - wi - ger sohn Gotts
er - lö - sen das mensch-lich ge-schlecht ha - stu
leyb nit verschmecht, Du hast des tod - tes macht
bi - gen ge - öff - ent das hym - melreych, Du
Got - tes in der eh - ren des vat-ters, du
ein rich - ter sein, Wir bit - ten dich lie - ber Her
die du mit dei - nen theu - ren blutt hast er -
sie mit dei - nen hey - li - gen in e - wi - ger

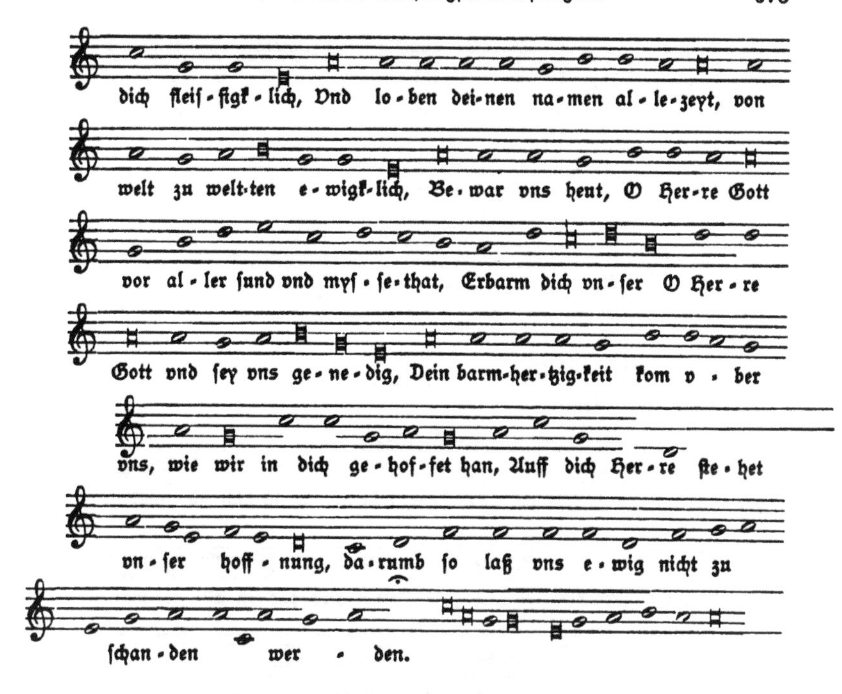
dich fleiſ - ſigk - lich, Vnd lo - ben dei-nen na-men al - le-zeyt, von
welt zu welt-ten e - wigk-lich, Be-war vns heut, O Her-re Gott
vor al - ler ſund vnd myſ - ſe-that, Erbarm dich vn - ſer O Her - re
Gott vnd ſey vns ge - ne - dig, Dein barm-her-tzig-keit kom v - ber
vns, wie wir in dich ge - hof-fet han, Auff dich Her - re ſte - het
vn - ſer hoff - nung, da - rumb ſo laß vns e - wig nicht zu
ſchan - den wer - den.

Dich Gott wir lobn vnd ehren.

Te Deum laudamus, Teutſch, in gewönlichem Ton.

(K. I, 292.)

II. Mainzer Cantual 1605. Paderborn 1609. Hildesheim 1625.

Dich Gott wir lo - ben vnd eh-ren, Be-ken-nen dich ei - nen Her - ren,
Dich e-wi-gen Vat-ter gut, die gan-tze Welt eh - ren thut.
Die Hei-li-gen En-gel man-nig-falt, die Him-mel vnd all
Him - liſch ge - walt.
Auch Che-ru-bin vnd Se - ra-phin, ſchrey-en mit vn - auff - hör-

li - cher stim. Hei - lig, Hei - lig, Hei - lig ist Gott, der
all - mech - tig HErr Sa - ba - oth.
Der Him - mel vnd die Er - den weit, seynd voll dei - ner Ehr
vnd herr - lig - keit.
Der Glor-wir - dig A - po - stel Chor, lobt vnd preist dich jm - merdar.
Deß - glei-chen auch die löb - lich zahl, Deiner Pro - phe-ten all - zu - mal.
Dich lobt das vn - v - ber-wind-lich Heer, al-ler hei-li-gen Mar-ty-rer.
Die hei - li - ge Kirch ein - trech - tig - lich, durch al - le Welt be-
ken - net dich.
Ei - nen Vat - ter der herr - lig - keit, in e - wig we-ren-der Ma-ye-stät.
Auch dei-nen ei - ni - gen Soh-ne wahr, be-kent vnd ehrt sie of - fen - bar.
Dar - zu den wehr-den Hei - li - gen Geist, der jhr stets trost
vnd bey - stand leist.

Wir be-ken-nen HErr JESV Christ, daß du ein Kö-nig der Glo-ri bist.
Ein e-wig, ein-ge-bor-ner Son, dei-nes Vat-ters ins Himmels Thron,
Zu er-lö-sen das Mensch-lich gschlecht, Jung-frew-lichn leib
nit hast ver-schmecht.
Du hast v-ber-wun-den deß To-des krafft, dein Reich den Glau-
bi-gen auff-ge-macht.
Du si-tzest zur Rech-ten Got-tes, in der glo-ri dei-nes Vat-ters.
Wir glau-ben al-le-sampt ge-wiß, daß du zu-künff-tig Rich-ter bist.
Drumb bit-ten wir hülff den Die-nern dein, die durch dein thewr-
ba-res Blut er-lö-set sein.
Gib daß wir mit den Hei-li-gen dein, der e-wi-gen
Glo-ri theil-haff-tig seyn.
HERR gib dei-nem Volck die see-lig-keit, vnd dein Erb-theil
werd be-ne-deyt.

O HERR be-hüt vns die-sen tag, vor al-ler
Er-barm dich vn-ser o Her-re Gott, vnd gna-de
V-ber vns sey dein barmhertzig-keit, als vn-ser hoff-
O HERR wir hof-fen all in dich, vor
e - - - - - - - - wig-lich.

Dich Gott wir lobn vnd ehrn.

III. Corner (1625) 1631, dessen Nachtigall 1649 ff.

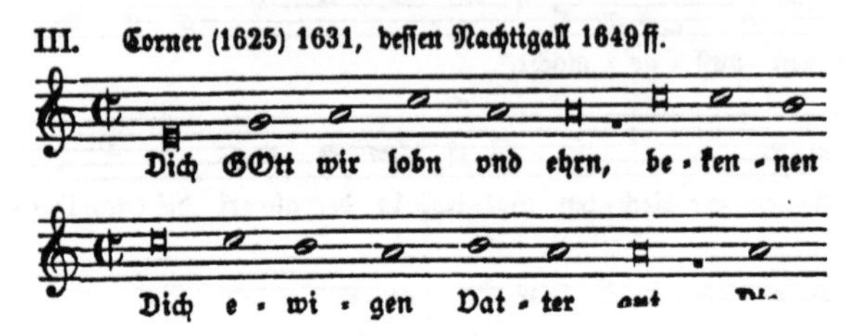
Dich GOtt wir lobn vnd ehrn, be-ken-nen
Dich e-wi-gen Vat-ter

HEr - re Sa - ba - oth. Der Him - mel vnd die Er - den weit,
Seynd vol deinr Ehr vnd Herr - lig - keit. u. s. w.
Drumb bittn wir hilff den Die - nern dein, die durch dein Blut
er - lö - set seyn. u. s. w.
O HErr wir hof - fen all in dich, Vor Schand be - hüt vns e-
wig - lich, A - men.

Nach einer alten Legende soll dieser Lobgesang bei der Taufe des h. Augustinus in der Osternacht des Jahres 387 improvisirt worden sein. Von Dank gegen Gott erfüllt soll der h. Ambrosius bei der Taufhandlung in heiliger Begeisterung ausgerufen haben »Te Deum laudamus«, worauf der h. Augustinus geantwortet habe »Te Dominum confitemur«. Der h. Ambrosius habe dann fortgefahren »Te aeternum patrem omnis terra veneratur«, der h. Ambrosius habe darauf respondirt »Tibi Cherubim et Seraphim incessabili voce proclamant« u. s. w. bis zum Schluß.

„Das älteste Zeugniß", sagt Rambach (Anthologie I, S. 87) „das sich bis jetzt für diese Erzählung gefunden hat, ist eine Chronik, die angeblich von dem gegen die Mitte des 6. Jahrhunderts gestorbenen mailändischen Bischofe Dacius herrührt, aber wie H. Menardus (Libr. Sacramentorum Gregorii M.) und J. Mabillon (Analect. T. I. p. 4. 5.) gezeigt haben, ihm fälschlich beigelegt und erst in der Mitte des 11. Jahrhunderts geschrieben ist. Die Sage hat also durchaus keine gültige Auctorität für sich, und sie ist um so unwahrscheinlicher; da, wenn jener Gesang wirklich auf eine so ungewöhnliche und fast wunderbare Weise entstanden wäre, ohne allen Zweifel Augustinus bei der Beschreibung seiner Taufe und nicht weniger sein Biograph Possidius etwas davon erwähnt haben würden."

Rambach und namentlich Daniel (Thes. II, 276—300) unterziehen die Entstehungsweise des Hymnus einer kritischen Untersuchung und gelangen zu dem Resultate, daß der Ursprung desselben in der orientalischen Kirche zu suchen sei, weil alte griechische Gesänge existirten, die Anklänge an das Te Deum enthielten, z. B. der Abendgesang:

Καθ ἑκάστην ἡμέραν εὐλογήσω σε
Καὶ αἰνέσω τὸ ὄνομά σου εἰς τον αἰῶνα
Και εἰς τὸν αἰῶνα τοῦ αἰῶνος.
Καταξίωσον, κύριε, καὶ τὴν ἡμέραν ταύτην
Ἀναμαρτήτους φυλαχθῆναι ἡμᾶς.
Εὐλογητὸς εἶ, κυριε ὁ θεὸς τῶν πατέρων ἡμῶν,
Καὶ αἰνετὸν καὶ δεδοξασμένον τὸ ὄνομά σου εἰς τοὺς αἰῶνας. Ἀμήν.
u s. w.

Die angeführten Zeilen stimmen überein mit den folgenden am Schluß des lateinischen Textes:

Per singulos dies benedicimus te
et laudamus nomen tuum
in saeculum et in saeculum saeculi.
Dignare, Domine die isto
Sine peccato nos custodire.

Die zwei letzten Zeilen des griechischen Textes stimmen überein mit dem Responsorium, welches nach dem Te deum gesungen wird:

»Benedictus es Domine Deus patrum nostrorum
Et laudabilis et gloriosus in saecula.«

Auch die folgenden Zeilen haben inhaltlich viel Aehnlichkeit mit dem Schluß des Te Deum.

Κύριε, καταφυγὴ ἐγενήθης ἡμῖν ἐν γενεᾷ καὶ γενεᾷ.
Ἐγὼ εἶπα, κύριε, ἐλέησόν με,
Ἴασαι τὴν ψυχήν μου, ὅτι ἥμαρτόν σοι.
Κύριε, πρός σε κατέφυγα u. s. w.

Miserere nostri, Domine, miserere nostri,
Fiat misericordia tua, Domine super nos,
Quem admodum speravimus in te.
In te, Domine, speravi, non confundar in aeternum.

Aus der Uebereinstimmung dieser Bruchstücke könnte man wohl schließen, daß das ganze Te Deum aus dem Griechischen übersetzt worden sei und zwar von verschiedenen Autoren. Die Uebertragung des h. Ambrosius, sagt Daniel, drang allmählich durch und der h. Augustinus führte sie in die afrikanische Kirche ein. Im Anfang des 6. Jahrhunderts war sie schon allgemein bekannt, da der h. Benedict in seiner Ordensregel (Cap. 11) schreibt: **Post quartum responsorium incipit Abbas »Te Deum laudamus«.** Nehmen wir die obige Ausführung als richtig an, dann lösen sich leicht alle Schwierigkeiten.

1) Die Benennung **Hymnus S. Ambrosii et Augustini.**

2) Die verschiedenen Varianten in der lateinischen Fassung.

3) Die Thatsache, daß der Hymnus verschiedenen Autoren zugeschrieben wurde, wie dem Hilarius, Abundius, Sisebutus, Nicetas u. a. m.

4) Erklärt sich eine Aeußerung des h. Ambrosius über unsern Hymnus. In der **Concio de basilicis tradendis** nennt er ihn ein „großartiges Lied das durch nichts übertroffen werden kann“[1]. Seine eigene Dichtung würde der Heilige kaum so gepriesen haben; er konnte nur das griechische Original, welches er übersetzt hatte, bei diesen Worten im Sinne gehabt haben.

Schon aus dem 9. Jahrhundert existirt eine deutsche Bearbeitung, welche folgendermaßen beginnt:

---

1) **grande carmen quo nihil potentius.**

„Thih Cot lopemes, thih truhtnan gehemes,
Thih euuigan fater, eo kiunelih erda uuirdit.
Thir alle engila, thir himila inti alle kiunaltido
Thir cherubyn inti seraphin" u. s. w.

J. Grimm, Hymnorum veteris Ecclesiae XXVI, interpretatio theotisca 1830.

Eine Prosaübersetzung aus dem Jahre 1389 bringt Görres in seinen „Altdeutschen Volks- und Meisterliedern", S. 329; eine andere in niederdeutscher Sprache aus einer Handschrift des 15. Jahrhunderts erwähnt Hoffmann (a. a. O., S. 357). In der Stadt Braunschweig sang man seit 1490 das deutsche Te deum laudamus und zwar am 24. November wegen der damals geschehenen göttlichen Beschirmung und Beschützung der Stadt. (Daselbst.)

In den ältesten protestantischen und katholischen Gesangbüchern kommen ebenfalls nur Prosaübersetzungen vor.

1) „Gott dich loben wir, dich Herr bekennen wir."

in dem Buche „von der Euangelischen Messz" von Kaspar Kantz 1524. (Fischer, Lexikon II, 157.)

2) „O Gott }
3) „O Herr } wir loben dich, wir bekennen dich eynen Herren."

In den Erfurter Gesangbüchern 1526, 1527, 1531[1], im Zwickauer 1528 u. s. w. und eine andere von Joh. Brentz aus dem Jahre 1529. (Fischer a. a. O., S. 158.)

Die Uebertragung in den Erfurter Gesangbüchern hat große Aehnlichkeit mit derjenigen, welche in Vehe's Gesangbüchlein vom Jahre 1537 steht.

4) „O Gott wir loben dich bekennen dich
einen Herren. Der gantz erdboden" u. s. w.

im Brüdergesangbuche vom Jahre 1539.

5) „O Gott wir loben dich, wir bekennen dich
einen Herren, dich ewigen vatter" u. s. w.

Vehe's Gesangbüchlein 1537.

6) „Dich Gott loben wir, Dich Herr bekennen wir."

Wizel, Psaltes eccl. 1550, Bl. 53.

Die erste metrische Uebersetzung beginnt mit den Worten:

1) „Herr Gott dich loben wir,
Herr Gott wir danken dir" u. s. w.

Die älteste Quelle dafür ist das Wittenberger Gesangbuch vom Jahre 1531[2]. Die Ueberschrift lautet hier: „Te deum laudamus. Durch D. Marthinum Luther vordeutscht". Auch das Val. Bapst'sche Gesangbuch 1545, welches unter Luther's Redaction erschien, hat diese Ueberschrift.

Eine andere:

2) „Dich Gott wir loben und ehren
bekennen dich einen Herren."

ist unter Benutzung des Luther'schen Textes hergestellt worden. Sie findet sich später im Gesangbuche des Chr. Hecyrus 1581. Dieser hat das Lied seinem Freunde Leisentrit überlassen, der es mit kleinen Abänderungen in sein Gesangbuch 1567 aufnahm.

---

1) Hier mit der Ueberschrift: „Das Alt Te Deum Laudamus."
2) Nach Wackernagel soll das Lied schon in dem noch nicht wiederaufgefundenen Wittenberger Gesangbuch vom Jahre 1529 stehen. (II, S. 19.)

Dieses Lied ging mit mehr oder weniger Varianten in folgende kath. Gesangbücher über: Tegernsee 1577, München 1586, Cöln 1599, Constanz 1600, Beuttner (1602) 1660, Neyß 1625, Bamberg 1628, Mainz 1628, M.-Speier 1631, Corner 1631.

Beuttner hat nach jeder vierzeiligen Strophe „Alleluia". Die übrigen Gesangbücher haben zweizeilige Strophen und nach der ersten Zeile „Alleluia", nach der zweiten „Gelobt sey Gott und Maria".

3) „Wir loben dich Gott vnd Herren
Wir dich bekennend stetz ehren".

von Rutgerus Edingius (Das ander Theil der Kirchisch Messen vnd Vespergesenge. Cöln 1572, S. 182.) ging in die dritte Auflage von Leisentrits Gesangbuch 1584, in das Andernacher Gesangbuch 1608, das Osnabrücker 1628 und in den Seraphischen Lustgarten 1635 über:

3) „Dich Gott wir loben vnd ehren
Bekennen dich einen Herren
Dich ewigen Vater gut" u. s. w.

Diese Uebertragung findet sich in folgenden Gesangbüchern: Mainz 1605, Paderborn 1609, 1617, Hildesheim 1625, Mainz 1627, Corner 1631 und Münster 1677.

Im Mainzer Cantual 1605 steht sie auch als Ruf bearbeitet, sodaß der ersten Zeile „Kyrieleison" und der zweiten „alleluia, Gelobt sey Gott vnd Maria" angehängt werden.

4) „Dich Gott wir loben und ehren,
Dich bekennen wir vnsern Herren,
Gott den Himmlischen Vatter in Ewigkeit
All Creaturen loben weit vnd breit."

zuerst in Voglers Katechismus 1625, sodann im Mainzer Gesangbuch 1628, im Wurzbürger 1628 ff.

5) „Dich Gott, wir preisen vnd verehrn,
Erkennen auch vor vnsern Herrn."

Zuerst in den Wurzbürger Evangelien 1653, sodann in den Mainzer Gesangbüchern 1661 u. 1665.

6) „Gott Himmels vnd der Erden,
wir samptlich dich loben." Straßburger Gesangbuch 1697.

Die musikalische Einkleidung des lateinischen Hymnus bewegt sich im dritten und vierten Kirchenton. Bei den Worten »Aeterna fac cum sanctis tuis« wechselt die Tonalität bis zu den Worten »in aeternum«. Fétis hat entdeckt, daß diese herrliche Melodie dem Introitus einer griechischen Messe des h. Dionysius Areopagita entnommen sei, welche noch lange Zeit hindurch in Saint-Denis (bei Paris) während der Oktav des Festes dieses Heiligen gesungen worden sei. Die Messe stammt aus dem zweiten Jahrhundert. Der fragliche Introitus lautet:

Κύ-ρι - ε θε - ὸς, βα - σι - λεῦ οὐ-ρά-νι - ε θε - ὸς
πά - - τερ παν-το - κρά - τορ.

Bibliographie universelle. 1873. I, S. 87.

Diese Gesangsformel, sagt Fétis, findet sich noch elfmal im „Octoëchos“ dem alten Gesangbuch der griechischen Kirche.

Die Uebersetzungen ins Deutsche tragen die alte Choralmelodie ganz oder theilweise mit mehr oder weniger Varianten.

Die Redaction in den protestantischen Gesangbüchern, welche mir im Val. Bapst'schen Gesangbuche v. J. 1545 vorliegt, nach Erk[1] aber schon in den Klug'schen Gesangbüchern von 1529, 1533 und 1535 steht, rührt wahrscheinlich von Walther, dem Freunde und musikalischen Berather Luthers her. Von den katholischen Gesangbüchern haben die Davidische Harmonie 1659 und das Rheinfelsische Gesangbuch 1666 diese Fassung aufgenommen.

Die Melodie zu dem Texte der Würzburger Evangelien 1653 u. s. w. ist im II. Bande zu dem Liede „Last vns Sanct Peter ruffen an“ (No. 111) bereits mitgetheilt worden. Auch das Straßburger Gesangbuch 1697 bringt eine besondere Melodie.

Eine Umdichtung des Te Deum auf die Mutter Gottes findet man im II. Bande, S. 89; eine andere: „Dich Jesu loben wir, dich ehrn wir für und für“ ist von Angelus Silesius verfaßt. (Heilige Seelenlust 1657 im III. Buch, No. 118.) Die Singweisen der folgenden Nummer sind mit mehr oder weniger Geschick dem lateinischen Gesange entnommen und den deutschen Texten applicirt worden.

No. 364.

Dich Gott wir loben vnd ehren.

De Deum laudamus.

(K. I, 293; W. V, 1215.)

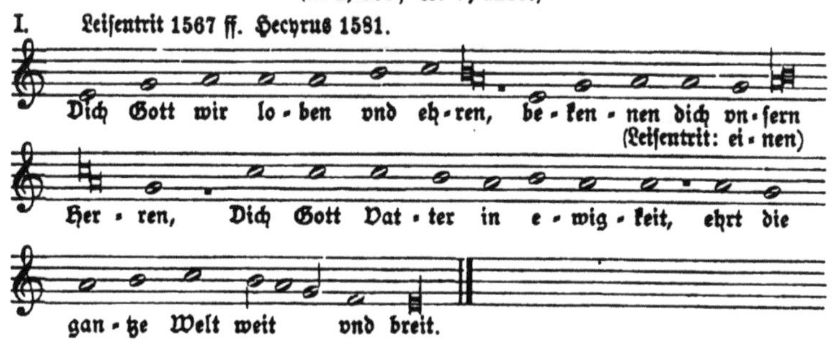
I. Leisentrit 1567 ff. Hecyrus 1581.
Dich Gott wir lo - ben vnd eh - ren, be - ken - nen dich vn - sern
(Leisentrit: ei - nen)
Her - ren, Dich Gott Vat - ter in e - wig - keit, ehrt die
gan - tze Welt weit vnd breit.

Wir loben dich Gott vnd Herren.

Ein ander Te Deum laudamus, ebenmessiger weis zugebrauchen, auff die vorhergehende oder nachfolgende Melodey.

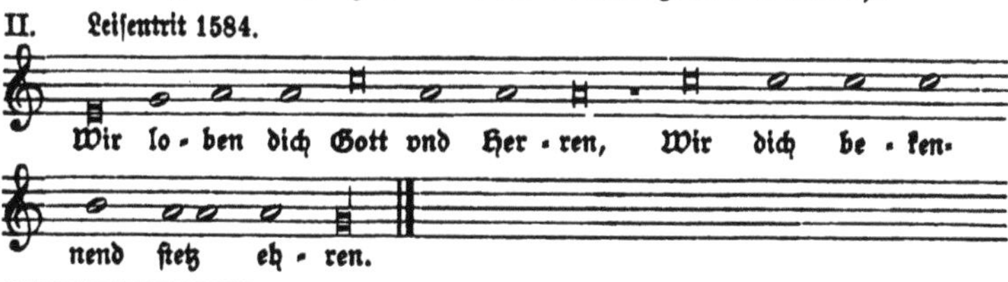
II. Leisentrit 1584.
Wir lo - ben dich Gott vnd Her - ren, Wir dich be - ken-
nend stetz eh - ren.

1) Vierstimmiges Choralbuch 1863, No. 104.

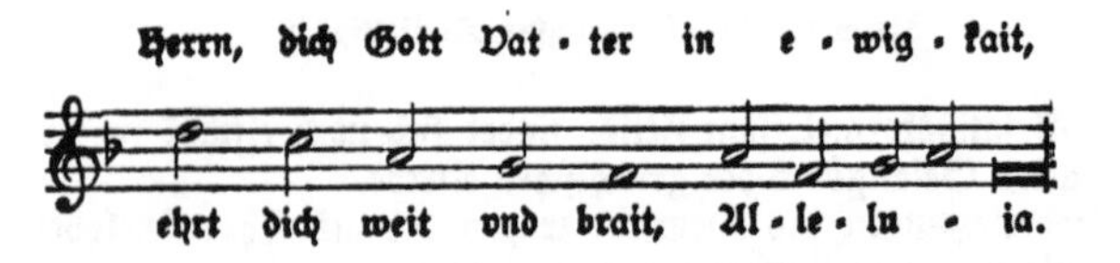
Herrn, dich Gott Vat - ter in e - wig - kait,
ehrt dich weit vnd brait, Al - le - lu - ia.

Wir loben dich Gott vnd Herrn

Te Deum laudamus.

Das Latein in seinem gewöhnlichen Choral Thon, auff diese gemeine weiß applicirt werd

IV. Andernach 1608.
Wir lo - ben dich Gott vnd Herrn, Wir dich
Te De - um Lau da - - mus, Te do
stets eh - ren.
fi - te - mur.

Dich Gott wir loben vnd ehren.

Das Te Deum laudamus, Teutsch.

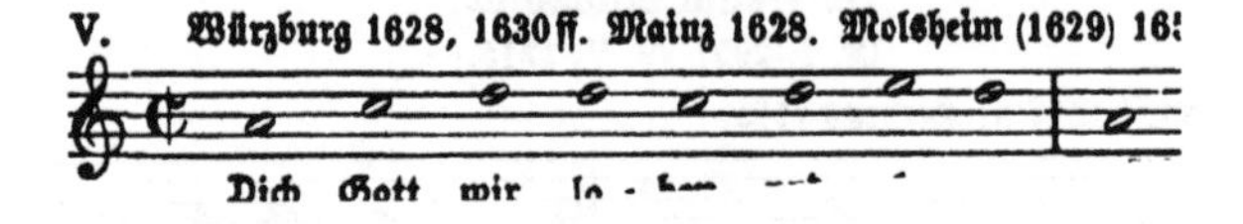
V. Würzburg 1628, 1630ff. Mainz 1628. Molsheim (1629) 16

No. 365.

Der Hymnus S. S. Ambrosii und Augustini.

Te Deum laudamus zu Teutsch.

Straßburg 1697.
Gott Him - mels und Er - den wir sampt - lich dich
Dich Her - ren be - ken - nen hier un - ten und
lo - ben,
dro - ben,
dich e - wi - gen Vat - ter an - bet - tet die
Welt, gieb daß dirs in al - len Um - stän - den ge - fält.

No. 366.

Credo in deum.

Wir glauben in eynem got.

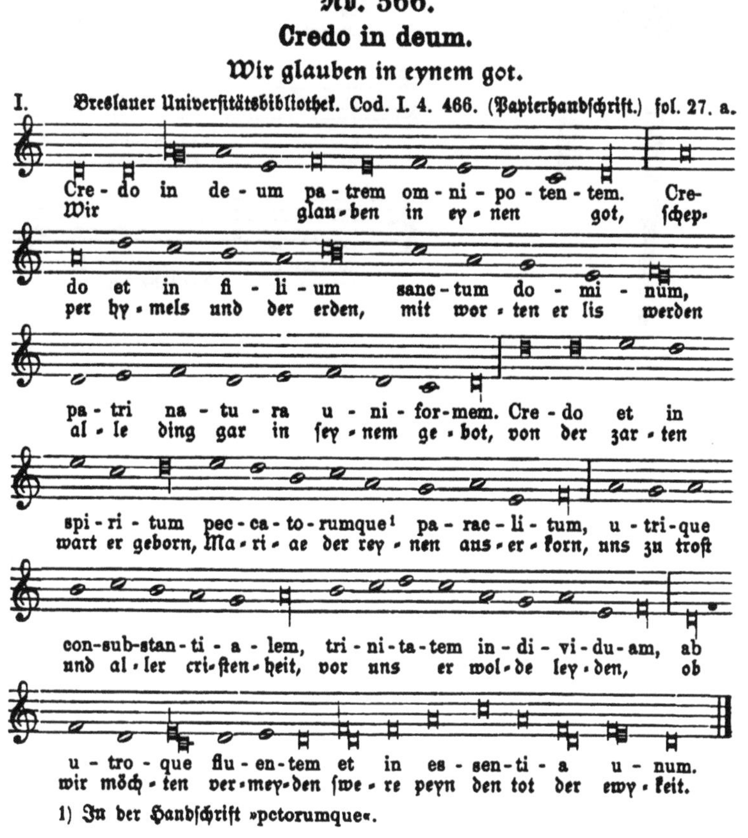
I. Breslauer Universitätsbibliothek. Cod. I. 4. 466. (Papierhandschrift.) fol. 27. a.
Cre - do in de - um pa - trem om - ni - po - ten - tem. Cre-
Wir glau - ben in ey - nen got, schep-
do et in fi - li - um sanc - tum do - mi - num,
per hy - mels und der erden, mit wor - ten er lis werden
pa - tri na - tu - ra u - ni - for - mem. Cre - do et in
al - le ding gar in sey - nem ge - bot, von der zar - ten
spi - ri - tum pec - ca - to - rumque[1] pa - rac - li - tum, u - tri - que
wart er geborn, Ma - ri - ae der rey - nen aus - er - korn, uns zu trost
con - sub - stan - ti - a - lem, tri - ni - ta - tem in - di - vi - du - am, ab
und al - ler cri - sten - heit, vor uns er wol - de ley - den, ob
u - tro - que flu - en - tem et in es - sen - ti - a u - num.
wir möch - ten ver - mey - den swe - re peyn den tot der ewy - keit.

1) In der Handschrift »pctorumque«.

De - um ver - um co -
Wyr ge - lau - ben all in
in per - so - nis et v - num in es
vnd der er - den vns zcu troſt ge - ge
ni - mi - ter, patrem, na - tum pneum
ſeym ge - pott, von der keuſch war er
des no-stras fu - ga-tur, gra - ci -
zcar-ten auſ - er - ko - ren, vnß zcu
fi - - des no-bis da - tur,
fur vns er wol - de ley - den,
do - mi - no et le - te
ſwe - re pein des tods der e -

Hier lautet die Ueberschrift »2 a. pars super Deum verum de deo vero.« Die Handschrift ist, wie mir der Herr Bibliothekar Dr. W. Weicker mittheilt von dem Schulmeister und späteren Stadtschreiber Steph. Roth angefertigt, im Anfange des 16. Jahrhunderts.

Ich glaub in got den vatter mein.

Ein ander Melodey.

(K. II, 564; W. V, 1159.)

III. Behe 1537. Leisentrit 1567 ff. Dillinger Gesb. 1576.

Ich glaub in got den vat - ter mein, schöpf-fer hym-mels vnd
der er - den, der vn - ser vat-ter stets wil seyn, dz wir sei - ne
er - ben wer-den, Al - mech-tig ist sein gött - lich handt, al - le ding
synt jm auch be - kant, Er sor - get für vns vnd re - girt, wz
lufft was-ser vnd erd ge - byrt, On jh-nen auch gar nichts ge-schicht,
was er nit helt, wurdt bal - de zu nicht.

Leisentrit ändert in der zweiten und dritten Ausgabe die obigen Anfangsworte in die folgenden:

„Wir glauben all an einen Gott.“

Varianten in den Gesangbüchern nach Behe:

1) d c d statt e c d. 2) Leisentrit 1584: c statt h.
3) Leisentrit 1573 ff.: d statt e.

WJR glauben all an einen GOTT.

Der Christlich Glaub.

(K. II, 580; W. III, 23.)

IV. Paderborn 1617. Würzburg 1628, 1630 ff. David. Harmonia 1659. Rheinfelß. Gesangbuch 1666.

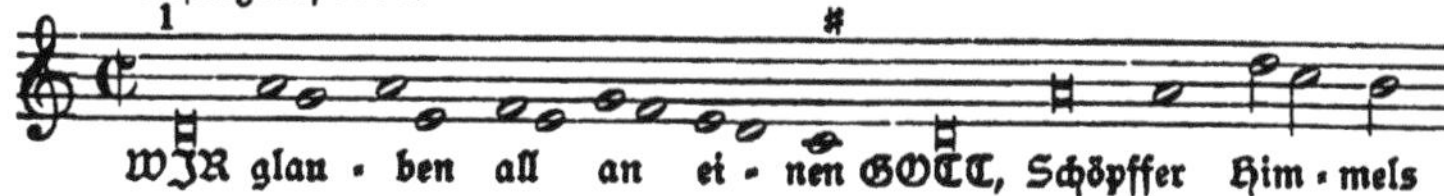
WJR glau - ben all an ei - nen GOTT, Schöpffer Him - mels

Leib vnd Seel auch wol be-wah-ren, al-lem Vn-fal
3
Kein leyd sol vns wi-der-fahren, er for-get für
4
Hüt vnd wacht, Es steht al-les in sei
1) David. Harmonia.
Wir glau-ben all an u. s. w.

2) Rheinf. Gsb. e f e statt f g f. 3) David. Harmon
4) Daselbst d statt e.

Die in [ ] stehenden Noten fehlen in der Dav. H
Rheinfels. Gesangbuche. Im letzteren stehen auch die ♯ ♯.

WJr glauben all an einen Gott.

V. Bamberg 1628.

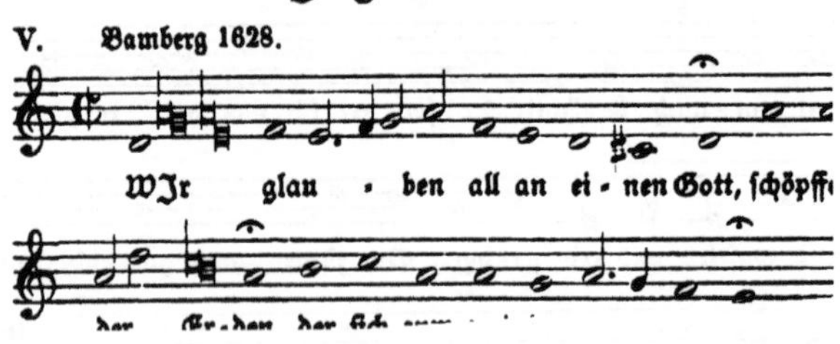

WJr glau-ben all an ei-nen Gott, schöpff

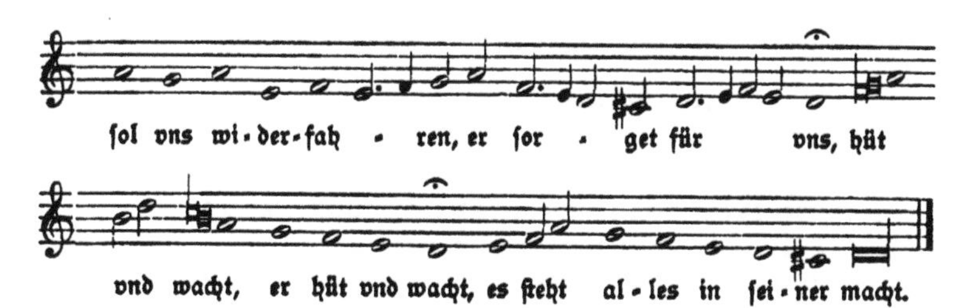
sol vns wi-der-fah - ren, er sor - get für vns, hüt
vnd wacht, er hüt vnd wacht, es steht al-les in sei-ner macht.

Das einstrophige Lied „**Wir glauben (all) in einen Gott**" ist sammt der Melodie vorreformatorisch. Das Verdienst diesen Nachweis geführt zu haben gebührt dem bekannten protestantischen Forscher Hoffmann von Fallersleben, der in seiner Geschichte des deutschen Kirchenliedes 1861 (S. 159) aus der obengenannten Handschrift des Nicolaus von Kosel auf der Breslauer Universitätsbibliothek den Wortlaut mittheilt und dazu bemerkt: „die hinzugefügte Melodie stimmt überein mit der jetzt noch üblichen."

Meister ließ sich in Breslau ein Facsimile von der Melodie geben und veröffentlichte dieses in seinem Buche „**Das katholische deutsche Kirchenlied in seinen Singweisen**" 1862. Leider erwähnt er mit keiner Silbe den lateinischen Text, welcher in der genannten Handschrift an erster Stelle unter den Noten steht[1]. Diesem gehört, wie man auf den ersten Blick sehen kann, die Melodie ursprünglich an. Sie bildet eine Interpolation oder Trope (französisch chant farci) zu dem liturgischen Texte des Credo. Dergleichen Einschiebsel findet man im Mittelalter in großer Anzahl, zum Introitus, Kyrie, Gloria, Credo und andern liturgischen Gesängen.

Das deutsche Lied ist keine Uebersetzung des lateinischen Textes, sondern eine selbständige Dichtung. Der Schreiber der Handschrift hat nun die Worte derselben theils unter den lateinischen Text geschrieben, theils an den Rand, wo er eben Platz fand. Infolge dessen hat Hoffmann von Fallersleben die letzten Zeilen in unrichtiger Reihenfolge gegeben:

„vor uns er wolte leiden
swere pein, den tot der ewigkeit
ob wir möchten meiden."

---

1) Herr Universitäts-Professor Dr. Clemens Bäumker in Breslau war so freundlich, mir ein Facsimile des ganzen Liedes (Text und Melodie) anzufertigen und über die Handschrift folgende Mittheilung zu machen:

Die Blätter, auf welchen die Evangelienmelodien, das vollständige Credo und das obige Lied stehen, sind wohl der am schönsten geschriebene Theil dieses Sammelcodex. Nach unserm Katalog ist derselbe von mehreren Händen geschrieben (auch Böhmisches ist darunter). Zwei Abschnitte sind nach ihrem Schreiber, der eine auch nach Datum zu bestimmen. Fol. 9a steht: »Explicit glosarius de diversis vocabulis per manus fratris Nicolaij de Cosla finitus in Olomucz in carnis privio.« und fol. 83a. Explicit scintillarius per manus fratris Nicolaij de Cosil. Anno domini MCCCCXVII finitus est. Et eodem anno fuit capitulum provinciale celebratum in Opol in die Wenczeslaw. Et eadem nocte combusta est civitas supradicta Cosil.

Unser Stück zeigt zwar wie es scheint nicht die Hand des Nicolaus von Kosel, indessen haben auch die beiden Stücke mit Subscription des Genannten nicht völlig gleichen Schriftcharakter. Ganz sicher ist das Stück den ersten Decennien des 15. Jahrhunderts zuzuschreiben. Die Datierung v. J. 1417 bei Meister beruht offenbar auf einer ungenauen Angabe.

Ihm folgt Meister, der bei der Application auf die Noten eine ganze Zeile:

„von der zarten wart er geborn“

ausläßt und deshalb später Ueberfluß an Noten hat.

Wackernagel (II, 664) hat den Text richtig gestellt, was ihm dadurch erleichtert wurde, daß er noch zwei weitere Handschriften benutzen konnte.

1) „Wir globen in eynen Got“ u. s. w.

aus der Papierhandschrift der Leipziger Universitätsbibliothek No. 1305. Ende des 14. oder Anfang des 15. Jahrhunderts (ohne Melodie).

2) „Wyr gelauben all in eynen got.“

aus einem handschriftlichen Antiphonarium des 16. Jahrhunderts auf der Stadtbibliothek in Zwickau No. XVIII. 4 Bl. 80. (W. II, 665.) Hier findet sich ebenfalls ein lateinischer Text »Deum verum colimus«.

In den frühesten protestantischen Gesangbüchern: Joh. Walthers gesangk Buchleyn Wittenberg 1524, im Nürnberger Enchiridion 1525, im Rostocker (niederdeutschen) Enchiridion 1531 u. a. finden wir ein neugedichtetes Lied mit den obigen Anfangszeilen in drei Strophen. In dem Rostocker Enchiridion 1531 steht dasselbe unter Luthers Namen, während im Val. Bapst'schen Gesangbuche die Ueberschrift nur lautet „Das deutsche Patrem“. Wir würden sagen „das deutsche Credo“. Der lateinische Text des Nicänischen Glaubensbekenntnisses beginnt mit den Worten »Credo in unum Deum«, welche der Priester am Altare intonirt, der Chor fährt fort »Patrem omnipotentem« u. s. w. Damals bezeichnete man das Credo mit dem ersten Worte, welches der Chor sang, also mit »Patrem«.

Vehe oder einer seiner Mitarbeiter verfaßte nun nach dem Muster des dreistrophigen Lutherliedes ein ganz neues in vier Strophen. Dasselbe beginnt mit den Worten:

„Ich glaub in got den vatter mein,
schöpffer hymmels vnd der erden.“

Der Text hat mit dem alten vorreformatorischen Liede ebensowenig Aehnlichkeit wie mit dem Liede Luthers.

Dieses Vehe'sche Lied ging unverändert in die erste Auflage von Leisentrits Gesangbuch (1567) über. Die zweite und dritte Auflage (1573 u. 1584) ändern die Anfangszeile. Hier beginnt das Lied mit den Worten: „Wir glauben all an einen Gott“. Außerdem findet sich diese Fassung noch im Dilinger Gesangbuche 1576.

Dagegen ging das Luther'sche Lied in folgende katholische Gesangbücher über: Paderborn 1616, 1617; Würzburg 1628 ff.; Bamberg 1628, Davidische Harmonia 1659; Rheinfelsisches Gesangbuch 1666 u. a.

Eine ganz besondere Fassung haben Beuttner (1602) 1660 und Corner 1631. In ihren Gesangbüchern ist die erste Strophe dem Luther'schen Liede gleich, die zwei übrigen stimmen weder mit diesem noch mit dem Vehe'schen Texte überein.

Die Melodie des vorreformatorischen Liedes wurde sowohl zu dem Luther'schen Liede, wie auch zu den katholischen Fassungen herübergenommen. Die Melodie bei Vehe stimmt bis auf die unter No. 1 angeführte Variante mit derjenigen, welche die obengenannten frühesten protestantischen Gesangbücher bringen, überein.

No. 367.

Ein jeder mensch der da selig werden wil.

Des heiligen Athanasij Symbolum von der heiligsten Dreyfaltigkeit Gottes.

(K. II, 577; W. IV, 72.)

Leisentrit 1567 ff.

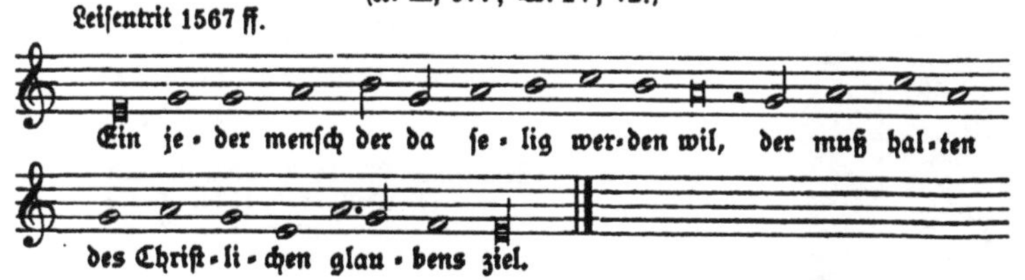
Ein je - der mensch der da se - lig wer-den wil, der muß hal-ten
des Christ-li-chen glau - bens ziel.

No. 368.

Ein jeder mensch der do selig werden wil.

Ein ander Melodey.

Leisentrit 1567 ff. Dilinger Gesb. 1576.

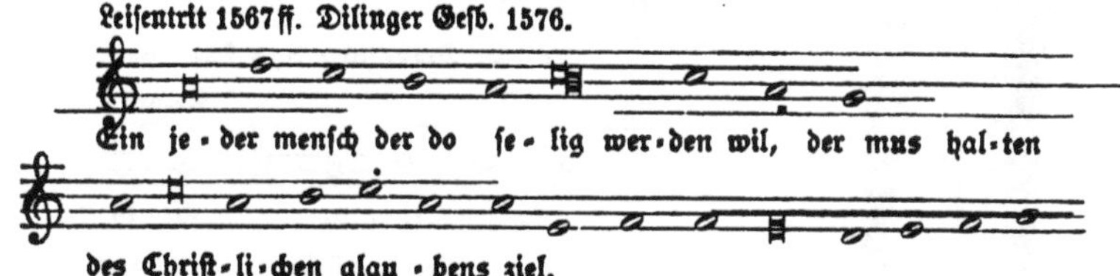
Ein je - der mensch der do se - lig wer-den wil, der mus hal-ten
des Christ-li-chen glau - bens ziel.

Diese Uebersetzung des Athanasianischen Symbolums »Quicunque vult salvus esse« hat Leisentrit aus Val. Trillers Singebuch (1555) 1559 entnommen. Die Melodie ist hier eine andere. Eine Uebersetzung des H. von Loufenberg aus dem 15. Jahrhundert beginnt: „Zu lob der höhsten trinitat". (W. II, 766.)

No. 369.

In Gottes Wort üb dich mit fleis.

Ein christlicher Gesang vom gebrauch Göttliches Worts, in diesen letzten argen zeitten.

(K. II, 553; W. V, 1271.)

I. Leisentrit 1567 ff.

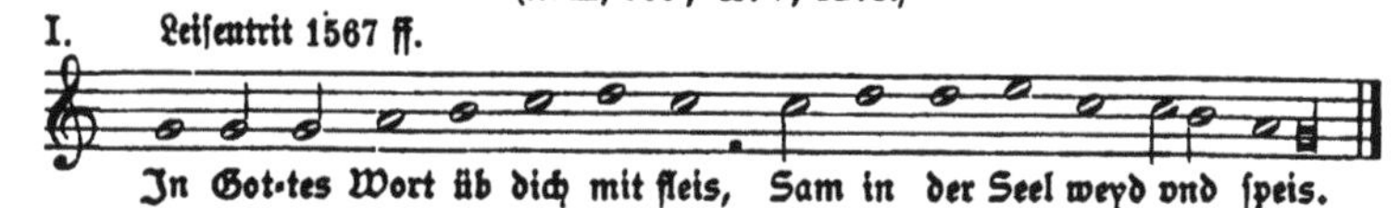
In Got-tes Wort üb dich mit fleis, Sam in der Seel weyd vnd speis.

In der zweiten und dritten Ausgabe von Leisentrits Gesangbuch ist die Melodie noch einmal abgedruckt zu dem Texte:

„Wolauff zu Gott mit lobesschall
das es der dreyfaltigkeit gfall." (K. I, 297; W. V, 1312.)

In der dritten Ausgabe steht sie einmal eine Terz tiefer mit e beginnend, wahrscheinlich infolge verkehrter Schlüsselsetzung.

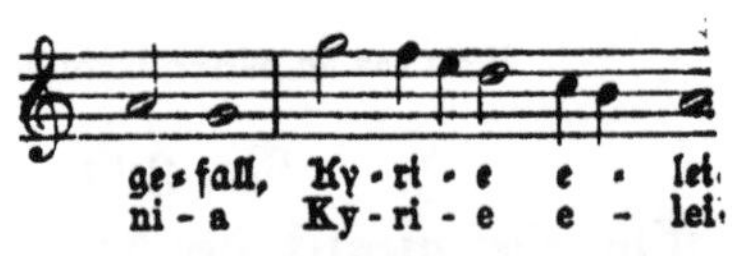
ge-fall, Ky-ri-e e-lei
ni-a Ky-ri-e e-lei

Der lateinische Text ist jedenfall

No.

Wolauff zu Gott

Ein schön Lobgesang von der

(K. I, 297;

I. Münchener Gsb. 1586. Cöln (Quent
Cöln (Brachel) 1619, 1634. Bogle
Speier 1631. Corner 1631. Davi
1666. Brauns Echo 1675.

Wol-auff zu Gott mit lo-

es der Drey-fal-tig-keit ge-

* Corner 1

Ma-ri-a. Ge-lo-

In den Gesangbüchern kommt die
»In natali Domini« (No. 76) gleicht, n
1599, Constanz 1600, M.-Speier 16

in lateinischer Uebertragung:

»Da passionis tristem,
Jesu Christe,
Consideremus sortem.
Nobis ades, o Jesu Christe.«

3) Vogler 1625:

„Gelobt sey und gebenedeyet, Alleluja,
Die Heylige Dreyfaltigkeit“ u. s. w.

4) Neyß 1625, Bamberg 1628:

„Dich Gott wir loben vnd ehren, Alleluja.“ (K. I, 293; W. V, 1215.)

5) Neyß 1625.

„Maria Creutz auff d' Waldrast geht, Maria.“

Ach, ach wie mag ich frölich seyn.

Ein schöner Catholischer Rueff, von dem allerheyligsten bittern Leyden vnd Sterben vnsers lieben Herrn vnd Heylands Jesu Christi.

II. Straubinger Rueff-Büchlein 1607.

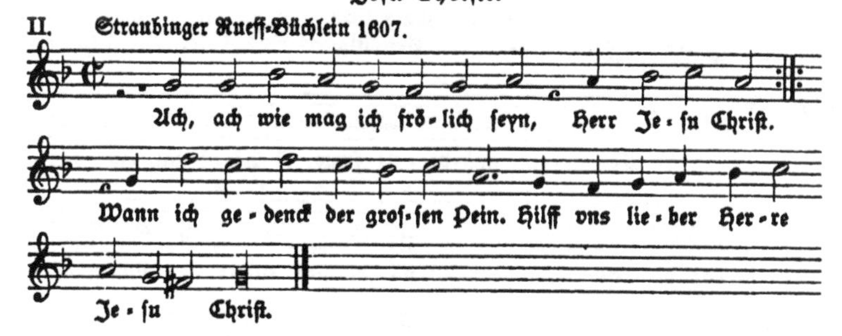
Ach, ach wie mag ich frö - lich seyn, Herr Je - su Christ.
Wann ich ge - denck der gros - sen Pein. Hilff vns lie - ber Her - re
Je - su Christ.

Nun gib vns gnad zu singen.

III. Cöln (Brachel) 1619.

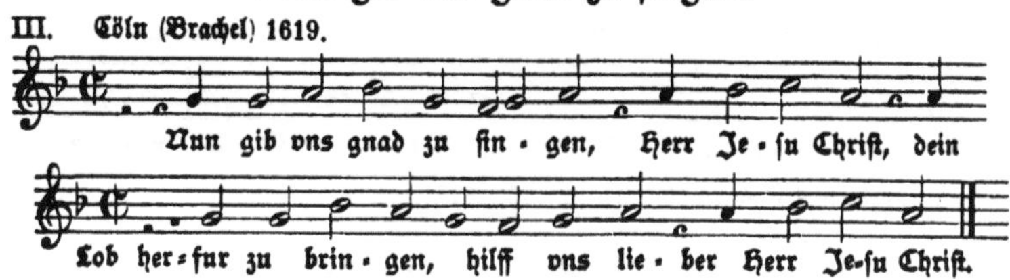
Nun gib vns gnad zu sin - gen, Herr Je - su Christ, dein
Lob her - fur zu brin - gen, hilff vns lie - ber Herr Je - su Christ.

Singen zu Gott mit lobes schall.

IV. Cöln (Brachel) 1619, 1634. Osnabrück 1628.

1
Sin - gen zu Gott mit lo - bes schall, Al - le - lu - ia, Das es
der Drey - fal - tig - keit ge - fall, Ge - lo - bet sey Gott vnd Ma - ri - a.

1) Osnabrück c statt b.

Wolauff zu Gott mit Lobesschall.

V. Mainz 1628.

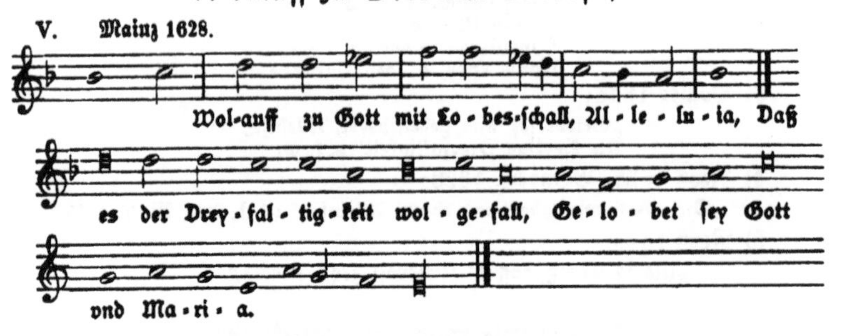
Wol-auff zu Gott mit Lo - bes-schall, Al - le - lu - ia, Daß
es der Drey - fal - tig - keit wol - ge - fall, Ge - lo - bet sey Gott
vnd Ma - ri - a.

O Königin gnädigste Fraw.

(K. II, 535.)

VI. Cöln (Brachel) 1623, 1634. Würzburg 1628 ff. Mainz 1628. Corner 1631. Molsheim 1659. Erfurt 1666. Rheinfelsisches Gesb. 1666. Nordstern 1671. Münster 1677.

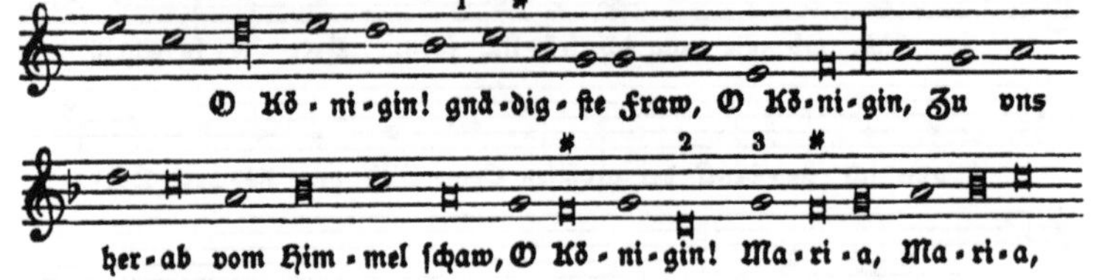
1 ♯
O Kö - ni - gin! gnä - dig - ste Fraw, O Kö - ni - gin, Zu vns
♯ 2 3 ♯
her - ab vom Him - mel schaw, O Kö - ni - gin! Ma - ri - a, Ma - ri - a,

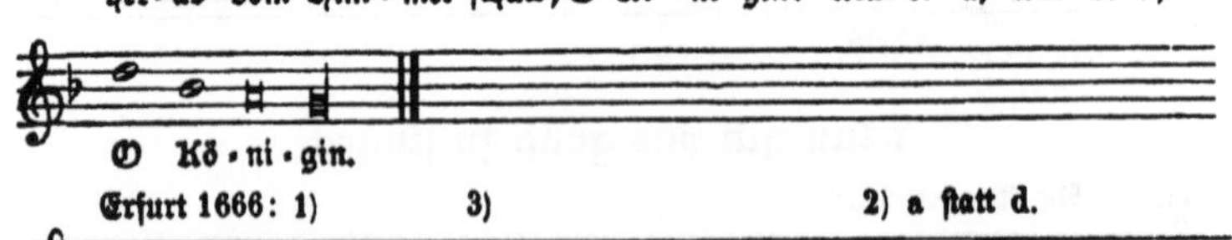
O Kö - ni - gin.

Erfurt 1666: 1) 3) 2) a statt d.

gnä - dig - ste Frau. Ma - ri - a, Ma - ri - a, O Kö - ni - gin.

Vgl. das Lied im II. Band, S. 395.

Merckt auff vor allen Dingen.

Die H. H. Zehen Gebott, in einen andern Rueff verfast.

VII. Corners Nachtigall 1649 ff.

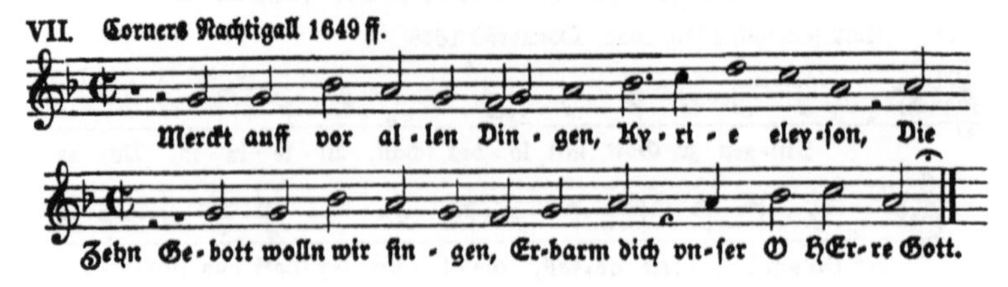
Merckt auff vor al - len Din - gen, Ky - ri - e eley - son, Die
Zehn Ge - bott wolln wir sin - gen, Er - barm dich vn - ser O HEr - re Gott.

Fronleichnam. Altarssakrament.

(No. 371—413.)

No. 371.

Lobt all czungen.

Der Ympnus von Gotes leichnam Pange ligwa gloriosi u. s. w. Das alles nach dem text.

(W. II, 568.)

I. Aus der Copie eines geistlichen Liederbuches aus dem Anfang des 15. Jahrhunderts.[1]

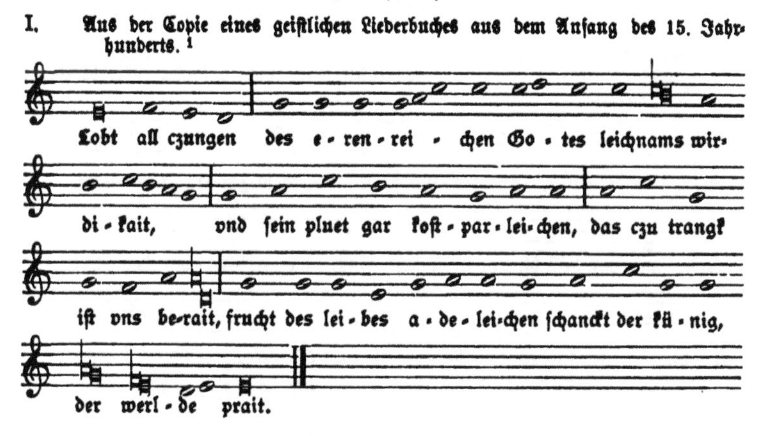
Lobt all czungen des e - ren - rei - chen Go - tes leichnams wir-
di - kait, vnd sein pluet gar kost - par - lei - chen, das czu trangk
ist vns be-rait, frucht des lei - bes a - de - lei - chen schanckt der kü - nig,
der werl - de prait.

Mein zung erklyng.

Pange lingua.

Vff das heylig Fest des zarten fronleychnams Christi vnd zur zeyt gemeyner procession, so mann das heylig Sacrament vmbtregt.

(K. I, 305; W. II, 570.)

II. Vehe 1537. Kethner 1555. Leisentrit 1567 ff. Dilinger Gesangbuch 1589. Erfurt 1666.

1
Mein zung er - klyng vnd frö - lich syng von dem zart - ten leych-

---

1) In meinem Besitz.

nam fron Vnd von dem blut vnd köst-li-chem dyng, das gos-sen hat
2
der welt zu lohn, frucht des ley-bes rey-nes wey-bes, Der ko-nig
al-ler völ-cker schon.

Kethner hat folgende Varianten:

1) c statt h. 2) f statt a.

Ein ander vnd gar schöner Lobgesang von dem heiligen Hochwirdigen Sacrament Der Hymnus, Pange lingua genant.

III. Leisentrit 1567 ff. Dilinger Gesb. 1576. Cöln (Brachel) 1619, 1623, 1634. Osnabrück 1628. Mainz 1661 ff. Rheinfels. Gesb. 1666. Münster 1677. Nordstern 1671.

1
Mein zung er-kling, vnd frö-lich sing, von dem zar-ten Leich-nam
2 # 3 4
fron, vnd von dem blut vnd köst-lichn ding, das gos-sen hat der Welt
zu lohn, frucht des lei-bes, rei-nes Wei-bes, der Kö-nig
al-ler Völcker schon.

1) Mainz 1661 und Nordstern f statt a.
2) Daselbst c statt a.
3) Nordstern und Münster g.
4) Rheinfels. Gsb. e.

Das Dilinger Gesangbuch 1576 setzt diese Melodie noch zu folgenden Texten aus Leisentrits Gesangbuch:

1) Singet lob vnd preiß mit schallen,
Gott dem Herren in ewigkait,
Der vns armen sündern allen,
Hat ein köstlich Mahl berait,
Die wir tragen wolgefallen
an seiner barmhertzigkait.

} aus Val. Trillers Singebuch (1555) 1559. (K. I, 339; W. IV, 47.)

2) Gott lobsinget, Gott dancksaget,
lobs vnd dancks sey keine maß,
mit den henden zsamenschlaget,
seyet nun nicht stumm noch laß,
hertz vnd mund Gott wol behaget,
sein preiß wert on vnderlaß.

} von Wizel in dessen Deutsch Betbuch 1537, sodann in Odae Christianae 1541 und in Psaltes eccl. 1550. (K. I, 340; W. V, 1153.)

Cöln 1623.

Mein Zung erkling vnd frölich sing,
Von Christi leichnam zart u. s. w. (W. V, 1503.)

Dieser Text steht auch in den Würzburger Gesangbüchern 1628 ff., im Osnabrücker 1628 und Molsheimer 1659.

IV. Cöln (Quentel) 1599. Constanz 1600. Andernach 1608. Paderborn 1609, 1617. Hildesheim 1625. Neyß 1625, 1663. Mainz 1627, 1628. Würzburg 1628, 1630 ff. M.-Speier 1631. Corner 1631. Molsheim (1629) 1659.

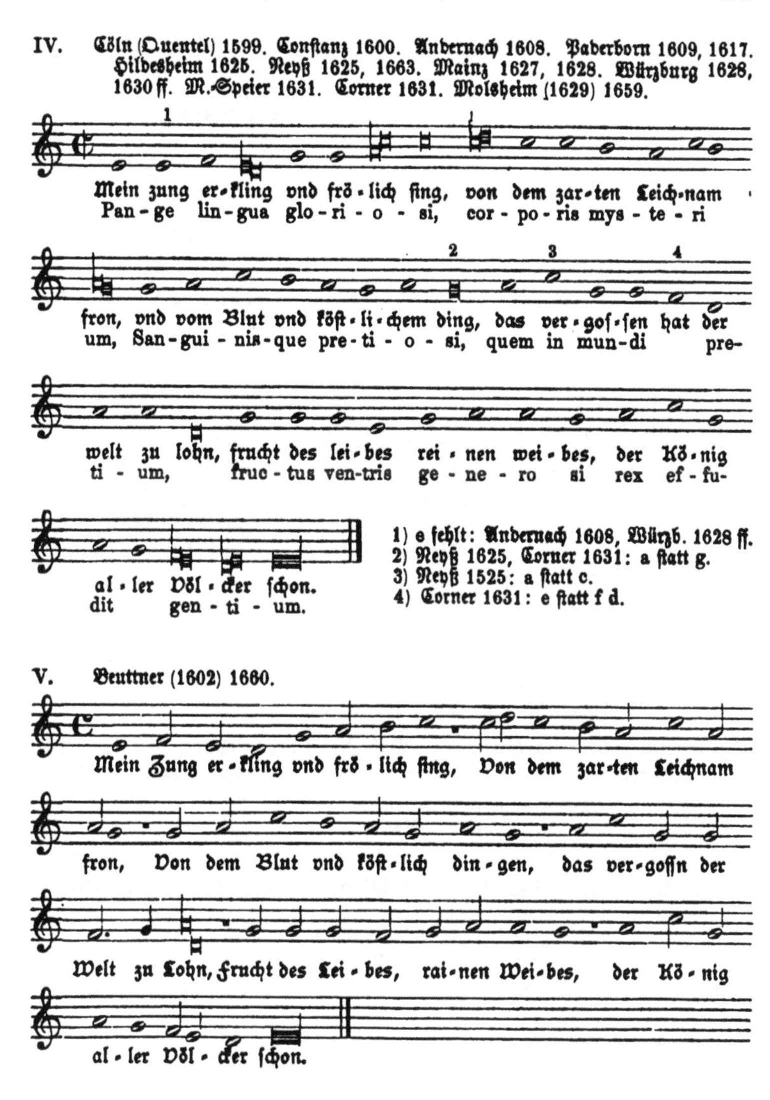
Mein zung er-kling vnd frö-lich sing, von dem zar-ten Leich-nam
Pan-ge lin-gua glo-ri-o-si, cor-po-ris mys-te-ri
fron, vnd vom Blut vnd köst-li-chem ding, das ver-gos-sen hat der
um, San-gui-nis-que pre-ti-o-si, quem in mun-di pre-
welt zu lohn, frucht des lei-bes rei-nen wei-bes, der Kö-nig
ti-um, fruc-tus ven-tris ge-ne-ro si rex ef-fu-
al-ler Völ-cker schon.
dit gen-ti-um.
1) e fehlt: Andernach 1608, Würzb. 1628 ff.
2) Neyß 1625, Corner 1631: a statt g.
3) Neyß 1525: a statt c.
4) Corner 1631: e statt f d.
V. Beuttner (1602) 1660.
Mein Zung er-kling vnd frö-lich sing, Von dem zar-ten Leichnam
fron, Von dem Blut vnd köst-lich din-gen, das ver-gossn der
Welt zu Lohn, Frucht des Lei-bes, rai-nen Wei-bes, der Kö-nig
al-ler Völ-cker schon.

PAnge lingua gloriosi.

VI. Bamberg 1628 ff.

PAn-ge lin-gua glo-ri-o-si cor-po-ris my-ste-ri-
Mein Zung er-kling, vnd frö-lich sing, Von dem zar-ten Leich-nam

um, san - gui - nis - que pre - ti - o - si, quem in mun-di pre - ti-
fron, Auch vom Blut, dem köst - li - chen ding, Das ver-gossn hat der Welt
um, fruc - tus ven - tris ge - ne - ro - si, Rex ef - fu - dit
zu lohn, Frucht des Lei - bes, rei - nes Wei-bes, Der Kö - nig aller
gen - ti - um.
Völ - cker schon.

Der fünfstrophige Hymnus »Pange lingua gloriosi corporis mysterium« wird dem h. Thomas von Aquin zugeschrieben (Dan. I, 251; W. I, 233), der denselben im Jahre 1264 im Auftrage des Papstes Urban IV, für das neu eingerichtete Frohnleichnamsfest verfaßt haben soll. Diese Ansicht gewinnt dadurch an Wahrscheinlichkeit, daß auf der Stiftsbibliothek in St. Gallen (Cod. 503 i, S. 668) das Lied sich handschriftlich aus dem 13. Jahrhundert vorfindet. Die Anfangszeile ist dem bekannten Hymnus des Fortunatus auf das h. Kreuz »Pange lingua gloriosi praelium certaminis« entnommen.

Die vorreformatorischen deutschen Bearbeitungen sind von Hoffmann von Fallersleben und Wackernagel veröffentlicht worden. Ich stelle dieselben der Uebersicht wegen hier zusammen.

1) „Lobt all czungen des ernreichen."

von Johann Mönch von Salzburg. (Vgl. No. 1 der Melodien. W. II, 568; Kehrein, Kirchen- und religiöse Lieder 1853, S. 176; Hoffmann, No. 183.)

2) „Lobe zunge cristi leichnam
vnd sein kösperliches plut."

Cod. germ. 444 v. J. 1422 und Cod. germ. 811 aus dem 15. Jahrhundert auf der königlichen Bibliothek in München. (W. II, 569; Hoffmann, No. 184.)

3) „Min zung erkling vnd frölich sing
von dem zarten lichnam fron."

Vslegunge der hymbs u. s. w. 1494 (vgl. die Bibliographie. W. II, 570; Hoffmann, No. 185.)

Diese Uebersetzung ging in die frühesten protestantischen Gesangbücher: Nürnberger Enchiridion 1525; Geystliche Gesenge Erfford 1525, sodann in die katholischen Gesangbücher von Vehe 1537, Leisentrit 1567 und in die meisten späteren Drucke über. Auch im Hymnarius von Sigmundslust 1524 findet sich der obige Text mit bedeutenden Abweichungen und einer andern sechsten Strophe (W. II, 571; Hoffmann, No. 186.)

4) Nv sing, zung, des hochwirdigen
gotts fronlichnams heymlikeit"

von Ludwig Moser im Anhang zu dem Buche „Der guldin Spiegel des Sunders. Basel 1497." (W. II, 1072; Hoffmann 132.)

Die späteren Texte in den katholischen Gesangbüchern sind theilweise unter den Melodien vermerkt worden. Ich gebe hier noch einige andere:

1) „Mein Zung erkling zu aller frist
Vom zarten Leib Jesu Christ."

Leisentrits Gesangbuch 1584. Der Verfasser ist Rutgerus Edingius, in dessen Buch „Teutsche Euangelische Messen. Cöln 1572", S. 385 der Text zu finden ist. (K. I, 306.)

2) „Mein Zung lob Gott für all wolthat,
sing vom zarten leichnam fron."

im Gesangbuche des Hecyrus 1581.

3) „Mein Zung klinge frölich singe
Von dem zarten Leichnam fron."

Mainz 1661. Nordstern 1671. Zwei verschiedene Bearbeitungen.

4) „Sing o Zung und frölich klinge
Von dem zarten Leichnam fron."

Brauns Echo 1675.

Auffallend ist, daß das Lied trotz der in demselben zum Ausdruck gebrachten katholischen Transsubstantiationslehre nicht nur in den beiden genannten protestantischen Gesangbüchern vom Jahre 1525 sondern auch in vielen späteren bis zum Ende des 16. Jahrhunderts (Leipziger Gesangbuch 1582) sich vorfindet. (Vgl. Fischers Lexikon II, S. 86.)

Die phrygische Singweise des deutschen Liedes ist dem lateinischen Hymnus entnommen, wobei im Laufe der Zeit sich mancherlei Varianten ausbildeten. Ob der h. Thomas auch der Autor der Melodie sei, läßt sich nicht nachweisen.

No. 372.

Mein Zung thut mit frewden klingen.

(K. I, 307; II, 572.)

Cöln (Brachel) 1619, 1634. Osnabrück 1628.

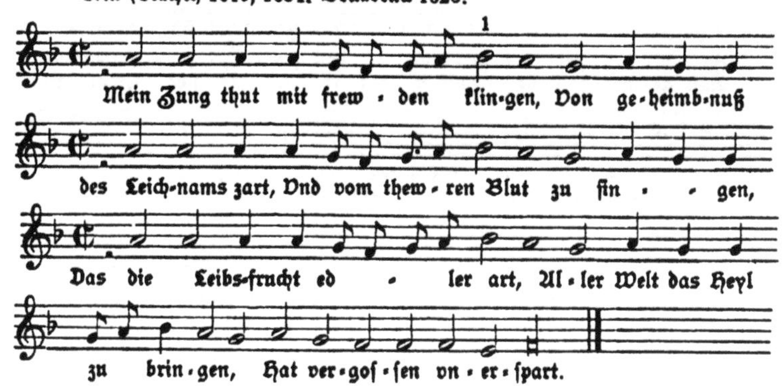
1
Mein Zung thut mit frew - den klin-gen, Von ge-heimb-nuß
des Leich-nams zart, Vnd vom thew - ren Blut zu sin - - gen,
Das die Leibs-frucht ed - ler art, Al - ler Welt das Heyl
zu brin-gen, Hat ver-gos-sen vn-er-spart.

1) Osnabrück c statt b.

Der Text steht bereits in dem zu Cöln bei Quentel 1599 erschienenen Gesangbuche.

No. 373.

Lob o syon deinen hayler.

Dy sequenczen nach dem text. Lauda syon saluatorem.

(Mönch von Salzburg.)

(W. II, 579.)

I. Copie eines geistlichen Liederbuches aus dem Anfang des 15. Jahrhunderts.[1]

Lob o sy-on dei-nen hay-ler, lob den für-sten lob den hye-ter,
Frew dich was du ym-mer mach-te, gros ob al-lem lob be-trach-te,
mit lobsangk in stym-me klar. } Lo-bes vr-sach geistleich schei-net,
noch vollobst du in nym-mer gar. } Was czum fro-nen a-bend-es-sen,
löb-leich prot czart-leich durch-sei-net, ist vns al-len
krist sein Jun-gern gab ver-mes-sen, do er sich von
für-ge-seczt. } Lob sey völ-lik-leich vnd er-leüch-tig, wun-sam
hyn-nen leczt. } An dem tisch des new-en wirt-te, new-e
czir-leich hoch ge-dänch-tig, sey deins her-czen in-bi-let.
o-stern newes ge-firt-te, all-ten o-stern gibt ein end.
Ho-her tag stet fiier ge-bent, do das fro-ne sa-cra-ment
Allte ge-won-hait dy newikait, wa-re sunn den scha-ten ver-iait,
von erst hie sein stif-ten tet. } Was des nacht-mals
das liecht er-laucht dy nacht be-hendt. } Do dy hei-lig
Chri-stus han-delt, das czu trei-ben er do wann-delt, vor
ler ge-ge-ben, wart in hay-les op-her e-ben, do wart
in der ge-dächt-nuß sein. } Dy be-wei-sung halt wir kri-sten,
ge-se-gent pluet aus wein. } Was dein syn en-fiecht noch sme-cket,

1) In meinem Besitz.

das ain prot mit wei-sen li-sten, wirt czu fleisch vnd wein czu
ve-ster dir das-sel-be we-cket, wi-der or-de-nung er das-sel-
pluet.
be tuet.
Vn-der pai-der-lay ge-stal-de nuer mit czai-chen
Fleisch czu spei-se pluet czu tran-cke gancz be-leibt an
nicht tuet hal-de, al-le dingk ver-por-gen sein.
al-len swan-cke, Chri-stus vn-der pai-der schein.
Von dem
In nympt
nem-mer vn-ge-tai-let, vn-czer-bro-chen vn-uer-mai-let,
ai-ner in ne-ment tau-sent, frey als vil als der verdcht lau-sent,
gan-czer en-phan-gen wirt vn-er-wert.
nach be-stet er vn-uer-czert.
In ne-ment guet in ne-men
Tod den pö-sen le-ben
dy pö-sen ye-doch in vn-ge-lei-chem lö-sen, le-bens vnd
den frum-men, wie ge-leich wirt er ge-no-men, vn-ge-leich
des to-des frist.
sein ausgangk ist.
Wann das sa-cra-ment ver-ren-cke,
Chain ge-ben den wer-den schatz be-stel-let,
so nicht czwei-fel nuer ge-den-cke, als vil sey ein bro-sem leng-ke,
sun-der czai-chen es do wel-let, doch ge-tai-let vnd ge-vel-let
das mit gan-czem stet be-dakt.
wie wol das czai-chen beleibt vn-uer-czwakt.
Prüe-fet wie
In fi-gu-ren sich
ist der en-gel prot, weg-uer-ti-ger speis in not, wär-lich prot
das be-czaichent, do Y-saak das op-her raichet, O-ster-lamb
der kind nicht prot ist czu werf-fen füer dy huntt.
das auch be-swai-chet hymel prot wart den vä-tern kunt.
O
Chraft

wer-des prot vnd hüe-ter her-re, du vns al-len mi-se-
vnd wic-ze la-stu ga-re hie tod-lei-cher men-schen
re-re, du be-scherm vns vnd auch ne-re, das wir dich on
na-re, o wer-der tisch-ge-vert sun-der-ba-re, secz vns dort czu dem
wi-der-ke-re nyes-sen in dem va-ter-lanndt.
er-bernn ko-re, al-ler enn-gel frewd werd vns be-kannt.

„Die Sequenz »Lauda Sion« vom h. Thomas von Aquin, ist ein dogmatisches Lehrgedicht über das h. Abendmahl mit abwechselndem Strophenbau (ein sogenannter Leich), da die sechszeiligen Strophen des Anfanges gegen Ende in acht- und zehnzeilige übergehen.“ Mone theilt den Text mit aus mehreren Handschriften des 13., 14. und 15. Jahrhunderts (I, 210; vgl. Dan. H, 97 und W. I, 230.)

Die Uebersetzung des Mönchs von Salzburg:

„Lob o syon deinen hailer.“

(W. II, 579; auch Kehrein, Kirchen- und religiöse Lieder 1853, S. 179) habe ich sammt der Melodie oben abdrucken lassen, weil letztere bedeutende Varianten enthält.

Die Melodie ist übrigens dem lateinischen Liede des h. Thomas nicht ursprünglich eigen gewesen, sondern dem Hymnus: »Laudes crucis attollamus« von Adam von St. Victor, der 100 Jahre früher lebte, entliehen. Fétis (Histoire générale de la Musique 1874, IV. Bd., S. 322), der dieses letztere Lied vollständig mittheilt, sagt dazu: „Die schöne Prose wurde daß maßgebende Modell vieler Lieder, die in den folgenden Jahrhunderten gedichtet werden, vorzüglich vom h. Thomas von Aquin (Lauda Sion), Bonaventura, Thomas von Celano (Dies irae) und Jacobus de Benedictis (Stabat mater).“ Vom h. Bonaventura führt er einen Hymnus auf das heilige Kreuz an, der mir (wenigstens im Metrum des obigen Liedes) nicht bekannt ist.

Die mixolydische Melodie unserer Sequenz, welche im ganzen aus 11 verschiedenen Melodiesätzen (Chorälen) besteht, ging auch in die protestantischen Gesangbücher über.

Im Brüdergesangbuche (1531) 1539 hat man sie dem Texte „Gelobt sey Gott vonn ewigkeyt“ von M. Weiße applicirt.

Triller bringt sie in seinem Singebuch (1555) 1559 zu dem Liede:

„Ich will hertzlich lobesingen.“

Lucas Lossius hat in seinen Psalmodia 1559 das ganze lateinische Lied mit Veränderung einzelner Stellen dogmatischen Inhalts aufgenommen. Eine andere lateinische Umarbeitung nach protestantischer Auffassung besorgte Hermann Bonn, † als Superintendent zu Lübeck 1548. (W. I, S. 144 und No. 469.)

Lobe Syon deinen Herren.

Lauda Syon Saluatorem.

Der Sequens Lauda Syon saluatorem, Lateinisch vnd Teutsch, vom H. Fronleichnam vnsers Herrn Jesu Christi. S. Thomae.

(K. I, 308.)

II. Cöln (Quentel) 1599. Cöln (Brachel) 1619. Osnabrück 1628. M.-Speier 1631. Corner 1631. Dessen Nachtigall 1649 ff.

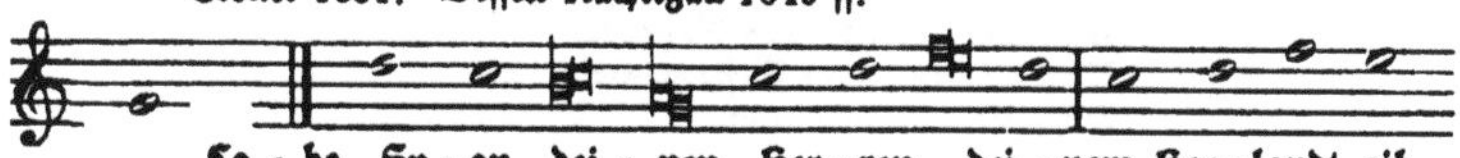

Lo - be Sy - on dei - nen Her - ren, dei - nem Hey - landt gib
Lau-da Sy - on Sal - ua - to - rem, lau - da du - cem et

sein eh - re mit Lob - spru - chen vnd ge - sang.
pa - sto - rem, in Hym-nis et can - ti - cis.

Frew dich, dann er ist so herrlich,
Das du jhn kanst loben warlich,
Nicht gnugsam, dein leben lang.

Quantum potes tantum gaude,
Quia major omni laude,
Nec laudare sufficis.

Heut würd in der Kir - chen Got - tes Sac - ra - ment des Him-
Lau - dis the - ma spe - ci - a - lis, pa - nis vi - uus et

mel - bro - tes, an - zu - bet - ten für - ge - stellt.
vi - ta - lis, ho - di - e pro - po - ni - tur.

Welchs der Herr den zwölff brüdern,
Als den vrsprung aller güttern,
Hat zu essen außgetheilt.

Quem in sacre mensa caenae
Turba fratrum duodenae,
Datum non ambigitur.

Drumb soll heut sein lob er - klin - gen, vnd hoch durch die
Sit laus ple - na sit so - no - ra, sit iu - cun - da

wol - cken drin-gen, zum ge - stern - ten Got - tes - hauß, Den diß
sit de - co - ra, men - tis iu - bi - la - ti - o, Di - es

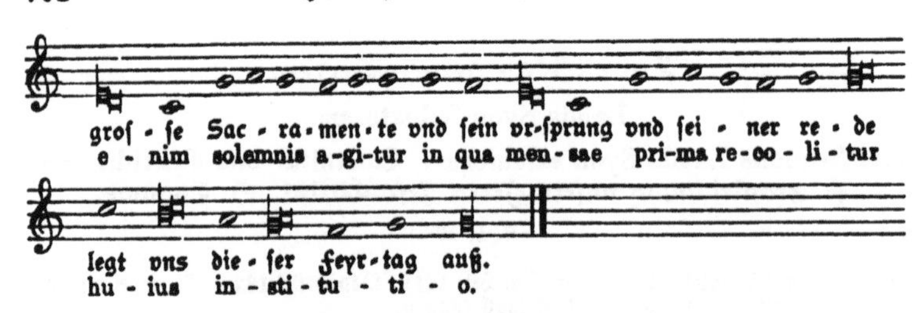
groſ - ſe Sac - ra - men - te vnd ſein vr-ſprung vnd ſei - ner re - de
e - nim solemnis a-gi-tur in qua men-sae pri-ma re-co - li - tur
legt vns die - ſer Feyr-tag auß.
hu - ius in - sti - tu - ti - o.

Der new König, vnd Regente,
New Geſetz, new Teſtamente,
New Oſtern lobeſann.

In hac mensa noui Regis,
Nouum pascha, nouae legis,
Phase vetus terminat.

Erleuchten mit jhrer klarheit,
Erfüllen mit jhrer warheit,
Der alt figuren alle ſampt.

Vetustatem nouitas,
Vmbram fugat veritas,
Noctem lux eluminat.

Was Chri-ſtus in ſei - nem Nacht-mal hat ver - rich - tet vnd
Quod in cae - na Christus ges - sit, fa - ci - en - dum hoc
be - foh - len thun wir zur ge - decht-nus ſein.
ex - pres - sit in su - i me - mo - ri - am.

Durch ſein mechtiges wort allein,
Weiſſen wir Brot vnd Weine,
Zu eim gnaden Opffer rein.

Docti sacris institutis
Panem, vinum in salutis
Consecramus hostiam.

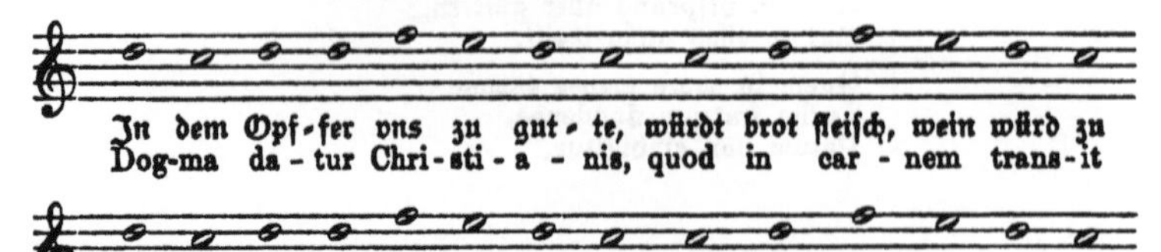
In dem Opf-fer vns zu gut - te, würdt brot fleiſch, wein würd zu
Dog-ma da - tur Chri-sti - a - nis, quod in car - nem trans-it
blu - te, welchs doch kei - ner mer - cken kan.
pa - nis, et vi - num in san - gui - nem.

Ja ſolch wercken begreiff mit nichte,
Der verſtand, noch das geſichte,
Allein der glaub nimpt es an.

Quod non capis, quod non vides,
Animosa firmat fides,
Praeter rerum ordinem.

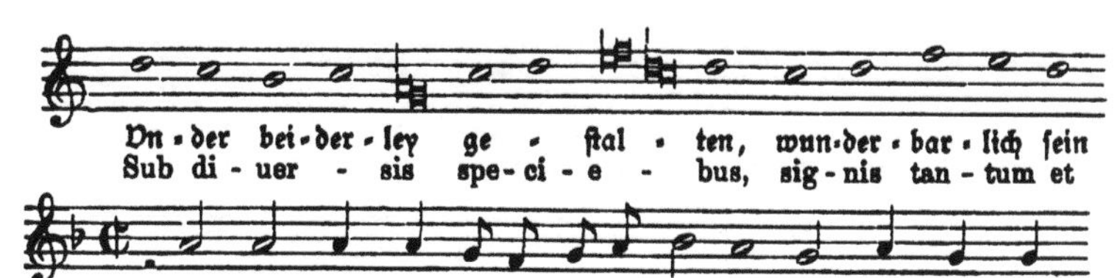
Vn - der bei - der - ley ge - stal - ten, wun - der - bar - lich sein
Sub di - uer - sis spe - ci - e - bus, sig - nis tan - tum et
vnd wal - ten Chri - sti wa - res fleisch vnd blut.
non re - bus, la - tent res ex - i - mi - ae.

Vnd zwar in der zeichen beide,
Christus gantz vnd vngescheide,
Beyderseits verbleiben thut.

Caro cibus, sanguis potus,
Manet tamen Christus totus,
Sub vtraque specie.

Al - so würd er voll - kom - men, von den Chri - sten ein - ge-
A su - men - te non con - ci - sus, non con - frac - tus non di-
nom - men, vnd würd auch ver - zeh - ret nit.
ui - sus, in - te - ger ac - ci - pi - tur.

Einer empfahe jhn alleine,
Oder tausend in gemeine,
Der ein nimpt so viel als sie.

Sumit vnus, sumunt mille,
Quantum isti, tantum ille,
nec sumptus absumitur.

Gutt vnd böß em - pfa - hen jn bei - de, a - ber sehr weit vn - der-
Su - munt bo - ni, su - munt ma - li, sor - te ta - men in - ae-
schei - den, die frucht jh - rer nie - sung ist.
qua - li, vi - tae vel in - ter - i - tus.

Dann den guten wirdt das leben,
Den bösen der Todt gegeben,
O merck diß, vnd hüt dich Christ.

Mors est malis, vita bonis,
Vide paris sumptionis,
Quam sint dispar exitus.

Nach ge - broch - nem Sa - cra - men - te, glaub vnd dich da - non nit
Frac - to de - mum sa - cra - men - to, ne va - cil - les sed me-

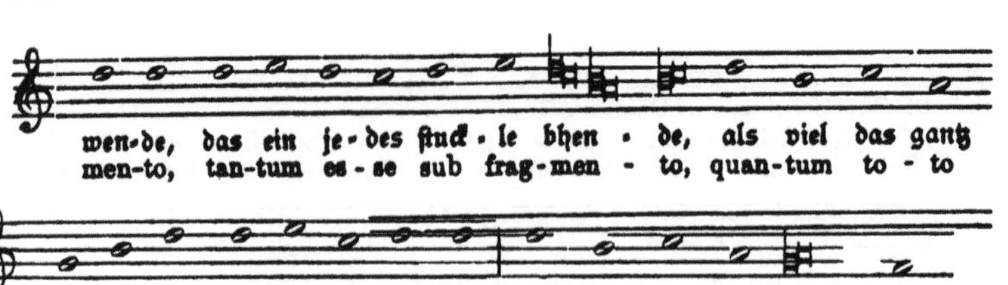
wen-de, das ein je-des ſtuck-le bhen - de, als viel das gantz
men-to, tan-tum es-se sub frag-men - to, quan-tum to - to
in jhm helt.
te - gi - tur.

Dan diß iſt die wahre Summe,
Des verborgnen heiligthumbe,
Gſchicht kein gewalt, vnd kompt nichts vmbe
Wan das brochne brot zerfelt.

Nulla rei fit scissura,
Signi tantum fit fractura,
Quo nec status nec statura
Signati minuitur.

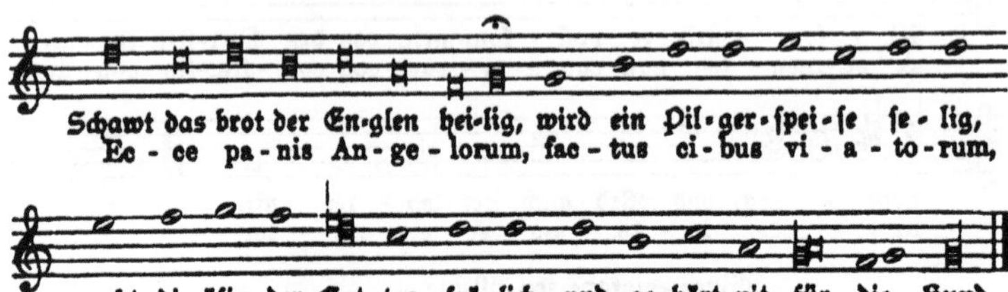
Schawt das brot der En-glen hei-lig, wird ein Pil-ger-ſpei-ſe ſe-lig,
Ec - ce pa-nis An-ge-lorum, fac-tus ci-bus vi - a - to-rum,
macht die Kin-der Got-tes frö-lich vnd ge-hört nit für die Hund.
ve - re Pa-nis fi - li - o-rum, non mit-ten-dus ca - ni - bus.

Diß iſt Iſaac vnſchuldig,
Vnd das Oſterlamb geduldig,
Vnd die ſo Gott ſeynd gehuldigt,
Han diß Manna alle ſtundt.

In figuris praesignatur,
Cum Isaac immolatur,
Agnus paschae deputatur,
Datur manna patribus.

Gut-ter Hir-te Je-ſu Chri-ſte, du vns wei-de du vns
Bo-ne Pa-stor pa-nis ve-re, Je-su no-stri mi-se-
fri-ſte, wi-ders teuf-fels kunſt vnd li-ſte, ent-lich zeig vns die
re-re, tu nos pas-ce nos tu-e-re, tu nos bo-na fac
wol-lü-ſte, die dein Er-ben ſeind be-reit.
vi-de-re, in ter-ra vi-ven-ti-um.

O Jesu dich zu vns wende,
Beut vns hie dein hilff vnd hende,
Das wir dort nach diesem ellende,
Dein Tischganger seind ohn ende,
Am Tisch der vnsterblichkeit.

Tu qui cuncta scis et vales,
Qui nos pascis hic mortales,
Tuos ibi commensales,
Cohaeredes et sodales,
Fac sanctorum ciuium.

Amen. Alleluia.

No. 374.

Lobe Sion deinen Herren.

Lauda Sion Saluatorem.

Andernach 1608.
Lo - be Si - on dei - nen Her - ren, Dei - nem Hei - landt
Lau - da Si - on Sal - ua to - rem, Lau - da du - cem
gib die eh - ren Mit lob - sprü-chen vnd Ge - sang.
et pa - sto - rem In Hym - nis et can - ti - cis.

Die Melodie hat einige Aehnlichkeit mit dem 7. Satze der Sequenz »Sumunt etc.«

No. 375.

Lobe Sion deinem Herren.

Lauda Sion.

New Melodey vber das Lauda Syon*.

Cölner Psalter 1638. Clausener Gesangbuch 1653. Rheinfels. Gesangbuch 1666. Nordstern 1671. Münster 1677.

Lo - be Si - on dei - nem Her - ren, Dei - nen Hey - land
Frew dich dan er ist so herr - lich, daß du jhn kanst
thu - e eh - ren, mit lob - sprü - chen vnd ge - sang.
lo - ben wahr - lich, Nicht gnug - sam dein le - ben lang.
Mit Che - ru - bim, Mit Se - ra - phim lo - ben
wir dich Je - su.

Die ♯ ♯ stehen im Nordstern u. im Münster'schen Gsb.

* So die Ueberschrift im Clausener Gesangbuch.

1) Clausener Gesangbuch d b (oben) statt a g.
Rheinf. Gesangbuch b a statt a.

No. 376.

Sion lobe deinen Heyland.

Eißfeldisches Gesangbuch 1690.

Si - on lo - be dei - nen Hey - land, dei - nen Für - sten, dei - nen
Bey-stand, Mit er - höh - tem Lob - ge - sang, Lob dein Hir - ten,
der dich wey - det, Und sich dir zur Speiß be - rei - tet, Lob ihn
all dein le - ben lang.

Der Anfang der Melodie erinnert an das in neueren Gesangbüchern vorkommende Lied „Alles meinem Gott zu Ehren."

No. 377.

Mein gantze Seel dem Herren sing.

Benedic anima mea Dominum.

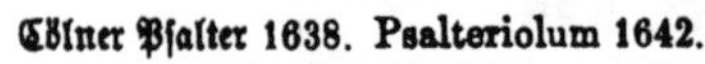
Cölner Psalter 1638. Psalteriolum 1642.

Mein gan - tze Seel dem Her - ren sing, Hi - la - ri-
ter, hi - la - ri - ter Auß al - len kräff - ten JE - su kling.
Hi - la - ri - ter, Hi - la - ri - ter.

Die Melodie hat einige Aehnlichkeit mit dem Ruf „Merckt auff ihr Sünder alle" bei Beuttner 1660. (II. Bd. No. 157).

No. 378.

Jesu wie heilig ist dein Blut.

Vom Blut Christi.

(K. I, 325.)

Mainz 1628. Corner (1625) 1631.

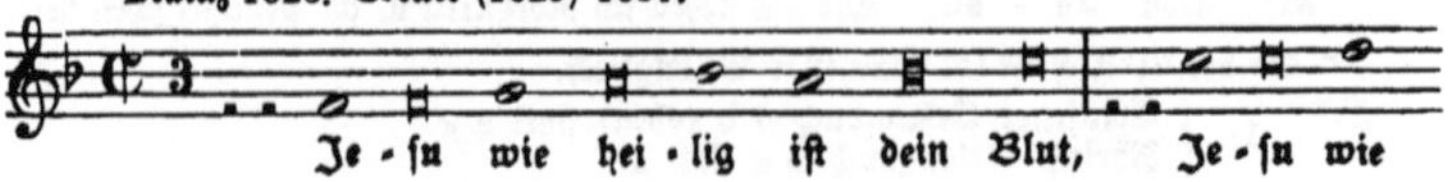
Je - su wie hei - lig ist dein Blut, Je - su wie

köst - lich ist dein Blut, Je - su wie kost - frey ist dein
Blut, Je - su wie heyl - sam ist dein Blut, All meine sünd mich schmer - tzen sehr, Mit dei - nem Blut mich
wasch O HErr, Daß ich dich lie - be mehr vnd mehr.

No. 379.

Aue lebentigs oblat.

(W. II, 560.)

(Von Johannes Mönch von Salzburg.)

I. Copie eines geistlichen Liederbuches aus dem Anfang des 15. Jahrhunderts.[1]

Av - e le - ben - tigs ob - lat, war - hait vn - de le - ben. In
dir al - lem op - her hat Got ein end ge - ge - ben, Durch dich
auch dye ma - ge - stat, lob in preys ge - ge - ben, durch dich
auch dy kir - chen stat, schon be - wart vnd e - ben.
Av - e vas der senf - ti - kait, schrein der sües - sen syn - ne,
Da - rinn wunn vnd lu - stes waid, hym - mels smagk be - gyn - ne,
wär - li - kait der y - sti - kait, hai - lan - des auf - sen

1) In meinem Besitz.

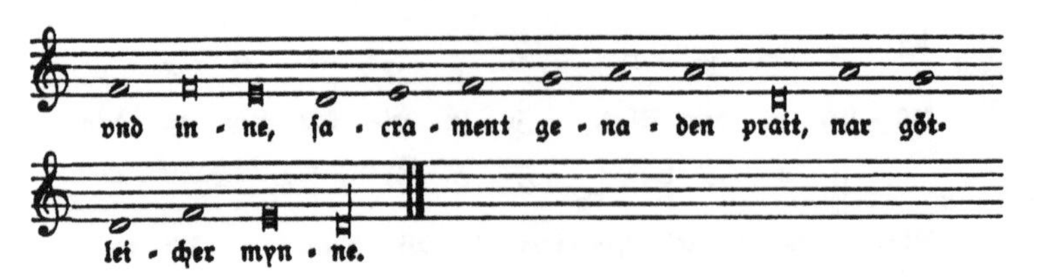
vnd in - ne, sa - cra - ment ge - na - den prait, nar göt-
lei - cher myn - ne.

Der zart Fronleichnam der ist gut.

(W. II, 1273.)

II. Obsequiale Ingolstadt. 1570.
Der zart Fron - leich - nam der ist gut, bringt vns ein
Er macht vns al - ler gna - den vol, wol durch sein
freys ge - mü - te,
wer - de gü - te.
Der hei - lig Gaist wird vns
ge - sandt, so hat vn - ser traw - ren ein ende, al - so
soll sich das her - tze mein, von Gott meim Herrn
nit wen - - den.
Es folgt ein ähnlicher Zusatz wie unter V „O du barmhertziger Got.“
III. Ritus ecclesiastici Dilingen 1580.
DEr zart Fron - leich - nam der ist gut, bringt vns
vnd der ist ge - na - den vol, das er
ein sanfft ge - mü - te,
durch sei - ne gü - te,
der hei - lig Geist der
wohn vns bey, an vn - serm letz - ten En - - de,
da - rum solt sich dz her - - tze mein, von Gott
nim - mer - mehr ab - wen - den.

Ave vivens hostia.

Gegrüßt seystu, haylig opffer rain.

(K. I, 309; W. II, 1270.)

IV. Haym von Themar 1584.

Ge - grüßt sey - stu, hei - lig op - ffer rain, Du war-
Durch dich ist al - len op - ffern in gmain, Jr bil-
hait vnd das le - ben, Durch dich dem Vat - ter in
lich endt - schafft ge - ben,
E - wig - kait, wirt lob vnd preiß ver - ye - hen.
Durch dich wirt gmai - ne Chri - sten - hait, be - wart vnd wol
ver - se - - hen.

Dreiliederdruck: „Drey Gaystliche vnd Catholische Lobgesang etc.“ Anno Domini 1584. Johann Haym. (Vgl. die Beschreibung auf S. 150.)

DEr zart Fronleichnam der ist gut.

(K. I, 328; W. V, 1276.)

V. Beuttner (1602) 1660. Corner 1631. Dessen Nachtigall 1649.

DEr zart fron - leich - nam der ist gut, bringt vns
Vnd der vns all be - gna - den thut, daß macht
ein sanffts Ge - mü - te, Der hei - lig Geist ward
sein wer - the Gü - te,
auß - ge - sandt, schafft vns der Sorg ein en - - de,
Da - rumb soll sich das Her - tze mein, Von Gott mei-

1
nem Her - ren nicht ab - wen - den.
Ge - grüſ - ſet
Ein Him - liſch
ſey - - ſtu Him - mel Brot, Die Wahr - heit vnd
Gab vnd ein ſüſ - ſig - keit, Das iſt der Men-
das Le - - ben.
ſchen Le - - ben.

1) Bei Corner ſchließt das Lied an dieſer Stelle.

Aue viuens Hostia.

Hymnus vel Canticum de Ven: Sacramento, plerisque in ecclesiis Parochialibus cantari solitum, post Eleuationem, praesertim tempore Paschali, cum est multitudo communicantium. •

VI. Cöln (Quentel) 1599. Conſtanz 1600. Paderborn 1617. M.-Speier 1631. Corner 1631. Deſſen Nachtigall 1649 ff.

1
A - ue vi - uens Ho - sti - a ve - ri - tas et vi - ta,
Per te sac - ri - fi - ci - a cunc - ta sunt fi - ni - ta,
Per te pa - tri glo - ri - a da - tur in - fi - ni - ta, Per te
Per te
stat Ec - cle - si - a, iu - gi - ter mu - ni - ta,
no - bis mu - ne - ra dan - tur in - fi - ni - ta.

1) Corner: g e ſtatt e d.

Der nun folgende deutſche Text: „Gegrüſſet ſeiſtu heiliges Opffer rein" paßt nicht auf die obigen Noten.

DEr Heilig wahr Leichnam.

Ein andechtigs Geſang, bey der Eleuation, vnd ſonſt auch zu ſingen, Im Thon, Aue viuens hostia.

(K. I, 313; B. II, 1275.)

VII. Mainzer Cantual 1605. Hildesheim 1625. Mainz 1627.

DEr Hei - lig wahr Leich - nam der iſt gut, er bringt
Es iſt das wah - re Him - mel - - brod, das kömpt

vns ein frisch ge - mü - te,
auß deß lieben Got - tes gü - te,
Wir bit - ten daß es vns
werd ge - sandt, vor vn - serm letz - ten en - - de, al - so
soll sich das jn - nig her - tze mein, von Gott nim - mer-
mehr ab - wen - den.

In den oben (VII) notirten Gesangbüchern steht auch der lateinische Text. Die Melodie dazu ist eine Quart tiefer gesetzt. Die Ueberschrift lautet hier: „**Ein schön alt Catholisch Gesang, von der H. Eucharistia, mit den deutschen Versen, die mag man allein oder zwischen die Lateinischen singen.**" Es folgt das Lied: „**Gegrüsset seystu H. Opffer rein.**"

Die Entstehung des lateinischen Liedes »Ave vivens hostia« (W. I, 408) setze ich in den Anfang des 14. Jahrhunderts, denn der Mönch von Salzburg, der gegen Ende des genannten Jahrhunderts lebte, verfaßte schon eine deutsche Bearbeitung.

1) „Ave lebentigs oblat.

Vgl. den Text unter den Noten von No. I. (Hoffmann K. L. No. 150).
Die andern bis jetzt bekannt gewordenen Uebersetzungen führe ich kurz an:

2) „Ave lebentigz oblat,
warheit vnd daz leben."

Angeblich aus früherer Zeit. Nürnberger Pap.-Hdschr. cent. VII. 38. 12 (vgl. W. II, 561).

3) „Ich gruß dich lemtigs hostia."

Münchener cod. lat. 6034. Bl. 83, aus dem 15. Jahrhundert. (Hoffmann a. a. O., No. 151).

4) „Ave lebende hostia"

von Ludwig Moser im Anhange zu dem Buche „Der guldin Spiegel des Sunders." Basel 1497. (W. II, 1071.)

Spätere Uebersetzungen sind unter den Notenbeispielen angeführt worden.

Die Melodie, welche viele Varianten aufzuweisen hat und ursprünglich dem lateinischen Liede angehörte, ist später auf das Lied „**Der zart Fronleichnam der ist gut**", dessen älteste Quelle des Obsequiale 1570 bildet, übertragen worden.

I. Leiſentrit 1567 ff. Cöln (Quentel) 1599. Conſtanz 16
born 1617. M.-Speier 1631. David. Harmonia
buch 1666.

Ihe-ſus Chri-ſtus vn-ſer hei-landt, den
hat ge-ſandt, hat vns ar-men ſün-dern
goſ-ſen ſein hei-li-ges Blut.

In der dritten Ausgabe von Leiſentrits Geſangb
noch der folgende Text.

Johannis Hussen Liedt (vngeacht, das er
hat er doch ſein meinung von dem Hochwirdig
Altars, Catholiſcher weis gehalten) Welches
Catholiſchen Kirchen vnd Verſamlungen ſicher
wies in Lateiniſcher vnd Deudſcher ſprach all
Thon hernach verzeichnet folget.

II. Leiſentrit 1584.

Je-sus Chri-stus no-stra sa-lus, qu
om-nis ma-lus, no-bis su-i me-mo-

„Glori Lob Ehr dem Vatter sey,
Der alles hat erschaffen frey,
auß lauter gnad vnd gütigkeit
Regierst auch biß in Ewigkeit."

»Sit laus honor et gloria
Deo patri qui omnia,
sua creauit gratia,
fouet regitque condita.«

David. Harmonia 1659. Rheinfelsisches Gesangbuch 1666:

„Jesus Christus vnser Heyland, der von vns den Gottes Zorn wandt,"
von Luther. (W. III, 10.)

JEsus Christus vnser Heylandt.

Jesus Christus nostra salus Teutsch.

(K. I, 315 b; W. II, 1265.)

III. Beuttner (1602) 1660.

JE - sus Chri - stus vn - ser Hey - landt, Dem die Bö - sen
thun, wi - - der - standt, Hat vns das ei - lig Ge-dächt-nuß sein
Ge - ben in Ge - stalt deß Brots so klein.

Das lateinische Lied »Jesus Christus nostra salus« hat den Joh. Hus zum Autor.

Dies bezeugt Leisentrit in der oben angeführten Bemerkung. In seinem Buche hat das Lied 7 Strophen.

In den »Monumentorum Joan. Hus, altera pars. Noribergae anno 1558« fol. Bl. 348 stehen 9 Strophen (W. I, 368), während ein Münchener Cod. germ. 716 Bl. 177 aus dem 15. Jahrhundert 10 Strophen enthält (W. I, 367.)

Ein dem lateinischen Texte entsprechendes deutsches Lied „Jesus Christus vnser Heiland, dem die bössen thun widerstand" bringt Leisentrit (1584) nach dem lateinischen Text mit dem Bemerken: „In Deudscher sprach gantz vnd gar nach dem Lateinischen Text vertiret vnd vermischet". Dieses deutsche Lied findet sich außerdem noch bei Beuttner (1602) 1660, im Straubinger Gesangbuch 1615 und bei Corner 1631. In den Gesangbüchern der böhmischen Brüder finde ich diesen deutschen Text nicht.

Ein zweiter deutscher Text im Erfurter Enchiridion 1524:

„Jhesus Christus vnser heyland,
der von vns denn Gottes zornn wannd"

hat die Ueberschrift „Das lied S. Johannes Hus gebessert". Im Val. Bapst'schen Gesangbuche 1545 folgt noch der Name „D. Mart. Luther". Worin diese „Besserung" liegen soll, ist mir nicht klar geworden. Das Luther'sche Lied hat mit dem lateinischen Liede Hussens sehr wenige Berührungspunkte. Nur darin stimmen sie überein, daß sie beide vom letzten Abendmahl handeln.

Ebenso verhält es sich mit einem 22 Strophen zählenden Lied bei Vehe:

„Jesus Christus vnser Heylandt,
Den vns der vatter hatt gesandt“ (vgl. No. 382).

Die Strophen 6 bis 19 sind eingeschoben und von Vehe oder Caspar Querhamer verfaßt. Das noch übrig bleibende achtstrophige Lied findet sich auch bei Leisentrit 1567, im Cölner Gesangbuch 1599, Paderborner 1616 ff. u. a. In Leisentrits Gesangbuch 1584 ist es im I. und II. Theil abgedruckt.

In letzterem steht es als Ruf in 14 zweizeiligen Strophen mit angehängtem Alleluia.

Auch dieses Lied steht, wie bereits angedeutet wurde, zu dem lateinischen Texte des Hus in sehr entfernter Beziehung; ebensowenig ist es dem Luther'schen Liede ähnlich.

Die Melodie, welche bei Leisentritt 1584 zu dem lateinischen Texte gesetzt ist, repräsentirt nach dessen Aussage den „alten Thon“. Im Erfurter Enchiridion 1524 und Val. Bapst'schen Gesangbuche 1545 findet sie sich ebenfalls mit nur unbedeutenden Varianten.

In den Hymni de tempore et de Sanctis. Solesmis 1885, S. 230 entdeckte ich dieselbe Singweise bei dem Hymnus:

»Jesu dulcis amor meus,
Ac si praesens sis accedo
Te complector cum affectu,
Tuorum memor vulnerum« (Dan. IV, 336).

Es ist auffallend, daß die Gesangbücher der böhmischen Brüder weder das obige lateinische Lied noch eine deutsche Bearbeitung enthalten. Die Ueberschrift »Jesus Christus nostra salus« habe ich zu dem folgenden Liede: „Jesus Christus Gottes son von ewigkeit“ aufgefunden. Der weitere Text handelt aber gar nicht vom letzten Abendmahle. Auch die Melodie ist von derjenigen, welche das Erfurter Enchiridion 1524 und Leisentrit 1584 enthalten, ganz verschieden. Erst das große Brüdergesangbuch v. J. 1566 bringt das Luther'sche Lied mit der alten Melodie im Anhange. (Vgl. dazu das folgende Lied aus Leisentrits Gesangbuch „O Herr Jesu Christ Gottes Son“.)

No. 381.

O Herr Jesu Christ Gottes Son.

Ein anders von der einsetzung des Hochwirdigen Sacraments Leib vnd Bluts Christi, in dem Thon, Almechtiger gütiger Gott etc., Wie oben, Item Kom heiliger Geist warer trost, Oder der heilig Geist vnd warer Gott oder aber auff die folgende weis.

(K. I, 331; W. V, 1209.)

I. Leisentrit 1567 ff. Dilinger Gesb. 1576.

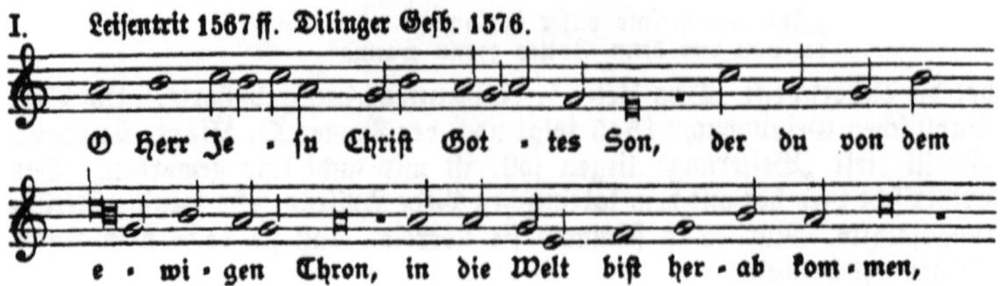
O Herr Je - su Christ Got - tes Son, der du von dem
e - wi - gen Thron, in die Welt bist her - ab kom - men,

al - len gleu - bi - gen zu from - men.

Das Dilinger Gesangbuch hat diese Melodie zu dem Texte:

„Groß ist Gots barmhertzigkeit"

ein Lied von den h. Sakramenten, welches auch im Leisentrit'schen Gesangbuche 1567 steht.

Der Text (No. I) ist von Hecyrus, der denselben seinem Freunde Leisentrit überlassen, bevor er seine Lieder (i. J. 1581) selbst herausgab. Hecyrus gibt als Ton an »Jesus Christus nostra salus«, ohne aber die Melodie selbst zu bringen. Die obige bei Leisentrit ist mit wenigen Abweichungen diejenige, welche im Brüdergesangbuche vom Jahre 1539 unter der Ueberschrift des genannten lateinischen Liedes dem deutschen Texte: „Jesus Christus Gottes Son" beigegeben ist. Demnach hat das Lied: »Jesus Christus nostra salus« zwei Singweisen gehabt.

JEsus Christus Gottes son von ewigkeyt.

Jesus Christus nostra salus.

(W. III, 282.)

II. Brüdergesangb. 1539.

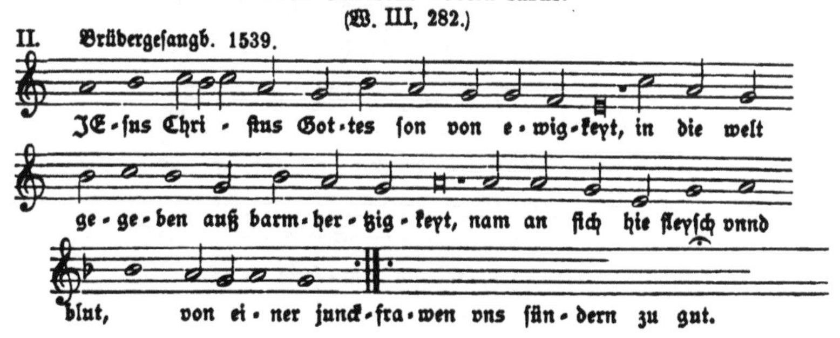
JE - sus Chri - stus Got - tes son von e - wig - keyt, in die welt
ge - ge - ben auß barm - her - tzig - keyt, nam an sich hie fleysch vnnd
blut, von ei - ner junck - fra - wen vns sün - dern zu gut.

Wackernagel bringt dieses Lied von M. Weiße aus der Ausgabe vom Jahre 1531.

No. 382.

Jesus Christus vnser Heyllandt.

Ein geystlich Lied von dem heyligen hochwirdigen Sacrament des Altars, zu singen auff die vorbestimpten zeyt.

(K. I, 315; W. V, 1184.)

Vehe 1537.

Je - sus Chri - stus vn - ser Heyl - landt, Den vns der vat - ter
hatt ge - sandt, Hat vns ar - men sun - dern zu gutt Ver - gos - sen
sein hey - li - ges blut.

Je - sus Chri - stus vn - ser Hey - landt,
hat ge - sandt, Hat vns ar - men Sün - dern zu
sein hei - ligs Blut.

No. 384.

Gót sy gelobbet vnd geben

I. Handschriftliches Processionale aus dem Franziskane

Got sy ge - lob - bet vnd ge - be - ne - dy -
hait ge - spyſ - set midt sy - nem fleysch vndt
gibbe vnſs lie - ber her - re got zu gu -
ſa - cra - men - te an vnſ - ferm le - ſten en

nu hilff vnss her - re vss al - ler vns - ſer noydt. Ky - ri-
e e - ley - ſon.

Aus dem Gregoriusblatt 1884 No. 6. Die Handſchrift trägt nach der Beſchreibung Böckelers auf dem Einbanddeckel die Jahreszahl 1597, ſtammt aber aus dem Ende des 15. Jahrhunderts. Das Lied iſt hier in die Sequenz »Lauda Sion« eingeſchaltet, in der Weiſe, daß nach den beiden erſten Strophen des lateiniſchen Liedes der deutſche Geſang: „Got ſy gelobbet“ folgt. Daran ſchließen ſich die dritte und vierte Strophe der Sequenz und darauf folgt die zweite Strophe des deutſchen Liedes „O Herre dorc“ u. ſ. w.

GOtt ſey gelobet,

in ſeinem alten gewönlichen Ton.

II. Mainzer Cantual 1605. Hildesheim 1625. Mainz 1627.

GOtt der ſey ge - lo - bet, vnd ge - be - ne - dey - et, der vns
al - le hat ge-ſpei - ſet, mit ſei-nem Hei - li - gen Flei - ſche,
mit ſei-nem Hei - li - gen Flei - ſche, mit ſei-nem Hei - li - gen Blu-
te, das gib vns lie - ber HER - Re Gott zu gu - te.
Das Hei - li - ge Sa - cra - men - te, vor vn - ſerm letz - ten
en - de, auß ei - nes ge - wey - he - ten Prie - ſters henden. Ky - ri - e lei - ſon.
O HER - RE Gott gib vns dei - nen Hei - li - gen wa - ren
Leich - nam, der von dei - ner lie - ben Mut - ter MA - RJ - A

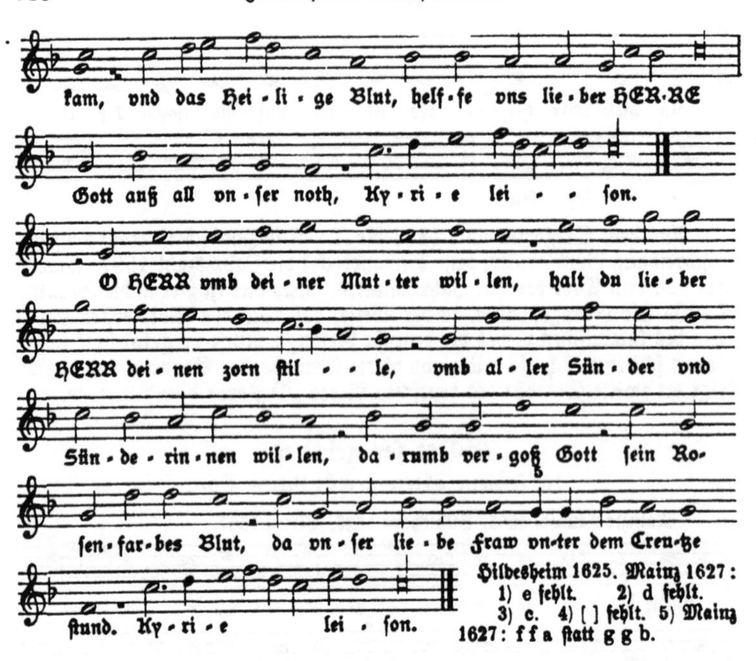
kam, vnd das Hei - li - ge Blut, helf - fe vns lie - ber HER-RE
Gott auß all vn - ser noth, Ky - ri - e lei - - son.
O HERR vmb dei - ner Mut - ter wil - len, halt du lie - ber
HERR dei - nen zorn stil - - le, vmb al - ler Sün - der vnd
Sün - de - rin - nen wil - len, da - rumb ver - goß Gott sein Ro-
sen - far - bes Blut, da vn - ser lie - be Fraw vn-ter dem Creu-tze
stund. Ky - ri - e lei - son.
Hildesheim 1625. Mainz 1627: 1) e fehlt. 2) d fehlt. 3) c. 4) [ ] fehlt. 5) Mainz 1627: f f a statt g g b.

Ein Lobgesang vom heyligen hochwirdigen Sacrament, auch auff die obgenanten tag vnd zeit zu singen.

III. Vehe 1537. Leisentrit 1567 ff. Dilinger Gsb. 1576. Cöln (Quentel) 1599. Beuttner (1602) 1660. Paderborn 1609, 1617. Würzburg 1628, 1630 ff. Bamberg 1628, 1670. Mainz 1628. M.-Speier 1631. Corner 1631. Dessen Nachtigall 1649 ff. Molsheim (1629) 1659. Dav. Harmonie 1659. Rheinfels. Gesangbuch 1666. Erfurt 1666.

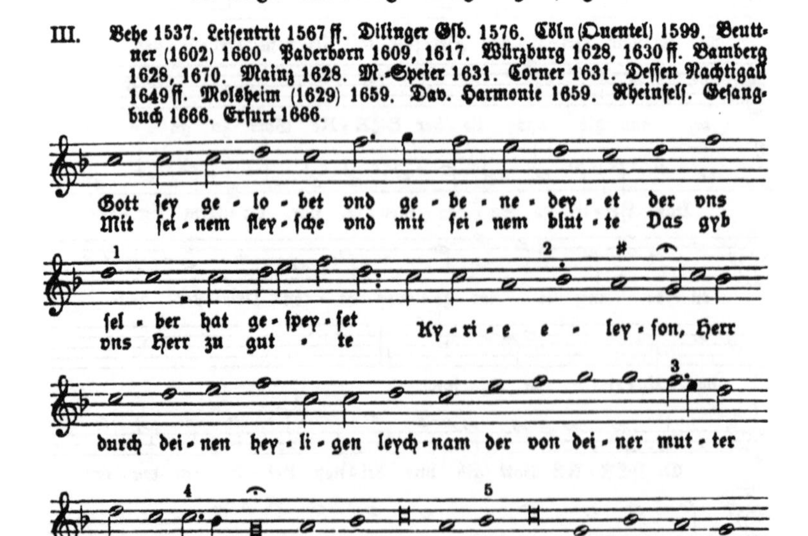
Gott sey ge - lo - bet vnd ge - be - ne - dey - et der vns
Mit sei - nem fley - sche vnd mit sei - nem blut - te Das gyb
sel - ber hat ge - spey - set Ky - ri - e e - ley - son, Herr
vns Herr zu gut - te
durch dei - nen hey - li - gen leych - nam der von dei - ner mut - ter
Ma - ri - a kam, Vnd das hey - li - ge blut, Hilff vns Herr auß

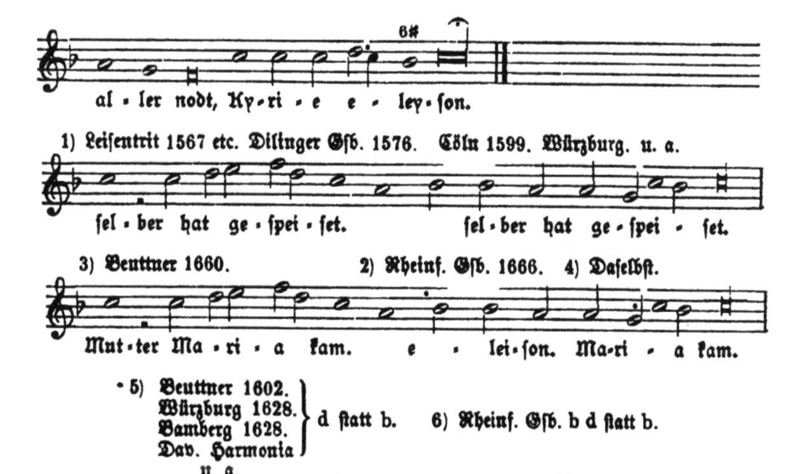
6#
al - ler nodt, Ky - ri - e e - ley - ſon.
1) Leiſentrit 1567 etc. Dillinger Gſb. 1576. Cöln 1599. Würzburg. u. a.
ſel - ber hat ge - ſpei - ſet. ſel - ber hat ge - ſpei - ſet.
3) Beuttner 1660. 2) Rheinf. Gſb. 1666. 4) Daſelbſt.
Mut - ter Ma - ri - a kam. e - lei - ſon. Ma - ri - a kam.
5) Beuttner 1602. Würzburg 1628. Bamberg 1628. Dav. Harmonia u. a. } d ſtatt b.
6) Rheinf. Gſb. b d ſtatt b.

Das Lied iſt vorreformatoriſch. Spangenberg ſagt in ſeinem Büchlein „Zwölff Chriſtliche Lobgeſenge“ u. ſ. w. Wittenberg 1545. „Dis iſt der alten Chriſtlichen Lobgeſenge auch einer.“ Urſprünglich ſcheint nur eine Strophe vorhanden geweſen zu ſein.

Die Crailsheimer Schulordnung vom Jahre 1480[1] bringt dieſe mit folgender Einleitung:

Tunc sequitur laudabile festum corporis Christi in quo canitur sequencia scilicet illa »Lauda Syon Salvatorem etc.« super qua sequitur ille cantus vulgaris sive popularis:

Got ſey gelobet vnd gebenedeyet
der vns ſelber hat geſpeyſet
mit ſeynem fleiſch mit ſeynem plut
das gib vns lieber Herr zu gut. kiriel. kirieleyſon.

Auch Wizel hat in ſeinem Psaltes eccles. 1550 nur dieſe eine Strophe.

Eine Erweiterung derſelben enthält bereits das Miltenberger Proceſſionale aus dem Ende des 15. Jahrhunderts. Auch dieſer ganze Text iſt noch vorreformatoriſch, denn Luther führt darüber Folgendes an:

„Denn es iſt gleichwohl der Glaube feſt und rein blieben in der Kirchen, daß Chriſtus im Sacrament eingeſetzt vnd befohlen habe, ſeinen Leib und Blut zu empfahen allen Chriſten, wie das alles viel Lieder vnd Reimen überzeugen, ſonderlich das gemeine Lied: Gott ſei gelobet und gebenedeiet der uns ſelber hat geſpeiſet mit ſeinem Fleiſche und mit ſeinem Blute. Und darnach: Herr durch deinen heiligen wahr Leichnam der von deiner Mutter Maria kam, und das heilige Blut hilf uns Herr, aus aller Noth. etc.“ Von der Winckelmeſſe vnd Pfaffenweiſe. Anno 1533.

In der Formula missae et communionis pro ecclesia Vuittembergensi 1523 erwähnt er das Lied ebenfalls und ſagt, daß es nach der Com-

1) Publicirt von Dr. W. Crecelius in Birlingers Alemannia III, 3.

jtzt new sein, vnsr hertz vnd stim lob - sin - ge sein.

Der lateinische Hymnus »Sacris solemniis iuncta sint gaudia« (W. I, 231; Dan. I, 252; auf der Stiftsbibl. in St. Gallen in 6 Hdschr. des 15. Jahrh. Katalog, S. 526) ist vom h. Thomas von Aquin für das Fronleichnamsfest verfaßt worden. Die Uebersetzung ist von Rutgerus Edingius. „Teutsche Euangelische Messen" Cöln 1572. S. 387.

Die obige Melodie weicht von der alten Choralmelodie (Hymni de tempore et de Sanctis, Solesmis 1885, S. 60) bedeutend ab.

No. 386.

O Herr Jesu Christ Gottes Son.

Ein ander andechtig Liedt auff vnsers Herrn Fronleichnams Woche.

Leisentrit 1584.

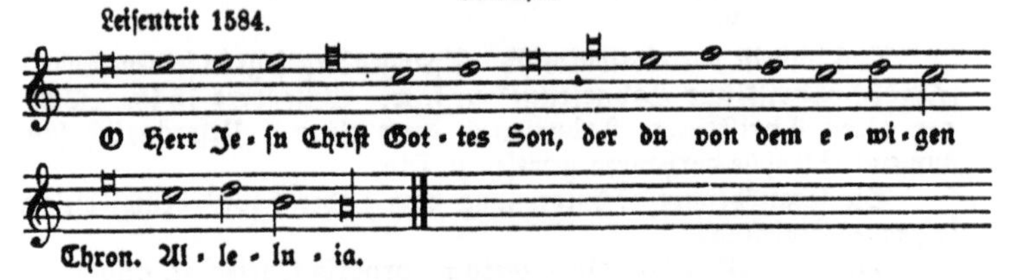
O Herr Je - su Christ Got - tes Son, der du von dem e - wi - gen
Chron. Al - le - lu - ia.

Das Lied unter No. 381 ist hier als Ruf bearbeitet.

No. 387.

O JEsu Christ Gottes Sohn.

Ein anders newes Gesang von dem heiligsten Sacrament deß HErrn.

Corner (1625) 1631.

O JE - su Christ Got - tes Sohn, Der du vom e - wi-
gen Thron, Bist in die Welt her - kom - men, den Glau - bi-
gen zu from - men.

Die Melodie steht in Nic. Selneccers Christliche Psalmen, Lieder u. s. w. Leipzig 1587, ohne Angabe des Componisten, bei dem Morgenliede „Nun last vns Gott dem Herren dancksagen vnd jhn ehren" von L. Helmbold.

No. 388.

Nun last vns singen gantz von hertzen grunde.

Ein Sapphicum von des Hochheiligen Sakraments des Altars einsetzung.

(K. I, 338; W. V, 1254.)

Leisentrit 1567 ff. Dilinger Gsb. 1576. Cöln (Quentel) 1599. M.-Speier 1631.

Nun laßt vns sin - gen gantz von her - tzen grunde, von gros-
sen din - gen mit dem Geist vnd mun - de, solchs nicht vor-
ach - ten (vnd) Chri-stum gros ach - ten, Sein Todt be - trach-ten.

Das in ( ) Stehende fehlt in der Ausgabe 1573, ebenso im Cölner Gsb. 1599.

Die Melodie hat im Anfange Aehnlichkeit mit der Weise des Liedes: „Jesus ist ein süßer Nam". No. 117.

No. 389.

Wir wollen heute loben.

Ein Christlicher Gesang von dem heiligen vnd Hochwirdigen Sacrament des Altars, darinne das Leiden vnd sterben Christi kürtzlich mit begriffen ist.

(K. I, 182; W. V, 1253.)

Leisentrit 1567 ff. Andernach 1608. Bamberg 1628 ff. Neyß 1625. Corner (1625) 1631. Dessen Nachtigall 1649. Erfurt 1666. Prag 1655. Brauns Echo 1675. Neyß 1663.

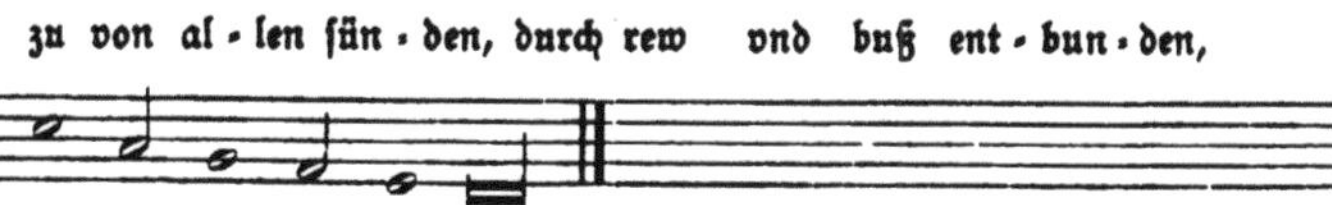
zu von al - len sün - den, durch rew vnd buß ent - bun - den,
durch sei - ne Pri - ster-schafft.

Leisentrit hat in seinem Gesangbuche den Baßschlüssel 𝄢 statt des Tenorschlüssels gesetzt. Die schöne dorische Melodie ist dadurch unsingbar geworden. (Sie beginnt bei Leisentrit g g g h h a g.)

Die obige richtige Fassung steht im Neyßer Gesangbuch 1625. Das Andernacher 1608 transponirt die Melodie eine Quint tiefer mit ♭ Vorzeichnung. Der lateinische Text daselbst:

»Laudemus omnes una
Pura Deum mente«

ist nach meiner Ansicht eine Uebersetzung des deutschen Liedes. Dieses letztere ist in Text und Melodie sehr volksthümlich.

Eißfeldisches Gesangbuch 1690.
Wir wol-len heu-te lo-ben, und prei-sen un-sern Gott,
der uns mit sei-nem Tod-te, reich-lich er-lö-set hat, darzu von al-len Sün-den durch Reu und Buß ent-bun-den durch
sei-ne Prie-ster-schafft.

No. 390.

Adoro te deuote.

Ich bitt innig dich verborgen Gottheit ahn.

Der Rhytmus, S. Thomae Aquinatis, vom Hochwirdigen Sacrament, in folgender Melodey, oder im Tohn, wir wollen singen.

Mainzer Cantual 1605. Andernach 1608. Hildesheim 1625. Mainz 1627.
A-do-ro te de-uo-te la-tens De-i-tas,
Andernach: Ich bitt in-nig dich ver-bor-gen Gott-heit ahn,
Quae sub his fi-gu-ris ve-re la-ti-tas. Ti-bi
Die wahr-haff-tig-lich in Brots ge-stalt thut stahn. Es vn-
se cor me-um to-tum sub-ji-cit, Qui-a te con-
der-wirfft sich dir mein Hertz gantz vnd gahr, Zer-geht im den-
tem-plans to-tum de-fi-cit.
cken diß we-sens wun-der-bar.

Der deutsche Text, der im Mainzer und Hildesheimer Cantual folgt und „im Lateinischen Tono, oder Wir wollen alle singen" gesungen werden soll, paßt nicht zu den obigen Noten. Derselbe lautet:

„Ich bete dich an demütiglich,
Wahr Gott Herr Jesu Christ,
Der du allhie vnsichtbarlich
vnter diesen gstalten bist.
Mein Hertz mit allen krefften
sich vnterwirfft dir gantz,
Dann wann es dich betrachtet,
nimpts ab vor deinem glantz." (K. I, 312, W. II, 1271.)

Das lateinische Lied »Adoro te« wird von den Hymnologen dem h. Thomas von Aquin zugeschrieben (M. I, 209; Dan. I, 255; W. I, 234.) In späteren Handschriften und Drucken werden den einzelnen sieben Strophen Rundreime beigegeben:

»Ave Jesu, verum Manhu, Christe Jesu,
Adauge fidem omnium credentium.«

oder

»Bone Jesu, pastor fidelium,
Adauge fidem omnium in te credentium.«
(Näheres bei Mone I, S. 275 ff.)

Die älteste Quelle ist eine Handschrift zu Freiburg No. 91, fol. 45, aus dem 15. Jahrhundert.

Von den deutschen Gesangbüchern bringt zuerst das Mainzer Cantual 1605 das lateinische Lied mit der Melodie und einer deutschen Uebersetzung. Eine freie deutsche Bearbeitung in demselben Metrum mit einem Rundreim repräsentirt das Lied:

„O Christ hie merk",

dessen älteste Quelle das in Cöln 1623 (bei Brachel) erschienene Gesangbuch ist. Vgl. No. 394.

No. 391.

Ich bett dich an demühtiglich.

Münster 1677.

Ich bett dich an de-müh-tig-lich, wahr GOtt HERR JE-su Christ,
der du al-hie un-sicht-bar-lich, un-der die-sen Ge-stal-ten bist,
mein Hertz mit al-len Kräff-ten, sich un-der-wirfft dir gantz,
dan wan es dich be-trach-tet, nimbt es ab vor dei-nem Glantz.

Die Melodie bildet eine Variante zur vorigen Nummer.

No. 392.

Die Gottheit rein anbet.

Cöln (Brachel) 1625, 1634.

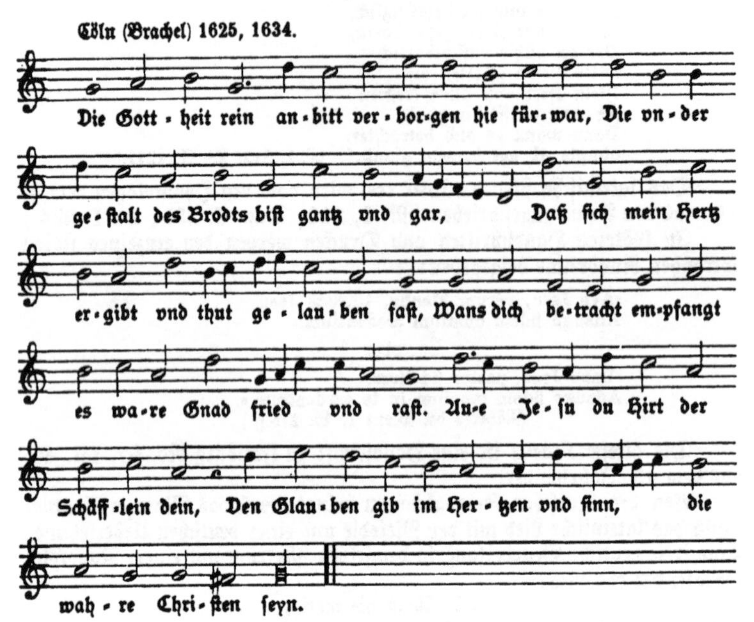
Die Gott - heit rein an - bitt ver - bor-gen hie für-war, Die vn - der
ge - stalt des Brodts bist gantz vnd gar, Daß sich mein Hertz
er-gibt vnd thut ge - lau - ben fast, Wans dich be-tracht em-pfangt
es wa-re Gnad fried vnd rast. Au-e Je - su du Hirt der
Schäff-lein dein, Den Glau-ben gib im Her - tzen vnd sinn, die
wah - re Chri - sten seyn.

No. 393.

Ich bett dich an demühtiglich.

Eißfeldisches Gesb. 1690.

Ich bett dich an de-müh-tig-lich, Mein Gott Herr Je - su Christ,
Der du all - hie un-sicht-bar-lich Uns ge - gen wär-tig bist.
Mein Hertz sich gantz dir schen - cket, Sich un - ter-wirfft dir gantz,
Weil, wann es dich be-den-cket, Ab-nimbt von dei-nem Glantz.

No. 394.

O Christ hie merck.

(K. I, 337.)

Cöln (Brachel) 1623, 1634. Würzburg 1628, 1630 ff. Osnabrück 1628. Bamberg 1628 ff. Mainz 1628. Corner 1631. Seraph. Lustgart. 1635. Corners Nachtigall 1649 ff. Molsheim (1629) 1659. David. Harmonia 1659. Rheinfels. Gesangbuch 1666. Erfurt 1666. Nordstern 1671. Mainz 1661, 1665. Brauns Echo 1675. Münster 1677. Straßburg 1697.

O Christ hie merck, den Glau-ben sterck, Vnd schaw diß Werck,
1
Diß Brod all gut, Gott Fleisch vnd blut, Be-greif-fen thut. A-ve
Je-su, wah-re man-hu, Chri-ste Je-su, Dich Je-sum süß, ich
2 3
hertz-lich grüß, O Je-su süß.

1) Würzburg, Corner u. a. g g f statt b g a. Mainz 1661 g f f.
2) Corner d statt b. 3) Bamberg 1628 b statt g.

No. 395.

O Himmlisch Speiß, O Engel Brodt.

Würzburg 1628, 1630 ff. Molsheim (1629) 1659. Bamberg 1670, 1691. Straßburg 1697. Eißfeldisches Gesb. 1690.

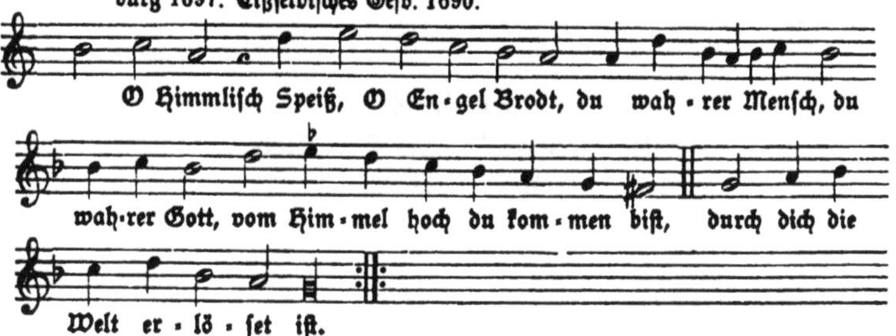
O Himmlisch Speiß, O En-gel Brodt, du wah-rer Mensch, du
wah-rer Gott, vom Him-mel hoch du kom-men bist, durch dich die
Welt er-lö-set ist.

No. 396.

JEsu, Jesu, wir grüssen dich von hertzen.

Bamberg 1628, 1670.

JE-su, Je-su, wir grüs-sen dich von her-tzen, Du bist das

Him-mel-brodt, vom Vat-ter ge-ben, Zur see-len speiß, Auffs
Himmels reiß, all-hie in die-sem le-ben.

Die Melodie hat Aehnlichkeit mit der des Liedes „O wunder groß aus Vaters Schoß“ im Mainzer Gesangbuch 1628, Vgl. No. 89.

No. 397.

Jesu meine Freud und Lust.

Heilige Seelenlust 1657. Erfurt 1666. Brauns Echo 1675.

JE-su mei-ne Freud und Lust, JE-su mei-ne speiß und
kost, JE-su mei-ne süß-sig-keit, JE-su Trost in al-lem Leid:
JE-su mei-ner See-len Son-ne, JE-su mei-nes
Gei-stes Won-ne.

Das Lied steht im I. Buch der „Heiligen Seelenlust“ von Angelus Silesius. Breslau 1657, No. 6.

No. 398.

O Liebster JEsu festiglich.

O Jesu veracissime.

Glaub, Hoffnung und Lieb zum HErrn JEsu.

Mainz 1661, 1665. Keusche Meerfräwlein 1664. Sirenes Partheniae 1677. Münster 1677.

O Lieb-ster JE-su fe-stig-lich Ich ar-mer Sün-der glaub in
O Je-su ve-ra-cis-si-me, Cre-do in te fir-mis-si-
dich. Was die Ca-tho-lisch Kirch nur glaub, Ver-bie-tet o-der
me. Cre-do, quod A-po-sto-li-ca Fi-des do-cet ca-

auch er - laubt: Das glaub ich fest ohn al - len Schew, Vnd bleib bis
tho - li - ca, In is - ta fi - de glo - ri - or; In is - ta
an mein End dar - bey. Dar - von bringt mich noch Leyd, noch Noth:
fi - de mo - ri - or, Pro hac cum tu - a gra - ti - a,
Solt ich schon lei - den tau - send Todt.
Tor-men-ta mil - le pa - ti - ar.

Nach der Titelaussage in dem Büchlein „Keusche Meerfräwlein" ist der deutsche Text eine Uebersetzung aus dem Lateinischen. (Sirenes Partheniae. 4. Aufl. 1677.) Dieser ist demnach der ältere.

No. 399.

Vnser Herr Jesus Christus.

Von dem Abendmal Christi aus der Epistel Pauli I., Cor. II gesangsweis.

(K. I, 341.)

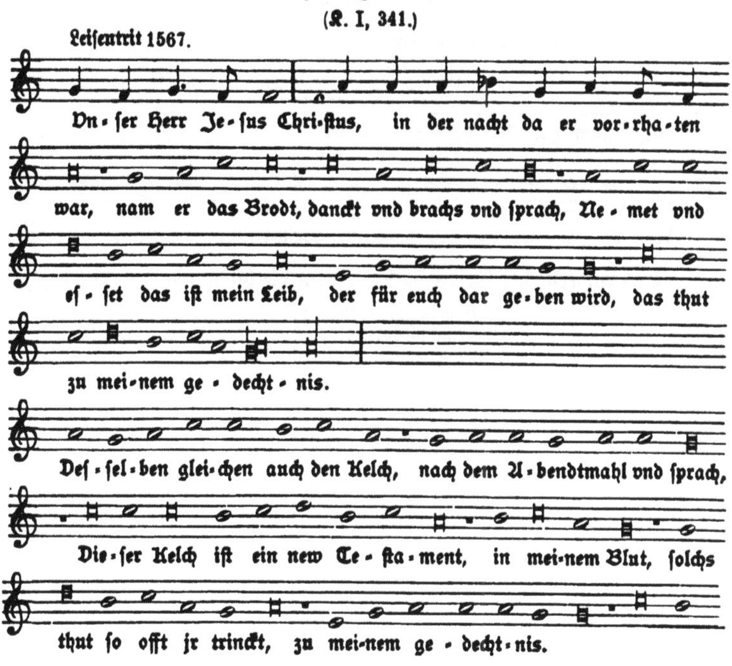
Leisentrit 1567.
Vn - ser Herr Je - sus Chri - stus, in der nacht da er vor - rha - ten
war, nam er das Brodt, danckt vnd brachs vnd sprach, Ne - met vnd
es - set das ist mein Leib, der für euch dar ge - ben wird, das thut
zu mei-nem ge - decht - nis.
Des - sel - ben glei - chen auch den Kelch, nach dem A - bendtmahl vnd sprach,
Die - ser Kelch ist ein new Te - sta - ment, in mei-nem Blut, solchs
thut so offt jr trinckt, zu mei-nem ge - decht - nis.

Vgl. dazu S. 24 das 3. Exemplum.

No. 400.

Durch Jhesum Christ, geleret ist.

Ein recht Christlich Lied, darinne die reiche Summa des HErren Abendtmals begriffen ist.

(K. I, 342; W. V, 1256.)

Leisentrit 1567 ff.

Durch Jhe-sum Christ, ge - le - ret ist, was im Nacht - mal,
man han-deln soll.

No. 401.

Christum hat Gott zum Sacrament.

Ein Geistlich lied in welchem begriffen wird, das Christus sey den Ausserwelten zu zweierley gaben von GOtt gegeben.

(K. I, 343; W. V, 1258.)

Leisentrit 1567 ff. Andernach 1608.

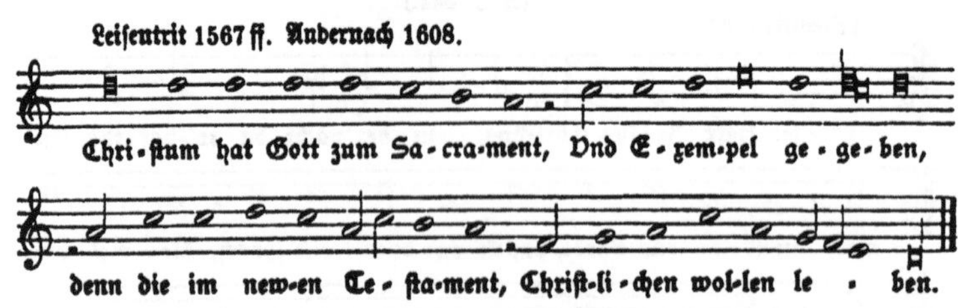
Chri-stum hat Gott zum Sa-cra-ment, Vnd E-xem-pel ge-ge-ben,
denn die im new-en Te-sta-ment, Christ-li-chen wol-len le - ben.

Das Andernacher Gesangbuch hat dazu die lateinische Uebersetzung:

»Sub mystico velamine
Christus datur vescendus,
Legis nouatae tempore
Ritu nouo colendus.«

No. 402.

Christus ist vnser speis vnd tranck.

Ein ander Gesenglein, Welches inn sich heldet ein kurtze summam von dem Abendmal Christi.

(K. I, 344; W. V, 1257.)

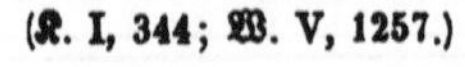

Leisentrit 1567.

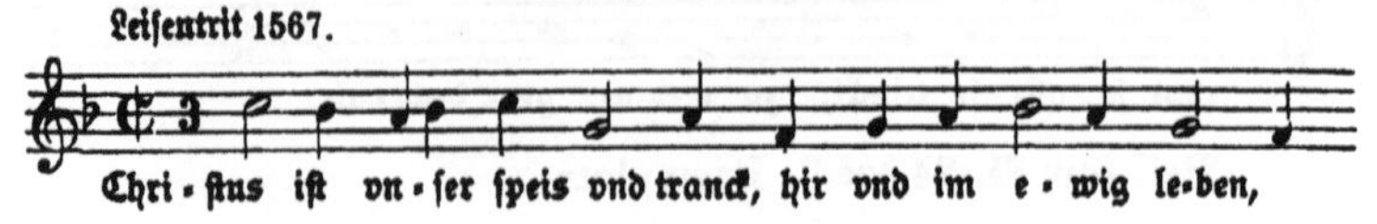
Chri-stus ist vn-ser speis vnd tranck, hir vnd im e-wig le-ben,

So wir jm war - lich lob vnd danck, vor all sein wol - that
ge - - ben.

No. 403.

Das Sacrament ein gheimnus ist.

Ein Christlicher Gesang von deuttung des worts, Sacrament, Auff den vorgehenden* oder folgenden Thon.

(K. I, 345; W. V, 1259.)

Leisentrit 1567 ff.

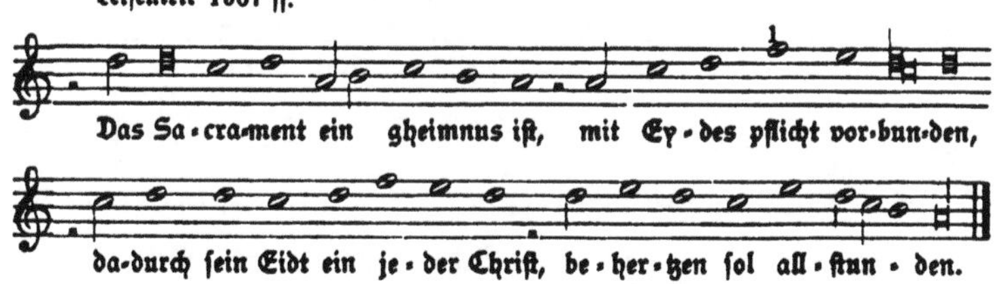

Das Sa - cra-ment ein gheimnus ist, mit Ey - des pflicht vor-bun-den,
da-durch sein Eidt ein je - der Christ, be - her - tzen sol all - stun - den.

*) Christum hat Gott zum Sacrament.

1) Ausgabe 1584 hat hier e.

No. 404.

Lob saget vnd dancket dem HErren.

Beschluß der Communion, auß dem Euangelist Joan: 6.

(K. I, 346.)

Leisentrit 1567 ff.

Lob sa - get vnd dan - cket dem HEr-ren in dem Brodt, so Christus
sei - nen lie - ben Jün-gern gab, Spre-chen-de das ist mein Leib, der
da - von Js - set der wird le - ben ewig, Al - le - lu - ia.
in ae-ter-num.

No. 405.

Frewt euch ihr lieben Seelen.

Ein anders altes gar andächtiges Gsang bei der H. Meß nach der Elevation zu singen.

(K. I, 349; W. II, 1269.)

Corners Nachtigall 1649 ff. David. Harmonia 1659. Rheinfels. Gesb. 1666. Straßburg 1697.

Frewt euch ihr lie-ben See-len, vns ist ein Frewd ge-schehn, wir
habn mit vn-sern Au-gen den lie-ben Gott ge-sehn in ei-ner
Ho-sti-en klei-ne, sein wah-res Fleisch vnd Blut, wer das von Her-tzen
glau-bet, ist sei-ner See-len gut. Ky-ri-e eley-son.

Vgl. No. 302.

Eine andere Melodie zu diesem Liede in neueren kath. Gesangbüchern ist die Weise des alten Volksliedes

„Entlaubet ist der walde
gen diesem winter kalt.“ II. Bd., No. 244.

No. 406.

Das Heyl der Welt.

Cölner Psalter 1638. Nordstern 1671. Münster 1677. Eißfeldisches Gesb. 1690.

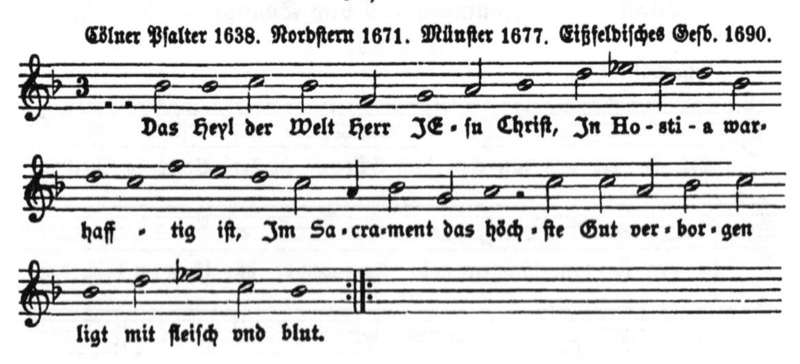
Das Heyl der Welt Herr JE-su Christ, Jn Ho-sti-a war-
haff-tig ist, Jm Sa-cra-ment das höch-ste Gut ver-bor-gen
ligt mit fleisch vnd blut.

No. 407.

O allerhöchste Speise.

O Esca viatorum.

Gesang von dem waren Himmelbrodt.

Mainz 1661, 1665. Würzburger Evangelien 1653. Keusche Meerfräwlein 1664. Sirenes Partheniae 1677. Erfurt 1666. Münster 1677. Eißfeldisches Gesb. 1690. Fulda 1695.

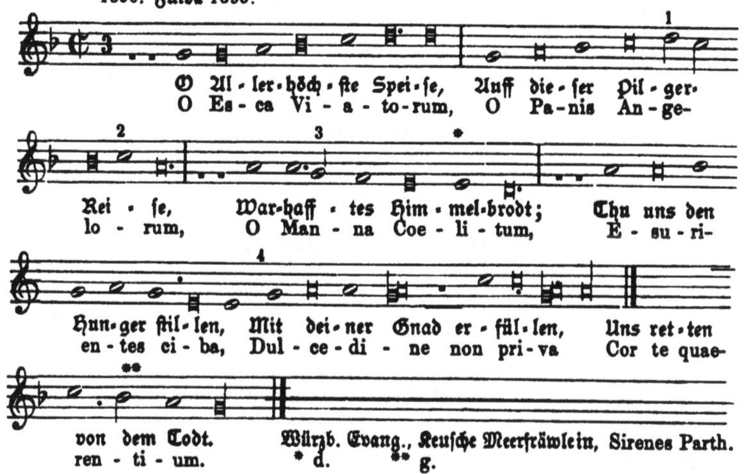
O Al-ler-höch-ste Spei-se, Auff die-ser Pil-ger-
O Es-ca Vi-a-to-rum, O Pa-nis An-ge-
Rei-se, War-haff-tes Him-mel-brodt; Thu uns den
lo-rum, O Man-na Coe-li-tum, E-su-ri-
Hun-ger stil-len, Mit dei-ner Gnad er-fül-len, Uns ret-ten
en-tes ci-ba, Dul-ce-di-ne non pri-va Cor te quae-
von dem Todt. Würzb. Evang., Keusche Meerfräwlein, Sirenes Parth.
ren-ti-um. * d. ** g.

Das Eißfeldische Gesangbuch 1690 bringt das Lied im geraden Takt mit folgenden Varianten:

1) d fehlt. 2) c fehlt. 3) g fehlt. 4) d c fehlen.

Der obige lateinische und deutsche Text steht zuerst im Mainzer Gesangbuch 1661. Die Melodie findet sich bereits in den Würzburger Evangelien 1653 zu dem Evangelium auf das Fest Mariä Geburt:

„Am zoll thät Jesus sehen."

Im Mainzer Psalter 1658 steht sie zu den Psalmen:

38. „Allm Vbel vorzukommen"
und
71. „Herr, vbergebs Gerichte."

Nach der Angabe auf dem Titel des Büchleins „Keusche Meerfräwlein" ist der lateinische Text der ältere und später ins Deutsche übertragen worden.

No. 407a.

O allerhöchste Speise.

G. Forster, Ein außzug guter alter vnd newer Teutscher liedlein, Nürnberg 1539. (Nach Böhme's Liederbuch No. 254.)

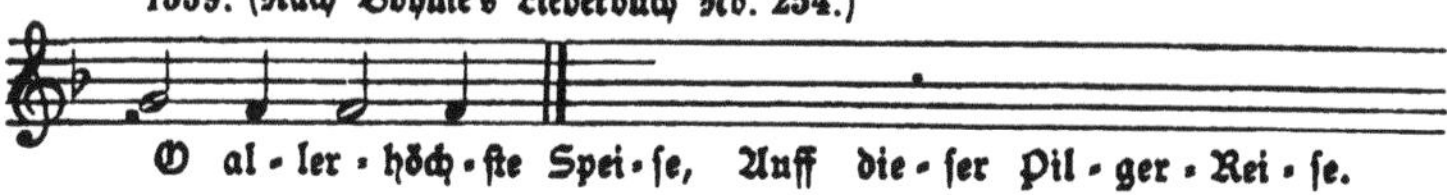
O al-ler-höch-ste Spei-se, Auff die-ser Pil-ger-Rei-se.

Wahr-haff-tes Him-mel-brodt: Thu uns den Hun-ger stil-len, Mit
dei-ner Gnad er-fül-len, Uns ret-ten von dem Todt.

Diese Melodie findet sich in neueren kath. Gesangbüchern zu dem obigen Sakramentsliede. Sie ist die alte Volksweise **„Insbruck ich muß dich lassen, ich fahr dahin mein strassen“** u. s. w. und kommt zuerst in einem vierstimmigen Tonsatze von H. Isaak vor. Im protestantischen Kirchengesange ist sie auf die Lieder **„O Welt ich muß dich lassen“** und **„Nun ruhen alle Wälder“** übertragen worden.

No. 408.

Frewt euch jhr Christen alle.

Bamberg 1691.

Frewt euch jhr Chri-sten al-le, fro-lo-cket all-zu-gleich :|: an-
Auff eu-re Knye thut fal-len, lobt Gott im Him-mel-reich :|:
däch-tig thut ver-eh-ren das hei-lig Sa-crament, lobt eu-ren Gott
und Her-ren, den jhr da-rinn er-kennt.

No. 409.

O Salutaris hostia.

Vnter der Eleuation.

I. Mainzer Cantuale 1605. Hildesheim 1625. Mainz 1627. Erfurt 1666. Münster 1677.

O Sa-lu-ta-ris ho-sti-a, Quae coe-li pan-dis o-sti-um,
U-ni tri-no-que Do-mi-no, Sit sem-pi-ter-na glo-ri-a,
Bel-la premunt hos-ti-li-a, Da ro-bur fer au-xi-li-um.
Qui vi-tam si-ne ter-mi-no, No-bis do-net in pa-tri-a. Amen.

Abel der opfferte GOtt ein Lamb.

(K. I, 347; W. II, 1267.)

II. Daselbst.

A-Bel der opf - fer - te GOtt ein Lamb, Sei-nen ei - gnen Sohn opf-fert
A - braham. Mel - chi - se - dech opf - fer - te Brod vnd Wein, Je - sus
Chri-stus opf-fert den Leichnam sein.

Münster 1677 zu dem lat. Texte I:
„O lebendiges Himmelbrodt,
O hilff und tröst in aller Noht." u. s. w.

Memento salutis Auctor.

Ein anders sehr andächtiges Gesang vmb ein seligs End.

(K. II, 682; W. V, 1554, 1555.)

III. Corner (1625) 1631. Seraph. Lustgart. 1635.

Me - men - to sa - lu - tis Auc - tor, Quod nos - tri quon - dam
O JE - su Se - lig - ma - cher gut, denck daß du vn - ser
cor - po - ris, ex il - li - ba - ta Vir - gi - ne, Nas-
Fleisch vnd Blut, ge - nom - men von ei - ner Jungfraw rein, bist
1) M.-Speier 1631. Trier 1695.
cen - do for - mam sump - se - ris.
wor - den vn - ser Fleisch vnd Bein.

Das M.-Speierische Gesangb. 1631, der Seraph. Lustgart. 1635 und das Trier'sche Gesb. 1695 haben zu dieser Melodie (ohne ♭ Vorzeichnung) das Lied von den h. h. Aposteln: „Der Himmel jetzt frolocken soll." (vgl. II. Bd., No. 109.)

GOtt dem Vatter sey lob vnd danck.

Verbum superum.

(K. III, 362.)

IV. Brüdergesangbuch 1539.

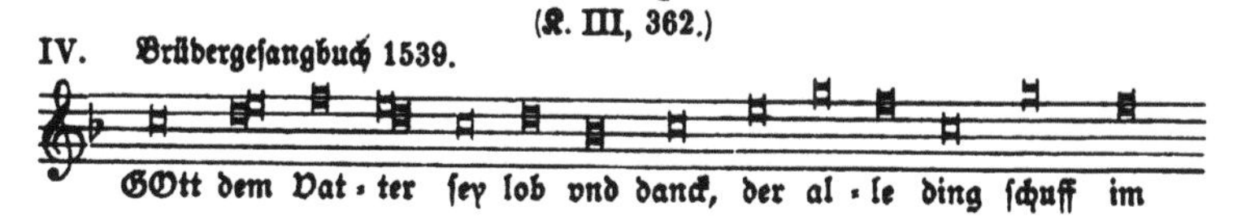
GOtt dem Vat - ter sey lob vnd danck, der al - le ding schuff im

an-fang, den him-mel macht vnd sei - ne fest, das erd-reych

auch auffs al - ler - best.

Dieser Text steht nach Wackernagel bereits in der Ausgabe vom Jahre 1531. Der Dichter ist M. Weiße.

Das lateinische Lied »O salutaris hostia« bildet die fünfte Strophe des Hymnus »Verbum supernum prodiens nec patris linquens dexteram« vom h. Thomas von Aquin (W. I, 232; Dan. I, 254). Die obengenannte Strophe kommt in Verbindung mit der letzten Strophe »Uni trinoque Domino« im 16. Jahrhundert als besonderes Lied zur Verehrung des h. Altarsakramentes vor. (Processionale aus dem Kloster Schonenberch v. J. 1533; ferner in dem Pergamentcodex 543 aus dem Jahre 1564 auf der Stiftsbibliothek in St. Gallen.) Die Synode zu Roermondt v. J. 1570 gestattet, daß dieses Lied, sowie auch das »Ave verum« unter der Elevation gesungen werde. (Schannat und Hartzheim, Concilia Germ. t. VII, p. 668 ff.)

Die obige Melodie scheint dem Hymnus »Verbum supernum prodiens« anzugehören, denn im Gesangbuch der böhmischen Brüder vom Jahre 1539 findet sie sich unter dieser Ueberschrift. Triller bringt sie in seinem Singebuch (1555) 1559 zu dem Liede „Der Herr vnd Gott von Ewigkeit" ohne jede Quellenangabe. Corner hat sie dem Hymnus »Memento salutis auctor« (ältere Form des »Memento rerum conditor«) zugeeignet. (W. I, 622.) In den Hymni de Tempore et de Sanctis. Solesmis 1885 findet sie sich zu dem Hymnus »Jesu corona virginum.«

No. 410.

O lebendiges Himmelbrot.

O salutaris hostia.

Ein schön kurtzes Kinder Gebete, kan in vielen vnterschiedlichen Thon gesungen werden, oder wie folgt.

Maintz 1628.

O le - ben - di - ges Him - mel - brodt, O hilff vnd tröst in
O sa - lu - ta - ris hos - ti - a, Quae coe - li pan - dis
al - ler noth, Der Feind ist nah, hilff vns O Herr,
os - ti - um, Bel - la pre - munt hos - ti - - li - a,
all Weg vnd Paß dem Feind ver - sperr.
da ro - bur fer au - xi - li - um.

No. 411.

Du Wunder-Brodt.

Angelus Silesius 1657. Eißfeldisches Gesb. 1690.

Du Wun-der-Brodt, du wah-rer Gott, wer kan die Lieb
er-mes-sen, daß du dich hier selbst gi-best mir mit
Leib und Seel zu es-sen!
* Eißfeldisches Gesangbuch.
kan die Lieb er-mes-sen.

Das Lied ist aus der „Heiligen Seelen-Lust“ Breßlaw 1657, III. Buch, No. 98.

No. 412.

Wir wollen alle singen.

Ein anders nach der Eleuation.

(K. I, 350; B. II, 1268.)

Mainzer Cantual 1605. Hildesheim 1625. Mainz 1627.

1
Wir wol-len al-le sin-gen, wir wol-len frö-lich
sein, wir ha-ben mit vn-sern au-gen, den wah-ren
GOTT ge-se-hen, Ky-rie lei-son.

1) Mainz 1627 a statt c.

No. 413.

Nun last vns sonderlicher weiß.

Nunc voce laeta dulciter.

Ulenbergs Psalter 1582. Andernach 1608.

Nun last vns son-der-li-cher weiß Sin-gen vnd sa-gen ho-hen preiß,
Nunc vo-ce lae-ta dul-ci-ter Lau-des pe-cu-li-a-ri-ter

Dem hoch vnd grof - sen Sa - cra - ment, Welchs nimbt der Prie - ster
Le - gis Sa - cra - men-to no-uae Ca - na - mus i - mo
in die Hend, Vnd je - der-man öf - fent - lich zeigt, Es seind vor-
pec-to - re, Mys-tes sa - cer quod con-se - crat, Se - cre - ta
war ver-bor-gen din - gen, Dan al - les Volck die Kni - he beugt
res et ob - stu-pen - da, Huic to - tus or - bis sup - pli - cat
Vnd thun Gott lob zu eh - ren sin - gen.
Hym-num que can - tat men - te to - ta.

Der Verfasser des Andernacher Gesangbuches hat diese Melodie aus dem Psalter Ulenbergs genommen. Sie steht dort zu Psalm 17: „Herr der du meine stercke bist.“ Der lateinische Text ist eine Uebertragung des deutschen.

Nachtrag zum II. Bande.

(No. 414—421.)

No. 414.

Ave Maria du grosse Keyserin.

Ein schöner Rueff von vnser lieben Frawen.

Straubinger Ruefbüchlein 1607.

A - ve Ma - ri - a du grof - se Key - se - rin, vnd al - ler
Ding ein Her - sche - rin, gwal-tig vnd reich bist du ge - born,
für - war wir wa - ren al - le ver-lohrn, werst nicht auff
Er - den kom - men.

Vgl. No. 3 und 64 im II. Bande.

No. 415.

O heylige Maria zart.

Der Beschluß des Engelischen Gruß.

Der Psalter. Trier 1621.[1]

O hey - li - ge Ma - ri - a zart, bitt für vns Sün - der
bö - ser Art, jetz - und vnd in der letz - ten Stundt, wann vns
die Seel auß - farth zum Mundt.

1) Vgl. No. 250 der Bibliographie in diesem Bande.

No. 416.

GAntz inbrünstiglich.

Ein newes gar schönes Lied von vnser lieben Frawen, auß der P. P. Prediger Gsangbüchl zu Wienn.

Corners Nachtigall 1649 ff. Prag 1655. Bamberg 1670. 1691. Brauns Echo. 1675.

GAntz in - brün - stig - lich will ich grüs - sen dich, thue er-
Dann du bist die Fraw, der ich mich ver - traw vnd fest
hö - ren mich, O Ma - ri - a, du viel ed - le - ste Jung-fraw
auff dich baw, O Ma - ri - a, mit dei - ner hülff mir jetzt er-
rei - ne,
schei - ne,
Auff daß ich hin - führ, nach Her - tzens Be - gir
kön - ne die - nen dir, hertz - lich nach al - len wür - den dei - ne.

\+ Corners Nachtigall 1676 a statt d.

Im Bamberger Gesangbuch 1670 ff. steht die Melodie bis * im 3 Takt mit folgenden Varianten:

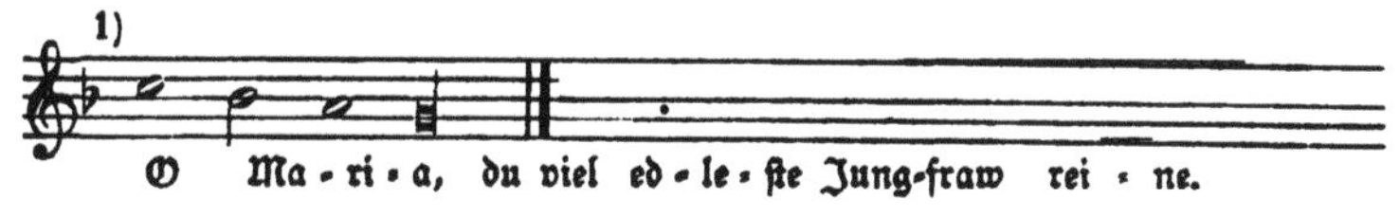
1)
O Ma - ri - a, du viel ed - le - ste Jung-fraw rei - ne.

2) b f statt h a. 3) e f statt f. 4) a statt g f.

No. 417.

Dich Fraw vom Himmel.

Clausener Gesangbuch 1653.

Dich Fraw vom Him - mel ruff ich an, In Angst vnd
Dan ich bey Gott kann nicht be - stahn, Weil ich miß-
gros - sen Nö-then mein:
braucht die Gü - te sein:
Zu dir mich wend, streck mir dein Händ,
Er - lö - sche dei - nes Kin - des Zorn, Werd e - wig son - sten
sein ver - lohrn.

Unter diesem Liede steht folgende Bemerkung:

„NB. Damit die liebe Jugendt von dem weltlichen Lied „Ein schöne Dahm etc." abgehalten werde, So wird dieß an dessen Platz allhie eingeführt vnd andächtiglich gesungen wie oben oder Ex psalterio Musico p. 148."

Hier ist das Psalteriolum 1642 gemeint (vgl. in der Bibliographie des II. Bandes S. 36, No. 81 und die citirte Melodie S. 391 daselbst.)

No. 418.

Jungfraw im Himmel dort oben.

Von den Sieben Schmertzen Mariae.

Clausener Gesangbuch 1653.

Jung - fraw im Him - mel dort o - ben, Ver - leyh mir
Gnad dich zu lo - ben, Mein Seel woll gern dich ver - eh - ren,
Mein Stimm, mein wort wöllst an - hö - ren, Ma - ri - a nimb
den wil - len an.

No. 419.
Ave, O Fürstin mein.

Eißfeldisches Gesangbuch 1690.

A - ve, O Für - stin mein, e - wi-ge Jungfrau rein, du Brunn
der Gü - tig - keit, du Fluß der Se - lig - keit, der Kron der
En - ge - lein. O Ma - ri - a.

No. 420.
An jenem Tag.

Davidische Harmonia 1659.

An je - nem Tag, nach Da - vids Sag, wirdt Got - tes Zorn
sehr bren-nen, durch Few - ers Flam, muß al - les sam, gleich - wie
das Wachs zer - rin - nen.

Zu No. 354 im II. Bande.

Den Text finde ich zuerst in einem Druck vom Jahre 1604. Vgl. No. 198 der Bibliographie in diesem Bande.

No. 421.
Salve Antoni.

(zu No. 294: „Schönster Herr Jesu" im II. Bande.)

Cantiones devotae de ss. vulneribus Domini nostri Jesu Christi etc. conscriptae in his pagellis eo ordine et anno, quo successive compositae et typo datae sunt in diversis libellis a. F. Antonio Wissingh de Siegeburgo, ord. F. F. Min. S. Francisci Conventual. S. S. Theol. Lectore, postmodum ejusdem Doctore in universitate Trevirensi, et Ministro Provinciali Provinciae Colon. de S. S. Tribus regibus.

Prima de S. Antonio Paduano consolatore tristium: typo data Treviris 1682, cum esset S. S. Theol. lector.

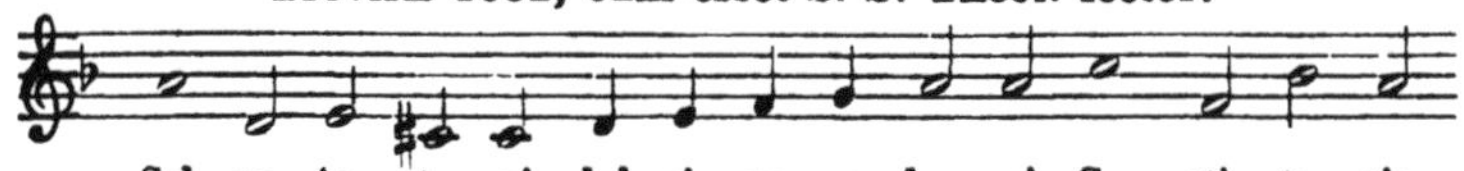

Sal - ve An - to - ni, dul - cis ve - na bo - ni, Ca - sti - ta - tis
Sal - ve An - to - ni, der du Got - tes Soh - ne Macht auf dei - ner

li - li - um. Te ve - ne - ra - mur, et de - pre - ca - mur
Hand ein Thron. Ich dich ver - eh - re, dein Lob ver - meh - re;
te Fran - ci - sci fi - li - um.
Weil du bist mein Wunsch und Cron.

Hanc eandem cantionem in germanico, prout hic sequitur, jamtum typo dederam in libello germanico precum de S. Antonio, dedicato Illmae. Dae. comitissae de Wolkenstein, Abbatissae in Freckenhorst ex Tyroli oriundae, dum essem Monasterii Westphaliae Lector S. Theol. et ibidem confessarius Stationarius per Festa circa Annum Dni. 1677. (Handschrift No. 1161 der Stadtbibliothek in Trier. Mittheilung Bohns in der „Cäcilia" 1878, S. 27.)

Ob nun die Melodie zu „Schönster Herr Jesu" diesem letzteren Büchlein entnommen sein mag, ist zweifelhaft, denn das Münster'sche Gesangbuch erschien auch im Jahre 1677.

Weitere Nachträge.

II. Bd.

S. 71. No. 3 und No. 64 gehören zusammen.

S. 73. Zeile 5: Die fünfte Note vom Schluß muß f statt d sein.
Zeile 9: Die sechste Note muß d statt h sein.

S. 84. No. 12 und No. 127 gehören zusammen.

S. 100. Zu No. 27 ist No. 18 zu vergleichen.

S. 102. Melodie No. 31 steht schon im Psalter, Cöln 1638, zu dem Liede „O Hertz, o du betrübtes Hertz".

S. 105. Zu No. 35 vergleiche auch No. 136.

S. 108. No. 39. Einen ältern Text aus einem Erfurter Druck findet man in Pfeiffers „Germania" 1881, S. 102.

S. 117. No. 51. Die Melodie ist bearbeitet nach dem Magnificat im Straßburger Kirchenampt 1525: „Mein sel erhebt den Herren min".

S. 121. No. 53 gehört eigentlich unter die Passionslieder. Die Ueberschrift lautet: „Ein Neüwer Geistlicher Ruef auß dem heilig Passion vnsers Erlösers gezogen in folgender aigner melodia zu singen."

S. 128. No. 62. Diese Melodie finde ich nachträglich in dem vlämischen Gesangbuche »Het Prieel«, Antwerpen 1614, zu dem Texte „Een Seraphinsche tonge".

S. 132. No. 69. Anmerkung. Der Text „Wir wollen singn ein lobgesang" ist von N. Herman. Vgl. S. 138, No. 250 in diesem Bande.

S. 137. No. 77. Das lat. Lied »Ave mundi spes Maria« mit der Melodie findet sich in einem Graduale mit Guidonischen Neumen aus dem 13. Jahrhundert in Trier.

S. 144. No. 87. Vergleiche dazu No. 308 in diesem Bande.

S. 149. No. 93. Anmerkung: »Beatus autor saeculi« ist die zweite Strophe des Hymnus »A solis ortus cardine«, der zu den sog. Hymni Abedarii oder Alphabetici gehört.

S. 154. No. 101. Der lateinische Text: »Praeco praeclarus« kommt schon in älteren Sammlungen vor z. B. in der des Georg Cassander. Cöln 1556.

S. 168. No. 122. Die Melodie »En e mola typica« fand ich im Brüdergesangbuch 1539 bei dem Liede „Singet frölich lieben leüt." Sie ist von der Leisentrit'schen verschieden.
S. 185. No. 153. Vergleiche dazu No. 129 in diesem Bande.
S. 191. No. 167. Vergleiche No. 92 in diesem Bande.
S. 197. No. 178 I. Vergleiche No. 209.
S. 229. No. 217. Weitere Texte zu dieser Melodie sind:

1) »Eheu mortalis, quot pro te malis.«
„O Mensch gedencke, ins Hertz versencke." Mainzer Gsb. 1661.

2) »O quam decora, plus quam aurora.«
„Wie schön und zierlich, übernatürlich." Daselbst u. Straßb. 1697.

S. 234. No. 225 die Texte: „Saulus vmbs gesetz" und „Als Johannes zu Christo" sind von N. Herman. Vgl. S. 143, No. 87 u. 142, No. 33 in diesem Bande.
No. 226. „Do Jesus jetzt" von N. Herman. Vgl. S. 143. No. 48 in diesem Bande.
S. 235 oben: „Christ der Herr seine Jünger" von N. Herman. Vgl. S. 142, No. 40 in diesem Bande.
No. 227. „Die schrifft zeigt" von N. Herman. Vgl. S. 143, No. 47 in diesem Bande.
No. 228: „Jesum Christum der welt Heylandt" von N. Herman. Vgl. S. 143, No. 64 in diesem Bande.
S. 236. No. 229. „Da Christ sein Jünger" von N. Herman. Vgl. S. 143, No. 42 in diesem Bande.
No. 230. „Da Jesus Schöpffer" von N. Herman. Vgl. S. 138, No. 227 in diesem Bande.

NB. Wackernagel hat übersehen, daß die genannten Texte von No. 225—230 in den Sonntagsevangelien standen, und setzte sie deshalb unter die „Lieder der röm. kath. Kirche".

S. 244. No. 242. „So offt ich schlagen hör." Text bereits in C. Vetters Paradeißvogel 1613.
S. 255. No. 256. „Ach hülf mich Leid". Arnold sagt in der Einleitung zum Locheimer Liederbuche (Jahrbücher für Musikal. Wissenschaft. II. Bd. 1867, S. 50) daß nicht Adam von Fulda, sondern Adam Kraft aus Fulda, der 1493 geboren, 1512 in Erfurt studirte, dann unter dem gräcisirten Namen Crato an den Arbeiten der Reformatoren theilnahm und 1558 als Professor in Marburg starb, Verfasser der (protest.) Umdichtung sei.
S. 257. No. 258a. Die obige Melodie steht zuerst im Klug'schen Gesangbuch 1535. In Johann Walthers Gesangbüchlein 1524 steht eine andere.
S. 269. No. 276. Die erste Zeile der Melodie finde ich nachträglich im Straßburger Kirchenampt 1525 bei dem Liede „Ach Gott vom hymel sich daryn".
S. 274. No. 284. In Pfeiffers Germania 1874. S. 81 wird ein dreistrophiges Lied:

„Ich haben min sachen zu Got gestelt,
Er wird es wol machen wie es im gefelt,
Dem dhoin ich mich befillen." etc. circa 1560.

aus dem Buche Weinsberg auf dem Stadtarchiv in Cöln Bd. I. Bl. 203b mitgetheilt. Hermann von Weinsberg war Advokat und Assessor am erzbischöfl. Gericht und Kirchmeister an S. Jakob (geb. 1517 † 1598).
S. 275. No. 286. Eine ähnliche Melodie finde ich in Joh. Crügers „Newes vollkömliches Gesangbuch". Berlin 1640. No. 178.
S. 277. No. 289. Die Melodie bildet den Tenor eines vierstimmigen Satzes bei Walther, Ausgabe 1537, zu dem Liede „Ach Gott vom Himmel". Vgl. von Liliencron „Die historischen Volkslieder der Deutschen". Nachtrag. 1869, S. 28.
S. 288. No. 305. Ich finde die Melodie noch in erweiterter Form zu den Texten:

„Het stont een moeder reene
Neffens dat cruycen hout." etc. Het Prieel 1614.

und

Jesu ons liefd', ons menschen,
En ons Verlosser goet". Het Paradys. 1635.

S. 289. No. 308. Vergleiche dazu No. 361.

S. 301. No. 327. „Wir Menschen bawen alle vest". Diese erste Strophe kommt mit Ausnahme der Zeile „Des bessern Theils vergessen wir fein" als Inschrift auf alten Häusern vor und zwar sowohl in Baiern (vgl. Beilage zur Augsburger Postzeitung. 1883, No. 59), als auch in Norddeutschland (Blätter für Hymnologie, 1885. No. 4.)

S. 315. No. 346 II. Diese zweite Melodie zu „Herr Jesu Christ, wahr Mensch und Gott" findet sich nach G. Dörings Choralkunde schon in dem polnischen Cantional des Joh. Seklucyan 1559, sodann in Joh. Eckards Geistl. Liedern, I. Theil. Königsberg 1597, No. 12.

S. 329. No. 362. „Herr schicke ja nicht Rache." Text von M. Opitz. Vgl. S. 186, No. 11 in diesem Bande.

S. 333. No. 368. „O selig ist vor aller Welt." Text von M. Opitz. Vgl. S. 186, No. 16 in diesem Bande.

No. 369. „Herr geuß deines Eifers Flammen." Text von M. Opitz. Vgl. S. 186, No. 9 in diesem Bande.

S. 335. No. 372. „Erbarme Gott." Text von M. Opitz. Vgl. S. 186, No. 6 in diesem Bande.

S. 338. No. 376. „O Herr höre mein Gebette." Text von M. Opitz. Vgl. S. 186, No. 15 in diesem Bande.

S. 340. No. 380. Melodie bereits im Psalter, Trier 1621, zu Psalm 99: „Singet sehr frölich Gott dem Herrn".

S. 343. No. 386. „Herr höre mein Gebett vnd Flehen". Text von M. Opitz. Vgl. S. 186, No. 10 in diesem Bande.

S. 344. No. 388. „Der Herr Gott Israels sei benedeit". Text von Rutgerus Edingius. Vgl. S. 143, No. 43 in diesem Bande.

S. 351. No. 398. „Gott vatter in dem himelreich". Ein ähnlicher Text in sechszeiligen Strophen mit einer andern Melodie steht bereits im Val. Bapst'schen Gesangbuche 1545 unter der Ueberschrift: „Die deutsche Litania, Reimweise inn ein Liedt gebracht" u. s. w. Verfasser ist Joh. Freder † als Superintendent zu Wismar 1562. Vgl. Wackernagel III, 231.

Register der deutschen Lieder.

Abel der opfert Gott ein Lamm. No. 409, II.
Aber wollen wir singen und singen ein. No. 311, III.
Ach, ach, och, och, o Pein, o Schmerz. S. 492.
Ach, ach, wie mag ich fröhlich sein. S. 165, 691.
Ach allerliebste Mutter mein. S. 119.
Ach Gott, laß Dir befohlen sein. S. 134.
Ach Gott vom Himmel, sieh darein. S. 18, 71, 134. Nachtrag, S. 742.
Ach Gott, wie kann ich fröhlich sein. S. 77.
Ach höchster Gott allein. S. 83.
Ach hülf mich Leid. Nachtrag, S. 742.
Ach Jammer Angst und Noth. S. 78.
Ach Jesu, ach unschuldigs Blut. No. 227.
Ach Jesu, gib mir Reichthum gnug. S. 407.
Ach Jesu, lieber Herre, dir sei Lob. No. 313, 314.
Ach Kaiserin unter den Schönen. S. 115.
Ach lieber Herr, ich bitte dich. No. 299.
Ach Magdalena, mea gaudia. S. 94.
Ach Vater hoch entwohnet. S. 97.
Ach wann doch Jesu, liebster mein. S. 97.
Ach wann kommt die Zeit heran. No. 130b.
Ach was für Trauern. S. 97.
Ach was ist das, mein Herz. S. 102.
Ach wie groß ist Gottes Güt. S. 528.
Ach wie lang hab ich schon begehrt. S. 103, 106, 109.
Adam und Eva Speis'. S. 65.
Ade zu guter Nacht. S. 112.
Alleluja, Alleluja, heut lebendig. No. 282.
Alleluja, Alleluja, Alleluja, wahrhaftig du. No. 282, II.
Alleluja, Alleluja, o Söhn und Töchter. No. 292.
Allein Gott in der Höh sei Ehr. S. 456.
Alle Menschen herkommen. S. 124.
Allerhöchster Gott der gute. S. 9.
Aller guter Ding sind drei Jesus, Maria, Joseph. S. 102.
Alle Tag Mariae sag. S. 86.
Alle Welt freuet sich. S. 307.
Alle Welt sei fröhlich. S. 130, 307.
Alle Welt soll billig fröhlich sein. No. 265, 266.
Alle Welt springe und lobsinge. No. 49, II.
Allmächtiger, ewiger Gott. S. 70.
Allmächtiger, gütiger Gott. S. 69, No. 178.
Allmächtiger, gütiger Herr, dir sei allzeit. S. 146.
Allmächtiger Schöpfer und Gott. S. 134.
Allm Uebel vorzukommen. S. 732.
All Tugend schon. S. 76, 79.
Als der gütige Gott. S. 263.
Als der Herr vom Berg wollt gehen. S. 415.
Als die Sonn durchscheint das Glas. S. 130.
Als die Weisen verwarnt von Gott. No. 112.
Als Engel Gabriel = Da ....
Als Gott Mensch geboren war. S. 84. No. 76, III.
Als Gottes Sohn vom Himmel kam. S. 351.
Als ich bei meinen Schafen wacht. S. 344, No. 162.
Als ich hinging spazieren. S. 92, No. 80.
Als Jeremias ward gesandt. No. 76, IV.
Als Jesus an dem Nachtmahl saß. No. 309.
Als Jesus Christ geboren war, da war es kalt. No. 147.
Als Jesus Christ geboren war zu Herodes. S. 70, 142, No. 43, III, No. 114.
Als Jesus Christ geboren war, schickt Gott. S. 91.
Als Jesus Christ gekreuzigt war. S. 134.
Als Jesus Christus, Gottes Sohn. S. 183.
Als Jesus Christus, unser Herr, von Todten. No. 329, 330.
Als Jesus nun geboren ward. No. 115.
Als Jesus in der Marter sein. S. 65.
Als Jesus von seinem Leiden redt. S. 142.
Als Johannes zu Christo sandt. S. 428.
Als man zählt. S. 165.
Als Maria, die Jungfrau schon. S. 335, 357, No. 135.
Als Maria nach dem Gesetz. Nr. 133.
Als nun Israel aus Egypten. S 415.
Also heilig ist der Tag. S. 131, No. 247.
Als wir recht wohl gelernet sein. No. 184.

Als wir warn beladen. No. 7, II. 9.
Amor thut mich bezwingen. S. 103.
Am Sabbath (Sonntag) früh Marien drei. No. 243, 243a.
Am Sonntag eh' die Sonn aufging. S. 512, No. 243b.
Am Weihnachtabend, in der Still. S. 76, 367.
Am Zoll thät Jesus. S. 732.
An des Herren Geburtstag. S. 130.
Anfänglich nicht vergebens. S. 615.
An heilig Frommen jener Welt. No. 324.
An jenem Tag nach Davids Tag. S. 76, 86, No. 420.
An Jesum gedenken. S. 384.
Anna, die du ein Mutter bist. S. 119.
Auf, auf mein Kind. S. 177.
Auf dieser Erden ingemein. S. 81.
Auf einem Berg, Sina genannt. S. 177.
Auf ihr Pauken und Trompeten. S. 122.
Auf meine Seel und sage Lob. S. 186.
Aus dem väterlichen Herzen. S. 282.
Aus des höchsten Vaters Herzen. S. 282.
Aus des Vaters Herzen ewig. S. 66, No. 35.
Aus diesem tiefen Grunde. S. 186.
Aus großer Angst und tiefer Noth. S. 134.
Aus hartem Weh klagt menschlichs Gschlecht. S. 69, 77, 96, No. 10, 11, 12, 13, 14.
Aus meines Herzens Grunde. S. 160, 180.
Aus tiefer Noth schrei ich zu dir. S. 18, 71.
Ave Balsams Creatur. S. 51, 62.
Ave durchleuchte Stern des Meeres. S. 62.
Ave, Gott grüß dich, reine Magd. S. 51.
Ave, ich grüß dich, edlen Stamm. S. 58.
Ave, Jungfrau auserkoren. No. 23.
Ave lebende Hostia, du Wahrheit. S. 53. 711.
Ave lebendigs Oblat. S. 11, 711, No. 379.
Ave Maria, du Himmelkönigin. S. 87.
Ave Maria, du große Kaiserin. S. 165, No. 414.
Ave Maria, gegrüßt seist du von mir. S. 94.
Ave Maria, gratia plena, So grüßen die Engel die Jungfrau. S. 82, 94, 119.
Ave Maria klare, du lichter Morgenstern. S. 99, 100.
Ave Maria, voller Gnad. S. 84.
Ave Maria zart. No. 21.
Ave, o Fürstin mein. S. 113, No. 419.
Ave, salve, gaude, vale. S. 53.
Ave, vil liehtir meres sterne. S. 9.

Barmherziger Herr Jesu Christ, dem Alles. No. 253, 254.
Bei deiner Kirch erhalt uns, Herr S. 134.
Bei dem Kreuz in Jammer. S. 474.
Bei guter Zeit dich schlafen leg. S. 177.
Bei stiller (finster) Nacht, zur ersten Wacht. S. 93, 97, 498, No. 236.
Benedeiet bist du. S. 66.
Berhtel gezierde der vasten. S. 419.
Betracht mit Fleiß, o frommer Christ. S. 156.
Betracht, o Menschenkind, wie schwer. S. 95.
Betracht wir heut, zu dieser Frist. S. 534.
Beut in deines Thrones. S. 52.
Bewahr, o Gott, mich. S. 186.
Bis gegrüßet und geküsset. S. 417.
Biß gegrüßt, mein Gnadenthron. No. 172.

Capitan Herre Gott. S. 429.
Christ, der du bist das Licht und Tag. S. 11, 134.
Christ, der du bist Tag und Licht. S. 132, 183.
Christ, der du geboren bist. S. 8.
Christ, der Engel Zier und Leben. S. 554.
Christ der Herr seine Jünger fragt. S. 259.
Christ der ist erstanden. No. 117, III.
Christ, du bist mild und gut. S. 471.
Christe, der Heiligen Leben. S. 555.
Christe, du bist der helle Tag. S. 134, 183.
Christe, du Lamm Gottes. S. 457.
Christe, geborn in Reinigkeit. No. 102.
Christe knado. S. 7.
Christ fuhre zu Himmel, was sendet er. S. 131, 134. No. 326.
Christi Mutter stund vor Schmerzen. S. 120. No. 211, 212, 213, 214.
Christi Port wird jetzt durchgängig. S. 391.
Christ ist erstanden (wohl) von der Marter allen, des S. 10, 66, 67, 70, 502, No. 242.
Christ ist erstanden von der Marter Banden. S. 131.
Christ, König aller Ding. S. 460.
Christ lag in Todesbanden. S. 89, No. 284.
Christo, dem Osterlämmlein. No. 263.
Christ sich ze marterenne. S. 9.
Christ sprach zu's Menschenseel. No. 220, II.
Christ spricht, o Seel, o Tochter mein. S. 481.
Christ spricht zur Menschenseel. No. 219, S. 481, 482.
Christum hat Gott zum Sakrament. No. 401.
Christum wir sollen loben schon. S. 132, No. 34.
Christ unser Herr zum Jordan. S. 255.
Christ unser lieber Herre. S. 69, 159.
Christ uns genade. S. 8.
Christus der Herr Gott. S. 555.
Christus der Herr hat für uns gelitten. S. 72.
Christus der Herr verleih mir Lehr. S. 65.
Christus, der uns selig macht. S. 134, 432, 434. No. 188, II.
Christus fuhr gen (zu) Himmel, Kyrieelei-son. S. 533.
Christus fuhr mit Schallen. S. 70, 626 unter V.
Christus ist auferstanden, Freud ist in allen Landen. No. 287.
Christus ist auferstanden von seiner Marter allen. S. 510.
Christus ist erstanden, Kyrieeleison, von des Todesbanden. No. 259.

Christus ist unser Speis und Trank. No. 402.
Christus mit seinen Jüngern gieng. S.134.
Christus, wahrer Gottes Sohn. S. 434.
Chume vrlöser. S. 245.

Da Christ sein Jünger warnen thet. S.161. Nachtrag, S. 742.
Da Christus, der König der Ehre. No.272.
Da Christus geboren war. No. 76, V, S. 337.
Da Christus mit den Jüngern sein. S.434.
Da Engel Gabriel Befehl empfangen. S. 94, No. 19.
Da Gott der Herr zur Marter trat. S.423.
Da Gabriel, der Engel klar. S. 301.
Da Gott die Welt erschaffen wollt. S.179, No. 26.
Da Gott zu ihm in Ewigkeit. S. 56.
Da Jesus an dem Kreuze stund (hung). S.58, 65, 66, 104, 131, 134. No. 197.
Da Jesus Christ am Kreuz stund. S. 449.
Da Jesus jetzt in Todt gehn wollt. Nachtrag, S. 742.
Da Jesus in den Garten gieng. S. 73,100. No. 218.
Da Jesus Schöpfer aller Ding. S. 742.
Da Jesus zu Bethania war. S. 67.
Da kommen sollt der Welt Heiland. No. 6.
Da Maria im Kindelbett. No. 131, 132.
Danket dem Herrn Christo. No. 31, II.
Danket dem Herrn, denn er ist. S. 179.
Dank sagen wir alle Gott unserm Herrn. S. 276.
Dank sagen wir alle mit Schalle. No. 31.
Das alte Jahr vergangen ist. No. 105.
Das Fest und herrlich Zeit. S. 134, 630.
Das Heil der Welt, ein kleines Kind. S.407.
Das Heil der Welt, Herr Jesu Christ. No. 406.
Das heilig Kreuze unsers Herrn. S. 161. No. 226.
Das Heil kommt uns gewißlich her. S.156.
Das ist das wahre gülden Jahr. S. 322.
Das ist mir lieb, daß meine. S. 186.
Das Kind ist uns geborn. S. 131.
Das ist der Tag, den Gott. No. 41, 42.
Das oberst Wort ist gangen aus. S. 53.
Das Sakrament ein Gheimniß ist. No. 403.
Das sind die heiligen zehn Gebot, die Gott. S. 423, 576. No. 30, VI, 295, IV.
Das sind die heiligen zehn Gebot, du sollst. S. 576.
Das sind die 10 Gottes Gebot. S. 146.
Das süße, liebe Jesulein. S. 320.
Das wahre Heil und allen Trost. S. 545.
Das walt Gott, der mich. S. 106.
Das walte Gott in seinem Thron. S. 80.
Das Wort Ave laßt uns singen. S. 62.
Dein Blut die beste Arznei ist. No. 275, II.
Dein große Lieb, o Jesulein. No. 160.
Dein Gnad verleih' uns, Jesu Christ. S.78.
Dein keusches, jungfräuliches Leben. S.349.
Dein König Israel kommt daher. No. 194.
Deiu Lieb, Ignati. S. 117.
Dein Lob ruft, Herr, der Himmel aus. No. 325.
Dein rechte Hand, o höchstes Gut. No.222a.
Dein süße Gedächtniß, Jesu Christ. No. 118.
Dem großen Gott, dem Schöpfer aller Dinge. S. 179.
Dem neugebornen Kindelein. S. 337.
Den die Hirten lobten sehr. S. 130, 296.
Den geboren hat ein Magd. No. 136.
Den hl. Bischof St. Nicola. S. 161.
Den h. Geist und wahren Gott. No. 350, II.
Den König, den gekreuzten Herrn. S.604.
Der alte Schnitter, Tod genannt. S. 102.
Der du bist drei in Einigkeit. S. 663.
Der Engel kam vom Himmelsthron. S.155.
Der Fasten große Würdigkeit. No. 174.
Der Fried unsers Herren Jesu Christ. S. 161.
Der Gestirn, o Beschaffer. S. 249.
Der grimmig Tod mit seinem Pfeil. S.76, 81, 82, 176.
Der gülden Rosenkranz. S. 101.
Der Heiden Heiland komm her. No. 1, II und IV.
Der Heiden Heiland komm herzu. No. 1.
Der Heilgen Leben. No. 271.
Der heilig Christ erstanden ist. No. 256.
Der heilig Geist mit seiner Gnad. S. 105.
Der heilig Geist und wahrer Gott. No.350, S. 657.
Der heilig wahr Leichnam, der ist gut. No. 379, VII.
Der Herr Gott ist mein treuer Hirt. S.135.
Der Herr Gott Israels sei benedeit. S. 743.
Der Herr Gott sei gepreiset. S. 613.
Der Herr und Gott von Ewigkeit. No.355, 356, 357. S. 735.
Der Himmel jetzt frohlocken soll. S. 489. No. 409, III.
Der höchst König mit seim Panir. No.195, IV.
Der hochzeitliche Tag. S. 630.
Derjenig Tag, des Zorns ein Tag. S. 84.
Der Kirchengebot setz. S. 155.
Der Lenz ist uns des Jahres. S. 563.
Der lustig liebe, kühle Mai. S. 570.
Der Menschen Heil, ein kleines Kind. S. 85, 407. No. 155, II.
Der Mensch muß han viel Angst. S. 99.
Der nun maien wolle. S. 614.
Der oberst Richter Christus. S. 143, 432.
Der Spiegel der Dreifaltigkeit. S. 131. No. 77.
Der Spiegel der Gerechtigkeit. S. 338.
Der süß Gedank an Jesum Christ. S. 384.
Der Tag der ist so freudenreich. S. 67, 70, 130. No. 43.

Der Tag vertreibt die finstre Nacht. S. 179.
Der übertrifft der Sonnenglanz. S. 450.
Der Welt Heiland, nimm. S. 496.
Der Welt Wollust du verlasse. S. 52, 437.
Der Wind auf leeren Straßen. S. 98.
Der zart Fronleichnam, der ist gut. S. 67, 71, 93, 150. No. 379, II ff.
Des bitten wir dich, Herre. S. 62.
Des heilgen Geistes Gnaden groß. S. 659.
Des heilgen Geistes reiche Gnad. No. 351.
Des helfen uns die Namen drei. S. 131.
Des höchsten Vater höchster Sohn. S. 175.
Des Königs {Fahnen / Panier / Scalin} gehn hervor. S. 175, 441, 444. No. 195, 196.
Des Menschen Liebhaber. S. 263.
Des Morgens früh Marien drei. S. 511.
Des Tages Licht kömmt jetzt herfür. S. 179.
Dich bitten wir, deine Kinder. S. 454.
Dich, edle Königin, wir ehren. S. 84.
Dich Frau, vom Himmel, ruf ich an. S. 51, 55, 58, 109. No. 417.
Dich Gott loben wir, dich Herr bekennen wir. S. 130, 679.
Dich Gott wir loben und ehren, bekennen dich. No. 363, 364. S. 679, 680, 691.
Dich Gott wir preisen. S. 680.
Dich grüßen wir, o Jesulein. No. 138.
Dich Jesu loben wir. S. 681.
Dich Kreuz ich grüß. No. 318.
Die allerhöchst Barmherzigkeit. S. 135, 469.
Die edle König hochgeborn. No. 43, VIII.
Die edle Mutter hat geborn. S. 132, 280.
Die Engel singen süßen Sang. S. 606.
Die Erbsünd kommt von Adams Schuld. S. 135.
Die ersten Menschen Gott der Herr. S. 138, 446.
Die ganze Welt, Herr Jesu Christ. No. 275.
Die Gottheit rein anbet verborgen hie. S. 92, No. 392.
Die Gschrift die gibt uns Weis' und Lehr. S. 53, 69, 88.
Die heilig drei König mit ihrem Stern. S. 82.
Die heilige Dreifaltigkeit in einer. S. 102.
Die heilig rein und auch die fein. S. 73, 93, 98, 119.
Die Hirten auf dem Felde warn. S. 130.
Die königlich Banner gehn herfür. S. 444.
Die liebe Jesu Stetigkeit. S. 322.
Die Majestät und Herrlichkeit der g. Welt. S. 176.
Die Mutter stund vor Leid u. Schmerzen. S. 474.
Die österlich Zeit {bringt uns / hat uns bracht} ganz herrliche Freud. No. 269, 270.
Die Pfort Christi ist aufgethan. S. 391.
Die Pfort Christi nun offen steht. No. 137.
Die Prophezeien sind erfüllt. S. 66, 135, 293.
Die Schrift ꝛc. = Die Gschrift.
Die Schrift zeigt uns an. S. 742.
Die Seele Christi heilge mich S. 62.
Diese neue Fröhlichkeit. No. 155.
Diese österlichen Tage. S. 550.
Dieser Tag viel Freuden hat. No. 44.
Dieser Tag voll Freuden ist. No. 165.
Dies herrlich, hoh Fest heut. S. 630.
Dies ist des Herren Tag für wahr. S. 647.
Die Sonn annoch verdrossen. No. 291.
Die Sonne wird mit ihrem Schein. S. 179.
Dies neu Jahr ist freudenreich. No. 101.
Dieweil bei mir allein. S. 63.
Die Weisheit und göttlich Wahrheit. S. 55, 433.
Die zehn Gebot sollst du lernen. S. 57.
Die Zeit ist da, daß man soll fröhlich. S. 92.
Die Zeit ist sehr heilig und ganz freudenreich. No. 40.
Dir sei Lob, Preis und Ehre. S. 179.
Diu stimme berhtel. S. 259.
Dort oben in des Himmels Thron. S. 85.
Drei Könige aus fremdem Land. No. 111.
Du blutigs Haupt, ich grüße Dich. S. 175.
Du guter Fürst. S. 501.
Du heiliger Johannes. S. 100.
Du Lenze gut. No. 281.
Du lieber Herr St. Niklas. S. 581.
Durch den Ungehorsam. No. 7.
Durch Jesum Christ gelehret ist. No. 400.
Durchleuchtige Fürstin. S. 92.
Du Wunderbrod, du wahrer Gott. No. 411.
Du würdigs Kreuz. S. 437.

Eh' daß vergeht des Tages Schein. S. 179.
Eh' Gottes Sohn geboren ward. S. 333.
Ehre sei dem Vater und dem Sohn. S. 62.
Ehre sei dir, Christe. S. 463.
Eia Herre Gott, was mag da gesein. No. 107.
Ein Blümlein auf der Heiden. S. 96.
Einen Engel Gott mir geben. S. 112.
Ein feste Burg ist unser Gott. S. 29.
Ein große Freud verkünd ich euch. S. 324. No. 60, III.
Ein helle Stimm nimm wahr. S. 259.
Ein jeder Mensch, der. No. 367, 368.
Ein Jünger seinen Meister fragt. S. 57.
Ein Jungfrau auserkoren. S. 615.
Ein Jungfrau fein St. Katherein. S. 56, 62.
Ein Jungfrau zart, von edler Art. S. 75, 99, 103, 108, 109, 269, 448.
Ein Kindelein so löbelich. S. 130, 164, 292. No. 43, IV.
Ein Kind geborn von einer Magd. S. 322.
Ein Kind geborn zu Bethlehem. S. 67, 70. No. 51, 52, 53.
Ein Kind geborn zu Bethlehem. Eia, Susani. No. 55.
Ein Kind geborn zu Bethlehem, freuet euch. No. 59.

Ein Kind geborn zu Bethlehem, fröhlich mit. No. 57.
Ein Kind geborn zu Bethlehem in diesem Jahr. No. 56.
Ein Kind geborn zu Bethlehem, jubiliren wir. No. 66.
Ein Kind geborn zu Bethlehem, laetetur concio. No. 64, 65.
Ein Kind geborn zu Bethlehem. Noe, Noe. No. 62.
Ein Kind geborn zu Bethlehem. O Gott mein Lieb. No. 60, II.
Ein Kind geborn zu Bethlehem. O ho. No. 61.
Ein Kind geborn zu Bethlehem. O Lieb. No. 60.
Ein Kind geborn zu Bethlehem, sein Name. S. 135.
Ein Kind ist uns geboren heut. No. 69, III.
Ein Kind ist uns geboren zu Bethlehem, das bracht. No. 110.
Ein Kind ist uns geboren zu Bethlehem, die Engelein. No. 110, II.
Ein Kind ist uns geboren zu Bethlehem, die Jungfrau. No. 110a.
Ein Kindlein in der Wiegen. No. 145, 146.
Ein Kind von Gott uns geben ist. No. 37.
Ein klare Stimm, schau, wird gehört. No. 16.
Ein Königin in dem Himmel. S. 131.
Ein köstlich Ding ist, was ich sing. S. 120.
Ein Liedlein will ich heben an. S. 86, 91.
Ein Lied so will ich heben an. S. 77, 83, 94.
Ein Lied will ich jetzt heben an. S. 86.
Ein Lust hab ich zu singen. S. 80, 91, 103, 107.
Ein Moeder stond drövenlich. S. 54.
Ein neues Kindelein. No. 70.
Ein Schäflein auserkoren. S. 93, 98.
Ein schön klein Kindelein. No. 161.
Einstmals ich Lust bekam. S. 101.
Ein Tag des Zorns der jüngste Tag. S. 108.
Ein Zeit hört ich viel guter. S. 53, 57.
Elend hat mich umgeben. S. 78, 83, 94.
En mitten in des Lebens Zeit. No. 300a.
Erbarme Gott, erbarme. S. 186.
Erbarm dich mein, o Herre Gott. No. 14, II.
Erbarm sich unser Gott der Herr. No. 12.
Erfreue dich Himmel. No. 168.
Erfüllt wird durch die Urständ heut. S. 514.
Erhalt uns Herr bei deinem Wort. S. 71, 246, 364.
Erhör unser seufzlich Begier. No. 181, II.
Er ist gewaltig und stark. S. 8.
Erlediger der Völker. S. 245.
Erlös mich Herr mit starker Hand. S. 258.
Erstanden ist der heilig Christ. S. 67, 70, 397, 541. No. 244, 245, 251, 257, 258.
Erstanden ist der Herre Christ. S. 135.
Erzürn dich nicht, o frommer Christ. S. 85, 101.
Es fährt eine heilige Zeit. S. 59.
Es fiel ein Himmelsthaue. No. 100.
Es flog ein Engel in Eile. S. 100, 260.
Es flog ein kleins Waldvögelein. S. 54, 69.
Es flog ein Täublein weiße. No. 17.
Es flog ein Vögelein leise. S. 99.
Es floß ein Rose vom Himmel herab. S. 69, 104. No. 207.
Es freuet sich billig jung und alt. No. 273, 274.
Es frohlockt, was im Himmel ist. S. 30.
Es führt drei König Gottes Hand. No. 108.
Es gingen drei Frauen. S. 508.
Es gingen drei Fräulein. S. 512.
Es ging unser liebe Fraue. S. 91.
Es hat geborn ein Kindelein. No. 71.
Es ist das Heil uns kommen her. S. 81, 156, 551.
Es ist das Kind zu Bethlehem geborn. S. 130.
Es ist der Engel Herrlichkeit. S. 298.
Es ist ein Kindlein geborn, das hat versöhnet. No. 67.
Es ist ein Kindlein {heut / uns} geborn. No. 68, 69.
Es ist ein Ros entsprungen. S. 99. No. 78.
Es ist ein Schnitter. S. 101.
Es ist ein Tag der Fröhlichkeit. No. 43, VII.
Es ist erstanden Jesus Christ. No. 260.
Es ist fürwahr zu klagen gar. S. 156.
Es ist gewißlich an der Zeit. S. 183.
Es ist nun vorhanden die Zeit. No. 183.
Es kam ein Engel hell und klar. No. 82, 83, 84.
Es kam ein schöner Engel. No. 207, III.
Es klagt menschlichs Geschlecht. S. 262.
Es muß erklingen überall. S. 156. No. 48, II.
Es nahet sich dem Sommer. S. 77, 89, 103.
Es schreibt Lucas, der Evangelist. No. 148.
Es sind doch selig alle, die. S. 488.
Es sungen drei Engel ein kläglichs Gesang. S. 606.
Es sungen drei Engel ein süßen Gesang. No. 307.
Es war ein gottfürchtiges. S. 94, 630.
Es war einmal ein großer Herr. S. 161, 450.
Es war eins Heiden Tochter. S. 83, 87, 94.
Es weineten die Engel einmüthiglich. No. 216.
Es wird schier der jüngste Tag. S. 147.
Es wollt {ein / gut} Jäger jagen. S. 66, 78, 82, 96, 99, 161. No. 18.
Es wurde durch den Geist geführt. S. 494.
Ewiger Gott, wir bitten dich. S. 126, 135, 545.
Eya der großen Liebe. S. 462.
Eya Herre Gott, was mag. No. 107.

Fälschlich und arg betrogen ist. S. 180. No. 195, II.
Fest und hoch auf dem Thron. No. 331.

Freu dich, alle Christenheit. S. 549.
Freu dich, du Himmelkönigin. S. 100.
Freu dich, du werthe Christenheit {Gott / Jesus} hat überwunden. S.135. No.267, 267a.
Freu dich, du werthe Christenheit, daß Gott ist. S. 160.
Freu dich, du Zier der Christenheit. S.117.
Freud ist in allen Landen. No. 285.
Freud über Freud, o Christenthum. S. 85, 117.
Freu dich, Ignati, edler Held. S. 85.
Freuet euch, alle Christenheit. S. 131, No. 267, II.
Freuet euch heut, alle gleich. No. 241, II.
Freundhold und gut, ohn allen Fehl. S. 258.
Freut euch, ihr Christen alle, frohlocket. No. 408.
Freut euch, ihr Christen alle, Christus fuhr. No. 259.
Freut euch, ihr Christen allzugleich. S. 91.
Freut euch, ihr Christen überall. S.70,152.
Freut euch, ihr frommen Kinder. S. 105.
Freut euch, ihr Frauen und ihr Mann. S. 551.
Freut euch, ihr lieben Christen. S.105,114.
Freut euch, ihr lieben Seelen. S.105. No. 302, III, 405.
Fröhlich so will ich heben an. S. 83.
Fröhlich so will ich singen. S. 69.
Fröhlich so wollen wir heben an. S. 120.
Frohlocket alle Engelein. No. 288.
Für allen Dingen = Vor ꝛc.

Ganz freudenvoll der Christenchor. S.175.
Ganz inbrünstiglich. S. 119. No. 416.
Ganz sehr betrübt die Mutter stund. S.79.
Ganz sehr ist mir mein Herz entzündt. S. 98.
Gebenedeit und gelobt sei. S. 668.
Geborn ist uns ein Kindlein klein. No.163.
Geborn ist uns ein Kindelein, von einer. No. 72. S. 513.
Geborn ist uns ein König der Ehre. No. 45, III.
Gebt dem Herren Lob und Preise. S.415.
Gegrüßet sei die rechte Hand S. 270.
Gegrüßet seist du, heiliges Opfer rein. S, 150. No. 297, II; 379, IV.
Gegrüßet seist du, Jesulein. No. 139.
Gegrüßet seist du, Maria, du bist voll Gnad. S. 177. No. 312, II.
Gegrüßt seist du, Franzisce. S. 104, 348.
Gegrüßt seist du, Maria, himmlisch Monarchia. No. 8. S. 179, 252.
Gegrüßt seist du, Maria, rein, voll Gnaden. S. 87, 91, 270.
Gegrüßt seist du, Maria zart. S. 86, 93, 150, 154.
Gegrüßt seist du, o Jesulein. S. 397.
Gegrüßt seist Maria, du Königin. No.150.
Gegrüßt seistu, o Heil der Welt. S. 175, No. 231, 232.
Gehabt euch wohl zu diesen Zeiten. S.161.
Gelobet sei Gott ewiglich. No. 334.
Gelobet seist du Christe, der du. S. 463.
Gelobet seist du Christe, in deiner. S. 156, 464, 465.
Gelobet seist du, Jesu Christ. S. 70, 130, No. 30.
Gelobt sei allzeit die heilig Dreifaltigkeit. No. 358.
Gelobt sei Gott der Vater. No. 302.
Gelobt sei Gott von Ewigkeit. S. 700.
Gelobt seist du, Herr Jesu Christ. S. 147.
Gelobt sei und gebenedeit. S. 691.
Gen Himmel aufgefahren ist. No. 327.
Gesang thut uns von einem Apfel. S. 57, 62.
Gesegnet sei der Herr. S. 130.
Gib uns Gnad, zu betrachten. S. 690.
Gleich als der Hirsch zur Wasserquell. No. 25. S. 351.
Gleich wie der Hirsch thut laufen. S. 106, 340.
Gleich früh, wann sich entzündet. S. 97.
Glori, Lob, Ehr dem Vater sei. S. 713.
Glori, Lob und Ehr sei dir, Christ. S.142.
Glori, Lob und große Ehr. S. 441.
Gott dem Vater sei Lob und Dank. S.734.
Gott der Herr, ein ewiger Gott. S. 131, 135.
Gott der Herr soll gelobet werden. S. 85.
Gott, der du den ehelichen Stand. S.147,
Gott der Vater wohn uns bei. No. 297.
Gott des Vaters Weisheit schon. No. 188, 189.
Gott dich loben wir. S. 679.
Gottes Gnad und sein Barmherzigkeit. S. 78.
Gottes Sohn auf Erd' ist kommen. No.199.
Gott ewig ist, ohn Endes Frist. S. 63, 65.
Gott Gnade dir, du liebe Seel. S. 99.
Gott grüß dich, Kaiserinne. S. 417.
Gott grüß euch, Martyrer Blümelein. No. 96, 97' 98.
Gott hat einen Weinberg gebaut. No. 203, IV.
Gott hat nach seinem Leiden. S. 56.
Gott heilger Schöpfer aller Stern. No. 4, II. S. 249.
Gott Himmels und Erden. S. 680. No.365.
Gott in der Höh' sei Preis und Ehr. S.118.
Gott in seiner Majestät. S. 64, 434.
Gott ist auf Erden kommen. No. 104.
Gott ist die Zuflucht, wann wir. S. 186.
Gott ist mein Hirt. S. 186.
Göttliche Weisheit und weltliche Thorheit. S. 58.
Gott lobsinget, Gott danksaget. S.66,131, 135, 694.
Gott sagen wir Gnade. S. 9.
Gott sah zu seiner Zeit. No. 200, III.

Gott sei gelobet und gebenedeiet. S. 131. No. 384.
Gott so wollen wir loben und ehren. S. 66.
Gott spricht, wer in mein Reich will gehn. No. 180.
Gott unsern Heiland preiset. S. 603.
Gott Vater der Allmächtigkeit. S. 179.
Gott Vater in dem Himmelreich. S. 743.
Gott Vater in dem höchsten Thron, hat. S. 351.
Gott Vater (oben) im höchsten Thron, wir. No. 361.
Gott ward an ein Kreuz geschlan. S. 131, 135.
Gott zu Lob und auch zu Ehren. S. 161.
Groß Gnad ist aufgestanden. S. 51.
Groß ist der Herr im heilgen Thron. S. 258.
Groß ist Gottes Barmherzigkeit. S. 135, 715.
Groß Lieb thut mich bezwingen. S. 57.
Groß Lob und Ehre sag mein Seel. S. 179.
Groß und heilig über allen. No. 190.
Groß und Herr ist Gottes Nam. No. 47.
Grüßt seist, heiliger Tag. S. 523.
Grüßt seist du, schönes Jungfräulein. S. 98.
Grüßt seist Maria, gnadenvoll. S. 179.
Gütiger Beschaffer uns erhör. S. 426.
Gütiger Jesu Christ. S. 135.

Hätten wir so wahr Gotts Hulde. No. 201.
Heilig bist du, o Maria. S. 81.
Heilige Dreifaltigkeit. S. 63.
Heiliger Franzisce, Licht. S. 91, 109, 114.
Heiliger Geist, du Tröster fron. S. 647.
Heiliger Geist, Herre Gott. S. 655.
Heiliger Geist, o Herre mein. S. 179. No. 352.
Heiliger Herre S. Laurenz. S. 261.
Heiliger Schöpfer aller Stern. S. 249.
Heiliger Sebastian, wir rufen. S. 119.
Heilig ist Gott der Vater. S. 456.
Heiligs Kreuz, ein Baum. S. 437.
Heli lamma Sabactani. S. 98.
Helft mir Gottes Güte preisen. No. 106.
Helft mir das Kindlein wiegen. S. 69.
Herr aller Gnad und Gütigkeit. No. 210.
Herr Christ, der einig Gottes Sohn. S. 454.
Herr Christe, Licht und Leben. S. 143.
Herr Christe, Schöpfer aller Welt. No. 203, 204. S. 661.
Herr Christ, thu mir verleihen. S. 184.
Herr, der du meine Stärke bist. S. 737.
Herr geuß deines Eifers Flammen. S. 186.
Herr Gott dich loben wir. S. 679.
Herr Gott mein Heil, mein einig Zier. No. 360.
Herr Gott nun sei gepreiset. S. 179, 454.
Herr Gott Vater in deinem Thron. S. 96.
Herr Gott Vater in Ewigkeit. S. 135, 663. No. 360.
Herr Gott, wir sagen dir Lob und Dank. S. 180.
Herr höre mein Gebet und Flehen. S. 186.
Herr Jesu Christ, ich bitte dich. S. 62.
Herr Jesu Christ, wahrer Gottes Sohn. S. 147.
Herr Jesu Christ, wahr Mensch und Gott. Nachtrag. S. 743.
Herr Jesu Christ, ich weiß gar wohl. S. 184.
Herr Jesu, öffne unsern Mund. No. 304.
Herr Jesus zu den Jüngern sprach. S. 494.
Herr laß mein Recht. S. 186.
Herr schicke ja nicht Rache. S. 186.
Herr übergebs Gerichte. S. 732.
Herr unser Herr, wie wunderlich. S. 107.
Herzliches Bild Maria klar. S. 70.
Herz, Muth schweig. S. 54.
Heut Gott zu Ehren singen wir. S. 95.
Heut ist der Engel Glorischein. No. 46.
Heut ist der Tag, o Welt hab acht. No. 286.
Heut ist gefahren Gottes Sohn. S. 87, No. 335.
Heut sein die lieben Engelein. S. 298.
Heut singt die liebe Christenheit, Gott Lob. S. 143.
Heut sollen alle Christen. S. 543.
Heut triumphiret Gottes Sohn. No. 276.
Hilf Gott, wie wird mir. S. 97.
Hilf Maria, Magd. S. 56.
Himmel und Erden stimmen zusammen. S. 85.
Himmel und Erden stimmet an. S. 124.
Himmel und Erd schau, was die Welt. S. 89, No. 235.
Hin zu dir Magd. S. 263.
Hochgelobter Herr Jesu Christ. S. 93. No. 87.
Hochgeehrtes Jungfräulein. S. 113.
Hochselig, voll Gnad und heilig. S. 349.
Hör auf, mein Seel. S. 83.
Höre, gütlich Schöpfer. S. 426.
Hör mein Gebet, du frommer Gott. S. 87.
Hör mich, du armer Peregrin. S. 113.
Hört an von mir. S. 90.
Hört zu, ihr Christen überall. S. 165.

Ich bete dich an demüthiglich. S. 724. No. 391. 393.
Ich bitt innig dich, verborgen Gottheit an. No. 390.
Ich dank dir Herr, allmächtiger Gott. S. 162.
Ich dank dir, lieber Herre. S. 69, 162.
Ich dich, o Herzwund Christi grüß. S. 100.
Ich glaub in Gott, den Vater mein. S. 93, 150, 685.
Ich glaub in Gott, den Vater werth. S. 154.
Ich glaub in Gott Vater, Allmächtigen, der erschaffen. S. 136.
Ich grüße dich, Herr Jesu Christ. S. 175.
Ich grüß dich, lemtigs Hostia. S. 711.

Ich habe meine Sache zu Gott gestellt. Nachtrag, S. 742.
Ich hab mir auserwählet. S. 78.
Ich hab so viel von Gottes Wort. S. 78, 96.
Ich hört ein kläglichs Weinen. No. 228.
Ich kam einstmals vor des. S. 59.
Ich lag einmal zur Winterszeit. S. 176.
Ich lag in einer Nacht und schlief. S. 66, 67, 73, No. 107 a.
Ich neulich früh zu Morgen. S. 97.
Ich nimm Urlaub, o schnöde Welt. S. 115.
Ich rief zum Herrn mit meiner Stimm'. S. 258.
Ich rufe dich, o Herr jetzt an. S. 121.
Ich sah einmal ein wunderschöne Magd. S. 75.
Ich sah Jerusalem, die heilge Stadt. S. 172.
Ich sing euch hie aus freiem Muth. S. 54.
Ich stund an einem Morgen. S. 54. 61.
Ich stund in großen Sorgen. S. 61.
Ich weiß ein edlen Weingärtner. S. 606, No. 311.
Ich weiß ein ewiges Himmelreich. S. 96.
Ich weiß ein lieblich Engelspiel. S. 13.
Ich weiß ein schöns Lustgärtelein. S. 88.
Ich weiß mir ein Blümlein, das ist fein. S. 73, 93, 119.
Ich weiß mir einen Garten. S. 612.
Ich weiß mir einen Meyen. S. 614.
Ich will herzlich lobesingen. S. 700.
Ich wollt, daß ich daheime wär. S. 14.
Ignatius, Ignatius, o edler Held. S. 564.
Ihr Christen, jetzund fröhlich seid. No. 33.
Ihr Christen, nehmet an diesen Bericht. S. 143.
Ihr Felsen hart. No. 239.
Ihr Himmelsgeister ohne Zahl. S. 109.
Ihr Kinder von Jerusalem. S. 326.
Ihr lieben Christen, freut euch nun. S. 184.
Ihr lieben Christen, singet her. S. 75, 165.
Ihr sollt loben die reine Magd. S. 61.
Im Namen des Herren Jesu Christ. S. 162.
Im Schweizerland. S. 95.
In allen meinen Thaten. S. 106.
In Armuth Christus ist geborn. S. 136, No. 185.
In deinem Namen, Herr Jesu Christ. S. 78.
In dem edlen Schweizerland. S. 100.
In der Hauptstadt Salamina. S. 77.
In des Jahres zirclikeit. S. 361.
In dich hab ich gehoffet Herr. S. 75, No. 117, VI; 197, VII.
In dieser Zeit loben wir all. No. 268.
In dir will ich inbrünstiglich. S. 177.
In dulci jubilo. S. 131, No. 50.
In einem Kripplein lag ein Kind. No. 147 a.
In einer großen Dunkelheit. S. 368.
In Gottes Herren Namen. S. 78.
In Gottes Namen fahren wir. S. 10, 131, 136, 184, No. 295, 296.
In Gottes Namen heben wir an, die h. 3 König. S. 73.
In Gottes Namen heben wir an, Gott wollen wir. S. 161. No. 308.
In Gottes Namen heben wir an, und rufen all. S. 70, 161.
In Gottes Namen heben wir an, unser liebe Frau. S. 161.
In Gottes Namen heben wir an, von Maria. S. 161.
In Gottes Namen heben wir an, wir riefen all. S. 74.
In Gottes Namen heben wir an, zu loben. S. 76.
In Gottes Namen heben wir an, zu singen. S. 161.
In Gottes Namen so heben wirs an, hilf Maria. S. 161.
In Gottes Namen wallfahrten wir. No. 295, VI.
In Gottes Namen wallen wir. S. 576.
In Gottes Namen wollen wir singen. S. 455.
In Gottes Wort üb dich mit Fleiß. No. 369.
In Luthers jubilo. S. 89.
In mitten unsers Lebens Zeit. No. 300 a.
In !Schwarz will ich mich kleiden. S. 96, 99.
In unsern Nöthen bitten wir. S. 469.
In Weiß will ich mich kleiden. S. 101.
Io Triumph, Herr Jesu Christ. S. 397.
Ist das der Leib, Herr Jesu Christ. No. 279, S. 98.
Jerusalem, du selige Stadt. S. 66, 136.
Jerusalem, du schöne Stadt, S. 98.
Jesaia, dem Propheten das geschah. S. 27.
Jesu, aller Jungfrauen Kron. S. 649.
Jesu Christ, der du bist kommen. S. 136.
Jesu, dein Blut verehre ich. S. 386.
Jesu, der du eingeweiht hast. S. 420.
Jesu, der du geordnet hast. No. 175.
Jesu, der Zungen liebster Ton. No. 128.
Jesu, die süße Gedächtniß dein. S. 386.
Jesu, du süßer Heiland mein. S. 179, 512.
Jesu, Jesu, wir grüßen dich von Herzen. No. 396.
Jesulein, du bist mein. S. 83.
Jesulein mein, was soll ich. S. 83.
Jesu, lieber Herr. No. 277.
Jesu, meine Freud und Lust. No. 397.
Jesu, meines Herzens Freud. No. 127.
Jesu, meins Herzens Süßigkeit. S. 179.
Jesum Christum der Welt Heiland. Nachtrag, S. 742.
Jesum und seine Mutter zart. No. 321.
Jesus am galiläischen Meer. S. 143.
Jesus Christus, des barmherzigen Gottes Sohn. S. 435.

Jesus Christus, Gottes Sohn von Ewigkeit. No. 381, II.
Jesus Christus in die Welt ist kommen. S. 147.
Jesus Christus ist erstanden. No. 252.
Jesus Christus, unser Heiland, den uns. S. 714. No. 380, 382, 383.
Jesus Christus, unser Heiland, dem die Bösen. S. 131, 143, 431, 712, No. 380, III.
Jesus Christus, unser Heiland, der den Tod. No. 283.
Jesus Christus, unser Heiland, der für uns den Tod. No. 250.
Jesus Christus, unser Heiland, der von uns den Zorn. S. 713.
Jesus Christus, unser Herr und Heiland. No. 248, 249.
Jesus Christus, unser Seligkeit, der um. No. 315.
Jesus Christus, unser Seligkeit, Gott unser. S. 618, No. 187.
Jesus, das zarte Kindelein. S. 335.
Jesus, der ging den Berg hinan. No. 309, III.
Jesus, des Menschen höchste Zier. S. 89.
Jesus, ein Wort, der höchste Hort. S. 65.
Jesu, Seligmacher der Welt. S. 575.
Jesus ging in den Garten. S. 161.
Jesus ist ein süßer Nam. S. 67, 71, 87, 375. No. 117.
Jesus ist gar ein süßer Nam. No. 116.
Jesus, Maria, Anna. S. 99.
Jesus ruft dir, o Sünder mein. S. 89. No. 230.
Jesus, süß dein Gedächtniß ist. No. 125, II.
Jesus, Vater des ewigen Lichts. S. 92.
Jesus ward bald nach seiner Tauf. S. 428.
Jesus, wann ich gedenk an dich. S. 384.
Jesus war zu Mitternacht geborn. No. 151.
Jesus zu seinen Jüngern sprach. S. 143.
Jesu, wie heilig ist dein Blut. No. 378.
Jesu, wie süß, wer dein gedenkt. S. 174, No. 124, 125.
Jetzt und zu aller Frist. No. 130.
Joseph, Davids Sohn geboren. No. 93.
Joseph, Joseph, Joseph, wie heißt. No. 156.
Joseph, lieber {Joseph / Neffe} mein. S. 301, 304, 305. No. 48, III.
Joseph mein, wird mir. No. 157.
Jungfrau im Himmel, dort oben. No. 418.

Kaiser, König, dreifache Kron. S. 95.
Kehrt euch zu mir, o lieben Leut. S. 249.
Komm der Heiden treuer Heiland. S. 246, No. 2.
Komm Erlöser aller Leute. S. 245.
Komm Gott Schöpfer, heiliger Geist, besuch. S. 132, 136, 647, 648.
Komm Gott Schöpfer, heiliger Geist, dieweil. S. 136, 649.
Komm heiliger Geist, Herre Gott, deiner. No. 345.
Komm heiliger Geist, Herre Gott, erfüll. S. 58, 67, 70, No. 342.
Komm heiliger Geist mit deiner Gnad. S. 184.
Komm heiliger Geist mit deiner Güt. S. 648.
Komm heiliger Geist, Schöpfer mein, besuch. S. 647.
Komm heiliger Geist, Schöpfer mein, und geuß. S. 652, No. 347, 348.
Komm heiliger Geist, send aus. No. 346.
Komm heiliger Geist, wahrer Gott, bedenk. S. 66. No. 346, III.
Komm heiliger Geist, wahrer Gott, gib. No. 346, II.
Komm heiliger Geist, wahrer Gott, denn deine. S. 649.
Komm heiliger Geist, wahrer Trost. No. 344.
Komm heiliger Geist zu uns herab. No. 353.
Komm her, aller Heiden Heiland. S. 143.
Komm Herr Gott, o du höchster Hort. S. 136, 244, 246, No. 3.
Komm hochfeierliche Zeit. S. 630.
Komm Kind, es muß sein. S. 406.
Komm, o heiliger Geist, her in. S. 654.
Komm, o heiliger Geist, o komm. No. 348.
Komm, o komm, heiliger Geist. S. 118, No. 354.
Komm Schöpfer Gott, heiliger Geist. S. 53, 648.
Komm Schöpfer, heiliger Geist. S. 9, 648.
Kommt all herzu, ihr Engelein. No. 164.
Kommt her, ihr Kinder, singet sein. No. 134.
Kommt her, ihr liebe Kindelein. S. 79, No. 143.
Kommt her, ihr liebste Kinder mein. S. 113.
Kommt her, ihr Singer. No. 98, II.
Kommt her, wer Kron und Inful. S. 81, 86.
Kommt her zum Berg Calvariä. No. 237.
Kommt her zu mir, spricht Gottes Sohn. S. 94, 102. No. 220.
Kommt, laßt uns frohlocken dem Herrn. No. 303.
Kommt zum Kindlein, das in Windlein. No. 171.
König Christ, Schöpfer aller. S. 459.
König Christe, Macher aller Ding. S. 459.
König der Ehren, Jesu Christ. S. 147.
König der heiligen Engel. No. 343.
Königin der Himmel. S. 67, 126.
Könnt ich die Welt verlassen. S. 77.
Kum her, Erlöser. S. 245.

Lasset uns loben unsern Gott. S. 147.
Laßt klingen, laßt klingen. S. 90.
Laßt uns Gott loben allzugleich. S. 91, 95.
Laßt uns bedenken zu aller Frist. S. 147.

Laßt uns das Kindlein wiegen. S. 76. No. 144.
Laßt uns ein Jungfrau hochgeborn. S. 368.
Laßt uns erfreuen herzlich sehr. No. 280.
Laßt uns gehen zum Haus des. S. 168, 618.
Laßt uns Gott treulich rufen an. No. 323.
Laßt uns, ihr Christen, singen all. S. 248, 249.
Laßt uns in Einigkeit. S. 454. No. 5a.
Laßt uns Jesum Christum, unsern Heiland. No. 328.
Laßt uns loben mit Freuden. S. 106.
Laßt uns nun all vorsichtig sein. S. 132, 136, No. 261, II.
Laßt uns St. Peter rufen an. S. 681.
Laßt uns Stimmen nun erklingen. No. 320.
Lehren will ich das Christenherz. S. 158.
Liebe Sonn, mit deinen Strahlen. No. 166, II.
Lob, Ehr sei Gott im höchsten Thron. No. 192.
Lob, Ehr und Dank sei dir. S. 441.
Lob, Ehr und Preis sei dir. S. 669.
Lobend und dankend dem Kindelein. No. 48, IV.
Lobe Sion deinen Herren. No. 373, II, 374, 375.
Lobet Gott, o liebe Christen. S. 277.
Lobe Zunge Christi Leichnam. S. 696.
Lob, o Sion, deinen Heiler. S. 11. No. 373.
Lob, o Sion, lob mit Ehren. S. 80.
Lob' Jesum, der zu dieser Zeit. No. 56, II.
Lob, Preis und Ehr sei Gott gesagt. No. 86.
Lob saget und danket dem Herrn. No. 404.
Lob sei Gott im höchsten Thron, der aus Barmherzigkeit. No. 32.
Lob sei Gott im höchsten Thron, der seinen eingebornen. S. 147.
Lob sei Gott in Ewigkeit. No. 38, 39.
Lobsinget Gott. S. 281.
Lobsinget mit Freuden. S. 66, 136, 630.
Lob sollen wir singen. S. 465.
Lobt all Zungen des ehrenreichen. S. 11, No. 371.
Lobt fröhlich Gott, singt ihm zu. S. 186.
Lobt (Gott) den Herren, denn er ist. S. 162, 179.
Lobt Gott in seinem höchsten Thron. S. 162.
Lob und (großen) Dank wir sagen. S. 136, 465, No. 205, II.
Lob und Ehre sei dir gesagt. S. 463.
Longinus hat mit seinem Speer. No. 229.

Mach zu nicht, lieber Herr. S. 136.
Marey, mein Hort. S. 66.
Maria, Brunn der Gütigkeit. S. 101.
Maria breit dein Mantel aus. S. 101.
Maria, du barmherzigs Weib. S. 101.
Maria, du bist gnaden voll. S. 79.
Maria, du viel hoher Nam. S. 96.
Maria Kreuz auf den Waldrast. S. 691.
Maria geboren hat Emanuel. S. 301.
Maria ging durch einen Wald. No. 321.
Maria, Gottes Mutter, nu steh' uns bei. S. 162.
Maria, Gottes Mutter, reine Magd. S. 606.
Maria, Gottes Mutter, wohn uns bei. S. 581.
Maria gut, wohn bei mir heut. S. 55.
Maria hat auch tapfer gestritten. S. 72.
Maria hat ihr fürgenommen. S. 105.
Maria Himmelkönigin, der ganzen. S. 96, 99.
Maria Hülf, du edler Schatz. S. 113.
Maria Klag war schwer und groß. S. 175.
Maria Königin, Mutter und. S. 119.
Maria, Maria, Christ, den sie. S. 540.
Maria, Mutter auserkoren. S. 54.
Maria, Mutter Gottes in Ewigkeit. S. 150.
Maria, Mutter Gottes rein. S. 102.
Maria, Mutter Jesu Christ, zum Himmel. No. 335.
Maria, Mutter, reine Magd. S. 51.
Maria rein, du hast allein. No. 75.
Maria rein, o Jungfrau zart. No. 6, II.
Maria saß in ihrem Saal. No. 149.
Maria schon, du himmlisch Kron. S. 56.
Maria sei gegrüßt. S. 119.
Maria, selge Jungfrau rein. S. 147.
Maria stund in swinden Smerzen. S. 474.
Maria, verleih' mir Sinn und Kraft. S. 54.
Maria zart, dein Sohn. S. 55.
Maria zart, von edler Art. S. 51, 55, 73, 77, 105.
Maria, zu dir komme ich. S. 113.
Mein Buß hab ich so lang verspart. S. 176.
Mein fröhlich Herz, das treibt mich an. S. 79, 96.
Mein ganze Seel dem Herren sing. No. 377.
Mein Gemüth sehr dürr und durstig. S. 74, 153, No. 117 IV; 309, II.
Mein Gesicht ich gen Himmel kehre. S. 170.
Mein Gott und Herr, steh du mir bei. S. 96.
Mein Herz auf dich thut bauen. S. 489.
Mein Herz, das brinnt. S. 100.
Mein Herz für Freud aufspringt. S. 136, 630.
Mein Herz heb' ich von der Erden. S. 186.
Mein Herz will ich dir schenken. No. 170.
Mein junges Gemüth, das reizt mich an. S. 94, 103.
Mein junges Leben hat ein End. S. 97.
Mein Seel erhebt den Herren. S. 184, Nachtrag, S. 741.
Mein Seel, erschwinge dich. S. 113.
Mein Seel, schau her. S. 100.

Mein Zung lob Gott. S. 147, 697.
Menschenkind, merk eben. S. 253.
Mensch, Gottes Sohn geboren ist. No. 54.
Mensch, thu oft und viel bedenken. S. 179.
Mensch, willst du leben seliglich. S. 136.
Merk auf, du Gotts vergeßne Welt. S. 102.
Merk auf, o Christ, nun wer du bist. S. 100.
Merkt auf, ihr frommen Christenleut. S. 162.
Merkt auf, ihr Sünder alle. S. 261, 706.
Merkt auf vor allen Dingen. S. 692.
Merkt wohl, o merkt, ihr Christenleut. S. 320.
Merkt zu der Gnaden Zeiten. S. 340.
Mit diesem neuen Jahre. No. 99.
Mit einem süßen Schall. S. 154, 160, No. 50, II.
Mit Freud, so wollen wir heben an. S. 73.
Mit Freuden wollen wir singen. S. 73.
Mit geistlicher Freud. S. 92. No. 294.
Mit Gott, der allen Dingen. S. 165.
Mit Gott, so lassen wir unser Gesang. S. 73.
Mit Gott, so wollen wir loben und ehrn. S. 67, 73.
Mit Gott, so wollen wir singen. S. 69.
Mit Lust, so will ich singen. S. 61.
Mit Lust, so will ich heben an. S. 91.
Mit schallenden Stimmen. No. 336.
Mit Singen will ich's heben an. S. 54.
Mittel unsers Lebens Zeit. S. 594.
Mitten im Leben sind wir im Tod. S. 142.
Mitten unsers Lebens Zeit. S. 66, 70. No. 300a.
Mitten wir im Leben sind mit dem. S. 581.
Mitten wir im Leben sind

423.
Nun feiert al
Nun freut e
551.
Nun gib un
70, 690,
Nun hör Me
Nun höret z
98, 485.
Nun höret zu
Nun hört, ih
Nun ist dem
No. 293.
Nun ist der
Nun ist die e
Nun ist's Zei
Nun komm d
244, 246.
Nun komm d
245, No. 1
Nun laß, o L
140, 143.
Nun laßt uns
Nun laßt uns
Nun laßt un
sagen. S.
Nun laßt uns
No. 152.
Nun laßt un
No. 388.
Nun laßt uns
Nun laßt uns
Nun lobet ihr
Nun lob' mein
Nun merket a
Nun ruhen al
Nun sei gegrü
Nun singt un
S. 406.

Nun wollt ihr hören ein süß' Gesang. No. 220, V; S. 484.
Nun zu dieser Feier klar. S. 336.

O allerhöchste Speise. No. 407.
O allerliebstes Knäbelein. S. 410.
O anbetlich Dreifaltigkeit. S. 667.
O Anna zart, zu dieser Fahrt. S. 55.
Oberestiv magenchraft. S. 9.
O Christe, Morgenstern. S. 159.
O Christ, hie merk. S. 724. No. 394.
O der großen Angst und Schmerzen. No. 233.
O der großen Barmherzigkeit. S. 147.
O du allerheiligste Königin. S. 52.
O du armer Judas. S. 463.
O du armer Kaufmann Judas. S. 464.
O du falscher Judas. S. 463.
O du gestrenger Richter mein. S. 557.
O du heiliger Geist. No. 340.
O du heilige Dreifaltigkeit. S. 153, 469. No. 207, II.
O du Mutter aller Gnaden. S. 119.
O du selige Dreifaltigkeit. S. 664.
O du süßer Jesu Christ. S. 82, 610.
O edle Kindbetterin. S. 107.
O Engelein, du Schützer mein. S. 97.
O Engel, o ihr Geister rein. S. 114.
O Engel und Verkünder. S. 62.
O ewiger Vater, biß gnädig uns. No. 298.
O Ewigkeit, o Ewigkeit. S. 89.
O Gabriel, du getreuer Knecht. No. 22.
O Geber höchstes Himmelslohn. No. 209.
O gerechter und doch frommer Gott. S. 69.
O gnädiger Vater und Gott. S. 137.
O Gott des Gestirns, Herr Jesu Christ. No. 4.
O Gott du höchstes Gute. S. 62, 64.
O Gott höchster Allmächtigkeit. S. 70.
O Gott, ich bitt' dich inniglich. S. 177.
O Gott im höchsten Himmelsthron. S. 70. No. 15.
O Gott im höchsten Throne. S. 106.
O Gott in dem Himmelreich. S. 66.
O Gott in meinem höchsten Leid. S. 385.
O Gott, streck aus dein milde Hand. No. 324.
O Gott, thu uns gesegnen. S. 106.
O Gott Vater im Himmelreich. S. 392.
O Gott Vater im höchsten Thron, durch Jesum. S. 147.
O Gott Vater vom Himmelreich. S. 158.
O Gott, verleih mir deine Gnad. S. 98.
O Gott, wir loben dich, wir bekennen dich. No. 363. S. 679.
O große Angst und Noth. No. 234.
O gütiger Gott in Ewigkeit. S. 137.
O gütiger Herr Christe. No. 241.
O gütiger Schöpfer (Gott) und Herr. No. 181.
O gütigster Herr Jesu Christ. No. 113.
O Heiland, reiß den Himmel auf. S. 248, 249, No. 4, IV; 24.
O Heil der Welt, Herr Jesu Christ. S. 248, 249.
O heiliger Franzisce, du engelischer Mann. S. 98.
O heilige Maria zart. No. 415.
O heiliger Geist, der du mit grossem Gewalt. No. 338, 339, 341.
O heiliger Schöpfer aller Stern. S. 249. No. 4, III.
O heiligs Kreuz, dran. S. 438.
O heiligste Dreifaltigkeit, demüthig ich. S. 115.
O heiligste Dreifaltigkeit, gib deiner. S. 663.
O Herre Gott, das sind dein Gebot. No. 177. S. 577.
O Herre Gott, dein göttlich Wort. S. 71, 364, 481, No. 88, II.
O Herre Gott, erbarme dich wohl über. S. 162.
O Herre Gott, in meiner Noth. S. 180.
O Herr Gott Vater, Jesu Christ. S. 62.
O Herr Gott Vater, wohn uns bei. No. 297, III.
O Herr Gott, wir thun dich preisen. S. 121.
O Herr, höre mein Gebete. S. 186.
O Herr Jesu Christ, Gottes Sohn, aller. No. 332, 333.
O Herr Jesu Christ, Gottes Sohn, der du. No. 381, 386.
O Herr um deine Gnad. S. 120.
O Herr, wir loben dich. S. 679.
O Herr, wir preisen dein Gütigkeit. S. 153.
O Herz, o du betrübtes Herz. S. 368, Nachtrag, S. 741.
O hilf Christe, Gottes Sohn. S. 434.
O himmlisch Speis', o. No. 395.
Ohn dich will ich mich aller Freuden. S. 100.
O hoch (und) heiliges Kreuze. S. 76, 100, No. 316, 317.
O höchster Trost, heiliger Geist. S. 656.
O höchstes Gut, mein Seel und Blut. S. 112.
O Ignati, was für Flammen. S. 112.
O ihr Christen, danksaget Gott. No. 214, IV.
O ihr Christen, seht an den König. S. 436.
O ihr edle Himmelsknaben. S. 124.
O ihr heiligen Gottes Freund. S. 126, 138.
O ihr Schutzengel alle. S. 114, 354.
O Jesu Christ, dein Leiden ist 186, II.
O Jesu Christ, dein Nam der ist. S. 62, 66. No. 186.
O Jesu Christ, Gottes Sohn, der du regierst. S. 71.
O Jesu Christ, Gottes Sohn, der du von. No. 387.
O Jesu Christ, mein Gott und Herr, ich dank. S. 179.

O [illegible] Jesu. No. 130 a.
O Jesu mein, du bist mein Gut. No. 240.
O Jesu mein, o mein Jesu. S. 94.
O Jesu, Seligmacher gut. No. 409, III.
O Jesu, süßest Kindelein. S. 324.
O Jesu süß, wer dein gedenkt. S. 384, 385.
O Jesu, unser Erlöser. No. 278.
O jungfräulicher Gnadenglanz. S. 113.
O Kind, o liebes Herzelein. No. 159.
O Kind, o wahrer Gottes Sohn. No. 158.
O König, gut in Ewigkeit. S. 70.
O Königin, gnädigste Frau. S. 692.
O König Israel, gerecht. No. 193.
O Kreuz, o wahrer Gottes Thron. No. 225, 319.
O Lamm Gottes, unschuldig. S. 82, 118, No. 202.
O Last der Sünden. S. 115.
O lebendiges Himmelbrot. S. 734, No. 410.
O Licht, heilige Dreifaltigkeit. S. 663, No. 355.
O lieben Kind der Christenheit. No. 205 a.
O lieber Herr Gott, nimm von mir. S. 176.
O liebster Jesu, festiglich. No. 398.
O Lieb und Gier, Herr Jesu Christ. S. 84.
O Lieb, wie groß. No. 63.
O Maria, dich heben wir an zu loben. S. 91.
O Maria, Jungfrau reine. S. 112.
O Mensch, bedenk zu dieser Frist. S. 137.
O Mensch, beherz die große Gnad. S. 107.
O Mensch, bewein dein Sünde groß. S. 89, No. 221.
O Mensch, der du von Gott erschaffen. S. 176.
O Mensch, gedenk mit Dankbarkeit. S. 70, 142.
[illegible]

O selige Mutter, v
96, 108.
O selig ist vor alle
O starker Gott, all
O süßer Gott, nach
53, 57.
O süßer Herr Jesu
363. No. 119.
O süßer Jesu, Erlöse
O süßer Vater, Herr
176.
O süßester Herr Jesu
O Traurigkeit, o Her
223, 224.
O unüberwindlicher
O Vater, gib uns g
O Vater, liebster Va
O Vater unser, der d
O Virgo, vite via.
O Weh' der jämmerli
O Wehe, wie ist mein
O Weisheit Gott des
O welch eine selige, g
O Welt, dein Pracht
75, 99.
O Welt ich muß dich
O Welt, o Welt de
S. 98.
O Welt, was ist dein.
O wie ein heiliges W
O wie jämmerlich an
No. 217.
O wie lieblich ist die
O wie scheinbar Trost
O wir arme Sünder.
O Wunder groß. S.

Preis sei Gott im höch
Preis und Dank wir

Sanctus Petrus wohn uns bei. S. 581.
Sanct Utilia, die ward blind geborn. S. 485.
Saulus um's Gesetz. Nachtrag, S. 742.
Schau Christ, wie Christus hab veracht. S. 324.
Schau den Menschen, o du schnöde. No. 238.
Scheiden machet Augen naß. S. 106.
Schlaf mein Kindlein. No. 166, 167.
Schönster Herr Jesu. No. 421.
Schöpfer aller Ding, König Christ. No. 203, II.
Schöpfer heiliger der Sterne. S. 249.
Schutzengel, mein Beschützer treu. S. 114.
Seht heut, wie der Messias. No. 191, 195, VI.
Seid fröhlich und jubiliret. No. 49.
Sei du gegrüßt, o Heil der Welt. S. 175.
Sei gegrüßt, du edle Speis'. S. 179.
Sei gegrüßt, du hoher Festtag. No. 246.
Sei gegrüßt, Maria schon. S. 92.
Sei gegrüßt, o heiligs Kreuz. S. 621.
Sei (hoch) gelobt und (ge)benedeit. S. 137, 470, 663, No. 359.
Sei Lob und Ehr mit hohem Preis. S. 545.
Selige Mutter, auserkoren. S. 93.
Selig ist der Mann zu schätzen. S. 415.
Sieh' die Mutter, voller Schmerzen. S. 122.
Siehe nunmehr des ewigen. S. 84, No. 118, II.
Sig und säld ist. S. 542.
Singen wir aus Herzensgrund. S. 179, 335, 337.
Singen wir fröhlich allesammt. S. 542.
Singen wir mit Fröhlichkeit. No. 48.
Singet fröhlich, alle gleich. No. 255.
Singet fröhlich, lieben Leut. S. 742.
Singet Lob und Preis mit Schallen. S. 137, 694.
Singet sehr fröhlich Gott dem Herrn. Nachtrag, S. 743.
Singet zu Gott mit Lobesschall. S. 691.
Sing, o Zung und fröhlich klinge. S. 697.
Singt all mit Freud. S. 115.
Singt auf, lobt Gott. No. 27, 28, S. 272.
Singt fröhlich und seid wohlgemuth. S. 298.
Singt und klingt nun überall. S. 303.
Sion, lobe deinen Heiland. No. 376.
Sobald das Kind geboren war. S. 333.
Sobald der Mensch erschaffen war. S. 429.
So fallen wir nieder auf unsere Knie. S. 153.
So heb ichs an mit Schallen. S. 64.
So heilig dies Fest ist. No. 385.
Solls sein, so sei's. S. 96, 99.
So oft ich mir bild Jesum ein. S. 82, 387.
So oft ich schlagen hör die Stund. S. 176.
So oft mein Seel an Jesum. S. 386.
So oft mir klingt in meinen Ohren. S. 179.
So wahr ich leb, spricht Gott der Herr. S. 185.
Steh uns bei, heilige Dreiheit. S. 663.
Süße Mutter Christi. S. 86.
Süßer Jesu, süßer Christus. No. 122.
Süßer Jesu, süßer Name. No. 121.
Süßer Vater, Herre Gott. S. 70. No. 176, II ff. (vgl. O süßer Vater.)
Süßester Jesu, meins Herzens Begehren. S. 119.

Theilet uns mit ein gute Steur. S. 168.
Theures Kreuz, wo findt man. S. 436.
Thih Cot lopemes. S. 679.
Thomas des Herrn 12 Jünger einer. S. 143.
Thorst ich mich underwinden. S. 64.
Thu auf, thu auf, du edles Blut. S. 97.
Thut dem Osterlämmlein singen. S. 542.
Tröst die Bedrängten. S. 114.
Tröstlicher, schöner Meyen. S. 104.

Und Christ, der ist erstanden. S. 162, No. 117, III.
Und unser lieben Frauen. S. 260, 261.
Unsar trohtin hat farsalt. S. 8.
Unse Here zecht. S. 481.
Unser Erlösung minne. S. 560.
Unser Herr Jesus Christus. No. 399.
Uns ist ein Kindlein heut geborn. No. 94.
Uns ist geboren ein Kindlein klein. No. 73, S. 352.
Uns ist geboren ein Kindelein, von allen. S. 329.
Uns ist geboren ein Kindelein, von dem. S. 352.
Uns ist geboren ein Kindelein, von einer. S. 179, No. 95.
Uns kommt ein Schiff gefahren. No. 85.
Uns sagt Geschrift ganz offenbar. S. 53, 72.

Vanen chuniges vurgent. S. 444.
Vater der Barmherzigkeit. No. 297, V.
Vater, dir sei Dank gesagt. S. 527.
Vater im Himmel, wir deine Kinder. S. 66.
Vater im höchsten Throne. S. 179, 454.
Vater unser, der du bist. S. 67, 150.
Vater unser im Himmelreich, der du uns lehrest. S. 155.
Verleih uns Frieden gnädiglich. S. 246.
Verr von der Sunne. S. 281.
Viel Berg und Thal. S. 109.
Viel guts hat uns erzeigen. S. 81.
Vierzectaglicher geheiligaer. S. 420.
Vom Auf- und Niedergang. S. 281.
Vom Himmel ein englischer Bot. No. 69, II.

Von einer Jungfrau auserkorn. S. 328, 329.
Von einer schönen Geschicht. S. 93.
Von Gott will ich nicht lassen. S. 365.
Von Herzen grüß ich dich. S. 175.
Von Jesse kommt ein Wurzel zart. No. 79.
Von Site gelert. S. 428.
Von Sunnen ufrunst. S. 280.
Von wunderlichen Dingen. S. 63.
Vor allen Dingen ehren wir Gott. No. 306.
Vor Zeiten saß im Schweizerland. S. 79.
Vor Zeit zu Dockenburge saß. S. 81.
Vry, vro myn herte. S. 62.

Wach auf, liebe Christenheit. No. 36.
Wach auf, mein Hort, so schöne. S. 61.
Wach auf, mein Seel, wann es. S. 61.
Wach auf, mein Sinn, Mariae Lob. S. 115.
Wach auf, wach auf, o Mensche. S. 121.
Wach auf, wach auf, o Menschenkind. S. 181.
Wahrhaftig nun erstanden ist. No. 258.
Wann Morgenröth. S. 98.
Wann wir mitten im Leben sein. No. 300 a.
Wär ich in aller Meister Schul. S. 57.
Warum betrübst du dich, mein Herz. S. 99, 180.
Was fang ich an, mein Gott und Herr. S. 112.
Was find ich für ein Kindelein. S. 112.
Was ist der Mensch auf dieser Erd. S. 112.
Was ist für neue Freud. S. 92, No. 81.
Was wollen wir aber singen. S. 104.
Weil Gott treu und wahrhaftig ist. No. 206.
Weltlich Ehr und zeitlich Gut. S. 180.

Wer zu mir in
Wer Zungen hat
Wie die Sonn
S. 131.
Wie ein Hirsch, be
Wie Gott werd'
No. 29. S. 342
Wie lieblich bist du
Wie schön leuchst
S. 92, 96.
Wie schön leuchtet de
Wie schön und volle
Wie schön und zier
Wie selig und gott
Wie süß ist die
117 a.
Wie traurig ist mei
Wie unaussprechlich
Wir bitten dich, o
Wir bitten hoch in
Wir Christen all je
264.
Wir danken dir, ew
Wir danken dir, güt
Wir danken dir, lie
S. 464.
Wir fallen nieder a
70, 556.
Wir freuen uns, H
362.
Wir glauben (all) in
Wir grüßen dich vo
Wir heben an zu G
Wir kommen mit gro
Wir kommen wieder
Wir loben alle Jesu
Wir loben dich, Go
Wir loben dich, G
364 II u. IV, S.

Wir sollen jubiliren, springen. S. 89.
Wir wandeln hier ins HerrenHaus. S.103.
Wir wollen alle singen. No. 412.
Wir wollen auch begehren. S. 106.
Wir wollen loben unsern Herrn. S. 167.
Wir wollen singen ein Lobgesang. Nachtrag, S. 741.
Wo Gott der Herr nicht baut das Haus. S. 258.
Wo Gott der Herr nicht bei uns hält. S.71.
Wohlan, ein neues Gesang erkling. S. 85.
Wohlan mein Seel, thu auf. S. 110.
Wohlauf mein Seel, jetzt ist die Zeit. S. 103.
Wohlauf nun laßt uns singen all. S. 138, 248, 249, No. 5.
Wohlauf zu Gott mit Lobesschall. S. 70, 689, 692, No. 370.
Wohl dem, der in Gottes Furcht steht. S.185.
Wo ist das Kind, so heut geborn. No. 173.
Wo kommt es here, daß. S. 89, 97, 107.
Wollt ihr hören ein neues Gedicht. S. 67, 608 ff.
Wollt ihr hören singen ein Wunderlied. No. 109.
Wollt ihr mich eben merken. S. 58, 63, 160.
Wollts auf, ihr Mann und auch ihr Weib. S. 606.
Wollt's auf, wir wollen in's Lesen. No. 311, II.
Wo soll ich bleiben, mein Gott u. Herr. S. 92.
Wurze des Waldes. S. 9.
Zion sammt den Gläubigen. S. 131, 305.
Zu Assis ist geboren. S. 89.
Zu Bethlehem ein Licht erscheint. S. 73.
Zu Bethlehem geboren ist uns. No. 169.
Zu Bethlehem ward Gott geborn. S. 303.
Zu deinem Lob, Herr Jesu Christ. S. 75, 95, 119.
Zu dem merod Lambes. S. 535.
Zu diesem neuen Jahre. No. 99, S. 361.
Zu dieser unsrer Pilgerfahrt. S. 332.
Zu dir erheb ich meine Seel. S. 138.
Zu dir, o Gott im höchsten Thron. No. 305.
Zu dir, o Jungfrau Maria. S. 108.
Zu dir steht unser Hoffnung ganz. S. 101.
Zu Ehren der göttlichen Majestät. S. 162.
Zu Ehren unser Frauen. S. 260.
Zu einer Jungfrau zart. S. 179, No. 20.
Zu essen das Osterlämmlein. S. 535.
Zu Gottes Lob geehret würd. S. 84.
Zu Gottes Namens Lob und Ehr. S. 80.
Zu Jerusalem auf der h. Erde. S. 52.
Zu Lob der höchsten Trinität. S. 689.
Zu Lobe Gott des Herren. S. 86.
Zu Maria der Jungfrau zart. S. 70.
Zum Brunnen des ewigen Lebens. S. 174.
Zung, liebe Zung, thu das Best. S. 175.
Zur Geburt des Herren Christ. No. 76.
Zur Mettenzeit gesangen ward. S. 54, 434.
Zu singen hab ich im Sinn. S. 94.
Zu Tisch dieses Lämmleins so rein. S. 66, No. 261, 262.

Register der lateinischen Lieder.

Ad coenam agni. S. 66, 132, No. 261, 262.
Adeste nunc puelluli. No. 134.
Adoro te. No. 390.
Ad perennis vitae fontem. S. 174, 379.
Ad regias agni dapes. S. 536.
Agnus Dei. S. 457.
Ah limen optatum. S. 95, 96.
Alme Domine. No. 277.
Altis homo suspiriis. S. 254.
Amor Jesu continuus. S. 322.
Angelus ad virginem. S. 134.
A solis ortus cardine. S. 132, 278, No. 34.
Attolle paulum lumina. S. 495.
Audi benigne conditor. No. 181, 182.
Aufer a nobis. No. 301.
Augusta regum corpora. No. 107 a.
Author Deus coelestium. No. 15.
Ave mater gloriosa. S. 82.
Ave Hierarchia. S. 138, No. 7, 8.
Ave maris stella. S.13, 251.
Ave mundi conditor. S. 449.
Ave mundi spes Maria. S. 741.
Ave praeclara maris stella. S. 9, 62.
Ave rubens rosa. S. 251. No. 200 III.
Ave virgo virginum. No. 32. S. 670.
Ave vivens hostia. S. 11, 53, 69, 581. No. 379 VI.

Beata immaculata. No. 92.
Beata nobis gaudia. S. 647.
Beatus autor saeculi. S. 741.
Benedicta semper sancta sit Trinit. No. 358.

[illegible] hodie. Ro. 327.
Conditor alme siderum. Ro. 4.
Corde natus ex parentis. S. 13, 66, Ro. 35.
Credo in Deum, patrem omnipotentem. Ro. 366.
Crucis cruente stipite. S. 446.
Crux fidelis. S. 52, Ro. 190.
Cum Christus agni mystico. Ro. 309.
Cum luce prima sabbati. Ro. 243, II.
Cum matre Jesu virgine. Ro. 321.
Cum rex gloriae. Ro. 272.
Cur mundus militat. S. 176.

Da passionis tristem. S. 691.
Da puer plectrum. S. 281.
De stirpe David nata. Ro. 78.
Deum precemur supplices. Ro. 323.
Deum verum unum colimus. S. 684.
Dicata summo templa. S. 618.
Diei solemnia. S. 396, 397.
Dies est laetitiae, nam processit. Ro. 44. Ro. 165.
Dies est laetitiae in festo. S. 135.
Dies est laetitiae in ortu. S. 135. Ro. 43.
Dies irae. S. 108. Ro. 420.
Dormi fili. Ro. 166, 167.
Dulcis Jesu, dulce nomen. S. 90, Ro. 121, 122.

Ecce Maria genuit. S. 135.
Ecce nova gaudia. Ro. 155.
Ecce renascentis. S. 522.
Ecce tandem sempiternus. S. 84. Ro. 118, II.
Eheu mortalis. Nachtrag, S. 742.
Eia mea anima. S. 289.
Eia Phoebe nunc serena. Ro. 166, II.
Eia, Eia nunc simul. S. 140.
En e mola typica. Nachtrag, S. 742.
Enixa est puerpera. S. 132.
En membra Christi vivida. Ro. [illegible]

Haec est dies quam
Haec est dies laeti
Hic est dies verus
Homo Dei creatura
Homo tristis esto.
Huc ad montem Cal
Huc jubilus symph
Hymnum dei cleme
Hymnum dei gloria
Hymnum dicamus d

Illustris alto nunciu
Illuminare Jerusalem
In Bethlehem transe
In crucis pendens ar
In crucis pendens sti
In hoc anni circulo.
In natali Domini. S.
Inventor rutili. Ro. 2
Israel es tu rex. Ro.
Isti sunt sancti. S. 1

Jessaea stirps efflor
Jesu corona virginun
Jesu Deus dilecte. S
Jesu dulcis memoria. Ro. 123.
Jesu dulcis amor meu
Jesu favo suavius. N
Jesu nostra redempti
Jesu quadragenarie.
Jesu redemptor orbis
Jesu salvator saeculi.
Jesus Christus, nost Ro. 380, II.
Jesus, noster Deus 528.
Judicabit judices. S.
Jure plaudant omnia.

Libera me Domine. S. 143.
Longinus miles lancea. No. 229.

Magne Joseph fili David. S. 350.
Magnum nomen Domini. S. 136. No. 47.
Maria flos, orbis honos. No. 75.
Media vita. No. 300.
Memento rerum conditor. S. 735.
Memento salutis autor. S. 734.
Mentes ovate piae. S. 602.
Mittit ad virginem. No. 20.
Modulemur die hodierna. No. 328.

Natus est nobis hodie. No. 69.
Nicolai solemnia. No. 289.
Nobis est natus hodie. S. 137. No. 68.
Noctis sub silentio. S. 176.
Novis adeste gaudiis. No. 33.
Novum ordimur hymnum. No. 109.
Nunc angelorum gloria. S. 137, No. 46.
Nunc insonent gratissima. S. 690.
Nunc sancte nobis spiritus. S. 647.
Nunc voce laeta dulciter. No. 413.

O adoranda Trinitas. S. 667.
O coeli obstupescite. No. 235.
O digna crux sublimis. No. 316.
O esca viatorum. No. 407.
O filii ecclesiae. S. 467.
O filii et filiae. S. 569.
O Jesu melitissime. S. 324.
O Jesu mi dulcissime. No. 126.
O Jesu veracissime. No. 398.
O lux beata trinitas. No. 355.
O mater Christi fulgida. S. 552.
Omni die dic Mariae. S. 49.
Omnis mundus jucundetur. No. 49.
O quam amabilis. No. 129.
O quam decora. Nachtrag, S. 742.
O quam moestus cordis aestus. No. 215.
Orante Jesu supplice. No. 218.
O salutaris hostia. No. 409, 410.
O tu miser Juda. S. 467.

Pange lingua gloriosi corporis. S. 11, 52, 53, 66, 132, 175, 282, No. 371.
Pange lingua gloriosi praelium. S. 282, 437.
Parvulus nobis nascitur. S. 267, No. 94.
Patris sapientia, veritas. S. 55, 64. No. 188.
Patris sapientia, Christus in agone. S. 70.
Philomena praevia. S. 175, No. 310.
Pie Jesu Redemptor. No. 120.
Pium Deus hunc ordinem. S. 332.
Pium rogamus supplices. S. 469.
Popule mi. S. 491.
Praeco praeclarus. Nachtrag, S. 741.
Psallite unigenito. No. 140, 141, 142.
Pueri Hebraeorum. S. 440.
Puer natus amabilis. S. 320.
Puer natus de virgine. S. 322.
Puer natus in Bethlehem, Bethlehem, unde gaudet. S. 67, 137, No. 51, 52, 53.
Puer natus in Bethlehem, amor. No. 60, 63.
Puer natus in Bethlehem, eia susani. No. 55.
Puer natus in Bethlehem, in hoc. No. 56.
Puer natus in Bethlehem, laetamini. No. 59.
Puer natus in Bethlehem, laetetur concio. No. 64, 65.
Puer natus in Bethlehem, laetus nunc. No. 57.
Puer natus in Bethlehem, O ho. No. 61.
Puer natus in Bethlehem, psallite. No. 58.
Puer natus in Bethlehem, qui regnabat. No. 54.
Puer natus in Bethlehem, jubilemus. No. 66.
Puer nobis nascitur. S. 137, No. 95.

Quem nunc virgo peperit. No. 136.
Quem pastores laudavere. S. 137, No. 45.
Quiescat ira tua. S. 137, 597.
Qui solis excellit jubar. S. 450.

Rector aeterne, metuende. S. 555.
Redemptor orbis natus. No. 163, II.
Resonet in laudibus. S. 67, 137, No. 48.
Resurrexit Dominus. No. 260.
Rex Christe factor omnium. No. 203.
Rex Israel tuus tibi. No. 194.
Rex sanctorum angelorum. No. 343.
Rex sempiterne Domine. S. 536.

Sacris solemniis. S. 721.
Salutis humanae sator. S. 560.
Salve Antoni. No. 421.
Salve caput cruentatum. S. 496.
Salve cordis gaudium. No. 127.
Salve crux sancta. No. 318.
Salve festa dies. No. 246.
Salve mater salvatoris. S. 53.
Salve mundi salutare. S. 175, 448, No. 231, 232.
Salve regina mater. S. 63,
Salvete flores martyrum. No. 96.
Sit laus honor et gloria. S. 137, 713.
Spiritum sanctum hodie. S. 137, No. 350, II.
Spiritus sancti gratia. S. 137, 656 ff.
Stabat ad lignum crucis. S. 449.
Stabat mater. S. 54, 175, 472 ff. No. 211 ff.
Sub mystico velamine. No. 401.
Summe deus clementiae. S. 9.
Summi largitor praemii. No. 209, 210.
Summi triumphum regis. No. 326.

Surrexit Christus hodie. S. 137, 138, 529, 557, No. 244, 245, 258.
Te Deum laudamus. No. 363. S. 7, 40, 41.
Te lucis ante terminum. S. 536, 560.
Tempora florigero. S. 523.
Te supplicamus auspice. S. 578.
Tres magi de gentibus. S. 137, No. 111.
Tuam deus clementiam. No. 322.
Urbs beata Jerusalem. S. 66.
Ut natus est in Bethlehem. No. 71.
Veni creator spiritus. S. 9, 53. 66, 132, No. 344.
Veni redemptor gentium. S. 132. No. 1, 2.
Veni sancte spiritus et emitte. No. 346.
Veni sancte Spiritus reple tuorum. S. 643.
Venite exultemus Domino. No. 303.
Verbum caro factum est. No. 101.
Verbum supernum prodiens. S. 53, No. 409 IV.
Vexilla regis. S. 60, No. 195, 196.
Victimae paschali. No. 263.
Virgo editura filium. No. 135.
Vita sanctorum. No. 271.
Vox clara ecce intonat. No. 16.

Vergleiche dazu das alphabetische Verzeichniß der Lieder des Andernacher Gesangbuches. S. 166 ff.

Lieder aus andern Sprachen.

Blijschap van my vliet. No. 217.
Du malin le méchant. S. 489.
De Mey die ons de groente. S. 492.
Den lustelijcken Mey. No. 294.
Een kindeken is ons gheboren. No. 110.
Een Seraphinsche tonge. Nachtrag, S. 741.
Godes waerden Soon. S. 479.
Het stond een moeder reene. Nachtrag, S. 742.
Het viel een hemelsdauwe. S. 359.
Het was een maget. S. 412.
Jesu ons liefd'. Nachtrag, S. 742.
Καθ' ἑκάστην ἡμέραν. S. 678.
Κύριε θεός, βασιλεῦ. S. 680.
L'estrene d'icy bas. S. 389.
Met desen nieuwen iare. S. 357.
Met gheestelijcke vreught. S. 571.
O euwigh Godt. S. 359.
Que Dieu se monstre. S. 489.
Rendes à Dieu louange. S. 269.
Σιὼν αἴνει τὸν Σωτῆρα. S. 80.
Wilhelmus van Nassouwen. S. 359.

Weltliche Volkslieder.

Ach Banden hart. S. 96.
Ach Gott, was soll ich sagen. S. 121.
Ach Gott, wem soll ichs klagen. S. 121.
Ach herzigs Herz, mit Schmerz. S. 94.
Ach mein Gott, kann es sein. S. 97.
Auf dieser Erd mein Herz begehrt. S. 60.
Aus fremden Landen komm ich her. S. 22, 344, No. 84.
Aus hartem Weh klagt sich ein Held. S. 77, 78, 255.
Benzenauer. S. 268.
Bergreihen. S. 22, 64, 96.
Blümelgesang. S. 102, 103.
Blümleinmacher. S. 87.
Buchsbaum und Felbinger. S. 73, 97, 98.
Danhauser. S. 77, 120.
Das wacker Meidelein. S. 75.
Der arme Judas. S. 466.
Der lustig liebe, kühle Mey. S. 570.

Der Morgenstern hat sich aufgeschwungen. S. 61.
Der neue Tell. S. 83, 94.
Der Sommer fährt dahin. S. 96.
Die Kaiserin (Leopoldina?). S. 101, 119.
Dornacht Schlacht. S. 109, 121.

Ein schöne Dam'. S. 109. No. 417.
Einstmals ich Lust bekam. S. 101.
Einstmals war ich entschlafen. S. 77.
Engelländischer Tanz. S. 93.
Entlaubet ist der Walde. S. 731.
Es ist jetzt so ein kalte Nacht. No. 109.
Es nahet sich dem Sommer. S. 77, 103, 104.
Es steht ein Schloß in Oesterreich. S. 79, 96.
Es wohnet Lieb bei Liebe. S. 58, 61, 450.
Es wollt ein Jäger jagen. S. 261.

Freud über Freud. S. 63.

Geistlicher Joseph. S. 79.
Geistliche Fortuna. S. 96.
Geistlicher Hauptmann. S. 121.
Geusenlied. S. 359.
Groß Lieb thut mich bezwingen. S. 57.
Graf von Rom. S. 78.
Gut Reuter ritt wohl durch das Ried. S. 105.

Hahnenkratston. S. 58.
Heint hebt sich an. S. 283.
Herzog Ernst. S. 52, 53, 88, 98.
Hirtenlied. No. 109.

Jakobston. No. 308.
Ich ging einmal spaziren. S. 364.
Ich ging mit Lust durch einen Wald. S. 99.
Ich kann und mag nicht fröhlich sein. S. 77.
Ich lieg jetzt da. S. 119.
Ich sah einmal ein wunderschöne Magd. S. 75.
Ich stund an einem Morgen. S. 54, 61, 159.
Ich weiß mir ein Blümlein. S. 159.
Ich weiß mir ein Frau Fischerin. S. 61.
Innsbruck ich muß dich lassen. No. 407 a.
Ins Wildbad hin steht mir mein Sinn. S. 61.
Jörg Schillers Ton. S. 54.
Junker Studinger. S. 81.
Junker Hämen. S. 120.

Kehr um, mein Seel und traure nicht. S. 102.

Labella. S. 119.
Lindenschmidton. N. 220.

Mailied. No. 294.
Mein Freund möcht sich wohl mehren. No. 200, III.
Mein Herz verwundet. S. 97.
Meister Hillebrant. S. 94.
Montebau. S. 104.
Muscatblüt. S. 54, 62.

Narrenkappe. S. 64.
Nachtigalls sanfter Ton. S. 61.
Nun wend ihr hören singen. S. 268.

O der bösen Stund. S. 104.
Ohn dich muß ich mich aller Freuden. S. 100.
O Magdeburg halt dich feste. S. 261.

Pavierton. S. 82.

Regenbogenton. S. 54, 56, 57, 59, 64.
Reiterorden. S. 64.
Ritterweise. S. 64.
Rother Zwingerton. S. 56.

Selig ist der Tag. S. 97.
Schnittermelodie. S. 102, 103.
Schüttensam. S. 612.

Tageweisen. S. 89, 159. No. 107, 200.
Tanzlied. S. 283.

Unerkannter Ton. S. 54.

Vacanz, du edle Zeit. S. 78.
Veitston. Variante. No. 3. No. 222.
Vlämische Volksliedermelodien. S. 90.
Von der Stadt Toll. S. 64.

Wach auf mein Hort. S. 61, 66.
Wach auf meins Herzens Schöne. S. 21.
Was wolln wir aber heben an. S. 485.
Wendische Nationalweise. No. 103.
Wer das Elend bawen will. No. 308.
Wer mag den Sündfluß singen. S. 81.
Wilhelm bin ich der Telle. S. 80, 103, 121.
Woher kommt mir doch diese Zeit. S. 83.

Zwinger Ton. S. 62, 65.

Namen- und Sachregister.[1]

Abälard. 263.
Accente kirchliche. 23 ff.
Adam v. Fulda. 57. Nachtrag, S. 742.
Adam Kraft. Nachtrag, 742.
Adam von S. Victor. 622.
Adventslieder. 243 ff.
Ambrosius. 245, 677.
Ammonius, W. 343.
Arndt, Joh. 384 ff.
Arnt v. Aich. 431.
Augustiner. 37.
Augustin, J. (Benediktiner). 75.
Augustinus, hl. 677.

Balde, J. 103, 106, 109.
Benediktiner. 37.
Bernhard, St. 174 ff. 322, 384, 448, 496.
Berthold von Regensburg. 637.
Beurer, Joh. Jak. 74.
Beuttner, Beschreibung seines Gesangbuches. 158 ff. Vorrede 197 ff.
Bibliographie. 51 ff.
Bittwoche, Lieder für die. 572 ff.
Böschenstein, Joh. 63, 64, 65, 139, 449.
Böhmische Brüder, Lieder. 4.
Bolandus, Peter. 449.
Bonaventura. 175. 449, 610.
Bonn, H. 314, 466, 700.
Brandschied. 81.
Brant, Seb. 61, 62, 125 ff.
Braun, J. G. 117.
Bresson, A. 123.
Buchner. 109.
Buchsbaum, Sixt. 52, 53, 98.

Calvisius, S. 555.
Casimir, Markgraf. 429.
Cassander, G. Nachtrag, 741.
Christelius, Barth. 118.
Cisterzienser. 37.
Clasen, Bruder. 176.
Conrad von Queinfurt. 563.
Corner, G., Abt. 86, 89, 90, 106, 110, 115, 117. Beschreibung seines großen Gesangbuches, 178, seine Dichtungen 179, Vorrede 216 ff.
Creutziger, Elisabeth. 454.
Cysat, R. 73.

Dachser, J. 38.
Decius, N. 456.
Degen, Joh. 88, 114, 122. Vorrede zu seinem Gesangbuch. 215 ff.
Diöcesangesangbücher. 36.
Dietrich, V. 543.
Dionysius Areopagita. 680.
Dominikaner. 37.
Dominikus der Carthäuser. 176.
Dramatische Aufführungen. 305, 345, 541.
Drechßler, B. 78.
Dreifaltigkeitslieder. 662 ff.
Dungscher, Joh. 84.
Durtonart. Vorrede X und S. 12.

Eber, P. 364.
Eberharts-Clausen, Wallfahrtsort bei Trier. Pflege des Kirchengesanges daselbst. 232.
Ebingius, R. 31, 68, 139, 144, 391, 420. 426, 436, 444, 458, 521, 554, 561, 595, 604, 630, 646, 647, 652, 655, 663, 680, 697, 721. Nachtrag, 743.
Eggink, A. 82.
Eichorn von Bellheim. 80.
Eisengrein, M. 192.
Emser, H. 63.
Evangelienlieder. 38, 108, 109, 230.

Faber, Joh. 81.
Fabricius, G. 173, 381, 441, 450.
Fastenlieder. 419 ff.
Finck, Heinr. 546, 575.
Flemming, P. 107.
Flurheim, Chr. 65.
Folz, H. 58.
Förtsch, B. 558.
Fortunatus, V. 437, 443, 523.
Frank, H. 56.
Franziskaner, 37, 228.
Freder, Joh. Nachtrag, 743.
Fronleichnam, Lieder für. 693 ff.

Gemperlin, A. 79.
Gengenbach, P. 65.
Gesangbücher, prot. 34. kath. 35, 51 ff. mit beziffertem Baß, Vorrede, XI.
Gesius, B. 448, 558.
Geusenlied. No. 100.
Gößeler, Joh. 53.
Gregorianischer Choral. 4. Vortrag desselben. 33.
Gregor der Große. 426, 427, 459, 472, 648.
Greiter, M. 488.
Gruen, Joh. 132, 188.
Gruenwaldt, G. 484.

Hagius, Conrad. 72, 76.
Hainzmann, J. C. 119.

---

1) Die Zahlen bezeichnen die Seiten.

Haug, M. 64.
Haym von Themar. 149 ff.
Hecyrus, Chr. 139. Sein Gesangbuch. 146 ff. Brief Leisentrits an ihn. 191.
Hegenwalt, E. 258.
Heinrich von Loufenberg. 12, 282, 312, 403, 689.
Heintz, W. 127, 187.
Helmbold, L. 721.
Hermann von Weinsberg. Nachtrag, 742.
Heyden, S. 488.
Heylig, M. 89.
Herbert, P. 428.
Herman, Nikol. 38, 139, 144, 251, 259, 277, 298, 308, 355, 372, 391, 428, 438, 512, 542, 581, 630. Nachtrag, 741 ff.
Hilarius. 420.
Himmelfahrtslieder. 625 ff.
Hoffeus, P. 69.
Hoffmann, Joh. 127, 187.
Horn, Joh. Lieder: 278 (Nun laßt uns), 336, 501, 534, 655.
Hugo am Stein. 79.
Hugo, Hermann. 120.
Hus, Joh. 712.

Jacobus de Benedictis oder Jacopone da Todi } 473.
Jesus, Lieder vom Namen. 375 ff.
Jesuiten. 37.
Innocenz III. 472.
Interpolationen oder Tropen. 687.
Johannes, Mönch von Salzburg. 11, 51, 62, 263, 630, 696, 700, 707, 711.
Johannes von Schwarzenberg. 175 ff.
Jubilation. 7.

Karl d. Große. 6.
Kapuziner. 37.
Karmeliter. 37.
Katechismuslieder. 38, 113 No. 430; 115 No. 448; 176 ff.
Kethner, L. 35. Beschreibung der Hymnen 132, Vorrede 187. 247, 280, 425, 443, 472, 535, 561, 647.
Khuen, J. 93, 98, 104, 108, 114, 115.
Kirchenlied vor der Reformation. 4 ff., Definition 5, protestantisches 4, nach der Reformation 32 ff.
Kirchentonarten. Vorrede, IX.
Klingenstein, Bernh. 76.
Koler, Joh. 464, No. 274.
Knaust, H. 261.
Knorr von Rosenroth. 385.
Könige, hl. drei, Lieder von den. 366 ff.
Kopp, G. 111.
Krippenlieder. 393 ff.
Kyrie eleison. Ruf. 6.

Lamentationen. No. 205 a.
Leisen. 7 ff.
Leisentrit, Joh. 36, 70, Beschreibung seiner Gesangbücher 133 ff., Vorreden 188 ff., Brief an Hecyrus 191.
Leisentrit, Gregor. 193.
Leon, J. 660.
Leucht, Val. 79.
Liliis, Th. B. de. 122.
Literatur zum Kirchenlied, protest. 40 ff., kath. 49 ff.
Lobwasser, A. 660.
Lossius, L. 317, 321, 351, 555, 599, 700.
Lucas von Mecheln. 90.
Luther, M. 16 ff., 127, 139, 245, 255, 274, 281, 344, 457, 460, 512, 565, 577, 582, 595, 637, 644, 647, 648, 663, 679, 688, 713, 719.

Maen, Wolfgang von. 58, 69.
Manuel, Nik. 56.
Marienlieder. 391 ff., 737 ff.
Martin von Cochem, Pater. 37, 119.
Mathesius, J. 305.
Mehrstimmige Lieder. 294, 310, 317, 329. 356, 360, 486, 515, 610, 618, 657.
Meistersinger. 10, 14.
Merlo-Horstius. 118, 123.
Modus lascivus. 12.
Moller, Mart. 385.
Moser, L. 53, 648, 696, 711.
Müller, Joh. 37, 115.
Müller, H. 385.
Münchheim, B. 81.
Müßlin, Dav. 78, 83.
Münzer, Thom. 249, 444, 535, 555.
Myllius, Martin. 59.

Nagel, R. 118.
Nergent, D. 117.
Neujahrslieder. 536 ff.
Nikolaus von Kosel. 687.
Notendruck 32. in den Gesangbüchern 194, 239 ff. Vorrede, XI.
Notker, Balbulus. 592 ff., 625, 668.
Notker, Physicus. 555.

Opitz, Mart. 186, 743 ff.
Osterlieder. 502 ff.
Otfried von Weißenburg 8, 15.

Passionslieder. 419 ff.
Peter von Arberg. 451.
Petrus Damianus. 174, 379.
Petrus Dresdensis (Faulfisch). 311.
Pfingstlieder. 635 ff.
Poppe, der Starke. 59.
Prätorius, M. 340, 555, 558, 628.
Preining, G. 65.
Procopius. 37, 110, 111, 112, 115.
Prudentius, A. 281, 353, 500.
Psalter, gereimte 38; von Merot und Beza 4, 177, 181, 186, 205, 269, 489.

Querhamer, Caspar. 125 ff., 187.
Questenberg, A. J. von. 115.

Rader, M. 95.
Ratpert. 646.
Reformation, Einfluß auf das Kirchenlied. 32 ff.
Regenboge. 53.
Renauer, M. 86.
Reusner, A. 380.
Rhabanus Maurus. 630.
Rist, Joh. 491.
Robert, König von Frankreich. 654.
Rycher, H. 120.

Saubert, Joh. 388.
Schenk, Hieron. von Sumawe. 55.
Schielin, A. 99.
Schlindel, B. 90
Schlüssel in den Gesangbüchern 240. Vorrede, XI.
Schnüffis, Laur. von. 37, 121, 123.
Schreckenfuchs, J. B. 86.
Schwayger, Joh. 74.
Sedulius. 280, 443.
Selneccer, N. 721.
Senfl, L. 533.
Sequenzen. 7.
Silesius, A. 121, 331, 410, 417, 570, 727, 736.
Solen, B. 166.
Sober, J. 75.
Spangenberg, Joh. 301, 352, 457, 526, 543, 719. Cyriacus, 423.
Spee, Friedr. 93, 97, 109, 111, 116, 119, 498, 499.
Spervogel. 8.
Steuerlein, Joh. 363.
Suso (Amandus) 61, 311.

Tauler. 346.
Theodoricus Monasteriensis. 229.
Theodulfus. 438, 440, 441.
Thomae, G. 95.
Thomas von Aquin. 696, 700, 721, 723, 735.

Tibianus, J. G. 74.
Tietz, Jak. 57.
Tirs, Kath. 395.
Tonus peregrinus. 556.
Triller, Val. 139, 249, 253, 280, 283, 296, 298, 317, 328, 329, 344, 391, 423, 435, 441, 445, 450, 458, 465, 515, 523, 527, 530, 542, 555, 563, 580, 582, 613, 630, 649, 656, 662, 689, 694, 700, 735.
Tropen zum Credo. 687.

Uebersicht über die Melodien. 1 ff.
Ulenberg, Caspar. 75, 78, 89, 105, 117, 123, Beschreibung des Psalters 148 ff., Vorrede dazu 194 ff., 204 ff., 258, 669, 736.
Unschuldige Kinder, Lieder von den. 353 ff.

Vehe, Michael. 35. Beschreibung seines Gesangbuches 124, Vorrede dazu 187.
Vetter, Conrad. 76, 85. Beschreibung seines Paradeißvogels 174 ff., Vorrede dazu 205 ff.
Vogler, Georg. Katechismus 86, 100, 108, 176 ff., Vorrede dazu 212 ff.
Von Schweinitz, D. 107.
Vulpius, M. 558, 628.

Wagner, R. 26.
Walasser, A. 67.
Weiße, Michael. 139, 144, 246, 249, 251 (Gott sah.), 253 (Menschenkind merk.), 263, 273 (Das find.), 277 (Lobet Gott.), 281 (Lobsinget.), 287 (Als Jesus.), 330, 434, 437, 438, 443, 453, 459, 477, 523, 527 (Vater dir sei.), 542, 581, 649, 700, 715.
Weihnachtslieder. 271 ff.
Wiegenlieder. 393 ff.
Wissingh, F. A. 490 und No. 421.
Wipo. 540.
Wizel, G. 35, 65, 66, 126. Beschreibung des Psaltes ecclesiasticus. 129 ff.
Witzstat von Wertheim, Hans. 484.
Wolkenstain, O. von, 263.

Zwick, Joh. 362.

Da in meinem II. Bande das Meister'sche Werk öfters citirt wird, so habe ich in der nachstehenden Tabelle diese Citate in Bezug auf diesem vorliegenden Band verificirt.

Citate.

II. Band.	Meister I.	Dieser Band.
Seite 6.	S. 83 =	S. 166.
„ 10. Anmerkung 4.	S. 188 u. 234 =	S. 305 u. 393.
„ 10. „ 5.	S. 178 =	S. 311.
„ 11. „ 6.	S. 175 =	S. 274.
„ 13. „ 5.	No. 208 und 213 =	No. 295 u. 297.
„ 14.	No. 208—238 =	No. 295—325.
„ 15. „ 1.	S. 58 =	S. 36, Anmerkung.
„ 15. „ 4.	S. 90 =	S. 193.
„ 15. „ 6.	S. 94 ff. =	S. 198.
„ 16. „ 2.	S. 107 =	S. 238.
„ 19. „ 2.	S. 81 =	S. 108, No. 398 u. S. 230.
„ 20. Nachträge.	S. 5 ff. =	S. 40 ff.
„ 24, No. 11.	S. 10, No. 6 =	S. 50, No. 25.
„ 24, No. 12.	S. 10, No. 5 =	S. 50, No. 25.
„ 26 (oben).	S. 11, No. 7 =	S. 50, No. 16.
„ 26, No. 12.	S. 11, No. 7 =	S. 50, No. 16.
„ 26, Bibliographie.	S. 36 ff. =	S. 51 ff.
„ 31, No. 46.	No. 82, 83, 93 u. S. 70 =	S. 156.
„ 34, No. 72.	S. 80 =	S. 107, No. 389.
„ 36, No. 83.	S. 121 =	S. 98, No. 335.
„ 37, No. 92.	S. 45, No. 120 =	S. 98, No. 335.
„ 40, No. 115.	No. 100 u. 143 =	S. 86, No. 262.
„ 44 (oben).	S. 87 =	S. 124 ff.
„ 49.	S. 56 =	S. 191.
„ 50.	Nachtrag zu S. 60 =	S. 148.
53 (oben).	Nachtr. zu No. 128, S. 82 =	S. 108, No. 398.
53.	Bibliogr. No. 132 =	S. 109, No. 404.
54. Vorreden.	S. 90—112 =	S. 187 ff.
„ 72, No. 5.	No. 152 =	No. 201.
„ 85 (unten).	No. 208 =	No. 297.
„ 89.	S. 464 =	No. 363.
„ 9[illegible]	S. 69 =	S. 170 u. 173.
„ 100.	No. 139 =	No. 208.
„ 101.	No. 142 u. 143 =	No. 211—214.
„ 102.	No. 142 u. 143 =	No. 211—214.
„ 107.	S. 505 =	No. 320 u. 373.
„ 110 (unten).	No. 59 =	No. 133.
„ 113. Anmerkung.	S. 41, No. 46.	S. 132 u. 187.
„ 115.	S. 69 =	S. 173.
„ 117. Anmerkung.	S. 51 =	S. 126, No. 41.
„ 123.	No. 226 =	No. 307.
„ 123 (unten).	S. 51 =	S. 126, No. 52.
„ 124 (unten).	S. 149 =	No. 6. II.
„ 125.	No. 267 =	No. 370.
„ 130 (oben).	No. 48 =	No. 82.
„ 130.	S. 69 =	S. 173.
„ 141.	No. 10 =	No. 17.
„ 143.	No. 152 =	No. 201.
„ 150.	No. 4 =	No. 6.
„ 154.	No. 113 =	No. 99.
„ 157.	S. 51 =	S. 126, No. 46.
„ 157 (unten).	S. 51 =	S. 126, No. 30.
„ 159.	S. 494 =	No. 409.
„ 159.	S. 31 =	S. 30 unten.

Lightning Source UK Ltd.
Milton Keynes UK
UKHW020349071218
333420UK00008B/317/P

9 780331 213393